LASZLO PASSUTH

El Dios de la lluvia llora sobre Méjico

LUIS DE CARALT EDITOR S.A. / BARCELONA

Sexta edición: junio de 1977
RESERVADOS TODOS LOS DERECHOS
Título original: Esöisten siratja Mexicot
Traducción: Joaquín Verdaguer
Diseño sobrecubierta: Balaguer
ISBN 84 - 217 - 1968 - 8
Depósito legal: B. 27984 - 1977
© László Passuth, 1957
Obra publicada originalmente por Szépirodalmi Könyvkiadó, Budapest
© Luis de Caralt Editor S. A., Rosellón 246, Barcelona, 1959, 1976
    para la publicación en lengua española
Impreso en España - Printed in Spain
Gráficas Diamante, Zamora 83, Barcelona-5

PRIMERA PARTE

SALAMANCA

1

Al asomarse a la ventana ojival, se encontraba aproximadamente a la misma altura que los campanarios de la ciudad. Su rápida mirada resbaló por encima de Salamanca, dulcemente envuelta en el sol otoñal, y posóse finalmente en la plaza del mercado, allá abajo, donde en las arcadas, el ir y venir de las gentes recordaba un hormiguero humano. La luz del sol formaba como un nimbo de santo alrededor del recio cráneo de aquel fraile. Lentamente se volvió, tomó a su compañero por el borde de la manga y, atrayéndole hacia él, le hizo acercarse a la ventana.

—Padre, vos opináis que la Edad de Oro ha quedado definitivamente atrás, tan atrás, que sólo podemos ya contemplar sus vestigios en los gruesos volúmenes *in folio* o entre viejas ruinas y escombros... Según vos, pues, ¿estamos en un mundo bárbaro, hecho a medida de este valle de lágrimas?

—Y vos sois del parecer, maestro, de que una nueva *Aurea Aetas* está ya alboreando. Y yo os pregunto: ¿Fundáis vuestra opinión solamente en el hecho de que Aragón y Castilla se hayan unido en el mismo tálamo? ¿O lo creéis sólo porque ahora es posible llegar tranquilamente hasta la costa sin ser víctima del pillaje de las mesnadas de los potentados? A mí nada de eso me parece concluyente prueba. Ni tampoco me lo parece el hecho de que nosotros dos estemos aquí, entre estos viejos y manchados muros, dispuestos a comenzar de nuevo nuestras tareas docentes, ahora que ya ha pasado el calor del estío.

—Mirad, padre; a vos, el Derecho Canónico os ha habituado a las fórmulas convenientemente oportunas. A mí, modesto gramático, me llena, en cambio, de alegría el ver que un nuevo o inesperado hecho derriba todas mis teorías... Pero no trato ahora de discutir. Hablé tan sólo porque estaba viendo allá abajo cómo van y vienen los estudiantes: los unos viniendo a sus tareas; los otros, hacia allí.

Bien creo que deben de pasar de los cinco mil, y eso sin contar sirvientes y criados. Y precisamente, al tropezar mi vista con esos jóvenes, difícil me resulta hablar de un valle de lágrimas... Aleja tales ideas el ver ese hormigueo bullicioso que parece brotar... Pero, mirad, padre; seguid la dirección de mi índice... ¿veis? Es un padre que lleva de la mano a su hijo, un niño aún. Debe de ser un hidalgo de alguna pequeña villa, uno de esos hombres que sólo de oídas conoce la instrucción; su capa denota al viejo militar, así como su espadón. Y su hijo ha crecido más que sus vestidos... se ve que en poco tiempo ha dado un buen estirón. Han dejado sus mulas bien cargadas en la posada y ahora vienen hacia acá, a la Universidad. Sí, sí, padre; yo creo que apunta una nueva Edad de Oro.

—Maestro, me mostráis un tosco aldeano y al osezno de su hijo. Mi limitada inteligencia no puede comprender cómo podéis sentir fortificada vuestra tesis al contemplarlos.

—Solamente por el modo de venir hacia aquí: El padre lleva expresión angustiosa; vacila ante la puerta. Tal vez no ha estado jamás dentro de un palacio semejante. El joven está como intimidado; esta misma noche ha de quedar ya aquí solo, con el puñado de doblones que su padre ha ahorrado trabajosamente para él. No sabe aún a ciencia cierta lo que aquí se puede estudiar. Sin embargo, el muchacho, allá en su aldea, habrá repetido obstinadamente: «En otoño quisiera ir a Salamanca.» Y los viejos sacudiendo la cabeza afirmativamente: «Sí, ve.» «Tal vez pueda llegar a ser el chico Doctor en Artes»... Por esas cosas es por lo que yo afirmo, padre, que la instrucción ahora sale ya de los conventos, donde ha estado durante tantos siglos escondida, y eso nos ha de complacer en la misma forma que hace quince siglos sucedió a los rétores romanos.

Aelius Antonius Nebrissensis, el humanista de Lebrija, se quedó callado; su compañero, el dominicano, volvió a su mesa de trabajo, y así interrumpióse de nuevo esa antigua discusión que duraba hacía ya años.

Alguien llamó a la puerta. Uno de los dos frailes contestó con el *licet* y entonces abrióse aquélla y entró en la estancia el hidalgo pueblerino, llevando a su hijo de la mano. El padre estaba cohibido y sus movimientos eran torpes; el hijo, con la gorra en la mano, miraba alrededor con ojos llenos de luces.

—La Gracia de Dios sea con vosotros, señores míos. Algunas buenas gentes me han mostrado el camino para llegar a vuestra habitación. Traigo ahí a mi hijo para que se acostumbre al pan del *Alma Mater*...

—¿El pan? ¡La Ciencia no es ningún pan, amigo!...

Dicho esto, el padre se inclinó nuevamente sobre el códice en que estaba trabajando; pero Lebrija aproximóse a los recién llegados y hundió su mirada profunda en los ojos del muchacho.

—¿Con quién me honro en hablar, noble señor?

—Venimos de Extremadura, de la ciudad de Medellín. Mi nombre es Martín Cortés de Monroy. Fui capitán en los ejércitos de la reina hasta que contraje en mis campañas la enfermedad que hoy me aflige. Yo también sé escribir, si bien hoy mis dedos están ya asaz entumecidos para tal oficio. A vuestra benevolencia encomiendo a mi hijo Hernando y termino, como seguramente terminaría cualquier otro padre: suplicándoos hagáis del muchacho un hombre de más valía de lo que yo fui...

—Quisiera, noble señor, convertir al muchacho en un hombre tan digno y honrado como vuestra merced... ¡Oye, muchacho! ¿Cómo estás de latín?

—Noble señor: En verano, las calles de Medellín se llenan de ruido y animación; y en invierno, sabéis que obscurece pronto y los ojos se cierran de sueño a la débil luz de la lámpara de aceite. Así que me atrevo a pedir por adelantado indulgencia por lo limitado de mis conocimientos. Los padres benedictinos me enseñaron a escribir y un poco de latín, y si no está escrito en verso, entiendo sin mucha dificultad un texto corriente.

—¿Y qué estudios elegís para vuestro hijo, señor Cortés?

—Dicen que los estudios de Leyes son adecuados para una cabeza despejada, pues elevan la mente y la apartan de las vulgaridades rastreras. Por tal motivo, me inclino hacia la Jurisprudencia. Lo demás lo dejo al juicio de vuestras mercedes. Traten a mi hijo según éste se merezca y la Providencia Divina hará el resto.

—Paréceme que el muchacho es débil; tal vez creció demasiado rápidamente. ¿Le sentará bien la comida de aquí?

—Permitidme que os diga —y no me creáis vanidoso —que el muchacho es fuerte. No, no es de mal temple ni tampoco de mala madera. A su edad corría yo mis aventuras por la Apulia. Su madre es del tronco de los Pizarro, que ha dado a Castilla héroes y santos en abundancia... Tal vez yo he calentado en demasía la cabeza al muchacho hablándole de guerras y de armas. Cuando yo estaba en campaña, él imaginaba ya batallas, se ponía una vieja cota de malla y como un hombrecito manejaba la ballesta. Y ya hace algún tiempo —con perdón sea dicho —que con otros muchachos hablan en voz queda pronunciando nombres de mujeres... y andan a golpes. En nuestros tiempos, nosotros ya nos enzarzábamos más en serio. ¡Ah, nosotros! Nosotros ya sabíamos a su edad preparar una emboscada a los moros. Así —y no como ellos— aplacábamos el ardor de nuestra sangre: de una manera heroica y no dejándonos llevar, como hacen éstos, de las tentaciones del Malo... Pero, ¡vaya! Es un muchacho fuerte y ya bastante formado...

— Querido muchacho, debes saber que el estudio de Leyes en Salamanca no es precisamente un juego de niños. Aquí se trata de ser paciente y trabajar con ahínco muchos meses para poder alcanzar el *Baccalaureat*..., para no hablar ahora de lo que cuesta llegar a ser doctor. Aquí, hijo mío, no podrás desplegar esas actividades a las que ha aludido tu honorable señor padre. Aquí deberás aprender que el pensamiento llega más lejos y con más precisión que una flecha o que la bala de un mosquete. También el pensamiento horada las corazas y tú verás cómo hiere en el pecho y es difícil huirle o esquivarle.

— Pido a Dios bendiga a vuestras mercedes. Les dejo aquí a mi hijo y pido perdón si mis palabras y mis maneras no hubieran sido las más apropiadas a este lugar de estudio y sabiduría.

— El Cielo ha sido generoso con vos y os ha dado una clara inteligencia y una sólida moral. Confiamos que así ha de ser también con vuestro hijo, de quien, desde luego, nos encargamos.

Cuando padre e hijo se hubieron marchado tras un cortés *laudetur*, el fraile del hábito blanco volvió a su mesa de trabajo y comenzó a ojear sus registros. Lebrija siguió junto a la ventana mirando la ciudad, en tanto decía para sí:

— Vienen aquí como si esto fuera un castillo encantado, un palacio mágico... sin saber ni aun lo que quieren. Nos traen a sus hijos y, aunque sean toscos y desconfiados, están convencidos y creen cuando llegan a la puerta que sólo entrando se convierten ya en grandes hombres que han de salir sabios y eruditos...

— ¿Qué os ha llamado la atención en este caso? Diariamente inscribo a jóvenes como este último en mis registros.

— Este joven tiene una expresión de rara inteligencia. No bajó los ojos cuando yo le hablé y su mano descansaba en el puñal con la actitud de un caballero. También llamóme la atención su voz clara y hermosa. Hablaba bien el castellano, sin acento alguno regional. El viejo no me pareció ser más que un gruñón que ha reunido algunos doblones para poder pagar con ellos la pensión y los estudios de su hijo... Pero el joven tiene un no sé qué en la mirada...

El fraile seguía volviendo las páginas del registro. Empezó una nueva para inscribir la matrícula y con su pluma de ganso escribió primeramente las fórmulas de siempre. Lebrija le oyó cómo deletreaba Hernán Cortés, nacido en el año de gracia de mil cuatrocientos ochenta y cinco en la ciudad de Medellín.

2

Para los romanos, el esclavo era un objeto. Sólo cuando llegaba el acto de su manumisión se le llamaba, por primera vez, *hombre*, conforme a la fórmula que se encuentra en los clásicos. *Ego hunc hominem liberum esse aio* (Yo declaro a este hombre libre). Sólo entonces y no antes era *hombre*.

— ¿Y hasta entonces era simplemente una cosa, maestro?

— Sólo una cosa, y como tal susceptible de ser comprada o vendida.

— ¿Hay en España todavía esclavos de esta clase?

— Hijo mío: esto nada tiene que ver con el Derecho Romano; pero te diré que en España no tenemos ya esclavos en el sentido clásico de la palabra, pues, según nuestro concepto, todo hombre es criatura de Dios y por Él ha sido creada a su imagen. Bajo la dominación de los moros, se celebraban en Granada grandes mercados de esclavos y subrepticiamente se introdujo también esta costumbre entre los señores españoles, que se hacían traer esclavos del África. Ello no obstante, nuestra reina no abandonó a esas criaturas ignorantes y negras y preocupóse de la salvación de sus almas. Así, pues, nuestros criados no pueden en manera alguna equipararse a los esclavos romanos.

Dicho esto se inclinó sobre su tosca mesa de madera, repleta de papeles y libros. En las primeras filas estaban sentados los hijos de los Grandes, junto con sus preceptores; más atrás se amontonaban los restantes, y, aburridos, se importunaban los unos a los otros.

Levantóse el profesor y repitió de nuevo a los alumnos la Tesis: El castellano pareció entonces que disolvía el enfático latín. Seguidamente los alumnos se retiraron y oyéronse aún durante unos instantes sus charloteos mientras se alejaban. También el profesor se dispuso a marchar. Ante él iba el pequeño y pecoso Gaspar, primogénito del conde de Olivares. El muchacho estudiaba Leyes desde el otoño último. Iba acompañado de su preceptor, un cortesano seco como un huso y alto como un árbol. El hombre no paraba de sermonear:

— Ya veis, don Gaspar; no hay que ser remisos en escuchar la propia conciencia. Todas las noches, cuando meditáis acerca de los hechos del día, debéis señalar cada una de las faltas cometidas y escribir el resultado de esas confesiones. Si veis un mendigo os debéis decir que un décimo de vuestros ingresos le pertenece moralmente; también debéis pensar que el señor responde ante el Todopoderoso de la piedad de sus criados. Por todo eso, importante en extremo es la acertada elección de una buena compañía. Buenos amigos son aquellos que os muevan a nobles y hermosos pensamientos, amigos que no tengan demasiada indulgencia con vuestras debilidades, que no os arrastren al abismo de acciones desordenadas...

— ¡Me gustaría tanto jugar a la pelota! —dijo el muchacho volviendo hacia atrás su mirada. Sus ojos se encontraron entonces con el rostro valiente y despejado del condiscípulo que tras él marchaba y que en aquel momento tenía sus ojos fijos en el señor preceptor de Gaspar. El de Olivares paróse entonces, se quitó el casquete adornado con una esmeralda gigantesca, e hizo con él un saludo cortés en amplia curva que llegaba hasta el suelo, como era costumbre hacerlo entre los estudiantes desde hacía algunos años.

— Tal vez, noble señor, nuestra compañía sería agradable para ambos...

Hernán Cortés en aquel momento se dio cuenta de un modo vago que daba sus primeros pasos en un mundo nuevo para él: un hablar refinado y escogido; ese saludo amplio y distinguido, la sonrisa... todo eso le llenó de una satisfacción ilimitada. Le parecía tan maravilloso... Trató de imitar entonces al joven magnate, aproximóse a él y tomó la palabra:

— Gracias, señor, por vuestras cordiales palabras. Gustoso jugaría con vos a la pelota... pero si se me permitiese una objeción... sé yo un juego más hermoso, algo que pudiera decirse mejor que un juego...

Los dos muchachos estaban juntos. El preceptor dio un paso atrás y midió con una mirada al recién llegado. Un modesto pequeño hidalgo, pensó. De momento no había nada que oponer.

— ¿De quién eres hijo, amiguito?

— Mi padre es Martín Cortés, antiguo capitán; y yo me llamo Hernando, señor.

— ¿Y qué juego deseas tú recomendar que sea apropiado a la condición del joven señor Conde y se acomode a las costumbres que para todos rigen igualmente aquí?

— ¿Ha oído vuestra merced hablar del señor Lebrija, que ahí arriba enseña Filosofía?

— Sí, pero... ¿dónde está el juego?...

— Vuestra merced pudiera creerme. Ese hombre hace grandes cosas. Yo ya he ido dos veces con él. Todos van allí con palas y azadas... por el camino que conduce a Mérida, detrás de aquellas cuestas... Ayer éramos más de quince. Él nos señala unas piedras y nosotros comenzamos a cavar... y a poco va apareciendo un mundo maravilloso: un gran cementerio que es como una gran ciudad de muertos, llena de lápidas... y quien tiene paciencia para ello, al leer sus inscripciones puede enterarse de quién yace debajo: Cayo o Lucio de tal o cual Legión... y de las virtudes que le fueron propias... Los muertos tenían en aquel entonces solamente virtudes... ¡Es maravilloso! Todos nosotros cavamos a porfía para encontrar algo en las profundidades de aquella tierra; todos ayudan, todos trabajan a la vez con sus palas.

»Recientemente apareció un acueducto por el que se enviaba el agua a la ciudad... Ayer precisamente, comenzamos a excavar un circo donde — según explicó el profesor Lebrija — flotaban buques y combatían entre ellos; los esclavos llevaban remos y arrojaban fuego y flechas.

— ¿Viste tú todo eso, Hernando?

—Esto y más, pues el señor Lebrija ha sido muy bondadoso conmigo. Me permite observarle cuando se inclina y escarba la tierra con un largo y afilado cuchillo, hasta que se ve el mármol ofreciendo su blancura a la luz. Y se ven surgir aquellos hombres de la antigüedad con sus cortas espadas y sus largas lanzas... lástima que a pesar de toda su grandeza fueran paganos, ignorantes de la fe de Cristo... y, sin embargo, ver eso me hace entrar en deseos de ser yo también uno de esos grandes hombres a quienes se cincela una hermosa inscripción sobre la losa de su tumba.

— ¿Recuerdas alguna de esas inscripciones?

—En una decía así: *Fiel como ningún otro te serví, ¡oh, señor!, pues tú fuiste grande como ningún otro...* Así decía, lo recuerdo bien. Yo mismo descubrí esta lápida y la leí, y cuando llamé al señor Lebrija y se la mostré, díjome que ese gran señor era, probablemente, el emperador Trajano.

— Temo, hijito, que no hagas muy buenas migas con la Jurisprudencia. ¿Dónde has visto que uno que quiere ser Licenciado en Leyes se entretenga en remover la tierra con una azada?... Podría pasar un campesino y ver que el señor conde está escarbando por el lodo o los escombros. Además, ¿cómo es posible que Gaspar vaya por ahí con una azada al hombro?

— ¿No puede Gaspar llevar una azada?...

Esto le cogía de sorpresa, y le entristeció... Sin embargo, el otro le tiraba ya de la manga, y así ambos se pusieron en marcha hacia la ciudad de las ruinas.

3

Cubiertos de polvo hasta las rodillas iban y venían entre los cascotes. Tras las piedras venía una capa de tierra blancuzca y desmoronadiza. Lebrija se inclinaba y sacaba con precaución, ora un esqueleto, ora una lápida, ora una antiquísima vasija. El sol estaba ya muy alto y con su ardor sumía a todos en un lánguido adormecimiento. Los muchachos, con una copa de madera, iban a beber el agua que habían llevado cargada sobre un asno. Y a la sombra de un solitario olivo, se echaban para dormir una siesta.

El profesor miraba sonriendo a los nuevos adeptos, que se encontraban entusiasmados.

— Mirad, por allá; por aquel montón de piedras debió estar erigida la tienda del procónsul. En amplio semicírculo frente a ella, se levantaría el campamento de sus legiones. Hoy aquí; otro día, junto al Danubio o a orillas del Éufrates... ¿Imagináis, jóvenes, cuán maravillosa era la vida en los tiempos en que Roma era señora de todo el mundo conocido?

— Y nosotros... ¿somos tan pequeños y tan débiles, señor?

— Nuestra madre, la reina Isabel, comenzó muy bien a ensanchar nuestro mundo; sin embargo, nuestras alas no han volado todavía por encima de los Pirineos. Aún estamos muy atrás, hijitos. Tal vez te sea a ti dado algún día, joven conde de Olivares, cuyo lugar está cerca del trono, tal vez te sea dado, repito, acelerar un día el paso que nos conduzca a los españoles hacia una segunda edad de oro...

— ¿Y a mí, alto señor?

— Tu trabajo, Cortés, es tan pulcro y atinado que en pocos días has alcanzado a mis mejores discípulos. Y, sin embargo, para hablarte con franqueza, no debemos alimentarnos demasiado de ambiciones, si bien el hacer eso es una virtud genuinamente española... Tú, tú eres un sencillo hidalgo; puedes llegar muy bien a la cancillería de algún magnate o de un obispo; puedes aspirar a ser un buen preceptor y llegar a estar bien considerado como jurista; pero... dime, muchacho, ¿cuáles son tus inclinaciones?

— Cuando vos nos habláis, maestro, me arrebatáis a veces y me siento inundado del deseo de ir a Tierra Santa para sacrificarme por Cristo, o a la misteriosa África siguiendo a los portugueses. En mis oídos hacéis vibrar con fuerza arrebatadora las palabras de Julio César a sus soldados, que ayer mismo pudimos escuchar de vuestros propios labios. Y me pregunto una y otra vez: ¿cómo pudo a un mismo tiempo vencer y escribir tan hermoso libro?

— Cortés, hijo mío: no todo el mundo es un Julio César.

— ¿Quién es, señor, a vuestro parecer, el más grande hombre de España?

— Difícil es contestarte. Si uno ha de reparar tan sólo en la paz de las almas, el más grande habría de ser el pacífico monje a quien ya no perturban los pensamientos terrenales. Mirando a los que viven en el mundo, mi elección podría tal vez inclinarse hacia los soldados y generales o hacia los sabios que escudriñan los arcanos del firmamento o a otros como ese sabio de Toscana que sabe descomponer el cuerpo humano, y también a otros que, cual nosotros ahora, descubren mundos olvidados y ocultos. Ahora bien, razonamientos aparte y contestando tan sólo a tu pregunta, según lo que me dicta el corazón, te diré que a mí el hombre más grande me parece Colón, el almirante, pues, salvo nuestra madre y reina Isabel, nadie creía en ese hombre cuando partió sostenido por la fe a descubrir nuevas tierras que no tienen fin.

— ¡Oh, señor! Pienso a menudo cuántos mundos debe haber. Aquí mismo, a algunos palmos debajo de nosotros, yace el mundo de nuestros antepasados, los romanos. Si cavamos más profundamente, encontraremos cráneos más anchos que fueron de antepasados nuestros también, pero más remotos todavía. Eso aquí mismo; además, los buques españoles navegan hacia otros nuevos mundos para llevar la fe de Cristo a los que no la conocen. Nosotros fuimos a Granada y después pasamos el Estrecho... ¿No habremos sido acaso nosotros, los castellanos, el pueblo elegido del Señor?

— El Todopoderoso elige a un pueblo y durante algún tiempo lo mima de luz y lo envuelve en púrpura, sembrando en él el germen de grandes hazañas... Después convierte toda su gloria en cenizas, como la llama se convierte en pabilo. Sopla un hálito divino, y como dice el himno: *Solvet saeclum in favilla...*

4

Al caer de la tarde, los vecinos de Medellín comenzaban a quejarse de la marcha del mundo. Bajo los torreones formaban sus corros los hombres y las mujeres. Allí se quejaba el uno de que el aceite está bajo de precio; se hablaba de si el dinero de plata está depreciado y si el paño ha alcanzado precios exorbitantes desde que llega al país desde el Nuevo Mundo un continuo chorro de oro y plata. Ante la casa de don Martín se ha formado también la acostumbrada tertulia; el hidalgo está hablando de Salamanca. El hijo alcanzó ya su grado: es bachiller. Seis yugadas de tierra se han disipado en menos de tres años para pagar los estudios del mozo.

Hace ya varias semanas que se recibió el documento con sus correspondientes sellos. Al muchacho nada le queda ya por aprender en Jurisprudencia. Gracias a la ayuda de Dios, se ha podido llegar al término; ahora ya no será preciso gastar más dineros en la pensión y estudios del hijo.

«Tiene madera de poeta», dijo el profesor de Derecho Romano cuando don Martín fue allá para llevarse al hijo. Los condiscípulos acompañaron a ambos hasta la misma puerta de la ciudad y al alejarse les despedían agitando las manos. El padre, al bajar por las calles en compañía de Hernando, iba dando vueltas en su magín a las palabras del profesor de Derecho. ¿Quién no ha estado, guitarra en mano, bajo algún balcón? Don Martín recordaba que en aquellas sus correrías invernales por Sicilia, había llegado incluso a componer algún madrigal que enviaba a la ventana de Catalina Pizarro por medio de algún mensajero improvisado...; pero eso no significaba nada. ¿Quién hubiera podido afirmar que él era un poeta? ¡Un poeta! Uno de esos individuos vagabundos y desmoralizados que meten las narices por las casas grandes, donde se agarran como parásitos; personajes que andan siempre en trapicheos con mujeres, de esas... que llevan coloretes por la cara; personajes que andan por esos mundos llevando en la boca rimas y en las entrañas... veneno. ¿Se habrá referido el señor profesor a esa clase de poetas?

Cuando Hernando volvió a su casa, hubo muchas cosas que contar y mostrar: la cadena, regalo del joven conde de Olivares, pasó de mano en mano; el libro que le había enviado el profesor Lebrija. Y, sin embargo, Hernando fue recibido en su ciudad como si fuera un ave extraviada. El muchacho se quitó el casquete de estudiante, se puso su boina y eligió una de las espadas del padre. Callado y solitario, se fue a pasear bajo los balcones con celosías. Iba pensando en los héroes de Plutarco, entre los cuales ni uno solo había que a los diecinueve años no hubiera ido mucho más allá y no hubiera alcanzado ya muchos más méritos que él, pobre estudiante de Salamanca, sin impulso alguno, acurrucado en su vieja ciudad. Sus antiguos camaradas abríanle los brazos y le estrechaban contra su pecho, mas, en cuanto Hernando comenzaba a hablar, sus palabras resultaban extrañas, sonaban a un alejado mundo universitario. Su habla era escogida y fina y tenía siempre en los labios una contestación profunda y culta. Y los amigos acabaron por reírse de

14

él, y se decían los unos a los otros, señalándole con el dedo: *¡El señor conde se da grande importancia!*... ...

Las mujeres le miraban a hurtadillas cuando los domingos se reclinaba contra una columna en la iglesia de San Miguel; iba vestido de negro y era esbelto como un árbol joven. Detrás de él, en la capilla, veíase la imagen de un San Sebastián, con su cuerpo desnudo atravesado por las flechas. Y tras los abanicos más de unos ojos brillantes establecieron comparaciones y encontraron posibles parecidos entre los cuerpos de los dos jóvenes guerreros.

Las damas de entonces, en hurtados minutos, sacaban, casi exclusivamente, de los pozos sin fondo de las novelas de caballerías, el placer un tanto pecaminoso de la lectura. Por los dormitorios se escondían novelas, impresas en mal papel, introducidas de contrabando gracias a algún caballero; y en tales libros se hablaba de andanzas y peligros de algún enamorado... como el que había proporcionado el libro.

Hernando estaba serio y firme; era ya un joven caballero de pequeña ciudad y tenía ya su primera aventura seria en que pensar. En Salamanca, y en compañía de algunos alegres compañeros, había visitado ya a algunas muchachas en cuya casa podían refocilarse los estudiantes con poco dinero; alguna que otra criada había también en ocasiones saciado su sed; pero en todo eso no había enredos peligrosos, ni excitación, ni tampoco galanterías. Hernando creía que habría de permanecer siempre así, en esa gris tranquilidad; mas he aquí que el destino le puso ante una asturiana de flexible cuerpo y hermosos cabellos de color castaño; se trataba de la esposa del notario real. Viola por primera vez un día en que ella iba a la iglesia, y desde entonces la siguió viendo todos los días después de misa primera. Siguióla el joven, pisando sus huellas, hasta que un día le fue dado levantar del suelo un billetito en el que se leía la breve indicación de que aquella misma noche sería esperado por la dama.

El notario estaba frecuentemente de viaje en sus funciones de dar fe en testamentos y contratos por los pueblos de los alrededores. Durante las tales ausencias se oía el apagado chirriar de la ventana de doña Elvira y una sombra trepaba por un paredón. A la luz de la luna, la dama podía ver cómo la sombra saltaba por encima del espinoso seto y llegaba así al tejado; iba con la espada entre los dientes para evitar que, al golpear contra las piedras, hiciera ruido. Saltaba después el joven, luego de asegurarse que ningún perro ni menos el jardinero podía estorbarle el paso.

Griseaba ya el alba... La dama estaba despierta y sonreía. «¡Qué joven es!», se decía para sí mientras le miraba a su lado medio dormido aún, con el cabello revuelto. En su mejilla izquierda mostraba una huella y eran sus labios jugosos y retadores, sus muñecas finas y sus manos largas y señoriales. La dama le contemplaba sonriente. «¡Cuánto le quiero!», se decía, y pensaba seguidamente en lo cómodo que era el señor notario real.

Llegaba ya el día y ella le sacudió para desperezarle. Miróle él como sorprendido con sus profundos ojos.

Vuelve ya la sombra misteriosa a saltar por encima del alto paredón. La señora le sigue con la vista y le ve caminar de puntillas, buscando su camino entre los arriates del jardín para no dejar marcadas sus huellas. Ha arrojado la ligera escala de cuerda que lleva consigo y la sujeta en una piedra salediza y se deja resbalar...

Mas de pronto, los horrorizados ojos de la dama ven la piedra que cede y parte del paredón se desmorona. Alguien lanza un grito en el jardín y los perros se levantan y escuchan alarmados; corre una luz detrás de la reja. La escala de cuerda resbala en la mano del joven, que trata de agarrarse donde puede; pero todo cede y se derrumba arrastrándole. Cierra los ojos y siente que se hunde. La capa logra apenas mitigar el batacazo. Siente un vivo y agudo dolor en el tobillo, como si le mordieran.

Al otro lado del seto se escuchan ladridos de perro y voces. Apenas tiene fuerzas para caminar y ha de emplear su larga espada como si fuera una muleta; y así, apoyándose, medio arrastrándose, se aleja el joven. Ante sus ojos giran puntos de fuego. Grisea la mañana. Se arrastra el joven y va pensando en el buque que dentro de diez días sale para las Antillas. Cargado de dolor y de pecado, Hernando va dando trompicones por la callejuela de detrás del jardín. Se oyen tañer las campanas, y al oírlas murmura como medio en sueños: *Mea culpa*. Se imagina ya las risotadas burlonas de los villanos a sus espaldas; ve a su madre que, dura y severa, levanta la mano contra él; cada paso de su camino es un cúmulo de tormentos. En su cerebro enloquecido oscila, como envuelta en la niebla, la figura de Julio César. El joven, con los dientes apretados y su cuerpo maltrecho y atormentado, llega ya a su casa, a la casa de los Cortés; mas al llegar frente a la puerta, se dobla su cuerpo y se desploma...

5

El barbero y la comadre le curan la pierna. Largos y tristes días de otoño. Hernando ha de permanecer inmóvil con la pierna extendida. Su padre se sienta a su lado y le distrae refiriéndole anécdotas de su vida militar. Cada una de sus palabras vibra de aventura: cuando marchaba contra los moros; la expedición a África. «Si nuestra reina no fuera tan contumaz, podríamos invadir la costa berberisca...» Hablan de las malas y de las buenas noticias que llegan del Nuevo Mundo y de las Antillas. Allí hacen falta soldados, gentes de mano dura, pues la tierra y el mar han resultado mucho más vastos de lo que ni siquiera sospechara el almirante...

Luego, doña Catalina envuelve la frente del indócil muchacho y reconoce su tobillo lesionado.

Cuando está completamente restablecido, ha llegado ya la primavera. El muchacho se agita con impaciencia y se siente febril. En secreto, escribe una carta a Toledo, dirigida a don Gaspar. Mientras tanto, aparta algunos doblones, pide vestidos y armas. Su madre, más de una tarde, le ha dicho con lágrimas en los ojos:

—¿Por qué, Hernando, no puedes permanecer con nosotros? Tengo pensada una muchacha para ti...

El verano en Extremadura es cálido y asfixiante, con ventolinas peligrosas. El joven, con su pierna aún reacia, trata de caminar; y no mira ciertamente hacia las celosías de los balcones; no busca ninguna beldad de fácil conquista.

Pasa horas enteras en casa del armero, que le está forjando una nueva armadura con una coraza y la cota de malla ya inservibles del padre. Por las tardes saca a hurtadillas la carta que ha recibido de Su Excelencia el conde de Olivares, y en la que le recomienda al virrey de la isla Española y le presenta como el amigo de su hijo.

Al releerla, parecen borrarse las callejuelas de la vieja ciudad, y al imaginarse los rasgos fisonómicos de sus conocidos, se le oye murmurar tercamente:

—No me quedo aquí; no me quedo con vosotros.

Los buques debían partir a principios de otoño. Van acortándose los días. Desde África sopla un viento caliente y cargado de arena. Por las calles y en dirección a Medina del Campo pasan muchos jinetes. «Nuestra reina y señora yace en su lecho de agonía», se dice en los corrillos que forman los vecinos, temerosos y doloridos. En la iglesia imploran muchos, y largas letanías negras parecen volar bajo las bóvedas.

A mediados de octubre llegó la orden: «Que doblen las campanas.» Los ancianos, los militares, los nobles, todos tienen algún recuerdo que referir. Isabel había orado y luchado, había montado a caballo y marchado al frente de sus tropas; había regido a la patria y había parido; había pasado por las carreteras en busca de soldados, se había postrado de hinojos ante todas las cruces de los caminos; se había detenido aquí o allí para beber una copa de agua; había sido juez en los pleitos de límites entre los municipios y había hecho de componedora entre los campesinos para la distribución de las aguas de riego, por las que venían disputando tal vez hacía siglos. Pocas veces el pueblo la había visto con sus galas reales, ya que iba en general vestida de negro y sin joyas, pues sus últimas piedras preciosas fueron pignoradas. La habían visto los campesinos, montada a caballo, al frente de los soldados; la habían visto dirigiendo las levas: «Necesitamos soldados, soldados, soldados...» Con éstos había partido para Granada. Había purgado el país de señorones bandidos; había quemado a los herejes, y ¡ay! de los poderosos que emulando a sus antepasados se lanzaban a saltear por los caminos.

El domingo, después de la Misa Mayor, el sacerdote leyó el testamento de la reina. Los lugareños no llegaron a entender gran cosa de todo aquello, pues en el largo escrito hablábase a menudo de la India, de los extraños países con hombres de piel obscura que Isabel estrechaba en los abiertos brazos de su corona, como a inocentes extraviados. Las gentes afirmaban con la cabeza. Sí, ciertamente que sí: aquellos extraños seres debían de ser, por tanto, personas humanas cuando la reina se interesaba tanto por ellos...

En España todo había quedado como paralizado: los buques esperaban para zarpar a que hubiese transcurrido el tiempo de luto. La vida parecía detenerse en aquellos días en que el cortejo mortuorio de Isabel marchaba lentamente. Durante treinta días marchó aquel ataúd, llevado por los magnates a pie por las carreteras; cortejo turbador que fue representado por un tallador de Borgoña en pieza de bronce. Todos marchaban con sus capuchones: príncipes, obispos, condes. Desde las comarcas del Sur, se dirige hacia el Norte el fúnebre cortejo en que va la inolvidable reina, ahora muerta. Acudía la gente desde lejos para ponerse al borde del camino esperando el paso de la gran procesión; allí todos se arrodillaban esperando. Aplicaban algunos las orejas contra el suelo y así llegaban a percibir un lejano redoble que se iba aproximando. Al llegar Isabel, ya muerta, todos arrojaban flores.

Hernando, desde un extremo de la ciudad, veía ahora cómo se iba alejando a paso lento el gran cortejo en aquella mañana soleada y polvorienta. Y también seguía con la vista alguna bandada de aves que volaban hacia el mar.

6

Marchaba por la avenida de eucaliptus y su corazón latió aceleradamente cuando descubrió el palacio del gobernador, cuyo primer habitante había sido el almirante Colón.

Sus oídos estaban todavía llenos de voces marineras, y sus ojos del infinito azul del mar constantemente contemplado desde Cádiz hasta Santo Domingo. Había vivido entre un abigarrado amasijo de hombres de toda clase: negros con aros en la nariz, mercancía sucia y maloliente. Llevaba aún en sí la impresión de aquel faro que, como un adiós, le había lanzado un último rayo de luz desde la costa de su patria.

Había estado bajo cubierta, amontonado con otros pasajeros días y días, con una angustiosa opresión en la boca del estómago que se acentuaba a cada cabeceo del buque y le aturdía también aquel amplio oscilar de la arboladura que exageraba los vaivenes del navío.

Hacía tres días que un ave blanca y elegante se había posado sobre el tope del palo mayor, como un Espíritu Santo. Los marineros la habían ahuyentado y habían observado la dirección de su vuelo, según superstición de navegantes. Y así fue como desembarcaron en la isla Española, que en boca de los indígenas se llamaba Haití.

Ahora se encontraba ya frente al palacio del gobernador. Se había puesto su mejor traje negro y lucía su cadena de oro. El calor era adormecedor. Cortés, con sus manos enguantadas, llevaba arrollado un pergamino. Estaba allí indeciso con su elegancia del cuello de puntillas y sus calzas largas.

El palacio parecía oler a tinta; por las ventanas abiertas veíanse los escribientes inclinados sobre grandes libros, haciendo en ellos garabatos con sus plumas de aves exóticas.

Con aire aburrido, dos soldados de la guardia contestaron a sus preguntas: «Su Excelencia está ahora en una expedición por el interior.» Y decían eso en tono desdeñoso. Después, ya en uno de los corredores interiores, fresco y agradable, pudo hablar con el secretario. Contempló su rostro enjuto, descarnado, y sus ojos brillantes. A la derecha y a la izquierda de la boca se marcaban dos pliegues irónicos en su cara rasurada. Con sus manos finas y largas desenrolló el pergamino.

«Debe de tener unos pocos años más que yo», pensó Cortés, mientras su interlocutor parecía a su vez observar el incipiente bozo del joven hidalgo.

Terminada la lectura, el secretario extendió su mano, tocó el brazo del recién llegado y sonriendo dijo:

—El señor gobernador ha partido para sofocar algunos brotes de rebelión; por tanto, noble joven, tendréis que ejercitaros en la difícil virtud de tener paciencia...

—Entonces, ¿está en curso una campaña?

—Sí, noble joven; mas no os imaginéis que se trata de una guerra en la que avanzan los jinetes, se despliegan en semicírculo y tiene lugar una batalla. Aquí el gobernador combate contra bosques, breñales, pantanos y comarcas poco menos que impracticables.

—Pero, ¿quiénes son los hombres contra los que se combate?

—Cabecillas, que aquí llamamos *caciques*, se alzan contra nosotros de vez en cuando. Se echan a la selva virgen; se avisan los unos a los otros por medio de grandes tambores... Esta vez el cabecilla es una mujer; todos los hilos de la conjura nos han conducido hasta ella.

—Mas, perdonad, ¿con quién tengo el honor de hablar, noble señor?

—Soy secretario de Su Excelencia y me llamo Andrés del Duero. Y os añadiré que no es de mi incumbencia el ilustrar a los jóvenes señores que soñaban en su casa con que en La Española se sacaba oro a pozales como si fuera agua. Sin embargo, os diré que me alegraría que Castilla nos hubiese enviado con vuestra persona, lo que parecéis ser: un hombre capacitado y trabajador.

—Por lo menos llevo mi corazón y mi espada. ¿No podría tal vez servir de algo al señor gobernador en su campaña?

—¿Sabéis lo que aquí quiere decir la palabra *campaña*? Os lo diré: Se reúnen doscientos españoles dispuestos a cobrar contribuciones o a *ir de visita*. Cuando los hombres del poblado comienzan a bailar a su alrededor, ellos arrojan antorchas encendidas sobre los techos de las cabañas y acuchillan a los cabecillas. Aquellos que pueden salvarse, se esconden en la selva y nos disparan flechas desde las copas de los árboles; esto es aquí una campaña. Se parte a ella con caballos y perros de caza y una marca de hierro, y a los indígenas que se logra capturar se les aplica en un muslo el hierro candente de la marca del gobernador.

—Vuestra merced pinta las cosas de aquí con colores muy sombríos. Y si es así en verdad, ¿por qué no guiáis vos a las gentes por el buen camino?

—Yo cuido aquí tan sólo de llevar las cuentas. Nada más me ata aquí al gobernador. Pero considerad, don Hernando: Yo nací en el país de los vascos. De nosotros se dice que fuimos tal vez los aborígenes del Viejo Mundo. Y eso lo pienso yo a menudo al compadecer en el alma a esos indios de aquí, destinados a perecer. Y entonces, me podéis creer, que me alegra el que mi ocupación de aquí esté sólo en los libros y en los catastros y no sea preciso que registre en ellos las fraternales fechorías de esas bandas.

— Vuestra merced me descubre un mundo repugnante y desconsolador.

— Dentro de un mes, vos mismo me evitaréis... sí; os guardaréis de Del Duero como hombre por cuyas venas corre la tinta y la hiel. Yo sería incluso quemado por hereje, si no me guardasen las espaldas los frailes de San Jerónimo, la más alta institución en esta isla.

— ¿También aquí se hacen la guerra los señores entre ellos, como sucede en nuestra patria?

— En la patria hay ciudades, calles, iglesias, mujeres y ancianos, y esas cosas logran refrenar en parte la soberbia; pero aquí la selva virgen está a tiro de piedra; aquí todo se pudre en pocas horas; aquí uno es asesinado sin que nadie lo vea y sin que nadie lo oiga.

— Yo, señor, vine aquí con algunos doblones ahorrados por mi padre. Busco mi fortuna en la gloria guerrera; pero no quiero ser asesino ni ladrón para esquivar el trabajo.

— Veo por vuestros papeles que sois bachiller, graduado en Salamanca; y parecéis valer más que los venidos de Castilla en estos últimos años.

— ¿Dónde podría yo, a vuestro juicio, encontrar mi fortuna?

— El niño mimado del señor gobernador es el señor Velázquez, y se propone marchar a la vecina isla de Cuba, cuyo primer visitante fue el almirante. El señor Velázquez hace ya tiempo que anda con la idea de ir a Cuba con algunos hidalgos jóvenes y valientes para hacer valer allí los derechos de la Corona española.

— ¿Vais vos con ellos?

— Si así lo permite el señor obispo de Burgos...

— ¿Qué tiene que ver con eso el señor obispo de Burgos?

— Su Eminencia el obispo de Fonseca es quien preside el Consejo de Indias. Es sin duda un enfermo del hígado, hombre seco, encerrado en antiguos preceptos. Él quisiera dirigirnos de igual manera que hace doscientos años era dirigida la compañía militar en Atenas. Si algo no está de acuerdo con las reglas que él se ha trazado, lo borra sencillamente y escribe debajo: «Obstat». Implorad a la diosa de las Victorias no tener jamás que compartir vuestros triunfos con el obispo de Burgos.

— Pero, ¿puede saber él todo lo que pasa en este lado del mundo?

—Todos los hilos van a parar a sus manos; por ellas pasan todos los papeles y pergaminos; pero lo que se llama un *indio*, eso no lo ha visto jamás, si no vio los siete indios que llevó a España el almirante Colón. Y ese desconocimiento absoluto en lo que se refiere a los insulares se extiende igualmente a las demás cosas de aquí. No tiene ni noción de cómo es un áloe, ni de cuando está madura la caña o ha de recolectarse el maíz. Se limita a estar sentado, rodeado de secretarios, y dictar órdenes continuamente dirigidas a nosotros. ¿Sabéis vos, por ejemplo, cuándo debe comenzar la lucha contra los indígenas que atacan?

—Os agradecería me informaseis...

—No puede emprenderse ninguna expedición en que no vaya un notario real. En una mano, la espada; en la otra, el protocolo. Antes de emprender la lucha, el notario debe anunciar por tres veces y en voz alta el derecho de la Corona de España. Pero, además, para evitar cualquier mala interpretación, no se hace esa invocación en el idioma patrio... sino en latín. Después aún es preciso que con la espada trace el signo de la cruz y que los soldados añadan: *Amén.* Entonces el secretario extiende un certificado que firman como testigos dos escribanos... Si los indígenas están entretanto atacando, los mosqueteros deben guardarse muy bien de hacer fuego, ni ningún soldado disparar sus ballestas, mientras no se hayan cumplido las fórmulas prescritas. Sólo cuando todas esas ceremonias no dan el fruto que se persigue, sólo entonces, y no antes, puede hacerse valer el derecho...

—Me alegraría poder recompensar en algún modo vuestras bondades. Ciertamente que he de necesitar de vos muy a menudo para poder ir caminando por este complicado laberinto del Nuevo Mundo.

—Quisiera que en mí vieseis siempre un amigo, don Hernando.

7

Nicolás de Ovando se levantó de su asiento, mostrando al hacerlo la Cruz de Alcántara que cubría su pecho. Era un hombre enjuto y de elevada estatura, y al encorvarse sobre los pergaminos los cubría con su amplia y negra capa. Se puso el sombrero y los funcionarios del Gobierno y los consejeros siguieron su ejemplo solemnemente.

Frente a ellos estaba el joven hidalgo, vestido de negro de pies a cabeza, con su sombrero y su espada; en su mentón sombreaba ya ligeramente la barba.

La aristocrática voz de Ovando comenzó a leer:

Nuestro clementísimo rey y señor Don Fernando dispuso en su cédula real dada en Valladolid el nueve de agosto del pasado año:
Siendo nuestra voluntad y deseo que nuestros muy amados súbditos se establezcan en considerable número en las Indias, hemos acordado el dotarlos de propiedades mostrencas para casa, jardín y tierras que para dicho fin deben ser destinadas por el gobernador. El gobernador, empero, deberá tener en la mente para su mejor juicio, cuál es la condición del candidato: si caballero o campesino, y cerciorarse cuidadosamente del uso y empleo de cada uno en particular. Ordenamos también que dichas tierras, entregadas en usufructo, sean consideradas como de su legal propiedad después que sus usufructuarios las hayan administrado durante cuatro años consecutivos, de manera intachable y conforme a los usos establecidos. Asimismo autorizamos y damos poder al gobernador para que, según las necesidades de mano de obra, cuide del repartimiento de criados indígenas, de acuerdo con nuestra anterior Real Cédula y otras anteriores que sigan en vigor.

Entonces el Gobernador alzó más su voz, mientras leía otro pergamino:

De acuerdo con lo ordenado, Yo, Nicolás de Ovando, Gran Caballero de la Orden de Alcántara por la Gracia del rey, gobernador de La Española, en virtud del poder que me confiere la Corona, os otorgo a vos, Hernando Cortés, las tierras señaladas y limitadas debidamente, que se encuentran en la demarcación de la ciudad de Azua. Me reservo el disponer acerca del número de indios que se os asignarán y que me corresponde fijar como gobernador. Así sea.

Los señores sacaron sus anillos de los dedos y los aplicaron sobre la blanda y dorada cera. Corrió la pluma como quejándose sobre el pergamino al firmar todos, incluso el notario real. Después se quitaron los sombreros y se inclinaron ante el joven colono Cortés.

8

Iba y venía con desasosiego. En aquella noche tropical le oprimía una sensación de inmensa soledad. Sí; se sentía inmensamente solo, lejos de los establecimientos de la costa y en el borde mismo de la selva virgen, donde estaba su choza, hecha de hojas de palmera. La noche ha caído con la rapidez de una piedra, como sucede en los trópicos; el sol ha alcanzado sus últimos rayos y seguidamente, en pocos minutos, todo se ha cubierto de negrura. En el campamento de Cortés todo está negro; como chispas, pasan volando algunos escarabajos de luz como si vinieran desprendidos de las fogatas que en los lindes del bosque han encendido los indígenas.

Se oyen ruidos sordos y zumbidos; diríase que el bosque canturrea y, en efecto, llegan los ecos de unos cantos que los hombres a coro entonan allá; y su canto parece venir resbalando por encima de la hierba húmeda. Una madre hace dormir a un niño y su canto melodioso al principio se va transformando poco a poco; se hace quejumbroso, luego amenazador, como si quisiera atemorizar al pequeño con los ecos de la voz del mal espíritu. Cortés no se aleja mucho más allá de un tiro de piedra, porque todo aquí le resulta extraño, y cuanto más se aleja, tanto más le envuelve la infinita soledad que le agobia. Al mediodía estaba sentado aún a la mesa del festín con que ha celebrado su toma de posesión con los señores que le han puesto en sus derechos. Dentro de pocos días llegarán los indios que en el *repartimiento* le han correspondido; vendrán cargados con sus escasos y miserables bienes... Mas ahora está todavía completamente solo.

Los indios que le habían correspondido debían, sin embargo, permanecer libres en su persona, según voluntad de la reina humanitaria. El alma de las gentes no podía ser enajenada. En el testamento de la reina rezaba que los señores españoles debían tomar a los indios compasivamente de la mano para sacarlos de su error. Se trataba de erigir el Reino de Dios en el Nuevo Continente. Isabel era devota y pensaba henchida de amor en aquellos pobres indios, que imaginaba como niños grandes que debían obedecer y dejarse guiar por las palabras. Así lo imaginaba ella; pero Cortés ya había recogido una versión más exacta de labios del señor Del Duero. Le había hablado éste del restallar de los látigos, de los ladridos de los perros de caza, el silbido de la carne al chamuscarse por la aplicación del hierro candente y de los gritos de dolor de aquellos hombres, pobres, aniñados, apegados a la vida animal.

El número de hombres puestos al servicio de Cortés se elevaría tal vez a los doscientos cincuenta. Eran los que se necesitaban por lo menos para poder comenzar el trabajo.

En Medellín, cuando niño, había ocasionalmente ayudado a los leñadores; había ayudado también a veces a recavar el pie de los olivos y en tiempo de las cosechas de granos se había agregado a las cuadrillas de segadores. Pero ahora, ¿qué podía hacer aquí, solo, en un terreno no torturado aún, en ese país virgen donde el bosque rezumaba miel y leche? Ignorante de cosas del campo, Cortés no hubiera sabido qué hacer. Su dinero no alcanzaba para poder contratar a un administrador; por otra parte, no entendía una palabra del lenguaje de los indígenas. Una de sus primeras ideas había sido la de dar en aparcería sus tierras a los indígenas; pero Del Duero se rió de él al oír tamaño disparate. Evidentemente, no conocía a aquellas gentes todavía. Los indios no moverían ni tan sólo una mano para trabajar, pues la preocupación por el mañana les era absolutamente desconocida.

Cortés se aproximó a las hogueras. Las llamas se elevaban entrelazándose y produciendo chasquidos; aquí y allí veía la mancha de una figura de bronce, de una madre que amamantaba a su pequeño. Hernando, con sus veinte años, había resistido semanas enteras a las tentaciones del Maligno. Aproximóse a uno de los grupos y contempló a aquella gente. Eran los hombres, desmedrados; los muchachos, escuálidos y pequeños; las mujeres, pálidas, temerosas, con su piel reluciente por la grasa. Agrupábanse todos con miedo ante la presencia de aquel hombre.

¡Oro!... Faltaba poco para que se echase a reír al recordar sus sueños acerca de todo eso; esos sueños que ahora seguían teniendo sin duda algunos millares de jóvenes allá por Castilla... ¿Buscas oro? ¡Bien! Pero, ¿qué harás mañana? ¿Cómo vas a comenzar el trabajo con tus hombres, con esos hombres cuyo lenguaje y cuyas almas no entiendes, esos hombres que te son extraños en todo, pegados a raras supersticiones, hombres, en fin, que parecen venidos de otros planetas? Los indígenas seguían contemplando a aquel hombre blanco con su mirada vacía y estúpida. ¿Se horrorizaban acaso por el milagro de aquellas carnes blancas?

Cortés llevaba todavía su traje de ceremonia e iba sin armas. Ellos no inclinaban respetuosamente sus cabezas al pasar él, ni le hacían zalemas al modo de los esclavos. No se veía en sus ojos aquel brillo irónico y servil a un tiempo de los negros de la Costa de Oro cuando pedían un trozo de carne, una moneda... o unas palabras amables. Estos de aquí se recogían en su propio mundo, un mundo de leyenda, tejido tal vez de flores. Sus días de sombra pasaban en un estado de continuo crepúsculo. Nunca y por nadie se le había aparecido a Cortés la muerte como cosa tan fácil y sencilla. Ayer caminaba erguido todavía uno de esos indios; hoy cerraba los ojos, se oía un sollozo y había un indio menos en el mundo. Parecía que los blancos despidieran a su alrededor vapores emponzoñados. Según Duero, los blancos llevaban siempre la perdición y la muerte consigo.

La vida de esos indios era como una llamita titilante de una lámpara mezquina cuyo aceite se acababa; era una raza que se había consumido.

Del Duero le había dicho a Cortés: «Vuestra merced tiene solamente veinte años; posible es, por tanto, que la perversidad infernal no haya comenzado a roerle todavía.» En Cortés vibraba el pensamiento de Cristo: se sentía batallador del espíritu, acorralando y venciendo a la perdición. En aquella obscuridad de la noche tropical en que las hogueras lo llenaban todo de danzantes reflejos, Cortés hizo un examen interior, miró hacia su propia alma. ¿Era él realmente un diablo codicioso que se preparaba a amasar el oro con la sangre de los demás? ¿Era un libertino de esos que a las más puras de las mujeres mancillan con sus manos?... Y se dio a sí mismo la absolución: él compadecía a esos extraños seres, ahora tan asustados. No llegaba a ellos con perros de caza ni con el látigo en la mano. Sin estos indígenas, no hubiera podido hacer el menor trabajo en sus tierras; y de no asignárselos a él, hubieran seguramente caído en manos de algún otro señor, éste sí, inhumano y cruel. La mirada del joven hidalgo resbaló por la negrura de sombras donde punzaban las hogueras. Pensó y recordó a los esclavos negros cuando desembarcaban en tropel, corriendo tras la comida, riñendo entre sí como niños. En cambio, estos indios eran herméticos, rígidos como cariátides. Cuando les daban los restos de la comida de sus señores y las jarras sobrantes de vino, no se movían y lo dejaban en el suelo. Seguramente se decían a sí mismos: «Eso es comida para perros y para hombres blancos, para blancas carroñas de hombres pálidos.»

Cortés quedóse de pie detrás de una mujer que amamantaba a su hijo. Su pecho alargado iba a parar con naturalidad a la boquita del niño. Llevaba el pelo anudado, como si fuera un almohadón liso, negro como la pez y sujeto detrás con fibras vegetales. Cortés contempló al niño que mamaba; y cuando la pequeña boca hubo dejado el pecho, él alargó la mano, su mano blanca de señor, tocó la frente de la criatura y acaricióla con gesto corto y no muy diestro. Miró el niño con mirada vacía, y entonces la madre, asustada, lo apartó bruscamente, instintivamente, de aquel extranjero que lo tocaba... Sin embargo, al niño pareció agradarle el rico adorno de aquel vestido y rió. La mujer, entonces, se volvió hacia el hombre blanco y dijo algunas palabras en voz queda, como si las canturrease, y una sonrisa pasó también por su rostro.

Y ésa fue la primera sonrisa, el primer gesto amigo que contempló Cortés en el Nuevo Mundo.

9

Ya era entrada la tarde cuando llegó a la residencia de los Velázquez. El salón del palacio colonial, construido totalmente de madera, había sido adornado para la fiesta. Acicaláronse las damas;
embutióse a los criados indios de mejor presencia en abigarrados uniformes, endomingados. Se procuraba estar como en España, pues
las conveniencias aconsejaban ignorar que se estaba en los trópicos.
Por eso el calor no había logrado desceñir los cerrados y rígidos
atuendos de buen tejido toledano; y todos levantaban calladamente
los pies cuando un reguero de hormigas pasaba por el suelo de madera.

Cortés fue presentado, primero a las damas y después a un padre
dominico muy alto y enjuto de carnes.

— El Padre Bartolomé de las Casas — le dijeron — era ya en el
Viejo Mundo un buen amigo de nuestra casa. Es el primer sacerdote
que fue consagrado para su venerable cargo en La Española. Y en
lo que yo sé, también estudió en Salamanca, donde adquirió su
sabiduría.

— Me hace feliz, padre, el conoceros. Faltóme a mí el necesario
celo para penetrar profundamente en el estudio de las ciencias. De
todas formas, la Jurisprudencia no había aquí, en las plantaciones,
de serme muy útil.

— Mi señor Cortés, ved cómo las damas esperan con impaciencia al caballero...

En un rincón estaban sentadas las muchachas, vestidas de hermosos colores y bebiendo a sorbos una helada y espumosa bebida
de cacao. Cambiaban miradas tras las celosías de sus abanicos y
oíanse palabras familiares que parecían venir todavía de la pequeña
y ahora tan alejada ciudad natal. Eran esas encantadoras jóvenes
las sobrinas del señor de Velázquez: las señoritas Xuárez. Mientras
Cortés charlaba con ellas, a su oído llegaban las palabras del padre
dominico sonándole extrañamente la magnífica voz de bajo de aquel
fraile. Todos, involuntariamente, escuchaban a de Las Casas, cuyo
discurso sonaba a soliloquio en exquisito castellano en el salón.

— ...y, como os decía, don Diego, una simple circunstancia ca-
sual ha hecho que me halle yo ahora aquí, en este círculo, vistiendo
estos hábitos. Debo remontarme al tiempo en que mi señor padre
vino a esta misma isla acompañando a Colón. Le acompañó en su
segundo viaje, permaneció aquí durante largos años, y al volver a

nuestra casa la familia de Las Casas no sufrió ya más privaciones. De su viaje me trajo un muchacho de color, como compañero de juegos; era un joven indio de trece a catorce años. Tenía yo entonces no más de quince. Todos en casa mirábamos con natural curiosidad a aquel tímido y asustadizo muchacho, que vestía cuatro harapos que le habían dado los marineros de sus prendas de desecho; el muchacho tiritaba de frío... Al principio no quería permitir mi madre que aquel hereje penetrase en la casa; sin embargo, mi padre, sonriendo, le hizo poner de rodillas ante mí y llevó mi mano hasta ponerla en la boca del indio, diciendo a continuación:

»— Es tu esclavo, hijo.

»Yo me levanté y le miré. En Asturias nadie tenía esclavos, y por eso interrogué a mi padre.

»— Hijo mío, te pertenece como si fuera tu perro o tu caballo. Si le llegamos a bautizar, le darás un nombre. Ahora debes enseñarle nuestra habla y entonces podrá comprender que eres su amo y que incluso le puedes matar, si se te antoja. Aunque, naturalmente, debes tratarle conforme a la costumbre de un buen cristiano.

»El joven indio comprendía que hablaban de él; tal vez durante el viaje había ya podido dar algún pequeño mordisco en el castellano. Mi madre estaba temerosa de tener que alimentar ahora una boca más; pero mi padre reía, pues había traído consigo de La Española un buen montón de oro. Resumiendo: el muchacho quedó en casa. Lo embutimos en un traje mío; fuese poco a poco acostumbrando al calzado, si bien le costó harto trabajo. Era una criatura buena y dulce, extraordinariamente adicta. Cada vez que me veía, me abrazaba y reía. Así pasó el verano. Allá por el otoño dijo mi padre que quería hacer de mí un hombre instruido, y que aquello que uno de nosotros con su limitada inteligencia no puede comprender, no está oculto, sin embargo, a uno de los *magisters* de Salamanca. Era el viejo hombre sencillo, por lo que yo sé, y tenía en grande aprecio a las gentes instruidas, aunque él sólo supiera mal trazar su propio nombre. Púseme en camino en compañía de mi criado indio, a quien había puesto ya el nombre de Camilo, cuando le bauticé. En tanto yo estaba en el Colegio, quedaba él en casa, en mi cuarto, ordenando los libros, contemplando las ilustraciones de mi libro de rezos o jugando solo. Todos los compañeros me tenían envidia a causa de Camilo y hasta un joven llamado Mendoza me ofreció por él, en cierta ocasión, un magnífico anillo con una turquesa. Yo contesté que Camilo no podía ser vendido.

»Un día llegó una carta de mi padre. Me hablaba en ella de una Ley que ha poco había dictado la reina y en virtud de la cual las gentes que en el Nuevo Mundo vivían como herejes no podían ser sujetas a esclavitud y debían quedar libres en el mismo lugar en que se encontraban. «Preséntate, pues, hijo — escribía mi padre —, al corregidor y pon al joven Camilo a tu puerta para que vea cómo logra desenvolverse, si la reina tal cosa manda. ¡Lástima de los buenos doblones que por él pagué al capitán del buque!»

»Así, pues, nos vestimos y ambos fuimos a presencia del corregidor. Era mi criado el único indio que había en Salamanca. Le fue entregado un rotundo documento en el cual quedaba afirmada su libertad. Explicó el corregidor a Camilo que quedaba libre y que podía ir adonde mejor le pareciese.

»Cuando regresamos, Camilo temblaba de frío y tosía. En los últimos meses tenía siempre frío. Dile un poco de vino; pero su fiebre subió aquel día más. Y luego comenzó a hablar y a hablar como nunca había hecho antes. Decía el pobre muchacho que yo quería echarle, enviarle entre las caras pálidas. Le tranquilicé yo asegurándole que, en adelante, seguiría siendo mi criado, con la única diferencia de que ahora cobraría un salario. No comprendía eso y repetía de nuevo y obstinadamente que yo quería echarle... Tosía y volvía a toser mientras hablaba y de su boca salieron algunas gotas de sangre.

»Por la noche estuvo delirando. Lo decía todo en español... y parecía brotar todo lo que hasta ahora había dormido en el fondo de su alma como un vago recuerdo. Estaba sentado junto a él y le escuchaba. Le oí entonces referir todo el terror que experimentó cuando los españoles por vez primera fueron vistos en la isla. Ese terror se lo había repetido a sí mismo en sus horas solitarias y vacías. Recordaba cómo los extranjeros aquellos cayeron como un alud con sus perros y sus caballos, cómo iban asesinando, prendiendo fuego a todo; cómo corrió la sangre. Buscaban los blancos oro y joyas, perseguían a los que huían y los arrojaban a las llamas... Y fue en esta noche de delirio cuando yo comprendí por qué los españoles están tan callados cuando se arrodillan ante la Virgen de Guadalupe. Comprendí también de dónde mi padre había traído tanto oro. Me di cuenta de con qué dinero había podido yo ir a estudiar a Salamanca... de dónde procedía, en fin, nuestro brusco cambio de fortuna.

»Camilo, en su delirio, refería cómo los soldados se habían arrojado sobre las desnudas muchachas y cómo de un tirón habían arrancado de sus orejas los zarcillos de oro.

»Toda la noche estuve junto a Camilo; le envolvía la cabeza en toallas mojadas y pedía a Dios que calmase sus sufrimientos. Púsele una cruz entre las manos y llamé a un sacerdote, que trató de tomarle confesión; pero Camilo no entendía nada de eso, y de su garganta seguían saliendo gritos de terror. Y así, en mis brazos, resbaló hacia la Eternidad.

»Después que hubo sido enterrado, sostuve una conversación con un padre dominico. Expliquéle que ahora ya sabía yo de dónde procedía el dinero para pagar mis estudios, mi pensión y mi criado. El sacerdote, sencillo, quiso conducirme ante el prior, diciéndome que' éste apaciguaría mi alma... Allí vestí estos hábitos y entre los dominicos terminé mis estudios y recibí el grado de doctor.

— ¿Cuándo viniste por primera vez aquí, entre nosotros?

— Hace cuatro años. Quise ver con mis propios ojos lo que me había contado el pobre indio moribundo... y lo vi. Encontré aquí la escoria de la humanidad, hombres en los que se habían desencadenado todos los instintos animales. Uno era arrastrado hacia el asesinato; el otro se veía atraído por el deseo de esclavizar a los demás. Algunos se inclinaban por el libertinaje... Si los siete pecados capitales pudieran descomponerse cada uno en otros siete, no podrían todavía encerrar todas las maldades que aquí he visto. ¿Cómo queréis, pues, aparecer ante los indios? Ellos os han de ver como animales impuros, como seres repugnantes, horribles, sedientos de sangre, crueles por naturaleza... ¿Cómo queréis que se fíen de vosotros?... ¿Esperaríais que el tigre se amansase y se aproximara moviendo el rabo como un gato a lameros la mano? ¿Cómo podéis vos mismo, don Diego, tener la menor esperanza en la adhesión de aquel a cuyo hijo habéis matado a puntapiés, a quien vuestros soldados han arrancado de sus brazos al padre o la esposa?... Deseáis ser amados de ellos y que os saluden con el nombre puro de María... mientras vosotros, que aquí vinisteis con la Cruz, los perseguís con vuestros perros de caza.

— ¿Por qué me habláis así, don Bartolomé? Yo me batí contra los moros y luché en Italia. Podéis contar mis heridas... Aquí administro mis bienes y cuido del orden. Yo nunca he quemado vivo, a Dios gracias, a ningún indio todavía...

— Vuestra merced es mejor que los otros y mis palabras no iban dirigidas ahora a vuestra merced. Y si yo ahora hablé así es porque entre nosotros hay un recién llegado... ¿Cómo se llama?

— Hernán Cortés, para serviros.

— Pues bien, don Hernando. Sois joven instruido. Yo os ruego, con las manos juntas, no olvidéis que todos somos criaturas de Dios, ya se trate de blancos, de negros o de rojos... Ante Dios todos somos criaturas y cada alma vale lo mismo. No creáis, sin embargo, que es ya suficiente el no hacer pedazos a ningún indio a dentelladas de vuestros perros. Deber vuestro es también el detener la mano de vuestro administrador, y aun también la de vuestro vecino, cuando la veáis que se tiende en busca de la empuñadura del látigo. Pensad que estos infelices indios no están habituados al trabajo y no saben lo que es construir casas, ni roturar el terreno. No habían visto nunca cabras, vacas o carros. Si veis que vuestro prójimo trae arrastrando a una de esas muchachas casi impúber aún, si veis cómo le arranca la camisa del cuerpo y le sujeta los brazos a la espalda; si veis que incluso a veces la atormenta hasta matarla... yo os ruego de rodillas, mi señor don Hernando, que no dejéis que eso suceda...

—Padre, yo no quiero enviar mi alma a los Infiernos. Y, sin embargo, decís muy bien. Aquí prospera la mala hierba del pecado con más pujanza que en lugar alguno y harían falta miles de manos para escardar esta tierra... La tentación acecha a cada paso... Pero, ¿por qué —me pregunto yo— permite Dios que esa tierra sea de los españoles, si nosotros no sembramos más que pena y dolor y con ello nos cerramos además las puertas del Cielo? ¿Es que Dios lo ha dispuesto así en sus misteriosos designios? ¿Es a cambio de que anunciemos el Evangelio y bauticemos a esas criaturas?

—¿Podéis creer, don Hernando, que ha de ser agradable a Dios el que hoy abraséis las carnes de un indio con vuestro hierro al rojo y mañana le refresquéis la frente con el agua bendita?

Diego Velázquez abrazó sonriendo a los que así hablaban.

—El padre Las Casas tendrá mañana tiempo de convertir a nuestro nuevo huésped; trabajo tiene el Padre entre nosotros todos los días... Pero las damas están ahora esperando otra cosa... Están ansiosas de oír las costumbres y los usos nuevos ahora en boga en nuestra patria.

Los abanicos se abrían y cerraban, como si fueran mariposas que revoloteasen alegres. El aire de la noche había refrescado, como si quisiera traer un poco de alivio a los hombres y a las plantas del jardín. Todos llenaban sus pulmones y lo respiraban con delicia. Pasaron a una galería descubierta donde los criados habían dispuesto la mesa. El señor de la casa pidió vino para los caballeros y a las damas se les sirvieron sorbetes. Todo era aquí diferente de la lejana patria. Allí crecen los plateados olivos y maduran las aromáticas naranjas; los jardines están bien recortados y rodeados de seto... Aquí, en una noche crecían arbustos gigantescos; los cactos levantaban sus siluetas amenazadoras hacia lo alto. Las palmeras parecían abanicarse las unas a las otras. Bajo los helechos crecían tal vez plantas venenosas o se movían serpientes y escarabajos entre una hojarasca oculta casi a la luz del sol. Y no lejos, a un tiro de piedra tan sólo, en el bosque tropical, pululaban millones de pequeños insectos e innumerables cadáveres se convertían continuamente en nuevo humus para convertirse a su vez en lujuriosa capa de verdura y de ramaje. Sólo en la proximidad de la casa, donde se trabajaba y escardaba continuamente, su dueña había hecho sembrar algunas semillas de plantas domésticas como un pedazo de modesta tierra de España, plantas que eran como engendradas por gigantes en pequeñas y blancas mujeres. Tenían dalias de poderosos tallos, gigantescas rosadelfas, claveles y rosas de aroma penetrante y tropical; de ellas goteaba el néctar en una prodigalidad que nunca se había visto allá en Andalucía.

Los jóvenes marcharon a pasear. La señorita era una muchacha alta y de esbelta figura; iba vestida de color de rosa y llevaba ligero calzado, cuello de puntillas almidonado y sobre su alto peinado un velo ligero y ondulante. Llamábase Catalina Xuárez, y mientras caminaba preguntó medio en serio medio en broma:

— ¿Tenéis algunas muchachas bonitas entre vuestras esclavas, don Hernando?

— Pongo mi corazón y mi vida solamente en las blancas y pequeñas manos de vuestra merced...

Era ya entrada la noche y su beso resbaló por el borde del abanico de plumas.

— ¡No tan volcánico... don Hernando!

Era ya entrada la noche cuando Cortés iba hacia su retiro tambaleándose sobre la silla y, para lograr encontrar su casa, hubo de abandonarse al instinto del animal que montaba. Unos tragos de vino (y el vino era entonces en los trópicos un tesoro común), le habían convertido en un héroe al mismo tiempo que en un muñeco fofo. En aquellos momentos, se hubiera arrojado gustoso al fuego como un mártir. Si, como en las novelas de aventuras, se hubiera encontrado con un caballero andante o con un gigante, hubiera combatido con cualquiera de ellos en un claro del bosque. Igualmente, si se le hubiera presentado la cosa así, hubiérase retirado al refugio de una cueva a llevar vida de eremita como el padre Las Casas parecía pedir.

Había como una presencia de Dios en aquel silencio enervante que se extendía por todo el campo. A través de él cruzaba el sendero por donde Cortés cabalgaba. Cubríale una alfombra de musgo, y tanto a la derecha como a la izquierda la obscuridad del bosque parecía llenarlo todo de una opresión de presentimiento. Llegó a su choza rodeada por las tiendas de los indios, colocadas en forma de semicírculo. Los hombres estaban sentados junto a las hogueras; algunos de ellos enrollaban hojas de tabaco las unas dentro de las otras, las despedazaban con cuchillos de madera y echaban después una brasa encima. El rollo de hojas comenzaba a arder por uno de los extremos; el hombre entonces se lo metía en la boca, se echaba de espaldas y, en la noche, aquella mancha de fuego mostraba el lugar donde estaba echado perezosamente uno de esos fardos humanos, feliz a su modo.

Caminaba Cortés entre los indios y buscaba. Entonces se destacó una sombra, una mujer seguramente de más de treinta años, una vieja para aquellos países; más allá surgió una muchacha medio niña aún. Cortés miró aquellos dos cuerpos desmedrados. El vecino no reparaba en enviar su criado cuando tenía necesidad de una mujer, a la cual pagaba con cuentas de vidrio. Las dos sombras, alargadas por el juego de luz, parecían haberse estirado perezosamente, como si no tuvieran principio ni fin. Miró Cortés alrededor; desde el borde del bosque un sendero conducía hasta un arroyo. El paseo a caballo, el vino y los deseos le habían enardecido y encendido; sudaba copiosamente; así que quitóse sus vestidos y, desnudo, penetró en el agua. Oyó un chapoteo cerca de él. Aparecieron unas muchachas indígenas que le miraron temerosas y escondiéronse después entre las malezas de la orilla para internarse en el bosque. Sólo una de ellas volvió la vista; vio él en la penumbra cómo brillaban sus pupilas. Aproximóse la muchacha, tanto que él podía tocarla con sólo extender el brazo... Allí estaba la tibia línea de un cuerpo moreno y joven. Cuando la india vio junto a sí aquella figura blanca y jadeante, cubrióse el rostro con las manos; después extendió la mano y con la uña arañó suavemente la piel del hombre. ¿Era aquello blanco extraña vestidura o pintura? ¿Era posible que un dios extraño y misterioso hubiese lavado a aquel hombre hasta dejarle blanco?

Después de ese primer contacto, ella dejó ya de estar temerosa y allí mismo, junto al borde del lago, se abrazaron.

Olor de indios. ¿Era el aire, la tierra, la paja, lo que así olía? ¿Eran, acaso, los mismos trópicos que por la noche despedían un aroma tan pesado? Quedó echado en el suelo, tumbado de espaldas, solo otra vez. La muchacha se había marchado ya, como una sombra, como si se hubiera fundido con el bosque del cual parecía ser una parte integrante. ¿Quién sabría mañana, a la luz del sol, cuál de las muchachas había sido...? De pronto pareció sentir sobre sí el peso de la mirada del Padre Bartolomé de las Casas y en sus oídos parecían resonar aquellas sus palabras que le oyera pronunciar: «Si ves a una de esas muchachas a quien tu prójimo...» Durmióse arrullado por el glú-glú de las aguas del lago, su cuerpo desnudo quedóse allí envuelto en sueños. De detrás de los árboles y matorrales surgieron algunas muchachas que allí habían estado escondidas espiándole. Se aproximaron con lentitud y tan suavemente que sus pies parecían no tocar el suelo. Inclináronse sobre él llenas de curiosidad y contemplaron largamente el cuerpo de aquel dios blanco.

10

El gobernador fue llamado a España. El primogénito del almirante, Diego Colón, había logrado por fin que se le reconociera por la Corona su rango de virrey. Ahora tenía establecida su corte en La Española y allí hacía se agasajase como era debido a su pálida y enfermiza esposa, hermana menor del duque de Alba. Los dos se sentaban en un alto estrado que tenía mucho de trono y parecía estar agobiado por el peso de tantas ricas vestiduras y galas. Ante ellos hacía profundas reverencias e hincaba la rodilla en tierra, el obeso Velázquez, dando gracias al virrey, conforme mandaba el ceremonial.

«El virrey despide benévolamente para la isla de Cuba a sus fieles servidores.» Los iniciados sabían que el protector de Velázquez, que era el obispo de Burgos, quería poner el freno al genovés desde Cuba. Ambos se vigilaban mutuamente las intenciones; pero eran españoles, y por eso, al menos externamente, se hacían reverencias y se rendían pleitesía.

Los espíritus inquietos, los de temple aventurero, partieron con Velázquez. Hernán Cortés logró ser nombrado secretario del nuevo gobernador. Vendió sus tierras; esas tierras donde florecían ya los campos y que ahora mostraban ya el fruto de cinco largos años de pesados trabajos y desvelos. Cuando se despidió, los indios le rodearon; las muchachas le ofrecieron guirnaldas de flores y entonaron cánticos en su honor... ¿Le amarían acaso?

Cortés se preguntaba por qué había abandonado la pacífica y deleitosa Haití. Toda su fortuna era tan sólo un puñado de ducados; poco dinero, en verdad, una verdadera miseria en comparación con lo que él un día soñara allí en su tierra, en Medellín. Se veía hecho un pigmeo en lucha consigo mismo y con sus preocupaciones. Le devoraba la maldición de los jóvenes hidalgos. Se encontraba solo, sin esposa, en esas tierras de fuego. No bastaban para aplacar su sangre esas muchachas que temerosamente ponían junto al suyo durante media hora su cuerpo tibio y obscuro. Sentía el anhelo, como todos los demás, de mujeres españolas, blancas y con sangre azul en las venas. Y en sus oídos se despertaba un engañoso rumor de sedas y de terciopelos cuando por la noche el viento acariciaba rumorosamente la selva virgen y se oían luchar en la obscuridad los gatos enamorados.

Los indígenas de Cuba eran también gentes embrutecidas, habituadas al yugo y si a veces ese pueblo primitivo se arrojaba contra los españoles, lo hacía empujado por algunos indígenas que, huyendo de La Española, habían llegado hasta aquí. Mientras los nuevos colonos estuvieron juntos, el Padre Las Casas obligóles a comportarse con caridad. Mas pronto se dispersaron y surgieron los establecimientos, como los hongos surgen del suelo. Entonces hubo el consiguiente *repartimiento* de indios al estilo de como se hacía en La Española; lo que después sucedió no llegó nunca a saberlo el Padre Las Casas. Llegaron muchachos con la cara demudada; viejos con botellas de aguardiente en la mano; otros cuyas carnes aparecían destrozadas por el látigo... y después muchachas con el cuerpo roído por el *morbus gallicus*. Violas el Padre, y día tras día se le oyó cómo murmuraba anatemas.

Ese canto lúgubre empujó al Padre Las Casas de nuevo hacia el Viejo Mundo. Dios ama a los tenaces; eso lo sabía el Padre; y tal conocimiento fue su único equipaje. En Sevilla tuvo que ir de puerta en puerta. Todos, obispos y consejeros provinciales, todos le encontraban pesado y aburrido. Entonces se puso en camino para Flandes, país lejano y fabuloso casi, donde estaba ahora su señor, el rey Carlos. En su busca fue Las Casas.

Durante el viaje tuvo que rozar tanto con príncipes como con mozos de cuadra; tuvo que echar juramentos en latín e injuriar en dicha lengua a los posaderos flamencos. Llegó por fin a Gante y tuvo que mendigar aquella preciosa audiencia que sólo cinco minutos podía durar.

Carlos contempló a aquel joven clérigo que, vestido con el hábito de Santo Domingo, se echaba a sus pies, como si fuera un loco a quien se le hubiera subido el Nuevo Mundo a la cabeza. Sin embargo, nada de servilismo había en la actitud del Padre Bartolomé. Comenzó con el testamento de Isabel, en el cual había algunas disposiciones que se referían a los indios. Irguióse el Padre y quedó a igual altura en que estaba Carlos sentado en su trono; miróle entonces fijamente a los ojos y hablóle así: «Alteza: La sangre inocentemente derramada se aferra a la Corona, como si fuera herrumbre.»

Los ujieres hubieran querido echarle fuera; pero el Padre se había agarrado en espíritu a la púrpura del manto imperial y Carlos no daba la orden de que se le despidiera.. «El alma de Vuestra Majestad corre peligro... allá arriba. Allende el Océano, los castellanos incendian, asesinan, desfogan su lascivia; y todo lo hacen en nombre de Vuestra Majestad. Alteza, los que allá son cazados como animales, repartidos, no son fuertes y robustos como los negros de la Costa de Oro... no; los hombres de allí no cantan, cuando reciben su ración de comida, y si se les esclaviza, pronto mueren...»

Carlos hizo un signo con la mano: «Espera. ¿Dices que en tu opinión los negros son más robustos...?»

Los secretarios flamencos conocían sobradamente a su señor. Cuando un pensamiento se le fijaba en la mente, se marcaba un pliegue transversal en su frente que era más bien estrecha; su labio inferior se hacía prominente resaltando su carnosidad. Y después reunía Consejo alrededor de su imperial YO.

Las Casas seguía allí indeciso. Durante algunos momentos le pareció que era arrastrado por un torbellino de fuerzas extrañas. Al parecer se había tomado aquí al pie de la letra la comparación del clérigo: «El débil insular no es como el fuerte negro...»

Se le ordenó esperar en la antecámara. Cuando se le volvió a llamar, vio ya reunidos en el salón del trono a los graves consejeros vestidos de negro. Carlos habló flamenco, pues le resultaba todavía dificultoso el hablar castellano. Sus palabras fueron traducidas al Padre por mediación de un intérprete.

«Padre, habéis iluminado mi mente. Por vuestras palabras hemos podido adivinar el motivo de la precaria situación en que se encuentran nuestros países allende el Océano. Hemos podido colegir que los indígenas de allí son hombres débiles, escasos de fuerza, incapaces de rendir buen trabajo en las plantaciones, trabajos que mejor realizarían los nativos de África. Os damos gracias por vuestras advertencias acerca de los deberes de la Corona y por haber iluminado nuestra mente de modo tan grato a Dios.»

Las Casas salió medio loco de aquel palacio de Gante. ¿Había sido el Príncipe de las Tinieblas quien puso en sus labios aquella comparación fatal? El Padre fuese entonces a la iglesia de San Bayo y se arrojó sollozando ante el grande y maravilloso retablo del altar.

Aquella misma noche fueron ya comprados a centenares los privilegios del comercio de esclavos y sobre el papel se tomó ya buena nota de la *mercancía* que por el momento, en apacible tranquilidad, tomaba el sol en el continente negro y misterioso.

Cortés estaba en representación del gobernador en el muelle de

Cuba cuando llegó a la isla el primer buque cargado de esclavos. Pudo ver el mudo espanto de los indígenas de la isla, cuando contemplaban aquellos diablos negros, con el pelo ensortijado, que a latigazos eran conducidos a tierra y rociados todos después con agua bendita. El secretario del gobernador se encontraba allí con un pliego de papel en la mano vigilando cuidadosamente que fuese pagado por todos el impuesto de la quinta parte que debían percibir las Autoridades.

Cortés fue haciéndose a la vida insular y era saludado respetuosamente como uno de los colonos fundadores. Su hacienda era de las mejor cuidadas, conocidos eran en toda la isla sus magníficos bueyes. Gustosos trabajaban los indios en sus plantaciones de azúcar, porque se les daba bien de comer y no se les prodigaban los latigazos. En sus horas libres ejercía las funciones de secretario del gobernador. Y como tal era activo en el servicio, amable y llano con todos. Cuando se encontraba solo, sus dientes castañeteaban de frío, producido por la fiebre de los trópicos; encontrábase como envejecido, perdido, descarriado en ese mundo absurdo y turbador de las Colonias; era como un eterno extranjero entre aquella turba de aventureros de obscuro pasado. Así llegó Cortés a la edad de treinta años, sin que hasta entonces tuviera que ver con él la Historia.

11

Las señoritas Xuárez llegaron de La Española para visitar Cuba y con tal motivo, aquella noche el señor gobernador abrió las puertas de su palacio tropical, magnífico edificio de madera de estilo toledano.

Cortés acentuó su reverencia ante Catalina Xuárez a quien conocía ya de antes. La muchacha había crecido; no era precisamente bella y estaba un poco pálida; pero era espléndida su cabellera, y tenía los movimientos llenos de gracia y armonía. Sus mejillas estaban demasiado pálidas...; pero sus ojos y su mirada parecieron a Cortés arrebatadores, después de tanto tiempo de ver sólo aquellas negras pupilas de sus esclavas de piel obscura y de cabellos negros. Aproximóse a ella y, al hacerlo, se dulcificó su humor habitualmente triste. En la escalera por un momento rozaron las faldas de Catalina con los calzones de él.

Por la noche se celebró el gran baile de gala... «¿Os acordáis todavía, doña Catalina? Por hermosa que fuera entonces aquella noche... son sin embargo aquí más hermosas todavía las orquídeas, más exuberantes...»

La baranda de la terraza estaba cubierta de lilas blancas que exhalaban un aroma dulce y enervante, eran lilas silvestres que crecían gigantescas en aquella tierra casi virgen todavía. Su turbador aroma empujaba a aquellos dos jóvenes el uno hacia el otro. Tuvieron que saltar por encima de aquel ovillo de ramas y de troncos para llegar al jardín, un jardín inmenso pletórico de vegetación. Los zarcillos de las plantas trepadoras aprisionaban los bancos del jardín... El césped era como un suave terciopelo que el alba teñía de gris con las perlas del rocío. Como en un sueño, paseaban los dos jóvenes, mas, bien pronto, sólo él caminaba, pues en sus brazos, con todo su peso, sentía aquel cuerpo tibio y vibrante de deseo que él tanto codiciaba. En sus labios ardía la fiebre acumulada en aquellos años de soledad y de privación de todo trato con mujer blanca. Cortés la llevaba ahora en sus brazos, la estrechaba contra su pecho y sentía en su propio cuerpo las morbideces de ella. El pecho de la muchacha, tembloroso y jadeante, ponía tersa su camisa de magnífico lienzo de Holanda; su cabello pendía suelto, desplegando el encanto de su hermoso color rubio obscuro que lo hacía parecer profundamente español pero con reflejos nórdicos. Su linda manecita, blanca y larga, acarició la negra barba. Sentíase la muchacha bañada en dulzura y se dejaba conducir sin resistencia por la fuerza indomable e invencible que la arrastraba hacia la condenación eterna...

Llegaba de lejos el redoble de los tambores; el madrigal debía haber terminado y las parejas se preparaban para un nuevo baile; pero Cortés y Catalina habían sido tragados por la noche, borrados por su negrura; sólo veían a la pareja los gusanos de luz que en las copas de los árboles eran como ojillos maliciosos... «Vendrás también mañana, Catalina... sin ser vista, cuando yo te llame imitando el arrullo de la paloma torcaz... sí, mañana y pasado mañana... todos los días... Catalina, adorada mía...»

Catalina había escondido el rostro en aquella hierba suave, húmeda por sus lágrimas, que había servido de tálamo amoroso. Aquella muchacha de veinte años, era ahora ya una mujer.

Cortés sacudió la tierra de sus vestidos y se dirigió a la Casa de Dios. Tras las puertas, se oían ladridos de perros y juramentos de soldados. Comedia de amor, vacía, como las que se representaban en la plaza de Medellín por cómicos chambones...

Al tercer día, los dos desaparecieron de nuevo en el bosque. Cuando apenas apuntaba el día, surgieron de aquí y de allí criados y alguaciles... Eso era su perdición. Huyó a través del bosque cuyos senderos le eran por demás conocidos. Lejos, persiguiéndole, oía el ladrar de los perros; algunas balas pasaron silbando para incrustarse en los troncos y tronchar algunas ramas. Tras él había ansia de venganza y de muerte; y estaba desarmado, con su sencillo jubón tan sólo, su camisa desabrochada, y corriendo, guiado tan sólo por su instinto, en aquella mañana de angustia. Su pecho jadeaba. Abríase paso dificultosamente entre aquellas lianas que cien veces se lo cerraban o le hacían tropezar. En sus labios llevaba sabor de sangre. Se alejaba lo más de prisa que podía. Sus pulmones parecían trabajar como bombas hasta quedar vacíos y agotados. Y así llegó a los muros de la iglesia de San Jorge. Ensangrentado, herido por las espinas, arrojóse al suelo frente al altar de su patrón.

El lugar era sagrado, lugar de asilo, y eterna maldición caía sobre quien penetrara allí armado con intención homicida. Sin embargo, había ofrecida una recompensa de diez doblones por su cabeza, y por añadidura con la anuencia del gobernador. Su cabeza valía ahora diez ducados, esa cabeza donde se agitaba locamente la vergüenza de su flagrante delito. Miró a su alrededor. Era una iglesia solitaria, pequeña y abandonada, con altas y menguadas ventanas que apenas dejaban entrar los rayos del sol de la mañana. Tocó con sus manos una pila de agua bendita y pasó sus dedos por un banco de madera tallada. Después se arrastró hacia el altar y allí cayó en profundo sueño, profundo como la muerte.

Dos días vivió allí. En el exterior se relevaban los guardias. Cortés bebía el agua de las pilas benditas, roía pedacitos de cuero; chupaba algunas velas. Ante sus ojos llenos de arrepentimiento aparecía Catalina, con sus vestidos desgarrados, postrada a los pies de su tío implorando el perdón, dispuesta a la mayor penitencia. Después veíala tras los muros del convento, borrada de este mundo.

Cada minuto era precioso para la vida de Cortés. Sus fuerzas se fundían a ojos vistas. Al romper el día, pensando que las guardias estarían tal vez adormecidas, se deslizó furtivamente al exterior. Había ya caminado algunos pasos, cuando ladró un perro y los alguaciles se pusieron de pie. Débil, sin fuerza como estaba, trató no obstante de defenderse; pero la lucha no podía prolongarse. Y pronto descendió por el sendero con las manos atadas, llevado por los esbirros de Velázquez. Llegado al puerto, fue conducido en una lancha al buque prisión y allí se le encerró en un rincón debajo de los pañoles. El carcelero aflojóle un poco las ligaduras para que pudiera alcanzar una escudilla que caritativamente se le sirvió. Aquí la noche y el día se habían entremezclado y una y otra eran de color gris de plomo. El viejo carcelero se asomaba de vez en cuando con una vela en la mano y echaba una mirada compasiva al joven hidalgo, a quien su libertinaje había arrojado a las sombras de la muerte. Antes de salir, volvía a ajustar bien las ligaduras y las manos del preso quedaban de nuevo inmóviles, como muñones rígidos. Sus ojos acostumbráronse a la penumbra, sus oídos percibían los sonidos lejanos y apenas perceptibles que producían las sedosas patas de las ratas. Y poco a poco fuése despertando en él nuevamente el instinto de la vida. El tiempo era lento como una eternidad mientras él hacía continuados esfuerzos para aflojar sus ligaduras. En su muñeca se había marcado en sangre una cortadura en forma de hoz; pero por fin cedieron un tanto sus cadenas. ¿Duró ello minutos u horas? Por fin tenía las manos libres y ahora los instrumentos de tortura de que se había librado eran en su mano excelentes herramientas. Púsose de pie. Por una pequeña abertura entraba algo de aire. Todo estaba obscuro; posiblemente debía ser de noche. Trepó apoyándose en las junturas de las tablas y logró separar los barrotes de la enrejada ventanuca. Como pudo, magullándose, estrujándose, pasó su cuerpo por aquel ventano y se sujetó firmemente a las barrocas tallas de la borda. Por encima de su cabeza brillaba una linterna que hacía más profundas las tinieblas en la escotilla de la escala. Cortés miró hacia abajo; dirigió sus ojos hacia la negrura del mar; la costa estaba allí lejos, a un cuarto de milla de distancia. Aquel mar estaba plagado de remolinos... y de tiburones. Comenzó a descender por la borda desollándose las manos. Cuando llegó a la línea de flotación apretóse bien al costado del buque y se dejó caer en el agua. Buceó un buen trecho hasta haber salido del círculo de luz que dibujaba sobre las aguas la linterna. Llegó por fin a la costa; su corazón parecía quererse romper con sus fuertes latidos; su cuerpo agotado y hambriento estaba ya sin fuerzas. Caminó por entre bancos de arena metido en fango y escondiéndose entre un montón de rocas espiando el buque para ver si se destacaba de él alguna patrulla en su persecución. Se alejó luego corriendo, medio cubierto por un traje convertido en harapos y chorreando agua de mar y fango; corría tan veloz como lo permitían sus desnudos pies. No estaba muy lejos de la hacienda propia y pronto caminó ya por el sendero que a ella conducía. Los indios estaban dentro de sus cabañas, y los españoles venían pocas veces por esos lugares; por otra parte, sus perros le conocían. La vieja que cuidaba de su casa estaba allá sentada rezando con un enorme y negro rosario en las manos.

Precipitadamente vistióse de grueso terciopelo, ciñóse un sable a la cintura y cubrió con guantes sus manos. No podía disponer de sobrado tiempo. Mientras viviera debía obrar activamente; pues al siguiente día comenzarían de nuevo la cacería contra él, y los alguaciles estarían todavía más sedientos de su sangre. Medio comió unos bocados, que más bien devoró. Su mirada se dirigió al crucifijo; contemplóle algún tiempo erguido y callado; después dejóse caer en el reclinatorio. Su cerebro trabajaba con energía; rememoraba aquellos hermosos días de su niñez en su hogar, luego en Salamanca; seguían sus recuerdos de cuando llegó a Haití; y aparecía continuamente en su cerebro una pálida sombra de mujer, que era su madre. La lamparilla oscilaba con el viento.

Dirigióse al palacio del gobernador. Toda su fortuna, que aun en estos momentos desesperados podía prodigar, era su indomable valor. Hoy se daba en la casa de los Velázquez una nueva fiesta. Ante la puerta del palacio había guardias y siervos armados. Las antorchas resinosas en sus aros de hierro arrojaban una luz rojiza e indecisa en los corredores. En la sala delantera veíase una ancha mesa, sobre la cual los caballeros habían depositado sus armas, pues no puede haber aceros en las manos cuando los vinos han arrebatado a los espíritus. Llegaba hasta allí el rumor de risas; chocaban los vasos; sin duda alguien decía algo atrevido porque a coro estallaban las carcajadas. El secretario de corte, divinamente acicalado, pronunciaba una peroración dedicada a las damas. Y fue entonces cuando por la puerta asomó la cabeza de uno que no había sido invitado, alguien cuya mala reputación era cosa ya sabida en todo el palacio. Apareció como un espectro, marcó una respetuosa reverencia y saludó tranquilamente a los bebedores. Velázquez palideció. Inconscientemente llevó la mano al costado; pero allí no estaba su espada que con las otras había sido depositada en la antesala; estaba, pues, desarmado, mientras Cortés mostraba su sable ceñido a la cintura. ¿Sabía alguien si por ventura tras él iban algunos de sus hombres para desencadenar una revolución en el palacio?

Cortés estaba ya frente al gobernador y le miraba impasible. Un tiempo debió ser el hombre tal vez un esbelto y fino caballero...; ahora sus ojos estaban orlados de rojo y sus mejillas pendían fofas y grasientas; en sus manos lucían piedras preciosas y su cadena de oro se apoyaba en su abombado abdomen.

—Excelencia; aquí está vuestro preso, tal vez a estas horas condenado a muerte ya; pero ayer era todavía vuestro fiel servidor, a quien honrasteis más de una vez con el nombre de amigo. Según las leyes de nuestro país, Vuestra Excelencia no puede entregarme al verdugo sin previo juicio, pues soy noble; ni tampoco puede dejarme sucumbir bajo las cadenas. No obstante, puede Vuestra Excelencia juzgarme como jefe de la familia y por eso vengo yo ahora aquí en provecho vuestro, para reparar una falta y enmendar el daño hecho, si debierais proceder en contra de las leyes castellanas. Permitidme con corazón rendido y arrepentido entregar mi espada al gobernador a quien yo mismo instituyo en juez de mi culpa y a quien suplico proceda conmigo conforme a los usos de nuestra patria. Así, ved, Excelencia, que ambos estamos desarmados. Nada tramo contra vos y solamente he venido en nombre del Redentor a pediros perdón por haber mancillado una limpia casa. Ante Vuestra Excelencia estoy todavía como hombre libre y caballero cristiano para dirigiros una pregunta. ¿Queréis aceptar mis satisfacciones y honrarme concediéndome la mano de la digna señorita Catalina Xuárez?

Uno de los bebedores, desde el extremo de la mesa, lanzó un ¡Vivat! Los hidalgos cambiaron ojeadas. El espectáculo con el sobrio y varonil monólogo estaba de acuerdo con su modo de sentir. Solamente Velázquez mostraba todavía una luz extraña en sus ojos de pescado. El iracundo temperamento del muy noble señor, luchaba en su interior con su inclinación pacífica propia del cortesano. Cortés tenía razón hasta cierto punto. No podía cargarse de hierros a un noble a menos que hubiese sido cogido in fraganti. También se le aparecía el rostro pálido y bañado en lágrimas de su sobrinita, consumiéndose por su adorado y vistiendo el hábito de eterna penitencia, mientras en las habitaciones de las mujeres no cesaban de correr las lágrimas. Dejóse entonces guiar por el instinto y el viejo y obeso magnate alzó su voz en el tono cuidado y frío propio de los nobles castellanos.

—Don Hernando; no os pregunto cómo habéis recobrado la libertad, ni si la habéis logrado con sangre o con astucia. Nada os pregunto de ello. Por ahora estáis bajo mi techo y por dicho motivo, según costumbre establecida, sois ahora mi huésped. Os ruego os sentéis y os sirváis de beber. En la casa de los Velázquez, gozáis del derecho de asilo. El gobernador no pronuncia ningún fallo por la noche.

Los bebedores alrededor de la mesa rieron y dieron muestras de júbilo; el caso era de broma. Cortés había trastornado la cabeza a la pequeña... Cosas semejantes pasan en el mundo... Era preciso celebrarlo con un buen vaso de vino. Bebieron. Cortés estaba sentado a la izquierda del gobernador, porque su enemigo le había ofrecido tal lugar. Cuando se levantó su copa, la cosa no dejó de parecerle curiosa.

Cuidó de no tocar apenas el vaso. Había ya casi totalmente ganado el juego, pero los caballeros aquellos estaban todos bebidos; la noche era corta y, al llegar el alba, los estómagos estarían sucios y en sus bocas habría sabor de hiel. Sacóse del dedo su sortija con la piedra tallada, hizo una inclinación y la colocó ante el gobernador. Velázquez le miró de hito en hito. Conocía bien al hidalgo y sabía que estaba tallado en la mejor y más dura de las maderas, mejor por cierto que la de los demás hidalgos que aquí se encontraban por designio de la Providencia. Todos estos pensamientos pasaron por su cerebro iluminándole un momento. Levantóse dificultosamente con su pesado cuerpo y anunció su decisión a los que se agrupaban silenciosos alrededor de la mesa.

—Por voluntad de Dios y en nombre de mi sobrina y mientras ella no se oponga, prometo a vuestra merced, Hernán Cortés, la mano de mi sobrina Catalina Xuárez y acepto vuestra oferta como una justa reparación. ¡Bebamos, señores!

12

Los indios se reunieron a ambos lados del sendero; su monótono canto se elevó. Uno entonaba la melodía y los otros cantaban el acompañamiento. El ritmo monocorde se elevaba hacia el cielo. Los duros rasgos se afinaron; las largas y sedosas pestañas se bajaron sobre los ojos. Cantaban mientras esperaban al amo con su joven esposa y una y otra vez se repitió el extraño cántico nupcial, cuando Catalina, con su velo blanco, pasó a caballo; en una mano llevaba las bridas, en la otra un abanico que mantenía sobre su boca.

Boda en la selva. Todo en la casa olía a resina; los objetos apresuradamente reunidos, las vigas que parecían respirar todavía el aromático aire del bosque. Por las más pequeñas rendijas se abría paso prontamente alguna planta rastrera. En una noche, las camas se veían agarradas por raíces y las mesas quedaban anudadas unas a otras.

Al despuntar el día despertó don Hernando y contempló a su esposa dormida. Antes, cuando estaba anhelante de su blanco cuerpo, había creído que nunca podría quedar saciado de tal placer; ahora, empero, despertaba en él de nuevo toda la inquietud que cada mañana traía consigo en otros tiempos.

Al despertarse su mujer, medio dormida aún, llamaba al ama. Él a su lado echaba sus cuentas. Contaba de memoria sus doblones, sus vacas, sus toneles llenos de aguardiente de palma o de áloe. Era una vida de comerciante. Entornaba entonces los ojos y sentía un dolor agudo en el corazón. Los héroes de Plutarco hacían resonar sus armas al andar, mientras él traficaba con fanegas de harina de maíz.

Catalina no se daba cuenta de eso. Como una pequeña abeja iba de un lado para otro entre sus flores y tosía ligeramente apenas se exponía al airecillo cargado de rocío. Él contemplaba a su esposa. ¿Debía verdaderamente enterrar todos sus anhelos? ¿No le era dado envidiar la fabulosa aventura de aquellos que, por voluntad de Velázquez, habían partido hacia Occidente para ir a encontrar el país del oro, del que, aquí en la isla, tantos vagos rumores corrían?

Una mañana despertáronle algunos cañonazos. Intranquilo marchó hacia el puerto donde se habían ya reunido buen número de curiosos y de funcionarios públicos para presenciar la feliz llegada de la flota de Grijalva. Los siete pequeños bergantines fondearon a la entrada de la bahía y destacaron algunas chalupas hacia tierra para descargar su cargamento. Grandes fardos, barricas de especias, pájaros desconocidos en jaulas, pieles curtidas y, por último, en cajas cerradas y custodiadas por guardias, el anhelado y maravilloso oro.

La costa negreaba de gente; las mujeres buscaban a sus maridos y hablaban a los marineros que venían pálidos, con la barba hirsuta y marcados de cicatrices. Los comandantes se encaminaron con el viejo capitán Grijalva al palacio del gobernador para dar allí detallados informes.

Velázquez censuró acremente al viejo navegante. Había sido demasiado prudente; se había dejado asustar por su propia sombra y había creído que los indios eran moros, como si se tratara solamente de establecer negocios de trueque. ¿No era muchas veces el mejor intermediario una buena espada desnuda en la mano? Grijalva sacudió la cabeza pacientemente.

—Vuestra Excelencia se equivoca. Perdimos treinta hombres allá en aquel peligroso promontorio donde hace algunos años el señor Córdoba sufrió grandes pérdidas. Creedme, señor. No podíamos internarnos a lo sumo más que a un tiro de mosquete tierra adentro y, según todas las apariencias, es aquello un continente densamente poblado por un pueblo guerrero. Por otra parte, no llevábamos intérprete y por eso hemos traído con nosotros a dos jóvenes indios, para que aprendan nuestro idioma hasta que allí retornemos.

—¿Retornemos?

Velázquez estaba sentado contemplando el oro que estaba expuesto ante él y que era de inferior calidad, pues contenía mucho cobre. ¿Volver a mandar una expedición dirigida por el viejo Grijalva?... A su alrededor veía ahora los ojos firmes y brillantes de sus jóvenes capitanes que escuchaban emocionados los episodios heroicos de la aventura. De pronto sintió Cortés un sabor amargo en la boca; salió entonces de la sala y se dirigió al puerto donde los soldados mercadeaban todavía posesos de la fiebre de la llegada.

Paróse ante un piloto a quien conocía y les saludó amigablemente. Se trataba de Alaminos, que había tomado parte en todas las expediciones hacia Occidente que se habían emprendido desde el tiempo de Colón. Presentó a Cortés su timonel, un joven de barba negra llamado Bernal Díaz que por sus habilidades era alabado por los que le rodeaban. Pocos minutos después, los tres habían desaparecido dentro de una tasca; y allí, frente a un vaso de vino aguado, comenzaron a charlar.

—Señor; aborrezco ya el aguardiente de pulque; no puedo ya con él; paréceme sentir en la boca el sucio sabor de la palma. ¡Mi primer vaso de este vino, a vuestra salud!

—Escucha, Alaminos. Nadie habla francamente en el Consejo; nadie deja allí conocer exactamente su pensamiento. Y cuando uno empieza a hablar, otro le interrumpe con alguna pregunta. Creo que tú más que nadie es quien puede juzgar rectamente si allí en aquella costa comienza o no un gran continente.

—Estuve allí con el almirante Colón en su último viaje. Llegamos alrededor del mediodía a esa tierra inmensa que se extiende hacia el Oeste. El almirante continuó navegando hacia el Sur. La tierra es firme; evidentemente es un continente. Los indígenas son también muy diferentes de los de las Antillas; no son ciertamente salvajes desnudos y simples. No; ellos, los de allí tienen sus dioses, llevan vestidos y usan excelentes flechas y lanzas. En la espesura, pudimos ver casas de piedra; eran templos donde ofrecen sacrificios a sus dioses. Marcan sus fronteras por medio de montones de piedras y con montones de piedras también miden el tiempo. Lo más maravilloso, sin embargo, son sus horribles ídolos. Los otros, mis compañeros, al verlos hicieron el signo de la cruz y se alejaron. Pero yo ya he ido mucho por el mundo y me gusta verlo y curiosearlo todo, así que me arrimé y miré los ídolos y los toqué a mi placer. Son extrañas figuras con cabeza de animal. Están talladas en piedras brillantes de apretado grano y van adornados con lanzas y serpientes. Cuando niño husmeaba yo a menudo en el taller de mi tío, que era labrador de piedra, así que conozco algunas cosas de tal oficio. Aquellos indios no trabajan con herramientas de hierro, sino que sus cinceles son de una piedra negra, una especie de pedernal, y de esa manera hacen trabajos magníficos. Encontré allí también mazas con cabeza de cobre que supuse empleaban seguramente como martillo. Llegué a entrar en uno de sus templos; están llenos de esculturas y tallas. Encontramos allí oro y trabajos diversos hechos de plumas. Estaba el templo en una pequeña isla que nosotros llamamos *Isla de los Sacrificios* porque ante el altar manchado de sangre veíanse restos de miembros humanos; en la parte de fuera había un enorme montón de calaveras blanqueadas por el sol y algunas de ellas estaban cubiertas de pinturas y colorines semejantes a los que cubren las paredes del templo. Os cuento eso, noble señor, para convenceros de que aquel continente no está poblado por cuatro pobres diablos como son los indios de aquí. Aquéllos son muy diferentes, profesan evidentemente otras creencias, lo cual ciertamente no tiene por qué admirar a un viejo hombre de mar. Solamente el señor Velázquez y sus secuaces creen que un indio es forzosamente igual a otro, que todo indio ha de huir atemorizado cuando nos ve y ha de sufrir espanto al oír las detonaciones de nuestros mosquetes.

—Debo entender, pues, Alaminos, que en tu opinión es aquello un país con su rey, su *kan* o algo semejante...

—Aquellas gentes sólo con signos podían darse a comprender por nosotros; pero ¿cómo entender su modo de hablar? Los caballeros se dedicaron tan sólo a buscar ansiosamente oro; ninguno se aventuró por el interior y menos aún se preocupó de indagar sus costumbres o modo de vivir.

—Detrás de la costa, ¿existe un continente?

—Observé aquellos hombres; cuando dos de ellos se encontraban, se inclinaban a modo de saludo repetidas veces. Había entre ellos evidentemente nobles y siervos y vimos algunos que eran llevados en literas o sillas adornadas con hermosas plumas; al pasar, bajaban los demás la vista y hasta algunos, de aspecto más miserable, llegaban a postrarse a su paso. Según el modo de reunirse, de separarse y de aparecer al siguiente día en otro sector de la costa en correcta formación y ordenadamente, deduje que aquello debía ser un reino. Los caballeros no repararon en eso; pero un marino como yo ha visto mucho, se ha fijado en las cosas, sabe pescar una ramita que llevan las olas y observar el vuelo de un ave...

—¿Es cierto que Grijalva no se atrevió a internarse en el país?

—Dijo que éramos pocos para ello. El capitán Pedro de Alvarado, que mandaba nuestro segundo buque, disputó con Grijalva. Quería quedarse allí y recuerdo que dijo: «Dejadme algunos hombres y tres culebrinas; me fortificaré y esperaré a que volváis. No huyamos indignamente». Pero Grijalva sacudió la cabeza y dijo secamente: «Es preciso regresar, Pedro».

— ¿Se necesitaba mucha gente?

— A mi entender, lo que se necesitaba era uno: un jefe, que condujese a los soldados y supiese lo que quería. Los demás hubieran seguido todos si el comandante los hubiera capitaneado.

— No toméis a mal, señor, que yo, aunque tan joven todavía, dé también mi opinión. Según mi parecer, tierra adentro, a partir de la costa, debe de encontrarse un magnífico y espléndido país.

— ¿Qué es lo que os hace opinar así, mi joven señor Díaz del Castillo?

— Como pude observar, existen allí plantaciones y canales que se adentran profundamente. Vi también una gran casa de piedra donde había almacenada gran cantidad de maíz. Había varias de esas casas, alejadas un cuarto de milla las unas de las otras. Todo eso abona mi opinión de un vasto y rico país, noble señor. Cuando preguntábamos qué había en aquella dirección, aquellos hombres volvían la vista y decían extrañas palabras con expresión de respeto. Decían por ejemplo: *Mexi... Tenotit...* Pero no pudimos llegar a poner en claro si eso era alguna ciudad o por ventura un reino.

— ¿Creéis que vuestros hombres querrían volver allí?

— Todos quisiéramos, señor, si con nosotros viniese el hombre que necesitamos. Si un hombre se propusiese sin titubeos establecerse en aquella costa... un hombre, se entiende, que fuera joven y tuviese el corazón donde hay que tenerlo... ¡Vive Dios, qué gustoso iría yo con él! Y si desplegara así su banderín de enganche, seguro estoy que a su llamada habrían de acudir centenares de jóvenes de pelo en pecho.

La mirada de Cortés estaba como perdida en la lejanía. Sentía como si el mundo le ahogase, como si le resultase pequeño. Como un viejo profeta del Antiguo Testamento hubiese querido luchar con ángeles y con diablos. Cuando salieron, Alaminos le miró al marcharse y luego sonrió.

— ¿Has observado, Bernal, cómo ha mordido el cebo? Un hombre bravo, de buen temple, sólo que tiene muy poco, muy poco dinero...

— ¿Irías tú con él?

* * *

Del Duero, el vasco, llegó a la hacienda de Cortés. En sus cabellos se dibujaban algunas pinceladas de plata. Había aprendido de los indígenas a fumar hojas de tabaco enrolladas, como patentizaban bien sus dientes ennegrecidos. Era domingo. Sentóse en la *terraza*, bien repantigado, y se quedó mirando fijamente la lumbre de su tabaco enrollado.

— De sobra sabéis, don Hernando, que hasta ahora las expediciones hacia el Oeste no tuvieron más valor que las de los traficantes que llevan sus ganados más allá de la Sierra. A éstos se les descuentan del salario las cabezas de ganado que desaparecen; lo que importa en primer lugar es que el amo quede contento. Así es poco más o menos lo que sucede también en las expediciones. Hay que contar los doblones. Todas las noches siéntanse juntos el funcionario de la corte y el comandante, acompañados del contable, del administrador y del representante de los armadores. ¿Puede llamarse eso aventura, lucha?... Antes de encender la mecha es preciso pesar cuidadosamente la pólvora que se va a emplear... ¿Es posible navegar con las manos atadas? *Adelante y a todo trance* debiera ser el lema, por lo menos para el capitán. Éste debiera saber a lo que se va. ¿Que va bien la suerte? Pues se pesca un buen trozo de tierra, una región entera. Entonces puede llegar a ser Virrey. ¿Que va mal? ¡Pues se le arroja de allí! Allí van ahora nuestras gentes como vinieron aquí; llevan consigo esos mismos cascabeles que aquí les sirven de moneda; incluso los intérpretes son los mismos. Para ellos es igual si se trata de salvajes africanos, de indios o de lo que sea... Su ignorancia clama al cielo.

— ¿Por qué me decís eso a mí, don Andrés?

— Porque veo que os aflige también. Ha llegado a mis oídos lo que de vos dicen los muchachos. Sabido es, don Hernando, que en vuestras manos estaría bien depositado el mando...

— No nos vayamos por las ramas, señor. Soy simplemente un colono, un labrador...

— Podríais venderlo todo o hipotecarlo. Vuestra hacienda es una de las más afamadas de Cuba.

— Aunque todo lo vendiese, no daría más que lo preciso para comprar un solo y único buque.

— Sea, pues. Seguid viviendo plácidamente; pero sonrojaos al recordar a vuestro padre que tan gloriosas heridas recibió en Granada. Paréceme que andáis falto de valor suficiente para decidir un plan... ni aun con la ayuda de otros.

— ¿Querríais ser uno de... esos otros, don Andrés?

— Mi palabra es la palabra de los Padres de Santo Domingo. Sin su anuencia no puede zarpar ni un solo buque hacia el Oeste. Vos conocéis cómo son las cosas de ese mundo. También debéis de saber vuestras propias cosas. No se os guarda rencor desde que apaciblemente tenéis a vuestro lado a vuestra esposa. Los Padres son en su mayoría de Asturias y tienen para los españoles del Sur... ¡Y basta! Al fin y a la postre pudiera llegarse a un acuerdo. Si lo quisierais convertir todo en dinero, no dudaría yo un momento de echar algunos buenos doblones míos en el montón.

— ¿Cómo podéis creer que el gobernador se decidiría a elegirme a mí, él que sólo contra su voluntad me aceptó como pariente?

— Ayer, después de la misa, hablé con él. Confesó francamente que Grijalva estaba ya un poco viejo. Yo entonces recomendéle tomara un capitán que lo pueda perder todo o ganar todo. «No se trata de elegir un nombre ilustre. En vuestro lugar elegiría yo a un capitán que nada tenga que ver con Toledo y que, por tanto, lo tenga todo que agradecer a Vuestra Excelencia.»

— ¿Y qué dijo él, entonces?

— Entornó sus ojos de pescado y meditó. Yo no tuve reparo en decirlo todo con franqueza y así dije en quién pensaba y pudo él enterarse. Díjome entonces que vuestras hazañas habían sido realizadas, por lo menos hasta ahora, en las alcobas de algunas damas; y añadió luego que según sus noticias no tratabais a vuestros indios con la severidad y el rigor que aconseja la disciplina. Y por último me preguntó si yo creía que los Padres Jerónimos darían su *placet* a un desconocido — y perdonad estas palabras —, pues el gobernador bien sabe que yo gozo de la confianza de esos padres.

— La palabra de Velázquez tiene su peso, naturalmente; pero... no es dinero.

— Por eso debierais esforzaros en lograr vos el dinero. Antes del fin de las lluvias nadie quiere oír hablar de nuevas empresas. Podéis recibir un préstamo en buenas condiciones. Si tenéis algo ahorrado podéis igualmente unirlo con lo mío...

— Don Andrés, ¿vos querríais fiarme vuestros doblones?

— Recuerdo aún aquella mañana en que por vez primera os vi en La Española. Desde aquel día os tengo presente. Si mi cargo no me tuviese aquí sujeto por voluntad del rey, partiría con vos. Disponed de la mitad de mi dinero.

— Hasta ahora sólo me entregaba a tales sueños cuando por la noche el calor me desvelaba y mi mujer se despertaba sacudida por la tos. Pero durante el día — lo confieso — procuraba ahuyentar tales ideas. ¿Podría yo atreverme a mandar una flota, después de haber visto a los grandes capitanes, al mismo almirante? Vos sois quien me infundís ánimos; por eso os he de suplicar que me ayudéis en mis planes... ¿Debo ya hablar francamente al gobernador?

— En primavera quiere él que, en todo caso, parta la expedición. Por lo que yo sé no ha elegido todavía a nadie. Esperad, sin embargo, don Hernando. Esperad hasta que él mismo os tire de la lengua.

13

En la Cancillería se extendió el olor de las gotas de cera derretida que caían sobre el pergamino. El texto fue redactado y el documento quedó extendido. A la cabecera de la larga mesa estaba sentado el gobernador; junto a él ocupaba su puesto el secretario, después el escribano; seguían luego por orden: el tesorero, los armadores, los procuradores, los abastecedores y los armeros. Todos ellos se habían ido poco a poco habituando a la costumbre de fumar, así que pronto estuvieron rodeados de una nube de humo. Frente al gobernador estaba sentado Cortés. Habló éste primeramente para poner en el platillo de la balanza el importe de la hipoteca de su hacienda, la suma de lo obtenido en la venta de sus seres, el valor de las joyas de doña Catalina, los préstamos que se le habían otorgado y el dinero de los amigos. El gobernador hizo inventariar y registrar todo lo que había producido el viaje de Grijalva. Pero los negociantes seguían desconfiados y uno de ellos, que debía cuidar del aprovisionamiento de cocina, preguntó a don Hernando cómo se imaginaba la expedición.

La voz varonil salió en los primeros momentos un poco velada y enronquecida tal vez por el humo; pero pronto se fue haciendo sonora y se la oyó vibrar en la habitación.

—La última flota importante se hizo a la vela hacia el Sur e iba mandada todavía por el almirante. Todo lo demás que se ha hecho desde Colón es un juego de niños comparado con lo que yo me propongo. ¿Quién ha alcanzado todavía la parte occidental del Golfo, más allá de los dos primeros grados, donde deben de vivir los reyes de aquellos pueblos extranjeros? Yo juro solemnemente en el nombre santo de Cristo que, llegado allí, no he de regresar con medio puñado de oro en la mano. Si me preguntáis si tengo fe en la empresa, os he de decir que mi confianza es tan grande como lo era la del almirante. Y él sabía más cosas de las que sabemos todos los que aquí estamos; y él —insisto— hasta el fin de su vida buscó al Gran Kan al otro lado del Océano. Pero os hablo de reinos y países, de reyes... pero vosotros deseáis saber qué va a ser de vuestros doblones que me dais en forma de mercancías y géneros. Todos sabéis que el dinero que yo pongo en la expedición es el valor obtenido en la venta de mi hacienda y el de las joyas de mi esposa. Si mi plan fracasara, habría yo de volver hecho un mendigo, convertido en un miserable. Y yo os pregunto, señores míos, ¿no basta con lo dicho? ¿Es preciso decir más a quienes, como vosotros, también habéis, como yo, empezado por abajo y todos vuestros bienes los debéis, como yo, al trabajo de vuestras manos?

Duero sonrió, hizo un gesto de aprobación y dijo sencillamente: «Tiene razón».

Los negociantes cambiaron algunas miradas. Cortés era joven. Sus ojos brillaban febriles en su rostro pálido y distinguido. Todos sabían cuán difícil era lograr en la isla ganancias exorbitantes. Por lo demás, cada uno de ellos en particular no arriesgaba demasiado en aquel juego y a cada uno correspondería un lucro proporcional a lo que aportara. Sacaron sus cuentas; y de esa manera logró Cortés cañones, mosquetes, buques y provisiones.

El gobernador alzóse de su asiento e invitó a Cortés a cenar con él. La mesa había sido puesta en el jardín, a la sombra de un gigantesco sicómoro. Sentóse Cortés a la izquierda de Su Excelencia, lo que era ya casi un nombramiento en regla de capitán general. Después de la cena, Velázquez y él quedaron de acuerdo: Los derechos de regalía de los países que se conquistaran pertenecían al gobernador, más un quinto de todos los ingresos. Cortés y la Corona recibirían un quinto cada uno; y los dos quintos restantes quedarían para los demás. Cortés contribuía con quinientos «castellanos» y con su honor de hidalgo y de caballero.

Catalina lo recibió acongojada. Sentía profunda angustia. El patio estaba negro de hormigas. Continuamente había que enfadarse con las criadas indias. Cada mañana había que hacer quitar la mala hierba que invadía el jardín. Cortés afirmaba distraídamente con la cabeza y su mirada se perdía en la lejanía. La esposa se retiró a la alcoba, arrojóse de bruces sobre los mullidos cojines y lloró envuelta en aquel aroma pesado y penetrante de los lirios tropicales. Oía a su esposo que iba y venía. Ya adormecida oyó el apagado ruido de sus pisadas cuando entraba en la habitación. Le oyó suspirar hondamente, viole cómo juntaba sus manos sobre el pecho, procurando apagar todo ruido que pudiera despertar a la esposa. Doña Catalina sonrió. Después de todo, don Hernando no era un mal marido, pensó... y cerró los ojos.

14

Las noticias se extendían por la isla con la velocidad del viento.
A los tres días sabíase ya en todas las Antillas que Hernán Cortés
había hecho bordar sobre su estandarte de terciopelo negro el mismo
lema del emperador Constantino. Sus reclutadores pasaban por todo
el país metiendo ruido con sus trompetas. A los hidalgos mandóles
Cortés su invitación escrita por medio de correos a caballo. Tres
veces todos los días, en el barrio del puerto, oíanse las voces de los
reclutadores prometiendo soldadas y botín, empleos y bienes, esclavos, etc.

El dinero se fundió fácilmente. Los doblones de Cortés, los préstamos de los amigos, todo estaba ya gastado; pero disponía ya de
trescientos hombres alistados bajo su bandera. Al principio no hicieron gran caso los nobles del llamamiento que Cortés les dirigiera;
pero pronto se ablandaron y, aunque sin entusiasmo, acudieron para
no perder la parte que pudiera corresponderles. Pasaron dos meses
de febriles preparativos. Cortés estaba sentado día tras día en su
despacho; lucía ya su uniforme de general recamado en oro. Allí dictaba cartas, sostenía conferencias con sus oficiales, recibía comunicaciones. Salía luego para probar armas y cañones. De la noche a la
mañana la vida se había vuelto hermosa, rica en emoción, llena de
significado; parecíale a Cortés que le habían nacido mil manos. También su voluntad diríase que había crecido proporcionalmente.

La flotilla debía hacerse a la mar apenas terminara la estación de
las lluvias. Cortés informaba al gobernador acerca de todas las comunicaciones recibidas o expedidas y discutía con él los planes mi-
nuciosamente, punto por punto. Un día sorprendió una sonrisa irónica en la comisura de los labios del gobernador. Había aprendido
con los años el saber leer en los rasgos fisonómicos. Trató de explo-
rar al augusto señor; pero no logró la menor explicación. Debía
Cortés obrar conforme a lo mandado. Sintió algún frío. Comenzó
por vigilar la charla de los que rodeaban al gobernador. Por todas
partes parecían mirarle con conmiseración; se le respondía con sonrisas burlonas y algo que parecía alegría de mal ajeno. Gentes que
pocas semanas antes le habían envidiado por su suerte, espoleaban
ahora su celo con exagerada familiaridad. Se olfateaba el peligro en
el aire. En España, la rueda de la Fortuna giraba por aquel tiempo
con rapidez.

El domingo, al ir a la iglesia, un bufón de la corte de Velázquez estalló de pronto en una carcajada; puso su sombrero adornado de plumas en el extremo de su sable de madera y gritó a Velázquez: «...viejo compadre Velázquez... has sabido elegir al hombre que necesitabas... en Medellín crecen bizarros mozos... se hacen a la vela rápidamente, y sus velas desaparecen pronto de la vista... Excelencia... de Medellín sopla un viento fuerte...» Quebróse la conversación; los caballeros cambiaron miradas de inteligencia. ¿Quién podía haber puesto tales palabras en la boca de aquel bufón?

Los domingos por la tarde cesaba la propaganda de alistamiento. Un silencio mortal flotaba sobre las proximidades de la costa. Duero golpeó en la ventana de la hacienda.

— Don Hernando; debéis creerme. Quiero vuestro bien y estoy en cuidado por vos. He hablado con Lares, el contador. El gobernador le preguntó por la situación del reclutamiento. Indicó luego que el ritmo le parecía demasiado lento y que ya se arrepentía de no haber dado el mando a un hidalgo más viejo y de mayor experiencia. Aparentemente — esas fueron sus palabras — sólo irían cuatro vagabundos. Preguntó si no sería aconsejable que algunos buenos amigos vuestros os convencieran de la conveniencia de renunciar a la empresa. De la recompensa podríais estar seguro; el Erario no sería mezquino suponiendo que todo marchara bien. Piensa nombraros notario real el año próximo. Es un cargo muy remunerador... Lares pidió mi consejo acerca de qué debía contestar y por quién había de decidirse.

— El hombre me estruja como si yo fuera un limón y cree que después de haberme extraído el jugo, me puede arrojar a un lado.

— No puedo hacer nada más que protestar. El poder de los Padres en la Española tiene tanta fuerza como una ley, por tanto sed capitán general. Si Velázquez quiere transferir el mando a otro, entonces tendrá que ser alterada la sentencia de los Padres. Puedo volverles a escribir y solicitar su opinión que es, en verdad, de mucho peso... Sin embargo, ¿queréis verdaderamente escuchar el consejo de un buen amigo?

— Sabéis, don Andrés, que mi corazón os pertenece y que en vos tengo mi confianza completa.

— En vuestro lugar no me daría yo por enterado de nada. Redoblaría mi celo para ir llevándolo todo a bordo y obraría como si tuviese tiempo sobrado. Una hermosa mañana, cuando todo esté ya listo, tocaría la corneta... Tenéis todavía amplios poderes en el bolsillo que valen lo mismo que antes.

— Y si levo anclas... ¿qué pasa después?

—Una de dos: o el plan tiene buen éxito y entonces no estaréis ciertamente solo, pues quien en el mundo tiene dinero y gloria siempre tiene razón, o, por el contrario, no resulta bien lo proyectado, y entonces os ha de ser indiferente cuál sea el motivo de que hayáis caído en desgracia. Queréis ir a El Dorado y estáis en el umbral. ¿Titubearon por ventura vuestros héroes antes de pasar el Rubicón?

* * *

Disimuló durante varios días. La galleta estaba demasiado cocida; así lo comunicó por escrito al gobernador. Las provisiones del molino de pólvora habían desaparecido; se apresuró a ir a referirlo al Palacio. Invitó al gobernador a la primera revista. Dentro de tres días debían demostrar sus gentes cuán bien los había instruido en el arte de la guerra de la Infantería española entonces invencible. Velázquez sonreía satisfecho. Todos alababan a Cortés. «Bien... muy bien». Por la noche se reunieron los capitanes. La sobria y mansa subordinación se había disipado como llevada por el viento. Se limitó a dar sus órdenes para el día próximo, para la noche. Todos eran veteranos lacónicos, secos, los que se habían reunido alrededor de Cortés, gentes que aborrecían la tranquilidad y la paz, incorregibles jugadores del azar dispuestos siempre a jugarse de nuevo su suerte.

Por la noche llegó a la casa una mujer vieja. Deseaba hablar con él, y para ello había hecho el viaje desde Jamaica a Cuba.

—Noble señor —dijo—. La noticia de vuestro viaje ha llegado hasta nosotros. Hace diez años hice un viaje desde Darién hasta Jamaica, en compañía de mi hijo, joven licenciado. Se llama Jerónimo de Aguilar... Cerca de la costa de Yucatán nos sorprendió una tempestad... Hubo que arriar los botes salvavidas; en uno se colocaron las mujeres; en el otro, los hombres... Pude ver a mi hijo por última vez cuando el oleaje arrojaba la embarcación hacia la costa... Parecía que le arrancaban de mí... A nosotros el furor de las olas nos llevó más adentro y sólo por la intercesión de la Reina de los Cielos pudimos salvarnos. Mi hijo, sin embargo, debió desembarcar en la costa aquella donde no había puesto todavía el pie ningún cristiano. Por eso he venido a veros... Mi hijo no estaba solo, con él había otros hombres: diez o doce que iban en el mismo bote... Si vais a aquellas costas, señor, buscad su paradero. Dios sabe hacer milagros y conserva la vida a aquellos que honran su nombre divino...

Despidióla Cortés con algunas palabras de consuelo y elevó seguidamente sus ojos al Cielo. ¿Debía buscar en aquel lejano y extraño país a un teólogo desaparecido?... Pero aquella mujer tenía un no sé qué que le recordaba a su madre Catalina Pizarro de Cortés. ¡Qué hermosa y fuerte estaba todavía, con sus ojos claros y sus cabellos negros, cuando se despidió de ella, al partir de Medellín! Cortés pensó entonces que no había de regresar jamás a su tierra con las manos vacías...; y quedó meditabundo bajo aquel cielo azul obscuro, adornado de estrellas que se extendía sobre su cabeza. Dentro, en las habitaciones, la discusión de los planes había degenerado en calurosa disputa. Oficiales, pilotos, capitanes, todos argumentaban con calor, apasionadamente. Cortés apareció en el umbral; se hizo el silencio.

—Caballeros: ya he trazado mi plan. No vuelvo atrás. El Derecho está de mi parte, lo afirman así los Padres de San Jerónimo. Quien empezó el desafuero no fui yo, sino el señor de Velázquez. Mañana nos haremos a la mar. Cada uno de vosotros cuide de advertir a su compañía que el capitán desea hacer unos ejercicios o maniobras nocturnas. Mañana reuniréis a vuestra gente y embarcarán todos. Al romper el día levaremos anclas y saldremos a alta mar y sólo desde allí enviaremos al gobernador nuestros saludos y nuestra despedida. Es mi palabra de hombre, señores míos. Yo soy vuestro caudillo. ¡Jurad que no traicionaréis jamás mi consigna!

La época de las lluvias dio sus últimos coletazos y una tormenta espantosa, típicamente tropical, descargó sobre la isla. Los truenos hacían retemblar la casa y en ella, a la luz parpadeante de los relámpagos, aquellos soldados y aventureros, pálidos y cubiertos de heroicas cicatrices, arededor de la mesa, rezaron una oración.

SEGUNDA PARTE

MALINALLI

1

El octavo mes comenzaba bajo el signo de la diosa Xilon. Primeramente se repartían las tortas de miel entre los ancianos, cuya danza no pasaba de ser ya solamente un tembloroso bamboleo. Los jóvenes tenían en la mano una larga cuerda de algodón, adornada de flores; a la derecha estaban los muchachos; a la izquierda las muchachas; y en medio se colocaba a la mujer que aquel día había de morir. El mes de Luna comenzaba con la aurora. Hasta el mediodía se embriagaban todos con aguardientes fermentados. Los más viejos se sentaban en círculo a la sombra de algún copudo árbol y allí mordisqueaban tortas de maíz. Esos alimentos eran pagados por los ricos, pues en esos meses del año no quedaba a los pobres a lo sumo más que algunos puñados de harina de maíz. Iban las mujeres en este día ricamente vestidas de blanco, con bordados en las orlas y adornos de plumas. Su cabello iba peinado hacia atrás, lisamente, sin adorno alguno, pues así lo exigía el ceremonial de la fiesta. La danza tenía carácter solemne religioso y comenzaba a la puerta del sol. Llevaban antorchas que hacían oscilar formando corro alrededor del fuego del templo en que se quemaba aromático copal. Los muchachos y las jóvenes se asían de las manos y por turno iban abrazando a la que había sido destinada a morir. Durante todo el día y toda la noche la habían rodeado de cantos y la habían ataviado ricamente y adornado, como novia que aquella noche había de unirse con la diosa Xilon. Las muchachas danzaban a su alrededor y entonaban alabanzas al rico esposo, que había de tomarla por la noche; y para recibirle adornaban su cuerpo con oro y plumas de hermosos pájaros. Así se preparaba el sacrificio. El sacerdote de la diosa derramaba harina de maíz sobre la sagrada escalera y allí esperaba y vigilaba durante toda la noche. Al clarear el día alzábase y colocábase delante de la escalera. Extendía el brazo y su mano hacía un signo mientras decía: «Ahí está...» En este momento entraban en juego los instrumentos de música. En primer lugar largas trompetas de arcilla cocida cuidaban de despertar a los invitados que estaban sumidos todavía en un dulce sueño; después mugían a coro las caracolas y a ellas se unían los golpes rítmicos y acompasados de los tambores, formados por una piel delgada fuertemente tensa sobre un tronco ahuecado. Todo ese concierto era acompañado de un coro de muchachas que con los ojos piadosamente bajos marchaban hacia el templo para lavar la piedra del altar de la diosa donde debía ser inmolada la víctima. Así, cantando, subían lentamente la escalinata, cuyos peldaños eran tan estrechos y tan altos que para llegar arriba debían tener la ligereza y firmeza de pie de las gamuzas, tanto más que al subir ejecutaban una danza alrededor de la novia que nada podía ver de todo eso. Alcanzaban la plataforma superior donde terminaba la escalinata y entonces los sacerdotes, con el rostro vuelto en dirección al sol, colocábanse alrededor de la gran piedra. Cuando aparecía la novia rodeada de las muchachas, cuatro negros brazos se extendían hacia ella. El coro entonaba entonces una melodía victoriosa; oíase el ruido de vestiduras que se desgarraban y un grito reprimido. En las manos del sumo sacerdote brillaba un cuchillo hecho de lava vidriosa y un momento después en su mano extendida, había un corazón que se estremecía aún y que era mostrado a la multitud ebria de alegría y de jolgorio.

Con este sacrificio terminaba la fiesta y entonces todos podían encaminarse a su propio hogar para celebrar su fiesta íntima. Era el mes de la diosa Xilon, cuando se abren los capullos; y en este día eran consagradas las muchachas, en quienes se abría por primera vez la roja flor de la vida. Habían ayunado desde el amanecer y durante el día habían tejido guirnaldas para su cabeza, pues por la noche debían volver a las danzas y era preciso para entonces ir adornadas con blancas flores. Todos se dirigían a ellas con alegría; pero debían permanecer calladas, pues así lo exigía la costumbre. Ellas sabían que tal día era su propia fiesta. Antes del mediodía llegaban de visita sus amigas y ninguna de ellas venía con las manos vacías; todas llevaban pequeños obsequios y regalos como cintos de plumas de colibrí, broches de turquesas, cuentas de vidrio... Permanecían de pie ante la muchacha y decían: «Hoy se ha de celebrar una fiesta en vuestra casa.»

* * *

La muchacha hacía exposición de los objetos de su pertenencia, como agujas de hueso, cuchillos de piedra, bastidores de bordar.

Aparte estaban los hilos de algodón de variados colores, las fibras de palma y las plumas con las que Malinalli había bordado cuidadosamente su vestidura de consagración, adornándola de hermosas flores de caprichosos colores. Los invitados iban mirando por turno la capita de delicados pliegues. Después alzaban en su mano la vasija llena de vino de miel y bebían un sorbo. La muchacha permanecía recogida sin levantar sus ojos hacia sus padres. Debía esperar hasta el mediodía cuando los criados colocaban sobre la baja mesa cubierta de un tapiz blanco el plato de la fiesta, que era un pavo adornado de flores. Exigía la costumbre que sólo entonces y no antes pudiera la muchacha por primera vez levantar la vista. Entonces todos los miembros de la familia se inclinaban ceremoniosamente ante la muchacha que había quedado ya así en disposición de contraer matrimonio. Y llegado a este punto, el padre, lentamente, dirigía a la hija el siguiente discurso, consagrado por el uso:

«Hijita: eres más preciosa para mí que el más fino oro en polvo, más preciosa que las plumas de quetzal. Llevas mi sangre en tus venas y mi imagen en tus rasgos fisonómicos. Ya conoces las palabras de nuestros antepasados: La tristeza y la alegría van cogidas de la mano. Sabes tú ya muy bien que no hay dolor que no tenga un resabio de alegría. El señor nos regaló la risa y el sueño: nos dio alimentos y bebida y dispuso que de nuestra virilidad nacieran nuevas vidas. Él es quien permite que no pensemos en la muerte en todo momento, sino que — y eso es un deber nuestro — llevemos nuestra vida, edifiquemos nuestras casas para tener así un techo sobre nuestras cabezas; que los hombres elijan una mujer que debe ser su compañera siempre junto a él. Las muchachas empero permanecen en su casa hasta que les llega la edad. Malinalli, tú provienes de grandes antepasados y eres pura y preciosa como la piedra de jade o el zafiro azul. Ahora ya no eres una niña; por eso debes despedirte para siempre de jugar inocentemente a la pelota con tus amigas; has de renunciar ya a jugar con la arcilla y edificar con ella casitas y palacios y hacerte muñecas de barro cocido. Te has convertido en mujer, Malinalli, y debes pedir a la diosa que te haga fuerte y resistente. Has vivido siempre entre nosotros y nosotros te hemos guardado y protegido. Desde hoy tienes en ti algo de padre y de madre y debes ya cuidar de ti misma y saberte guardar de no manchar nunca jamás el recuerdo de tus padres. Debes reservarte ya, Malinalli, para tu futuro esposo que ha de ser del rango de jefe, a quien darás hijos, y después de mí será el único y legítimo señor y amo de ti y de tu vida...»

Mandaba la costumbre que, una vez terminado el discurso del

padre, fuese trinchado el pavo. Los invitados sentábanse en los escabeles hechos de tronco de árbol, mientras las esclavas servían los manjares destinados a la fiesta; sobre la mesa se ponían unas cestas de preciosas plumas trenzadas y que contenían torta de maíz; servíanse pescados aderezados con huesos de cereza molidos. Se saboreaba el maíz tierno. Aparecían también grandes ollas de piedra que contenían sopa de caldo de gallina. Las muchachas se servían empanadas en sus platos; estas empanadas estaban confeccionadas con carne, pimienta roja, calabaza y hojas de tomate. Se bebía cacao preparado con miel, vainilla y otras especies. Cuando los convidados habían bebido ya el espumoso y caliente cacao, levantóse de su asiento la madrastra de Malinalli y también ella dirigió a la muchacha un discurso al modo tradicional que la costumbre exigía fuese pronunciado con los ojos bajos y con el ritmo monótono de las oraciones:

«Hijita mía. Sé que en tu corazón han quedado guardadas las palabras que te ha dirigido tu padre; son, en verdad, palabras hermosas y valiosas como joyas. Graba en tu memoria, pues, tales palabras; pero haz también lo mismo con las mías; pues también las tendrás que repetir un día a las hijas que Él te dará para que las críes y eduques. Es cierto que no te he llevado en mi seno; pero sí te he mecido en mi regazo cuando tú no tenías madre. Ahora, Malinalli, ya no eres una niña. Ha llegado el tiempo de que te des cuenta de que eres la hija de un jefe y así habrás de hoy en adelante de comportarte como a tu rango corresponde. Cuando vayas a lo largo de las calles y caminos, no lleves la cabeza alta, pues si tal hicieses se diría que no te hemos educado como correspondía. Recuerda que jamás han de poderse leer en los rasgos de tu rostro las tormentas que agiten tu alma. Anda siempre serena y tranquila; no rías nunca sin motivo y no vayas cabizbaja. No debes escuchar ni entender las toscas palabras de las gentes bajas; pues tales expresiones no servirían para tu edificación, Malinalli. No pongas afeites en tu rostro, sino para la fiesta de tu diosa; no aparezcas ante los hombres con tus mejillas pintarrajeadas, pues eso queda para las malas mujeres que son todo falsedad y con las que en modo alguno has de tener la menor semejanza... Conserva, dulce palomita, tu virginidad y no dejes aproximar a ti hombre alguno; pues debes saber que sin ella nunca ganarás el afecto sincero de tu señor, al no ser él el primero que haya compartido contigo la esterilla en la que te acuestas. Debes respetar a tu señor y guardarle fidelidad, pues la mujer que rompe ese lazo, debe morir,... Ahora aún nos tienes contigo en esta casa, palomita, para vigilar y cuidar tus pasos con nuestra experiencia. Así, pues, deberás vivir bien y alegre en este mundo y recordar siempre que eres hija de Puerta Florida, vástago de grandes y nobles antepasados cuya memoria no debes jamás manchar. Y para que todos estos deseos puedan ser cumplidos póstrate ante la diosa Xilon y reza...»

Inclinóse la muchacha, según costumbre establecida, primeramente ante el padre y después ante la madre; en muestra de devoción había de escarbar la tierra ante ellos y abrazarles los pies; pero en modo alguno le estaba permitido en tal solemnidad dirigirles la palabra. Debía ser igualmente humilde ante los demás al despedirse, pues todos los invitados marchábanse seguidamente para asistir a la danza. Quedaron solos. Malinalli sacudió la cabeza haciendo entremezclar con ello las flores de la guirnalda que adornaba su cabeza con la negrura de sus cabellos. Después del largo ayuno, sus mejillas habían quedado un poco pálidas. Quitóse la capa que había usado para el ceremonial y quedó vistiendo solamente una ligera túnica o camisa de algodón sin mangas. Su cuerpo, casi aún de niña, recordaba ahora la figura del joven dios Jaguar que se veía pintado en la pared del templo en lucha con las serpientes. Los padres despidieron a los invitados ante la puerta de la casa. La muchacha quedó sola; había terminado el ayuno. Ahora era ya apta para casarse como lo eran las muchachas que habían alcanzado su edad. Miró a su alrededor; en el pebetero se había quemado toda la resina de copal; en el aire quedaban aún azules vedijas de aromático humo que parecían enredarse entre las flores y las cestas de frutas. El cuerpo de la muchacha vibraba de intranquilidad; inspiró el aire y gozó de aquel aroma embriagador y turbador. De pronto se sintió ligera y animada como si hubiese bebido una buena cantidad de pulque. Y así, comenzó a bailar...

Lejos, junto al templo al borde del bosque, retumbaban de nuevo los tambores. La diosa había llegado; no era ya la novia suave y vaporosa, sino triunfante ya, encendida, febril, como si acabase de abandonar el lecho de su amado. En esta noche, en esta única fiesta del año, estaba permitido que tomaran parte esas mujeres que noche tras noche vendían su cuerpo. Ahora podían salir de sus cabañas situadas al extremo de la ciudad; venían todas con altos peinados y un pequeño espejito de cobre en la mano. Desde las primeras horas de la mañana se habían preparado para la fiesta. Habían comenzado por bañarse; habíanse untado el rostro de aromático aceite y sobre sus mejillas habían extendido profusamente el colorete. Llevaban teñidos de púrpura los labios que habían frotado con cochinilla. Llevaban algunas el pelo partido formando dos pequeños cuernos o nudos detrás de ambas orejas. Iban mascando hierbas aromáticas para perfumarse de frescor su aliento. Algunas mujeres les ofrecían flores en grandes cestas y ellas elegían una para adorno de su vestido. Junto a algunas veíanse vasijas conteniendo hongos cocidos en miel. Su virtud excitante y embriagadora estaba destinada a abrir el paraíso del amor. Hoy ciertamente estaban hermosas, atractivas. Hoy era el día de las hetairas; podían en tal ocasión lucir sus capas de colores abigarrados y bordadas de flores extrañas.

Al caer el día era llegada su hora. Llevaban entonces sus ofrendas a la diosa. En sus manos llevaban un pequeño incensario donde ardía el copal, formando una roja mancha en la cazoleta; la espiral de humo denso envolvía a la imagen de la diosa. Tenía ésta los dientes apretados y los adornos de la cabeza velaban su rostro; solamente quedaba al descubierto su boca, plegada en cruel sonrisa, como dirigida a aquellas mujeres pasionales que se postraban a sus pies.

Las manos de aquellas venales mozas resbalaban sobre las caderas del ídolo y se las oía llorar y quejarse por su infecundidad, y sus lamentos que parecían hacer oscilar conmoviendo aquella figura pétrea.

En esta ocasión no se apartaban a su paso las gentes de la ciudad como hacían en los demás días del año, sino que ahora formaban corro para ver aquella dolorosa danza de las cortesanas.

Malinalli debía en este día por primera vez acudir a la fiesta con sus vestiduras de muchacha núbil, de mujer ya.

En este día de fiesta eran todas las mujeres como hermanas. Las cortesanas pensaban con tristeza en el día siguiente en que habrían de volver a sus guaridas infectas e incómodas...

Malinalli había oído hablar más de una vez de la triste suerte de esas siervas inferiores de la diosa Xilon. Ahora, sin embargo, contemplaba con ojos abiertos de curiosidad a esas mujeres impuras y daba las gracias a la diosa de haber nacido hija de un jefe y guerrero y de que así nunca habría de contarse entre el número de esas desgraciadas muchachas.

La luz de las antorchas parecía despertar el bosque; las aves asustadas alzaban su vuelo buscando a sus compañeras y mezclándose los rumores de aleteos con sus cantos y otros ruidos.

Con motivo de la fiesta, estaban en suspenso todas las prohibiciones. El aguardiente de áloe, bebida sólo permitida a los guerreros o a los hombres sujetos a trabajos muy penosos, corría ahora de mano en mano en gigantescos jarros de tierra vidriada adornados con cabezas de ídolo; y a ellos se arrimaban incluso los ansiosos labios de las muchachas más jóvenes. Hormigueaba ruidosamente la multitud en la explanada frente al templo y hasta los centinelas del borde del bosque descuidaban la vigilancia. Todas las tribus de los alrededores sabían que hoy en Painala se habían abierto las flores y que la diosa con su ardiente aliento encendía los cuerpos de las muchachas. Era la fiesta de la paz y de la amistad.

Las fronteras estaban sin guardar y así pudo aproximarse sin ser notada la perdición de todos.

En medio de la plaza, delante del templo, los hombres bailaban la danza del bosque y con sus movimientos remedaban el rítmico batir de alas de las aves en su danza de amor. Por los aires, plumas verdes y rojas dejaban brillar sus vivos colores. Las manos se juntaban dando rítmicas palmadas y, debido a eso, nadie pudo oír otros ruidos que se acercaban. Las muchachas, con guirnaldas de flores, se habían despojado de sus capas y llevaban ya tan sólo su ligera y corta túnica. Como ebrias se abandonaban al jolgorio. Y entretanto las gentes que estaban más allá de su círculo ensordecedor, vieron cómo la fatalidad se aproximaba sin que fuerza humana pudiera desviarla.

Aparecieron de improviso cuatro heraldos agitando sus abanicos de plumas al extremo de largos bastones; al sacudirlos producían un extraño y fuerte ruido. Aquellos que sabían el significado no ignoraban que debían postrarse inmediatamente poniendo la cara contra el suelo. Aquella especie de carracas eran símbolo del lejano Señor inmensamente poderoso, dominador de todo el Tenochtitlán, y cuyos enviados se presentaban de tal manera.

Las gentes quedaron esperando con la cabeza baja, atemorizadas de que las olas de una lejana tormenta de furor llegasen ahora hasta aquí. Aquellos hombres con rostros herméticos seguían sacudiendo el símbolo de aquel temido poder. Venían detrás dos literas de varas doradas y adornadas ricamente con plumas y alas de pájaros. Desde ellas rígidos rostros de ídolo miraban a aquella multitud atemorizada. Nada tenían de humano aquellas caras. Estos sacerdotes parecían casi ídolos petrificados, como las figuras talladas ante las que ofrecían el misterioso sacrificio de la sangre.

Los enviados, inmóviles como muertos dentro de sus literas, no hicieron la menor inclinación ni reverencia ante la santidad de la diosa, como lo exigía la cortesía usual entre las diferentes tribus. A su parecer, se trataba de un pueblo de esclavos que danzaba alrededor de un grosero ídolo de los bosques y cuyo nombre no figuraba entre los días de fiesta dedicados a los dioses conocidos. Reinó un largo silencio, tan profundo, que hubiera sido posible oír el ruido del vuelo de un ave o los lloriqueos de un niño. Sólo los incensarios abandonados seguían humeando y envolvían en volutas azules el rostro rígido de la diosa. Del rostro cruel de aquella imagen ya no se veía más que su sonrisa secular, helada y como muerta.

Fue el intérprete quien comenzó a hablar en nombre de los enviados. Éstos le hacían sólo algunas pequeñas indicaciones que por lo demás no eran inteligibles por los que les rodeaban, pues ambos empleaban el lenguaje secreto de los sacerdotes y de la corte, una lengua que se hablaba en el Palacio de Tenochtitlán y era usada también por el Terrible Señor cuando durante el sacrificio se aconsejaba con los espíritus de sus antepasados que habían ascendido ya a la categoría de dioses. El intérprete tomó en sus manos una hoja de pita enrollada. En este momento se agitaron de nuevo aquella especie de abanicos sonoros y con su movimiento anunciaron que de la boca de los enviados salían las palabras de aquel Gran Señor. En la forma corriente usada por los recaudadores de contribuciones, se enumeraba en lo que debían contribuir los habitantes de la provincia en algodón, cacao y copal. Después, hizo el intérprete una corta pausa y levantó más la voz, que se hizo también más solemne.

«Sabed, habitantes de este país, que el inmensamente poderoso Señor se prepara para una grande expedición. Llega su ruta hasta las tribus de la costa del Sur, a las que con mano armada va a obligar al servicio y obediencia de sus dioses. Todos sabéis que toda victoria está en manos del dios de la guerra Huitzlipochtli y que éste sonríe pocas veces al que conduce su ejército a la guerra. Para lograrlo hay que ofrecerle en sacrificio muchos, muchos corazones; la sangre ha de formar arroyuelos y lagunas para que él dispense su gracia. Por eso os quiere hablar el Gran Señor por nuestra boca. Fue siempre condescendiente y benévolo con vosotros, y no tomó a mal que de modo vituperable dejaseis de enviarle las escogidas víctimas para el sacrificio. Hasta ahora el Terrible Señor no se preocupó de vosotros, porque sus huestes volvían todos los años victoriosas y cargadas de botín. Pero ahora cree llegado ya el tiempo de poner a prueba vuestra fidelidad. Por eso, habitantes de Painala, oíd lo que el Gran Soberano exige además de las contribuciones...»

Tres jefes avanzaron con la espada encorvada, respetuosamente, diciendo:

— «Altos señores: Os damos parte de los frutos de la tierra, de lo que las manos laboriosas de nuestro pueblo construye o forma y de lo que nos producen los montes y los bosques. Ahora bien, sabéis muy bien que nosotros sólo ofrecemos el sacrificio del corazón palpitante en las grandes y señaladas fiestas y que honramos a los dioses del poderoso Tenochtitlán así como a los de nuestras tribus preferentemente con flores, sahumerios y oraciones. No podéis exigir de nosotros...»

— «El Excelso Señor no desea dar oído a vuestras palabras. Así, pues, si no entregáis las víctimas que os corresponde entregar antes de la noche, nos retiraremos de aquí y en el término de tres días vuestra ciudad quedará reducida a un montón de cenizas; seréis entregados a las fieras del bosque y nos llevaremos a vuestros hijos para esclavos del Terrible Señor. El número de víctimas que exigimos·es un número sagrado. Ha sido calculado por nuestros sacerdotes de manera sabia según el orden en que giran los brillantes astros alrededor de la luna. En vuestro país reinó la sombra hasta hace poco tiempo, por eso el número fijado para vosotros es reducido: veinticuatro veces veinticuatro es el número. Estad orgullosos y alegres de que tal número de frutos de vuestros regazos puedan unirse al esplendor del dios de la guerra. Cuando el cuerpo de un hombre libre se estremece sobre la piedra del sacrificio y vibra su corazón sangriento en las manos del alto sacerdote, se ha cumplido su glorioso destino en la victoria y en la gloria. Es desde aquel momento una parte de la divinidad y su espíritu se dirige a morar entre los felices habitantes de los divinos riachuelos. El Excelso Señor exige que la mitad de las víctimas sean muchachos que sepan ya tender el arco, y la otra mitad muchachas en las que haya florecido ya la roja rosa de la vida, pero que conserven todavía su virginidad. Elegid con cuidado para que la belleza de vuestros hijos y de vuestras hijas haga sonreír complacido a Huitzlipochtli...»

«¿Cuándo, cuándo... los queréis?»

«Conducidnos ahora a vuestro lugar de consejos y cuidad allí de nuestros cansados y necesitados cuerpos. Mandadnos comida y bebida y también muchachas que nos alegren con sus cánticos. Vosotros iros a vuestras casas y reunid y escoged a los que mañana al romper el día deberán partir con nosotros. Decidles que se alegren de ser los elegidos de Huitzlipochtli. Ponedles ricas y limpias vestiduras, ungidles los cabellos con aromáticos aceites y adornadles los vestidos con flores. Y al clarear el día traedlos a nosotros para que nosotros los contemos y guardemos hasta que llegue el momento en que se unan con la divinidad.»

Los abanicos comenzaron a agitarse de nuevo. Los dos magnates cerraron los ojos y se repantigaron en sus literas, rígidos como dos ídolos sobrehumanos y poderosos a quien no alcanzara ninguna razón humana.

* * *

Todo el ruido de la fiesta se debilitó en la noche hasta ser ya sólo un zumbido. La multitud quedóse silenciosa y anonadada ante el templo de la diosa. El horror había paralizado las lenguas y los viejos levantaban sus manos al cielo y sus piernas temblaban de miedo. Muchos ojos se dirigían a la figura pétrea de la diosa que podía salvar a la ciudad en el día de su fiesta anual. Esos dioses eran suaves y bondadosos en comparación de aquellos que exigían veinticuatro veces veinticuatro, pues tal era el número que se había leído en los misteriosos caminos de la luna, que ahora se escondía ya en las sombras. Cada uno pensaba en sus hijos, y los más viejos en sus nietecitos. Aquellos que no tenían descendencia sentían angustia por todos los demás. Imaginaban los padres a sus hijos arrastrados hacia la piedra del altar de los sacrificios; el alto sacerdote blandía su cuchillo y la savia roja de la vida saltaba tibia y palpitante. Cada uno pensaba en su propio hijo, pues Painala era una pequeña ciudad en la que no había gran número de jóvenes... ¿Quién había de elegirlos? ¿Quién cuidaría de reunirlos?

Fueron las hetairas quienes primero recobraron la calma; ellas fueron también las que en la confusión de la desgracia dirigieron sus pasos hacia la diosa. Con semblante abnegado limpiaron los pebeteros de sus cenizas, echaron copal en la cazoleta y se arrojaron al suelo, ante la imagen de la diosa; una comenzó a susurrar una oración y en un momento entonaron aquellas mujeres un himno para ellas ya lejano, el que un día cantaron cuando eran todavía muchachas puras y limpias; canto lúgubre que habían entonado junto al féretro de su madre. Cantaban las cortesanas, esas mujeres cuyo regazo jamás dio fruto alguno y cuyos senos nunca produjeron leche... Lloraban ahora por las madres y por los padres que mañana quedarían sin hijos. El humo de los pebeteros formaba como un velo de gasa azulada. El suave viento de la noche agitaba ligeramente sus vestiduras. Los fuegos de los sahumerios parecían ardientes ojos. A su alrededor danzaban las hetairas, las mujeres impuras, las proscritas; el ritmo de su danza era de luto y de dolor.

Consejeros, caciques, jefes y ancianos, encorvados por el dolor, se pusieron en camino para el cruel trabajo. Puerta Florida iba al lado del cortejo y buscaba en vano en la obscuridad a Malinalli, que, evidentemente, se había escondido o se había dirigido a su casa cuando se retiraron los forasteros. Durante un minuto titubeó. Era un hombre devoto que con pausado hablar y vacilante mano estaba en un estado intermedio de sueño y de vigilia. Dejó que pasaran cabizbajos los ancianos; la obscuridad ocultaba su persona. En la confusión, nadie notó que allí faltaba uno de los padres. Cada uno de sus nervios se rebelaba contra aquel cruel pensamiento. Su hija, Malinalli, cuyo nombre significaba «Guirnalda de Flores entrelazadas», sería arrastrada hacia el sacrificio, su casa incendiada, sus esclavos cazados... Después se representaba en la mente su virginal hija, adornada, ebria de bebidas fuertes, con la cabeza cubierta de flores, oscilante... y en la mano del sacerdote veía brillar el cuchillo de lava cristalizada...

Se deslizó hacia su casa y entró furtivamente por la parte del jardín. A lo largo del camino vio algunos de sus vecinos, arrebatados y en éxtasis gracias a aquellos hongos cocidos en miel. Miró con cautela alrededor. Nadie le había observado; su cuerpo desnudo — pues se había quitado los vestidos para correr mejor — se difuminaba en la obscuridad. Todos aquellos hombres ebrios se sentían felices y conversaban con los espíritus en el vestíbulo de la Muerte. El uno creía ser jaguar, el otro imaginaba ser serpiente o gigante; estaban tendidos miserablemente, gimiendo e hipando sobre la hierba. Dio la vuelta al portal del jardín y dirigióse en línea recta hacia las chozas de los criados, construcciones de arcilla que debían ser reconstruidas después de la época de las lluvias. Aquí vivían sus esclavos, cuyos padres habían servido ya a los suyos y sus abuelos a sus antepasados. Estaba todo vacío y silencioso, pues también ellos habían tomado parte en la fiesta. También ellos zambullían su cuerpo en el riachuelo con la alegría de la purificación, bebían en sus copas de madera y en calabazas vaciadas y comían hasta saciarse. Pudo, por tanto, seguir tranquilamente su camino; nadie había de reconocerle; ninguno había de despertarse al paso del amo, que era señor de su vida y de su muerte. Así llegó silenciosamente hasta la última de las chozas por cuya ventana se veía el rojizo brillo de una lámpara funeraria; se echó encima el vestido que sujetó con la otra mano. Con paso quedo entró en la pequeña vivienda, y los que allí estaban, silenciosos llorando su luto, al verle se echaron al suelo. Él entonces, de un soplo, apagó la triste lámpara. La luna daba escasa luz y apenas iluminaba aquella habitación; pero los habitantes de los bosques ven también en la obscuridad. El padre y la madre estaban en cuclillas junto a la esterilla donde yacía muerta la doncella. Puerta Florida acercóse a ellos, tocó el suelo con la frente y con ello rindió el máximo honor a la pequeña esclavita muerta. Los padres de la muerta mirábanle con mudo asombro. Se preguntaban si la fiesta tal vez había privado de la razón a su bondadoso amo y por tal motivo mostraba su dolor y su luto ante la muchacha como si fuera su propia hija. Nadie hablaba. Puerta Florida arrodillóse sobre la esterilla; durante unos minutos permaneció con la cara escondida entre sus manos; después habló lentamente, en voz baja, casi en un susurro:

—Lloráis a vuestra hija y yo tomo parte en vuestro dolor, pues la vi crecer en mi casa. Era deliciosamente encantadora como los rosicleres del alba, y Malinalli, vuestra joven ama, la amaba también. Vi cómo decaían sus fuerzas y se apagaba su vida, como se apaga la luna cuando llega su cambio. Vi cómo la diosa de la Muerte le tomaba cariño como se lo habíamos tomado nosotros. Murió el día de la fiesta de la diosa y ahora su espíritu está ya más allá de la tumba. Yo lloro a vuestra muerta como si fuera mi propia hija, pero ese honor que yo le hago debéis vosotros agradecerlo y merecerlo. Y os pregunto yo ahora: ¿Fui un amo bondadoso con vosotros?

—Mi padre me dejó cuando yo era niño, y desde entonces tú fuiste mi padre, señor.

—Oíd. El excelso Señor de allá lejos envió a sus recaudadores de contribuciones. Ahora exige muchachas y muchachos. Las losas sangrientas están secas. Quiere muchachas que hayan visto ya florecer la roja flor de su vida. También a Malinalli se la llevarán para ofrecerla en sacrificio a los dioses de Tenochtitlán.

La madre comprendió plenamente aquel dolor y comenzó a sollozar armónicamente, como en un canto casi.

—Oídme. Fui vuestro amo bondadoso y estás a mi servicio. Tomaré el cuerpo de tu hija y lo llevaré a mi casa. La vestiré con las ropas de Malinalli. Le pondré la piedra de calkiulli sobre los labios y en el dedo la sortija con la turquesa. Mientras sobre nosotros se desencadene y persista la tormenta, lloraré a vuestra hija y llevaré luto por ella como si fuera la mía y diré que una culebra venenosa la picó cuando volvía a casa y que ahora está allá entre los dioses. Cuando este triste huracán haya pasado, le daré sepultura como si se tratara de mi hija y os legaré a vosotros todo lo que hubiera correspondido a ella.

—Pero, ¿qué será de Malinalli, señor? Si los sacerdotes fueran ciegos y no oyeran nada, no repararían en Malinalli... Pero si vienen para recoger la contribución a los dioses extranjeros..., ¿no la verán entonces?

—Te digo que Malinalli ha muerto esta noche. Así se debe decir por todas partes. Pasarán muchas lunas, muchas, y nadie verá ni reconocerá a Malinalli. Pero su vida será salvada. Mi hija no se desangrará sobre la piedra del sacrificio; hoy precisamente celebró su primera fiesta. Aún tengo algo que deciros, mas ahora cubrid la muerta con paños y llevadla a mi casa. Ni aun los espíritus que están presentes en todas partes os deben ver.

La mujer sollozó cuando alzó la manta de algodón que cubría piadosamente la cabeza sin vida de la muchacha. En los trópicos la muerte destruye velozmente, y el rostro de la muerta estaba ya tumefacto; en pocas horas quedaría completamente devorado. Puerta Florida iba delante. Por los caminos del gran jardín no había alma viviente. Pasaron por el patio. Malinalli los oyó venir. Su instinto de vida le había ordenado buscar refugio y huir ante aquel impreciso peligro y se había escondido en la casa paterna. El trago de pulque había vencido a su cuerpecito apenas desarrollado todavía y debilitado últimamente por el ayuno. El aire estaba por lo demás cargado, y la muchacha cayó en una somnolencia en la cual parecíale vivir de nuevo el tumulto de la danza. Así la encontró su padre cuando entró a preparar la mesa para depositar la muerta. Hizo una seña a los esclavos, que llevaban envuelta en una tela su triste carga. Destaparon el cadáver, lo cubrieron de flores, con todas las flores que pudieron encontrar. Puerta Florida encendió cuatro antorchas funerarias, puso encima un precioso tapiz y cubrió de joyas el cadáver.

—He puesto a tu hija las ropas de Malinalli y la he adornado con sus joyas. Ahora toma a Malinalli en tus brazos antes de que se despierte completamente, la llevas por el jardín, la colocas en el suelo y le dices que todo lo que haces y lo que sucede es por mandato mío... Te llevas su capa, que te doy... Espera un momento... esto lo regalo a mi hija, es la mayor piedra verde, la mejor esmeralda de Painala: la regalo a Malinalli. La llevas por el sendero que conduce a Tabasco... En las primeras vueltas del camino encontrarás mercaderes...

—¿Me envías a ellos, señor?

—Malinalli sabe callar. Los comerciantes y traficantes a menudo recogen rumores y noticias... Ten cuidado con ellos. Mañana parten al amanecer y Malinalli irá con ellos. Les pedirás por la muchacha una piedra de calkiulli y les dirás que dentro de un año se presentará el padre para rescatarla, reembolsando su precio con gran generosidad. El trato vale para un año... Así debes decírselo.

—¿Te fías de ellos, señor?

—Son mercaderes y guerreros, ora oído, ora ojo del Terrible Señor; pero han pasado tantas primaveras desde que les conozco... Por eso te envío a ellos. No son esas gentes personas que vienen al mundo para morir. Ellos reúnen los frutos de la tierra, cambian piedras olorosas por pieles de animales y cuchillos de obsidiana por mantas de algodón. Cada uno atiende a sus mercancías, y si los dioses me dejan vivir todavía un año, seguro estoy de rescatarla a su tiempo. Y entonces diré que he buscado una nueva esclava que se pareciera a mi hija, a mi hija muerta que se llama Malinalli.

Ató en uno de los ángulos de un pañuelo algunas pepitas de oro; en otro puso la preciosa esmeralda dentro de un nudo, después envolvió el pañuelo en su cinto de cuero. Abrazó tiernamente a la muchacha, que seguía dormida; sonrió seguidamente, como si le hubiesen quitado un peso del corazón y entró en la casa, que ahora estaba vacía. Paróse frente a la imagen de la diosa, hizo ante ella una marcada reverencia y encendió copal en el pebetero. Luego extendió un velo finísimo sobre el ya desfigurado rostro de la muchacha muerta. Envió después a la mujer al jardín a traer más flores. Trajo la esclava dalias rojas como la sangre, rosadelfas y lirios fuertemente olorosos. La mujer, con los ojos bajos, sin atreverse a mirar al amo comenzó a arreglar las flores alrededor de la muerta. Entonces, Puerta Florida tomó entre las suyas la mano curtida y deformada por el trabajo de la pobre esclava. De su boca comenzaron a salir lentamente las palabras lúgubres de las preguntas a los muertos cuando se despiden de los vivos para su gran viaje; y salieron sus palabras con un ritmo atormentado. La mujer unió su voz para entonar la Antífona; parecía que la muerta rodeada de lirios en su lecho mortuorio fuera hija de ambos. Por las mejillas del viejo amo corrían las lágrimas; pensaba en Malinalli, a quien había vendido por una piedra de calkiulli, para salvarla así de los crueles dioses extranjeros.

La fiesta había enmudecido. Aquí y allá yacía aún algún borracho en el polvo del camino. En la lejanía se oían los lamentos, y las voces de los que de casa en casa iban a recoger y reunir las víctimas para el sacrificio. El viejo amo se sentó. Sus oídos aguzados percibían todos los rumores y ruidos; oía cuando habían alcanzado la quinta calle, después de la cuarta; se aproximaban. No tardaron mucho los hombres armados en llegar a su propia puerta, y uno de ellos dijo:

—Llora por tu hija que hoy ha celebrado su fiesta; no lleves luto por ella, pues ha sido llamada por el dios de la guerra.

El viejo no se levantó de un salto ni se arrojó contra ellos; no comenzó a dar alaridos de dolor como las madres que con sus gritos perforaban el silencio de la noche, sino que se inclinó ante la voluntad del Gran Señor y con su mano señaló la muchacha muerta, medio cubierta de flores, iluminada por la llama oscilante de las lámparas mortuorias. Después condujo a los hombres armados, sin derramar una lágrima, ante el cadáver; escupió sangre y saliva antes de hablar, pues en su luto se había herido en la lengua con una espina del árbol llamado magüey, como era ley para los padres en tal caso. Después levantó ambos brazos hacia arriba y con voz atormentada dijo solamente:

— ¡Demasiado pronto ha sido llamada Malinalli!

TERCERA PARTE

EL DORADO

1

— Alvarado viene con su gente, señor.

El contable de la flotilla arrojó el agusanado pan que acababa de mostrar al capitán general. Apartó el paje la cortina que cubría la puerta de la tienda, y en la tamizada y suave luz rompió de pronto la luz vivísima del exterior, donde durante la noche había sido establecido el campamento junto al muelle. Alegres muchachas se apretujaban con los marineros. Los vendedores ambulantes ofrecían sus baratijas; todos se dedicaban allí a los trueques y cambios. Alrededor miraban embobados algunos adolescentes que, turbados por su sed de aventuras, iban y venían por cerca de la oficina de enganche.

Sobre el papel se iban escribiendo los párrafos y cláusulas. El rojo y calvo naviero insistía en percibir la mitad de los beneficios que le correspondían: el notario de Trinidad se había manchado de tinta hasta los codos, cuando de nuevo la voz del paje sonó clara y aguda:

— ¡El señor Alvarado llega!...

Por vez primera se encontraban uno frente al otro en la tienda. El inquieto y célebre caballero de Cuba, el noble señor Pedro de Alvarado, estaba allí. El sol era como fuego y al caer sobre la cabellera de don Pedro la llenaba de extraños y dorados reflejos. Parecía Aquiles según le representaban los antiguos; su jubón de cuero se abombaba sobre su pecho poderoso. Quitóse la capa colorada, dejando ver así una cadena, con piedras preciosas de diferentes colores, colgada alrededor del cuello. Llevaba vestido negro a la usanza española. Todo en él tenía aspecto guerrero y al mismo tiempo elegante y fastuoso.

Don Pedro hizo una profunda inclinación. Posiblemente había aprendido sus cortesías de algún cómico ambulante. Desciñóse la espada y la colocó a los pies de Cortés, quien la recogió.

— Este acero, noble señor, debe de haber dado más de un bravo golpe...

Jugueteó con el arma, la blandió en el aire. Pasó después su dedo a lo largo de la estría de la hoja como si quisiera leer la leyenda enmohecida.

Alvarado plegó los labios en una incipiente sonrisa; su mirada de general vencedor se paseó mirando a sus acompañantes; los llamó entonces con una seña y aproximándose a Cortés le presentó a sus capitanes.

— Aquí está el señor Montejo, que ya estuvo en aquellas tierras al mando de Grijalva. Este caballero es Diego de Ordaz, vigoroso e inteligente capitán. Ved aquí al señor Cristóbal de Olid, fuerte como un oso, que sólo a regañadientes desguarnece sus espaldas.

— ¿Se las marcaron en las galeras?

— Así dicen los rumores... Vuestra merced podrá usar de él como una excelente arma. Sin embargo, a veces es preciso volverle a la vaina, pues de otro modo estaría incesantemente repartiendo golpes. Estos dos caballeros os han sido ya anunciados por escrito: el señor de Puertocarrero, heredero de un título de conde en nuestra vieja patria... y el señor Velázquez de León, pariente del gobernador. Por último, viene conmigo un joven, avaro de palabras, inteligente, magnífico jinete, posiblemente el mejor de toda Cuba. Vale bien por un capitán y se llama Gonzalo de Sandoval.

— ¿Cómo es, don Pedro, que todos acudisteis a mi llamada?

— Muchos de nosotros estuvimos ya allí con Grijalva o con Córdoba. Otros creen que El Dorado está a un tiro de piedra de aquí, a lo sumo a dos días de viaje. Nosotros nos sonreímos al oír eso, pues cambiamos ya oro a las órdenes de Grijalva...

— Conocen vuestras mercedes las fatigas de tales viajes. ¿Qué les incita a tomar parte en esta nueva aventura?

— Tengo aquí un pedazo de tierra pantanosa y un puñado de escuálidos indios. ¿Debo estar aquí haciéndoles escarbar el terreno y oyendo continuamente sus gemidos? Allí el mundo es diferente, más amplio que aquí, los hombres valen también más; no es fácil tumbarlos de un solo puñetazo ni es suficiente, para embriagarlos, un vaso de aguardiente; son hombres que saben perseguir a un soldado con su lanza si éste se ha atrevido a mirar a alguna de sus mujeres.

— ¿Sería posible llegar a entenderse con ellos?

— Por medio de signos; nada se logra usando la lengua cubana, pero, si no me equivoco, vos tenéis aquel joven a quien, junto con otro, Grijalva recogió en la costa.

— Sí, le tengo conmigo por autorización del señor Velázquez.

— Se dice, y tal vez sea eso un simple rumor sin fundamento, que el Gobierno ha cambiado sus intenciones con respecto a vos.

— Quisiera hablar con vos, don Pedro, algunas palabras reservadamente. Entremos en mi tienda.

En el mar se balanceaban suavemente los buques fondeados en la bahía; todo era hermoso y deliciosamente triste en este momento. «Vayamos a mi tienda», había dicho el jefe...

— Sabed, don Pedro, que de día en día fui viendo con más claridad que la hidra amenazaba devorarme; de ello me informaban además mis fieles amigos. En Cuba el viento rola rápidamente. Ahora bien; el señor Velázquez estaba secreteando sin cesar y observaba cómo yo equipaba y armaba cada vez mejor los buques que él tenía intención de poner en manos de su sobrino, el señor Narváez. Yo estaba enterado de todo. Sabía incluso que el domingo, después de la misa, haría llamarme a la Cancillería para comunicarme que había cambiado sus planes. Y en la antesala debían estar algunos alabarderos por si yo no me contentaba con defender mis derechos solamente de palabra. El jueves por la noche no había luna. Después de medianoche mis amigos y mis soldados hablaron con la gente. «Tomad vuestras armas y seguidme», tal era la consigna. Al llegar el alba estábamos todos en cubierta, y entonces, con todo sigilo, hice levar anclas. Estábamos en alta mar ya cuando despertaron al gobernador para decirle: «Cortés ha huido». Yo le vi cómo corría al puerto, vestido de cualquier manera. Rugía y amenazaba mientras mis gentes le saludaban burlonamente desde cubierta. Pero yo no quise dejar así las cosas. No podía ciertamente esperar gracia de él, pero tampoco quería comportarme como un vagabundo cualquiera; por eso mandé destacar una chalupa y marché hacia la costa; todos me observaban con asombro. Cuando estuve a un tiro de flecha de los muelles, la puse al pairo.

»Hice una cortesía y dije:

»— Soy humilde criado de Vuestra Excelencia y le manifiesto que todo se ha realizado para mejor provecho y honor de la Corona. Por amor de Cristo os suplico clemencia.

»Eso dije yo. Debía decirlo, pues nadie me había privado de mi cargo. Llevaba conmigo el documento debidamente sellado y firmado por el que se me confería el mando. En él puede vuestra merced ver el *placet* de los padres de San Jerónimo, de Santo Domingo. Así, pues, yo no partí de allí ni he arribado a Trinidad como un bucanero o un sedicioso...

— Paréceme que vuestra merced difícilmente podía obrar de mejor manera. Las viejas gruñonas pueden andar dando vueltas a sus papeles. Un hombre echa por el camino recto. Si me es dado exponeros mi plan, navegad a lo largo de la costa, incorporad a vuestras tropas a todos los que se ofrezcan. Entretanto, yo conduciré la flota a La Habana.

* * *

La pequeña cabeza del comandante de La Habana agitóse cuando desdobló la orden del gobernador Velázquez; en ella se le mandaba poner bajo grillos al sedicioso Hernán Cortés y enviarle así a Santiago. Era el comandante un viejo colono; en su juventud había servido en el ejército de Italia a las órdenes del Gran Capitán. «Pretendéis — dijo para sí — lograr a fuerza de plegarias que una flecha disparada vuelva mágicamente a su carcaj.»

Al comienzo se va una expedición solamente por el sueldo; después los soldados no la abandonarían por ningún precio. Eso pensaba el comandante. Después tomó su pluma de ave y suplicó por escrito al gobernador se sirviera indicarle el modo y manera de la mejor ejecución de su orden. Cuando el correo a caballo había partido ya para llevar el escrito, se le anunció al comandante que don Hernán Cortés, capitán general de la Armada, deseaba presentar sus respetos al señor comandante de la plaza.

— Señor: Recibí hace unos instantes una orden de Su Excelencia el gobernador Velázquez que concierne a vuestra merced. Como quiera que encontrara en ella algo cuyo sentido no acerté a ver claro, y como además en su forma se apartaba de las reglas generalmente seguidas, envié un emisario, suplicando que el señor gobernador tuviera a bien darme instrucciones por medio de una nueva orden, en la forma acostumbrada.

— ¿Cómo puedo agradecer a vuestra merced tan cordial benevolencia?

— Todo lo que vuestra gente consuma aquí ha de ser pagado; no hay saqueo posible en La Habana. Vuestros soldados no pueden acercarse a una mujer honrada y habrán de contentarse con lo que encuentren en las tabernas. ¿Nos entendemos, señor capitán general? Así es como me lo podéis agradecer.

* * *

Faltaban ya pocos días para la partida. Cerca de La Habana, en el cabo San Antonio se encontraba el Cuartel General en una gran pradera. Allí procuraba Hernán Cortés adiestrar a sus gentes para poder formar con ellas un ejército. Al contemplar aquellos hombres se le encogía el corazón. ¿Con esa gente debía marchar contra los enemigos? Veía allí rugosos veteranos, chusma de conventos, monjes huidos, antiguos galeotes, mozalbetes presumidos... y entre ellos, aquí y allí, algún hidalgo y algún soldado de verdad, probado ya en las batallas. Una mañana pasaba revista a sus huestes y sintió un desfallecimiento. En el ala derecha, el guerrero Mesa con diez culebrinas y cuatro falconetes; detrás veíanse dieciséis jinetes con su armadura completa. El maestro de la música, Ortiz, hizo sonar los cuernos, avanzaron los veteranos y mostraron a los bisoños cómo había sido el orden de combate allá en Italia bajo el mando del Gran Capitán. Cortés, montado en su caballo, llevaba el sombrero de plumas y su corazón de plata forjada que brillaba a la luz del sol. Por unos momentos creyó oír la voz, ya lejana en el tiempo, del humanista Lebrija, que decía: «Hijitos, no puede cualquiera mandar legiones..., no puede cualquiera ser un Julio César.»

Dio la orden, sonaron las trompetas y catorce compañías desfilaron con banderas desplegadas ante él. Detrás marchaban los indios arrastrando las gruesas piezas de la artillería. Venían después los jinetes con sus lanzas empavesadas; luego, los mosqueteros y ballesteros. La mayor parte de los soldados llevaban peto, formado por almohadilla dura de algodón, y casco no en buen estado, pero todos llevaban su armamento en orden.

Cuando llegaron no eran más que una horda de bandidos. En aquel entonces los españoles eran los mejores soldados del mundo y sus lanceros eran maestros insuperables en el arte de la guerra.

Los capitanes estaban junto a Cortés. Ordaz, sobrio y vestido de negro movía la cabeza. ¡Verdaderos soldados!

Cortés llegó hasta el extremo de la isla. Más allá del cabo de San Antonio, su vista se perdía en la inmensidad azul. Allí estaba el océano envuelto en sus misterios lejanos. El padre franciscano Olmedo, hombre enjuto de carnes y bondadoso de alma, era el capellán de la expedición y había comenzado ya sus exhortaciones. Cuando terminaron éstas, sintió Cortés que la sangre le subía a la cabeza. Pensó en los legendarios héroes con sus águilas imperiales forjadas en bronce... Y de sus labios salieron estas palabras en bello y armonioso español:

—Soldados: estáis ante mí. ¿Por qué no preguntáis adónde os conduzco? No me lo preguntáis, pero yo os contesto. El camino que hemos de seguir no es un camino fácil. Pero ante vosotros se extiende un mundo desconocido y creo que vuestros nietos estarán un día orgullosos de que sus antepasados lucharan en nuestras filas. Sabéis que solamente somos quinientos cincuenta; ya habéis visto los catorce cañones y los dieciséis caballos. Con ese menguado ejército os quiero conducir, sin embargo, a un país junto al cual son miserables y mezquinas todas las riquezas que hasta ahora conocemos del Nuevo Mundo. Pero os equivocáis, españoles, si creéis que os han de ser regaladas todas las alegrías que ha de proporcionar ese hermoso y nuevo país. Cada uno de vosotros habrá de realizar grandes hazañas en las que habrá de poner toda su alma y su cuerpo. Quien quiere medir la tierra a palmos permanece siempre agachado sobre el fango. Sabéis que todos mis bienes están invertidos en esos buques, y, sin embargo, os digo que no los he considerado con ojos de traficante o mercader. No parto solamente para encontrar oro. Busco yo, ante todo, el verdadero oro del hombre digno, que es la gloria. También os pido eso a vosotros. Lo primero sed héroes, después os haré tan ricos como ninguno de vosotros hubiera podido jamás imaginar. Ya preveo que los pobres de corazón vacilarán al considerar y preguntarse si siendo tan cortos en número podremos realmente realizar grandes hazañas; mas yo os digo: quien crea que nuestra fuerza no es suficiente, piense que confiamos en Dios y sabemos que Nuestro Señor no abandonará nunca a esos españoles que luchan por su fe. Dios os ha de proteger con el escudo de su mano cuando seáis demasiado pocos y a vuestro alrededor haya más enemigos que tallos de hierba hay en esta pradera. Vosotros lleváis a esas tierras de tinieblas la verdadera luz del Evangelio. Vuestra fe será la verdadera en tanto no se obscurezca en vuestros ojos esa cruz, con cuyo signo hoy los españoles marchamos contra el enemigo.

Era el día dieciocho de febrero de 1519 cuando las once pequeñas carabelas dijeron adiós a la isla de Cuba.

2

El primer timonel extendió el brazo: «Ved allá en la lejanía, aquella raya azulada que parece como si el mar hubiera subido..., es la isla Cozumel...»

Los viejos que ya habían estado antes allí, alargaron la cabeza, que les hervía ahora a fuerza de recuerdos. Los presagios, buenos o malos, saltaban alrededor del buque como si fueran delfines.

Caía la tarde; aquel día no se aproximarían más a la costa. En la cofa fue izado un fanal de color. Cada uno de los buques debía aproximarse lentamente a la capitana. Así quedaron en el silencio y la obscuridad de la noche; de buque a buque, las canciones parecían volar como aves marinas.

Se reunían en cubierta; la disciplina del día se ablandaba; los veteranos contaban sus historias a los grupos de los más jóvenes. Uno rebosaba de recuerdos viejos que le enternecían; otro se perdía en sueños e ilusiones. En un rincón, un soldado pasaba el rosario; otro se deslizaba sin ruido buscando la muchacha india encargada de hacer el pan. Cortés pasaba por entre los grupos, se inclinaba y miraba todo lo que se cambiaba, pues a esa hora eran desatadas y abiertas las mochilas que habían traído consigo. Cada uno de esos hombres había recibido a cambio de algunos doblones que había podido reunir, espejos, cuchillitos, etc., que todo buque procedente de la patria cuidaba de traer a las colonias. Así desde la Costa de Oro hasta las Antillas todos los reyezuelos, jefes y caciques llevaban las mismas cadenas y baratijas españolas. Cortés se inclinaba sobre su gente y tomaba de vez en cuando en su mano alguno de aquellos objetos, alguna figurilla de mosaico de colores chillones, cuchillos de tosco mango de madera sin cepillar apenas, algún cinto con hebilla metálica, sombreros de fieltro de color carmesí...

—Ahí tenéis el bazar indio, señores.

Posiblemente con estas mismas palabras les habían sido ofrecidos aquellos cachivaches a los soldados por los comerciantes del puerto a cambio de algunas monedas de plata que los vendedores se habían metido con satisfacción en el bolsillo, haciéndolas sonar.

¿Cuánto debería él mismo cambiar? ¿Cuánto dinero habría de reunir? Los diez buques se balanceaban cachazudamente; Cortés mirólos con detención uno tras otro y contempló su lenguaje de luces... «Buques piratas», pensó para sí, y al pensarlo le invadió una amargura profunda... ¿Cuánto dinero habría de enviar a España para reconciliarse con el emperador Carlos y poder quedar disculpado ante el Consejo de las Indias? Luchaba con las quimeras de su pecho. Los soldados le veían rígido, mirando el mar como absorto; pensaron que meditaba nuevos planes y se apartaron sin ruido para no interrumpirle.

Alvarado se le aproximó. Cuando el sol de la mañana doraba su cabello rojo cobre, era tan hermoso que hasta los mismos soldados lo comentaban. Don Pedro... sangre de su sangre, más poderoso aún, más indomable. Jugaba con ellos a los dados, bebía con ellos y sabía repartir algunos buenos puñetazos cuando se trataba de alguna falta cometida. Un capitán no mejor ni peor que los otros que se repantigaban perezosamente sobre la tablazón contemplando el cielo estrellado infinitamente inmenso... Lejos, alguna lucecilla parecía hacer guiños al buque: era la isla Cozumel.

Cortés invitó a los capitanes a cenar con él. Se sentaron alrededor de la mesa. A un lado, Alvarado y Ordaz; al otro, Montejo y Puertocarrero; el tercero, a mano derecha, era el plácido y siempre tranquilo Sandoval, y a la izquierda, Ávila y Velázquez. El Padre Olmedo rezó el *benedicite*... Terminada la comida, Cortés llamó a Ordaz.

—Don Diego, cuando llegue el día partiréis con dos buques y cien soldados siguiendo el derrotero que siguió ya un día el almirante. Llegados a la costa, enviaréis exploradores a tierra y procuraréis adquirir informes acerca de los rumores de que en una u otra de esas tribus viven algunos náufragos españoles. Esperad en todo caso que vuelvan los exploradores. Dentro de ocho o diez días, volved para reuniros con nosotros aquí, en la isla de Cozumel. Podéis aprovecharlo para establecer algún comercio con los de la costa; pero habréis de tener cuidado del ganado y de los dioses de aquellas gentes. Ya sabéis cuán rápidamente se extienden las noticias por el litoral y no quisiera desembarcar entre un pueblo que nos recibiera ya como enemigos. Además, he redactado un documento del cual he mandado sacar algunas copias. Mandadlas por medio de mensajeros por todas aquellas partes en que presumáis puede haber españoles. El escrito dice así:

Querido hermano y señor: Estamos anclados frente a la isla de Cozumel, adonde ha llegado hasta nuestros oídos que algunos caballeros padecen cautividad de los caciques. Os rogamos sigáis a este mensajero para ser conducido a Cozumel. Envío buques y dinero para el rescate; los buques esperarán aquí once días. Conviene sepáis que estoy aquí con quinientos hombres y once carabelas y desde Cozumel seguiré a lo largo de la costa hasta la desembocadura del río que aquí llaman Tabasco...

Los capitanes vieron con envidia partir a Ordaz. Posiblemente ningún español había puesto el pie en esta tierra donde Ordaz iba a desembarcar. Alaminos apareció sobre el puente.

—Id todos a vuestro sitio, señores. Esta noche tendremos tempestad.

El fanal rojo izado en el mastelero oscilaba espectralmente; las luces palidecían o brillaban más fuerte, según era el movimiento de las olas. Los buques eran sacudidos con fuerza. A la mañana siguiente vióse que faltaba la carabela de Alvarado.

Era ya mediodía cuando la flota arribó a la bahía que estaba hermosamente orlada de helechos y de áloes. Miles de veces se había imaginado ya Cortés aquella escena del desembarco. Indígenas obscuros agitando pedazos de lienzo desde sus canoas adornadas de flores... Pero no; aquí estaba todo obscuro, abandonado. Veíanse en la costa dos soldados españoles que hacían alegres señales al buque insignia. Eran del señor Alvarado, a quien la tormenta había arrastrado hasta allí...

Mandó arriar un bote y saltó a él. Al llegar a tierra, la primera de que había de tomar posesión en nombre de la Corona, se arrodilló. Sus gentes se dispersaron, llamaron a sus camaradas, y algunos minutos después apareció, resplandeciente, Alvarado. Sus soldados venían arrastrando algunos cerdos de crin negra que habían matado; llevaban otros, jarros y cestas con víveres frescos. Uno iba cargado con un fardo de algodón sobre las espaldas. Alvarado hacía tintinear una cadena de oro.

— Señor, la fuerza de la tempestad me hizo preciso comenzar por este asalto. Comenzamos por visitar los templos y esa cadena me la regaló como recuerdo un ídolo. Los cerdos fueron cazados por mis soldados...

— ¿Dónde están los indios?

— Huyeron al ver a los soldados.

— ¿Habéis saqueado?

— Estamos en una expedición militar, señor...

— Don Pedro, me proponía que la guerra la hiciera un hombre serio y maduro. Me duele que queráis enajenaros la benevolencia de los habitantes de esa isla de un modo pueril, a cambio de algunas gallinas y cerdos. La noticia se extenderá rápidamente, y para una batalla somos escasos en número. No hubiese creído que fuera preciso explicaros estas cosas...

Dio media vuelta y alejóse. Alvarado llevó la mano a la empuñadura de su arma; después se contuvo y quedó ensimismado, quieto como una estatua.

— Don Hernando, puede que tengáis razón. Como caballero os pido perdón y os suplico me deis ocasión para borrar mi falta.

Los caballeros, al oír estas palabras dieron muestras de aprobación con la cabeza. Frente a los destellos que despedían los ojos de Cortés, de nada servía la altivez, y don Pedro hacía bien en bajar la cabeza.

Cortés, por medio del intérprete, hacía esfuerzos para darse a entender de dos indios.

— No tengáis miedo. Os daremos de comer. Os devolveremos todo lo que os hemos quitado. Somos fuertes, pero buenos. Id a vuestro jefe y rogadle que venga a vernos.

Los indios se postraron ante él y miraron y tocaron sus regalos:.

85

un cascabel, una camisa y algunas cuentas de vidrio verde. Alejáronse encorvados y desaparecieron por uno de los senderos.

Cortés estuvo vigilando toda la noche. Sus veteranos cambiaban miradas cuando le veían pasar envuelto en su obscura capa.

Por la mañana llegaron los mensajeros del cacique. Traían gallinas, maíz en pequeños saquitos, almendras de cacao, mantas de lana, una caja hermosamente decorada con un fleco de oro que tintineaba al moverle. Cortés tomó los regalos en la mano y los miró con atención. No tenía paciencia de esperar que el intérprete hubiera terminado la traducción de una frase, y preguntó por señas de dónde provenía aquel oro.

Al principio los mensajeros se miraron perplejos uno a otro; después pensaron unos momentos. Uno de ellos dijo: «Cholula... Cholula.» El otro añadió presuroso: «¡México!»

No quisieron desembarcar en tanto no se asegurasen de cuáles eran las intenciones de los indígenas con respecto a ellos. Sólo Cortés y algunos soldados armados hicieron una exploración. Los campos estaban todavía húmedos de la última lluvia y la vegetación era exuberante y fresca. El camino se extendía entre florestas y palmares y los campos estaban cruzados por canales que conducían el agua sobrante. Conocían ya de Cuba los españoles las gigantescas plantas del maíz que se venían a tierra si no tenían la ayuda de la solícita mano del hombre. Cortés tomó una de aquellas mazorcas apenas dorada todavía y le quitó la envoltura.

—Ved, Padre: ése es el pan del Nuevo Mundo. El nuestro es más fuerte y sólido. De una sola simiente crece el trigo por sí mismo desde los tiempos de Noé. En cambio, ¿habéis visto nada más desvalido y débil que estos gruesos tallos? Se les debe escardar, sostener con la tierra y tomar continuos cuidados. Si se le deja solo, el maíz se pudre y la planta se doblega como un niño de pecho a quien su madre se lo quitara de la boca.

—Y nosotros tildamos de salvajes a esas gentes. Y, sin embargo, ellos fueron los que acertaron a saber cultivar esa planta, saben lo que han de hacer para que llegue a una sana madurez... ¿Cómo pueden ser salvajes esos hombres?

Las chozas de los caciques estaban diseminadas en un bosquecillo de palmas. La casa de verano estaba formada por una fuerte y grande enramada cubierta de un tejado de juncos y rodeada de una ancha empalizada. Eran las paredes de corteza de árbol y la luz quedaba filtrada hasta que al llegar a su interior era una agradable semiobscuridad.

Cortés fue recibido por los jefes vestidos con una especie de camisas blancas y cortas. Llevaban la cabeza afeitada o rasurada hasta la mitad y por la parte de detrás el pelo les caía anudado. Sobre las mejillas y el dorso de las manos llevaban trazos de pintura de vivos colores. Al entrar, aquella semiobscuridad no le dejaba apenas distinguir lo que allí había. Sólo al cabo de un rato, pudo ver con cierta precisión la figura, y fue entonces cuando el cacique hizo, ante ellos, una profunda reverencia.

Estaba tendido en un lecho que hacía las veces de trono, cubierto tan sólo por una ligera manta de algodón y con las plantas de los pies vueltas hacia arriba. Su cabeza se apoyaba en un pequeño escabel ornado de perlas. Los jefes o cabecillas estaban sentados a su alrededor sobre unos asientos formados por pequeños sacos rellenos. Tenía cada uno de ellos ante sí una mesita baja con grandes vasos de madera encima y unos jarros de arcilla vidriada llenos de cerveza de palma.

Levantóse el monarca de la isla del asiento en que estaba echado, y poniéndose en cuclillas dobló luego la cabeza hasta tocar el suelo. Poco a poco se iba acostumbrando Cortés a aquella suave obscuridad. Con gesto decidido fue hasta el cacique y extendió hacia él un brazo como si quisiera abrazarle. Los ojos de los indios estaban fijos contemplando con asombro aquel ser maravilloso. Aquellos ojos negros miraban primero con fijeza su sombrero de plumas, resbalaban después hasta su coraza de plata, recorrían el sable y la daga. Sus labios, sin embargo, estaban inmóviles. Pero cuando Cortés se quitó sus guantes de manopla y quedó al descubierto su mano blanca y cuidada, de aquellas bocas se escapó involuntariamente una apagada exclamación de asombro: «¡Oh!»

Levantó el cacique su bastón de mando. Entraron unas muchachas con la vista baja llevando amplias bandejas de madera con copas llenas de refrescante cacao, vino hecho de tomate fermentado y algunas pastas.

Cortés partió con sus manos una torta de miel, y seguidamente se levantó para ofrecer sus regalos.

Llevaba empaquetado para ese fin un pequeño cargamento: un banquillo con incrustaciones, una mesa, baratijas de diferentes clases, y para las muchachas que servían un espejito ligero con armazón metálico.

El cacique fue tomando cada uno de aquellos objetos y los admiró y alabó convenientemente. Entonces correspondió a tales regalos: entregó hermosas mantas de colores; piedras finas, montadas en oro; algunos ejemplares de magníficas y extrañas flores y deliciosos frutos en una vasija de barro. En tanto, el cacique hablaba. Después calló y en la cabaña siguió un silencio prolongado, anunciador de que el intérprete iba a repetir las extrañas palabras de su señor.

Era un diálogo difícil. Melchorejo, que apenas llevaba dos años iniciado en los secretos de la lengua española, era un indígena que solamente en un estado de nebulosa llegaba a entrever los conceptos europeos que las palabras castellanas encerraban. Ahora la conversación había llegado a un punto concreto. Pudo enterarse entonces el cacique que aquellas caras pálidas no se proponían estar mucho tiempo en la isla, sino que su estancia allí era una escala, un punto de descanso. Tan pronto como recibieran provisiones, marcharían con sus casas flotantes hacia otras costas en compañía de otras diez casas mayores igualmente flotantes que no estaban lejos. El cacique sonrió y preguntó en qué podía ser útil a los extranjeros.

— Dame cerdos, pavos y gallinas; ayuda a pescar a mis soldados. Haz moler maíz para que las mujeres hagan tortas. A cambio de ello te daré yo espejos, cuchillos, cascabeles, bebida de fuego que sabe mejor que el pulque. Y además te prometo el favor de mi excelso Señor, que vive lejos, muy lejos.

Entonces tomó la palabra el Padre Olmedo. Trató de explicarles los fundamentos de la verdadera fe. El indio bautizado en las islas tenía una idea tan sólo de algunas formalidades, como el ponerse de rodillas, el sonar de la campanilla; pero lo que significaba la comunión, de eso sólo tenía una idea vaga de sangre y de pan. Sin embargo, le dejaron que explicara a su modo al cacique algo de su nueva religión… Cuando hubo terminado, Cortés se quitó del cuello la cadena de oro de la que pendía una medalla con la imagen de la Virgen y el Niño. Tomóla el cacique en las manos, admiróla durante un buen espacio de tiempo, asintió con la cabeza y se sumió después en un silencio expectante.

Cortés no cejó. Lentamente, sílaba a sílaba, ponía sus palabras en boca del intérprete:

— Escucha. No puede haber a un tiempo varios dioses. O el nuestro es el verdadero, o, por el contrario, vuestros dioses lo son. Os propongo una prueba. Si nosotros rompemos a golpes las imágenes de vuestros ídolos y los substituimos por la imagen de la Madre de Dios, que no es un ídolo porque está sentada en el trono allá arriba, en el Cielo…, entonces podréis creer que vuestros dioses son falsos y que nuestro Dios puede también protegeros a vosotros…

El cacique desentrañaba poco a poco el sentido de tales palabras. Él, hasta entonces tan respetuoso y afecto, se levantó de un salto. Sus ojos echaban lumbre y en su rostro se marcaban rasgos duros de fuerte pasión.

—Nada harás tú contra mis dioses. Sirve a tu Señor en tu país como quieras, pero no intentes traer la calamidad a esta isla. Vosotros os marcháis, pero nosotros quedamos. Los dioses os buscarían en vano y no nos creerían cuando les dijéramos que eran otros, extranjeros, los que les habían ofendido. Nosotros respetamos a vuestros dioses; respetad también vosotros a los nuestros.

Cortés llevó involuntariamente la mano a la empuñadura de su espada. Calmóle Olmedo, diciéndole: «La buena semilla del Señor no madura tan pronto...»

Despidiéronse de los caciques y jefes con reverencias y abrazos. Un grupo de muchachas les acompañó por el camino hacia el buque y les arrojó una lluvia de flores.

Al siguiente día desembarcaron. Llevaron a tierra sus caballos, necesitados de aire libre y ejercicio. Establecieron un campamento rodeado de setos y dispuesto para poder defender en cualquier instante sus vidas, si fuera preciso. Los indígenas estaban entretanto amables y suaves; traían pequeños objetos para cambiar y hasta soportaron que los soldados anduviesen tras las muchachas.

Preparóse el campamento para la festividad del domingo. Se levantó una construcción de vigas, cortezas de árbol y hojas de palmera, y en su interior emplazóse el altar, rodeado de tapices. Encima colocóse una imagen de la Virgen y el Niño. Al salir el sol trajeron las muchachas infinidad de flores y encendióse copal en los incensarios.

Los altos dignatarios fueron acompañados por los soldados a los bancos de madera. Los capitanes, Cortés con ellos, quedaron arrodillados ante el altar. El Padre Olmedo, revestido de todos los sagrados ornamentos, leyó la misa. Los pífanos y la orquesta tocaban un canto gregoriano. Los soldados, con verdes ramas en la mano, elevaron sus voces en un himno que pareció volar graciosamente por encima del campamento.

Fue un momento inolvidable, y hasta a los veteranos les asomaron las lágrimas a los ojos. Ahora todos eran allí españoles, caballeros de la Virgen, que habían atravesado el Océano y estaban ante el umbral del maravilloso Dorado. Cantaban olvidados de su propia persona; el brillo de sus ojos embellecía sus curtidos rostros de guerreros señalados por las cicatrices. Los caballeros del Santo Grial lloraban y hacían penitencia: eso eran ellos ahora y no soldados habituados a vagar por todos los figones. Al alzar, los mosquetes hicieron una salva. Cubrióse el campamento de una nube de pájaros asustados por la descarga, en tanto los hombres se ponían en movimiento. El general, cabeza descubierta, arrodillóse junto con los soldados frente al altar y recibió como uno de tantos, mezclado con los demás, el cuerpo de Cristo.

La mirada aguda y negra del cacique estaba fija en aquella escena extraordinaria e inolvidable. Comenzó a tener como una intuición vaga de la fuerza poderosa, desconocida, oculta, que transformaba a aquellos seres, medio dioses, en piadosos hombres temerosos de la divinidad. Contemplaba emocionado aquellos rostros húmedos por las lágrimas mirando la imagen de aquella mujer blanca que tenía en su regazo un niño también blanco. Miróles cuando caían de rodillas y escuchó el ruidoso sonido rítmico de sus puños al dar en las corazas sus golpes de pecho. El monarca de la isla había ya pasado los mejores años de su existencia y sabía leer los signos que se cernían sobre los hombres. Ahora se sentía, sin embargo, sumergido en algo desconocido y le parecía como si un sueño le enloqueciera y estuviera buscando en vano sus propios dioses en un país extraño, desconocido...

3

Cuatro días después regresó Ordaz, llevando un poco de oro que había cambiado. No había encontrado españoles por ninguna parte. Sólo indicios vagos, recuerdos confusos, parecían indicar que, hacía varios años, algunos habían desembarcado en el país para marcharse después hacia Occidente. Cortés quedó descontento y malhumorado.

—¿Qué hubiese vuestra merced hecho en mi lugar? —preguntó Ordaz.

—Hubiera aclarado lo que pueda haber de verdad en esos rumores.

—Don Hernando; fui y vine siguiendo siempre las órdenes de vuestra merced.

—¿Habéis visto pueblos o ciudades?

—En la costa sólo había puestos de vigilancia con pocos hombres. Alrededor, el bosque virgen. Un día encontré en él una pista. Nos pusimos en camino. Al principio sólo veíamos árboles; luego, de vez en cuando, alguna piedra labrada echada por tierra. Algunas columnas en algún calvero, tumbadas ya por el suelo, con esculpidas figuras de dioses. Encontramos después las ruinas de unos muros. Comprendimos que estábamos en lo que fue un día recinto de una ciudad, hoy muerta ya, una ciudad devorada por la selva. Nos santiguamos. Por aquellos muros crecía la mala hierba, y si queríamos seguir adelante era preciso abrirnos camino entre la maleza a golpes de sable. No se veía el menor rastro de hombres..., era como si los malos espíritus se hubieran llevado consigo a los habitantes.

— ¿No se podía ver restos de algún edificio? ¿Algún templo, tal vez?

— Vimos una escalinata. La baranda estaba decorada con terribles figuras. Aquellos dioses representaban dragones y serpientes despedazando cuerpos humanos. Subimos hasta el tejado; desde allí se podía penetrar en el interior. Estaba todo construido de piedras labradas tan bien ajustadas que la hoja de nuestros cuchillos no podía pasar por las junturas. Seguíamos adentrándonos hasta que llegamos a una especie de mazmorra obscura y de color de herrumbre. Estaba vacía; no encontramos en su interior ningún tesoro. Toqué la pared con la mano; pero la retiré con horror: ¡sangre! Todo aquel color de herrumbre era sangre seca ya. Hice encender una antorcha. A mi alrededor todo eran horribles dioses que me parecían sonreírse malévolamente; unos estaban pintados; otros, esculpidos.

Cortés escuchaba a Ordaz con atención. Mientras éste seguía su narración, su imaginación le representaba cuadros de un mundo extraño en el cual él luchaba con dioses sedientos de sangre. Veía en aquellas ruinas una ciudad populosa y floreciente que él podía conquistar para echarla ante el escabel donde apoyaba los pies su señor Don Carlos.

Después de esto, Cortés siguió caminando lentamente y observó a sus soldados. Se estaban ejercitando en el arte de la guerra. Ahora hasta los más bisoños habían aprendido ya a conocer los toques de los cuernos; los jinetes realizaban con maestría los ataques a lanza y los sirvientes de las piezas sabían ya servirse bien de los cañones. Mientras se ejercitaban, a su alrededor, estaban observándoles casi todo el día los habitantes de la isla. Las muchachas tenían la vista fija en los que habían sido sus esposos de un día y de los cuales se decían las unas a las otras: «Esos dioses blancos nunca están cansados»... Las mujeres casadas evitaban el lecho de sus esposos fríos y macilentos, soñando en los brazos ardientes y maravillosos de aquellos extranjeros.

Llegó la hora del descanso de mediodía. Los soldados se tendieron a la sombra de los áloes y Cortés se retiró a su tienda; mas cuando estaba ya en los umbrales del sueño, le despertó fuerte ruido y chillería. Cuando salió de la tienda, los soldados estaban todavía en el mar haciendo señas a tres largas canoas extraordinariamente hermosas y extrañas que se aproximaban cargadas de indígenas. Los habitantes de la isla dejaban escapar gritos de admiración, pero no corrían a tomar las armas y todos sus gestos eran pacíficos. Pronto estuvieron todos en el desembarcadero, y allí amarraron el bote a tierra y los guerreros desembarcaron. Tres avanzaron mientras los otros permanecían atrás.

Eran de elevada talla y robustos. Dos iban casi desnudos, pero con ricos adornos y una corona de plumas. El tercero era más delgado y su vestido más pobre; parecía estar más pálido que los otros. De pronto, comenzó este último a correr hacia Cortés y arrojósele a los pies. De su garganta salían gritos inarticulados que eran más bien sollozos que palabras; de pronto sonó su voz llena y lenguaje claro:

—Señor... por vida de Dios... Aquí estoy... castellano.

Cortés vio que el hombre tenía los ojos azules; fue eso lo primero que le sorprendió, pues su tez morena no correspondía a unos ojos claros... y sus palabras, mezcladas con imprecisos sonidos guturales y barajadas con expresiones indias saliendo como si fueran recuerdos de una remota época de su niñez. El hombre, como el último de los esclavos de Cortés, seguía echado a sus pies; su color era igual que el cobre.

—¿Quién eres, hombre?

Cortés lo tomó con sus robustas manos por los hombros, levantólo del suelo y mirándole fijamente a los ojos, le repitió:

—¿Quién eres tú, hombre?

El hombre escuchó con atención aquellas palabras, como queriendo reconstruir con las mismas una idea, un pensamiento... y después rompió en palabras inseguras y entrecortadas:

—Aguilar; así me llamo... Jerónimo Aguilar... fui clérigo...órdenes menores... no salen las palabras. Pasaron desde entonces trece primaveras. Yo, esclavo en el campo... He visto escritos... Llegué retrasado a mi señor... El buque había partido. Detrás de él, a lo largo de la costa. Llegamos a la isla Cozumel... vimos muchas velas blancas; así llegamos, y vi muchos buques navegando hacia la costa... Ya apenas sé hablar... «Cristo, el Señor me ha ayudado».

Alrededor se había hecho un silencio absoluto. Los soldados y los capitanes habían formado círculo; ninguno se movía; en los ojos de aquellos hombres se leía satisfacción y horror a un tiempo... Sus manos, quemadas por el sol y el humo, eran obscuras; sus caras eran secas, como ascéticas; pero en sus ojos fuertes había lágrimas...

Cortés abrazó al hombre, y al hacerlo se estremeció de alegría. Estaba indudablemente en el camino de Dios; era un criado elegido por el Altísimo. Dios había querido que sus buques fondeasen en la bahía de Cozumel y que allí fuera a encontrarle, después de una larga travesía en canoa, Jerónimo Aguilar, el hijo de aquella buena mujer de Cuba.

Los hombres que le acompañaban esperaban rígidos lo que había de venir. Aguilar volvióse hacia ellos y les dirigió unas palabras cortas y desconocidas; igualmente hizo con los hombres que llevaban la corona de plumas. Hablaba con ellos, como ellos hablaban con él... Inclinábase ante cada uno hasta tocar el suelo con la frente; los otros le ponían la mano en el hombro. Esperaban el rescate.

Cortés buscó algunos adornos y objetos pequeños y brillantes, recogió algunos cuchillos españoles con su vaina y se los dio a los indios. Entretanto, Aguilar fue conducido dando tumbos aún, casi inconsciente y sollozando, a la tienda. Sobre el camastro estaba colgado un crucifijo. Aguilar se postró ante él a la manera de los indios, tocando la tierra con la frente. Al momento le llevaron allí vestidos; le fueron quitadas sus telas de algodón y substituidas por camisa, jubón de cuero y calzas de soldado. La gente era feliz ofreciéndole algunos pequeños regalos: un gorro, un puñal, un par de guantes... Solamente con los zapatos hubo alguna dificultad; los desnudos pies de Aguilar no podían soportar calzado alguno, excepto unas sandalias de cuero sin curtir. Pronto, con sus nuevos vestidos, quedó transformado en otro hombre. El Padre Olmedo, entonces, le hizo hacer examen de conciencia.

—Sí, hermano. ¿Perteneciste alguna vez a alguna orden religiosa?

—Hice votos menores... no era todavía sacerdote... Hace muchos años... más de diez... Yo ya no sé... Fui arrastrado con el bote... Todos quedamos en la esclavitud... todos... todos.

—¿Qué fue de ellos?

—Uno vive todavía. Guerrero... no quiso venir. Tiene esposa, hijos... es cacique en su tierra... él fue la causa de mi retraso... se trataba de su salvación eterna... Se ha convertido en indio... Los demás todos murieron... sacrificados, todos fueron sacrificados... y devorados...

Reinaba un silencio solemne. De eso solamente había hablado hasta entonces Ordaz... De piedras manchadas de sangre, de imágenes en las que se veían corazones humanos arrancados en vida del cuerpo..., pero eso eran sólo pinturas, y en cuanto a la sangre, podía ser muy bien procedente de animales... Además, era algo lejano, como un cuento. Ahora, empero, era un hombre quien lo refería temblando. Habían sido comidos seres humanos. Los más temerosos dieron un paso atrás. Los soldados sintieron un escalofrío por la espalda... Por primera vez desde la partida parecían despertarse temores... Se trataba de algo horrible. Había hombres que se comían a los otros. Cortés dominó sus nervios.

—¿Y tú?

Era aquel hombre tan miserable, su lenguaje tan primitivo, que a Cortés le resultaba difícil el tratamiento de «vuestra merced», como correspondía a hidalgos y hombres de mayor categoría; así que le dijo *tú* como lo hubiera hecho al hablar a un soldado o a un villano.

Aguilar iba adquiriendo cierta soltura en el habla; parecía ir cazando las palabras que necesitaba; despertaban nuevos recuerdos y su excitación se calmaba. Un marinero le presentó una copa de vino. Lo probó y la dejó seguidamente a un lado. Sus vestidos le molestaban ya menos y su narración era cada vez menos fragmentaria y entrecortada.

—Los hombres íbamos en un bote. No sé dónde fueron a parar las otras embarcaciones. Mi madre viajaba conmigo. Nos proponíamos ir a Jamaica. Éramos diez pasajeros. Guerrero y yo fuimos llevados a la misma casa: la de un cacique. Los demás fueron repartidos; se les cebó y más adelante fueron devorados. A nosotros se nos perdonó; no sabemos por qué. Les dimos compasión a las mujeres. Guerrero fue llevado a una danza; eligió a la hija de un jefe de aldea. Guerrero es un hombre fuerte, un verdadero marino. Con un garrote los atemorizó y le tomaron respeto. Tiene tres hijos. Ya nada sabe de Cristo. Lleva la teja pintarrajeada y come todo el santo día. Ahora ya es jefe de una aldea. Hace que le saluden como a un alto personaje; pero no quiso venir con nosotros. Tiene su esposa y sus hijos allí. Y yo... la hija de otro jefe de allí quiso que fuera suyo. Yo le dije que no, pues tengo votos hechos y entre ellos el de castidad. Entonces me encerraron en una jaula y me hicieron pasar hambre, pues era una grave ofensa rechazar a la hija del jefe. Esperé la muerte, me arrodillé y recé. Luego me sacaron de la jaula y me encerraron en una choza con muchachas; me querían tentar. ¡San Antonio! ¡San Antonio!, pensaba yo, a ti te sucedió algo parecido. Me arrodillé y recé. Entretanto llegó el cacique y me tomó por un loco. Era, por lo visto, bondadoso. Y me llevó a su casa como criado. Un buen hombre; no me pegaba y me daba bien de comer. Vigilaba siempre lo que yo hacía. Me enviaba a buscar agua o a recados en lugares lejanos. Últimamente me mandó con un mensaje pintado para uno de los caciques que vivía a tres días de camino. Allí es donde oí hablar de que en la costa se habían visto unas grandes casas flotantes, pues así fueron descritos vuestros buques, y de esta manera pudimos saber que no lejos de nosotros vivían españoles. Yo recé y eso me sostuvo.

—¿Se te dejó libre?

—El cacique supo que habían venido hermanos. Así llegó a mis

manos el escrito que nos habéis enviado... aquí lo tengo, sobre el
pecho... Lo conservé... por si luego nadie pudiera creer que yo era
español... Lo he traído y si queréis lo leeré en voz alta para que veáis
que aún sé hacerlo. El cacique me dejó marchar; me dio canoa, provisiones y abrigo para el camino. Un buen hombre; no me hizo nada.

— ¿Tienen oro?

— Poco... Lo traen desde el Sur, del interior del país. Comerciantes. No lo tienen en gran estima; sólo lo usan como adorno. No
les sirve de dinero; ellos no tienen dinero. Cambian con almendras
de cacao y mantas. Lo que más estiman es la piedra azul... una especie de zafiro, *calkiulli*, le llaman... El oro está al Sur..., muy lejos.

— ¿Qué significa esta palabra que siempre tienen en los labios:
Cholula... Cholula...?

— Es su ciudad sagrada. No sé nada más de ello. Yo era un criado, un pobre y sencillo sirviente, y conmigo no hablaba nadie apenas, así que poco sé de sus cosas importantes.

— Deben de tener un gran monarca... ¿Manda éste sobre todo
un país, como hacen nuestros reyes?

— No sé. Hablaban, sí, a menudo de un poderoso monarca que
vive lejos, muy lejos.

— Yo vi en pinturas cómo arrancaban los corazones en vivo...

— Sí, los arrancan. De vez en cuando lo vi desde lejos. Después
de verlo recé siempre un Padrenuestro por la salvación de aquellos
desgraciados que gritaban y se embriagaban.

— ¿Habéis vivido en adeas?

— Existen tribus. Cada tribu tiene su jefe por elección. En muchos casos la dignidad se hereda. Tienen grandes campos que culti-
van en comunidad. Todo hombre, después de los veinte años, se casa
y se le entrega tierra para su cultivo, pero su propiedad es solamente
de los grandes jefes. Tienen propiedad también los sacerdotes y los
templos.

— ¿Pagan contribuciones a alguien?

— Sí, vienen recaudadores y los intérpretes explican lo que hay
que entregar. Tejidos, frutos, cacao, pieles, objetos de oro, a veces
polvo de oro, vainilla, especies y a veces también hombres cuando
los dioses tienen sed.

— Hombres... ¿por propia decisión?

— Los dioses tienen siempre sed. El diablo vive en sus fauces.
Belcebú.

— ¿Tienen armas?

— Son buenos tiradores de flecha y aciertan a un pájaro en pleno
vuelo, pero no tienen hierro; solamente cobre y un poco de oro y de

plata. Y nada más; el cobre es muy poco abundante. Hacen las puntas de las flechas de *ichtzli*, que es como pedernal; también hacen sables de madera que fijan al mango con savia de un árbol... cazan con honda y piedras. Tienen también lanzas y escudos y pequeños venablos, pero carecen de hierro.

—¿Qué comíais?

—Nosotros, los criados, comíamos pan de maíz y fruta; a veces un poco de carne de ganso. Los señores comen y beben mucho.

—Y escribir..., ¿saben?

—Algunos sí; dibujan sobre hojas secas de agave y leen esos dibujos.

—¿Tienen mucha diversidad de lenguajes?

—Sí; tienen muchos. El usual aquí se llama maya, que significa estrecho, es decir, pobre, no rico en palabras o cosa semejante.

—¿Cuidabas ganado? Pues no veo aquí vacas, ovejas, ni cabras.

—No tienen reses mayores, sólo cerdos y perros que ladran siempre, pero no tienen eso aquí. Son animales pequeños y gordos; los ceban y los comen. Son aquí desconocidos los animales de carga. Nosotros, los criados, debíamos llevarlo todo a cuestas.

Poco a poco el habla se le hacía más fácil y sus palabras se alineaban ya con menos dificultad para formar la frase. Los que le habían acompañado le miraban perplejos cuando hablaba con los jefes de cara pálida y observaban admirados los vestidos que le habían puesto.

Por la noche, el Padre Olmedo lo llevó a su tienda.

—Hermano Jerónimo. Hoy pasarás la noche en mi tienda y mientras arda la lamparilla quiero leerte en voz alta algunas cosas de la Sagrada Escritura. Mañana, en la misa, tomaré tu caso como texto y diré con las mismas palabras de la Escritura: «No te dejes dominar por el mal, sino domina tú el mal con el bien».

4

Era una noche serena. Las luces de posición oscilaban en los mástiles. Enfrente oíase el rumor de las aguas del río Tabasco que se vertían en el mar. A las primeras luces de la aurora comenzaron a redoblar los tambores en la orilla. Después el viento trajo el sonido prolongado y quejumbroso de otros instrumentos, luego se oyeron las notas más graves de los cuernos. Era un presagio intranquilizador y desagradable; sin embargo, el desembarco estaba decidido para el amanecer. Los objetos destinados a los trueques fueron subidos a cubierta en grandes sacos; después fue arriada la chalupa grande y un pequeño pelotón se adelantó. Cortés hizo que los botes se alejasen a remo; en ellos iban los mosqueteros o ballesteros. Él iba a la cabeza de todos, con su arnés completo; en su mano llevaba un fuerte escudo. La corriente los había arrastrado y al desembarcar pusieron pie en un terreno extremadamente fangoso. Pudieron ver entonces que los indígenas se aproximaban con sus caras pintadas, agitando pequeñas banderas. Estaban aún demasiado alejados para que sus flechas pudieran alcanzar a los españoles; si bien caía ya una granizada de ellas en el agua de la bahía. Los ballesteros se inclinaron. Sus fuertes dedos retorcieron lentamente la cuerda sobre el arco de acero; colocaron después las flechas con punta de hierro, que acertaban mejor en el blanco que el plomo de los mosquetes débilmente cargados. Detrás de los escudos extendieron hacia delante el arma. Sus dedos descansaban ya sobre el gatillo cuando Cortés hizo una seña: todavía no. Antes debía venir el notario real... Éste, el patizambo Godoy, echó temblando una mirada por encima de la borda.

—Aquí es casi imposible, señor...

Hizo que trajeran dos escudos y detrás de ellos, cubierto hasta el cuello, su voz se oyó insegura y en tono de falsete, recitando la fórmula latina que para tales casos ordenaba el Consejo de las Indias.

—«*En nombre del excelso señor de todos los españoles y católicos, Don Carlos, os apercibo, habitantes de este país, a no usar armas contra nosotros. Nosotros, los españoles, hacemos uso del derecho que nos confiere la autorización de Su Santidad. Venimos con intenciones pacíficas y os traemos la gracia de Nuestro Señor para que le honréis. Si, empero, levantáis vuestras armas después de estas palabras, todos entonces seréis considerados como rebeldes y ninguna gracia especial podrá salvaros de la pena de muerte, así como de ser sometidos a la esclavitud todos vuestros familiares. Dejadnos libre el paso y rendidnos homenaje como pueblo del emperador...*»*

Llegó volando una piedra, acertóle en la frente, abollando su ligero casquete de hierro. Godoy se tambaleó, mas no por eso dejó de terminar su frase, como correspondía a un auténtico burócrata. Y así dijo con voz de moribundo:

—*Os hablo en nombre de Su Majestad Imperial.*

Después limpióse la sangre que manchaba su frente y se acurrucó entre los soldados. En la costa se apaciguó la cosa. Los salvajes callaron y después pareció que celebraban consejo. Era como si desde el bote se les hubiera hecho un extraño sortilegio... Los soldados cambiaron miradas; estaban a punto de creer en un milagro; en una victoria de la Ley española, sin necesidad de golpes de espada. Pero de pronto llegó desde la costa un terrible vocerío; aquellas gentes gritaban y daban voces; imitaban con asombrosa fidelidad las voces de los animales, parecía como si se hubiera conmovido toda la selva. Se oían rugir miles de panteras, reír las hienas, aullar los lobos y ladrar los perros. Entretanto hacían entrechocar los escudos y el agudo sonar de una caracola desgarraba los aires. De nuevo silbaron las flechas, chispas blancas que surcaban el aire, arpones y venablos con punta de hueso chocaban contra los escudos y se hincaban en la borda de las chalupas.

Los mosquetes fueron disparados; silbaron las ballestas; las trompetas de Ortiz dominaron con sus notas el aullido de las caracolas. La canoa de Cortés llegó la primera y su roda se hundió en el blando fango. Centenares de indígenas arrojaban sus venablos de tal manera que casi no daban lugar a protegerse el rostro con los escudos y empuñar con la otra mano la espada o la lanza. Llovían las piedras contra el bote. Fue un momento raro, peligroso y, sin embargo, asombrosamente extraño; un montón de salvajes desnudos contra los barcos españoles, entonces lo más selecto de la creación. El pie de Cortés quedó medio hundido en el fango. Braceaba para sostener el equilibrio mientras trepaba por la costa dando trompicones. Su espada silbó sobre las espaldas de un indio que se le había aproximado en demasía y que se desplomó sin exhalar un suspiro. Otro le arrojó su lazo; pero él cortó el cordel con su guantelete; a un tercero le arrancó el venablo de las manos y con él pególe sobre la cabeza.

Finalmente alcanzaron la prominencia rocosa; un extraño espectáculo se les ofreció entonces. Como altos tallos de hierba que se balanceaban a la vez, como pájaros que planean en el viento, así se movían a compás y orden de batalla las compañías y batallones; todos con los mismos adornos de plumas; todos con las mismas armas, con los mismos toques de caracola; se movían disciplinadamente. Los jefes llevaban plumas más altas y de otro color; iban ricamente ataviados y sus armas estaban guarnecidas de oro y colores brillantes.

—Me parece, don Pedro, que aquí se va a librar la primera batalla regular del Nuevo Mundo.

—Con cincuenta hombres, sin caballos ni cañones, no parece aconsejable...

Se hizo el silencio. Veinte o treinta muertos yacían en el trecho de terreno que mediaba entre el desembarcadero y los peñascales de la costa. Los españoles vendaban sus heridas. El aire se hacía como nebuloso; en los trópicos el sol se pone, llevándose con él la luz rápidamente. De la aglomeración de hombres armados se destacaron dos indios. Aproximáronse sin armas a los españoles con el propósito de retirar sus muertos. Aguilar entonces les habló de paz, de buenas intenciones, de terribles castigos... pero ellos sacudieron la cabeza y contestaron con algunas palabras breves y burlonas.

Los españoles enviaron los botes a los buques para traer más hombres. Ahora había ya unos doscientos soldados detrás de los parapetos levantados precipitadamente. Alvarado tomó el camino de la aldea. Echaba precisamente por el sendero que conducía a los establecimientos cuando vio los vestidos a la española de Melchorejo, el intérprete, colgados de una rama. Siguió adelante, pero encontró solamente casas vacías, abiertos cobertizos, corrales abandonados. Al principio sólo percibía el silbido del viento; pero pronto éste le trajo el resonar de trompetas y cuernos. Detrás de ellos estaba el cenagal; delante, barricadas hechas con árboles tumbados y tras ellas, una multitud que se agitaba y bramaba. Los españoles apretaron sus filas, retrocediendo paso a paso, hasta llegar de nuevo al campamento ya someramente fortificado.

El indio Melchorejo ha huido.

Aquella camisa del intérprete era un mal presagio. Conocía éste la fuerza en nombres y caballos que los españoles tenían y sabía cuán escasos eran en número. La noche llegó. Todos adivinaban que detrás de las hogueras encendidas por los nativos se reunía una masa considerable de indios y los españoles podían prepararse para una muerte heroica aquel día víspera de la Anunciación de Nuestra Señora.

Afilaron sus armas, cargaron sus bocas de fuego y se arrodillaron por turno ante el Padre Olmedo; con sus botas de hierro la rodilla resistía a doblarse. El bosque se tragó todos los pecados. Los heridos se quejaban. No tenían hilas ni bálsamos. El cirujano, hombre que había viajado mucho y visto muchas cosas, hizo traer el cadáver de un indio y echarle al fuego que chirrió y silbó; la grasa caliente y derretida fue recogida gota a gota en una escudilla. Untó el cirujano con ella las heridas y lugares doloridos y después los vendó; gemía el herido por la quemadura de aquella grasa hirviendo, pero después se sentía aliviado.

Mientras Cortés, siguiendo su costumbre, hacía la ronda por los puestos de vigilancia, pasaban por su memoria los años transcurridos y preparaba su alma para la confesión del día siguiente, en que todos recibirían la absolución. En medio del campamento, el ilustre vástago del conde de Puertocarrero ajustábase una venda alrededor de la cabeza. Junto a él estaban atados a estacas con expresión de conformidad ante la muerte, los prisioneros indios. Colocóse Cortés en compañía de Aguilar frente a ellos y preguntó por boca de su intérprete:

—¿Atacaréis mañana?

—El hombre que entre nosotros no tiene nombre y que vino con vosotros en las casas flotantes está ahora sentado en el Consejo de nuestros Ancianos. Dice que será fácil reconciliarse con los dioses por medio de vosotros.

—¿Por qué queréis hacer la guerra?

—Los de Campoche mataron a los espíritus blancos que han desembarcado delante de vosotros. Nos insultaron llamándonos mujeres. Nosotros hicimos voto delante de la casa de la tribu de que no encontraríais mercaderes sino hombres. Tan luego sonaron los cuernos, llegaron los guerreros con sus armas.

—¿Sois muchos en número?

—¿Quién cuenta las estrellas del cielo?

Se hizo el silencio que duró largo tiempo hasta que Cortés habló de nuevo:

—Te dejo libre. Ve a los Ancianos. Diles que venimos con el poder del más poderoso señor. Quien nos oponga resistencia, debe morir. Y con él morirán sus mujeres e hijos; y su casa será devorada por las llamas. Traedme la contestación por la mañana muy temprano.

Alboreaba. El Padre Olmedo comenzó la misa. Todo estaba silencioso en el amanecer gris. Los pensamientos de todos daban vueltas alrededor de la vida y de la muerte. No se oía ni un ruido, salvo el tañido triste y temeroso de la campanita.

Después de la comunión, comieron. Los capitanes aproximaban sus cabezas por encima de la mesa; ante ellos tenían la primera batalla en regla. No era, sin embargo, demasiado tarde para abandonarlo todo y regresar a bordo en las chalupas. Cortés denegaba con la cabeza:

—El honor de Castilla exige otra cosa, señores.

Hablaba bajo; sus órdenes eran breves y precisas. Todos comprendían que estaban ante el bautismo de fuego en manos de un caudillo de nacimiento.

—Detrás del campamento se extiende un terreno pantanoso y cenagoso; si somos barridos hasta allí, estamos perdidos; por eso debemos iniciar nosotros el ataque; hay que emplazar las bocas de fuego allá arriba en la colina, protegidas por Mesa. Ordaz mandará los infantes. Nosotros, los jinetes, daremos un rodeo por las plantaciones de maíz para caer por la retaguardia de los indios. Hoy no escatimaremos la pólvora. Dios nos ayude.

Estaba ante Ordaz, que vestido de negro, miraba la lejanía. Ambos se estrecharon la mano; después pasó ante las filas de sus soldados. Aquella masa de hombres, destinados tal vez a la muerte, se conmovió y se agitó; al pasar Cortés se elevaban aclamaciones entusiastas, ruido de yelmos entrechocados, golpes acompasados de lanzas. *Ataque*, esa era la divisa aquella mañana en la llanura de Tabasco.

Algunos ayudaron a emplazar los cañones en la altura y otros, entretanto, arrastraban las pesadas balas de piedra. Los jinetes echaron por el camino de la izquierda. Se vio a Diego de Ordaz que alzaba su mano. *Orate* era la orden, sin duda, pues todas las manos se colocaron sobre el pecho; todos elevaron por un momento su pensamiento hacia Dios; pero un segundo después sonaba ya la corneta.

Ordaz calculó la distancia. Las piedras que lanzaban las hondas caían todavía a unos veinticinco pasos delante de ellos y sólo alguna flecha perdida venía a veces a dar contra los escudos. Él permanecía al pie de la colina. Su espada trazó una amplia curva en el aire y comenzaron a ladrar los cañones. La masa abigarrada y movediza de los enemigos vaciló. Los lanceros españoles, entonces, se pusieron en movimiento hacia los claros de aquellas formaciones. Sin embargo, la confusión de los indios había durado solamente un segundo y en los lugares de peligro se vieron nuevos grupos de refuerzo. Llevaban plumas de colores, iban pintarrajeados, aullaban como diablos, saltaban de un lado a otro, y, sin embargo, obedecían disciplinadamente. Del lado de los españoles se estaba atacando los mosquetes con la baqueta.

Combatían los indios con pesados mandobles de madera, cuyo filo de obsidiana cortaba como una navaja de afeitar; pero que se mellaba al dar contra las espadas de acero. Los españoles avanzaban paso a paso, abriéndose un camino de sangre; pero por su izquierda habían sido desbordados por una multitud innumerable de guerreros armados de arcos y hondas. Arriba trabajaba Mesa activamente. Su rostro ennegrecido por el humo de la pólvora y chamuscado por la mecha asomaba entre una nube de humo. Una llamarada brotaba del cañón y las balas de piedra partían zumbando. Pero aquellas armas de fuego sólo causaban estragos en las filas alejadas y de poco servían para el combate cercano. Los infantes, bajo un calor asfixiante, parecían animales antediluvianos erizados de púas librando una lucha a muerte. ¿Dónde estaba Cortés? Ordaz miraba intranquilo hacia bajo por donde debía venir. El sol lanzaba ya sus rayos perpendicularmente y la presión enemiga no se había aligerado todavía; nuevas y nuevas masas afluían contra los españoles. Después de cada ataque debían ser transportados algunos heridos al centro del pequeño campamento; de vez en cuando penetraba alguna flecha a través de la pared de escudos. Finalmente de detrás de los campos de maíz, cuyas plantas tenían la altura de un hombre, se oyeron toques de trompeta, anunciando el socorro. Uníase el ruido de los cascabeles de los collerones de los caballos, con el golpear de los cascos en el suelo y el metálico ruido de las armaduras. Oyóse una voz que gritaba como un trueno: ¡Santiago!, y dieciséis jinetes se precipitaron con sus lanzas bajas, como una tempestad de acero, contra la masa enemiga.

Los indios no habían visto nunca caballos. Aquellos monstruos, medio hombres medio animales, los dispersaron o tumbaron sobre el campo. Los caballos pisaban pateando los cuerpos untados de aceite y los jinetes rompieron el círculo enemigo formando alrededor de la infantería que, ensangrentada, comenzaba ya a flaquear. Los caciques y jefes trataron aún de arrastrar a sus hombres hacia delante; pero se había deshecho ya la formación y el orden de aquella masa abigarrada adornada de plumas; ninguno de los indios se atrevía a hacer frente a aquellos monstruos extraños. Los cañones de Mesa redoblaron sus rugidos y la lluvia de piedras barría a los enemigos delante de la infantería; por todas partes se habían formado ya claros; disminuyó la presión y en el pecho de los infantes españoles penetró de nuevo el aire... Un minuto después, de una garganta seca por el calor y el humo salió un grito.

— ¡Victoria!

Los jinetes retrocedieron entonces y los caballos descansaron después de aquel loco galopar. Todos estaban allí: Cortés, Alvarado, Sandoval, Ávila y Olid. El Padre Olmedo se metió por entre las filas de los soldados, llevando en alto la cruz.

— En recuerdo de este día, festividad de la Anunciación, doy a este lugar el nombre de Nuestra Señora de la Victoria.

El capitán general pasó revista a las tropas. ¿Quiénes habían caído en la lucha? ¿Quiénes necesitaban ser curados y asistidos? ¿A quién había que llorar? Quedó de pie junto a un árbol, que allí se llama *ciba*, un árbol que se alza solitario como un grito en el desierto. Cortés aproximóse al tronco y con su espada dibujó el signo de la cruz en la corteza blanda y obscura. El caudillo estaba ante su ejército con las espaldas vueltas al mar. Era una escena excelsa, patética; cumplióse la fórmula que estaba establecida como un rito desde los tiempos de Colón.

«Yo, Hernán Cortés, tomo posesión de este país que hemos conquistado para España con la espada y con nuestra sangre, por la gracia de Dios y la voluntad de mi señor Don Carlos. ¿Hay alguien

aquí que impugne el derecho de la Corona española? Si lo hay, que se adelante para sostener un duelo conmigo. Que levante su voz todo aquel que opine que el derecho de Castilla a esta provincia es infundado.»

Reinó un silencio solemne. Del grupo de los capitanes se destacó Puertocarrero.

—Juro por Dios vivo que nadie ha reclamado. Nosotros, los capitanes, afirmamos que esta provincia pertenece de derecho a la Corona española. Estamos dispuestos a combatir por ella.

—Nosotros, soldados, afirmamos que por esta tierra hemos derramado nuestra sangre y que ahora pertenece a los españoles para siempre.

Godoy presentóse con tintero y papel.

«Como mandatario del rey, tomo posesión de este país en nombre de mi magnánimo señor y de ello extiendo acta... Vosotros, soldados, jurad como testigos...»

Seis españoles estaban amortajados, y ante ellos había innumerables indios muertos. El capitán general paróse ante los prisioneros y dijo por boca de Aguilar:

—Así sucede a todos los que levantan la mano contra mí. Mañana no daré gracia a vuestros familiares. Os domaré por medio de armas terribles. Id a vuestros Ancianos y decidles que esta noche pueden todavía venir a rendirme homenaje. Dos de vosotros pueden ir.

Al caer la tarde regresaron los prisioneros.

—Los jefes están sentados y hablan por turno. Discuten acerca de paz o de guerra. La balanza se inclina hacia la paz. Hicimos lo que pudimos; no tenemos culpa ninguna. Eres nuestro amo; manda.

—Idos a la casa donde están hablando los jefes. Me traeréis al hombre semejante vuestro que venía con nosotros y se nos escapó. Entre nosotros su nombre era Melchorejo.

Una hora después volvían los enviados. El más viejo se postró ante Cortés, y arrojó flores sobre sus zapatos de hierro.

—Cuando salga el sol y con sus rayos ilumine tu rostro, vendrán nuestros jefes a decirte que tú eres su dueño.

—¿Dónde está Melchorejo?

El indio abrió los brazos y quedó sin decir palabra. Sólo un buen rato después murmuró algo acerca de la paciencia de los dioses... Aguilar conocía ese gesto sobrio y meditabundo. Preguntó:

— ¿Le habéis sacrificado?
— Le hemos sacrificado, señor.
— ¿Sobre la piedra roja?
— Él nos azuzó a la guerra. A quien es mensajero de la desgracia le alcanza la perdición.

5

Los centinelas eran relevados cada hora, pues de otro modo la gente no hubiera podido soportar el esfuerzo. Cada uno de los soldados era un hombre deshecho por la fatiga, agotado, que no podía soportar ya ni la carga de la lanza sobre el hombro y a quien el peso del casco de hierro hería la carne dolorosamente. Algunos soldados retiraron los muertos y, al llegar el nuevo día, todo había recobrado el esplendor de antes. Los gigantescos cactos se erguían, adornados algunos de ellos con flores rojas y extrañas, como si ellos también mostraran abiertas heridas. Alrededor, veíanse troncos de árboles hendidos por las balas de piedra, estacas de la empalizada medio quemadas, chozas envueltas aún en rescoldos. Las lianas colgaban medio desprendidas sobre los cuerpos muertos. El bosque había comenzado su tarea de destrucción y de nueva vida simultáneamente.

Esperaron los primeros rayos de sol. Llegaron algunos criados con semblantes sumisos, llevando gallinas, tortas de maíz, mantas de lana. En sus rostros leyó Aguilar su condición de esclavos y los rechazó a todos. Un jefe no podía darse por enterado de la llegada de tales gentes. Quienes debían venir eran los señores del país.

Se retiraron los criados, y con paso temeroso desaparecieron en la lejanía. A cada ruido se estremecían como si estuviesen bajo el peso de fuerzas extrañas y enemigas. La dirección de la escena estaba en manos de Cortés. Los indios no debían ver a ningún español herido; debían creerlos invulnerables y que si una flecha les acertaba, al día siguiente la herida estaba ya cicatrizada. Hizo ocultar los cañones tras montones de tierra y cubrirlos con follaje. El sol brillaba ya sobre las resplandecientes corazas que habían sido bruñidas durante la noche. Faltaba, sin embargo, todavía algo para que los indios aprendieran lo que es miedo. Y así Cortés hizo exponer los caballos. Estaban bien cepillados y el sol hacía brillar sus grupas. Hizo atar junto a su tienda a una yegua en celo y dio orden de que se hiciera pasar por allí varias veces ante la cortina caída al brioso corcel de Ortiz. El caballo se encabritaba, relinchaba, volvía la cabeza y sus cascos herrados golpeaban la valla. Los españoles disfrutaban en la preparación del espectáculo.

Pronto oyóse el bufido de un cuerno; llegaban los invitados. Los jefes de más edad venían sentados en sillas de juncos adornadas con colores vivos y los portadores marchaban encorvados con pasos lentos y rítmicos. Detrás venían algunas muchachas con vestiduras blancas de algodón sin teñir; sobre sus cabezas llevaban jarros y en las manos algunos paquetes. Después marchaban hombres adornados de plumas y hojas de palmera.

Se cambiaron los saludos y reverencias. Salió el cacique de su asiento, tocó el suelo con la mano, elevóla después hacia el cielo, miró a tierra y después al cielo.

Llevaba Cortés coraza de plata, capa de terciopelo y cadena de oro. El sol brillaba sobre la coraza y la imagen de San Jorge que en ella iba repujada se llenaba de resplandores. Aguilar comenzó a ordenar la conversación:

—Venimos con intenciones pacíficas, para recoger agua y alimentos. Queríamos pagar todo esto, como lo pagaron nuestros hermanos que hace un año estuvieron aquí. Nosotros veníamos en son de paz y fuimos recibidos con flechas. La sangre derramada cae sobre vosotros. Las mujeres y los niños lloran hoy más de ochocientos muertos. Fue vuestra voluntad que tal cosa haya sucedido.

—El indigno esclavo que huyó de vosotros nos aseguró que erais débiles; y que queríais destrozar la tierra y consumir el mar. Si no os hubiésemos disparado nuestras flechas, la noticia hubiese volado por todos los puntos de la costa. Hubiéramos sido entonces motejados de mujeres vestidas de guerrero y hubiera sufrido grave insulto nuestra virilidad. Vinisteis y fuisteis fuertes. Ahora venimos a rogaros que de aquí en adelante haya paz entre vosotros y nuestro pueblo.

—Una palabra no puede borrar la sangre y apagar el enojo de los espíritus. Debo consultar a nuestros espíritus coléricos de negra garganta y preguntarles si desean la reconciliación.

Brillaron al sol los cañones al ser descubiertos y dispararon; sus balas de piedra derribando tonantes los árboles del bosque. La detonación fue tan fuerte que hasta los mismos españoles hubieron de estremecerse. La expansión del aire derribó a los indios; al levantarse estaban temblando.

—Por vuestra culpa debo yo aplacar el enojo de nuestros dioses por medio de sacrificios. Pero además están también iracundos esos seres maravillosos que han venido conmigo y a quien nada pudisteis hacer con vuestras armas...

Pasó el corcel de nuevo, encabritóse al notar el olor de la yegua en celo oculta tras la cortina; vibraban sus narices, relinchó fuertemente y de su boca salió blanca espuma.

Los indios retrocedieron asustados. Entonces les aconsejó Aguilar que para intentar aplacar la ira de aquellos seres pusieran sus regalos en el suelo.

Los indios pusieron entonces delante del caballo tortas de maíz, pescados, golosinas... Aguilar hizo a Cortés un signo para que rompiera un trozo de aquella torta y se lo llevara a la boca para indicar así que se dignaba aceptar los regalos. El cacique colocó ante él la jarra, de arcilla pintada de rojo con figuras azules. Se inclinó de nuevo y señaló aquellas pinturas. Representaba la bóveda celeste con los planetas; se veían también figuras de cazadores, del cuerpo de uno salían tres flechas y a su cabeza se enroscaba un ave de largo pico, llevaba en su mano un cuerno o trompa en el que había metido un venablo. Las muchachas extendieron las telas de algodón y las mantas. Eran de un tejido ligero, de un tacto casi de seda. En una de ellas estaban tejidas figuras de colores y la otra llevaba bordados en los bordes representando pequeños topos negros que se arrastraban; sus uñas eran rojas y se extendían sobre la tela blanca hasta perderse en rayas y dibujos multicolores.

El cacique extendió la mano e hizo un gesto lento como reptilesco. Salió entonces a relucir el contenido de una cesta; eran pieles de ciervo, suaves y blancas como la nieve, dúctiles, bordadas de flores y con incrustaciones de plumas. Después sacó una capa toda de plumas, la extendió hacia Cortés y le dio varias vueltas. El forro o vueltas de la capa era de vivo color y con reflejos de cobre que brillaron al sol; parecía el cuerpo de un ave gigante y fabulosa.

El oro que llevaban era poco. Algunas férulas, fíbulas y hebras de oro y redecillas. Cortés pasó la mano sobre los hilos de oro tan finamente hilados, admiró la finura del trabajo y la perfecta línea de aquellas filigranas.

—¿Dónde tenéis el oro?

El cacique meditó, después con su brazo describió un amplio semicírculo en el aire hacia el Sur y manifestó que el oro era traído de allí... del Sudoeste.

Las muchachas tomaron entonces sus cestas y el cacique les hizo una seña. Aproximáronse entonces con los ojos bajos, mirando la tierra. Llegaron de esta forma ante Cortés y allí doblaron e inclinaron la cabeza hasta tocar la tierra con la frente. El general no comprendió esa ceremonia extraña y respetuosa, y dijo a Aguilar.

—Dime, frater, ¿qué significa el homenaje de esas muchachas?

—Las veinte te son regaladas como esclavas.

Mirólas Cortés casi sin comprender. Según la ley del emperador Carlos los rebeldes debían ser marcados con un hierro al rojo en el muslo y entonces podían ser objeto de compra y venta, pero según la misma ley los otros indios eran libres en su persona. Veinte muchachas con sus jarras sobre la cabeza, como doncellas de países y mundos ya desaparecidos que se veían en los relieves de los sarcófagos, igual que los había visto en Salamanca... Miró a su alrededor; los ojos de los hombres estaban brillantes de deseo; les había envuelto un vértigo; su sangre hervía; quemaban sus heridas y el arnés se les hacía pesado... Cortés debía ser juicioso.

— ¿Para qué necesitamos a las muchachas, Aguilar? Los soldados pelearán por ellas y tendremos más bocas que alimentar... ¿Para qué necesitamos a las muchachas?

— Señor; si las rehusarais, sería una mortal ofensa; parecería que no habían logrado escogerlas a vuestro gusto... y mañana por la mañana morirían todas...

— ¿Por qué habrían de morir?

— Las destinarían al altar de los dioses para cuando llegue la fiesta. Serán sacrificadas, señor. Si vuestra merced las rechaza ya no vivirán mañana.

Hizo llamar al Padre Olmedo. ¿Cuál era su consejo en el asunto de las muchachas?

— Podéis ganar veinte almas para nuestra fe. Las bautizaremos y nos pertenecerán. ¿Pero y si perdemos nuestra propia alma por ellas? ¿Queréis vos dar el buen ejemplo para poder así reprimir los insanos deseos de los otros?

Las muchachas seguían inmóviles, postradas en el suelo. Aguilar tocó la mano de Cortés.

— Esperan la vida o la muerte, señor. Si las hacéis levantar entonces ya saben que se han salvado del sacrificio en el altar, pero si tocáis su corazón con la lanza, entonces dirán cantando, que mañana, al romper el día, deben estar más hermosas que nunca para poderse unir dignamente con sus dioses.

Cortés las fue levantando una a una. El Padre les iba haciendo la señal de la cruz sobre la frente. Cortés pasaba su mano por encima de la cabeza de cada una de las muchachas.

Luego volvióse a sus dos pajes, Xaramillo y Orteguilla, que estaban detrás de él.

— Esta noche guardaréis a esas muchachas. Pasarán la noche en vuestra tienda. Ninguna podrá salir para nada de la tienda y vosotros no dejaréis tampoco que nadie entre. Estaréis de centinela en la puerta. Responderéis de ellas.

Los muchachos se pusieron al frente del grupo de muchachas; con sus puñales desnudos les mostraron el camino y las muchachas les siguieron con su paso extraño y elástico de gacela, como fantasmas blancos.

Cortés se envolvió en su manta y se echó a dormir sobre un saco de algodón junto al fuego. Al cabo de un rato, se despertó, cosa que era habitual en él. Miró los puestos de vigilancia, dio una vuelta al campamento y después se aproximó a la tienda del comandante que esta noche albergaba a las muchachas.

El paje entonces de guardia era un muchacho de unos catorce años, el pequeño Juan de Xaramillo, cuyo padre le había confiado en Cuba al general Cortés.

—¿Nada nuevo, Juan?

—Ahora descansa Orteguilla. Las muchachas estuvieron largo tiempo despiertas, pero ahora duermen ya. Una de ellas pretendió salir. Le permití que se sentara sobre aquel tronco, y comenzó a canturrear una canción. Era tan melancólica que parecía ser una canción fúnebre. Cuando me vio con el acero en la mano, contemplóme sonriendo.

—¿Era hermosa?

—Ya sé que a mi edad no es decoroso el pensar en mujeres. No obstante, perdonadme si os digo que era maravillosamente hermosa. Cuando me miraba sonriente a la luz de las antorchas..., pero, ¡oíd, señor! Ahora vuelve a comenzar su canto en el interior de la tienda.

En efecto, en la tienda oyóse una melodía extraña y dolorosa. Sonaba al principio como palabras incomprensibles y confusas convertidas por el poder de la noche en un canto. Pronto fue tomando precisión y ritmos desconocidos se entrelazaron. La voz llena y hermosa se vio pronto acompañada de todo un coro. ¿Era una canción o eran simplemente tonos y melodías sin sentido como el canto de los pájaros del bosque?

Sentóse Cortés sobre el mismo tronco del árbol que antes sirviera de asiento a la esclava desconocida. Desde tal lugar podía ver todo el campamento. La noche era negra y silenciosa. Todos dormían y soñaban. Aquí y allí oíase alguno que dormido y todo se quejaba de sus heridas. El magnífico perro alano de Cortés, tan temido por todos, levantó la cabeza y aulló. Cortés apoyó su cuerpo en el robusto tronco; todo estaba como borroso por la niebla, que se extendía como un velo tenue. Entonces preguntó con voz suave y riendo al mismo tiempo:

—¿También me vigilas a mí, pequeño?

En el interior de la tienda el coro fue apagándose y se desvaneció totalmente aquella melodía.

6

En lo que fue campo de batalla y que ahora el Padre había bendecido, se alzaba el altar de Nuestra Señora. Estaba adornado con fresco ramaje y hermosamente cubierto; por todas partes se habían puesto flores. Ante él debía celebrarse el primer bautizo en masa.

Durante los días de su retiro en la tienda, las esclavas aprendieron la nueva fe. La infinita paciencia del Padre Olmedo parecía que había de naufragar al encontrarse en las aguas negras de la incomprensión. Cuando Cortés, en ocasiones se aproximaba, tomaba la palabra por sí mismo con excitación. En tales ocasiones, el Padre movía la cabeza y decía:

—Señor, dejadnos a nosotros el cuidado de las ovejitas, como os dejamos a vos el cuidado de instruir a los mosqueteros...

El general paseó su mirada sobre las muchachas. Algunas le miraron con ojos de animalito muerto; otras, más animosas y alegres, mecánicamente, sin entenderlas, repetían las palabras que oían a Aguilar. Una de ellas respondió con su mirada a la de Cortés. Era posiblemente la que había cantado en la tienda, pues su voz se oía ahora melodiosa como si hablase un idioma distinto del de las otras. Esperó a que el Padre hubiese traducido la sencilla frase del catecismo. Después preguntó:

—¿Por qué vuestro Señor nos dejó vivir tanto tiempo aquí sin mostrársenos?

Poco a poco el Padre Olmedo y el clérigo que habían salvado, dialogaban con la muchacha como en una controversia formal. Al entrar nuevamente Cortés, fue recibido por un grupo acalorado por la discusión, que hablaba de la divinidad de Cristo y de la Redención.

—Creedme, señor; una ovejita tan indomable es todavía más grata que las otras, si la llevamos al redil de Dios.

Se levantaron. El Padre rezó el Padrenuestro. Aguilar lo decía lentamente en el idioma indio, frase a frase. Las muchachas repetían la oración a coro. Fue éste el primer Padrenuestro que se pronunció en lengua maya. Cuando hubo terminado, se dispusieron todos para la gran ceremonia, en la que el agua de la vida debía humedecer la frente de las muchachas. Se buscaron nombres para darles. Aguilar les preguntó por turno su nombre en su idioma, mientras otro hojeaba el calendario, procurando encontrar en el martirologio un nombre cristiano semejante en sonido. Cuando le tocó el turno a la espléndida y esbelta muchacha que entre ellos era llamada, medio en serio medio en broma, la señora de las esclavas, pudieron oír Olmedo y Aguilar que en el lenguaje de los suyos se llamaba Malinalli. Al oírlo Aguilar se inclinó ante Cortés:

— Quisiera proponeros para la muchacha el nombre de Marina.

— Sea según tu deseo, fray Aguilar. En el mar estamos, que se llame, pues, Marina.

Las muchachas adivinaban que se les preparaba una fiesta, una gran fiesta; tenían confianza en el amable y suave Padre y confiaban en que no se verían arrastradas a la piedra sangrienta de los sacrificios. Lavaron sus túnicas, adornaron sus cabellos con flores y se pintaron la cara con coloretes vivos. No se las pudo disuadir de eso; según sus ritos era irreverente el presentarse con el rostro sin pintar ante los dioses. Olmedo sonrió:

— No las contrariemos por eso; aceptemos su buena voluntad.

Cuando las muchachas hubieron terminado su acicalamiento, observó Olmedo una magnífica esmeralda que lucía Marina sobre su blanco vestido y que parecía como una hoja verde de cristalina luz.

— ¿De dónde sacaste esa joya, hija?

— La llevaba oculta en mis vestidos. Pertenecía a mi padre y ya perteneció también al padre de mi padre. Me la he puesto ahora para presentarme ante la dulce Madre de Dios.

Los capitanes cambiaron miradas. Una gema como ésa valía en España tanto como toda una aldea. Todos quisieron admirar tan hermoso adorno.

— Con esa piedra, se la podría rescatar...

El doctor Godoy mezclóse seguidamente en la conversación.

— Nuestra reina Isabel ordenó que no podía ser sujeta a esclavitud ninguna persona si no hacía resistencia a nuestras armas, *ergo* esa muchacha es libre en su persona. Esas jóvenes están todavía alucinadas por su falsa fe pagana, pero en modo alguno pueden ser consideradas como personas enemigas. Por mediación del bautismo quedarán sujetas a la ley de nuestras hermanas, si bien su situación será la de sencillas sirvientes.

Como no se dispusiera de campanas, los soldados golpearon con la espada contra sus escudos, indicando así el principio de la sagrada ceremonia. Aguilar condujo a las muchachas que se habían cubierto la cabeza. Al pasar ante el que fue su amo, el cacique que asistía como invitado, hicieron una profunda reverencia de respeto. El coro de hombres comenzó un canto litúrgico. Los músicos acompañaron el suave canto gregoriano. Algunos soldados se secaban las lágrimas que habían subido a sus ojos. Conmovidos por los sones de la sagrada música, se sentían bondadosos, caritativos y cristianos...

Olmedo llegó ante el altar y preguntó a las muchachas si desafiaban al Demonio y a sus seducciones. Contestó Cortés por ellas con su voz llena y sonora. Las muchachas se fueron aproximando. La primera fue la que en este momento había de recibir el nombre de Marina. Inclinó la cabeza hacia un lado y sus cabellos perfumados cayeron sobre su oreja. Se le dio una antorcha encendida para que la sostuviese en su mano, como símbolo de la luz de Cristo... después dobló la rodilla, tocó la tierra y en tal momento el chorro de agua corrió por su cabeza. Al arrodillarse notó el tacto extraño y fuerte de la desnuda mano del general. Casi no se atrevió a mirarle, tan maravilloso le parecía con su cadena de oro, su coraza de plata y su hermoso traje negro. Su figura se destacaba entre los alabarderos; su mirada era seria y conmovida. Cuando hubo terminado la ceremonia, hizo Cortés la señal de la cruz sobre la frente de Marina.

Todas las demás muchachas fueron también bautizadas y ahora eran ya todas cristianas. Terminó la misa; aquel estado de ánimo, de recogimiento y devoción fuese disipando. Los rostros se volvieron de nuevo hoscos y secos; brillaron de modo extraño los ojos. En los ángulos de la boca, se marcaba un extraño pliegue cuando los soldados miraban a las muchachas; había como un ansia de botín, una codicia en la expresión de su rostro. Olmedo dijo algo al oído del capitán general. Cortés se adelantó hasta ponerse delante de las muchachas.

—Las muchachas tienen hoy su día de fiesta —dijo—. Que dediquen el día al recogimiento. Sin mi permiso nadie puede dirigirse a ellas ni importunarlas.

Comprendieron las muchachas que era su fiesta. Era maravilloso que recibieran ya algo de su nueva fe, algo que les pertenecía exclusivamente a ellas. Su mente extraviada por tantas impresiones distintas y continuadas, se refugió ahora en la idea de su fiesta, de su nueva fe. Cogieron flores que ataron a largas cintas blancas y entonces con movimientos de serpiente comenzaron el ritmo ondulante de la danza ritual.

Entretanto Cortés hizo llamar de nuevo a los jefes indios y habló con ellos de mercancías y del comercio de trueque. Así podían entenderse rápida y fácilmente. Los caciques ofrecían mantas de algodón y cacao en vez del deseado oro. Los españoles, a cambio, ofrecían cascabeles, cuchillos, espejos, pero no mencionaban sus codiciadas y maravillosas espadas. Cortés pronunció la palabra *dinero*. Entonces Aguilar meneó la cabeza:

—Eso no se lo puedo decir; no me comprenderían.

Sacó entonces un *castellano* de plata de su bolsa. Los caciques trataron de rayar la moneda con la uña; después la golpearon. Finalmente se inclinaron respetuosos ante ella: en el anverso se veía el perfil varonil de Fernando; en el otro la imagen de la Virgen.

—¿Cómo se cuelga? —preguntaron entonces y buscaron la anilla.

Mientras los capitanes regateaban, los tabascanos trajeron a los españoles sus modestos regalos. Algunos pequeños objetos de oro, piedras finas, pero no preciosas; algunas pequeñas y obscuras perlas; plumas, tela de colores chillones. Muy satisfechos se colgaron sus cadenas de coral alrededor del cuello. Era ya por la tarde; debía ser la última noche que pasaban en Tabasco. Se izaron los faroles y comenzaron sus guiños las luces de señales con sus rojos parpadeos dirigidos a la costa. Y al comenzar el rápido crepúsculo, las chalupas llevaron la gente a bordo.

Al amanecer salieron a la mar. Como despedida, retumbaron de nuevo los cañones, cargados ahora solamente con pólvora. La Virgen, desde tierra parecía decirles adiós. En la mano de Alaminos la rueda del timón comenzó su danza. De nuevo lo envolvió todo la melancólica nube de los recuerdos. Los hombres que habían estado ya aquí con Grijalva, extendieron los brazos, señalando hacia los lugares que conocían; hicieron cábalas acerca de cuándo alcanzarían el río Alvarado —como le había bautizado don Pedro—. Tal vez mañana al mediodía, cuando apareciera la silueta de la islita donde por primera vez habían visto los sangrientos despojos humanos. Todas las frases comenzaban:

—¿Os acordáis todavía, caballeros?...

Navegaban a lo largo de la costa y próximos a ella para que la noticia de su llegada pudiera extenderse pronto por todas partes.

Buena parte de los capitanes había estado ya aquí anteriormente, hacía años, y ahora señalaban esas tierras al capitán general con el orgullo del descubridor; esas tierras que él veía por primera vez y que estaban llenas de anécdotas. Junto a él estaba Alvarado. También él miraba la lejanía. De pronto preguntó:

—¿Ha trazado vuestra merced ya todos sus planes, don Hernando?

—Cada minuto podría variarlos. Ahora mismo, al contemplar esas regiones, los acabo de cambiar. Veo algo que los demás caballeros tal vez no han observado: barrunto por todos lados un poder lejano e inaudito. Todos los jefes, todos los caciques, en sus zalemas se vuelven siempre hacia el Sudoeste y entonces se encorvan hasta el suelo. Hemos oído nombres que antes no habíamos oído nunca y que ignoramos si designan reyes, dioses o provincias; todo ello reunido me habla de algo, de algo que hasta en las historias y cuentos de los marineros parece adivinarse.

—Un poder así desharía de un soplo un grupo pequeño como el nuestro. En tanto naveguemos a lo largo de la costa, cambiando espejitos y haciendo otros trueques, todo va bien; pero, ¿qué haríamos con nuestros pocos centenares de hombres instruidos en el arte guerrero si nos enzarzáramos en una gran batalla?... ¿En una batalla que fuera más pesada y más dura que todas las que hasta aquí hemos librado? —añadió luego.

—Vuestra merced ha preguntado mis planes; no puedo tratar de ponerlos en ejecución todavía. Tal vez dentro de pocos días sepamos todo lo que hasta ahora son sólo presunciones. Hemos llegado a un mundo, don Pedro, que sólo por el almirante pudo ser soñado.

—Vuestra merced es dado a devorar libros... ¿hay en ellos consejos prudentes para casos parecidos?

—Leí una vez de Alejandro Magno, que partió hacia las Indias, y leí también de otro griego que llevó a sus soldados por muchas nuevas regiones y países. Cuando ellos hubieron llegado por primera vez a la costa, arrodillóse aquel caudillo y exclamó en su lengua: «Mar... Mar». Y también conocerá posiblemente vuestra merced las historias bíblicas de Babilonia y de Nínive... Las saben todos los que acostumbran a mojar la pluma en tinta. Pero ¿quién antes que nosotros había oído hablar de la provincia de Tabasco, o pudo saber dónde estaba la isla de Cozumel? ¿Quién podría saber lo que se esconde aquí, detrás de estas costas... qué extensión tienen estas tierras o este continente? Tal vez el almirante ha sabido todas esas cosas; pero aun así no pudo luchar contra los vientos y, como dicen los viejos, anduvo él también a menudo sin saber por dónde iba.

»Cuando hubo desembarcado en Cuba, juró a sus soldados que la tierra en que estaban era sin duda alguna del continente asiático... Sin embargo, pregunto yo ahora a vuestra merced si los portugueses no descubrieron tal tierra. Navegan éstos según los deseos del gobernador; miden el mar, trazan cartas para que los futuros navegantes aprendan de ellas. Cuando desembarcan en un lugar, se fortifican allí inmediatamente, levantan parapetos y envían mensajes a los príncipes de los alrededores, en los cuales se limitaban a decir: «¿Tienes algo para vender?» No los anima el deseo caballeresco de la gloria, ni tampoco oí decir de ellos que extiendan la fe de Cristo. Hacen sencillamente comercio y cuando se han enriquecido retornan a su casa, a Lusitania.

— ¿Es eso conforme al pensamiento de vuestra merced?

— Mi único propósito ardiente es extender en la tierra el Reino de Dios. Todos mis bienes están comprometidos en esa Armada y algo más aún de lo que poseía; así que si no quiero quedar convertido en mendigo he de procurar recuperar mis doblones; pero para mí el oro es poca cosa, por eso es por lo que no pude entenderme con el señor Velázquez. En tanto que él calculaba tan sólo las ganancias, pensaba yo en los Cruzados que partieron hacia Judea, pensaba en Julio César cuando se decidió a comenzar sus campañas... El saqueo de la costa no nos produce *supremam reputationem*... Será orgullo, pero aun así lo estimo más que todo lo demás. Vuestra merced estaba presente cuando yo, junto con los señores notarios, hice rendir homenaje a la Corona de Castilla a los tabascanos. Ahora es ya una provincia. Otro tal vez se hubiera quedado allí; pero a nosotros no nos es suficiente. Yo sigo adelante, busco y encontraré al monarca lejano que domina en ese continente. Quiero marchar en la dirección que los indios señalan con sus brazos, quiero llegar a ese país de donde viene el oro.

— Todo nuestro ejército cabe holgadamente en once carabelas...

— Con la ayuda de Dios acabaremos hasta con Xerxes. No podemos regresar prudentemente a Cuba, pues allí no somos más que sediciosos y rebeldes. Mientras nosotros andamos a golpes y nos curamos la heridas con grasa ardiente, llegarán los papeles de Cuba a Sevilla. Si ello debe ser así, no regresaré a la isla, sino que, si Dios quiere, cuando mis buques estén ricamente repletos, haré proa a España. Sin embargo, todo ello son simples proyectos, don Pedro, y si no me engaña mi instinto, nuestro viaje está todavía en sus comienzos...

— ¡Una canoa india, por poniente! ¡Sus tripulantes hacen señales como si quisieran aproximarse!

En efecto, se aproximaba una larga canoa y desde ella se hacían señas al buque español, arrojando flores y flechas. Un incidente así puede, en ocasiones, marcar un momento decisivo y aun la suerte de una expedición. Todos se reunieron en el castillo de proa. Se podía ya ver claramente la embarcación. Diez o doce remeros bogaban rítmicamente. A proa se erguía un guerrero y las plumas de su cabeza brillaban con el sol. Aguilar gritó a los del bote. Al oírle, el guerrero abrió los brazos significando que no comprendía. Aguilar repitió entonces más lentamente las mismas palabras; pero el guerrero no contestó; después se oyó su voz aguda de falsete. Aguilar sacudió la cabeza; no había comprendido a aquel hombre. Los españoles notaban ciertamente que aquellos indios llevaban vestiduras y adornos distintos de los que hasta entonces vieran. Su color de piel era más claro; parecían más robustos y sus armas y adornos eran más ricos.

— No puedo entender a ese hombre, señor; su lenguaje no se parece al que nosotros usamos.

Los capitanes cambiaron miradas. El guerrero, abajo, daba grandes voces, pero nadie le podía contestar desde el buque. No tenían intérprete adecuado para ello. Cortés extendió los brazos; el Espíritu Santo le había abandonado, en apariencia al menos. Las muchachas indias asomaban sus cabecitas y miraban a un lado y otro. Una de ellas, aquella tan hermosa que caminaba como una gacela, se irguió de pronto; era Marina. Se aproximó a proa, casi apartó a un lado a los españoles que allí estaban. Los capitanes se miraron confusos. ¿No estaba la muchacha en sus cabales? La voz dulce, melódica, de Malinalli se dejó oír:

— ¡Guerreros!, decidme, ¿qué queréis?

— Buscamos al gran jefe de la casa flotante. Que nos permita visitarle como enviados.

Durante un momento todos estuvieron mudos de asombro. La muchacha que los pajes llamaban la señora de las esclavas, hablaba con los extranjeros, con esos hombres con los que nadie había podido entenderse...

— ¡Aguilar! Dios nos ha concedido su ayuda. Él ensalza a los humildes. Pregúntale qué idioma hablan.

— Marina, ¿de dónde conoces el idioma de esa gente?

— Es la lengua que hablaba mi padre... yo tampoco hablé otra hasta el día de la gran fiesta... en que me vendieron a unos mercaderes... En aquella comarca todos hablan así...

— Señor: Dice que es su lengua materna, la única que ella dominaba antes de ser vendida y conducida a Tabasco.

— Que llame a los guerreros de la canoa y les diga que nuestras intenciones son pacíficas y que pueden venir tranquilos.

Hablaron los unos con los otros.

— Señor: Dice la muchacha que ha llamado a esa gente y les ha dicho que en las casas flotantes vive gente buena. Que pueden visitarla tranquilamente. Dice la muchacha que los indios esperan que les hagáis vos una seña para subir a bordo.

La canoa se había aproximado ya al buque. Un indio agarró la escala de gato y empezó a trepar por ella con la agilidad de un mono. Entretanto todos los soldados se habían reunido en la cubierta. En medio estaba Cortés, a su derecha y a su izquierda los dos intérpretes. Los indios miraron alrededor y después se dirigieron hacia Cortés. Hicieron una marcada reverencia; pero no llegaron a tocar el suelo con la frente; su saludo no era tan rendido como el de los demás indios que hasta entonces vieron los españoles. Marina se adelantó, arrojóse una tela sobre la cabeza y se inclinó hacia ellos con gracia. No esperó la indicación de Cortés para preguntar:

— ¿De dónde venís y qué queréis?

— ¿Eres tú la criada del señor?

— Todos somos criados de las caras pálidas, porque ellos son grandes y poderosos. Vienen del otro lado del mar. ¿Qué traéis al señor?

— Le traemos la paz. Le rogamos que aplaque el furor de esos dioses que lleva y que arrojan fuego y muerte.

Era todo un mundo el que vibraba y desaparecía alternativamente en las palabras misteriosas de la esclava. Cortés la contemplaba y veíala sonrojarse de ansia de preguntar y de contestar. La muchacha no era tratada como una esclava por aquel guerrero indio, sino que se hablaban ambos como iguales. Aguilar estaba titubeante y no entendía ni una sola palabra de aquella animada conversación que habían establecido la muchacha y el guerrero; Aguilar esperaba mientras Marina continuaba el animado diálogo.

Alvarado tocó a Cortés en el brazo:

— Tal vez... tal vez la muchacha está azuzando a ese guerrero contra nosotros... No la dejéis que hable sola con ellos, señor; pensad en Melchorejo...

Dirigió sus miradas a las encendidas mejillas de la joven. Ella mostraba a los indios la imagen de San Jorge que estaba pintada sobre la escala. Los hombres hicieron signos afirmativos con la cabeza.

— Señor; dice que vuestra merced ha de estar dispuesto a garantizar la paz si ellos obedecen ciegamente vuestras órdenes.

— ¿Qué quiere decir con esto?

— Creo que el Espíritu Santo la ha iluminado para que anuncie la Verdad con su lengua de fuego.

— Ahora, fray Aguilar, es cosa de pensar si la esclava no dice algo que signifique traición o perfidia...

— Estoy observando sus gestos y su expresión, si bien no comprendo sus palabras. Sus movimientos no son falsos; tampoco es falsa la mirada de sus ojos... Seguro estoy de que es instrumento de la Gracia de Dios, como yo mismo lo fui una vez.

— Dile que habló bien; pero que debe ahora traducir palabra por palabra lo que yo, por su boca, les quiero decir a los indios.

— Los dioses son irritables cuando se hace algo contra ellos y su venganza es terrible. Mañana atracaremos y estableceremos nuestro campamento en la costa. Que envíen doscientas manos para ayudarnos y alimentos para quinientos hombres. Decid a vuestro jefe que traemos la paz de parte del excelso señor que habita más allá de las grandes aguas. Si procede como se lo pedimos será recompensado ricamente y recibirá valiosos regalos. Mañana por la mañana a primera hora me darán la contestación.

— Dicen, señor, que vinieron por encargo de su cacique y que tomarán por un grande honor si desembarcamos y descansamos entre ellos. Somos huéspedes del cacique. Cuando hayamos desembarcado nos visitará.

Marina terció en la conversación.

— Opina la muchacha que vuestra merced podría dar a esos hombres algunos regalos y algo de su propia mesa. Así lo pide la costumbre establecida.

Cortés miró a Marina. Sus ojos negros brillaban al hablar y cuando quería aclarar algo, a veces llegaba a tomar de la mano a uno de los enviados; después sonreía, y por raro que pareciera, era la primera vez que la veía sonreír desde que vivía entre ellos. Los rostros de los indios son herméticos e impasibles por naturaleza. La muchacha dijo algo al guerrero y éste se quitó su bordado cinturón y se lo entregó. Como si siguiera un rito desconocido, Marina con una mano le ofreció la esmeralda y con la otra le tendía una flor color violeta que se quitó de las que adornaban su cabello. Inclinóse el guerrero y tomó aquella especie de orquídea.

Orteguilla trajo la cajita de madera llena de cachivaches. Tomó algunos colgantes de cristal, un cascabel y algunos cuchillos.

— Señor; opina la muchacha que no se debe acostumbrar al guerrero a los regalos. Es todavía joven y no forma parte del consejo.

Le ofrecieron algunas galletas de miel y una copa llena de vino de Jerez. Tomó él un pedazo de la torta, la saboreó; después se oyó el ruido de sus dientes en la copa de estaño; bebió un sorbo y apartó la copa.

Caía la tarde cuando los buques echaron anclas junto a la costa en poco fondo. El farol rojo desde el mástil dio la señal. Hoy la gente debía ir pronto a dormir. Cortés entonces se aproximó a Aguilar:

— Después de la cena ven con la muchacha a mi camarote; he de hablar con ella.

Soplaba un viento asfixiante; la atmósfera era insoportable; Cortés abrió el pequeño ventanillo. El camarote estaba obscuro; sólo ante la imagen de la Virgen parpadeaba una lamparita. Unas tablas cubiertas con blandas pieles de ciervo servían de cama. Además contenía la estancia algunas sillas, una mesa y un arcón con cerradura para cosas de valor y documentos confidenciales. En las paredes había armas colgadas; sobre la mesa había un jarro de vino y una copa de madera llena de agua. Cortés colocó allí también el jarro de arcilla que los indios le habían regalado. A la escasa luz podía verse las extrañas pinturas de aquella vasija: un perfil enérgico y un cráneo poderoso que parecía una carga sobre el cuerpo encorvado. Ambos brazos estaban abiertos; por encima de la figura volaba un ave parecida a un águila y de cuyo pico salía gran cantidad de burbujas azules.

Tomó Cortés el jarro en sus manos y no podía apartar los ojos de aquellos dibujos; los miraba aún cuando llamaron a la puerta y entró Marina, que acudía a su llamada con el intérprete.

Cortés indicó al fray que se sentara y que la muchacha hiciera lo mismo. La llama osciló. Aguilar parecía un asceta con su cuerpo flaco y su cabeza reseca y tostada por los diez años de trabajos en la esclavitud; sus ojos estaban cansados y sus labios descoloridos; su frente mostraba profundos surcos. La muchacha, en contraste, despedía reflejos de su hermoso cabello que caía como una cascada negra. A la luz de la lamparilla se destacaba su perfil, su nariz alta, su frente amplia. Cortés miróla por primera vez con ojos de hombre. Contempló sus brazos redondeados; sus piernas bien formadas con estrecho tobillo y sus pies apenas cubiertos por las sandalias de cuero. Estaba sentada incómoda, pues los indios o están echados o en cuclillas. Se había agarrado al borde de la silla; era el instinto... pronto, no obstante, sus manos descansaron con naturalidad en su regazo y cruzó una pierna sobre la otra. Cortés, en aquel momento, se sentía sacudido por la fiebre intermitente que se le había metido en el cuerpo allá en Tabasco. Por las noches, la fiebre aparecía como un fantasma extraño, llenándole la sangre de calor y haciéndola correr por sus venas más rápidamente que nunca.

— ¿Qué edad tienes?
— Nací el año de las nueve mazorcas.
— ¿Qué mazorcas son ésas?
— Los dioses — nuestros antiguos dioses — construyeron el mundo en círculos. Hay cinco veces diez círculos y otros aparte de los anteriores. Bajo el primer círculo no se apaga nunca el fuego; pero cuando los cincuenta y dos círculos pequeños están a su alrededor, se extingue el fuego. Cada uno de los pequeños círculos tiene un nombre en el gran círculo que le distingue de los otros. Yo he nacido en el círculo o año llamado de las nueve mazorcas.

— ¿Y los meses, es decir, cuando la luna disminuye y acaba luego por desaparecer?

— Cada año tiene dieciocho ciclos Cada ciclo abarca veinte días y veinte noches.

— ¿Cuántas épocas de lluvias has pasado ya en tu vida?

— Dieciocho. Catorce en casa, en casa de mis padres,.. una en el camino... cuando los mercaderes me llevaban a Tabasco; y tres en casa del jefe, a quien me vendieron.

— ¿En dónde vivías?

— Caminamos durante días y semanas enteras en dirección a donde sale el sol. Al principio podía yo todavía hablar... pero luego fueron cambiando los nombres y las tribus. El mercader que me había comprado me enseñó algunas palabras de aquella extraña habla y me instruyó en las costumbres de aquel nuevo país.

— Tu padre, ¿era un esclavo?

— Mi padre se llamaba «Puerta Florida» y era un gran jefe de Painala; más grande todavía que aquel que tú abrazaste en Tabasco. Mi padre tiene criados y sus criados también criados.

Cortés miró a Aguilar.

— ¿Miente la muchacha?

— Señor, no miente. Yo sé hacer de intérprete y miro sus ojos... Los caminos del Señor son inescrutables.

Levantóse Marina e hizo señas a Aguilar de que quería hablar.

— Di al gran jefe que ha terminado mi silencio. Malinalli, a quien habéis puesto el nombre de Marina al bautizarla, ya no callará por más tiempo. Dile que mi padre me ha vendido a la esclavitud para salvarme.

— ¿Cómo puede ser que un jefe venda a una hija para salvarla?

— Vinieron... cuando celebraba yo mi primera fiesta y me llevaban ya entre las muchachas crecidas a las ceremonias de nuestra diosa, de la que yo no logro acordarme. Fue entonces — como empecé diciendo — cuando llegaron los recaudadores de contribuciones. Pidieron además muchachas que no hubieran pertenecido a ningún hombre todavía y muchachos que no hubieran tomado parte aún en ninguna batalla. Allí éramos muy pocos jóvenes y yo debía ser entregada para el sacrificio. ¿Sabéis vosotros lo que ha de experimentar un padre cuando ve que arrastran a su hijo a la piedra roja de los sacrificios para unirse a una divinidad extranjera? Hubiese tenido que partir... muy lejos... hacia México.

— ¿México?

— Sí; allí está el centro del mundo creado. Allí es donde el terrible soberano hace sus sacrificios a los dioses.

— ¿Se trata de un país o de una ciudad?

— Se trata del centro del mundo; no sé decir más. Eso es lo que me dijo mi padre y es todo lo que yo sé. Todos los países y todas las ciudades pertenecen a aquel gran monarca que aplaca la ira de sus dioses con sacrificios...

— Así no llegamos a entendernos, Aguilar. Que nos cuente su historia.

— Mi padre trajo la hija muerta de nuestro criado a, mi habitación y la cubrió de flores blancas. La muerta tenía que pasar por mí; tenía que ser Malinalli. El criado hizo un fardo con mis vestidos. Mi padre entonces volvió rápidamente al Consejo. Los extranjeros le pidieron que entregara su víctima. Él dijo que sí, que siempre habían seguido todas las órdenes, y condujo a aquellos hombres a su casa ante la muerta. A mí, entretanto, el criado me condujo hasta donde estaban los mercaderes. Me vendió allí y dijo que en el término de un año, antes de que volvieran todos los dioses en los grandes libros retornaría él para rescatarme.

— ¿Te quería rescatar tu padre?

— Mi padre sabía lo que hacía, pues era sabio. Y así el criado me aconsejó estar contenta, pues mi padre me había salvado la vida. Cuando el peligro haya pasado — me decía — y yo sea rescatada, habré crecido ya y volveré allí como una pariente huérfana que llega de lejos y volveré a vivir en la casa de mi padre, en Painala. Y nunca sabrá nadie que yo era Malinalli, que se tenía por muerta y enterrada.

— ¿Por qué no te rescató tu padre?

— El mercader no me vendió hasta que el sol hubo pasado por su camino y hubieron transcurrido dos fiestas de la luna. Esperaba. Entonces otro mercader le trajo la noticia de que «Puerta Florida» había marchado a la morada de sus antepasados. ¿En qué mundo vive ahora, entre los guerreros muertos en batalla o entre los que fueron traidoramente asesinados, o en el mundo negro y solitario, en el tercero, entre los que están dormidos sobre crujiente paja? Eso no lo sé yo ahora. Sólo sé que «Puerta Florida» no vive ya en nuestro mundo y que por eso no fui rescatada.

— Y tu madre, tus hermanos... ¿no te han ayudado?

— Mi madre se separó de mí al venir yo a este mundo; está arriba, rodeada de resplandor, envuelta en su manto de plumas de quetzal. Habita entre guerreros y héroes, pues ella también libró la batalla de las mujeres. La esposa de mi padre no era mi madre. Murió «Puerta Florida» y entonces se cerraron sus oídos y se apagó su corazón. Malinalli no existe ya; el rescate se perdió para siempre.

— ¿Cómo llegaste a Tabasco?

— El mercader dijo que no podía esperar ya más tiempo. Lloró por mí; me llevó consigo en su viaje y me ofreció a los caciques, que no me quisieron admitir como criada ni como víctima de baja condición. Y así llegué a Tabasco.

—Todas las criadas ¿son sacrificadas?

—A todas nos alcanza tal suerte. Lo sabemos, y por eso mojamos de lágrimas nuestros vestidos. Ninguna de nosotras sabe cuándo eso se realizará. Por tal motivo se nos trata benévolamente y se nos perdonan nuestras faltas, pues todas hemos de subir un día la escalinata del altar, rodeadas de muchachas que bailan con guirnaldas de flores. Cuando estamos al pie del altar, el amo nos besa y nos declara libres; somos libres solamente unos pocos minutos...

—¿Por qué no fuiste tú sacrificada... a pesar de haber vivido cuatro años entre los caciques?

—Vivía allí una muchachita que me amaba y que nunca me soltaba de la mano. Esa pequeña me llevó a la casa de su abuela, que vivía en un país distante. Me abrazó, me hizo regalos y entonces pude saber yo que no la volvería a ver. Cuando llegase la fiesta de la diosa, nos tocaba la vez a nosotras.

—¿Cuándo había de ser la fiesta?

—Quince días después del día en que vosotros llegasteis. En aquel tiempo nos dieron miel y comidas escogidas, se nos pusieron bálsamos olorosos en el cuerpo y en las mejillas; todos estaban amables, no se nos regañaba nunca y accedían a nuestros deseos, pues, ante la proximidad del sacrificio, tenemos ya las muchachas en nosotras mismas algo de la diosa con la que hemos de unirnos al cabo de algunas noches. Sucedió entonces que oímos cosas extrañas. Unos espíritus blancos con barbas llegaban en embarcaciones. Oímos por primera vez el trueno que salía de sus manos y el fuego que brotaba. Estaban coléricos porque la gente de Tabasco les había hecho daño.

—¿Dónde estabas tú entonces?

—Nos llevaron a unas grutas; éramos mujeres y niños. Nosotras cuidábamos de los pequeños. Las destinadas a la muerte, debíamos cocer el pan, llevar agua. Por la noche vimos grandes llamaradas y entonces las mujeres comenzaron a dar lamentos y se tiraban de los cabellos, lloraban por sus hombres e injuriaban a los sacerdotes que, sin duda, no habían rezado bien y no habían logrado interpretar bien los mandatos de los dioses.

—Después de la batalla, ¿ofrecieron sacrificios según su horrible rito?

—Sólo uno: ofrecieron en sacrificio al criado que se había pasado a los tabascanos y que conocía vuestra lengua y vuestras costumbres. Ése era quien había lanzado a los indios contra vosotros; y como no había dicho la verdad, fue juzgado y,.. subió la escala del altar para aplacar el enojo de los dioses.

— Y ¿qué sucedió con vosotras?

— El cacique ordenó que todas las muchachas que se habían preparado para el sacrificio, fueran llevadas al jefe de los caras pálidas para que éste hiciera con ellas lo que su poderoso dios le indicara.

— ¿Estabais temerosas?

— Nuestros amos nos infundieron ánimos. Moriríamos, en todo caso, por nuestro pueblo y alcanzaríamos las regiones de la bienaventuranza. Querían que marchásemos hacia vosotros, cantando y riendo y no con quejas y llantos.

— ¿No estás contenta de haber conocido al verdadero Dios y no haber seguido permaneciendo en el error?

— Vosotros sois hombres iguales que los nuestros; pero más fuertes y más poderosos. Y me protegéis.

— ¿Quién quería hacerte daño?

— El dios extranjero, del que mi padre me libró. Yo me acojo a vuestra protección y a la de la Mujer blanca para que no permita que los dioses me arranquen de vosotros, porque Ella tiene aversión a la sangre y el Niño que descansa en su regazo tiene también repugnancia a que se derrame sangre.

— Hablas bien, muchacha. Ten confianza en nosotros. Te protegeremos contra todos si nos eres fiel y nos sirves.

Callaron los tres. Marina alzó la cabeza.

— Señor, ¿no puedo yo aprender vuestro lenguaje para poder entender vuestros pensamientos? ¿Es acaso un idioma el vuestro sólo para ser entendido por los dioses?

— No somos dioses, Marina. Aprende el español. Te lo agradeceremos.

— Para mí será una felicidad, señor, poderte dar las gracias en vuestra propia lengua.

Se levantaron. Cortés siguió a la muchacha con la mirada.

— Espera un momento...

Fue al arca y la abrió. En una pequeña cajita guardaba algunos peines con incrustaciones de perlas. En Sevilla los habían hecho para princesas exóticas. Se aproximó a Marina y metió uno de aquellos peines en sus cabellos negros y tupidos; con su mano los rozó suavemente. Marina inclinóse y, como había visto hacían los pajes, besó la mano de Cortés que asomaba entre finos encajes.

7

El aire iba cargado de arena; miríadas de mosquitos formaban nubes en las charcas bajas que en la costa dejaban el mar en el reflujo. Aquí se levantó el campamento. Y al siguiente día reinaba en él febril agitación. Los indígenas regateaban riendo, sacudían los cascabeles para hacerlos sonar, miraban a través de pedazos de cristal; desataban sus pañuelos y de sus nudos sacaban pepitas de oro, piedras verdes o rojas, y cuando el soldado las cogía, señalaban su casco o su espada.

Así continuaron las transacciones hasta el mediodía. Más tarde vinieron enviados y anunciaron que el gran jefe Teuhtitle quería cuidar de sus amigos de mejillas pálidas y que al siguiente día, después de la salida del sol, vendría en persona para vigilar que nada les faltase.

Era la víspera de la Pascua de Resurrección; guardaban todos el ayuno comiendo sólo pan de maíz. Cuando terminaron de fortificar su campamento, Cristo había ya resucitado. Trajeron antorchas de pez, se descubrieron todos y organizaron la procesión de Pascua. Sobre las dunas, Cortés fijó el gran cirio pascual, tomó él mismo la marmita y sirvió la comida a sus soldados, como era costumbre piadosa.

Después todos callaron y los capitanes invitaron a los empleados de la Corona a que procedieran a la repartición.

— De Tabasco se nos enviaron veinte muchachas. Un quinto de su número pertenece al capitán general; eso hace cuatro muchachas; otras cuatro quedan para la Corona y el resto debe ser repartido entre los capitanes y el ejército.

— ¿Quién fijará el precio de una muchacha para que sea repartida?

— Se las debería subastar...

— Ofrezco veinte ducados por cada...

— Señores; como jefe, reclamo solamente una; aquélla a quien el Espíritu Santo soltó la lengua; la que tiene el nombre de Marina. ¿Hay alguno que tenga algo que objetar?

Alvarado sonrió.

— Vuestra merced no elige ciertamente con los ojos cerrados...

Los capitanes rieron también y con ello cedió la tensión del regateo. El notario trasladó al papel la decisión del Consejo de Guerra. Los coroneles podían hacer su elección entre las muchachas y los que no quisieran ninguna recibirían su importe en dinero. Ordaz y Olid renunciaron; no deseaban tener botín de mujeres.

Sandoval alzó los ojos hacia el cielo:

— ¿Qué dirá de esto el Padre Olmedo?

— Mejor es que las muchachas pertenezcan a un hombre a dejarlas como caza libre, para todos, es decir, mujeres públicas.

Aguilar reunió a las indias y les comunicó la decisión a su manera.

'— Seguid y obedeced al señor que os pondrá la mano sobre el hombro. Aunque os sea difícil hacerlo, debéis tener paciencia, y si no le podéis ya aguantar más, os ayudará el bondadoso padre...

Cortés tomó la palabra:

— El Señor nos ha enseñado a los españoles nuestros derechos y los deberes correspondientes. No olvide ninguno que en el día del Juicio Final cada uno deberá responder del alma de esas muchachas. Vinieron a nosotros como regalo, no como esclavas. También fue voluntad de Dios eso de que vinieran a nosotros. Por eso declaro que todas quedan bajo mi protección y aquel que las arrastre a los vicios no será digno de seguir teniéndola.

Inmediatamente dejóse oír la voz baja y triste de Olmedo:

— Nuestro Señor acaba de resucitar y vosotros os repartís ya a esas inocentes, como aquellos se repartieron la túnica de Cristo, echando suertes. Soy demasiado débil para dominaros. Impugno esa afirmación de que sea un mal menor que una muchacha tenga un solo amo y no esté al alcance de la soldadesca. Eso es vuestra moral de soldados. Pero yo os digo con las Escrituras: «Nadie codicie a una mujer ajena». ¿Podéis creer tal vez que se puede pecar tranquilamente con una india y que la lujuria pesa menos en la balanza si se desahoga con una mujer de piel cobriza? No desearía yo que se realizara mi predicción; pero os digo que esas muchachas traerán maldición y perdición contra vosotros y serán motivo de discordias.

El notario real pidió la palabra:

— El Padre Olmedo dirige su punto de vista hacia algo que se ha de comprobar igualmente en su aspecto legal. Las esclavas, en el modo que lo acepta nuestra Santa Iglesia, son libres en su persona y pueden disponer libremente de su suerte. De todas formas, nuestro caso no está especialmente previsto en nuestras leyes... Aquí se trata de que un jefe de tribu india, pagano de religión, en uso de sus leyes propias, nos ha regalado algunas esclavas y tal regalo es legal desde el punto de vista de las leyes o usos de Tabasco... Pero para evitar posibles pleitos, suplicamos a fray Aguilar transmita a las muchachas nuestras palabras.

Lares, el contador, interrumpió:

—¿No está equivocado, por ventura, vuestra merced? Las esclavas son menores de edad y según las Instituciones no es posible que puedan disponer de su persona. Ahora bien; ¿quién dispone de menores de edad cuando sus padres no pueden hacerlo? Propiamente hablando sólo pueden hacerlo sus señores... Pero si éstos disponen de ellas, no se necesita aquí ninguna acta especial.

Cortés escuchó algún tiempo tales sutilezas. Recordó solamente las acaloradas polémicas sobre puntos de derecho que había ya sostenido con don Gaspar.

—Los señores cortan un cabello en el aire...; pero Dios nos ha dado a los españoles la razón, la inteligencia, para que podamos combatir a un tiempo con la espada y con la cabeza.

Dijo entonces el monje que la palabra era como un pájaro que una vez ha volado no puede ya ser recogido.

—Vuestros padres —dijo —han plasmado en imágenes el pensamiento que vuela. Los españoles fijan la voz por medio de signos; eso es la escritura. Cada hombre tiene su nombre y este nombre puede también ser escrito. Si así lo hace, todo lo que haya escrito por encima de tal nombre es conforme a su voluntad. Como vosotras no sabéis escribir, yo trazaré vuestros nombres sobre esta hoja. ¿Me entendéis?

Marina le tocó en el brazo.

—Cuando niña, aprendí de mi padre cómo se quita la corteza de un árbol y hacer en ella signos de colores También me enseñó a dibujar sobre hojas de agave... ¿Quieres que intente hacerlo ahora?

El tintero del notario estaba lleno de jugo fresco de semillas color violeta. Marina mojó la pluma de ave; con trazos seguros dibujó dos tiestos de flores, de lirios; encima de ellos una especie de puerta con un pájaro posado encima, cuya cola magnífica alcanzaba hasta el suelo. Dejó entonces la pluma. Los caballeros miraron aquel dibujo sin comprender qué significaba. ¿Sería una magia?

—¿Qué significa eso, Marina?

—Este es mi signo. Malinalli, hija de Puerta Florida, es decir: tiestos de flores entrelazados.

Cuando quedó solo, observó Cortés aquel notable dibujo bajo el protocolo. Aquellos signos destacaban en el papel, junto a los otros, tan diferentes, como dos mundos extraños que nunca habrían de entenderse.

8

Se iba aproximando aquel conjunto de pinceladas de color: cabezas medio rasuradas que se inclinaban hasta tocar el suelo; criados llevando en sus brazos tapices tejidos de flores que extendían en el suelo, apartándose seguidamente a un lado y esperando a que hubiese pasado el excelso monarca en su silla de manos adornada de plumas de oro; seguidamente volvían a recoger el tapiz y corrían hacia delante para extenderlo de nuevo en el suelo, pues los portadores de la silla de manos no debían pisar la tierra desnuda.

Era Teuhtitle un hombre alto y fuerte. Su rostro era agudo y de perfil bien marcado; sobre su cabeza llevaba una gran ave del paraíso disecada cuyas plumas caían sobre sus hombros y daban a su figura gran esplendor. Llevaba una capa rojiza con dibujos llamativos orlada con un adorno de plumas trenzadas. Sobre el pecho lucía dos mariposas de tela, de brillante colorido. Sus sandalias se sujetaban con hebillas de oro y los cordones remataban con piedras preciosas. De su cuello colgaba una pesada cadena de oro que representaba una serpiente mordiéndose la cola; la cabeza del reptil despedía deliciosa fragancia. Sus rasgos fisonómicos eran tranquilos y dignos. Entre su labio inferior y el mentón llevaba encajada una piedra preciosa en forma de media luna. En una de sus manos sostenía una tela ligera y en la otra sujetaba una lanza ligera guarnecida de oro, sobre la que se apoyaba al bajar de la litera.

Dos cortesanos llevaban un asiento bajo, de piel, para uso del soberano. Así fue avanzando el cortejo hacia la tienda del general. El sol atisbaba por entre las nubes, llenando de destellos las armas de los españoles. Éstos se miraron los unos a los otros con innegable curiosidad, como si estuvieran indecisos acerca de la ceremonia de los primeros saludos. El indio tocó el suelo con la mano derecha y la llevó seguidamente a la frente. Cortés se quitó el sombrero y con su pluma barrió el tapiz.

Adelantóse hacia su huésped, tocó su brazo y lo condujo hasta su tienda, cuyo adorno único era un altar portátil. El jefe indio fue saludado por Marina, que se dobló hasta tocar el suelo con la frente. Un paje trajo un jarro de vino y copas. El indio observó con rigidez cómo aquella bebida coloreaba la copa de transparente cristal. Bebió un sorbo y seguidamente apartó la copa a un lado. Su mirada recorría los diferentes objetos desconocidos para él que allí había; también contempló a Marina y sus ojos se fijaron algún tiempo en su esmeralda.

— ¿Siendo esclava llevas tal joya?

— Mi padre fue un jefe cuando vivía. La suerte no me fue favorable y tuve que comer el pan de un extraño. Mi amo me regaló a mi blanco señor que ahora es mi dueño y a quien sirvo, pues él me puso su mano sobre el hombro. Ahora le soy útil porque sé decir con palabras diferentes el mismo pensamiento.

Cambiaron regalos tales como un campanita del buque que habían bajado a la costa para anunciar el principio de la misa. Cortés tocó el brazo de su huésped y juntos marcharon hacia el altar, cubierto enteramente de flores frescas y hermosas, que se había levantado en una eminencia. Formando cuadro estaban los soldados perfectamente aseados y peinados, con ramas verdes y palmas en la mano. A ambos lados del altar hacían guardia los alabarderos con su arnés completo.

En el introito tocaron trompetas y cuernos y el coro de soldados entonó una melodía; el canto de la Resurrección se desplegó como un velo de armonía envolviendo a todo aquel pequeño ejército. El ritmo los captó a todos; cantaron los capitanes y el mismo Cortés, rígido y sobriamente vestido de negro delante de su reclinatorio ricamente adornado, acompañó también con su profunda y clara voz. Un paso más cercano al altar estaba Teuhtitle, quien, con su rica vestidura adornada de oro y piedras y con su hermosa cabeza varonil, era como la imagen de un mundo mágico y extraño y en este momento parecía una figura de sueño colocada en el umbral de El Dorado.

Después de la misa dio comienzo el banquete. La mesa estaba formada de tablas colocadas sobre piedras; para los caballeros se habían dispuesto altas sillas góticas; los demás habían de sentarse en bancos de madera. El cacique miró con atención las cucharas que se hundían en la bien sazonada y humeante sopa. Tomó en sus manos la cuchara de plata de Cortés y comenzó a imitar con lentitud e inseguridad los movimientos de los españoles. Siguió después pavo asado; la fuente estaba adornada de flores de papel. En la mano de Cortés brilló el cuchillo y el indio vio admirado cómo era trinchada el ave; cómo aquel instrumento de acero, desconocido para él, cortaba con facilidad los tendones. Tomó el cuchillo que estaba junto a su plato, lo sopesó y probó a su vez de cortar la carne y en sus rasgos se marcó algo parecido a una sonrisa cuando vio que aquel milagroso instrumento obedecíale también.

Todo el arte culinario de los españoles estaba representado allí. Las muchachas encargadas de servir trajeron una enorme torta regada de cacao y que representaba un castillo con sus cañones y puentes levadizos. Después de los dulces o golosinas, fue servido el queso de leche de ovejas.

Después de la oración de gracias, se levantó Cortés y condujo nuevamente al indio a su tienda y entonces, con ayuda de la intérprete, comenzó una interesante e importante conferencia.

—Debes saber que mi señor, el que manda en todas estas tierras y mares, hace que yo te pregunte por qué los vientos han empujado hasta aquí tus casas flotantes. También me manda preguntar mi señor, si esos dioses que arrojan fuego por la boca están enojados. ¿Por qué quisiste desembarcar aquí? ¿No tienes acaso poder para recoger el viento en tus grandes telas blancas para que empuje a tus casas flotantes de nuevo hacia el mar? Tal vez —pensó mi señor— sufras carencia o falta de comidas y de agua y no puedas marcharte por eso... Mi señor, cuyo poder es infinito, me manda preguntarte por qué has venido hasta nosotros con tu gente.

—Debes saber que hemos venido aquí desde Levante.

—Nuestros ojos siguieron y observaron la ruta de vuestras casas flotantes.

—Mucho más lejos de lo que vuestra vista alcanza, donde el sol se levanta existen unas islas de las que posiblemente algo sabéis aquí ya. Más lejos de esas islas, mucho más hacia el Este, no hay más que mar y cielo. El sol sale y se pone sesenta veces antes de que nosotros, empujados por el viento, lleguemos a nuestro país. Dos veces crece la luna y dos veces mengua antes de que lleguemos a nuestras casas.

—Vuestras mejillas son pálidas. ¿Es el sol de vuestro país de rayos tan débiles que no logra colorear vuestra piel?

—Dios nos creó blancos, como a vosotros os creó rojizos y a otros negros. Ésa es su voluntad. No se trata ahora de eso. Desearía hablar con tu señor para cumplir ante él la misión que me ha encargado el infinitamente poderoso señor del mundo que mora al otro lado de las aguas.

—¿Vuestro señor conoce nuestro mundo? Ninguno de vosotros había estado aquí antes y nosotros ignorábamos que tan lejos en dirección a Levante, al otro lado del mar, hubiera un mundo habitado por hombres.

—Nuestro soberano sabe que vuestros jefes son grandes y poderosos; pero que nada valen a los ojos de Dios, porque no conocéis al verdadero y único Dios, sino que os arrojáis a tierra ante los ídolos.

—¿Habéis nacido vosotros de los riñones de Quetzacoatl para que habléis así?

128

Cortés dirigió a Aguilar una mirada interrogante. El fray movió la cabeza y Marina hizo un signo afirmativo. La Serpiente Alada. El general se dio cuenta de que estaba ahora ante una encrucijada y era difícil acertar el camino. ¿Qué podía ser esa deidad que Marina designaba con un solo nombre para indicar ave y serpiente?

—¿Es grato a esa deidad el sacrificio del corazón arrancado?

Calló Teuhtitle y se cubrió los ojos con la mano.

—Nuestros libros sagrados nos muestran su imagen en mil figuras distintas. Está escrito que su venablo alcanza a la esmeralda viviente que se le arroja. En algunas pocas imágenes se le representa con cabello cano debajo de la barba, rodeado de flores, frutas y hojas. Los sacerdotes de Tula no ofrecen corazones a la Serpiente Alada. Sólo flores, palomas y mazorcas.

Cortés volvióse hacia Olmedo:

—Padre, mi razón flaquea en esas cosas de supersticiones. ¿No sacrificaban también los hombres del Antiguo Testamento al Dios Invisible, palomas, frutos y flores?

Teuhtitle callaba. Después extendió ambos brazos hacia Cortés.

—Tú eres ciertamente vástago de Quetzacoatl. Todos sois hermanos. Solamente que ya no conocéis su nombre y lo designáis con una palabra de vuestra lengua, de la misma manera que el nombre de un guerrero cambia en el curso de su vida.

—Nuestro soberano del otro lado de los mares nos envió a tu señor. Te suplicamos nos informes cómo puede llegar al tuyo el mensaje del nuestro.

Cuando Teuhtitle hubo comprendido la contestación, se levantó y alzó su voz:

—Hace pocos días que habéis pisado nuestra tierra; aún lleváis adherido el polvo del camino y la sal del mar. ¿Es conveniente que vosotros, extranjeros, pongáis en vuestros labios el nombre del dios colérico y poderoso? Puede que tu soberano sea grande e infinitamente poderoso... allí, donde manda y reina, pero te pregunto yo: ¿deja él que unos desconocidos que nunca hubieran traspasado antes sus fronteras, sean conducidos a su presencia sin dilación alguna?

—Los reyes pueden enviar embajada solamente a los reyes. Yo soy un criado de mi señor, como tú lo eres del tuyo y ninguno de nosotros dos podemos tratar de escudriñar las intenciones de nuestros señores. Te suplico que transmitas mi misión al tuyo.

Teuhtitle afirmó con la cabeza.

—El sol se levantará y se acostará cuatro veces y entonces tu criado te traerá la contestación.

—¿Vive tu soberano tan cerca, que puedas llegar a él en tan corto espacio de tiempo?

—Los mensajeros corren muy velozmente, hasta que pierden el aliento. Entonces son relevados por otros. En dos días mi señor puede saber todo lo que sucede entre sus pueblos.

Sandoval miraba desde la entrada de la tienda a Cortés con aspecto preocupado.

—Señor, dos indios hacen la ronda en el campamento. En la mano llevan hojas parecidas al papel y cuelga de su cinto una bolsita llena de tinte. Todo lo que van viendo lo dibujan; se pueden reconocer las figuras de nuestros perros y de nuestros caballos.

Cortés meditó unos momentos, después se volvió hacia el padre Olmedo:

—¿Habéis oído, padre? Hacen dibujos. Ayer noche Marina también dibujó su nombre alegóricamente. ¿Habéis oído hablar alguna vez de pueblos que hacen dibujos en vez de escribir letras? ¿No hay algo de eso en los libros del Viejo Testamento?

—La Escritura no informa de tal cosa... pero si rebusco en mi memoria me parece recordar que viajeros que han visitado el Egipto, quedaron sorprendidos de que los sacerdotes de los faraones de la más alta antigüedad representaran sus pensamientos por medio de imágenes. Si allí era usual, ¿por qué no puede suceder lo mismo aquí en la costa opuesta del océano?

Cortés hizo preguntar a Marina.

—¿Qué dibujan esos hombres?

—Señor; el pensamiento huye y todo pasa si no puede ser retenido. Nuestros antepasados idearon tales dibujos para que con ellos se entendieran pueblos de lenguajes distintos.

—¿Los entiendes tú también?

—Mi padre me enseñó; pero yo entonces era muy niña y deben pasar muchos años para llegar a entender todos esos signos.

—Me gustaría ver lo que hacen.

Uno de aquellos hombres, que trazaba dibujos rápidamente, fue llamado. Sostenía en una mano un estuche de piel con sólida cubierta y sobre ésta había extendida una piel de ciervo. En la otra mano tenía un pincel de pelo fino que mojaba de vez en cuando en el pequeño recipiente de tinte que llevaba al cinto. Los dibujos eran trazados ordenadamente el uno junto al otro, de forma que varios renglones formaban un cuadrilátero regular. Cortés echó una mirada a la hoja. A la primera observación nada pudo comprender; muchas figuras de indios con cabezas gigantescas: una tenía los pies hacia delante; la otra, hacia atrás. De sus bocas salían burbujas pequeñas y estaban todos rodeados de flores y pájaros. Seguían luego algunas figuras grotescas, como criaturas. De pronto sintióse Cortés como transportado de un mundo de cuento al mundo de la realidad. En los dibujos veía sus buques flotantes, con sus velas, sus mástiles, el grimpolón de la capitana, los marineros a bordo, uno de los cuales trepaba a un mastelero. Veíase la campana tocando, con flechas pequeñas que indicaban el sonido. En otro dibujo veíanse los cañones como a ellos se les habían aparecido, con un montón de balas de piedra a su lado. Luego presentaban otros dibujos: un hombre troceando leña; otro apoyado en su lanza. Un jinete a pie con su arnés; aparte dibujados su sable y la lanza. Después seguía el Padre Olmedo ante el altar con el cáliz en la mano; algunos extraños dibujos con pájaros fantásticos alrededor de una extraña deidad. Abajo estaba dibujada la tienda del general, una serie de signos imposibles de interpretar, y después él mismo, Cortés, con todo su Estado Mayor, con su coraza bruñida, su barba, el sombrero puesto, y luego a continuación el sombrero quitado, indicando así la manera como había saludado al jefe indio. El corneta se encontraba delante de la tienda.

—Haz la señal; los capitanes deben reunirse aquí, delante de la tienda.

Fueron pasando los capitanes y con pueril curiosidad trataban de descubrir su propia imagen en aquellas figuras. Entretanto, los dos pintores se acurrucaban temerosos en un rincón y no comprendían por qué los dioses barbudos aquellos estaban tan excitados.

—Podéis ver, señores, la destreza de estos paganos. Lo copian todo y envían el dibujo a su señor, que se hace cargo de todo y puede decidir así lo que hay que hacer. Convendría a nuestros planes que hicieran una representación nuestra que diera espanto; por eso vamos a simular una batalla con falconetes y caballería..., esos pintores lo copiarán.

Marina entró y anunció que el jefe quería entregar sus regalos; así que se procedió al interminable cambio de presentes. Parecía la representación de una pantomima: los esclavos se movían de un lado para otro silenciosos extendiendo las telas de algodón que mostraban sus dibujos y bordados de modelo nunca visto antes. Trajeron después jarros, decorados con dibujos de colores brillantes; ora representaban un ave con las alas extendidas, ora algún monstruo parecido al jaguar. Finalmente pusieron a los pies de Cortés una gran vasija de arcilla cocida cuya tapadera fue alzada. Los esclavos cuidadosamente fueron rebuscando entre los pliegues de un tejido y colocaron sobre el blanco paño trocitos resplandecientes: era el oro que aparecía por primera vez.

Cortés no podía por menos de asombrarse, pues ahora le tocaba proceder conforme a las costumbres de las relaciones entre ambos mundos. Teuhtitle blandió una pequeña hacha y después presentó una cadena o collar de vidrio. Ambos pajes trajeron la silla gótica donde estaban talladas las orgullosas armas castellanas. Cortés mostró cómo los señores sentados en esta silla recibían el homenaje de sus súbditos. Como último regalo entregó un gorro de terciopelo carmesí, cuya hebilla estaba adornada con la figura de San Jorge repujada en la plata.

— Hemos recibido a cambio de nuestras chucherías más de treinta mil pesos de oro — murmuró el contador Lares al oído del notario real.

En este momento, Cortés dio una orden al heraldo, dejó a sus pajes al cuidado de sus huéspedes y montó en su caballo para dirigir personalmente el simulacro de batalla.

Los huéspedes se acomodaron para contemplar la escena. El bosque se llenó entonces de truenos y, al toque de sus cuernos, dos grupos de infantería marcharon uno hacia el otro. Se aproximaban con las lanzas bajas al paso de marcha romano y cuando estaban ya a pocos pasos unos de otros, las trompetas tocaron la voz de alto. Por un flanco retumbó entonces el galopar de caballos: a la cabeza de sus dieciséis jinetes apareció Cortés y comenzó a dar vueltas con los suyos alrededor de las cohortes. Se mezclaba el ruido de los cascabeles de los collerones de los caballos con los choques metálicos de los arneses. Era una escena raramente inverosímil aquella batalla junto a la costa del océano azul, a la sombra de las palmas, y bajo una nube de aves que volaban asustadas.

Entonces comenzó el número, por decirlo así, de los cañones. Mesa comenzó a hacer fuego desde la cumbre del otero hacia el verde boscaje. Las balas de piedra segaban con estrépito terrible los esbeltos arbolillos e hicieron agrupar temerosos a los enviados indios. Solamente el rostro de Teuhtitle permaneció impasible y hermético. Llamó a los dos dibujantes y éstos presentaron las miniaturas que acababan de pintar. Cortés inclinóse sobre las hojas de agave. Primeramente se reconoció a sí mismo en la tienda, con su sombrero de plumas, haciendo una reverencia ante su Estado Mayor. El dibujo siguiente, le mostraba ya con yelmo, pero a pie... Seguidamente se le veía ya montado en su enorme caballo, con el pie en el estribo; luego estaba ya con su lanza y después con el sable desnudo galopando a lo largo de sus filas. Los primeros dibujos eran todavía estilizados, inseguros, pero después los trazos se habían ablandado y llenado de realismo; podíase reconocer a los capitanes, si bien los caballos estaban menos logrados pareciendo más bien ciervos sin cornamenta en posición de descanso. Luego, sin embargo, al tratar de representarlos en movimiento, se había logrado un ritmo magnífico y la carga de la caballería tenía movimiento y realidad.

Todos contemplaban respetuosamente aquellos dibujos realizados en pocos segundos. Teuhtitle no lograba comprender por qué aquello despertaba la atención en tan alto grado en aquellos hombres blancos. Marina entonces indicó, en sus funciones de intérprete, que los indios tenían intención de retirarse, pero que, como despedida, deseaban dirigir algunas palabras al caudillo de los rostros pálidos.

— Muchas cosas he leído en nuestros libros sagrados. Ya no soy joven; a mí se me revela también el sentido oculto de los dibujos. Una imagen, sin embargo, siempre me ha dejado perplejo y confuso. Representa la serpiente con alas; sobre la cabeza de Quetzacoatl hay un extraño adorno, cuya forma no ha sido vista nunca entre nosotros. Al entrar en tu tienda vi a uno de tus soldados. Llevaba sobre la cabeza la misma cosa extraña que no está hecha de plata ni de plumas y cuyo origen nadie ha podido adivinar. Quisiera ver eso más de cerca.

Llamóse a un alabardero y Cortés le pidió el yelmo. Era un trabajo de forja francesa y recordaba por su forma el gorro frigio. El hombre lo llevaba desde los tiempos de las campañas de Italia en donde lo recogió como botín.

Teuhtitle golpeó con los nudillos aquel metal desconocido; luego hizo lo mismo con su cuchillo de obsidiana y escuchó el ruido metálico que producía el fino acero al ser golpeado. Con una franqueza pocas veces vista en los indios, preguntó si no se le podría prestar durante algunos días el yelmo para que pudiera mostrarlo a su señor como justificación y crédito de sus noticias.

Cortés hizo una seña al soldado de que le permitiera vender el yelmo. Y entonces volvióse sonriendo al indio y le dijo:

— Sabes que aquí soplan vientos malsanos; que durante el día hace gran calor mientras que por las noches se siente frío. Muchos de mis hombres han enfermado, tienen fiebre y se consumen. Por las noches me despiertan sus lamentos. Debieran ser curados. Nosotros los españoles empleamos medicamentos y medicinas muy caras y preciosas. El único medicamento para estas fiebres es el oro. Ruégale a tu señor que tome este yelmo en sus manos y que como prueba de su amistad lo haga llenar de oro y nos lo mande para que podamos curar a nuestros enfermos. ¿Me comprendes?

Teuhtitle dijo admirado que entre ellos, el oro servía solamente de adorno y para hacer joyas. Que no disponían de mucho, sino del que podían extraer cavando en la tierra. Nadie, sin embargo, había oído decir nunca que curara la fiebre ni que pudiera ser usado como bálsamo; pero que, sin embargo, en lo que de sus servicios dependía, haría llegar a su señor tales deseos y que éste posiblemente se sentiría feliz de poderlos complacer.

Cortés le acompañó con sus capitanes. Los esclavos desplegaron sus tapices; agitáronse de nuevo los plumajes de las andas movidas por el viento norte. Cortés abrazó al jefe indio, como era costumbre entre los caballeros con mando al despedirse. La guardia hizo honores con las alabardas y el huésped pudo ver, al alejarse, las enguantadas manos de los capitanes largo tiempo levantadas en saludo, mientras las esclavas con la vista baja arrollaban los tapices.

Nadie tenía ganas de cenar, pues estaban todos excitados y querían mirar de nuevo el oro. Cortés se paseaba tranquilamente. Hizo llamar a Aguilar.

— Por dos veces repitió el nombre de su monarca que reina en todas estas tierras. No he podido entenderlo bien... ¿Cómo ha dicho?

— Dijo algo parecido a Monteuhuzuma... yo para abreviar le llamé Moctezuma que así suena más fácil a nuestros oídos.

— Durante tu cautiverio, ¿oíste alguna vez ese nombre?

— Era yo un simple esclavo y no llegaba hasta mí la fama de los grandes señores. Lo que pude saber es solamente que tan grande soberano vivía por el Sur o por el Oeste. No supe, empero, su nombre.

— ¿Crees, sin embargo, que se trata del mismo monarca? ¿No podrían ser varios soberanos y que cada uno de ellos se creyera el más poderoso?

— Pudiera darse aquí esta circunstancia, como se da en España. Hay allí nobles y caballeros; a mayor altura están los condes y los duques; pero la Majestad está por encima de todos.

— Llama a Marina.

Cortés estaba entonces sobre un altozano y miraba el campamento que se encontraba abajo. La hilera de hogueras resultaba hermosa y simpática; habían encendido hoy muchas a causa de los insectos. Aquí y allí se veía la figura de un centinela envuelto en sus armas y con el mosquete al hombro.

— Marina; ¿habías tu oído hablar de ese soberano Moctezuma que ese indio ha citado hoy varias veces?

— Es el amo de la tierra y del mar y de todas las provincias. Ese excelso señor de que vos a menudo habláis, que vive al otro lado del mar, en las tierras lejanas por donde sale el sol, será difícilmente tan poderoso como este terrible soberano.

134

—¿Ha sido visto alguna vez?

—Muchos fueron allí, pero no volvieron nunca. Le han visto todos aquellos que se unieron al dios Huitzlipochtli o a Quetzacoatl, cuando brotó la primera gota de sangre. En la tierra donde vivía mi padre, no se le había rendido homenaje nunca.

—¿Se le había acatado como soberano?

—Algo oí de eso cuando era niña; pero ahora ya no recuerdo bien. Nos había hecho preguntar si queríamos la paz o la guerra. Nosotros éramos amantes de la paz y el Consejo de los padres o jefes de familia decidió que era preciso obsequiar a sus emisarios; por eso no nos invadió con sus ejércitos y solamente nos exigió contribuciones. A veces durante mucho tiempo nadie venía en su nombre, pasaron muchas lunas sin que nada supiéramos de él y hasta llegamos a creer que el Terrible Señor se había ya olvidado de nosotros. Pero un día llegaron... el día de aquella terrible fiesta, llegaron con sus largos abanicos, de donde sale tanto mal. Fue durante esta noche cuando yo fui conducida a Xicalange y entregada a los mercaderes.

—Sea como sea, en este Nuevo Mundo hay que tratar con emperadores y reyes; comerciar o luchar con ellos... ¡Maravilloso! Igual que las cruzadas de nuestros abuelos a Tierra Santa, a través del reino de Saladino, o la cruzada de los diez mil aragoneses a Bizancio y a las Termópilas. Si Colón hubiese llegado hasta aquí, en vez de arribar a la costa de Yucatán en dirección Sur, se hubiese arrojado a los pies de ese enigmático soberano, exclamando: «¡El Gran Kan, el Gran Kan; es él, el que yo buscaba...!» Él le buscaba y nosotros le hemos encontrado. Alabado sea el nombre de Dios que nos reservaba tal éxito.

Aquella noche pasaba por encima de aquellos hombres una ola de felicidad. Los subalternos se mezclaban con los capitanes para mejor indagar; y los soldados acosaban a sus superiores pidiéndoles noticias. Una palabra cualquiera echada al viento, daba nacimiento a un centenar de comentarios y en la movediza luz de las hogueras del campamento flotaban ciudades, tesoros, príncipes; como si fueran seres fantásticos de cuento que llegasen a la vida real.

Cortés entró en su tienda, echó a un lado su sombrero de plumas, quitóse la capa y el arnés. Era una noche calurosa de bochorno. Arrodillóse sobre el reclinatorio y quedó inmóvil algunos minutos. Después, sentóse a su mesa, vistiendo sólo una ligera almilla. Abrió uno de los cajones y sacó un pliego de papel; probó la pluma, que estaba junto al tintero y por fin la mojó en la tinta hecha de jugo de semillas. Antes garrapateó unas letras en un pedacito de papel. Hacía tiempo que no había tomado una pluma ni se había dedicado a escribir. Venían ahora a su recuerdo las noches de Medellín, aquellas noches calurosas y turbadoras en que él pensaba en cuerpos de mujeres. Resonábanle interiormente rimas, y en el pecho parecían aglomerarse madrigales. Alegres duendecillos parecían danzar entre las líneas... un poeta... ¡basta!... y en el blanco papel escribió el encabezamiento: «Sacratísima Majestad».

Aquí en un banco de arena, en ese mundo sin límites todavía, en un país del que no se había oído todavía hablar en la vieja patria, en la tienda del general, escribía un hombre que posiblemente era contado ya entre los muertos y cuyo nombre había sido borrado de la lista de los fieles. Escribía con su propia mano una carta a aquel a quien sólo podían escribir el Papa y los reyes consagrados; escribía al que reinaba en España, Flandes, Nápoles, las dos Sicilias y otras provincias italianas, posiblemente también ya en las llanuras del Po; a aquel cuyo poder se extendía hasta los límites del Imperio turco y era también emperador de todos los príncipes y reyes alemanes. El hidalgo de Extremadura, Hernán Cortés, escribía a su señor un mensaje que debía sonar como un desesperado *Confiteor*. Cohibíale la forma, y en el peso de las letras escritas sentía él su propia debilidad. Si le hubiera sido dado hacerlo, hubiera redactado un escrito de acusación en que toda la culpa pesase sobre Velázquez. Toda su miseria venía de haber tenido que partir de Cuba a medio aprovisionar, sin reservas de hombres y de encontrarse ahora como exilados en un mundo extraño sin poder contar con ninguna ayuda de las islas.

Escribía en la costa de un país inhospitalario, bajo el látigo de las plagas de Egipto. Mientras corría la pluma sentía el estremecimiento de su fiebre intermitente; alrededor de la llama de sus bujías zumbaban los mosquitos... La noche debía de estar ya muy avanzada; el campamento entero dormía con respiración tranquila... La pluma se quedaba parada en sus manos agarrotadas; escuchó. ¿Respiraba el campamento?... Algo le sobresaltó de pronto; era como un ligero temor; sus sentidos le jugaban una mala partida tal vez; sentía la turbadora sensación de que no estaba solo en su tienda. ¿Era imaginación tan sólo u oía respirar realmente a alguien? Sí; oía respirar aun cuando él retuviera su propio aliento. Despertósele claramente la conciencia de que en su tienda había otra persona. Sentía una opresión como si aquello fuera todo de plomo. Algo inexplicable le sujetaba, sin embargo, al pliego de papel; retiró la mano que ya se extendía para tomar la espada de tres filos que estaba sobre la mesa.

Logró desasirse de aquella pesadilla. Tomó la bujía y la levantó en alto, y su luz iluminó el rincón donde estaba Marina, encogida sobre la alfombra; la llama de la bujía pareció rebotar en aquellos ojos inmóviles y como hechizados. Cortés sintió como si le quitasen un peso de encima y casi rompió a reír. Hizo señal a la muchacha de que se levantara y se aproximara; su vestidura blanca se destacaba en la obscuridad. Su capa adornada de plumas, parecía tuviera pinceladas de fuego; entre sus cabellos, su rostro era como una flor tibia y delicada; sobre su pecho, la esmeralda despedía luces misteriosas cuando se agitaba por la respiración. Inclinóse Cortés; su rostro no era el de una esclava. Se encontraron sus miradas en el misterioso fuego de sus sexos. Las cejas de la muchacha se arquearon pareciendo dos débiles pinceladas; pero sus ojos estaban más hermosos que nunca; eran como dos luces en aquella semiobscuridad, dos luces que encendidas en súbito espanto iluminaban un ancho círculo a su alrededor.

Marina marchó hacia él sin aparentar temor; inclinóse, doblóse con graciosa flexibilidad hasta tocar la tierra con la frente y después bajó la cabeza. Después de la visita de Teuhtitle, cuando todos se habían alejado ya, cuando los soldados se habían sentado alrededor del fuego y los capitanes se habían sumergido en una discusión, a nadie se le había ocurrido buscar a Marina. Entonces ella se había deslizado en la tienda de su amo, donde los criados tienen siempre derecho a un rincón. Los dos pajes le dirigieron sonrisas de antiguos conocidos. Tal vez quería hablar al general... Marina durmióse en aquel rincón. Cuando despertó vio la bujía encendida y al señor que se inclinaba sobre un pliego de papel y dejaba correr la pluma. En el silencio, se oían las voces de alerta de los centinelas. El alba debía estar aún lejana, muy lejana...

Cortés se aproximó a la muchacha. ¿Debía llamar a Aguilar, aquel monje reseco, que se inclinaba como un esclavo, como si no hubiera podido olvidarse todavía de sus tiempos de cautividad? ¿Debía llamar a aquel hombre a hora tan avanzada sólo para que se enterara de lo que quería la muchacha?

Y aquí había llegado en sus pensamientos cuando ocurrió algo extraño. En medio de aquel silencio de la noche, resonó una voz. No hablaba en castellano puro; luchaba dificultosamente con las «erres»; pero sonaba comprensible y altivo:

—Muchas gracias...

La muchacha extendió el dedo índice y preguntó. Contestó Cortés diciéndole la palabra *mesa*. Después la muchacha se señaló a sí misma: *Malina*. Después, con la cabeza apoyada en la mano indicaba que hacía mucho tiempo... mucho tiempo... cuando era así de pequeña... Malinalli... y valientemente se atrevió con la «erre» y la hizo rodar extrañamente para decir «Marina»...

— Me llamo Marina, y tú eres mi amo.

Estaban uno frente al otro, tan cerca, que él percibía su aliento.

Estos momentos eran muy difíciles... aquel aroma... la transpiración de aquel cuerpo... aquel olor de indio... que en Cuba era como un tormento... aquel olor de hembra vencida sin caricias... aquellos abrazos dados al azar... mientras pensaba en alguna dama de Medellín de labios dulces... Le asaltaba de nuevo el recuerdo de las muchachas de Haití y de Cuba con sus rostros impasibles y sus ojos aterciopelados e inmóviles como de ternera...

En una fracción de segundo, Marina se aproximó; percibió él un fuerte aroma como de flores, un aroma como de princesa de mundos lejanos, recién bañada en perfumadas aguas, un aroma de pétalos frescos. Tan embriagador era el perfume, tan suave, que hubiese él querido poder tomarlo con sus manos, como si fuera una brazada de pétalos de rosas... de aquellas que florecen en los rosales árabes de Granada...

Se fue aproximando; podía ya alcanzarla con las manos; pero no la tocó. La hermosa palidez de ella resplandecía entre la blancura de su vestido. La gran esmeralda, como una mancha misteriosa de color verde obscuro, había resbalado hacia el corazón, cuando ella levantó los hombros...

Llevaba él una ligera almilla y nunca en toda su vida, nunca, pudo recordar Cortés cuándo fue el primer momento en que las manos de ambos entraron en contacto. Hubo un recatado y bajo susurro...

En el exterior estaban de guardia unos soldados y detrás de las cortinas que cubrían la puerta del departamento dormían los dos pajes... Hubo palabras que ninguno dijo y ambos entendieron, tan significativas eran, tan expresivas...

Cuando él tomó su mano, ella comenzó a temblar; cerró los ojos y hubiera querido postrarse otra vez a sus pies para balbucear las palabras, esas palabras que durante todo el día había escogido. Hubiese querido anonadarse, desaparecer como en un sacrificio a su nuevo y único señor...

Todo le era nuevo: la forma de la tienda, la cruz sobre la mesa. Un cuarto varonil, sin flores; los objetos de metal que lucían en los rincones; el arnés echado sobre una silla, el yelmo, el fuerte escudo; el hacha de combate junto a la puerta; la cama de campaña, con algunas prendas de vestir en desorden arrojadas encima.

Cortés estaba allí con el cuello de su camisa desabrochado dejando ver la palidez mortal de su piel... Y sobre ésta se posó la vista de la muchacha llena de curiosidad y de deseo. El miedo había cedido. Cortés se arrancó la almilla y quedó así con sus pantalones de soldado, su calzado sin espuelas, con la camisa de tela de Holanda abierta por el cuello. Marina quedó como embelesada mirando su cuello y su pecho desnudo... y como una niña curiosa extendió su mano como queriendo arañar aquella piel para convencerse que era realmente piel como las otras. Suave como un soplo, deslizó un dedo sobre el pecho de Cortés y por ese dedo debió subir una ola de ardor viril. Atrapó él aquel dedo y lo condujo hasta su corazón, que palpitaba locamente: «¿Lo sientes latir?» Atrajo su cabeza hacia sus labios sedientos; ella descansó blandamente en sus brazos y prorrumpió como en asustado arrullo de una palomita desvalida, mientras él apretaba su boca contra sus labios en ese juego desconocido, desconocido y prohibido, es decir, en un beso.

Su cuerpo, que él apretaba contra el suyo, estaba ya ardiente; él entonces apagó la bujía, cuyo pabilo quedó humeando tristemente, mostrando una chispita encendida durante un corto tiempo y llenando el cuarto de un olor especial.

Ya no vieron nada en la obscuridad; mas sus ojos se acostumbraron pronto a las tinieblas, como los ojos de los indios; taladraban como flechas el vacío. Parecía fosforecer el cuerpo blanco de él, sus dos brazos, su rostro con la mancha negra de la barba, sus brazos que la estrechaban.

Ella era tan suave y perfumada; mujer codiciable y virginal a un tiempo; exhalaba todos los perfumes y esencias del mundo; de sus labios parecían brotar pequeñas fuentes de ámbar... el cacique de Tabasco le había regalado una princesa encantada; tal fue su último pensamiento lógico...

¡Pequeña esclava Marina o Malinalli, amada! Él la acariciaba con aquella su mano pesada acostumbrada a las armas; le acariciaba las mejillas y los hombros; en sus caricias apartó con cuidado la guirnalda de flores que adornaba sus cabellos; buscó después el broche o nudo de sus vestidos y los fue desabrochando con dedos pacientes y enamorados hasta que cayeron las telas que quedaron prendidas tan sólo por un cabo a su mano. Retrocedió entonces y, como quien abre un capullo, sacó su cuerpo desnudo de aquellas vestiduras que ya sólo estaban sostenidas por un cinturón. Apretóla contra sí y sintió la presión de su seno tibio y prominente, con la piedra en medio, aquella misteriosa esmeralda con la que en España hubiera podido comprarse toda una aldea, única joya que ella trajera de su casa y que aún llevaba colgada al cuello, aun ahora en que él la acariciaba y sentía sobre su cuerpo la floración tímidamente vibrante del de ella.

Deshizo su cinturón y su suave túnica cayó al suelo. Mientras él la abrazaba, levantó ella de pronto la cabeza y le miró a los ojos por primera vez desde que le fue regalada; le miró cara a cara como la hembra mira al macho o la dama al caballero, sin vestigio alguno de temor sino más bien como al mágico dueño de su enigmático y desconocido destino.

Una hora más tarde despertó el pequeño Orteguilla. Oyó ruido y escuchó medio dormido aún. Oyó voces apagadas; palabras mil veces repetidas en el castellano chapurreado de una muchacha y la voz susurrante e imprecisa de un hombre que, según le pareció, era la de su señor. Pero calló y cuidó de que no despertara su camarada Xaramillo.

CUARTA PARTE

TENOCHTITLÁN

1

Levantó la diadema de su cabeza y, al hacerlo, dejó ver la profunda huella que a ambos lados de la frente habían señalado los adornos de esmeraldas que en forma de bellotas pendían de ambos lados de la citada diadema. El dolor de cabeza era tan violento que no habían podido calmarlo la opiata ni los hongos venenosos hervidos en miel, ni tampoco las infusiones de hojas de tabaco y otras hierbas aromáticas. Apartó su manto de piel de leopardo y quedó con una ligera túnica blanca, solo, en medio de su alcoba que ningún mortal podía visitar. Una pina escalera conducía a la terraza desde la cual podía contemplarse toda la ciudad. De las ventanas parecían hacer señas las lucecitas; se podían contar cien veces ciento y otra vez cien veces las ya contadas para poder calcular cuántas de ellas ardían. Era la hora de la cena; en los días que venían iba a festejarse la fiesta de las Cuatro Hermanas, de la Alegría de la Carne.

Durante tales días los hombres estaban apartados y silenciosos, evitaban a sus esposas y ellos mismos se arreglaban la cama para la noche sobre frescos montones de algodón... Las Cuatro Hermanas eran diosas, de las que procedía el amor. La primera, la adolescente, señalada ya por la púrpura de la vida, tenía todavía azucenas en la mano, pero por sus labios había ya una risa insinuante. La segunda, la doncella, vestía su traje de novia y estaba ante los invitados y los portadores de flores, pensando en lo que hoy había de suceder... La mujer y la viuda voluptuosa estaban ya ansiosas y a veces lascivas. Excitaban los pensamientos y entrelazaban los cuerpos en transportes amorosos. Antes de la fiesta de las Cuatro Hermanas, eran las noches tranquilas y cada uno esperaba acudir al sacerdote de una de las hermanas para confesarle sus pecados. Después de haber hecho esto, debía envolverse en blanco lienzo, sin adorno alguno, tomar un incensario de copal y una esterilla limpia y pura para acostarse en ella. Y así, se imploraba a la diosa el perdón de los pecados.

El soberano miró las miríadas de lucecitas que asomaban por las ventanas. Nada tenía él que confesar, pues era el hombre más alto, más excelso, el Único, el Colérico, el Terrible.

Al extremo del palacio por donde se extendía el jardín del gran parque, se encontraba una serie interminable de vastos salones. Manaban fuentecillas y, cerca de ellas, dormían sus mujeres acostadas sobre soberbios tapices bordados. Todas las mujeres que él frecuentara alguna vez, debían quedar allí, entre las sombras de la noche, a no ser que las obsequiara con la asistencia a una fiesta de alguna batalla ganada o a algún juego público. Su número se elevaba a cuatro veces ciento. Allí se encontraba despojado de sus atributos imperiales, quitóse los brazaletes y las plumas verdes de quetzal. Su cabello negro y perfumado caía sobre sus hombros; era penitente ante sí mismo, pues nadie existía que pudiera juzgar a Moctezuma. A tal altura no se percibía ningún otro sonido que el respirar de los dioses, cuyo aliento era tan fuerte que hacía palidecer o encender de nuevo las estrellas. Sólo él mismo podía imponerse una penitencia. Había ayunado durante algunos días, tomando sólo algunos pedazos de torta de maíz al mediodía y había apagado su sed solamente con unos sorbos de agua... Si así le placía podía pincharse la lengua con una espina de cerezo silvestre para sufrir de esta manera la penitencia de la gente vulgar, conforme lo prescrito por los libros de ceremonial para cada ciclo de años. Desde la terraza miró hacia bajo; las almenas formaban un serie interminable de serpientes aladas. Muchas, muchas, miles de luces, luces de penitentes, punzaban a lo lejos.

En otra ala del palacio se encontraba, ya vestido, el maravilloso *Uno* que había de unirse con la divinidad. Este *Uno* pasaba un año venturoso de alegría y delirio. Había sido elegido entre los prisioneros de guerra como el más hermoso y más robusto. Pocas veces tenía más de dieciocho años. Era fuerte y esbelto, flexible como una muchacha. Cuando le daban la flauta y trataba de soplar por ella por primera vez, el *Uno* reía. Ese maravilloso *Uno* debía pasear así por la ciudad durante todo un año, con la flauta en los labios, flores en los cabellos y seguido de una multitud de pajes, devotos y piadosos; siempre debía sonreír, pues a la Divinidad agradaba un homenaje alegre. Recibía como esposas a las cuatro muchachas más hermosas, para honrar así las Cuatro Diosas Hermanas y pasaba todas las noches con ellas, y por ellas era consolado cuando al amanecer sentía la tristeza de su fatal destino. Ahora el maravilloso *Uno* se encontraba en el ala más alejada del palacio, en el extremo del Este, adornado por sus esposas que sollozaban. Le estaban pintando de negro las uñas de los pies, el rostro, de amarillo y rojo, colgábanle una guirnalda de flores y le ponían también una corona de oro; de oro también estaba bordada la orla de su vestidura.

Esta noche debía despedirse de sus esposas que se acordarían siempre de su amor carnal y que hasta el final de su vida llorarían a su maravilloso *Uno*.

Al romper el día sería transportado en un bote adornado de flores a la isla de los Totems; su flauta no podía apartarse de su mano; debía ir riendo y saludar con pasos de danza la salida del sol. ¡Qué día más feliz y espléndido! Todos esperaban ya su alegría y su danza y el solemne tocar de las caracolas marinas...

Subiría las escaleras, despidiéndose en cada peldaño de una de sus esposas; detrás de él irían los pajes. Se iría despojando lentamente de sus vestiduras que pasarían de mano en mano. Arriba, los sacerdotes que solamente en tal festividad se mostraban vestidos de blanco; el cuchillo de *ichtzli* que llevaban en las manos, estaba guarnecido de oro.

Ahora el *Uno* se preparaba para tal paso. Antaño el palacio se llenaba de alegría, tan pronto habían pasado los días de fiesta y él se había pinchado la lengua con la espina; ya no había pecados...

Mañana... todo se arreglaba según los signos. Y los signos eran cada vez peores y más dudosos. Le acompañaban desde los maravillosos años de la felicidad, cuyo esplendor aún le causaba estremecimiento, cuando su anciano tío, el rey de Texcuco, le puso sobre la cabeza la corona verde formada por plumas de quetzal.

Los primeros años fueron felices y preñados de victorias. Año tras año regresaban sus ejércitos con miles de guerreros prisioneros. No se apagó jamás la luz en el altar de los dioses, esa luz que tomaba más fuerza a cada gota de sangre derramada. Nuevas y nuevas provincias se agregaban y venían cientos de miles de recaudadores de contribuciones con su vista temerosa dirigida hacia Tenochtitlán donde el Señor de la Cólera servía y dirigía a sus dioses.

Ahora estaba atormentado por el ayuno y el dolor de cabeza. Debía meditar acerca de los signos. Uno de los paredones del templo de la ciudad sagrada se había derrumbado y había quedado expuesto el cuerpo desnudo — siete veces oculto — de Huitzlipochtli... Además, pocos días antes, había llegado la carta del jefe o gobernador del país costero; decía en ella que del mar habían salido unas extrañas casas flotantes. Los sacerdotes, asustados, le hablaban de inauditos cambios en la marcha de los planetas, como si se hubiera roto en alguna parte el divino orden del firmamento.

Una noche había aparecido un cometa de cola roja con la cual parecía azotar los cielos... Antiguos volcanes, dormidos desde hacía muchos ciclos, se habían despertado de pronto y habían comenzado a aullar y a escupir fuego.

Esos signos quedaban grabados en su alma. Los no consagrados los habían olvidado pronto; pero él los relacionaba y formaba con ellos una cadena que colgaba perennemente ante sus ojos. Hasta se sentía algo aliviado desde hacía algunas semanas, desde que llegaron aquellos rollos de hoja de agave con los mensajes desde la costa. Primero fueron aquellas casas flotantes con sus grandes lienzos blancos hinchados por el viento; aquellos tubos negros y pequeños de donde salía el trueno. Después habían desembarcado hombres, cuya imagen tenía ya en sus manos. Veía los tubos que aquellos hombres llenaban de fuego; contemplaba aquellos ciervos sin cornamenta. Al principio llegaban los dibujitos de tarde en tarde... después se oyeron retumbar los tambores de señales que llenaban de ecos los montes, pasaban por tierras y valles y eran captados al fin por los centinelas de las ciudades. Así, todas las noches, sabía el señor dónde aquellos hombres habían llegado el día anterior, cuánto habían osado avanzar, si se habían parado o si habían continuado el camino. Desde la región de Tabasco, había recibido los jeroglíficos dando cuenta de la batalla y la derrota. Contemplaba las hojas de agave apoyado sobre sus codos y meditaba acerca del curso de los acontecimientos. No veía claro y no lograba adivinar las intenciones de los dioses, por eso había enviado a Teuhtitle a que se encontrara con los hombres allá en la costa.

Se tenía la impresión de que los rostros pálidos querían poner el pie en la costa... pero no deseaban penetrar tierra adentro, como si quisieran vigilar sus casas flotantes; como si lejos de ellas hubiera de quebrarse su fuerza. Entonces, en la semana de las ocho liebres, se había mostrado un gran signo. Hacía unos días había recibido Moctezuma la noticia desde Tlacopan de que su hermana favorita, Papan, luchaba con el espíritu de la Muerte. Su corazón estaba débil; no palpitaba ya apenas y a cada jadeo amenazaba con dejar escapar la vida. Así habían informado los mensajeros llegados de Tlacopan. Toda la noche anterior la había pasado en vela, esperando noticias. ¡Papan! Sólo al pronunciar su nombre se sonreían los árboles y cantaban los pájaros; todo se llenaba de flores... Papan era la más amada de todas las mujeres... la dulce y juiciosa Papan que había quedado viuda en sus años juveniles. Desde entonces su esterilla había quedado vacía y no había querido escuchar a su hermano cuando le recomendaba como esposo a algunos de sus grandes jefes. Durante días enteros había estado sentado solo, y cuando llegó por fin el

146

mensajero con sus vestiduras de luto, arrojó su rostro contra la tierra. Su hermana había muerto.

Entonces fue cuando se hizo llevar en su silla de manos adornada de plumas de quetzal a Tlacopan. Durante todo el camino sostuvo imaginarias conversaciones con Papan y, como un peregrino de la Muerte, se contaba a sí mismo recuerdo tras recuerdo. Tal vez había visto treinta épocas de lluvia cuando la muerte le arrancó de sus labios la última sonrisa. Yacía bajo flores y bálsamos perfumados. Inclinóse hacia ella para decirle por última vez en el lenguaje secreto de la familia: «La paz, contigo». No podía llorar, pues desde que había recibido su consagración, no le era dado conmoverse por las cosas de los mortales.

El resto era como un cuento de un hechicero ambulante y nunca lo hubiera llegado a creer si no fuera porque personalmente le fue contado por el joven rey de Tezcuco... Por la noche habían enterrado a Papan en una bóveda subterránea, cerca del jardín interior del palacio, bajo la glorieta donde el alma podía escuchar eternamente el murmullo del agua. Quedaron en vela los que habían asistido a las fúnebres ceremonias, hablando y recordando cosas de la muerte hasta que, al alborear, se adormecieron. La pequeña nieta de uno de los funcionarios de la corte, una niña de sólo cinco años, despertóse, espabilóse la primera y corrió por el jardín entonces silencioso para ir a ver a su ama que estaba en los cobertizos de la servidumbre. Riendo, con una flor entre los dientes, aplaudió con sus manecitas extendidas hacia el sol que salía, cuando oyó una voz que decía: «Palomita...» Papan estaba allí, sentada sobre el escalón más alto del pilón de la fuente, con sus piernas en el agua. «Llama pronto a tu madre, palomita...», dijo ella, y la niña retrocedió corriendo para obedecer. Todos dormían aún en la casa. El pulque y las lágrimas se habían mezclado... Despertóse la madre y miró a la hija que la llamaba; contemplóla con sus ojos cargados de sueño. La niña decía: «Papan... madre... Papan... te ruega que vayas...» La madre acarició a la hija. «Has tenido un mal sueño; nuestra buena señora se marchó a los hermosos campos de lirios... ¡no pienses más en eso!...» La niña insistió en que Papan estaba sentada en el pilón de la fuente esperando. Levantóse la mujer; dejó que la niña jugara con las mariposas de sus pensamientos y la siguió, como si ella fuera también una muchacha, una adolescente... De pronto vio a Papan; su cuerpo tembloroso estaba cubierto con una tela mojada. La mujer miraba asombrada aquel milagro matutino, corrió hacia el palacio y ahuyentó el sueño de todos los que allí estaban. Sacudió a las mujeres de la servidumbre... Todos vieron a Papan que, pálida y marchita, estaba sentada en el borde de la fuente y les hacía señas para que la condujeran de nuevo a sus habitaciones. Se quejaba de su corazón. Hacia el mediodía quedó más tranquila y llamó al mayordomo: «Te envío al soberano, para que él también se entere de los signos.» El viejo se postró a sus pies y le pidió no le encargara tal misión por sus hijos y por sus nietos. El soberano, si se enteraba de tal signo, obraría sin compasión y él ya no podría volver nunca al lado de los suyos. Papan calló. «Sois todos unos cobardes. Yo no puedo ir allí... estoy demasiado débil.»

El viejo se puso en camino aquella misma noche y llegó al romper el día frente al palacio del soberano. Los centinelas recibieron al viejo como si fuese también un espectro. El soberano estaba de luto... Moctezuma era sacerdote y conocía los signos de los dioses como los más antiguos hechiceros que viven acurrucados en apartadas grutas. Mas, caso como éste nunca lo había oído; era inaudito que uno que hubiera traspasado los umbrales de la vida, pudiera volver.

Al mediodía llegó Moctezuma a Coyohuacan. El jardín estaba fatigado bajo el peso de los rayos del sol y las cortinas de la habitación apenas dejaban filtrar la luz. Papan yacía en el lecho, entre flores.

—Hermana, ¿eres tú misma o acaso un espíritu malo ha tomado tu figura?

—Sí, soy yo, hermano. Acércate; no temas. Ya sé que los muertos no vuelven; pero a mí no se me paralizó totalmente el corazón; solamente que sus latidos fueron tan apagados que creisteis que el alma había muerto, cuando sólo estaba dormida. Cuando me desperté, vi la luz del sol por las hendiduras e intersticios de las tablas... Todo era tan increíble... No sabía dónde me encontraba. Estaba medio sofocada y comencé a buscar ansiosamente una abertura y aun hoy no sé dónde saqué fuerzas para levantar la piedra con mi cabeza.

—¿Sabes algo de lo que has visto allá abajo?

—Te hablo a ti solo...

Arrimó él bien el oído para recoger la voz susurrante de la hermana.

—Me encontraba en unos peñascales pelados; ante mí el estruendo de las aguas; detrás de mí, el camino de las almas. Debía pasar a nado el arroyo, pues no había vado alguno, cuando en la orilla opuesta vi un hombre. Su vestido era como tejido de plata; su cabello, como la luz del sol; su rostro, desbordante de luz. Me llevó por encima del agua y me dijo: «Hermanita, no estés temerosa.» Me hizo pasar ante gentes que gemían y ante montones de cadáveres; pero yo no tenía miedo, porque él me conducía. La orilla en que yo estaba, bordeaba una extensión infinita de agua. El hombre me señaló hacia el Este. Vi entonces unas casas extrañas que flotaban y con brazos gigantescos se deslizaban por el espejo del mar; en ellas iban unos hombres extraños vestidos de variados colores; sus mejillas eran blancas, sus ojos azules, grises y amarillos. No llevaban plumas en la cabeza, sino que la cubrían con unas gorras relucientes. El hombre seguía llevándome de la mano y me dijo: «Son los hijos del Sol que vienen a vosotros. Podrías tú llegar hasta ellos; eres ligera y no te tragará el mar... pero si lo prefieres vuelve junto a tu hermano y anúnciale que se aproximan los hijos del Sol y ¡ay de vosotros! si levantáis la mano contra ellos, pues de vuestras negras colinas de huesos brotarán gemidos y lamentos. Vuelve con los tuyos y cuida de que no estallen luchas contra esos hombres... Un día llegarás a la otra orilla por senderos pacíficos...»

Moctezuma tocó la frente de Papan, donde una joya de esmeralda era como una mancha en forma de rosa. Su mirada estaba espantada y revuelta. Permaneció ensimismado y le pareció que nunca más había de ver a Papan.

Espiritualmente se sumergió en la esencia de Quetzacoatl. Las nuevas manifestaciones, las imágenes de sus antepasados, de todos aquellos que hablaron su lenguaje, se le mostraban con la misma forma, como serpientes con alas, a veces con arco y flechas en la mano persiguiendo a los espectros del cielo y descansando a la salida del sol o al comenzar la obscuridad... después se estremeció con la tibieza de sangre de corazones arrancados en el sacrificio. Vio después otra imagen... una imagen oculta que le habían mostrado los sacerdotes cuando la señora de Tula le llevaba de la mano... Una imponente excavación, templo de pueblos ya desaparecidos que en obscuras épocas pretéritas habían vivido en esta tierra que era morada de la secreta imagen; la cara mortalmente pálida de la Serpiente Alada, orlada de dorados cabellos. Antes de eso, no había cuerpos abiertos con los corazones arrancados, ni sangre chorreante sobre los incensarios de aromático copal, solamente flores y frutos y los sacerdotes de Tula ofrecían en sacrificio a la Serpiente Alada aun hoy nada más que flores y frutos.

Él ofrecía otros sacrificios. Exigía todos los años la contribución de innumerables corazones estremecidos para lograr una sonrisa bondadosa del melancólico solitario. Informaban los libros que, en una época, había reinado como poderoso rey en Cholula, incomprendido de todos, pues había mirado por encima de los hombres, de tal ma-

nera, que éstos no sabían lo que pensaba. Un día se había puesto
el vestido de viajero y había tomado el camino del Este... Alguien le
había visto todavía en la costa... Lejos de aquí, en Yucatán, en el
país de los Itzas, se había detenido. Según la leyenda su rostro era
entonces blanco, tan blanco como se le representaba en las imágenes
que eran guardadas secretamente entre los muros de Tula. Moctezuma se acordaba todavía de las palabras del viejo sacerdote, que en
las profundidades de la excavación, le había susurrado al oído: «La
Serpiente Alada no tiene sed de sangre. En vano hendéis los pechos
y arrancáis las vivientes piedras preciosas... se estremece por ello el
maravilloso *Uno*... En vano envías a tus guerreros a hacer prisioneros... Quetzacoatl no saborea nunca la sangre humana...»

Desde que Moctezuma salió de Tula, sus días estuvieron turbados
por las dudas. Cada vez que salía a la terraza de su palacio para ver
cómo eran conducidos al son de la flauta los embriagados, prestos
al sacrificio, observaba si del rostro de la Serpiente Alada se despren-
dían luces o sombras. Cuando el pecho de la víctima era rajado y el
sacerdote le arrancaba el corazón palpitante... el rostro del Maravilloso Cazador estaba rígido y ausente, como si caminara por aquel
alejado camino, del cual había vuelto ha poco Papan.

Era muy tarde; sin embargo, no quiso acostarse todavía. Así que
recibió a Teuhtitle, que había sido ya anunciado por los secretarios
y que había solicitado audiencia.

El gobernador despojóse de su vestido de gala antes de entrar,
y quedó con la blanca túnica de penitente. Iba con los ojos bajos
y descalzo. Tocó el suelo con la frente. Moctezuma fue tomando
uno a uno los regalos que le enviaba Cortés. Los vasos, las copas
de cristal veneciano con el borde dorado, todo lo fue contemplando
ante la luz y observando sus reflejos diamantinos. Pasó la mano
sobre el sillón; nada raro había en él. Era más alto y más solemne
que los suyos; pero también era más incómodo. Tal vez era adecuado
a un hombre más fuerte y voluminoso, acostumbrado a llevar arnés.
Cuando tomó en sus manos el gorro rojo, le dio varias vueltas; el
rojo no era color real, sino más bien el distintivo de caciques menores; pero lo que atrajo fuertemente su fantasía fue el San Jorge de
plata. Lo observó largo tiempo. La figura ecuestre correspondía bien
a los dibujos que le habían enviado desde la costa del Este; y la lanza que el Santo hundía en la garganta del dragón era semejante, más
o menos, a la descripción que conocía de las armas de los españoles.

Tomó en la mano el yelmo del alabardero. Ambos hombres se
miraron. Moctezuma hizo un gesto dando a entender que ya sabía
en lo que pensaba el otro: El dios llevaba un casco semejante en

la imagen que estaba desde tiempo inmemorial en la pared del templo. Entonces Teuhtitle repitió el mensaje o embajada que le dieran los hombres extranjeros.

—A los hijos de Quetzacoatl no les son propias las virtudes de su jefe de tribu. Nunca hallé en los Libros Sagrados que las Serpientes Aladas tuvieran sed de oro y no de sangre. Dicen nuestros libros ciertamente que el oro es inmundicia de los demonios y de esa manera le llamamos también nosotros. Que estos hombres pidan ahora oro en vez de sangre... ¿o pedirán también sangre?... ¡Oye! ¿Les viste ofrecer sus sacrificios? ¿Ofrecen también las caras pálidas corazones sangrientos en sacrificio? ¿Habrán sacrificado acaso los criados que recibieron como regalo y los prisioneros que hicieron en Tabasco?

—Puede que sean descendientes del dios Quetzacoatl. Sin embargo, así como el hijo de un príncipe se envilece con una esclava y degenera cada vez más, así también esos hijos del Sol son solamente dioses en mínima proporción y padecen de imperfecciones humanas. Comen ansiosamente y mucho, y a menudo consumen carne asada al fuego; nada crudo. Beben singulares bebidas de fuego; no desprecian, sin embargo, el pulque. Con sus fuertes y afilados cuchillos lo destrozan todo. La punta de su lanza es de la misma substancia que sus espadas y dagas y como la de sus tubos desconocidos donde llevan escondidos truenos. Traigo aquí una pequeña hacha que, si bien es pequeña, puede hender gruesos troncos de árbol. Me la han regalado... A pesar de todo eso... no vi sangre por ninguna parte. Presencié el sacrificio con que honran a su Dios. Cantaron canciones, hicieron sonar una campanilla de plata; el sacerdote iba de un lado para otro ante el altar, extrañamente vestido. Ninguno de ellos llevaba armas. El sacerdote sostenía en sus manos una especie de copa grande que era precisamente de oro, pues despedía reflejos. Cuando la levantó en alto, el gran jefe de las caras pálidas cayó de rodillas y se golpeó el pecho, como hacen los pecadores. El sacerdote tomó entonces la copa y sacó de ella como una delgadísima y blanca torta y la puso sobre la lengua de los que se iban arrodillando ante él. También tomó él y bebió el líquido que había en la copa.

—¿Sería sangre de la víctima?

—No vi ni una víctima. No mató ningún animal ni ofreció frutos agradables a los dioses. Pregunté a su señor si deseaba esclavos para derramar su sangre en el altar. Cuando acabó de oír lo que yo preguntaba por boca del intérprete, vi que se había encolerizado. Dio como contestación que su Dios blanco sólo tomaba venganza terrible de aquellos hombres que asesinaban a inocentes; asesinar: ésta fue la palabra usada, como si hablara de un crimen.

— ¿Sentías miedo mientras hablabas con él?

— Cuando me puse en camino, iba cantando para mí el himno de los destinados a morir. Después probé sus comidas y bebí de sus bebidas. Miré cómo hablaban y cómo trataban de comprender mis palabras a través de lo que repetía la muchacha llamada Malinalli que vino con ellos no sé de dónde. Sin embargo, me pareció que por mi cuerpo soplaba el aliento del demonio mismo cuando sus negros tubos escupieron llamas y sus poderosas bolas de piedra derribaron los árboles.

— ¿Están unidos con sus ciervos sin cornamenta de la manera que se les ve en los dibujos?

— Oí el grito de esos seres; un grito como nunca había oído otro semejante; después los vi. Los monstruos están separados de los hombres. Hay machos y hay hembras. Los unos son blancos, otros rojizos; unos más claros y otros más obscuros. Vi a un macho que se quería abalanzar sobre una hembra. Se levantaba sobre las patas traseras, gritaba, pateaba, como poseído por los espíritus. El hombre llega a él, pasa una correa alrededor de su cuello, mete los talones en los costados y queda sentado de un salto encima del animal. Es en este momento cuando se realiza la misteriosa unión que tú has visto en los dibujos. El animal y el hombre quedan como fundidos; el cuádrupedo se amansa, se vuelve dócil. Permanece quieto o echa a correr, va al paso, salta, se encabrita, todo conforme a la voluntad del guerrero.

— ¿A cuántos se eleva su número?

— Escaso para un ejército; excesivo para una embajada. El número de hombres será tal vez de unas cinco veces ciento; pero todos saben levantar sus armas a un mismo tiempo cuando oyen tocar los cuernos.

— Eres sabio, Teuhtitle. Has visto ya muchos ciclos... Dime, ¿son a tu parecer hombres o hijos de dioses?

— Alto, señor... Yo pasé por su campamento. La tienda del jefe era pequeña y no vi por ningún lado un lugar como se encuentra en los lugares de la gente mejor... tuve que aligerar mi cuerpo... y hube de pasar por encima de suciedad e inmundicia. Señor: bien sabes tú que yo no ofendo en vano con estas palabras al Príncipe de la Limpieza, que tal eres tú; pero debo informarte que me dejaron pasar los centinelas, oí sus voces de alerta... Aproximéme a la pendiente de una colina llena de matorrales. Era el crepúsculo. Allí tuve que pararme, pues vi algo... como una mancha blanca que lucía... era uno de aquellos hombres que yo veía por primera vez sin sus arreos, sin su capa; estaba destapado... y no estaba solo... con él estaba una esclava de aquellas que les habían entregado para sus sacrificios en Tabasco... a cada muchacha le pusieron un nombre, le mojaron la cabeza con agua y el jefe anunció a todos que se preparasen...

—¿Te parece apropiado hablarme de esclavos en esta noche?

—Señor: yo viviré sólo mientras a ti te plazca, pero espero que tu sabiduría adivinará el sentido de mis palabras... El destino de ese reducido pueblo pálido se entrelaza posiblemente con el nuestro, como las flores se tejen en las guirnaldas de nuestras danzas. Los rostros pálidos no conocen los rumores del bosque, pues me pude aproximar a ellos sin ser notado... y todo lo podría dibujar... Bajo los árboles se hallaba un hombre de cabellos dorados y con él una esclava. Sus mejillas estaban juntas. La luna hacía brillar sus cabellos; parecían como oro y plata mezclados. Yo los miraba como si fuera un niño y vi cómo se amaban. De la boca del hombre salían palabras extrañas y desconocidas; no como sucede con nosotros, en que los hombres permanecen mudos cuando abrazan a su mujer en el lecho... Pensé que tal vez aquel hombre extranjero ofrecería un sacrificio a su dios y que aquello era un rito, un ceremonial; que con el cuchillo de su cinto acabaría por abrir el pecho de la muchacha y arrancarle el corazón... Tal vez sus sacrificios se hacían en secreto... Oí la risa de una hiena y en el mismo momento el hombre tomó a la muchacha... Entorné los párpados para que no delatase mi presencia el brillo de mis pupilas y entonces pude ver muy bien que él la abrazaba y la gozaba como todos los hombres acostumbran a gozar a sus mujeres. La diosa Tosi se cierne por encima de los amantes cuando se abren las fuentes de la vida... pero es un pecado que ello sea espiado por un hombre mortal. Sin embargo, sabes tú bien, Señor, que tal momento era para mí altamente significativo e importante: los dioses no procrean en las entrañas de las mujeres terrenales. Si aquel ser codicia a una hija de nuestro pueblo, no puede ser un dios. Aquel cuerpo blanco y poderoso se sumía en el placer del momento. La muchacha quejóse en queja aguda; tal vez en aquel momento había perdido su doncellez. Él, entonces tapó su boca con la mano y la acarició y le habló. Su boca buscó la de la muchacha como si quisiera chupar su sangre... Entre nosotros, el hombre, llegado tal momento, aparta la mujer lejos de sí; pero aquel hombre quedó a su lado con los ojos cerrados, y la muchacha junto a él.

—La genealogía de Quetzacoatl está separada de la de nuestro pueblo. Nuestros libros nada saben de dioses que conozcan el deseo humano por los cuerpos mortales. Con razón dices tú que no son dioses esos hombres...

—Como nosotros, son; pero más perfectos. Nuestras armas apenas les pueden hacer nada, pues van revestidos todos ellos de escudo que les cubre de las flechas. En cambio, no tienen defensa alguna contra los mosquitos; se rascan casi llorando de rabia, se echan al agua y se untan de grasa. Si respiran los aires de los pantanos, tienen después fiebre, y, según dicen, no tienen otro medicamento para combatirla más que el oro, la inmundicia del demonio.

—¿Cómo se llama su jefe, que sólo el descendiente de Quetzacoatl puede haber enviado? Dime algo de él.

—Augusto señor. Yo serví en casa de vuestro padre en su palacio. Yo hice la guerra en las costas de los dos mares, regí provincias e impuse contribuciones. Conozco a los hombres. A éstos los tengo por hombres y así los considero. A su jefe le llaman ellos un nombre extraño que parece que rechina. No puede expresarse en nuestra lengua: *Coltez*. Hablé con él más de una vez. No es más alto que los otros, ni más fuerte que sus guerreros. No es viejo, ni tampoco joven. Su cabello no es liso como el nuestro, sino que forma olas como las del mar, pero de obscuro color; diríase que las olas de un mar obscuro se han helado; aquí y allá hay hebras de plata. Le miré a los ojos, pues ante él nadie baja la vista, ni aun los más humildes soldados. Es un hombre, pero el señor que manda desde lejos eligió bien cuando envió a este guerrero.

El Terrible Señor se puso en marcha sin decir una palabra. Caminaba con paso rítmico en el que parecía unirse danza y sacrificio de una manera mística. Lentamente marchó hacia la capilla. Tomó en sus manos la estilizada cabeza de ocelote de la moldura. Miró hacia Tenochtitlán. Parecía como si la noche fuese devanada lentamente por una mano lejana y misteriosa. En la inmensa tiniebla sólo se percibía una pincelada violeta. Teuhtitle, de pie junto a su amo, cruzó los brazos y esperó.

—Toma un capazo. Baja conmigo a la cámara de los tesoros. Los hombres pálidos están enfermos y sólo con oro se pueden curar. Les voy a enviar para que se emborrachen con él, como si fueran ancianos ebrios de pulque.

—Dices, señor, que están enfermos y que sólo con oro pueden curar. ¿Deseas, pues, que se vuelvan todavía más fuertes de lo que son y que luego ya nada pueda detenerlos en su camino? Augusto señor, añades tú que su señor es descendiente de Quetzacoatl. Pero ellos no hablan de tal cosa; nada saben ellos del maravilloso Cazador que en los tiempos remotísimos ya, se embarcó en su bote hacia el Oriente. Ellos llaman a su señor: *Carlos*. Ninguna deidad nuestra se llama así y tampoco ellos dijeron nunca que su señor fuese un dios... Te conjuro, señor, a que seas cauto y precavido con tus tesoros...

154

—Eres solamente un vasallo y tu razón no puede adivinar muchas cosas. Yo creo en su dios, pues así me lo hicieron saber los signos.

—¿Los dejarías llegar hasta ti, si quieren aproximarse?

—A ti te incumbe la responsabilidad de mis guerreros. Si yo quiero, su número puede aplastar a los rostros pálidos; pero nada he decidido de ello todavía. Tal vez... tal vez sería lo más acertado atraerlos hasta aquí para luego abrirles las venas. Sería maravilloso si su savia roja salpicara sus cuerpos blancos y dorados. Podríamos ofrecerlos en sacrificio a nuestros dioses. Así sucedería si ellos fueran solamente lo que tú crees que son: hombres corrientes, pero con piel decolorada. Pero, ¿quién podría decidir todo eso ahora, en un momento?

—Augusto señor: O les envías oro, esclavos y comida, junto con tu amistad e invitación, o llamas a tus guerreros de Cholula, y entonces éstos, en siete días, en la primera semana de la tercera mazorca, amontonarán tantos cuerpos blancos alrededor del trono de Huitzlipochtli como nunca ha podido ver Anahuac. Ofrecerás así el mayor sacrificio que se haya podido leer jamás en nuestros libros.

—Pero los signos se contradicen, sin embargo... También nuestras almas están llenas de contradicciones. Es como si se entablase un furioso duelo entre Quetzacoatl y Huitzlipochtli. Cuando los dioses se abalanzan los unos contra los otros, los hombres son entonces tan pequeños e impotentes, Teuhtitle, como lo fueran ante una lucha entre la Luna y el Sol... Espero ver más claro; así que antes, esperaré. Les envío la inmundicia del demonio y al mismo tiempo reuniré a mis guerreros en Cholula. Vigila los pasos de los extranjeros. Si parten con sus casas flotantes y abandonan nuestras costas, que lo puedan hacer con paz y tranquilidad. No dejaré que se aproximen más a mí, y si lo tratan de hacer por medio de la violencia, son entonces enviados desobedientes, y su señor, que habita en la remota lejanía, no habrá de protegerlos entonces.

—Son guerreros, señor, que no criados No se dejarán sujetar fácilmente. Por mucho que odien al cuchillo del sacerdote que saca el corazón de las entrañas de las víctimas, son ellos mismos cien veces más sanguinarios, si su jefe les ordena combatir. Cuentan los prisioneros de Tabasco, que en sus cuerpos albergan alma de chacal y que no conocen lo que es gracia o perdón... No son dioses, augusto señor, sino guerreros. Te ruego, señor, que dejes disponer los tambores de señales y que sus golpes lleguen a los guerreros de Cholula. Estate prevenido y en guardia ante esos rostros pálidos, señor, pues no son, en verdad, hijos de dioses.

2

Llegó una larga fila de esclavos con la vista baja. Iban cargados con fardos de telas, cestas, alfombras. Cuando llegaron ante Cortés, Teuhtitle alzó la mano y se inclinó mientras hacía entrega del precioso regalo, el más precioso que nunca su amo hiciera a hombre alguno: era una corona de plumas, tan alta como la mitad de la estatura de un hombre; era una reproducción exacta de la corona que el gran señor llevaba en las batallas. Estaba compuesta de brillantes plumas de alas de quetzal, de color verde-dorado. Quien se la ponía, quedaba muy superior a los demás mortales. Ésta era la corona que Moctezuma enviaba al excelso señor de allende las aguas, pues sólo para tal cabeza estaba destinada: para una testa que dominaba mundos enteros. La corona estaba dividida en sectores dorados y representaba su diadema la bóveda celeste en el día y en la noche. En la parte baja lucían los soles de oro puro, bordados entre las plumas; en la parte central, brillaban por todas partes pequeñas turquesas y esmeraldas. La parte que representaba la noche estaba sembrada de lunas de plata. Al mismo tiempo que corona era una representación de la bóveda celeste, como aclaró Teuhtitle. y en esa diadema real, podían estudiarse y seguirse los misteriosos cursos de los planetas.

Un esclavo desenrolló las ligeras mantas y las extendió sobre el suelo, de forma que se desarrolló ante los ojos atónitos de todos un disco o plato de oro del tamaño de una muela de molino. En su centro veíase una figura de dios con terribles emblemas, apoyado en una flecha. En forma de radios, veíanse dibujos de animales y de plantas, y, con tales símbolos, se mezclaban piedras preciosas, oro y tablas de cálculos, junto con alegorías religiosas. Una segunda rueda de plata, igual de tamaño, representaba las pálidas figuras de la Luna. Un esclavo entregó a Cortés el yelmo francés que les había sido prestado hacía algún tiempo; lo devolvían rebosante de fino polvo de oro tamizado. En una especie de bandeja había granos de oro de forma parecida a las lágrimas, de la misma manera que había quedado el fundido metal al ser arrojado en agua fría. Sandoval no pudo reprimir un grito, como si fuera un niño: en la blancura de la cubierta veíanse veinte patos de oro volando en forma de cuña... Los otros admiraban los dorados jaguares, monos y topos. Con prodigalidad había allí toda suerte de figuras de animales, cincelados con gran maestría. También había una cadena para el cuello, adornada de cien piedras preciosas; pendientes de maravillosas perlas, un arco con asidero de oro y flechas con punta del mismo metal; varas largas con contera de oro, que eran levantadas por los jueces en el momento de pronunciar la sentencia. De las cestas sacaron, además, escudos o rodelas, mantenidas tersas por medio de varillas de plata; los bordes aparecían adornados de plumas finas y en su superficie brillaban aplicaciones de oro y de plata. Y cada vez más plumas, siempre nuevas y hermosas con una mágica profusión de brillos y coloridos, en formas diversas como alas de mariposas, de mil matices diversos; capas de plumas finas como las pieles más delicadas. Sacaron luego pieles maníficamente curtidas, en parte verdes y en parte blancas como la espuma. De entre las esterillas o colchonetas, fueron sacadas sandalias orladas de oro con bronces del mismo precioso metal; los tacones estaban cuajados de piedras preciosas azules. Sacaron luego un espejo redondo de marcasita, como el que empleaban los príncipes y los caciques después del baño matinal. Luego oro, más oro, como si fuera un torrente que lamiera los pies, corriera por encima de las mantas y pasara por delante de aquellos hidalgos flacos, hambrientos y pobres. Todos miraban a Cortés, para ver si sus facciones se iluminaban de alegría y si se bajaba a palpar aquellos tesoros.

Cortés levantó la corona de plumas y la admiró largamente; no hizo caso del oro. Estaba pendiente de la palabra que pesaba mil veces más y que era mil veces más preciosa que todos los maravillosos adornos y joyas. Su mirada se fijó en los labios de Marina:

—Moctezuma, el más poderoso soberano en la tierra y en el cielo, me envía a ti, que viniste como digno y envidiable embajador del excelso señor del Este. Mi amo envía a tu señor oro y piedras preciosas, de las que sólo son llevadas por grandes monarcas. También él quisiera ver a tu señor, pero las aguas son infinitas; los caminos conducen de una primavera a la otra, hasta que pueda llegar allí el esplendor de mi soberano. Así que, en vez de su persona, envía esos pequeños presentes. ¡Que se digne tu señor aceptarlos con agrado! Puedes elegir lo que más te agrade. Tú, más que nadie, sabes lo que más puede acercarse al corazón de tu señor y hacerle sonreír de complacencia. Mi terrible señor me manda decirte que, mientras estés aquí, en este país, eres su huésped y no te han de faltar provisiones y manos que te ayuden. Le apena no poderos ver, pero los tiempos son difíciles y se está preparando ahora para una campaña contra los habitantes rebeldes de una lejana región. Por eso me manda deciros: Cuando estéis ya repuestos de vuestras fatigas y esfuerzos, partid con la bendición de los dioses...

Las palabras de la intérprete cayeron más pesadas que piedras. Ligero resplandor del inmenso esplendor del otro lado de una puerta que se abre un momento para cerrarse en seguida: «Os podéis marchar.»

— A tu señor corresponde el agradecimiento y el homenaje por todo, y le doy las gracias en nombre de mi señor inconmensurablemente poderoso por todos sus presentes. Soy criado de mi señor como tú lo eres del tuyo. Me fue encargado darle mi mensaje a él directamente y no a ningún otro. Vuelve, pues, a tu señor y ruégale de nuevo en mi nombre que se digne dar la orden por tu mediación y se nos muestre el camino a seguir por montes y valles hasta llegar al corazón de su imperio.

El rostro de Teuhtitle se ensombreció y se cruzaron las miradas de ambos hombres. El enviado de Moctezuma hizo seña a un esclavo, que de una tela blanca como la nieve sacó una torta de maíz amarilla, y como cualquier otra. Rompió un pedazo de ella y la comió; después ofreció el resto a Cortés.

— La pasta de esta torta fue amasada con la sangre del maravilloso *Uno* que fue sacrificado en la fiesta de las Cuatro Hermanas.

La intérprete iba traduciendo. El rostro de Cortés se alteró y el horror y la repugnancia se reflejó en sus rasgos. Con un gesto de horror apartó de sí la torta.

— Sois una caterva de diablos, si bien vuestra ignorancia es mayor aún que vuestros pecados. Matáis a inocentes y bebéis su sangre... Nada más horrible ni monstruoso puede hacer un hombre contra la ley de Dios...

El Padre Olmedo calmóle:

— Paso a paso, señor; con la ira no se salvan las almas...

Teuhtitle no comprendió las palabras que no le fueron repetidas por la intérprete. Los hombres pálidos despreciaban o aborrecían la sangre. Su antepasado había salido de los riñones de la incruenta Serpiente Alada, antes de que el dios conociera el gusto de la tierna carne humana.

Fuera sonó la campanilla. El Padre rezó el Ángelus. Los pies calzados de hierro resonaron y las rodillas tocaron el suelo. Todos levantaron la vista hacia el crucifijo. Cuando hubieron terminado, preguntó Teuhtitle:

— Vosotros que tenéis tanto poder, ¿rezáis a un pedazo de madera del que pende una figura de hombre ensangrentado y moribundo?

El Padre Olmedo sonrió con dulzura. Tomó por el brazo a Teuhtitle.

Hizo después una seña a Marina y le dijo en español:

— Ayúdame, hija...

Marchaban por la incierta luz crepuscular. Y fue entonces cuando por primera vez Teuhtitle oyó pronunciar el nombre de Jesús.

* * *

Hubieron de transcurrir ocho días antes de que pudiera llegar del interior la esperada contestación. La gente, entretanto, murmuraba y regañaba entre sí. Los satélites de Velázquez, parte de los soldados, el malhumorado Ordaz y algunos otros capitanes comenzaron a murmurar: «¡Qué esperáis!»... «Ya tenemos oro; hemos cambiado todos los espejos y los cascabeles... ¿Qué esperamos ahora?... El rey de esos demonios es grande y poderoso; muchas decenas de miles de sus soldados nos acechan en el Sur. ¿De qué dudáis? Tenemos buques; tenemos oro... y aun podemos salir de esta con la piel sin agujerear... Si regresáramos ya y don Hernando cayera a los pies de Su Excelencia el gobernador, rindiéndole homenaje y mostrándole el oro logrado, creedme: Su Excelencia aplacaría su encono... Entonces se podrían lograr más soldados, mejores buques y caballos... Aquí son precisos diez mil españoles por lo menos, el mismo número que combatió en Lombardía y un buen caudillo a la cabeza, pero quinientos hombres... Señores míos... no podéis creer que con eso...»

«¿Quién sabe?», decían los jefes de confianza. Puertocarrero extendía los brazos: «¿Quién sabe, señor, si tienen razón los que eso murmuran?» Todos estaban preocupados. Estaban sentados a la sombra de la tienda; el día era caluroso. Era la hora de la siesta y los pensamientos giraban perezosamente, cansinos. Reinaba el silencio. De pronto, se oyó la voz aguda del joven Díaz:

— ¡Noticias importantes, señor!

Todos se pusieron de pie.

—Estaba de guardia junto a las dunas, cuando cinco indios, haciendo señas desde lejos, se aproximaron. Van vestidos de distinta manera que los enviados últimamente. Llevan pedacitos de oro entre los labios y se cubren con capas de plumas. De sus palabras colegí que desean hablar con vos. Según mi parecer, son jefes...

Pocos momentos después llegaron, humildes y encorvados. Marina les preguntó en el lenguaje de los aztecas si entre ellos había alguno que pudiera expresarse en este modo de hablar. Dos de los hombres hicieron signos afirmativos con la cabeza; ambos chapurreaban el azteca. Venían de regiones lejanas, pues habían oído contar cosas maravillosas de unos nuevos dioses que habían aparecido en la costa llevando rayos y truenos en la mano. Venían para prestar homenaje a Cortés y rogarle mandara sobre ellos en vez del terrible señor, cuya mano les era más pesada cada día... Desde hacía diez épocas de lluvia, cuando él los había vencido, debían enviarle nuevas víctimas para que les arrancaran el corazón todas las veces en que aparecía la luna llena. Venían a acogerse a esos nuevos dioses, pues el que tenían hasta ahora les resultaba demasiado cruel.

Todo eso lo decían entrecortadamente y de un modo confuso, en un lenguaje floreado de frases vacías y de expresiones gráficas que ni aun en boca de Marina lograban adquirir un sentido claro. Cortés los escuchaba como distraído, pero de pronto puso su atención entera; ahora hablaban de Moctezuma, cuya sombra sangrienta se proyectaba también sobre esos infelices.

— ¿Sois súbditos de Moctezuma?

— Alimentamos incesantemente a sus dioses con la sangre de nuestros corazones, y los de nuestros hijos.

— ¿Por qué habéis venido a mí?

— Tú eres medio dios y medio hombre, según nos han dicho nuestros sacerdotes. Ayúdanos. Nuestros jefes nos mandan decirte que te desean como señor; un señor mejor que el ser cruel que nos gobierna ahora. Si tú proteges a nuestro jefe, él entonces te servirá con su vida y con su pueblo.

— ¿Por qué habéis llegado hasta aquí como ocultos, sin criados?

— Nuestro cacique nos ordenó que así viniésemos, para que el viento borrase las huellas de nuestros pasos sobre la arena y nadie se enterara de nuestra venida ni ningún oído de esclavo escuchara tras de nosotros. Nuestro jefe te envía los dibujos de los caminos y veredas, a fin de que no te extravíes si te diriges hacia él. Esos caminos son los mismos que ya usaban nuestros padres y cruzan regiones salvajes o desiertas.

Cortés tomó en la mano la piel de ciervo con el plano dibujado. Reconoció el contorno de la costa, el promontorio, la cordillera, detrás la altiplanicie, el curso de un riachuelo y la forma de un valle. Los montes de Norte y los caminos de la comarca cálida estaban señalados en el mapa con colores diferentes. Primeramente veíase la superficie superior doblada; después extendíase como un acordeón, dejando ver una serie de mapas, y en medio de los signos, dibujos y figuras de extraños juegos de sombra, los sectores de la costa y los caminos del continente. Los capitanes se inclinaban sobre la mesa.

Cortés observaba atentamente el anguloso contorno de la costa. Hizo llamar a Alaminos. El timonel estudió la carta con las cejas fruncidas.

—No había visto todavía nada semejante. Tiene razón vuestra merced: ésa es la costa. Si eso es exacto, aquí en la costa, y a la altura aproximada de esta ciudad, debe de encontrarse un puerto bueno y abrigado.

—Parte al empezar el día. Lleva contigo a Montejo y ve con la carabela más rápida. Haced un reconocimiento, y cuando hayáis comprobado que corresponde a lo indicado en esta carta, vuelve.

Los centinelas de la costa vieron el buque que se alejaba; los situados en las curvas del camino observaban a los enviados de Moctezuma, que igualmente se alejaban.

En el campamento, todos estaban jugando a los dados. Sobre los troncos de los árboles, sobre las capas extendidas en el suelo, sobre las mesas de los oficiales, sobre los parches de los tambores, por todas partes rodaban los dados; se los oía cuando eran agitados en el cubilete de estaño. Uno perdía una piastra; el otro, medio ducado. Otro había que había perdido ya algún dije de oro, si no su capa o su esclava. Más de uno llevó su mano a la daga. pues el odio y las disputas menudeaban. Las miradas de unos se dirigían con codicia hacia las mujeres de los otros y se jugaba a los dados una hora de amor. Se esperaba hasta que los jefes se reunían, a que el Padre Olmedo estuviera ya medio adormecido y entonces se robaba sigilosamente algún abrazo de amor, tan deseado como sofocante y pegajoso por el sudor.

Así iban pasando los días perezosamente. El viento aumentó notablemente como también el calor que al mediodía se hacía insoportable. Por la noche se oían castañetear los dientes por el frío; llovían saltamontes y langostas, que caían asquerosamente sobre las provisiones y devoraban la hierba, por lo cual los hombres cada día debían alejarse más para ir a buscar piensos para sus caballos. Todo era incomodidad y desasosiego. En la tienda de Cortés se sucedían las reuniones de consejo. Todos, soldados y jefes, tenían la obsesión de una constante pregunta: «¿Qué hacer?»

Teuhtitle vino por tercera vez. Esta vez lo hizo con más sencillez y más rápidamente que cuando llegó con los presentes.

Marina hablaba ya el castellano imperfectamente, pero sin necesidad de auxilio. Teuhtitle se dignó dirigirse a ella directamente:

—Los dioses te han dotado de aguda inteligencia. Nos será útil si se cumplen los designios del cielo. El terrible señor ha oído ya hablar de ti.

La muchacha negó con la cabeza. El señor de su raza, ante quien hubiera temblado en otro tiempo, era para ella ahora un extranjero alejado. Veía solamente ahora a un solo amo, el hombre blanco a quien amaba con el cuerpo y con el alma. Cuando Cortés volvía su mirada hacia el Oriente, extendía su brazo y le decía sonriendo: «¡Mira! Allí está mi patria», entonces, y sólo entonces, comprendía la muchacha que había varias clases de mundos, desconocidos incluso por los más grandes jefes de su tribu.

—El terrible señor manda a su esclava...

—El tiempo madura para todo. Así, que si alguien llega a ti con la mitad de esta rama rota, es que viene en mi nombre y en el del terrible señor. Servirás a esos rostros pálidos solamente el tiempo que mi señor señale.

Siguió un silencio. Teuhtitle siguió con su embajada y volvióse hacia los españoles.

—Nuestro soberano, que manda sobre todas las tierras y aguas, os envía su saludo y se alegra de que su mensaje os encuentre todavía en sus tierras, pues así puede también hacer llegar su saludo a vuestro alto señor. Al embarcaros de nuevo en vuestras casas flotantes, tomad con vosotros todo lo que él os mandó como regalos y ofrecédselo.

—¿Por qué tu augusto señor no quiere recibir el mensaje que yo sólo a él puedo dar, cara a cara, según orden de mi señor?

—¿Alguno de vosotros estuvo alguna vez en Tenochtitlán? ¿Conoce el camino para ir hasta allí? Deberíais pasar por senderos inhospitalarios y peligrosos, entre montañas tan altas que en su cumbre no llega a derretirse jamás el blanco aliento de los dioses. Deberíais pasar por tierras donde no crece ni una mala hierba; habríais de cruzar entre tribus desconocidas y hostiles, cuyas flechas os ocultarían el sol... Éste es el único camino. el más fácil. El otro pasa por el país de los coyotes insurgentes, por Tlascala. Están rodeados de murallas por aquellas partes donde los dioses no levantaron montañas. Nuestros padres y nuestros abuelos combatieron ya bajo esos muros. Ningún mortal puede hacer allí brecha, y ¡ay del ave que se posa para reposar!... Por allí no podríais pasar con vida.

—Te agradezco tus palabras y tu franqueza. Yo también te voy a dar un mensaje sincero. Un poderoso señor como tu soberano, no puede cerrar los ojos y taponarse los oídos, sin ver a los embajadores que vinieron del Este, ni puede tampoco dejar de oír su embajada, que yo traigo para él desde el otro lado de las aguas infinitamente extensas.

Teuhtitle se encorvó sin decir palabra; su reverencia fue menos pronunciada, sin embargo, que la primera vez. Al despedirse no se cambiaron abrazos y el indio, al subir a su silla de mano, que se puso en movimiento rápido y oscilante, no miró alrededor.

Todas las noticias encontraban modo de extenderse desde la tienda del jefe al exterior; corrían después por todo el campamento. Los soldados, jugando a dados sobre un tambor, las adornan y desfiguran. La cantinera la dice en voz baja, deslizándola entre dos besos. Durante la comida se habla de ella en la mesa de los oficiales.

Los confidentes anunciaron a Cortés lo que referían los soldados junto al fuego, donde la palabra volaba libremente y se oía a veces hasta la distancia de un tiro de piedra. Sabía cuál de los camaradas tomaba su arma, el que se mesaba los cabellos, lo que charlaban las mujeres. Cuando llegó la tarde, las sombras se fueron haciendo densas, malévolas. Conocía toda la importancia de estos momentos en que el español cierra los puños y ya no da vivas a su jefe.

Por la mañana mandó tocar diana y ordenó se formaran todos en el campamento.

—¡Soldados! Vosotros sabéis tan bien como yo, que fuimos enviados para la gloria y honra de España. Sabéis, tal vez mejor que yo, que sólo podemos traficar con cautela, midiendo los pasos, sin atrevernos a alejarnos de la costa. Confieso que en mi orgullo llegué a creer otra cosa. Creía yo que nuestra misión era más amplia, más alta, que nos era dado el regar con nuestra sangre el suelo para recoger en ella la cosecha de Cristo... Creía que los torrentes de oro empezarían a correr y que nuestras manos, que hasta ahora alcanzaron solamente a coger algunas gotas, podrían abrirse ya bajo una verdadera lluvia de oro. A vosotros os parece, sin embargo, soldados, más cómodo el camino que habéis elegido vosotros mismos. Para lograr una pequeña ganancia, no hace falta exponerse. Podéis compraros ya algunas fanegas de tierra, algunas cabras en Cuba y en vuestra ancianidad podréis incluso contar que una vez, cuando jóvenes, estuvisteis ante el umbral del país del oro. Y entonces vuestros nietos os preguntarán: «¿Te faltó el valor para seguir adelante?» Os doy las gracias, soldados, por haberme hecho saber lo que me toca hacer. Hoy levantaremos el campamento y nos prepararemos para el viaje. Mañana nos embarcaremos, haremos rumbo a Cuba y allí manifestaremos al gobernador que puede enviar hombres más valerosos, más aptos para la lucha, para que puedan conquistar tierras y oro.

Volvió las espaldas al ejército, que se había sonrojado, y se metió en su tienda. Todo el campamento zumbó como un avispero irritado; se desataron las pasiones; los descontentos de ayer se reprochaban los unos a los otros: ninguno quería ser ahora del partido de «los cubanos». «¿Ves tú, como con dos doblones vacilas a las puertas del país del oro?... Temes por tu cabeza, como si no hubieses estado nunca debajo de la horca.»

La vida normal del campamento se había interrumpido. Todos hablaban a la vez. Ahora cada uno era su propio amo. Cada uno ponía fe en lo maravilloso. «Obedezco sólo a vuestra voluntad, soldados.» Se encontraban ahora con un resultado incierto, con algunos pocos doblones en el bolsillo, que podían además ser fácilmente perdidos en el juego de dados. Los jefes partidarios de Cortés atizaban diestramente el fuego. Uno de ellos exclamó: «Vayamos al capitán general... No esperemos a mañana...» Corrió una ola de entusiasmo y los más audaces estuvieron ya en la puerta de la tienda del jefe.

Con la cabeza descubierta parecían mendigar en tono llorón: «¿Vuestra Excelencia nos guarda rencor? ¿Vuestra Excelencia no nos tiene por hombres dignos de conquistar El Dorado? No somos todos así, señor... El oro nos priva de la razón y entonces es posible que tendidos de panza contra el suelo nos dejemos acariciar por el sol... Pero también somos capaces de hacer otra cosa... Vuestra Excelencia no querrá negar que en Tabasco no fuimos avaros de nuestra sangre. Suplicamos a Vuestra Excelencia no nos haga regresar de manera tan vergonzosa para ser la irrisión de todos.»

Mientras ellos hablaban, Cortés hojeaba su gran libro de cuentas, como si todo lo demás fuera una charla sin importancia y vacía.

—Ya no es posible, muchachos. Os tira ya vuestro hogar y vuestra tierra. ¿Cómo podría yo ahora penetrar confiadamente por caminos peligrosos y difíciles, sin estar seguro que detrás de mí tengo a todas mis huestes?

—Suplicamos a Vuestra Excelencia nos lleve hacia delante, a donde quiera...

El patetismo rodeaba todas esas frases. El habla de los soldados se hacía heroica, rica en coloridos.

—¿Y si vosotros sois tan sólo un grupo y la mayoría prefiere retroceder?

—Vuestra Excelencia pudiera ordenar una votación...

Las tropas se agolpaban rugiendo. Exceptuando a los centinelas, ninguno estaba en su puesto. Todos comprendían la decisiva importancia del momento. Todos querían estar presentes; los embriagaba el sentimiento tan español, dulce e invencible, del gregarismo de la emoción decisiva, de la intriga, de la aventura, todo ello tan contagioso. Por este momento se podría dar la vida, murmuró El Galante. Todos agitaban los sombreros, los yelmos y rugían: «¡Cortés, Cortés!»

El alto señor los hace esperar. Sigue hojeando su libro; no tiene prisa. Conoce las voces y conoce a su gente... como Julio César, cuyas páginas recorre noche tras noche.

—Conforme a vuestro deseo, celebraré consejo.

Sobre el campamento se ha extendido de pronto un silencio de tumba. Sus palabras, como si fueran un rayo, hicieron enmudecer a todos. Media hora después gritó el paje que tres soldados, designados por elección, debían pasar a la tienda del jefe.

—Mis jefes me aseguran que todos están unánimemente por la continuación de la campaña. ¿Es eso cierto, soldados?

— La verdad absoluta, señor.

—Id y preguntad de nuevo a vuestros camaradas si ello es así. Si quieren seguirme a través del fuego y del agua, de la sangre y de las penalidades. Antes de contestar, y por última vez, que lo mediten bien.

Los minutos se deslizaban por los relojes de arena. A la luz insegura y parpadeante de las bujías, veíanse los capitanes alrededor de Cortés. Nadie se atrevía a adelantarse al momento presente. De pronto se oyó una voz fuera que se elevaba como arrebatada por el viento, como una visible noticia que llegara entre la obscuridad y la niebla: «¡Viva Cortés!»

Se agolparon a la puerta de la tienda, apartaron a empujones a los guardias.

Cortés les dijo:

—Habéis venido a rogarme que os conduzca al mundo maravilloso ante cuya puerta os sentisteis ha poco desfallecer. Tened bien presente que el señor Velázquez solamente nos dio derecho al botín. Debo reconocer la costa, pero no fundar establecimientos. Las leyes españolas me dejan libre, frente a eso, de deponer las armas y convertir en ciudadanos libres los que aquí en esta Nueva España edifiquen la primera ciudad. Tengo resuelto poner mi cargo en manos del magistrado de esa ciudad. En todos los asuntos habrá de decidir según su buen saber.

La noche fue tranquila. Sus sombras caían sobre las hogueras del campamento, alrededor de las cuales los soldados discutían en grupos apelotonados y hacían listas de candidatos. Bajo las capas se oía el tintineo de los maravedises.

Villa Rica de Vera Cruz fue una de las ciudades que nacieron según las fórmulas prescritas. El Libro de las Leyes de Castilla estaba abierto sobre la larga mesa que el viento de las dunas sembraba de granitos de arena. Los pergaminos yacían revueltos por encima de las tablas; los caballeros ponían el sello de sus anillos en la cera. El Título de Corregidor, Tesorero, Abanderado —dignatarios de las poblaciones españolas— prestaban ahora esplendor a las capas de los soldados rodeadas de aclamaciones. Los dos alcaldes fueron Montejo y Puertocarrero, elegidos por aclamación de la gente. Cuando ocuparon sus puestos de honor, entró Cortés con la cabeza descubierta e hizo una profunda inclinación ante ellos.

—Señores alcaldes: Al entrar vuestras mercedes en funciones, termina mi cometido. Recibí mi empleo del gobernador Velázquez, cuya autoridad sobre estas regiones ahora ha desaparecido. Reconozco por dichas razones que, hasta nuevas decisiones de la Corona, a vuestras mercedes corresponde administrar esta provincia.

Se retiró de nuevo a su tienda, de la que mandó arriar la bandera de comandante en jefe. Marina estaba sentada, mirando sin comprender aquella extraña escena que representaban los españoles fuera. Con su voz dulce preguntó a su señor:

—¿Te han hecho alguna ofensa? ¿Has quedado solo, sin soldados?

Cortés sonrió y la acarició. En esos días tan cargados de preocupaciones, su única alegría era buscar la mirada de aquella muchacha y escuchar su voz para olvidar un momento todo lo demás... Era asombroso que a veces no pudiera recordar en modo alguno la fisonomía de su esposa. Debía tratar de recordar sus vestidos, su peinado, para así evocar borrosamente su rostro descolorido. Esta muchacha, en cambio, vivía en él.

En el suave aroma que despedía Marina sentía como el aliento de todo ese mundo de maravilla. Nada tenía la muchacha de la sencillez, un tanto irracional de los indígenas de la isla, cuyas mujeres se desperezan como corzas en el abrazo amoroso. Él era amo de la vida y de la muerte de Marina; así decía la ley que los antepasados romanos habían promulgado hacía muchos cientos de años; pero en espíritu la consideraba libre. ¿Acaso no hábiale puesto la mano encima como ordenaban las Instituciones? Siempre la acompañaba, y ella se iba con él cuando marchaba de hoguera en hoguera del campamento. Sentía a veces como un secreto temor de que el bosque se la tragase un día. Dos trompetas estaban a la puerta de la tienda y en voz alta anunciaron:

—Don Hernán Cortés: los magistrados de la ciudad de Villa Rica de Vera Cruz le invitan a la sesión.

Sin armas, el sombrero en la mano, con paso lento se dirigió al banco de arena.

La gente se había colocado en semicírculo: jefes, tripulaciones, soldados, todos mezclados sin disciplina militar alguna. Ahora eran todos libres, ciudadanos iguales ante la ley, vecinos de Vera Cruz. Al llegar Cortés saludaron todos al general en jefe de ayer con una simple inclinación de cabeza, en vez de una profunda reverencia.

Alzóse el magistrado. Puertocarrero se puso el sombrero. Montejo siguió su ejemplo. Sobre las piedras habían colocado una tabla con un crucifijo y un hacha de lictor. El notario real leyó el texto:

— «Nosotros, Magistrados de la ciudad de Vera Cruz, por la Gracia de Dios y en nombre de Su Majestad Católica el rey de Castilla y de Aragón, Don Carlos de Austria, hacemos saber que, con el voto de todos, nombramos y elegimos al ciudadano Hernán Cortés para el cargo de capitán general. En virtud de esto, te preguntamos, Hernán Cortés, si aceptas la elección de tus conciudadanos y, en consecuencia, declares tu aceptación al cargo para que en este caso hagas el juramento mandado.»

Cortés se adelantó. Se arrodilló ante la mesa de modo que con su mano derecha pudiera alcanzar al crucifijo. Todos se movieron acometidos por la emoción. A los soldados se les saltaron las lágrimas. El Padre Olmedo levantó la mano y los bendijo a todos.

3

El primer jinete había alcanzado la cumbre de la colina arenosa y extendió el brazo como arrobado. Al otro lado de la cadena de colinas peladas, allí donde el horizonte se extiende en línea curva, se veía una línea de verdor de vegetación tropical. Una larga hilera de palmeras sobresalían en el boscaje. Grandes bananos mostraban sus racimos de frutos; helechos, altos como un hombre, se inclinaban con el viento como en un saludo. Los hombres y los caballos marchaban silenciosos sobre el terciopelo de la suave hierba. Pasaron por pueblos y caseríos. Por ninguna parte descubrían un ser humano. El ganado, cerdos, perros cebados y aves de corral, debían haber sido escondidos en alguna parte. Todo su botín fue algún jabato perdido.

A medida que fueron penetrando en poblaciones de más importancia, tanto más se poblaba, sin embargo, la región. De detrás de las chozas salían aquí y allá algunas viejas que les ofrecían ramilletes de flores. Detrás de ellas venían también algunos niños, con los ojos brillantes de curiosidad y gritando algo a los que llegaban, algo que en su idioma quería decir ¡paz! Era un mundo nuevo y virginal ese camino que conducía a la ciudad de Cempoal, que nunca había sido aún visitada por hombre creyente en Cristo. Al mediodía paráronse para descansar. Cortés mandó en descubierta a los jinetes; debían alcanzar las fronteras de la ciudad y anunciar por medio de señas a todos los que encontraran que al día siguiente llegarían los españoles.

Habían transcurrido varias horas cuando regresaron. En la boca del jinete más joven había una sonrisa helada. Parecía no ver, no oír nada; solamente insistía en decir siempre lo mismo: «Allí, señor, las casas son de plata; todas las calles de plata... Lo he visto yo mismo: es la ciudad de plata...»

La noticia dio nuevos ánimos a la gente. Ninguno quería ahora descansar más tiempo; todos anhelaban poder ver la ciudad de plata antes de la puesta del sol. Se pusieron en movimiento. Una serie de aldeas y caseríos indicó la proximidad de la ciudad; veíanse canales que formaban cruces; las calles estaban bien cuidadas; la gente llevaba túnicas de colores vivos; las muchachas arrojaban flores a los soldados y reían cuando llegaba hasta sus oídos una galantería de alguno de ellos.

Cortés picó su caballo. «Tal vez...», ése fue su último pensamiento; después dio una sonora carcajada. Sus jefes le habían dado alcance. Los soldados vieron cómo su general reía, y sus risas fueron contagiosas. Todos rodearon a aquel crédulo muchacho, que obstinadamente repetía aún lo mismo. «Muéstranos, muéstranos — le decían — la ciudad de plata.» Los rayos del sol poniente hicieron brillar los muros encalados, blancos como la nieve, y en verdad que, en aquel momento, tenía la ciudad todo el aspecto de una ciudad de resplandeciente plata.

Era la primera ciudad en que habían entrado. ¿Una ciudad? Las calles eran rectas y anchas, tiradas a cordel, bordeadas por los jardines en forma de galería de las casas, cubiertas de palmas. Estas calles conducían a la plaza donde se levantaba el templo, que era un fuerte y alto edificio. También los muros que rodeaban el templo estaban cubiertos de cal, tan resplandecientemente blanca que parecía también de plata. Desde aquí, una escalera de empinados peldaños conducía hasta una plataforma superior. Los ojos estaban admirados de ese nuevo espectáculo y aquella blancura los deslumbraba, así que apenas observaron que del palacio que estaba enfrente se había puesto en movimiento una comitiva ricamente ataviada y adornada de flores. El cacique era llevado por diez esclavos que se doblegaban bajo el peso de una gran silla portátil, adornada con un delicado tejido de plumas. Aquel cacique gordo, monstruoso casi, era una extraña aparición entre aquellos hombres flacos y secos. Ha tiempo acaso fue un hombre fuerte; ahora, sin embargo, no era más que un montón de carne jadeante y gelatinosa. Bajó de su silla y trató de inclinarse ante Cortés. Su mirada era ardiente y varonil. El capitán general se adelantó hacia él y le abrazó. Se sentaron a la mesa. Era la primera comida india que ofrecía el jefe de una verdadera ciudad. Se sirvió espumoso cacao, así como bananas. Después sirvieron unos pequeños perros cebados, asados con mucha grasa. Cortés estaba sentado al lado del cacique, y Marina entre los dos hombres; así podían charlar continua y lentamente. En esto, se notó cierta alteración o barullo en la mesa; desde la plaza venía el alboroto. Los españoles tomaron las armas y se pusieron de pie para enterarse del origen de aquella repentina excitación.

Llegaron cinco sillas de mano, verdaderas casas de tejido de palma, dentro de las cuales iban sentadas cinco personalidades herméticas, tiesas y horriblemente pintadas. Bajaron de sus sillas ante el cacique, quien se adelantó pesada y servilmente hacia ellos.

Aguilar y Marina dieron la explicación. Cortés vio solamente cómo el más elevado de aquellos personajes hablaba con el cacique y cómo a éste le temblaban todos los miembros del cuerpo. Abrió los brazos cual si llamara como testigo a un dios. Según iba diciendo Marina, se trataba de los recaudadores de contribución del terrible señor, los cuales preguntaban al cacique por qué motivo se había atrevido a recibir a los españoles. Castigaban a la ciudad con una multa, además del tributo que correspondía; debían entregar veinticinco muchachas y el mismo número de muchachos para el sacrificio.

Cortés llamó a un lado a los horrorizados jefes de Cempoal.

— ¿Soportáis como coyotes que se os trate así? Se arrojan sobre vosotros cual jaguares para beber la sangre de vuestra ciudad.

Los jefes movían la cabeza asustados.

— ¿Qué podemos hacer, señor? Lo manda el terrible señor y contra él nadie puede levantar un arma.

— ¿Cuántos hombres armados tenéis?

— Veinte veces o treinta veces ciento.

— Nosotros somos cinco veces cien hombres fuertes. Todos reirían a lo largo de la costa si nos doblegásemos ante algunos perros que ladran. ¿No se burlarán de vosotros en Anahuac si yo me encargo de vuestra suerte?

— Señor: la vida está en tu mano. Te doy mi ciudad. En el reino del terrible señor yo no soy más que un infeliz diablo. Pero, ¿te crees bastante fuerte para protegernos a nosotros y a los otros que os honran como dioses?

Los mejicanos, entretanto, esperaban con semblante pétreo y dominador a que los indios sujetaran y amarrasen a los españoles. Mas en vez de eso, el cacique levantó el brazo y su vara con contera de otro trazó un círculo en el aire. Los soldados rodearon a los recaudadores de contribuciones.

La multitud murmuraba. Bastaba un signo para que el milagro se realizara. Los lobos son fuertes; los espíritus nos protegen. Eso pensaban todos. Todos esos indios eran padres o madres; todos tenían hermanos. Era una familia de cincuenta blancas ovejitas.

— A los dioses, a los dioses...

La multitud se vio inundada de apasionamiento. Se llevaron arrastrando a los mejicanos, que, intensamente pálidos, trataban de defenderse. Los arrastraban al sacrificio, a arrancarles el corazón sangriento para ofrecerlo caliente y palpitante en el altar de la diosa. La cortina de hierro que formaban las lanzas de los españoles se abatió.

— Diles, Marina, que aquí no se admiten juicios fallados por el pueblo. Que los sujeten con ligaduras y mañana se verificará el juicio. Así lo mandan las leyes de nuestro país. Por la noche, nosotros guardaremos a los presos.

La multitud retrocedió. Algunos quisieron abalanzarse contra los mejicanos. En su imaginación se habían ya prometido un magnífico sacrificio caliente y sangriento... Ahora se les mandaba esperar hasta que un tribunal de rostros pálidos diese su sentencia.

Cortés levantó su copa. Quien se atreviera a interrumpir de nuevo el festín debería responder de ello. Marina se sentó a su lado. Era ya por todas partes su intérprete, la confidente del general, su mujer de confianza. La gente de Cempoal la llamaba ya por su nombre: Malintzin, que significa la pequeña Marina..., y a Cortés, cuyo nombre no podía ser pronunciado por los indios, le llamaban entre ellos *El amo de Marina:* Malinche. Así que, por eso, Cortés fue conocido en toda la Nueva España por el nombre de Malinche.

— Marina, tú nos debes abandonar ahora. Los españoles vigilan y guardan a los presos en la cámara del templo. Ve allí como si fueras una mujer de esta ciudad. Entra como si quisieras dar de comer a los presos. Les presentas manjares y hablas con ellos. Cuéntales que nosotros, los españoles, no sabíamos lo que entre estas gentes se tramaba. Que yo quería salvarlos de una muerte cierta. Que a medianoche les abrirán el calabozo. Que se fíen de mi gente, que los sacarán de aquí disfrazados. Por agradecimiento les pido solamente una cosa: que cuenten a su señor, el terrible señor, a quién deben su salvación y su libertad. ¿Me has comprendido?

Marina titubeó unos momentos. Después afirmó:

— Tú eres mi amo y mandas. Tú no quieres que se lleve a esos hombres a la piedra de los sacrificios.

Un bote se destacó del buque «Capitana». Se llegó a la orilla remando. Allí aparecieron entonces cinco indios envueltos en capas españolas y sin corona de plumas; eran los indios que, al amparo de la noche, habían sido ayudados a huir. Se sentaron en el bote. Los golpes secos de los remos parecían ir midiendo el tiempo. Al cabo de una hora habían dejado atrás los límites de Cempoal; podían ya desembarcar: estaban salvados. Mañana a esta hora el terrible señor podría ya saber a quién debía agradecer que sus recaudadores de contribuciones no hubieran sufrido el ignominioso martirio.

Para el siguiente día estaba fijado el comienzo solemne de la edificación de la ciudad. Se distribuyeron herramientas. A Cortés le dieron una azada; a los altos jefes les entregaron zapapicos. El constructor de buques, con su cinta, midió y señaló la línea de los fosos. En el Norte y en el Sur debían abrirse sendas puertas. Alrededor se levantarían murallas con algunos baluartes. El módulo de la ciudad debía ser una cruz latina. En el punto del cruce del larguero con el travesaño, se emplazaría la catedral en una amplia plaza, donde se levantarían igualmente los edificios del Gobierno, palacio del mando, casa de justicia, convento, hospital, etc. Al otro lado del mercado se levantaría la picota, y fuera de la ciudad, más allá de las murallas, se emplazarían las horcas.

Una ciudad española. El capitán general, azada en mano, trabaja y suda copiosamente su frente. Con ello ha querido dar prueba de que el trabajo no es ignominia y no es afrentoso, ni aun para un hidalgo, el remover la tierra. A veces descansa unos momentos y con corazón tierno y agradecido recuerda al profesor Lebrija, que allí, en Salamanca, les había llevado a cavar. Ahora puede él enseñar a los otros cómo se hace eso; de su boca sale una canción y su ritmo es seguido por los soldados en su trabajo. Los indios contemplan admirados al semidiós que con sus propias manos forma ladrillos y tejas de la tierra arcillosa, los moldea con la mano y los coloca al sol, en el lugar que sus rayos caen con más fuerza.

Al mediodía se ven ya los contornos de la ciudad. La muralla tiene ya un pie de altura, mientras los fosos se van profundizando. Los indios logran tomar el mismo ritmo. Hombres fuertes y musculosos, se ven arrastrados por el ritmo del trabajo. Trabajan obstinadamente con sus sencillos instrumentos de madera y hierro. Van comprendiendo ya las palabras del intérprete y de los maestros de obras; van aumentando el número de los que se presentan a trabajar, puesto que ven que los españoles no les hacen nada, sino que hasta ríen con ellos y bromean. Aumenta, aumenta su número y, en según qué trechos, comienzan también a trabajar mujeres, que se mezclan con los demás... Nadie quiere dejar de tomar parte en esa especie de juego nuevo y milagroso: ¡Los dioses edifican una ciudad!

4

Estaban en el primer malecón del nuevo puerto y hacían señas con la mano. Los marineros largaron las velas y la carabela zarpó empujada por la fresca brisa de la mañana. Los capitanes, soldados, altos jefes, todos subieron a la pequeña eminencia; muchos de ellos llevaban lágrimas en los ojos. Veían y podían distinguir aún a Alaminos con la rueda del timón en las manos; veían a Montejo y al capitán Puertocarrero sobre el puente, saludando con sus sombreros de plumas; a su lado se veían las altas coronas de plumas de cuatro indios intrépidos que marchaban en el buque hacia España en compañía de los españoles.

El licenciado murmuró entre dientes las palabras con las que un día Horacio se había despedido de las galeras de Virgilio: *«Et serves animæ dimidium meæ»*.

Parecía ya como un barquito de papel flotando en las olas... y, sin embargo, en este frágil barquito de papel iban todas las esperanzas y todos los tesoros que el Nuevo Mundo enviaba como presente al Viejo Mundo. El notario de la Corona doblaba cuidadosamente sus papeles: «Ayer tuvimos un día pesado, señor...»

En efecto; en las noches anteriores se oyó el continuo correr de la pluma sobre el papel; los escribientes habían tenido que poner en limpio una y otra vez aquellas páginas. Cortés había corregido algunas palabras; dictó cartas a sus protectores y de todo hizo sacar copias, que fueron archivadas cuidadosamente por el notario. Después plantóse ante los soldados, diciéndoles:

—Estamos ante la puerta de El Dorado. Todo lo que habéis adquirido hasta hoy, mañana nos parecerá ridículamente mezquino. Por eso envío la carabela a España con el oro para nuestro señor Don Carlos. La participación de un quinto no sería suficiente para captar la benevolencia de nuestro Rey. Por eso he puesto yo toda la parte que a mí me correspondía de lo que regaló el señor de ese mundo alejado: el señor Moctezuma. Esos presentes de oro deben ser nuestros embajadores ante el católico rey para que no retire su gracia y benevolencia a esos vasallos suyos del otro lado del mundo, que tal somos todos nosotros. Escuchad, señores y soldados: lo envía a nuestro rey y señor Don Carlos, vuestro general, a quien vosotros habéis elegido libremente.

El notario leyó la lista de todos los objetos en voz alta y clara. El tesorero ponía sus sellos. Se oía la voz de Godoy que iba entregando y comprobando:

Dos cadenas de oro adornadas de piedras preciosas.

Cien onzas de pepitas finas de oro.

Una figura de ave, manufacturada de plumas de quetzal entrelazadas, con el pico y alas de oro puro, rodeada toda la figura por una serpiente de oro.

Una cabeza de aligator, de oro macizo y de gran tamaño.

Una gran rueda de oro que representa el zodíaco a la manera india.

Dieciséis rodelas de oro con piedras preciosas y plumas.

Un disco lunar de plata.

Bolas de oro para juegos.

La pluma rascaba el papel; los soldados lo contemplaban serios. Se despedían de cada uno de aquellos objetos antes de que lo metieran en el saco marino. Alvarado abrió su bolsa, rebuscó en ella y sacó lentamente un pedazo de oro y lo miró, mientras se dibujaba su nombre bajo el texto del protocolo. Los soldados fueron estrechando el círculo alrededor; se habían dejado ganar por el entusiasmo. Cada uno de ellos por turno regalaba algo: un dije, un adorno, una pepita de oro; algo en fin por lo cual un día se lo habían jugado todo, habían matado por decirlo así; y ahora lo entregaban con altanería, como regalo generoso a su rey, regalo del aventurero rico, al rey pobre.

Al siguiente día obsequió a sus enviados. En un estuche de madera ricamente tallado metió los volúmenes en los que había ido haciendo sus apuntaciones y trasladado al papel sus impresiones en un español florido, a semejanza de lo que hizo Julio César. Antes de la salida del sol despertó de nuevo a los mensajeros, les dio los informes acerca de la fundación de la ciudad de Vera Cruz, mientras el Padre Olmedo enviaba un libro indio, en forma de abanico, plegado en acordeón y, en cuyas páginas de fina piel de ciervo, miles y miles de dibujos de imágenes de ídolos estaban bailando.

—No olviden vuestras mercedes el informar que desde el tiempo del almirante Colón, nunca habían sido hallados en el hemisferio occidental pueblos que supieran escribir de un modo o de otro. Su real Majestad se digne escuchar mi súplica y que me envíe frailes de la Orden de San Francisco, que durante el viaje pueden ir trabando conocimiento por medio de estos dibujos con la vida del Nuevo Mundo.

»Os suplico que, después de la llegada, no os presentéis en la Corte sin visitar antes la casa de mi padre en Medellín. Esa pequeña bolsa está destinada a mis padres: algunas joyas, esmeraldas, rubíes, turquesas y algunas perlas negras para que mi madre pueda adornarse el peinado. ¡Cómo os envidio! ¡Vosotros veréis de nuevo mi ciudad natal!... Mi padre tiene por todas partes conocidos y de ellos los hay grandes señores; posiblemente os podrán en algún momento servir de ayuda.

Todos confesaron y comulgaron y el Padre Olmedo hizo a cada uno de ellos el signo de la cruz sobre la frente. Los botes partieron seguidamente hacia la carabela que estaba destinada a ser la primera golondrina del Nuevo Continente... Ortiz dio la orden y sus trompetas y cuernos dejaron oír una melodía piadosa. A bordo se oyeron voces de mando. El primer piloto dio la voz de levar anclas. Las velas se inflaron; el pendón de Castilla se desplegó en el tope mayor y junto a él el grimpolón de Cortés. Más abajo, dos banderas más pequeñas con las armas de Montejo y de Puertocarrero. Sonaron los cuernos y la costa se llenó de soldados que saludaban con emoción aquella carabela que navegaba ya hacia la patria.

5

Vivían en aquellos campos donde imperceptiblemente iba saliendo de la nada la nueva ciudad de Vera Cruz; algunos se hospedaban en la vecina Cempoal. Las tribus de los totonecas vivían dispersas por los alrededores y, quien tuviera trato con ellos, podía enterarse de las antiquísimas relaciones internas de aquellos establecimientos. La tienda del general se había convertido en una verdadera cancillería. El obeso cacique iba instruyendo a los españoles en la administración y dependencias de las tribus. Hacía comparecer ante él a los jefes de las aldeas.

Iban y venían mensajeros. Llegaban noticias del soberano del Sur, de Moctezuma, desde más allá de las montañas. Había que enviarle las contestaciones. Se honraban mutuamente con presentes; pero las comunicaciones entre ellos eran ambiguas y a veces contradictorias. Tan pronto daba las gracias el terrible señor por la protección que los españoles habían dispensado a sus recaudadores, como se acordaba del mal humor de los dioses sedientos...

El poder exótico y perezoso que se extendía ante ellos no los dejaba aproximar. Todo lo que podían lograr de él era oro y palabras. El terrible señor no dejaba que los españoles entraran en sus dominios. El campamento estaba en fermentación. Aquellos hombres, cuando el entusiasmo no los convertía en héroes, cuando la emoción del momento no les subía a la garganta, se sentían posesos de la codicia; se tornaban glotones, eróticos, pendencieros y jugadores hasta la muerte. Los descontentos forjaban planes alrededor de las hogueras nocturnas. Algunos fueron en botes, a escondidas, a los buques que parecían estar adormecidos suavemente en la bahía. Cortés se enteró de eso y los conspiradores fueron detenidos. Al día siguiente constituyó un tribunal para juzgar a un español de cara larga y melancólica. «Quisiera no saber escribir.» Eso fue todo lo que dijo el general cuando metió la pluma en la tinta para firmar la sentencia. Redoblaron los tambores y el cuerpo de aquel español de cara larga y melancólica se tambaleó en el aire y así permaneció colgado de la horca hasta la noche.

Al siguiente día, Cortés dejó una guarnición en Vera Cruz y trasladó su cuartel general a Cempoal. No estaba así tan cercano al mar, con lo que disminuía la tentación: además la comarca era rica, había menos mosquitos... y más mujeres. Era hora, por otra parte, de extender la fe de Cristo entre los totonecas.

Por las noches se celebraban serias conferencias entre Cortés y Olmedo. Cuando el campamento quedaba quieto y silencioso, el inteligente asturiano pasaba a la tienda de Cortés para tomar juntos una taza de cacao. Hablaban sin testigos: «¿Por qué queréis bautizar con pólvora, don Hernando?» Ésa era una pregunta que se repitió muchas veces. Con ella Olmedo predicaba la suavidad y refrenaba a Cortés, cuando éste quería romper a golpes todos los ídolos.

Aquel día, después de la ejecución, ambos se sentaron también para conversar. Ambos tenían aún grabada en sus retinas la visión de Escudero con las manos crispadas agarrando sus vestiduras y clamando piedad, gracia; pero sus palabras habían sido ahogadas por el redoble de los tambores.

—Vos sabéis tan bien como yo, padre, que de todo eso tienen la culpa los buques. Ya los antiguos decían que un buque era siempre nostalgia. Al ver las carabelas, les venía inevitablemente el pensamiento de volver a Cuba con el oro que ya tenían. Pensaban con anhelo en su tierra. Un jefe de conspiración va y viene, la cosa crece. Por la noche, cuando no los oyen los capitanes, se reúnen... por eso fue preciso establecer nuestro campamento en Cempoal. Por lo menos aquí no ven el mar ni los buques.

—Dicen, don Hernando, que los buques están carcomidos y llenos de moho.

—Hasta Cuba aguantarían...

—¿Os pertenecen esos buques?

—¿En qué pensáis, padre, al decir eso?

—Repito vuestras palabras de que el buque da nacimiento siempre a un sentimiento de añoranza. Si ese sentimiento os parece peligroso; si creéis que quita fuerza a los corazones heroicos e impide que vuestros planes se remonten en maravilloso vuelo, destruid esos buques y así destruiréis la añoranza y el anhelo...

—Con la destrucción de esos buques, se perdería toda mi fortuna. Una parte de su valor lo debo todavía a los armadores. El oro que me correspondió lo envié a nuestro rey y señor, Don Carlos. ¿Debo yo mismo tomar ahora una antorcha e incendiarlos... y ver cómo el conquistador de El Dorado, ante el umbral todavía, queda convertido en un miserable mendigo?

—Ante el Señor todos somos miserables, don Hernando. El oro y la virtud no pueden pesarse de igual manera.

—Padre; sois más valiente y de corazón más valeroso que yo. Pero os pregunto ahora: ¿Habéis oído alguna vez que un general, a la vista del enemigo, haya incendiado su pequeña escuadra?

—Cuando muchacho me placía hojear los escritos de San Agustín acerca de la Ciudad de Dios. Recuerdo un pasaje que trata del último de los emperadores paganos de Roma, de Juliano el Apóstata. Os es bien conocido el hecho de que fue un gran César, que volvió a instaurar los falsos dioses en el Olimpo y después de eso, marchó al frente de sus legiones innumerables, a la región del Éufrates para extender así a su modo su Imperio entre los Persas. Condujo a sus guerreros a través de países bíblicos. El número de sus soldados sobrepasaba al de los nuestros en muchos cientos de veces más... Tal vez sus buques remontaron el Tigris. Los soldados apremiaban a sus jefes para retroceder con sus naves y regresar a su tierra. Eso sucedió una tarde, escribe San Agustín y entonces el Apóstata hizo arrojar antorchas encendidas en medio de los trirremes. «O quedáis u os hundís», fue su palabra imperial.

—¿Qué sucedió al ejército y al Apóstata?

—El señor le castigó sobre la tierra seguramente porque había abandonado su Reino.

—¿Qué fue de los buques... y de los soldados?

—La madera se quemó, la gente maldijo y luchó; pero la retirada les quedó cerrada.

—Habéis hecho luz en mi pensamiento, padre. El emperador era un apóstata, un enemigo de Dios que ya debía en la tierra expiar su apostasía. Pero como estratega, os digo yo que obró dignamente, como soldado y como sabio.

Se necesitaron dos días para quitar de los buques las velas, jarcias, hierros. Se levantaron las anclas y la pequeña Armada fue conducida a la bahía. Cuando empezó el reflujo, los poderosos y oscuros costillares de los buques quedaron apoyados sobre la arena seca de la costa. Los tripulantes habían abandonado la cubierta. El maestro gaviero hizo arder un aro embreado; la llama subió hasta el mastelero y corrió por las tablas empapadas de aceite y secas por el sol. La tarde se alumbró con aquel gran incendio. Los soldados, horrorizados, se precipitaron hacia allí dando gritos de auxilio; pero en la costa, marineros armados le cerraron el paso a las proximidades de los buques.

Cortés estaba en la costa, junto a la hoguera; contemplaba los mástiles ardientes como grandes antorchas, los vio caer después con estrépito formando un montón de llamas... hasta que el estrépito acabó y solamente se veían cenizas que volaban por el aire. Cortés permaneció allí hasta el amanecer contemplando sus barcos convirtiéndose en carbones. Ahora, todo cuanto poseía lo llevaba encima.

Con la rapidez del viento se extendió la noticia por el campamento de Cempoal y de nuevo la rebelión levantó su cabeza de hidra. Grupos de hombres desesperados corrían de un lado para otro rugiendo y lamentándose. Alguno gritó: «Cortés ha perdido el juicio». El viento llevó lejos esta frase. Corros de los que se quejaban rodearon a los jefes subalternos. El capitán general estaba pálido; pero en su interior se sentía victorioso; había ganado una batalla contra sí mismo y vencido a los demonios de la codicia. Los buques era todo lo que poseía; en ellos estaba el dinero que le habían prestado, el sudor de sus indios, lo obtenido por la venta de sus ganados, la dote de su esposa Catalina, todas las monedas que había logrado economizar, todo el dinero que había podido ganar en aquellos largos años grises de tenaz y fatigoso trabajo... Y todo eso estaba ahora reducido a cenizas. Estaba pálido y miraba a aquellos hombres que aullaban y se movían como el mar embravecido.

—He dado todo lo que tenía; pero vosotros no lo habéis perdido todo. Los buques estaban desquiciados por las tormentas, carcomidos y en poco tiempo hubieran sido inútiles para la navegación. «La Capitana» es la única nave que ha quedado indemne y está ahora anclada frente a Vera Cruz. No sois muchos... y en «La Capitana» hay sitio para un buen grupo de cobardes; no seré yo quien trate de retener a lo pusilánimes. Al contrario, les regalo «La Capitana» para que con ella puedan marcharse a Cuba con su cargamento de vergüenza: «Los héroes de Castilla, que han abandonado a sus camaradas.» Aquí quedaremos los hombres de verdad. Yo he sacrificado toda mi fortuna; pero a vosotros sólo el provecho os alcanza, pues recibiréis las provisiones de los buques y nuestro ejército se verá reforzado con los ciento veinte marineros, gente de valor sereno, que ahora se unirá a nosotros... Y ahora digo en voz alta:

Quien se quiera marchar, que se vaya... prometo no decir ni una sola palabra ofensiva a los cobardes...

Los veteranos fueron estrechando el círculo que se había formado alrededor de Cortés. Uno de ellos quitóse el yelmo de la cabeza y lo levantó agitándolo en el aire; muchos abrazaron al general. Ninguno pudo resistir a sus palabras.

En Cempoal, el obeso cacique extendió un gran pedazo de tela ante sí. Mostraba y señalaba lo allí representado: desiertos arenosos, montañas, valles verdes, desfiladeros y mesetas. Era el camino que de Cempoal conduce a Tenochtitlán.

La carretera pasaba por la provincia de Tlascala, pequeño país por su extensión, pero temible estado independiente. No prestó homenaje al terrible señor y allí donde no estaba defendida por las montañas, se habían levantado murallas inexpugnables. Los hombres más viejos lo recordaban todavía: Durante todo un ciclo — cincuenta y dos años — un fuerte ejército de Tenochtitlán trató de arrollar al pequeño estado también; los de Cholula la habían sitiado... pero Tlascala se defendió tras sus muros y montañas. Era un estado inconmovible que se envolvía en misteriosas leyendas.

Cortés envió una embajada. Se puso en viaje cargada de toda suerte de chucherías y les llevó el saludo de los dioses blancos: «Estamos liberando estas provincias de la tiranía del terrible señor; pero el camino para llegar al corazón de su reino pasa por vuestras tierras. Por eso os rogamos nos dejéis pasar libremente y nos proporcionéis agua y provisiones para nosotros y para nuestros caballos durante el viaje...» Durante muchos días esperó el retorno de la embajada. En el campamento se notaba tensión; la inactividad fomentaba las discordias. La espera se hacía demasiado larga y así todos sintieron levantar su ánimo cuando una mañana se pusieron en camino hacia Tlascala.

Cuando el ejército se aproximó a las fronteras, fue recibido por unas partidas de aldeanos silenciosos. Uno de los embajadores que había logrado huir trajo a Cortés la desagradable noticia de que los de Tlascala se preparaban contra los blancos.

Entonces envió un nuevo mensajero a quien autorizó para usar todos los argumentos pacíficos posibles. Esperó durante todo un día y transcurrido éste, pusiéronse en movimiento los españoles formados en orden de batalla. Las avanzadillas a caballo regresaron al mediodía; habían llegado hasta el pie de las murallas de Tlascala. Según su informe la entrada estaba cerrada por grandes colosos de piedra colocados a lo largo de las murallas. En las fortificaciones circundantes, sin embargo, no habían visto gente armada. Llegaron las tropas a la frontera bajo un ardiente sol de mediodía y penetraron sin ser molestadas por las construcciones en forma de puertas. Los soldados comenzaron a desparramarse. En una choza encontraron tortas de maíz que todavía estaban ligeramente calientes. Alvarado rompió un pedazo de una de ellas y se lo llevó a la boca; seguidamente escupió; estaba hecha sin sal. La cocinera — dijeron riendo — se había olvidado de sazonar las comidas. De una casa próxima salió un soldado arrastrando una pierna de cerdo que evidentemente estaba' preparada para la comida de aquel día. Resultaba desagradable porque estaba cocida sin sal. Un mosquetero abrió su frasco de pólvora y espolvoreó con ella un pedazo de carne; así pudieron comer algo de ella maldiciendo entretanto como soldados.

Vueltos al campamento mostraron su extraño botín. Los indios dijeron algo que Marina tradujo así:

— En Tlascala no se encuentran alimentos sazonados, porque por aquí no se produce sal.

— ¿No tienen sal?

— Los señores de Tenochtitlán cerraron a este pueblo la salida al mar y a las montañas. De esto hace tiempo, tal vez dos ciclos. Los antepasados, tuvieron mucho que sufrir con esto; por un puñado de sal lo hubieran dado todo, hasta la vida. Sus hijos ya no supieron siquiera para qué servía la sal y se zampaban la carne de los prisioneros de guerra tal como estaba, dulzona, sin sal.

El pan de maíz se les había desmenuzado en las manos. El Padre Olmedo sacudió la cabeza: «El pan es pan, amigos», y él mismo recogió del suelo los pedazos de pan de maíz.

Las murallas, que hubieran podido resistir a un gran ejército provisto de numerosos cañones, estaban vacías, desguarnecidas. La puerta no estaba cerrada y en las cercanías de las poderosas obras de fortificación no se veía un alma viviente. Los españoles olieron la traición o añagaza en el aire; aquello era una trampa para cortarles la retirada o caer sobre ellos por sorpresa. El viejo totoneca movía la cabeza cuando le preguntaban cómo se explicaba aquel silencio.

— No les dais suficiente miedo. En sus leyes se dice que la puerta más fuerte es la construida por los pechos de los guerreros. Usan esas murallas en los tiempos del mayor peligro, cuando Moctezuma cae sobre ellos con todo su ejército. La piedra lucha contra la piedra; el hombre contra el hombre.

Entraron cautelosamente formados en orden de batalla. Poco a poco fueron poblándose las alturas de los alrededores. Las llamativas coronas de plumas dejaban ver sus vivos colores; al principio se vieron algunos centenares, después fueron aumentando hasta formar una gran masa. La mayoría de aquellos guerreros blandían sus armas llevando el cuerpo desnudo de cintura para arriba y pintado de colores diversos que coincidían con el estandarte que su jefe llevaba extendido entre dos varas. Los jefes iban protegidos por petos de algodón y, por la parte de detrás, caía su capa de plumas de fantásticos colores. Las puntas de sus lanzas eran de obsidiana y se elevaban amenazadoras. Detrás de ellos multitud de tambores, cuernos y trompetas de arcilla dejaban oír el estrepitoso clamoreo del canto de guerra. Los veteranos echaron toda la carne en el asador pensando en Tabasco; pero los guerreros totonecas comenzaron a lanzar quejidos.

Las pesadas bolas de piedra atadas de dos en dos por una cadena causaban grandes destrozos en las filas. Era una lucha de hombres contra hombres. Aquellas figuras ágiles, pintadas de obscuro, se metían entre la caballería y arrojaban sus armas contra el vientre de los caballos; dos animales cayeron sin vida. Alrededor formóse seguidamente un círculo de guerreros; y las silenciosas espadas de Toledo contuvieron a los grupos que se arrojaban ya sobre el botín.

Caía la tarde. Se oían detonaciones de mosquetes y a cada disparo caía un hombre ensangrentado. Al apagarse la luz del día, se apagó igualmente el combate, pues las leyes de guerra de Anahuac destinaban la noche para el descanso. Los españoles estaban cansados, condujeron atados ante el general a los prisioneros. Cortés, en estos momentos se estaba curando de una ligera herida recibida.

—¿Por qué nos habéis atacado?

—Porque así lo decidieron nuestros ancianos. Sois amigos del terrible señor, y por tanto enemigos nuestros. Habéis abrazado a sus delegados y habéis comido con ellos. Así nos lo han revelado los Cuatro Grandes.

—Pregúntale quiénes son esos Cuatro Grandes.

—Cuatro ancianos monarcas de cuatro regiones igualmente extensas de nuestro país. Les corresponden las decisiones acerca de la guerra, la paz y cosas de los dioses. El viejo Xicotencatl se dice que deseaba la paz con vosotros y entonces su propio hijo le llamó cobarde. Entonces marchamos contra vosotros. Los dioses quisieron que nosotros acabásemos nuestras vidas sobre vuestra piedra de sacrificios. Pero nuestros hermanos vendrán y entonces de nada os servirá el huir. Las mujeres cubrirán de flores a los sacrificados y los amarán cuando se levanten.

—Rompo tus ligaduras. Eres libre. Te dejo partir. Vuelve a tu ciudad e informa que nosotros veníamos para ayudaros. Queremos liberar a todos los pueblos de la tiranía de Moctezuma. Si queréis yo seré vuestro amigo. De vosotros depende el tener guerra o paz.

Sombras negras se iban extendiendo alrededor. Caía una lluvia color de plomo y triste. Una noche de campamento peor que las demás. Al alba volvió el prisionero que había sido libertado:

—No traigo la paz. Vuelvo por mandato de los jefes para ser desangrado sobre la piedra de los sacrificios, de la misma manera que vosotros lo seréis sobre la nuestra. Nuestros guerreros, cuyo número es de cinco veces diez mil, se preguntan con preocupación cómo podrán saciarse todos con vuestra carne.

En un momento se extendió la mala noticia entre los soldados. Rodearon éstos la tienda del jefe, exclamando: «Llevadnos a casa, llevadnos a nuestro país.»

De nuevo por la mente de Cortés pasó el recuerdo de Julio César en aquel gesto con que sofocó la rebelión en una noche de escarcha en las Galias. En aquella ocasión fue duro, insensible, rígido.

—Quien es cobarde en la lucha, muere miserablemente y cobardemente como un perro. ¿Queréis ahora huir desde el centro de este país, cuando las puertas de detrás de nosotros se han cerrado? ¿Creéis poder llegar lejos, si emprendéis la huida? La noticia de vuestra cobardía correrá a lo largo de la costa como reguero de pólvora. Los cuchillos ya se afilan en todas las tribus que antes se rindieron a vuestras armas. Españoles, Dios atribuye a cada uno su misión, a nosotros nos encargó lleváramos su nombre a los lejanos países de ese Nuevo Mundo. Quien confía en la Cruz, no se equivoca nunca.

Se prepararon para luchar a vida o muerte. Otra vez se reunieron al pie de la colina donde el Padre Olmedo daba la absolución. Durante toda la noche estuvo confesando; apenas podía ya tenerse en pie y hubo de humedecerse el rostro con agua mientras repetía las fórmulas de ritual. Ya había llegado el nuevo día, cuando se levantó y dijo una misa, alzó el cáliz y, ante el altar, se arrodillaron todos aquellos que estaban ahora al borde de la muerte.

Cortés decidió no esperar el asalto de las masas. Era más viril abalanzarse contra el enemigo. Conducía el camino a través de magníficas plantaciones situadas en una meseta de suave pendiente. Pensó en Andalucía, en aquellos panoramas de la montaña. Se ajustaron las capas, pues aquí no había que temer el calor. Marcharon en silencio durante varias horas, protegidos por algunas avanzadillas que, al cabo de cierto tiempo, anunciaron la proximidad del enemigo.

Entonces avanzó el notario con dos heraldos, como prescribían las fórmulas. En el pergamino que llevaba desdoblado en las manos.

se requería, en latín, el dominio de la paz española, del orden y de la disciplina sobre sus desatadas pasiones.

Hasta sus pies llegaron algunas flechas casi sin impulso ya. Entonces aquella pared humana pareció irse aproximando; descendía como un mar por la pendiente. La pálida luz del sol se veía obscurecida por miles de flechas, piedras y venablos, mientras los españoles silenciosamente formaban el cuadro. Sólo se oían los toques de cuerno. Veían que se les echaba encima una inmensa multitud. Los indios formaron en columnas cada una de las cuales seguía a un guión. Sobresalía un joven jefe que llevaba como adorno una magnífica pluma de cormorán y que parecía mandar el conjunto de columnas.

«*Confiteor Deo omnipotentei...*», así dicen las voces de los destinados a morir. Resuena el guantelete de Cortés al golpear su coraza del pecho; después levanta la espada y da la orden. La masa de indios que desciende por la estrecha cañada no tiene lugar suficiente para desplegarse y hacer eficiente así toda su superioridad numérica. En cambio su masa compacta constituye un blanco favorable para la artillería. Una única salva es decisiva en este caso. Si no hace por lo menos flaquear a aquellas hordas irresistibles que descienden como las aguas de un río, los españoles serán barridos. El cuadro espera el choque con las lanzas alzadas; desde las alas se hace fuego de mosquete; se oye el silbar de las ballestas. Detrás, en segunda fila, están los soldados que cargan las armas; están sudorosos, tiznados, deshechos casi por los rayos del sol que caen perpendicularmente. El cuadro se extiende o se encoge según van ordenando los toques de trompeta. Aquí y allí cae un español bañado en sangre; se le lleva en seguida al centro del cuadro donde algunas mujeres de las que van con los soldados le vendan presto y bien sus heridas. Los infantes se dejan llevar por el instinto que les indica lo mejor que pueden hacer. Cortés ha partido con sus jinetes y, con su táctica ya experimentada, da un rodeo para tratar de caer por la retaguardia enemiga con el estruendo de trompetas y choques de armas.

El ánimo de los españoles no decae; milagrosamente se sostiene. Y en algunos pequeños momentos de descanso aparecen las cantimploras; se bebe un trago, se come un puñado de frutas: bananas o higos. Las manos pasan rápidamente por la frente para limpiarse el sudor o la sangre. Marina ofrece solícitamente hilas... Y el baile comienza de nuevo. Los diablos aquellos rodean a los españoles; los cañonazos incansablemente truenan desde la colina y crepitan los mosquetes. Cortés, una y otra vez, intenta lo imposible: que trece jinetes hagan saltar aquel anillo que ahoga. Ante los españoles se va levantando poco a poco una muralla de cadáveres. En el centro del pequeño campamento se ha encendido una hoguera: se arrastran hacia ella algunos cadáveres y se les echa sobre el fuego que crepita. Se recoge la grasa fundida, se mojan en ella algunas estopas y se aplican sobre el brazo o la pierna donde mana la sangre de una herida.

En el ardor de la lucha, llega el momento inadvertido en que se alcanza el punto culminante, el grado máximo de tensión. Después, la fuerza del furor va disminuyendo. Los huecos de las filas enemigas no se llenan de nuevo con la rapidez de antes y, en algunos lugares, se observa claramente la falta de hombres. Grandes masas de indios se desplazan lateralmente en movimiento incomprensible. La tarde cae y aparecen ya las primeras sombras. El ruido se va amortiguando. Los tímpanos desgarrados por el ruido de las flechas, trompetas, cuernos, cañonazos y disparos de mosquetes, vuelven poco a poco a aquietarse y a descansar.

Los soldados españoles se tambaleaban de cansancio. Los caballos estaban temblorosos y relinchaban atormentados por el hambre y por la sed. Los cañones disparan aún de vez en cuando hacia los indios que se retiran, y por último acaban por enmudecer. No se persigue al enemigo. Hoy sólo han defendido su puesto y han sostenido todas sus posiciones. Los españoles se quitan los cascos de hierro y sacan de sus guanteletes las manos entumecidas por el constante apretar el arma. Extienden los brazos y respiran hondo para llevar aire fresco a los pulmones. Cortés nota que todo se va cubriendo como de una angustiosa niebla; está atormentado por su fiebre y al atardecer ésta le domina. Siente que dos brazos le sujetan y que unas manos cuidadosas le quitan la espinillera, para descubrir la herida que ha recibido por entre la articulación metálica. A punto está de caer sin sentido en los brazos de Marina; pero reconcentrando sus últimas fuerzas logra sostenerse en la silla. Desmonta y entonces el cirujano le reconoce la herida: un flechazo no muy hondo. Durante algunos minutos se encuentra más en desmayo mortal que en vida. Quizás todo eso sea un sueño en el que se suceden imágenes interminables y continuadas. Eso puede que dure un tiempo infinito; quizás sea un sueño que dure años. De pronto hace un esfuerzo y acude de sí esas garras como de adormecimiento. El cuadro sigue formado, con las armas bajas, por si se presentara un nuevo ataque.

Grisea la mañana. Cada soldado se ha dormido en el mismo sitio que ocupaba, hasta que uno u otro se ven sacudidos y despertados: «Camarada; hay que relevar la guardia». Entonces el hombre acude vacilante y se queda espiando en la noche para ver si hay sombras que se muevan. Los que han quedado en el círculo siguen durmiendo como cadáveres, sin comida ni bebida, sin fuego, sin vida, casi.

Por la mañana llegan algunos indios; unos cincuenta. Vienen sin armas para tratar la paz. Los de Tlascala husmean por todos lados, tocan las armas, se deslizan donde están los caballos, miran los pucheros...

Cortés los juzga, dejándose guiar por el instinto. Los emisarios de paz eran en realidad espías. Llevaban como misión el investigar las causas de por qué los blancos no habían sido vencidos. Contaron los hombres, las armas y los caballos, mientras sus sacerdotes regateaban con los dioses. Según la costumbre de Anahuac, con la puesta del sol se interrumpía la lucha. La capa negra de la noche se extendía sobre muertos y vivos. Pero sus sacerdotes habían dado el siguiente consejo, inspirados por sus dioses: los blancos eran fuertes solamente mientras el sol, su dios, los iluminase; pero tan pronto como escondía su cabeza, se volvían cobardes y débiles. Por eso debían ser atacados y arrollados durante la noche.

Las sombras se disiparon. Pronto en la estacada estuvieron amarrados los indios; cincuenta figuras encorvadas y obscuras. Los soldados comieron como de ordinario; pusieron después sus armas en orden y esperaron. Y así llegó la medianoche. Del valle llegaba un rumor. Avanzaba una serpiente de hombres, obscura, desnuda, silenciosa, reptando hacia el campamento. Que se aproximen. Ahora va a comenzar el ataque nocturno. Un mosquete es disparado como señal y los cañones y morteros comienzan a arrojar fuego y balas. En la obscuridad, negra como la pez, se ven las rojas llamaradas de los cañones; todos los ruidos están cargados como de superstición y angustiosa expresión. «Soldados, soldados» — dice la voz de Cortés. Pronto arden cuatrocientas antorchas con su luz rojiza iluminando el campamento con claridad de día. Silban balas y flechas, zumban las cuerdas de las ballestas. El combate nocturno fue corto y sangriento. Tomaron parte en él tropas indias escogidas, pero en menor número que en la batalla anterior. Toda su táctica era sorprender a los españoles y arrollarlos; pero éstos estaban vigilando y escupieron fuego, y las balas sembraron la muerte por todas partes.

El día los sorprendió con armas y armaduras. Algunos guerreros indios se arrastraban y colocaban a sus muertos y heridos graves sobre parihuelas. Algunos de ellos habían quedado prisioneros de los españoles. Estaban amarrados y quietos esperando su destino imperturbablemente. Cortés les dirigió la palabra:

— Ahora veréis como yo, que soy un guerrero honorable, trato a los que se aproximan disfrazados de amigos para preparar nuestra perdición.

Los soldados esperaron formados. Su sangre se agitaba emocionada como si les fuera dado asistir a un juicio solemne en la plaza del suplicio de Zaragoza. Reunióse el Consejo de Guerra. Los caballeros ejercían unos de defensores y otros de acusadores. Sandoval pidió que se tuviera en cuenta la sencillez de su defendido. Si los señores jueces lo envían a la hoguera se destruye entonces toda esperanza de perfeccionamiento y purificación, pero si el castigo no fuera de tanta gravedad, podría entonces instruírsele y hacerle digno.

Los jueces se miraron mutuamente: ¡Qué bien hablaba Gonzalo!

Fue traído un tronco de árbol y el verdugo del ejército cortó de un golpe la mano derecha a diecisiete espías, uno después de otro. Saciado de ver sangre, Cortés concedió gracia a los restantes. Los indios, atados a los postes, miraban el tormento de sus camaradas sin pestañear. Esperaban su destino fatal que podía ser todavía peor. Nunca habían visto la pena de mutilación que entre ellos era desconocida. Cortés les hizo desatar.

—Ahora podéis ir a donde os plazca. Volved a vuestros amos y referidles que nosotros no somos dioses. Nosotros no comemos carne humana ni bebemos sangre, porque el hacer tal cosa es pecado horrible. Pero podemos leer vuestros pensamientos, porque Dios nos puso la razón en el interior del cráneo y nuestro pensamiento es lo más fuerte que existe. No os hemos dado a conocer todavía cómo es nuestra cólera, porque no os odiamos, pero ¡ay de vosotros si no acatáis nuestro poder y no nos rendís homenaje! No quedaría piedra sobre piedra ni salvaría la vida ninguno de vuestros hijos ni aun aquellos que están todavía en el seno materno, si osaseis oponernos resistencia. Ahora podéis iros.

Cortés se volvió a su tienda. El cirujano le ordenó tomase una fuerte poción de manzanilla. Esperaba Cortés entonces poder pasar unas horas de tranquilidad, quitarse el arnés y poder gemir como un mortal cualquiera que sufre y beberse el negro té de los trópicos con los rasgos de su rostro sin fingir, con expresión doliente y cansada. Sólo Orteguilla quedó autorizado para quedar a su lado. Y precisamente en aquel momento se le anunció que los embajadores de Tlascala habían llegado y deseaban ser recibidos por el gran jefe. ¿Podría hacerlo Cortés? ¿Estaría en condiciones?

Volvió a ponerse el peto de cuero, colocóse el sombrero sobre la cabeza. Hubiera querido ponerse afeites como hacen las mujeres para así poder disimular la mortal palidez de su rostro. Paróse frente a la puerta de la tienda. Los alabarderos le rindieron honores. Los capitanes acompañaron a los cuatro enviados, portadores de una misión de parte de los cuatro señores de la República de Tlascala.

Iban haciendo oscilar en su mano una verde rama símbolo de paz. Hicieron seguidamente un largo discurso y afirmaron con gran ceremonial místico que al siguiente día el joven Xicotencatl vendría personalmente.

En el campamento descansaban todos. Los soldados cuidaban sus heridas y se las untaban con bálsamos. Todo el campamento estaba como adormecido y sólo la llamada de los centinelas con su alerta mostraban que dentro de aquellas tiendas había hombres vivos y no cadáveres.

Cortés estaba echado en su cama; permanecía con los ojos abiertos; estaba atormentado por el cólico. Hasta él llegó de pronto un confuso rumor, como el que produce el viento al arrastrar un puñado de hojas secas... Otra vez embajadores... Su espíritu, que estaba como perdido en sueños, volvió rápidamente a la realidad. «De Moctezuma viene una embajada», dijo el plantón que estaba ante su puerta. Pronto oyó la proximidad de los enviados; escuchó el ruido que hacían aquellos extraños abanicos, que parecían carracas y que hacían sagrados e invulnerables a los embajadores.

La gente de Tlascala y Cempoal miraba aquello con curiosidad, y veía con envidia aquellos esclavos cargados de fardos con regalos; muchas mantas y capas de plumas, cintos de cuero, bordados; pero casi nada de oro.

Los enviados de Méjico extendieron sus brazos y manifestaron que al terrible señor le producía inmenso pesar que hubiera derramado sangre ante las murallas de Tlascala.

—El terrible señor conoce cada uno de vuestros pasos y sabe que estáis habituados a combatir como el Sol contra las estrellas, o las palmas de áloe contra los tallos de hierba. Le admira que vuestro antepasado, el dios, no os aconseje mejor. Hoy debéis inclinaros ante la sabiduría del colérico señor. Os advirtió a tiempo cuán cruento era el camino que conduce a Tenochtitlán. Quería impediros que avanzaseis, porque es vuestro amigo, y rogó a los dioses que no fuera tocado ni un solo cabello de vuestras cabezas. Así lo rogó a Tlaloc, dios de su misma estirpe, el maravilloso señor de la lluvia y de las tormentas. El terrible señor os suplica de nuevo que retrocedáis antes de que sea demasiado tarde. Si lo deseáis, os prestará muchos miles de hombres para que os ayuden a construir nuevas y mayores casas flotantes. Os enviará igualmente tantos alimentos como queráis, tantos, que la piel de vuestros flacos soldados se pondrá tersa y brillante de gorda. Os ayudará a llegar hasta la costa y os cargará de inmundicia de los dioses para que partáis felices y en paz hacia vuestro señor, a quien ofrece su saludo fraternal.

Cortés sonreía. Dentro de dos días haría saber su decisión.

Con terca obstinación escuchaba el informe que ahora le daba el enviado de los de Tlascala. Desde la mañana tomaba sólo çacao caliente, que era la medicina que Marina le había recomendado. Cuando oyó las cornetas que anunciaban a los heraldos, aguardó a su adversario. Se había vestido de negro y colocado su coraza.

El enviado de Tlascala era hombre nervudo y de elevada estatura; debía de tener poco más de treinta años. Sus ojos eran hermosos y la belleza de su rostro sólo se veía amenguada por los surcos de las cicatrices. Sin pestañear, el indio miró a los hombres, a los caballos, los arneses, y quedó después silencioso por unos momentos al descubrir a los enviados de Méjico que allí estaban apartados. Con paso ligero y rítmico se aproximó a Cortés; era inolvidable su marcha elástica, de pantera, como de danza. Los soldados admiraron aquella figura esbelta y agradable. Fue probablemente el primer guerrero indio que no suscitó sonrisas y burlas entre la soldadesca. El indio volvióse a Marina y le dirigió las siguientes palabras para que fueran repetidas a Cortés:

—Te hablo en nombre de los cuatro padres y en mi mano llevo la paz. Preguntaste a mis guerreros, a los que perdonaste, por qué nosotros habíamos levantado la mano contra vosotros. Os preguntaré yo a mi vez. ¿Se ve por ventura en vuestro cinto algún trofeo tomado en batalla a la gente de Moctezuma? ¿Penden de vuestras paredes adornos y objetos del enemigo? ¿No es cierto que habéis bebido pulque fraternalmente con ellos? Nosotros estábamos en el caso de creer que vosotros erais chacales, que se deslizaban con falsas palabras bajo nuestras murallas. Ahora que os habéis mostrado más fuertes que nosotros en la batalla, podemos ya decir que no sois chacales, ni traidoras hordas de lobos del desierto. Palabras viriles han llegado a los oídos de nuestros Ancianos. Me envían hoy a preguntarte si deseas la paz entre nuestros pueblos y en tal caso nos recibas como amigos. Pero si perseveráis en ser nuestros enemigos, os desangraréis ahí bajo las murallas de Tlascala. A ti te lo pregunto, a ti que en la boca del pueblo te llamas Malinche... ¿Cuál es tu deseo?

Ambos estaban frente a frente. Cortés abrazó cordialmente al indio. Sobre el rostro de éste apareció una sonrisa y continuó su discurso:

—Moctezuma pudo enviar preciosos y costosos regalos que ha amasado con los botines de estos pueblos vencidos y arrollados. Yo sólo puedo hacer ostentación de lo que crece en nuestras montañas y de lo que dejan en nuestras manos los enemigos después de una lucha noble. Te traigo como presente oro mejicano. El oro es igual;

pero la mano que te lo entrega no ha sido creada para el perjurio y la traición, sino para la guerra.

Los rayos del sol de septiembre caían oblicuamente y bañaban de dulce tibieza el campamento español, siempre en estado de defensa. Se notaba todavía el olor de sangre de las recientes luchas. Cortés, en su tienda, comenzó por boca de la intérprete a anunciar la divina Verdad que los españoles traían como mensaje a este Nuevo Mundo.

El Cuartel General de Tlascala se convirtió como en un laboratorio brujo de la diplomacia india. Aquelos hombres de piel rojiza iban descubriendo los ocultos y supersticiosos secretos de odios heredados. La niebla se iba disipando poco a poco. Ahora, ante los ojos de Cortés, se descubría ya el contorno desnudo y dinámico de este reino inolvidablemente poderoso. Hasta entonces Cortés anduvo, como quien dice, con la cabeza tapada y guiándose principalmente por su instinto, ahora ya comenzaba a comprender el engranaje y combinación de las tribus y sus hendeduras. El que hasta entonces fuera mercader y conquistador, convirtióse ahora en pocos días en sabio estadista con la experiencia de jefe indio. Estableció el orden en su improvisada cancillería. Tomó a su servicio algunos soldados que sabían escribir: de ellos fue el primero Díaz, que sabía manejar diestramente la pluma. También Cortés tenía afición a la pluma y a menudo dictaba las conversaciones sostenidas durante el día entero y así trabajaban hasta muy avanzada la noche. Mientras se iban alineando las letras, y los pliegos de papel se llenaban de escritos, reunía los informes para elevar a su emperador; simultáneamente comenzaba a leer con seguridad en el interior del que con él estaba en negociaciones y ya sabía caminar por aquel jardín engañoso y florido de las instituciones indias, teñidas de venganzas sangrientas.

La Cancillería española trabajaba mientras el Consejo de Estado de Tlascala tomaba decisiones acerca del recibimiento que debía hacerse a los soldados españoles.

En el campo descansaban o hacían ejercicio los soldados. En el interior de la tienda crecía paulatinamente el informe dirigido al emperador Carlos; y en él, con minuciosidad, se reflejaba preciosa y exactamente el cuadro del Imperio mejicano, aparentemente indescriptible.

Seguía Cortés los ejemplos históricos que conocía y, de la mano de ellos, probaba que Tenochtitlán había sido construida en medio de un lago misterioso y que, cual la Roma de la antigüedad, se había ido extendiendo a todo su alrededor agrupando provincias del Nuevo Mundo. En el altar del culto sangriento de sus dioses hambrientos de corazones, había ido sojuzgando a los más débiles; así había llegado hasta la costa y establecido allí una alianza con las dos ciudades rivales: la maravillosa Tezcuco y la menor, pero inexpugnable Tlacopan. Sobre este imperio formado por tres estados reinaba el rey-sacerdote, emperador de todo este mundo. Moctezuma, que había sido coronado hacía trece años, había llegado ya con sus ejércitos hasta los límites del mundo conocido.

De la misma manera que Cortés conocía a los indios, éstos le conocían a él. Su nombre era llevado por la fama en todas las direcciones del viento; se oía repetido en los ecos de la costa; lo susurraba el viento en los bosques y hasta los pueblos sojuzgados en las costas del Pacífico lo pronunciaban. Malinche, decían, el señor de Malinalli, y a Cortés le agradaba recibir tal nombre. Cuando llegaba la noche y estaba fatigado, con la garganta reseca del hablar y los dedos agarrotados de escribir, se echaba en su lecho y llamaba a Marina, que saliendo de la obscuridad acudía hasta él, se estrechaba contra la cobertura de piel de jaguar y le hablaba con su voz extraña y tibia, mientras le acariciaba la cara: «Malinche... eres el amo de Marina, el amo para siempre, el amo de ella y del hijo que ha de nacer...»

Pensaba a veces en la otra mujer que en Cuba llevaba su nombre. Aquélla no se sacrificaba por él; no le ayudaba, no le comprendía. Su rostro soñador tomaba una expresión adormecidamente lánguida cuando conversaba con los hombres. Nunca había sentido la atracción que arrebataba a su esposo hacia ese maravilloso mundo. Marina le había encendido el cuerpo, como si lo llenase de veneno en las primeras semanas y él cada vez la había deseado más. Ahora estaba ya tranquilo y la amaba de otra manera. Cuando estaba a su lado, se tranquilizaba con la certeza supersticiosa de que con ella a su lado nada malo había de pasarle. Cortés se daba cuenta de que el trabajo de intérprete de Marina constituía a menudo una verdadera obra de arte política. Poco a poco, los soldados se habían ido acostumbrando a quitarse el sombrero cuando ella pasaba. La consideraban ya como un hombre y no como la amante de su general. Algunos llevaban todavía las hilas que ella misma había hecho con pedazos de su propio vestido y no olvidaban que, en medio del fragor del combate, aquella mujer les había acercado el jarro del agua sujeto al extremo de una lanza. Reían con ella, le hacían bromas. Fanfarroneaban con sus sortijas adornadas con escudos de armas y le echaban en cara su estado de esclava. Entonces ella se enfadaba y hablaba orgullosamente de sus antepasados que habían sido poderosos jefes de tribu y les enseñaba su joya de esmeralda que era una herencia que pasaba de padres a hijos y que Puerta Florida, a falta de un hijo, aquella noche de la separación le había colgado alrededor del cuello.

Una mañana el ejército se puso en marcha; hubiera sido una ofensa el demorar más la entrada amistosa de las tropas en Tlascala. El camino se extendía a través de gigantescas plantaciones de cacao, regadas por canales, como en Andalucía en tiempos de los moros, según decían los viejos. Cortés cabalgaba delante con los ojos brillantes por entre aquel paraíso de maizales, huertos y plantaciones de tabaco. No quedaba un pie de terreno sin cultivar. No había animales allí que necesitaran prados, y cuando el ejército pasaba por los caseríos, la juventud de Tlascala los recibía magníficamente con flores.

Infinidad de magníficas flores, que eran el principal adorno de este pueblo. Por eso donde iban corría algún muchacho o alguna joven ya crecidita a su lado, poniéndose en la misma fila; buscaba con la vista uno de los soldados y le pasaba una guirnalda de flores alrededor del cuello. Cuando aquella tropa se paraba, parecían levantarse de ella nubes de aroma, como si sus alientos salieran de una rosaleda.

En el último trecho del camino, ya inmediato a la ciudad, aparecieron los ancianos. A su llegada precedió un silencio mortal. Un correo muy ceremonioso anunció que los cuatro Ancianos de la ciudad estaban ya en camino. Los embajadores mejicanos se envolvieron silenciosos y orgullosos en sus capas; pusieron pequeñas flores en su cinto, lo cual, según las leyes de Anahuac, significaba paz y amistad.

El primero que bajó de su silla de manos fue el viejo Xicotencatl. Su cuerpo huesudo dejaba adivinar al guerrero robusto que aquel hombre había sido un día. Su rostro estaba orlado de una suave barba y su escaso cabello, blanco como la nieve, rodeaba su cráneo poderoso, como si fuera una corona. Se apoyaba en un cayado y al descender le ayudaron dos de sus familiares. No veía ya. Levantó sus ojos hacia la luz como sedientos de claridad. Era eso el único encanto que le había quedado de las impresiones recibidas durante casi un siglo entero. Cuando la distancia entre ambos grupos fue poco mayor de un paso, Cortés se quitó ceremoniosamente el sombrero en un amplio y profundo movimiento. Lo que siguió fue sencillamente doloroso. El viejo ciego extendió su mano en la dirección de aquella mancha obscura que se interponía entre él y la luz y donde suponía debía hallarse Cortés. Su voz sonó potente y firme cuando dijo: «Aproxímate; deja que te toque». Y extendiendo sus manos las dejó resbalar por el rostro del otro. Se detuvieron un momento sobre los ojos, corrieron por la linde de la nariz, se deslizaron por la sedosa y tupida barba donde parecieron vacilar. Después siguieron hasta llegar donde la curva de la barbilla se une con el cuello.

—Ahora ya te veo. Tú eres un hombre y un amigo nuestro. Ya sé, Malinche, cómo eres.

Los otros tres príncipes esperaron hasta que Xicotencatl hubo acabado el misterioso ceremonial. Después atrajo hacia sí sucesivamente al Padre Olmedo y al esbelto Alvarado, en cuya exuberante y rojiza cabellera se hundieron sus dedos con amoroso cuidado. Finalmente se puso ante él Marina. Según la costumbre india se postró y, tomándole una mano, la apretó contra su frente. Ése era el saludo debido solamente a un padre.

Entraron en un gran salón o pabellón. A su alrededor estaba la ciudad. Propiamente hablando había cuatro ciudades; cada una de ellas gobernada por uno de los ancianos. Cada una de esas partes seguía su propia vida, estando unida a las demás solamente por los fraternales lazos de una paz inalterable.

Se dirigieron al edificio del Consejo, sin armas, conforme estaba ordenado. Cortés meditaba acerca de la unión de los cuatro consejeros con los caciques para formar un Senado. Los consejeros se sentaron en unos banquillos bajos y ricamente decorados. Los asientos estaban colocados en forma de herradura. Frente a ellos se colocaban los gobernadores elegidos y algunos escribientes, mejor dicho, algunos dibujantes que debían trazar los jeroglíficos correspondientes a las decisiones que allí se tomaran.

Hasta entonces nunca había entrado en la Sala de los Consejos ninguna mujer. Ahora, empero, estaba allí Marina traduciendo con su clara voz las palabras de su señor y amo. La sesión se desarrolló así:

Cortés: Os es conocido sin duda el hecho de que he llegado hasta vosotros por encargo de un rey de Oriente infinitamente poderoso.

Mase Escasi: En nuestros libros está escrito que una vez en la antigüedad de los tiempos, reinó en Anahuac un dios blanco, pálido. Entonces vivía aún una raza de gigantes cuyos huesos puedes tú mismo ver en el muro interior de este edificio. Eran los chichimecos. Además Quetzacoatl, que se le representa en tantas imágenes distintas, fue también blanco.

Cortés: Nuestro señor y rey tiene ya noticias de vosotros. Extiende su protección sobre todo aquel que le ofrece su amistad y me manda dar la bienvenida en su nombre al que tal haga.

Xicotencatl: Sois fuertes y audaces. Puede que descendáis de dioses, sin embargo aquí sois también hombres. Vuestro brazo es poderoso y vuestro corazón está limpio de miedo. Os prestamos acatamiento y homenaje y os rogamos permanezcáis entre nosotros. Vosotros nos instruiréis en todo lo que sabéis y nosotros os animaremos con nuestros consejos y os diremos todo lo que sabemos. Os rogamos, puesto que sois hombres sin esposas, que os caséis con nuestras hijas y compartáis el lecho con ellas. Y que una multitud de descendientes vuestros pueble este país y entonces podremos derribar nuestras murallas, pues no habrá en todo el Anahuac ningún pueblo que pueda vencernos.

Cortés: Tu discurso es digno de un sabio que, cómo tú, ha visto pasar interminable número de años. Sin embargo, por mucho que nos agrade el permanecer entre vosotros, no podemos quedar aquí para siempre. Mi señor, que vive allende los mares, no me permite deponer las armas en tanto no haya recibido y logrado el homenaje y sumisión de todas las provincias del terrible señor. Ya sé que eso no es tarea fácil de lograr con tan escaso número de hombres como somos; pero contamos con vuestra ayuda que mi señor no dejará ciertamente sin recompensar. Tomaríamos como esposas con corazón fiel a vuestras hijas. Pero sabéis que a nosotros nos hace estremecer la visión de vuestros sacrificios sangrientos. A nuestro Dios misericordioso le produce dolor vuestra falsa creencia. ¿Cómo podríamos tomar por esposas a mujeres que pueden contemplar con tranquilidad y aun alegría el sacrificio de los corazones palpitantes arrancados en vida?

Xicotencatl: La mujer sigue la fe de su esposo. Ésa es una ley antiquísima.

Padre Olmedo: Nuestro Dios es invisible; pero es el Señor de la Tierra y de los Cielos. Le encolerizan tales sacrificios y castiga a todo el que sin lucha noble levanta su mano contra los semejantes. Soy vasallo del Dios eterno. Entre vosotros hubo muchos que han combatido contra nosotros. Éstos pudieron ver cómo yo no tenía miedo y que estaba entre heridos, moribundos... ¿Pero pudo alguno ver que en mi mano brillara un cuchillo y que con él abriera yo el pecho de los prisioneros? Yo usé mi cuchillo ciertamente; pero fue para desgarrar mis vestidos y hacer vendas para curar a nuestros guerreros heridos y también a los vuestros, sin distinción. ¿Por qué hubiera hecho yo tal cosa si no hubiera sido porque así lo manda hacer mi Dios? Nobles jefes: conocéis las leyes de la vida, ¿no os estremecéis cuando observáis que un poder milagroso lucha de nuestra parte? Y ahora os suplico os dejéis informar por una hija de vuestra raza acerca de cómo le ha ido entre nosotros, desde que ha abrazado nuestra fe.

Mase Escasi: Por primera vez habla una mujer en esta casa. ¡La escucharemos!

Marina: Vuestra sierva fue como una raíz arrancada por la tempestad. Fue mi padre un jefe, Puerta Florida, y yo, su hija, fui elegida para ser sacrificada y que mi corazón, como una piedra preciosa viva, sirviera para empedrar el camino del terrible señor. Mi padre me confió a su criado, quien me vendió a los mercaderes. Llegué a parar en casa de un jefe de una región alejada en la que nunca se .ha oído hablar de vosotros. Allí aparecieron esos caballeros de rostro pálido que castigaron fuertemente a aquella gente porque osaron levantar la mano contra ellos. Nadie les puede oponer resistencia; ellos también, como vosotros, acabaron por comprenderlo; y así yo fui entregada como presente junto con otras veinte doncellas a Malinche. Este hombre santo que os acaba de hablar no hirió mi cuerpo con el cuchillo, sino que hizo correr agua por mi cabeza. Su mano tocó mi frente y me arrancó la obscura verdad que hasta entonces habíame ocultado la verdad y dio a mi lengua la posibilidad de hablar su idioma. Nunca vi entre esta gente ningún sacrificio humano ni tampoco animal. Me basta cerrar los ojos y veo a la Madre ante mí que tiene el Hijo en sus brazos... y todo nuestro sacrificio se reduce a mirarla con ternura y sonreírle.

El joven Xicotencatl: ¡Vosotros, hombres! ¿Querríais aparecer ante nuestros dioses de un modo tan llorón y desvalido como hace esa muchacha? ¿Podría ser esto la fe de un verdadero hombre?

Xicontencatl, padre: Hijo, ¿se han portado acaso los rostros pálidos como mujeres? Y te lo pregunto a ti primeramente al observar que llevas aún una venda ensangrentada sobre tu herida. Tus informadores hicieron llegar a nuestros oídos que esos hombres se arrodillaban como esclavos ante la imagen de su Dios y que cuando disparáramos nuestras flechas no encontraríamos hombres, sino mujeres. Mas yo te pregunto ahora, hijo mío, ¿no has ido tú en calidad de general vencido a solicitar la paz?

Mase Escasi: No ha dicho, sin embargo, todavía Malinche si es su deseo que formemos un solo pueblo y que las hijas de nuestra tribu sean las madres de los hijos de esos hombres.

Cortés: Nuestro Dios destina solamente una mujer a cada hombre. Y según este mandato divino ningún hombre puede tomar nueva mujer mientras viva su primera esposa. Yo, lejos de aquí, tengo ya a mi esposa. No puedo, pues, tomar ninguna de vuestras hijas. Sin embargo aquí está mi primer jefe, a quien en vuestra lengua llamáis el hijo del sol, Tonatiuh, y le pregunto si está dispuesto a sellar la alianza.

Alvarado: El deseo de mi jefe es para mí una orden.

Xicotencatl: Le ofrezco mi hija menor, la que más quiero. Se llama *Miel-de-Flor-de-Tilo.* Sólo hace tres años que vio aparecer por vez primera en ella la roja flor de la vida. Decid vosotros, ¿se puede encontrar en Tlascala otra muchacha que pueda igualarla?

Maxixca: El anciano no puede ver, pues sus ojos sólo ya a los dioses pertenecen. Pero nosotros podemos asegurar por él que *Miel-de-Flor-de-Tilo* no tiene rival en nuestro país.

Cortés: Enviadla mañana a nuestro campamento con sus criados. Debe prepararse convenientemente antes que el agua bendita pueda mojar su frente. Celebraremos la alianza entre Tlascala y Castilla. Mas antes os quiero preguntar: ¿Queréis que mi señor, infinitamente poderoso, que vive allende los mares, sea también soberano vuestro?

El joven Xicotencatl: Padre... esta servidumbre...

Xicotencatl, padre: La mano es fuerte, más fuerte que el pensamiento. ¿Pero de qué te sirve la fuerza del cuerpo, si no va apoyada por el pensamiento? ¿Me comprendéis todos los que estáis aquí por voluntad de nuestros dioses y de nuestro pueblo?

Maese Escasi: La serpiente, se dice, se empareja con el jaguar; pero quedan infecundos. Los rostros pálidos se unirán con las hijas de nuestro pueblo... pero ¿tendrán descendencia? ¿Quetzacoatl ha compartido alguna vez el lecho con la hija de un hombre?

Marina: Yo puedo afirmarlo. Sirvo con mi cuerpo al gran señor que vosotros llamáis Malinche. Y en mi seno llevo el fruto de su virilidad.

Xicotencatl, padre: Lo habéis oído. En el seno de nuestras hijas está el fruto de su unión con los rostros pálidos. Seremos un solo pueblo poderoso. ¿Puedo hablar en vuestro nombre?

Maxixca: No sólo nos auxilias con tus consejos, sino también con la sabiduría de los tiempos que pasaron ya. Tal vez los dioses nos miran a través de tus ojos cerrados. ¡Habla!

Mase Escasi: ¡Habla!

Xicotencatl, padre: Malinche, *Coltez,* según eres llamado por los tuyos: Escucha nuestra palabra: Somos el pueblo más pobre de Anahuac, pero al mismo tiempo el más fuerte. Prestamos homenaje libremente, sin ser forzados a ello, a tu señor, a quien no sabemos cómo nombrar porque no le vemos. Cerramos una alianza y cada gota de sangre que corre por vuestras venas será desde hoy nuestra sangre y será sangre vuestra cada gota de la que corre por las venas de nuestros guerreros. Así combatiremos contra nuestro enemigo común. ¿Lo permites así?

Cortés: Llamo a mi Dios por testigo de que haré por vosotros todo lo que pueda hacer un mortal. Vuestros amigos son mis amigos y vuestros enemigos lo son míos. Acepto vuestro homenaje en nombre de mi señor Don Carlos de Austria, que también es llamado el emperador Carlos V, del sacro reino católico. ¡Dios nos ayude!

6

Se aproximaban danzando. Venían balanceándose lentamente, con una guirnalda de flores en la mano. Llevaban consigo las lámparas de los dioses y los sacerdotes se cubrían el rostro con máscaras de plata adornadas de turquesas. Delante de la gente iban dos extrañas figuras con abigarrada piel de serpiente. Niños con alas de pájaros en las espaldas acompañaban con movimientos instintivos. Cuando llegaron ante la puerta española, fueron recibidos por Cortés a la cabeza de su corte y de sus capitanes, vestidos todos de gran gala. Los sacerdotes volvieron de pronto sus tristes máscaras de oro y mostraron máscaras alegres. Así convertíase el luto en alegría, según las sombras pasaran por el rostro del dios.

Se separaron. De los labios salió una canción a coro, mientras se ponía en marcha la comitiva nupcial. Las coronas de plumas estaban llenas de movimiento; todo resplandecía de flores y de color. De esta manera Maese Escasi llevó a la iglesia a la hija más joven del viejo Xicotencatl, llamada *Miel-de-Flor-de-Tilo*.

A esos extraños desposorios habían precedido largas negociaciones nocturnas. Los españoles se habían reunido en la tienda de Alvarado y habían rogado a don Pedro que no retrocediera ante aquel sacrificio. Su único punto de apoyo, su única base de operaciones guerreras era Tlascala, adonde podrían retirarse si se veían en peligro por escasez de hombres. Tras de sus poderosas murallas encontrarían protección. Desde este punto, además, podía dominarse todo el litoral, sucediese lo que sucediese en Méjico. «Os ofrecen a la hija del viejo gobernador de este poderoso y fuerte país...» «Don Pedro — le decían — ...también encontraremos oro y quién sabe si todo esto será para bien... Tendrás una esposa sumisa; ya sabes tú que aquí las mujeres no son tenidas en cuenta; así que ésta no te molestará mucho...»

Alvarado se agitaba nervioso en su asiento: «Sois unos buitres; queréis hacer un festín con mi propio cuerpo». Se reía con amargura y bebía largos tragos del jarro de pulque. «Recibes por esposa a la hija de un rey», decía Sandoval para adularle.

— Sí; pero hija cobriza de un rey salvaje...

— Sí; pero en España, ¿a qué podías aspirar siendo quinto hijo?

Así siguieron hasta muy tarde. Cortés acabó por despachar a los demás y quedarse solo con Alvarado. Durante un rato ninguno de los dos dijo nada; así permanecieron uno frente al otro largo tiempo. Se hicieron traer vino de las pocas botellas que aún quedaban. Bebieron mucho. Se levantaron cuando comenzaba a alborear. Cortés abrazó a Alvarado y le besó. Era la despedida de soltero de Alvarado.

Ahora había palidecido. No había llegado a ver todavía a la esposa, que se le destinaba por altas razones políticas. ¿Sería una negra obscura como la noche? ¿Sería hermosa o abominable?...

La litera estaba todavía cubierta por una cortina fina, pero nada transparente. No podía verse ni aun tan sólo la silueta de la novia... Había que esperar todavía las otras literas. Todo podía cambiar aún. El diablo jugaba con su fantasía. Los soldados esperaban con ansia que la prometida de don Pedro de Alvarado saliese de aquel mar de preciosas telas.

«Mira, Marina...»

Marina se había vestido según correspondía a su categoría de hija de jefe. Cortés era generoso, así que junto a la esmeralda lucía la joven un broche y una especie de diadema. Envuelta en su capa hermosamente bordada, llevando en sus cabellos una bonita rosa color de miel, se aproximó a la litera. Aquí comenzó a murmurar la antigua canción litúrgica de la comitiva de desposorios. Los españoles eran extranjeros y Marina la única mujer que podía atender en su lugar a las costumbres prescritas. Ambas muchachas eran de la misma edad. Al verse, se sonrieron una a otra con una sonrisa tímida. Seguidamente, del interior de la litera descendió *Miel-de-Flor-de-Tilo*, la princesa de Tlascala. Era de buena estatura, esbelta y de un color más claro que las demás muchachas debido a que había estado siempre guardada de los rayos de sol y de las miradas de extraños. No era más morena que una de esas gitanas del sur de España. Su piel tenía una entonación verde oliva. Sus ojos eran grandes, hermosos y de expresión aniñada. Iba envuelta en una preciosa capa, sostenida al talle por un cinto de piedras preciosas. Sus brazos, desde el codo hasta el hombro, iban cubiertos de brazaletes de oro.

El Padre Olmedo apareció con hábito de ceremonia. Abrazó delicadamente a la joven princesa; colocó sobre los hombros de la muchacha un extremo de su traje talar y dijo:

— Ahora es mi ovejita...

Así la llevó al palacio de los españoles, donde estaba preparado ya desde la mañana al altar con la Madre de Dios y una gran cruz.

Los tlascaltecas entraron todos en el patio donde había de celebrarse la ceremonia. El sacerdote tomó en sus manos un incensario cargado de copal y el humo comenzó a elevarse en azuladas volutas hacia el cielo. Cortés era el padrino del bautizo que iba a tener lugar; Marina, la madrina. *Miel-de-Flor-de-Tilo* temblaba y Marina la animaba con palabras suaves y cariñosas; la ayudaba a secarse las lágrimas y la empujó hacia Olmedo cuando éste buscó con la vista a la muchacha.

—Mi madre se llamaba Luisa; tal vez podría imponérsele a mi novia este mismo nombre...

—Sea según tu deseo, don Pedro...

El óleo corrió por sus ojos y frente y el agua por su cabeza. Olmedo leía las fórmulas y Cortés contestaba:

—Doña Luisa de Xicotencatl, noble dama española, según las Leyes de Castilla es la novia del noble señor don Pedro de Alvarado.

Ambos cambiaron los anillos. En la mano de la muchacha lucía una serpiente de oro flexible con una cabeza formada por un enorme rubí rojo que parecía echar llamas; en la cola tenía engarzada una esmeralda. Alvarado había entregado su única joya: las armas de su familia talladas en cornalina. Había sido la herencia que le dejó su padre...

—*Ego vos coniugo...*

En este momento dejóse oír la música de Ortiz; cantaron los coros y los mosqueteros hicieron una salva. Ante el altar se había sellado la alianza de Castilla con Tlascala. Entre jirones de nubes, se asomaba el sol e iluminaba los cabellos de Alvarado, que parecían de oro y llamas. Doña Luisa le dirigió una mirada; en sus ojos brillaban aún las lágrimas y su pecho se sacudió con un medio contenido sollozo. Valientemente metió los dedos en el gran anillo que tan amplio era para sus deditos delgados y vio cómo Alvarado, al mismo tiempo, se esforzaba en hacer pasar su meñique por la sortija en forma de serpiente de oro... Fuera seguía la música y los cánticos eran escuchados con gran atención por los tlascaltecas. Los niños y las mujeres comenzaron a llorar. Era algo irresistible esa música religiosa tan antigua: parecía como un encantamiento o magia de un mundo infinito y desconocido.

Después de la ceremonia, Cortés hizo entrega de su regalo de boda: Una mantilla de blonda de Valencia de color marfil; un par de guantes de dama, altos, adornados de piedras finas; algunos pequeños objetos de cristal bien trabajados y un puñal toledano con filigranas. Después pasaron los dignatarios del país. Todos hicieron su presente de un objeto de oro, un adorno de plumas o una piedra preciosa. *Miel-de-Flor-de-Tilo* —Luisa desde ahora—miraba con curiosidad aquella lluvia de oro; admiraba los guantes de tafilete rojo; después, cuando vio que su esposo se ponía los guantes de piel de ciervo, ella también deslizó sus manecitas en sus guantes y seguidamente miró a su esposo, sonriéndole y llorando al mismo tiempo. Alvarado la atrajo suavemente hacia sí. Gracias a Dios todo iba bien. La pequeña salvaje era amable. Alvarado rió de alegría y Luisa hizo lo mismo y ambos quedaron mirándose y riendo como si fueran dos niños.

En la sala había una hilera de largas y bajas mesas. Según las leyes de Anahuac, el novio es quien siempre ha de ofrecer la comida de bodas. Por eso los españoles habían puesto su honrilla en que todo fuera espléndido. Los cocineros habían solicitado voluntarios que les ayudaran y todos se convirtieron en pinches y reposteros. El viejo Mesa sermoneaba y daba consejos de cómo se aderezaba el pavo real allá en Mantua. Cortés cedió todo el vino que quedaba. Las uvas eran desconocidas en esas tierras y él hizo que los intérpretes explicaran que se proponía traer cepas de las islas y dentro de dos años los dignatarios podrían beber vino de la propia cosecha. Los cuchillos de los españoles trinchaban diestramente los pedazos de carne. Los tlascaltecas, que no conocían la carne cocida con salsa, miraban como embelesados. La dificultad estuvo en lo de la sal. Los de Cempoal habían introducido por la noche y de matute algunos sacos de sal; pero los tlascaltecas habían olvidado el uso de la sal y su gusto desde varias generaciones atrás. Por eso los españoles tuvieron que preparar las comidas del festín sin nada de sal. A cada soldado se le daba un platillo con sal junto con cada plato que se le servía.

Mase Escasi, el que ejercía la función de conducir y presentar a la novia, habló así a *Miel-de-Flor-de-Tilo*.

—Mira, tesoro de nuestros corazones. Estamos aquí todos juntos, somos padres y madres tuyos. Según la costumbre de nuestros antepasados recibirás de nosotros cinco capas, para que compres carne, frutas, madera, leña, pulque y verduras. Ten en gran estima y respeto a tu marido, que ahora es para ti tu tigre, tu águila, tu corona de plumas, tu joya y tu piedra preciosa. Debes acostumbrarte, hija, al esfuerzo del cuerpo y del alma. Hasta ahora nosotros te resguardábamos del aire y bajábamos la voz cuando te hablábamos. Desde ahora, dormirás bajo un techo extraño, pues tu amante esposo te llevará consigo en sus peripecias y peligros, que son dignas de un héroe, y habrás de hospedarte continuamente en casas extranjeras. Te verás precisada a vadear riachuelos, escalar montañas que llegan hasta las nubes, atravesar desiertos donde no crece la hierba. Habrás de acostumbrarte al frío que no hay capa que pueda aliviar; y también al calor que todos los abanicos no logran amenguar. Tal vez también hayas de habituarte a saber lo que es hambre, pues todas esas cosas acompañan a la suerte de la esposa de un guerrero, que a menudo no tiene más que pan de maíz ya seco para llevarse a la boca. En vez de ostentación y riquezas, adornos y joyas, será el sudor lo único que haga brillar tu frente antes de que hayas aprendido a saber que los dioses no te darán nada hecho.

»Al entrar hoy en la casa de tu esposo, al cual llamamos nosotros *Hijo-del-Sol*, nuestro pueblo estará velando toda la noche vuestro tálamo nupcial. Tu cuerpo es hoy toda Tlascala y del cuerpo de tu esposo nace la sangre que es herencia del dios Quetzacoatl. Esperaremos con impaciencia alegre y orgullosa a que tú inclines la cabeza ante tu madre y le digas — según se acostumbra aquí — que llevas un fruto en el vientre...

Bebieron todos. Los del extremo de la mesa bebían cerveza y pulque; los de cerca de la cabecera vino en copas de plata. Todos charlaban; ninguno se preocupaba ya de Alvarado y de doña Luisa que poco a poco se iban alegrando. Marina estaba sentada entre ambos y a través de ella solamente podían los esposos saborear sus palabras y halagos.

De pronto oyóse por la parte de fuera un gran barullo y vocerío de la multitud; se oían gritos de asombro. Todos extendían sus brazos hacia poniente...

En la obscuridad de la noche véianse grandes llamaradas, lejos, muy lejos, en el horizonte. Unas llamaradas monstruosamente altas, como una espiga gigantesca de fuego. Los tlascaltecas se inclinaban hacia aquel fuego y los sacerdotes hacían oscilar sus incensarios. El vocerío iba creciendo. Mesa, el artillero, inclinóse hacia Cortés:

— Augusto señor: Así era el aspecto del Vesubio cuando nos batíamos frente a Nápoles.

En efecto; era el Popocatepetl. Los dioses estaban sedientos y pedían víctimas. Los españoles reanudaron el banquete. Solamente Ordaz quedó fuera mirando como hechizado aquella luz lejana. A medianoche fue a Cortés y le dijo:

— Señor. Te pido ayuda y permiso para realizar mi proyecto...

— Con todo mi corazón, don Diego.

— He contemplado largamente ese fuego que Mesa llama la fragua de Vulcano. Si vuestra merced no se opone a ello quisiera irlo a ver de cerca. Nunca he tenido ocasión de ver nada igual, así que estoy lleno de curiosidad y admiración. No será nada que redunde en desdoro o vergüenza para Castilla si mañana al amanecer parto para escalar la cima del volcán.

— Hablad con los guías, don Diego. Si creéis que no hay peligro en ello para vuestra vida; si no ha de significar descrédito para nuestros hombres y si así queréis iluminar vuestra alma, hágase conforme a vuestros deseos y suceda todo según la voluntad de Dios. ¿Quién podría oponerse?

7

El guía miró temeroso el ligero calzado español. No se podía dar a entender con palabras; pero hizo señas y señaló las gruesas suelas de sus sandalias. Ordaz no le hizo el menor caso. Un indio fue cargado con tocino y pan.

El camino pasaba por entre la exuberante y hermosa vegetación de las tierras altas. Sin embargo, aquí y allí se veía ya el vivo trazo de algún riachuelo de ardiente lava. Ordaz, apoyado en su ligera lanza y envuelto en su capa, ascendía tenazmente. Los tlascaltecas se susurraban palabras al oído y opinaban que un espíritu extraño se había apoderado de su cuerpo. En verdad que sus ojos estaban extremadamente abiertos y fijos siempre en aquel resplandor; parecía estar febril. Todo le parecía fácil y magnífico. Era aquello tan hermoso como pisar por primera vez un mundo nunca visto.

Después de la región de las encinas, siguió la zona de las coníferas. Aquí estaba ya seguramente a más de siete mil pies de altura. La montaña parecía exhalar como una niebla asfixiante y venenosa. El paisaje a ratos parecía de una campiña ordinaria; en el fondo y arriba, aparentemente variante según la marcha del camino, se veía la cumbre. Pronto el terreno estuvo hendido por grandes quebraduras y grietas; los indios comenzaron a temblar. Siguieron subiendo hasta que alcanzaron un refugio; el último que habían levantado allí los servidores de los dioses. Los sacerdotes miraron de hito en hito a los viajeros; les ofrecieron agua, aguardiente fuerte de enebro y unas raíces cocidas. Los guías celebraron consejo. Era misión de aquellos sacerdotes escrutar el pensamiento de los dioses y esos hombres piadosos les dirían si era permitido seguir la ascensión.

Los sacerdotes señalaron un círculo. De allá para abajo pertenecía todo, todo, a los hombres. Pero hacia arriba era ya la eternidad donde vivía el Eterno Señor del Trueno y del Relámpago. Se lo explicaron a Ordaz con palabras entrecortadas y difícilmente halladas:

«Hemos llegado al límite de nuestro camino, señor.»

El español movió la cabeza y siguió subiendo. Caía la tarde y todo se había ido borrando en la obscuridad; entonces es cuando llegaron a esa zona alta donde cesa completamente la vegetación. Aquí y allí veíase todavía alguna mancha de líquenes o musgos, resecos por el sol y medio arrancados por el fuerte viento.

Aquella pequeña luz de la hoguera indicaba a los sacerdotes dónde se encontraban los ascensionistas; habían llegado ya al límite donde empieza el reino de los dioses. Entonces hicieron una señal con fuego que significaba: «Retroceded». Pero sólo los guías comprendieron el significado de la señal y trataron de explicarla con gestos y palabras medio dichas. Había que elegir entre el hombre o Dios. Y el hombre estaba poseso de demonios extranjeros. Los dioses allá en la cumbre habían puesto sus miradas en él. Los indios conocían la respiración de la montaña que obligaba a cerrar los ojos. Descansaron en una depresión del terreno. Ordaz, apoyado en la lanza, seguía soñando con los ojos abiertos. El aliento de la montaña. Un indio tomó el saco del pan y del tocino e hizo señal al otro. Como sombras se arrastraban por el suelo. En pocos minutos no quedaba huella de ellos.

Alboreaba. Los tres españoles habían quedado solos con los zapatos destrozados, temblando de frío, sin otro calor que el que les podía dar algún trago de pulque. A Ordaz todo eso le era indiferente:

—Indios torpes y supersticiosos, con eternos escrúpulos... Nosotros somos españoles, cuya brújula guía el Espíritu Santo.

El camino seguía por altas tierras peladas. No había gargantas o trincheras, ni peñascales; las piernas no tenían trabajo difícil; pero el cuerpo iba perdiendo fuerza. Cada dos pasos tenían que pararse para poder respirar y habían de animarse unos a otros continuamente:

—¡Ánimo, camarada!

Los zapatos parecían de plomo. Hacia el mediodía se les acabó el resuello. Ordaz ató a los tres uno con otro. No podían conservar ya ningún ritmo en la subida; no quedaban ya fuerzas humanas. El aire era sutil y cortaba en sus gargantas como si estuviera formado de miles de agujas. Aparecieron pronto las primeras gotas de sangre en las ventanas de la nariz. El soldado se apretaba una de las ventanas de la nariz con su grueso pulgar; bajóse después y arrancó un poco de musgo de una roca y con ello se la taponó. Parecían cadáveres. En la mano llevaban la calabaza del agua; pero estaba ya vacía. Así llegaron a una superficie grande sembrada como de peines de rocas. Hubo que dar un rodeo. Uno de los españoles, un joven

de Extremadura, se encogió; no podía andar ya ni un solo paso más.
Miróle Ordaz:

— ¡Échate!... y tú, Bernabé, cuida de él. Ahora seguiré yo solo.
Si sucede algo y no puedo continuar adelante, dispararé un tiro. Entonces ven hacia mí... Ten cuidado con las huellas... pues entonces
me habrás de buscar a mí, Bernabé.

Echó hacia un lado. Se sentía hasta ligero y fresco ahora que no
tenía la preocupación de los compañeros ni de su equipaje. Sus pulmones funcionaban un poco mejor. No trepaba rectamente sino que
describía un amplio círculo. Por todas partes había nubes de nieve.
Mirando hacia abajo vio un gran surco como si los dioses lo hubieran
excavado en el principio de los siglos. Dos cumbres gigantescas se
elevaban hacia el cielo infinito: la una con la melancolía helada de
los glaciares. Alrededor de los hombros un mantón de nieve blanca;
sobre su cabeza, una cofia de hielo.

El sendero torcía hacia el Sur, entre rocas que parecían haber sido
diseminadas por un titán. Al dar la vuelta a una de ellas vio entre
la niebla algo que resplandecía. El sol trataba de atravesar aquellos
vapores: Abajo brillaba algo, en dirección Sur; se veía como un resplandor de cien antorchas. Al principio veíanse solamente como multitud de manchas de azul plateado, como si alguien jugase con un
espejo desde una distancia inmensa... Parecía un lago o un mar; más
bien un lago, porque a su alrededor y a gran distancia veíanse las
orillas... En ellas parecían haber millones de criaturas jugando con
guijarros de todos colores... Casas, jardines, torres... Aquí el aire era
tan tenue que todo parecía que se levantaba... Campos, canales,
plantaciones, parecían estar ahí mismo llevados por una luz purísima.
Allá, infinitamente abajo, había ciudades y campos, otra vez ciudades
y millones de pequeñas hormigas que iban y venían atareadas y presurosas.

Eso duró un buen espacio de tiempo. El español se estremeció.
Recordó un sermón: «No visto por ningún ojo, ni oído por ningún
oído... no comprendido por ningún corazón humano...» Nadie, ninguno de los caballeros del Espíritu Santo había visto jamás esos campos, esos milagros, que aún vistos desde aquí rígidos y estáticos por
la distancia, se elevaban junto a otros: pilones de piedra, argamasa y
sangre como reunidos por la mano de un niño.

El alma no le decaía y lo sostenía. El vértigo podía caer sobre él
de un momento a otro; pero él siguió subiendo por alturas escarpa-
das. Sostenía su pañuelo contra la nariz, porque el aliento venenoso
de la montaña amenazaba con asfixiarle. Su lanza se hundía profundamente en el suelo. A su alrededor se extendía una capa de lava

como gelatinosa, restos de anteriores erupciones, fundidos otra vez por nuevas fuerzas. Y así llegó al pie del cráter. A su alrededor reinaba absoluto silencio, tan absoluto que parecía impermeable a todo rumor de vida y congelaba la sangre en las venas. Ordaz trató de escuchar su propia voz, pero sólo le fue posible sacar de su garganta un quejido. Por fin pudo articular: «Ave María... Ave María». Llevaba una cuerda y un frasco de aguardiente. Atólo a la punta de su lanza y lo bajó al fondo de una hendidura donde brillaba algo como un espejo; lo que ayer aún estaba ardiendo e hirviendo hoy parecía ya que comenzaba a solidificarse. ¿Era aquello plata u oro puro?... Pensó en los cuentos de los indígenas: «Un mirlo — decían — estaba posado sobre una peña de esmeraldas». Y al decirlo, señalaban hacia arriba. Lo mismo que en Cempoal, cuando llegó aquel jinete gritando: ¡Las casas son de plata!

Ordaz sabía que todo lo que le rodeaba era un milagro. Sin embargo, ¿podía Dios por medio de un milagro superar a su propio milagro? Subió la vasija; dentro se había introducido un líquido espeso que olía a azufre. Ahora podía ya convencerse de que aquel mineral fundido que viera no era ni oro ni plata, sino otro metal cualquiera, desconocido para él. Mesa, con su sensatez habitual, lo había dicho ya: Aquello era el taller, la fragua de Vulcano.

Apenas le quedaban fuerzas para seguir. No llevaba nada consigo que le permitiera erigir allí arriba una cruz. Estaba solo; los vapores le asfixiaban; su vista se nublaba; tenía náuseas. Se descolgó hasta una pequeña lengua de tierra que avanzaba sobre las mismas fauces del cráter. Tanteó antes si se hundía bajo sus pies. Se arrastró hacia delante para asomarse sobre el borde del terrible cráter, donde parecía estar el caos en ebullición. En efecto, el padre Vulcano hoy trabajaba de veras en su fragua. A un lado había una piedra arenisca en equilibrio. Ordaz la arañó y la superficie brilló con un color obscuro. Con sus últimas fuerzas dibujó el signo de la cruz sobre aquella piedra con ayuda de su lanza. Después hizo lo que habían aprendido de Colón todos los demás conquistadores: Tomó posesión del monte y del cráter con todos los tesoros que pudieran contener en nombre de Don Carlos de Austria y de España.

Para regresar hubo de dejarse guiar por sus propias huellas. Trabajaba su instinto. Sus pisadas habían quedado grabadas en la nieve, en la lava, en el hielo. De vez en cuando debía detenerse. Ahora se le había despertado el ansia de volver con los suyos, contar todo lo que había visto... volver a su casa... salir de este infierno... ¡Madre!... ¡Madre!... Cien veces llevó el dedo al gatillo del mosquete para pedir auxilio... pero sabía que el hacer eso era lo mismo que rendirse. Significaba que un hidalgo se daba por vencido... ¿Anunciaba el cielo tormenta o crepúsculo? El aire parecía fragmentarse en átomos. Todo le pesaba y le aplastaba. Grande era la tentación de arrojar todo lo que llevaba encima..., pero si tiraba la vasija con aquel metal — ¿dónde está la prueba, don Diego? — habrían de decirle. Le parecía oír ya la burlona voz de Cortés:

— ¿Habéis echado un sueñecito a la sombra, señor?

Eso era su única prueba. No; debía seguir arrastrándose apoyándose en la lanza... así que nada arrojó lejos de sí ni tampoco pidió auxilio alguno. Fuese descolgando montaña abajo; parecía envejecido; sobre su barba llevaba flores de azufre y la escarcha daba a su tez un color cerúleo. Sus dientes castañeteaban de frío. Por fin descubrió a los soldados que precisamente se ocupaban en aquel momento de encender una hoguera con las lanzas, algunas ramas y algún musgo para hacer así una señal con que guiarlo. Ordaz se enderezó; era el Caballero del Espíritu Santo, Diego de Ordaz, uno de los muchos miles de nobles castellanos. Sus vestidos estaban mojados por la nieve y desgarrados; sus pies iban envueltos con pedazos de tela, pues su calzado quedó arriba destrozado. Pero se había enderezado, extendió su lanza con la vasija atada a la punta y allí medio se derrumbó... y quedó silencioso.

8

— ¿Por qué quieres dejarnos, Malinche?

El indio movía tristemente la cabeza:

— No sabes todavía, Malinche, que aquí te encuentras entre los tuyos; que nosotros somos tu propio pueblo; y que apenas salgas de nuestras murallas te acecharán la traición y el peligro... Miles y miles de pueblos extranjeros están allí. Nuestra numeración no alcanza a poder contar los soldados que tiene Moctezuma... y el camino además pasa por Cholula...

— Cholula...

Era éste el primer nombre que había sonado en sus oídos acerca de aquel reino. Una vez había pedido oro allá en la costa y un pobre indio de Tabasco había extendido sus brazos hacia Occidente y había exclamado: «Cholula, Cholula... la ciudad de oro».

— ¿Hay oro en Cholula?

— Si en primavera paseas por un prado florido, ¿quién sería capaz de contar las florecillas azules que las muchachas acostumbran a coger allí? ¿Quien podría contar el oro en Cholula? Ya sabes que en nuestro lenguaje llamamos al oro la inmundicia de los dioses... No necesitamos el oro para nada porque del oro no se forjan las armas. ¿Acaso el oro os protege vuestro cuerpo? ¿Puedes con él calmar o apagar la sed? ¿Te protege de las enfermedades? ¿Para qué sirve el oro? Dímelo a mí, Malinche. ¿Para qué necesitáis el oro?

Entonces llegó Ordaz tambaleándose, con los zapatos destrozados y la ropa hecha jirones. Parecía haber envejecido veinte años. Su barba revuelta estaba mezclada con la escarcha; sus labios, azules por el frío. Al entrar en la tienda del general parecía un espectro. Cortés corrió hacia él y le abrazó:

— Diego... mi amigo Diego...

El hombre se inclinó con respeto y entregó la vasija con el raro mineral. Era su única prueba. Después dijo:

— Estuve arriba.

Mase Escasi sacudió la cabeza. Sí, ciertamente. Esos hombres... eran dioses. Quien se atrevía a resistirlos, quien reñía con ellos, quien luchaba o quien podía atisbar un poco en sus secretos, debía confesar que eran dioses.

Entretanto Ordaz hablaba de aquella cosa milagrosa que no había visto todavía, excepto él, ningún hombre, ningún blanco. Hablaba de países y de ciudades bañadas de sol y de brillantes colores... Todo era verde. Las calles y los canales dibujaban sus líneas. Un pueblo lindaba con el otro... y las torres... parecían hechas por un niño con arcilla de colores.

— Señor, os suplico. Concededme otro día para poder curar mis miembros y bizmar mis heridas... Y después no esperes ni un minuto, pues lo que yo he visto es la primera puerta del Paraíso. Allí empiezan los milagros: están extendidos por todo el país. Es todo un milagro: Ciudades y templos, hombres y mundos... No te quedes aquí, señor. No tenemos demasiada fuerza y yo no quiero morir sin haber visto de cerca aquel milagro; no puedo soportar quedarme aquí antes de que haya podido ver el milagro de cerca, señor...

La voz de Ordaz penetraba en las almas como si fuera un grito imperativo. Ayer mismo aún, todo su sueño era Cuba; anhelaba volver a navegar por aquel su mar amigo, con su saquito de oro en su bolsillo y en su boca un resabio de la cena de su casa. Y así, casi en rebeldía, izaba por encima de sí un nuevo anhelo, que diríase una negra bandera pirata; Cholula... Ésa era la primera palabra, el nombre de la primera ciudad que les esperaba, un pedazo del mañana.

—Dices, ¿no es cierto?, que allí todo es de oro. Sólo es preciso descender por los pasos entre dos cordilleras. Dices que al mismo pie de aquellos montes coronados de nieve está Cholula, donde todo es oro. Pero también es oro eso que trajo Ordaz de allá arriba, eso que sacó de la entraña de la montaña.

La voz corre, se mete por los corredores... Cuando se habla de oro hasta tú, pobre y piojoso soldado, abres los ojos... Ves tú: don Diego ha ido allí solo... Cuando va al lago de oro, no necesita soldados... Se dice que las esmeraldas las cogía con sólo agacharse y las metía en un nudo de su vestido; pero todo eso no te lo dicen a ti, camarada... Abre, pues, los ojos y grita tú también para que te oiga don Hernando: «Cholula, Cholula...» Y una vez que hayas estado en Cholula, entonces tú mismo debes abrir la mano, pues deja que te lo diga, de ti nada sale...

Mesa se llegó hasta donde estaba Cortés:

—Señor. He estudiado ya la materia que Ordaz trajo de allá arriba. No es plata ni oro. Si yo tuviera mi taller y pudiese descomponer la cosa con las fórmulas que tengo en casa, podría decir exactamente qué cantidad de mercurio y de azufre contiene ese mineral, pues la mayor parte es azufre, señor.

—¿Piensas en la pólvora?

—Sí; poca tenemos ya y necesitamos reemplazarla. El salitre lo encontramos en abundancia aquí y allí por el camino; pero hasta ahora no habíamos encontrado azufre. Quiero hacer una mezcla y si de ello logro componer pólvora, la excursión del señor Ordaz nos habrá producido ¡por San Jorge! más utilidad que si hubiese encontrado oro. Mis corderitos podrán quedar saciados todos los días...

Había llegado la última noche antes de la partida. La luz de la vela de sebo brillaba amarillenta y Xaramillo, inclinado sobre una hoja de papel, seguía las impacientes y lentas palabras de su señor...

«...Los enviados de Moctezuma permanecieron en mi campamento, vieron la batalla que nosotros libramos con los de Tlascala y no se les ocultó lo que nosotros los españoles valemos como guerreros. Pero también estaban presentes cuando hicimos las paces y amistad con los príncipes del país y cuando éstos prestaron obediencia y voto de fidelidad a Vuestra Majestad Imperial. Eso no les gustó ciertamente y no dejaron de intentar sembrar la discordia entre nosotros y nuestros nuevos aliados. Dijeron que los señores de aquí no hablaban conforme a lo que les dictaba el corazón y que por eso su amistad no tenía la menor consistencia y que no debía en manera alguna tener confianza en ellos. Los de Tlascala, por el contrario, me recomendaron no me fiase del señor de Moctezuma. Siempre habían comprobado su traición y su astucia. Moctezuma había logrado formar su reino solamente apelando a la astucia y a la mentira. Como verdaderos amigos de los españoles me pusieron en guardia contra Moctezuma, a quien ellos conocían desde hacía muchísimo tiempo...»

»Entre ambos pueblos domina el desacuerdo y no es poca la fuerza que eso me proporciona a mí, pues comprendí en seguida que ello era beneficioso para mis planes, pues me permitía tener superioridad sobre cada uno de ellos, según el antiguo proverbio: «Cuando dos se pegan, bien puede reírse el tercero». Otro proverbio también antiguo me vino igualmente a la memoria: «*Omne regnum in se divisum desobilatur*». Por eso mi atención se dirigió intermitentemente, ya a uno, ya a otro. Les daba las gracias a cada uno de los dos por su afecto y sus buenos consejos y simulaba que mi camino recto me conducía precisamente por la senda que ellos me indicaban...

»Veinte días pasé en la ciudad de Tlascala. Los enviados de Moctezuma, que seguían en mi campamento, me habían hablado para convencerme de que debía seguir mi avance hacia Cholula, que está a unas siete millas de distancia hacia el Sur y cuyos habitantes son fieles súbditos de su señor.

»Allí pudiera estar más cercano de su señor y enterarme con más facilidad de cuál fuera su voluntad.

»Contestéles que ya tenía decidida de antemano la continuación de mi viaje. Los de Tlascala, al enterarse de mi decisión, comenzaron a gemir y a suplicar que no partiese hacia Cholula, pues allí se habían hecho ya muchos preparativos para provocar mi perdición y la de los míos. Moctezuma había concentrado en la comarca de Cholula no menos de cincuenta mil guerreros. Uno de los caminos que conducen a la ciudad estaba cortado..., el otro, destrozado y lleno de pozos de lobo. Sobre los terrados de las casas se había amontonado gran cantidad de piedras...»

Siguió una pausa. Se oyó el grito de alerta de los centinelas. Y de nuevo reinó el silencio. «Bastante por hoy...» El paje ordenó y guardó los informes. Al día siguiente era la partida.

9

Los jinetes habían llegado ante la puerta de la ciudad y esperaban la llegada de los infantes. Los moradores de la ciudad se agolpaban a millares en los parapetos. Todas las casas y todas las ventanas estaban adornadas con flores. Aquel amanecer, los jardines de Cholula habían sido saqueados. Las coronas de plumas de los enviados se agitaban como banderas; ahora, por fin, estaban en su casa y los de Tlascala eran huéspedes no deseados. Seis mil eran en número. Habían quedado fuera de las murallas de la ciudad, pues el ejército entero de Tlascala había acompañado a los españoles.

Los Ancianos presentaron sus homenajes a Cortés. Los sacerdotes llegaron envueltos en una especie de toga. Los caciques sacaron sus literas de las grandes ceremonias. De los pebeteros e incensarios subían nubes de humo. Todo era aquí agradable, sonriente, encantador. Era la ciudad como un nido de gente refinada y muelle. Por ninguna parte se veían hombres armados; no se oían cuernos guerreros. Ni sombra siquiera de aquella excitación que había envuelto a la viril ciudad de Tlascala cuando, después de la guerra y de la paz, se entregaron voluntariamente a la amistad.

Estaban ya dentro de las murallas. Solamente Ordaz sabía, por llevarlo en lo más hondo de sus recuerdos, cuán milagroso era lo que encerraba la ciudad de Anahuac. Sonaban palabras de bienvenida; de las largas trompetas de arcilla salían notas de paz y buena acogida. Todas las miradas se dirigían a la gran torre de la ciudad, que a los españoles se les aparecía como la edificación más monumental del mundo entero. Si hubieran tenido ocasión en su vida de ver las pirámides de Egipto, de seguro que ahora, al señalar con el dedo esa alta torre, les hubiera subido a los labios el nombre de Cheops. Solamente habían visto, sin embargo, las maravillosas y ligeras construcciones de Granada, los palacios de Venecia, algunos monumentos y palacios de París y de Nápoles... Por eso se quedaron pasmados ante las dimensiones colosales de esa construcción. Ningún guerrero que no hubiera estado tan curtido como ellos, hubiera podido dejar de sentir un sentimiento de temor a la vista de esa masa monstruosa de piedra y mortero. La torre de la ciudad era posiblemente tres veces más grande que la pirámide de Cheops. Su gran masa se iba aguzando por escalones. Su base equivalía a toda una ciudad, encerrando una verdadera red de patios y corredores, claustros y grupos de columnatas en forma de cariátides. Formaban innumerables salas grandes o pequeñas que se comunicaban por infinidad de pasos y puertas, entre sí y con el exterior. El muro inferior era liso, sin adorno alguno, formado por grandes piedras cuadradas y mortero. Sus junturas eran tan perfectas que ni aun la hoja del más fino cuchillo hubiese podido meterse por ellas. Por encima de las puertas se extendía un friso con adornos; después seguían representaciones de dioses en centenares de formas, si bien era siempre la misma divinidad, con plumas de buitre y cola de serpiente. Llevaba un cuchillo de obsidiana en la mano y sobre sus rodillas un cráneo humano. Más abajo estaba lleno de figuras llevando calaveras..., ello como con un agitado movimiento de intranquilidad, sin descanso... Las figuras de los dioses estaban llenas de la tensión de la muerte... Todo fuerte, vigoroso, sin un descanso suave en toda aquella plasticidad. Todo hablaba de sangre, crueldad y muerte. La gran plataforma formaba como una explanada o patio sobre el que a su vez se levantaba un nuevo templo. Veíase en él la figura reptante de una tortuga, representando a otra divinidad, y nuevas y nuevas figuras. La torre del Teocalli se iba adelgazando en cuatro grandes escalones. En la plataforma superior, ya en la cumbre de la torre, se elevaba un templo rodeado todo él por una serpiente con alas cuyo cuerpo medía más de cien pies de longitud. En medio, se veían largos relieves formando extraños meandros que desde lejos semejaban escrituras arábigas que rodearan aquel altar negro y sangriento. El último de los tejados estaba sostenido por pilastras talladas. Se subía a cada uno de esos pisos o escalones por medio de escaleras exteriores. Sus barandas de piedra representaban cabezas de dragón y cuerpos de serpiente. El primero de los templos estaba orientado hacia el Norte; el segundo hacia el Oeste; el tercero hacia el Este, y el último, que era el más sagrado, miraba al Sur. En la parte interna había también bajorrelieves: figuras de hombres y de dioses con coronas de plumas, con aros en la nariz y las orejas y grandes escudos de gala en las manos. Las puertas se abrían a galerías, desde las que una escalera conducía a una sala interior obscura, sin ventanas ni aberturas, señalada con el signo rojo del caracol. Esa gran construcción de ciento setenta pies de altura estaba coronada por el templo del legendario rey de la ciudad: Quetzacoatl.

La historia de esa gran pirámide de Cholula se perdía en lo más antiguo y obscuro de los tiempos. Estaba rodeada de leyendas. Había servido ya a varias clases de cultos de distintas generaciones y pueblos. Esa torre había podido ver aún la figura carnal y viviente de Quetzacoatl, que era el Buda de aquel país; medio humano, medio divino. Entonces iba coronado de flores, su rostro era dulce y en la mano llevaba una verde rama cargada de frutos aromáticos del otoño. No había idea entonces de los sacrificios cruentos. Era el príncipe heroico de los pacíficos toltecas...

El pueblo de las altiplanicies mejicanas acudía en peregrinación a ese gran templo. Celebraba ayunos y venía a ofrecer las víctimas para sus sacrificios: toltecas, otomis, totonecas, aztecas, tezcucanos... Gente del lejano Cempoal, esclavos encorvados de un sinnúmero de cultos contradictorios. Todos, todos, volvían sus ojos hacia ese templo y buscaban en los corazones sangrientos el más profundo y fraternal ser. No lejos del templo se alzaba una modesta pirámide de reducidas dimensiones, formada por los cráneos blanqueados de las víctimas. Mientras el paso de los españoles sobre la piedra dura y lisa resonaba fuertemente, el joven Díaz saltó de su fila, abrió los brazos y exclamó: «¡Mirad, españoles, mirad!»

Todos volvieron sus ojos en la dirección indicada. Aquel montón de cráneos calcinados despertaba el horror en los pechos. Olmedo entonó un *Miserere*. Todos se santiguaron y apretaron más su lanza. Y muchos que habían ido a esa aventura mejicana llevados por el azar, viejos soldados marcados de cicatrices. se dijeron unos a otros al oído: «Hay que volver a Cuba, camarada.»

Díaz saltaba y miraba todo, ansioso de ver milagros y maravillas. Todos los días trasladaba al papel sus impresiones y allí inmortalizaba aquellas maravillas.

Contaron los templos. Cortés anotó hasta cuarenta. Era una de las mayores ciudades del Nuevo Mundo. Las calles eran largas y estaban bien empedradas no viéndose nunca basuras ni suciedad en ellas. Se regaba el suelo y luego se barría cuidadosamente. Miles de casas se alineaban, formando barrios o distritos. Los terrados estaban construidos en forma de jardines. Allí la gente se asomaba al paso de los españoles y arrojaba flores: rosas o flores blancas, cuyo aroma era agradabilísimo. Las habitaciones de las casas eran preciosas, adornadas con bordados y piedras finas. No se veían por ninguna parte hombres armados. La ciudad parecía habitada solamente por burgueses mimados y comodones y nadie parecía darse cuenta del número enorme de mendigos que pululaban por las calles y escaleras de los templos, presentando sus manos para que se les diese alguna limosna.

Los soldados, que habían soñado en saqueo y botín, entraron formados en estrechas filas en una de las salas del templo. Emplazaron ante la puerta los cañones y se establecieron las guardias. Cada soldado colocó su petate junto a la esterilla que había de servirle de lecho. Los capitanes se alojaron en habitaciones menores. Así se estableció el Cuartel de Cholula.

El incensario de los consejeros se balanceó ante Marina y la envolvió en un humo agradable al olfato. Cuando se hubo disipado ese velo de aromática y tibia niebla, Marina se vio frente a un par de ojos negros que materialmente la abrasaban: era un joven jefe que la miraba profundamente. Un sentimiento agradable y extraño conmovió a la muchacha. En medio de sus actuales señores hacía tiempo que no se daba ya cuenta de su propia juventud. Cuando los días eran de tormento y peligros se sentía envejecer, y ¿cómo podía tan siquiera pensar en sensualidades, cuando la muerte la acechaba lo mismo que a su amo en todas las esquinas? El joven cacique trabó conversación con Marina. Alabó el fino y bien elegido ritmo de su habla y el modo con que tejía las frases como si fueran hermosas guirnaldas. Duró eso pocos segundos, pues la comitiva se puso en movimiento; esa comitiva debía mostrar la ciudad de Cholula al gran jefe de las caras pálidas.

Las espuelas de Cortés resonaban contra las piedras del pavimento. Iba a la cabeza de su reducida guardia personal, entre los dos intérpretes. Llevaba enguantadas las manos a la espalda. Aquí y allá, al llegar a algún cruce, quedaba parado. Apreciaba lo que veía, consideraba la anchura de las calles; echaba una mirada a los balcones y galerías; seguía los cauces de los canales y observaba intranquilo aquellos terrados anchos y sin baranda. A veces preguntaba algo. Sus preguntas eran breves y sencillas y traían como consecuencia una sarta interminable de contestaciones. Cuando se interesó por el número de guerreros, uno de los jefes de la ciudad le ofreció en aquel momento un refresco. Se dirigieron a una amplia sala donde las mesas se encorvaban bajo el peso de los manjares. Eran éstos en su mayoría frutas, flores, bebidas, puestas en jarros maravillosamente decorados con cabezas de dioses. Las flores, los colores y las comidas formaban una hermosa armonía, y en cuanto a los manjares se veía que aquella gente extraña se había esforzado por ofrecer lo mejor de sus artes culinarias.

El joven cacique entró llevando de la mano a su madre. La matrona hizo una inclinación de cabeza a Cortés, muy ceremoniosa, conforme a la manera de las damas nobles. Llevaba el manto blanco de las viudas, adornado solamente por algunas piedras preciosas. Su mirada recorrió la fila de los españoles y quedó por algún tiempo fija en Marina. Aproximóse a ella, recibió su saludo y le dijo en voz baja que al siguiente día su mesa la esperaría preparada para un festín. Marina se inclinó hacia su señor, y le pidió permiso para aceptar la invitación. Cortés contestó con una mirada rápida: «Ve».

Por la tarde hizo la ronda y distribuyó las guardias. Ante la puerta se le presentó uno de los jefes de Cempoal, uno que le había seguido fielmente desde el principio de la campaña. Bajó la voz hasta que fue sólo un susurro cuando se dirigió al intérprete:

—Señor, ¿te servimos con fidelidad?

Cortés afirmó con la cabeza.

—Recompénsanos, señor, dejándonos volver a nuestras casas.

Estamos fuera de la ciudad; la noche es nuestra. Hoy mismo nuestro ejército podría llegar a fronteras más pacíficas. Tal vez mañana mismo se dé ya una sangrienta orden y entonces no queremos estar ya encerrados en Cholula.

Cortés conocía ya esa intranquilidad vaga y profunda en que se mezclaba el carácter guerrero de los indios con sus supersticiones fantásticas.

—¡Habla más claramente!

El indio miró a su alrededor como cohibido.

—Señor: tú me tienes compasión y tu gente también me tiene compasión. ¿No oyes cómo a nuestro alrededor son derribados los árboles? Los van a emplear para cerraros los caminos. ¿No oyes cuán silenciosos están ahora los dioses? Es que hoy esperan todavía con paciencia. Se están lamiendo los labios, como hace el hambriento puma entre la maleza... ¿Has oído por ventura desde que estás aquí la llamada del cuerno desde lo alto del Teocalli? ¿No sabes por qué todo está silencioso y no se ofrecen allí sacrificios? Si te introdujeses en las cámaras secretas del templo, podrías ver algunos centenares de prisioneros a quienes se ceba con miel y cerveza para que su carne sea sabrosa cuando sea el momento... Los sacerdotes esperan. Se dicen para sí que la Serpiente Alada será satisfecha. ¡Cuánto tiempo hace que Huitzlipochtli no se ha saciado!

Mientras así hablaba, miraba a Cortés con sus ojos húmedos por las lágrimas. Cortés, involuntariamente, dirigió sus miradas hacia la cúspide del templo. Los hombres que allí se movían parecían pequeños como hormigas; todos llevaban lucecillas en la mano: antorchas o lámparas... ¿Serían tal vez luces de señales? La noche se hacía densa por encima de la ciudad.

Por la mañana les dieron alimentos. De sacos y cestas salieron montones de frutas, manioca, harina de palma, perros recién sacrificados, hongos, vino de miel. Los soldados se regalaron con ello. Después se les permitió que salieran a paseo; debían ir en grupos de diez y con cada grupo iba un mosquetero. Así llegó el mediodía. Entonces vinieron dos esclavas de la viuda para acompañar a Marina a casa de su ama. La muchacha se despidió de Cortés... Por un momento titubeó, después se inclinó y a la usanza de los pajes le besó una mano. Cortés dijo lentamente, pero en tono incisivo:

—Marina, sé prudente y estate sobre aviso. Si te quieren hacer caer en una ratonera, te juro ¡por mi Dios! que no quedará piedra sobre piedra en Cholula. Por la noche, cuando se cierre el campamento, debes estar de regreso.

Xaramillo la acompañó hasta el palacio, en cuya puerta la aguardaba ya el joven cacique. Ambos hombres se inclinaron uno ante el otro; entonces el paje condujo a Marina hasta el indio, le saludó en su lengua y le hizo entrega de unos presentes de parte de Cortés. Xaramillo se despidió y Marina desapareció en el interior del palacio. Allí aguardaba ya la viuda, rodeada de sus sirvientes, que contemplaban con curiosidad a la muchacha, de la que tanto habían oído hablar. La acogida fue ceremoniosa y al mismo tiempo íntima. Contemplaron con admiración las cosas que llevaba Marina: sus guantes, cosa que aquí era desconocida; las preciosas iniciales del libro de rezos que le regalara el Padre Olmedo y que, según les explicó Marina, eran un escrito. Después dijo algunas palabras españolas que había aprendido; citó el nombre de algunos capitanes. Sacó de su cinto el puñal toledano que llevaba y con él cortó una torta de maíz. Seguidamente, les mostró los regalos que llevaba a la viuda: un espejito con armazón muy lindo y una copa de cristal veneciano. Era la tercera hora de la tarde cuando de la torre del Teocalli llegó el sonido de una trompeta de arcilla. El joven cacique se levantó. Debía acudir rápidamente al consejo de jefes que se iba a reunir.

Ambas mujeres quedaron solas. La viuda habló largamente acerca de riquezas y del destino de los hombres, que sale o proviene de las manos de los dioses como si fuera polvo de oro. ¿Por qué no se quedaba con ellos Marina? Marina manifestó:

—Mi augusto señor no deja que me aparte de su lado.

La viuda. —Tu señor es un buen señor. Me da pena que sus huesos tengan que blanquearse al sol y su cráneo haya de formar montón con los cientos de miles que forman ya una pirámide.

Marina. —¿Por qué dices esto, señora y madre?

Viuda. —Mi hijo te admira y a mí me pasa lo mismo. Por eso te suplico que te quedes con nosotros y en esta casa serás, junto a mí, la segunda señora.

Marina. —He venido envuelta solamente en mi capa. No traje conmigo nada de lo que poseo. ¿Quién ha oído decir nunca que una novia llegue a casa de su nueva madre con las manos vacías? Si lo permites, señora y madre, volveré allí.

Viuda. —No puedo yo detener el curso de las estrellas, ni tampoco gobernar el tiempo para que cese de correr. Tus señores me dan lástima; pero nada se puede hacer ya: están juzgados. Ahora tú nos perteneces a nosotros, a nuestro pueblo. La sangre de tus venas no debe ser vertida. Si tú quieres ser la esposa de mi hijo y quedar en esta casa, en ella encontrarás refugio, aunque nadie más haya de encontrarlo.

Marina. —¿Qué debo hacer?

Viuda. — Hoy la noche será tranquila. Las nubes velan la luna nueva. Hoy se romperán los vestidos de la tierra. Las piedras se amontonan sobre los terrados; los hombres afilan sus armas y ponen nuevos tendones a sus arcos. Las mujeres se han retirado a las montañas para estar al abrigo de la ardiente venganza de los monstruos terribles.

Marina. — Dime, por favor, ¿hasta cuándo tengo tiempo?

Viuda. — Mi hijo no me indicó la hora; no es asunto para tratar las mujeres, y yo también me hubiera retirado de la ciudad si no hubiese tenido que salvarte. El sol sale y se pone. Al mediodía está sobre nuestras cabezas y el calor hace blandos a los guerreros. Se hace entonces el silencio. El calor cae sobre los tejados y la cerveza que hemos enviado hará adormecer a aquellos hombres. Antes de que llegue de nuevo la noche, sonará el gran cuerno en Cholula, y a medianoche abrirá sus fauces Huitzlipochtli.

Marina. — Señora y madre, te doy las gracias por tu bondad. Voy a buscar lo poco que poseo. Iré sonriente y no lloraré a mis señores. Me preparo para el camino que conduce a tu casa. Cuando haya pasado la noche reapareceré aquí.

Cuando llegó, apresuróse a ver a Cortés. No necesitaron intérpretes. Ella decía palabras sueltas que sonaban como martillazos: sangre, muerte, huida, medianoche. «Tienes una noche y un día, señor, para salvar tu vida.»

Dos patrullas salieron del cuartel. Una marchó por delante de la puerta o pórtico del Teocalli donde estaban reunidos los sacerdotes de Quetzacoatl para la oración de la tarde. Los soldados les mostraron cuentas de vidrio e hicieron señas a los sacerdotes para que les siguieran. La segunda patrulla se dirigió a la casa de la viuda. Iba al mando de Orteguilla, el paje, que ya comenzaba a chapurrear el azteca. Se presentó con un mensaje de Marina en el que rogaba a la digna señora la honrara con su presencia a la cena.

* * *

Ambos sacerdotes callaron. En las manos de Cortés brillaban piedras preciosas... de cristal: rojas y verdes, bien montadas. Los ojos de los sacerdotes estaban fijos en las gemas. Pocos minutos después le mostraban con sus índices por donde serpenteaba el camino donde acechaban tras los matorrales los hombres armados. Cortés hizo venir al notario real: «Haced constar de modo indudable que toda la sangre que se derrame cae sobre ellos.»

Mientras se acompañaba al exterior a los sacerdotes, que llevaban cerrada fuertemente su mano sobre los trozos de vidrio de color, llegó la viuda. Venía herida en su dignidad porque era conducida, no por entre filas de honor, sino llevada por unos soldados de mirada hosca. Marina repitió las palabras que ella decía.

La viuda no negaba nada, sino que acusaba:

— Una serpiente entró en mi casa y me picó en mi propio lecho.

— Señora y madre: como el pan de mi señor. Fue siempre bueno para·mí. Tú me hablaste de su perdición. Si hubiera callado tus palabras y hubiera contemplado desde tu misma casa cuando le abrían el pecho para arrancarle el corazón, hubiera sido yo serpiente y coyote, lobo de las sabanas. Yo traté de salvaros. Rogué a Malinche te perdonase a ti, a tu hijo y a los que en tu casa viven. Ante tu casa habrá un guardia y en el momento oportuno yo salvaré a tu hijo. Marina, la hija de Puerta Florida, no es una serpiente que se desliza furtivamente por la noche en la casa ajena; eso no me lo podrás decir a mí nunca más, señora y madre.

Cortés leyó el protocolo a los capitanes. Les informaba en él de todo lo que había podido averiguar en Tlascala; la actuación de Marina, las tímidas, pero iguales declaraciones de los sacerdotes. Dos indios se pusieron en camino para transmitir sus órdenes a los de Tlascala que estaban fuera de las murallas. Los capitanes debían abandonar los cuarteles y poner en pie los hombres al comenzar la aurora. Los hombres podían consumir todas las provisiones que estaban preparadas para repartir el próximo día. El Padre Olmedo pasó por delante de las filas y preguntó si había alguno que llevase algún peso sobre su conciencia. Los soldados sabían lo que eso significaba. Al amanecer, Cortés envió un mensaje al Consejo. Rogaba a los Ancianos que le honrasen con su visita para tratar de los detalles de la partida y al mismo tiempo sentándose a su mesa para tomar un refresco en su honor.

La ciudad estaba tan callada, tan muerta, como si sobre ella pesara una maldición. Marina, disfrazada de mendiga, espiaba por la calle. Nada sospechoso vio; pero, sin embargo, se dijo para sí: «En la garganta de Cholula está agazapado un grito dispuesto a saltar». El sol estaba ya muy alto cuando llegaron los consejeros. Los caciques se hallaban con sus capitanes y sus alabarderos; sumaban algunos centenares. La curiosidad, en parte, les había movido. Tenían deseos de ver el Cuartel General de los hombres blancos para poderlo contar a sus hijos y a los hijos de sus hijos cuando hablasen del gran sacrificio de blancos que había tenido lugar en Cholula en el año de los grandes signos.

Cuando todos estuvieron reunidos, Marina distinguió a su joven amigo. Estaba triste y sombrío, miraba a su alrededor, buscando a la madre, que no había regresado a su casa desde ayer. Marina le hizo una seña y en un discreto rincón del corredor cambió con él una palabra: «Tu madre estuvo en mi casa; por la noche se adormeció. Ya sabes que está achacosa. Ve y permanece junto a ella como hijo.» Un soldado de la guardia le condujo hasta la madre, abriéndole la puerta.

Estaba el general ya con todo su equipo y armamento, montado sobre su corcel, rodeado de sus capitanes. Todos esperaban con el arnés puesto. Los servidores de las piezas tenían la mecha en la mano. Mesa lo inspeccionaba todo con ojos penetrantes. Los caballos piafaban intranquilos.

—Gente de Cholula: Habréis de darnos cuenta de por qué preparasteis nuestra ruina. ¿Qué os hemos hecho nosotros? Os rogamos que os apartarais del mal y no ofrecieseis más sacrificios humanos. Os suplicamos, sin haceros presión ni amenaza, que os apartaseis del mal camino... Y a ello contestáis vosotros con piedras, lazos y armas que habéis acumulado en el Teocalli. ¿Es en concepto de amigos que nos cortáis los caminos, acumuláis piedras, taláis árboles y nos preparáis pozos de lobo? ¿Por qué habéis hecho salir de la ciudad a las mujeres y a los niños? Ya sé yo que en todas las cañadas y pasos de los alrededores se esconden en acecho muchos miles de guerreros mejicanos. Tampoco es para mí ningún secreto que tenéis preparados ya los calderos con sal y especies para cocer allí nuestra carne que pensáis devorar. Pero, si ésa es vuestra intención, nos hubieseis debido esperar, como hicieron los de Tlascala, en campo abierto. Vosotros, sin embargo, nos habéis atraído con artes malas dentro de vuestras murallas con procedimientos de lobos traidores. Habéis prometido a vuestros dioses una buena porción de corazones españoles; mas vuestros dioses no tienen ningún poder, y en vez de nuestra perdición habéis logrado solamente la vuestra, pues habéis caído completamente en la ley de Castilla, que castiga la traición con pena de muerte.

En la mano de los mosqueteros ladraron las armas. Todos los cañones de Mesa vomitaron fuego contra la multitud que zumbaba e iba y venía en sus vestidos de fiesta. Sonaron las trompetas y las lanzas desplegadas en abanico hincaron sus cabezas en aquel tumulto. Fue el día terrorífico de Cholula. Por ninguna parte existía la menor organización militar que pudiera oponer resistencia. Muchos que en lo más escondido de sus casas se habían ocupado en poner plumas a las flechas para el combate nocturno, corrían ahora, horrorizados por el retumbar de los cañones, hacia los mismos persegui-dores. Todos los males parecían haberse desatado. En la ciudad ha-bían quedado pocas mujeres y niños, *demasiado pocas* para lograr poner diques a la venganza. Los españoles se arrojaban contra las puertas cerradas, irrumpieron en el templo, derribaron a golpes los ídolos para apoderarse de sus incrustaciones de oro. Otros arranca-ban a los sacerdotes los anillos de las orejas y hacían correr con sus cuchillos a los que huían. Sangre, sangre, sangre... Cortés, con sus capitanes, pasaba por las calles principales. Cuidaba de que nadie incendiase las casas. Había orden de evitar los incendios, una orden que añadía luego: «Podéis saquear, pero ninguno de vosotros puede beber ni una gota de pulque.» Otra orden decía: «Respetad a las mujeres; sois españoles.» Aquí y allá veíase a los soldados que arras-traban y derribaban a alguna muchacha; el hambre de mujer se ha-bía desatado; la codicia y el deseo eran llamaradas.

El Padre Olmedo, horrorizado, tomó por el brazo a Cortés.

—Señor, señor: manda que eso cese... no puedo verlo más... ¿Cómo podréis dar cuenta de eso ante Dios?... Mandad que eso cese.

Cortés titubeó.

—Padre: estamos entre la vida y la muerte y el terror nos allana el camino. Si no sienten terror ante nosotros, estamos perdidos.

Por las puertas de la ciudad entraba una torrentada humana. Los de Tlascala, que habían oído la señal, se precipitaban en el interior de la ciudad; iban armados de cuchillos de piedra, mazos, sables de madera y se habían formado casi a la manera española. Les empu-jaba un odio centenario, jamás saciado. Como el rayo, encontraron a los que se ocultaban, a los que huían. Todo se mezclaba: el ruido de las calles, los gritos de muerte, las exclamaciones de victoria, agu-dos chillidos... Fueron horas espantosas; los cuerpos se apretaban contra los cuerpos. Aquí y allá se apelotonaban grupos numerosos de habitantes de Cholula como corderos, de espaldas a la pared, ya con las manos atadas, futuras víctimas de los dioses... Sangre... San-gre... Durante muchas horas la sangre corrió por Cholula, río sin principio ni fin. Parecía aquel día que el sol no quería ponerse.

Los altos sacerdotes habían huido al terrado del Teocalli. Ahora su palidez no se veía amenguada por el reflejo de la sangre de los sacrificios, ni en su mano había ningún corazón palpitante y recién arrancado. Se habían postrado ante la Serpiente Alada del templo superior en busca de salvación. Y en su desespero ponían a prueba la tradición. Las tejas de arcilla quemada estaban cubiertas de gruesa capa de cal. Esta capa estaba a trechos desconchada y en tales pun-tos se había echado un remiendo de mortero mezclado con sangre de niño. En eso estaba la fuerza del gran templo, y cuando el revoque cayera, los dioses castigarían a Cholula con una terrible inundación. Cada sacerdote había oído esa tradición de su padre, como éste la oyera del suyo. Ahora estaba ahí el último peligro; los sacerdotes se postraron ante Quetzacoatl, tomaron después palancas y escoplos y comenzaron a excavar el suelo ante la imagen. Todos esperaban un milagro. Abajo, al pie de la torre trepaban ya los españoles ansiosos de más botín; subían... subían. Los sacerdotes pedían a coro una plaga devastadora... desconchaban los muros, pero nada sucedió. La cólera de los dioses no se despertó, ni los rostros pálidos fueron castigados. Los soldados seguían trepando, con un escudo sobre la cabeza para protegerse así de las piedras que se les arrojaran; pero nadie les arrojaba proyectil alguno, pues los sacerdotes rezaban y esperaban. Esperaron a que los soldados alcanzasen la tercera terraza. El alto sacerdote dio una vuelta sobre sí mismo y se precipitó desde lo alto, desde aquella altura de ciento ochenta pies. Y así, uno a uno, los sacerdotes se arrojaron envueltos en sus capas negras y manchadas de sangre y, por unos momentos, sus cuerpos se cernieron entre la muerte abajo y la vida cruel de su deidad arriba.

Todos los cornetas tocaban ahora como posesos. Cortés había tomado consigo unos doscientos soldados para que pararan a los de Tlascala en sus asesinatos. El uno empujaba al otro en el ensangrentado patio del cuartel. Olmedo los aguardaba en la puerta.

«Horrorizaos de vosotros mismos, monstruos; horrorizaos de haber nacido de vuestras madres.»

De nada servía eso. La sangre era como un veneno que había encendido sus venas. Los caciques prisioneros entonaban cantos funerarios. Un sacerdote de Cholula dijo: «Vuestro dios tiene raras veces sed; pero cuando la tiene, hace correr la sangre a ríos.»

Esperaban la muerte cuando entró Cortés. Ellos le miraron rígidos, sin pestañear, pues durante toda su vida se les había enseñado continuamente con miles de ejemplos cómo un hombre había de aguardar la llegada de la muerte. Cortés llegó con Marina, que se secaba las manos, pálida y temblorosa: por todas partes sangre... por todas partes sangre, río tibio y resbaladizo. Los de Tlascala se habían salpicado de ella sus brillantes cuerpos; llevaban telas blancas en el brazo izquierdo que se habían puesto como contraseña para no ser confundidos por los soldados de Cortés. Venían arrastrando a sus prisioneros. Cortés mandó entonces que soltaran a esas gentes. Se oyó un fuerte murmullo entre ellos; y entonces los soldados españoles prepararon sus armas.

—Podéis tomar botín, pero ni un solo hombre ni una sola mujer.

Los muertos, bien muertos están; eran traidores. Los prisioneros, empero, lo son del general.

Los caciques, prisioneros de los españoles y de los tlaxcaltecas, estaban allí. La tarde moría ya. La muerte danzaba ya entre antorchas.

—Pueblo de Cholula: la ley de España se ha cumplido. Miles de hermanos vuestros yacen degollados en las calles. Vuestros hijos y vuestras mujeres os acusarán, porque nos traicionasteis cobarde y alevosamente. Os hemos demostrado que vuestros falsos dioses no pueden protegeros. Solamente nuestro único y verdadero Dios abre los brazos bendiciendo a todos. Os dejo partir. Id por toda la ciudad a anunciar el derecho de los españoles, llamad a vuestras mujeres y a vuestros hijos para que vuelvan. Desde este momento a nadie más se le tocará ni un solo cabello de su cabeza. Mañana os reuniréis en Consejo y elegiréis a los vivos que han de substituir en sus cargos a los que hoy han muerto. Podéis marcharos

10

Se celebraba el fin del décimo mes. Por la mañana se iba al bosque y se talaba una encina de tronco recto que tuviese veinticinco ramas. Se descortezaba el tronco y después se le ahuecaba y pasaba por la abertura una guirnalda de rosas. Así era llevado el árbol a la ciudad. A ambos lados del camino había muchachas con jarros de cacao o flores en la mano para reconfortar a los hombres que venían arrastrando el tronco. En la plaza, los carpinteros vestidos de ceremonia recibían el árbol y lo llevaban al templo de Quetzacoatl. Llevaban esos hombres las caras pintadas cómicamente y adornos de colorines en sus vestiduras. Aguardaban en el templo multitud de mujeres jóvenes o viejas que combatían mutuamente en broma. En el centro se alzaba una estatua de una diosa hecha de barro fresco, con corona en la cabeza, con formas femeninas muy pronunciadas; sus pechos, caderas y muslos eran visibles desde muy lejos. Se celebraba la fiesta de la Fecundidad, de la Fertilidad, de los Árboles y de las Flores.

Entre estas mujeres se encontraba, cubierta por el velo y sin que ella misma lo supiera, la mujer que hoy estaba destinada a morir. Debía ser una muchacha hermosa y delicada. En figura de la diosa Toci debía dar su juicio en la batalla que estaban librando las demás mujeres, armadas de troncos de cactos. La multitud miraba la plata·forma del templo. Esperaban todos el rayo de sol que iluminara los frisos que salían por encima de las aberturas del muro del templo, esos frisos que aparecían cuajados de figuras de guerreros en salvaje y lujosa indumentaria, de dioses, de animales fabulosos, cuerpos de serpientes y adornos plásticos de corazones humanos arrancados en el sacrificio.

La mujer que había de morir dirigía su mirada hacia los rayos del sol. Cuando éstos alcanzaban el signo del corazón divino, oíase detrás de la rampa el redoble de pequeños tambores de cuero que llamaban a la fiesta. Las caracolas contestaban, y entonces se ponía en marcha la procesión. Llevaban todos máscaras. El impulso vital y el impulso moral libraban ahora su última batalla otoñal. El sol ocultaba su majestuoso rostro detrás de la figura de un muchacho con un escudo abierto de planchas de oro. Los sacerdotes llevaban máscaras de turquesa, sobre las que el sol se reflejaba en destellos azules; las órbitas de los ojos iban coloreadas de rojo. Era una fiesta alegre la de hoy, como un chorro de luces alegres en la marcha gris del año. Los jóvenes saltaban rítmicamente llevando cabezas de leopardo talladas y representando el juego en el que la fiera acechaba a la hembra en celo y la voluptuosidad borraba la sed de sangre. Saltaban, enarbolaban palos de simbolismo erótico y prorrumpían en sonidos guturales de deseo que hinchaban sus venas y ponían en tensión todos los músculos de su cuerpo. Los que llevaban las máscaras de turquesa, rodeaban a la mujer destinada a morir. Le echaban sobre los hombros una capa adornada con piel de ciervo y le ponían una máscara sobre la cabeza con unos cuernecitos, como los que tiene la hembra de dicho animal. La mujer saltaba en instintivos pasos de danza, aturdida por el estruendo de flautas, cuernos y caracolas, y así pasaba por la explanada del templo. Los hombres que llevaban cabezas de leopardo la seguía, bailando a su alrededor, imitando los saltos y movimientos del animal ansioso de su presa. El círculo alrededor de la mujer se iba estrechando. La música aumentaba en intensidad. La mujer trataba de romper aquel círculo que la rodeaba, pero en vano, porque poco a poco era empujada hacia el lugar donde la diosa de barro dirigía hacia el cielo las vacías cuencas de sus ojos. Los sacerdotes alzaban el borde de su capa, que estaba adornado de una orla bordada en oro, representando animales, plantas y dioses como continuación del friso del templo.

Seguidamente, los sacerdotes alzaban sus capas y formaban con ellas una cortina alrededor de la imagen de la diosa. Al retirarla, la mujer estaba ya sentada en el lugar donde estuvo la estatua, vestida solamente con su capa de piel de ciervo que cubría sus hombros y se confundía en la parte baja con las ramas, flores y adornos del pedestal. Los cazadores y los animales comenzaban entonces una terrible danza en rueda; brillaban las máscaras a los rayos del sol, arrojando reflejos al rostro de la mujer que, sin aliento casi, estaba a punto de perder el conocimiento. El sumo sacerdote se acercaba a ella. La máscara de oro de Quetzacoatl le cubría la cabeza; se agachaba para así representar que en su persona se unía el anciano y el niño, el principio de la vida y su decadencia, fuerza vital y caducidad. El tronco de encina era enderezado: sus guirnaldas y adornos de flores arrojaban una sombra fugaz; unos momentos se la sostenía en ángulo inclinado como símbolo de vida que se apaga. Entre tal tumulto y confusión se oía en este momento un grito penetrante. Sobre el pecho desnudo de la mujer brillaba un negro cuchillo de obsidiana. La sangre salpicaba las máscaras... Un relámpago sólo y la vida creadora y renovada veía una alegoría del otoño y ocaso de la vida en aquel corazón palpitante y sangriento que se acababa de arrancar.

En este día se jugaba y se asesinaba en la plaza de Tezcuco, y también se celebraba la sesión de los tres príncipes aliados. La primera piedra del palacio había sido puesta hacía siete decenios por el más grande rey de Tezcuco, el Lobo del desierto. El terrible señor se inclinaba siempre donde encontrara monumentos de los dos maravillosos y grandes monarcas: el Lobo del Desierto y su hijo, el Señor del Ayuno.

Había estado aquí por primera vez cuando era todavía un niño. Se había inclinado ante el Más Poderoso y le había rogado ser adornado por él mismo con la corona de Quetzal. El Señor del Ayuno había cerrado los ojos y había señalado, sin decir palabra a sus hijos, a sus dos hijos amados: Cacama, la Mazorca Triste, y Ixtlilxochitl, la Flor Negra: «Sé para ellos un padre...»

El terrible señor pensaba en el año anterior, cuando en Anahuac no se había desencadenado el odio. Antes, todos los años regresaba el ejército victorioso y nunca necesitó el sacrificio de corazones arrancados. Los hijos del rey se entendían perfectamente sobre la base de su amor fraternal.

Desde la terraza, contemplaban el espectáculo del sacrificio. La multitud, como un río de aguas multicolores, entraba en el Templo del Cuerpo del Colibrí. Fueron a la sala de la parte posterior, embaldosada de ónix negro, cuyo color no lograba templar más que el esmalte dorado que adornaba las poltronas de los jefes.

Las oleadas de aromático humo subían y se extendían, causando un suave y dulce adormecimiento. Se sentaron en los bajos asientos de dorado respaldo que estaban destinados a los tres jueces supremos. En la parte central véase una gigantesca pila de colores llamativos llena de brasas. El anfitrión Cacama echó sobre ellos un puñado de copal. Ante los asientos había sido colocada una baja y larga mesa sobre la que había una rodela, un carcaj con flechas y una calavera de obsidiana tallada, cuyos ojos de esmeralda despedían rayos verdes. Alrededor había pieles de puma, de jaguar, de leopardo, como en un sacrificio de animales.

Oyóse la canción del Lobo Hambriento, que se había transmitido de generación en generación:

> Si las cuitas te impiden el placer,
> ahuyéntalas... Si la muerte corta las alas
> a tu vuelo de tu mundo alegre o triste.
> ¿Qué te resta que hacer sino coger flores y adornar con ellas tu cabeza?
> Ábranse tus labios para entonar el cántico
> en loor de los dioses poderosos.
> Goza de la Primavera, a la que cuando seas anciano
> en vano llamarás para que vuelva.
> Entonces... eres rey, tu mano no puede ya tener el cetro.
> Prepáranse tus hijos para el festín, y andan atareados los sirvientes.
> Mas todo el esplendor de la Fiesta es para ti cenizas junto al ardor de tus recuerdos.
> ¿Quién sería capaz de decir si tus virtudes conservarán tu nombre?
> Resplandor prestado fue el de tu vida y ahora has de devolverle
> y ah. quedas, como una sombra, que se hunde en la nueva aurora...
> Así, pues, aprovecha hoy y coge las flores de tu jardín; corónate con ellas
> y saborea el placer de ahora... que luego ha de pasar, como tu vida.

Se levantaron sin decir palabra y se dirigieron al jardín del palacio, a cubierto de las miradas. Con paso rítmico se aproximaron a la pila del agua. El terrible señor miró hacia abajo. En los relieves de los azulejos de las paredes se destacaban los peces de oro que brillaban con el sol del mediodía. Moctezuma sacó de entre sus vestiduras un libro de piel de ciervo, lleno de pinturas. Los tres conocían los signos secretos de la corte.

—...lo he intentado todo. Le envié perlas, joyas, oro; pero todo eso sólo sirvió por lo visto para aumentar su sed. Todo lo humano y quebradizo que hay en él le empuja hacia el oro. No obstante, la esencia divina le arrastra hacia nosotros, pues tiene parte en el secreto de Quetzacoalt. En Cholula la explanada del templo está cubierta de cadáveres; ellos han elegido, sin embargo, para llegar hasta nosotros el camino que conduce entre la Montaña Humeante y la Mujer Blanca. Dicen los rumores que saben vencer todos los obstáculos, tumban y apartan árboles gigantescos y centenarios y construyen puentes, sobre los que pasan con ligereza los monstruos que con ellos llevan. Por todas partes se les unen traidores. No sé lo que los dioses me mandan. ¿Debo rendirles homenaje o exterminarlos?

— Dispones de mil veces mil guerreros; la carne de los blancos es dulce y sabrosa. Los dioses tienen hambre. ¿Qué esperas todavía?

— Mientras tú titubeabas, señor, les enviabas embajadas y te sumías en cavilaciones, ellos se han ido aproximando. Cada uno de tus embajadores regresó con más facilidad que a su ida. En Cempoal ya no se ofrecen sacrificios; en Cholula, tampoco.

— ¿Quién de vosotros sabe lo que quieren los dioses?

— Te suplico me envíes a ellos. Por mis venas corre la sangre del Lobo del Desierto. Si los oigo hablar, podré decir si en realidad son dioses.

— ¿Cómo los pararás?

— Los atraeré hasta Tenochtitlán. Tú abrirás ante ellos la puerta de la ciudad y ellos entrarán. Y entonces, si así es la voluntad de los dioses, una vez dentro los pueden despedazar.

Un rayo de sol brillaba sobre el adorno de oro de la pared. Moctezuma introdujo su mano en el cristalino recipiente de agua y los pececillos saltaron.

Los pájaros se despedían ya del día. Abajo había comenzado ya el tremendo alboroto para la alegría de los dioses reunidos. Cuernos y flautas sonaban por doquier. Las víctimas para el sacrificio, que habían de morir al siguiente día, se agitaban en medio del círculo que los rodeaba. Iban pintados de colorines y llevaban adornos de blanco papel. El humo que salía de los pebeteros de copal velaba sus miradas suplicantes y llorosas.

Cacama. — Mañana partirás. Los sacerdotes no saben nada; sus profecías se contradicen. Los signos son terribles. Nosotros tres somos señores y amos de estos países, pero somos también hombres. Si quiere el destino que hayamos de combatir contra los dioses, ¡qué hacer!

El rey de Tlacopán. — No los he visto todavía; pero se han podido ver sus cadáveres y los de los monstruos que llevan consigo. De sus heridas mana sangre. Comen y aman, y tengo noticia de que la muchacha que duerme con su gran jefe ha informado que lleva en su seno el fruto de este amor. ¿Habéis oído alguna vez que esto suceda tratándose de dioses? ¿Quién es capaz de orientarse? Una leyenda antigua, las conversaciones de los ancianos, su miedo supersticioso, todo eso ha penetrado por palacios y chozas... Deja que hablen las armas. Si no son suficientes mil flechas, envía diez veces o cien veces mil contra ellos.

Cacama. — Los dioses tienen a veces presentaciones distintas y tal vez no se conocen unos a otros. Si miras los dibujos, podrás ver que apenas son más de cinco veces ciento. En su camino mueren también y son enterrados. Son hombres, ciertamente. Pero, ¿puedes creer, sin embargo, que simples mortales se atrevan a hacer lo que ellos hacen? ¿De dónde sacaron las armas? ¿De dónde han logrado sus monstruos sobre cuyos lomos se precipitan contra nosotros? Tú eres un hombre y no puedes saber con qué figura se nos presentan a veces los dioses.

Moctezuma. — Cacama, ponte en camino y vuelve. Te espero día y noche en el palacio. Me dirás, después que hayan entrado ellos, si he de destruir los caminos y cortar los canales. O si, por el contrario, es mejor que me incline ante ellos, como me lo indicó un ser cuyo nombre no puedo indicar por haber regresado del más allá a este mundo nuestro que el sol alumbra.

11

El viento cortaba al colarse por las gargantas de los montes. «Parece Sierra Nevada», decían los soldados andaluces temblando de frío, y se envolvían bien en sus capas forradas de algodón.

A ambos lados yacían gigantescos troncos de árboles talados. Cuarenta o cincuenta pieles rojas tiraban de las cuerdas y hacían rodar a un lado aquellos troncos... Precedían una media milla a las tropas y les iban despejando el camino. El primero de la vanguardia era Ordaz. Desde que respirara el embriagador aliento del volcán, se había convertido en un muchacho soñador, hambriento de milagros. Aquello que había distinguido un día entre la niebla, tan lejano, parecía que le tiraba ahora y le obligaba a marchar.

Al pie de la montaña de la Mujer Blanca serpenteaba el camino entre cristales de hielo que crujían bajo los pies. Por las noches, esos hombres descansaban en lugares cubiertos de nieve más elevados que los puntos más altos de las más altas montañas de su país. Las hogueras parpadeaban; la flora de las altas cumbres había quedado ya atrás. Algunos de los indios de la costa que les acompañaban habían ya acabado para siempre su viaje. Sus camaradas les habían envuelto en capas y temblorosos por el frío cantaron sus himnos funerarios. Los caballos, tapados hasta las orejas, descansaban. Los radios de las ruedas de los cañones habían sido envueltos en algodón, pues desnudos, su tacto hubiera helado las manos de los que empujaban las piezas. Estaban todos molidos, borrachos de sueño, muertos de cansancio. Sólo Ordaz sabía que pronto llegarían al límite de la zona helada. Marchaba siempre el primero y como un poseso no se cansaba de repetir: «Sólo falta un día..., tal vez algunas horas solamente, y podréis ver lo que yo vi y que no he de olvidar en toda mi vida». Cuando los otros caían, se quejaban y apenas podían arrastrarse, él exploraba los caminos por entre la nieve y, encaramado en bloques de hielo que se tambaleaban, espiaba por entre los jirones de nubes.

Debía ya ser cerca del mediodía. La niebla se levantaba poco a poco y en las mejillas de todos el sol ponía rosas de color. Pocos minutos después, Orgaz llegó precipitadamente desde la vanguardia y buscó al capitán general. Su mirada era tan brillante, tan rebosante de luz milagrosa, que los otros, antes de que comenzara a hablar, adivinaron ya que don Diego había vuelto a columbrar aquel mundo misterioso y oculto de los valles. Tomó a Cortés del brazo y le llevó por un sendero hasta el borde de unos acantilados. Ambos se inclinaron hacia delante, hacia el abismo inmenso. La luz del sol, que había roto a través de la neblina, iluminaba de oro a Méjico.

¡Así miró sin duda un día Moisés la Tierra de Promisión!

Ambos hombres se abrazaron; después volvieron a mirar abajo a la lejanía. Todo estaba como flotando bajo aquel rebaño de nubecillas blancas que parecían corderillos. Veíanse ciudades, torres, pueblos, canales, como si fuera todo un mundo infinito. Veíanse allí ciudades unidas por las largas y blancas líneas de los caminos y un azul brillante limitaba el espejo de las aguas, mostrando el gran golfo en cuyas orillas estaban las dos grandes ciudades reales: Tenochtitlán y Tezcuco.

Los soldados de la vanguardia llegaron y en apretado grupo rodearon a sus dos jefes. Se deshizo el orden de la marcha. Los más viejos se apretaban los ojos con las manos. «Ven, tú también debes contemplar ese milagro.» Los veteranos establecían ya comparaciones: Venecia, Granada, Argel, Marsella... Todo lo pasado parecía ahora solamente un mal sueño. ¿Quién pensaba ahora en regresar a Cuba? ¿Quién no se hubiera sentido feliz de poder hoy mismo bajar a ese valle maravilloso? Los indios treparon todavía más arriba por senderos de gamuzas y gritaban desde arriba con voz aguda la buena nueva: «¡Botín!... ¡Botín!...»

Aquella noche se echaron a la hoguera todas las brazadas de leña que quedaban. Todos se sentían felices y aligerados. De nuevo rodaron los dados y el pulque se escanció generosamente. Cortés iba de una hoguera a otra. En una de ellas encontró a Díaz, con los codos apoyados en una piedra y trasladando al papel sus impresiones con mano agarrotada por el frío. Inclinóse hacia él, diciéndole: «Muéstrame, Bernal, lo que has escrito».

La luz movediza de la hoguera cayó sobre el papel. Díaz leyó: «...Cuando la niebla se levantó, ante nuestros asombrados ojos yacían pueblos y ciudades, como si hubieran salido del mar... Maravillosas ciudades, llenas de gente; veíanse los caminos que conducían al corazón del país. Prorrumpimos en exclamaciones, como si ante nosotros hubiésemos visto aparecer los palacios encantados de Amadís... Quiero decir aquellos que leíamos en nuestras novelas de caballerías... Orgullosamente se levantan las grandes torres, los templos y las casas en aquel espejo de brillantes aguas... Uno de mis camaradas gritó: «¡No, eso no puede ser realidad! Es sólo una visión de sueño...», y yo también lo tomé por un engaño de mis sentidos...»

12

Hasta entonces no habían visto todavía ningún príncipe indio de las tribus de Méjico. Solamente habían recibido la visita de simples caciques de regiones costeñas, de los Jefes de Cempoal y de los Cuatro Grandes Ancianos del Estado de Tlaxcala..., pero todo eso nada era cuando los mensajeros trajeron al campamento español la noticia de la proximidad del rey. También Aguilar, al ejercer de intérprete, se servía de la palabra «rey», la misma palabra con que designaba al emperador Don Carlos. La emoción se apoderó de los soldados, y pronto se dijo y se repitió que el monarca que llegaba era posiblemente uno de los Tres Reyes de Oriente...

Cortés conocía ya la historia de Cacama, joven rey de Tezcuco, que no reía nunca. Su nombre significaba *mazorca triste* y representaba bien ese nombre el estado de ánimo del rey, siempre triste; tristeza la suya que nunca dulcificó una sonrisa. Era el primogénito del gran príncipe de Tezcuco, Señor del Ayuno, que había sido colocado en el trono de sus mayores por el emperador de la alianza de los tres reyes: por el terrible señor. Llegó el joven rey que no conocía la sonrisa, caminando sobre magníficos tapices que se extendían a su paso. Sus veinticinco años de vida siempre triste habían pasado entre la multitud de cortesanos y siervos encorvados de respeto. Llevaba en la cabeza una única pluma de color verde adornada con una perla gigantesca. Su túnica se sujetaba sobre el pecho por medio de un broche de zafiro. Su capa era obscura; en su cinto brillaba el mango de oro de su cuchillo de piedra. Con dignidad innata se acercó a Cortés. Cerca ya de él, se paró y le saludó a la manera de los príncipes indios: tocándose la frente con la mano izquierda. Su voz era tranquila, acompasada. Sin esperar contestación, dejó oír sus reales palabras:

—Llego a ti por encargo del terrible señor, que es tío mío y señor de todos los hombres y tierras. Lamenta no poderte saludar personalmente al traspasar tú las fronteras de su antiquísimo país; pero los cuidados y trabajos de su reino le impiden en estos días poder abandonar su residencia real. Vengo en nombre suyo a invitarte a que vayas a Tenochtitlán, si no te asustan los obstáculos que el dios del azar ha colocado en los caminos del viajero. En tanto llegáis allí, no os faltará comida ni bebida, y quienquiera que haga algo contra vosotros, será como si hubiera levantado la mano contra él.

Sus frases eran cortas y frías; estaban vacías de redundancias y parábolas como acostumbraban a estarlo las peroraciones de los embajadores. Cortés trató de inclinarle el ánimo hacia ellos: le hizo ver a sus soldados, le enseñó los caballos y los pajes pusieron fina cristalería sobre la mesa. El joven rey estaba rígido, inmóvil; sus ojos se movían tristemente, como con desagrado, y varias veces su mirada se cruzó con la de Cortés. Durante algunos instantes, así permanecieron uno frente a otro. Entonces, Cacama extendió sus brazos a guisa de saludo, hizo a los españoles una inclinación de cabeza y subió a su litera. El príncipe triste se alejó con su séquito por el camino que conduce a Tenochtitlán.

El camino hacia la capital estaba libre y, a la mañana siguiente, pudieron entrar en la magnífica ciudad de Iztapalapán. El camino corría entre eucaliptos, jarales, cactos gigantescos y bananos. En representación de la ciudad, fueron recibidos por un cacique de la tribu de Moctezuma. Tomó el cacique a Cortés por una mano y le condujo al palacio, que era un edificio estucado de blanco, de buen tamaño y cuya parte externa estaba adornada de columnas, cariátides y miradores. En su fachada veíanse figuras que representaban la mitología mejicana, en irresistible lubricidad. Mientras los soldados se alojaban en los amplios patios, los invitados del Viejo Mundo llegaban al parque que ninguno de ellos debía olvidar jamás. Era un gran jardín en el que crecían toda suerte de flores, plantas de adorno y arbustos del Nuevo Mundo. En las orillas de las veredas corría el agua cristalina y susurrante por pequeños canales. En el centro veíase un reloj de sol, rodeado por tallas en piedra representando los signos del Zodíaco. Otras figuras en los sectores representaban las fases lunares con extraños rostros, pájaros, flores y coronas de plumas, todo labrado en piedra blanca y brillante. En el extremo de ese círculo veíase la representación del año estelar con sus dos mil trescientos días.

Los capitanes llegaron al borde del gran estanque. En las aguas cristalinas y verdosas veíanse toda clase de peces, cangrejos, caracoles y serpientes de agua, así como mil clases distintas de musgos exóticos, magníficas flores acuáticas que abrían sus pétalos todos los años solamente un día, con un esplendor y delicadeza de color de carne.

Al extremo del parque se levantaba un amplio pabellón de recreo con galerías descubiertas llenas de flores. Sobre una mesa baja esperaban refrescos y golosinas de mil clases, cacao, helado... En el centro, otra vez, el círculo del calendario, más pequeño aquí; pero los signos del Zodíaco eran, en cambio, de madreperla, piedras finas e incrustaciones de oro y plata.

—Marina, ¿entiendes tú estos círculos?

Marina sacudió la cabeza:

—Solamente los sacerdotes pueden contar el tiempo en la tierra y en el cielo.

Doña Luisa, la esposa de Alvarado, dijo orgullosamente:

—Esos signos eran conocidos por los padres de nuestros padres, que eran todavía medio dioses. En aquel tiempo todas las montañas arrojaban llamas, como las pipas en que arde el tabaco. En la corte de mi padre aprendí a conocer los signos... Los hombres de todas las tribus los saben leer igualmente.

Salieron del pabellón y se sentaron junto al agua. Las mujeres contemplaban en el agua verde y temblorosa el juego de los pececillos, que cruzaban mil veces por entre las manos en relieve de las figuras de dioses labrados en las paredes. Todo tenía un aspecto indeciblemente tranquilo y pacífico.

—¡Si uno pudiera quedarse siempre aquí!...

Los españoles, jefes y funcionarios, paseaban como en sueños por ese jardín de maravilla; en el Viejo Mundo no había nada que pudiera comparársele. En la suave penumbra percibíase un aroma dulzón, como de encanto. Los españoles habían olvidado en esos momentos todos sus esfuerzos y penalidades, las noches de tormenta, las heridas, las privaciones, el crepitar de las ramas en las hogueras del campamento, los gritos agudos de alguna muchacha horrorizada a quien los soldados habían logrado atrapar... «¡Si uno pudiera quedarse siempre aquí!», repetían todos con las mismas palabras que había pronunciado la princesa.

Las cariátides transformáronse en una fortaleza, el acuario en un foso, en casamatas las piedras agujereadas... El notario se entretenía hablando con el tenedor de libros.

—Cortés habla del príncipe desconocido..., pero su fuerza sí que le es bien conocida... Vuestra merced puede ver cuán fuerte debe ser su voluntad, ya que, a pesar de todo, escarda y rotura los bosques y trasplanta grandes árboles aquí, poda sus copas y canaliza el agua hacia donde desea... Debe ser un poderoso señor que puede jugar con la tierra, el bosque y el agua... Tal vez esté también jugando con nosotros mismos y por eso nos ha traído hacia él... y mientras le plazca jugará con nosotros.

—Mientras le agrade al rey indio... —Esta frase circuló por entre soldados y capitanes. Hicieron un gesto negligente. El momento era inolvidablemente hermoso. Algunos se sentaron sobre el mullido y cuidado césped y allí bebían el delicioso licor fermentado hecho de hongos cocidos con miel, y así, medio ebrios, seguían sus eternas discusiones de si era hora de pensar en el regreso a la isla o si era mejor exponer de nuevo la piel, según pluguiera a la voluntad indomable de Cortés.

El capitán general habíase quedado solo en el salón de las columnas. Su sombra se recortaba negra sobre la blancura de las figuras de los dioses tallados en piedra blanca. Marina estaba junto a él. Cortés extendió la mano y sus dedos acariciaron su exuberante cabellera. Ella le miró; en sus ojos había una expresión extraña. Cortés lo observó y atribuyólo al hijo que llevaba en su seno, ese hijo que las estrellas habían dispuesto tuviera un padre extraordinario y una madre extraña. Las indígenas en tal estado solían yacer largas horas sobre la esterilla, no se atrevían apenas a mover un dedo, y así recibían las visitas de las vecinas. Pero ella, cuando estaba cansada o sentía calambres o náuseas, se limitaba a subir a la silla de la mansa yegua de Ortiz, se sujetaba bien a las riendas y, con admiración de los indios, se la veía cabalgar sobre los lomos de aquel monstruo.

Los soldados fueron desapareciendo poco a poco. Los sirvientes y los sacerdotes bajaron al jardín, se quedaron mirando los signos del Zodíaco y luego orientaron el reloj de sol por medio de pequeñas luces de colores, según el curso de la luna. A medianoche levantóse Cortés. Visitó a los soldados que hacían guardia con el mosquete en la mano, vigiló las hogueras y pasó luego al campamento de los de Tlaxcala. Ordenó al paje que buscara los trajes más lujosos, que le prepararan un baño perfumado y que se avisara a su barbero para que estuviese dispuesto a servirle al romper el día.

Su sueño había sido intranquilo. Envidiaba a los caciques que después de comer metían un poco de hierba seca en tubos de madera, ponían fuego encima y aspiraban con deleite el humo. Pocos minutos después su rostro se llenaba de expresión satisfecha y quedaban adormecidos entre el humo azulado. Cortés era de sueño ligero e intranquilo; sabía que al siguiente día se había de encontrar en un cruce de caminos decisivo. Los iniciados estaban ocupados e intranquilos como un hormiguero en peligro. A su alrededor se extendía el pueblo; sus huertos producían frutos, legumbres y verduras destinadas a Méjico. Del interior del país llegaban miles y miles de canales. Los arrabales estaban poblados de gente curiosa y todo ello sucedía por su causa; por su causa las muchachas se adornaban y vestían hermosamente, por su causa los tejados se adornaban con flores y las noches estaban llenas de agitación.

Al partir, a las seis de la mañana, tenían que torcer su camino de acuerdo con los signos escritos en la divisoria de piedra. Sus informadores habían anunciado que el camino era practicable y que el dique que cruzaba las aguas tenía una anchura equivalente a tres lanzas españolas. Pensó en Venecia, de la que tanto se había hablado y que los veteranos describían como una ciudad edificada toda sobre estacas. Estaba echado de espaldas sobre su colchoneta de algodón y ante él surgían las imágenes de Venecia y de Méjico entremezcladas. Soñaba. Los dogos y los caciques danzaban con gran estrépito. Por encima de esa visión se le mostraba la cara pálida de Don Carlos, entonces joven aún, muchacho casi, pues contaba sólo veinte años de edad. Velázquez se puso a reír porque en cierto modo había caído en una trampa. Una esclava desconocida mostraba su vientre hendido. Un niño desconocido también lloraba en el regazo de Catalina. No conocía su cara porque con la otra mano sujetaba ya a Marina, a quien arrastraba el torbellino de las aguas. Cortés juraba, pero unido a ella precipitóse en el abismo de las aguas.

Xaramillo estaba junto a él y le sacudió:

—Ya es de día, señor, y esperamos vuestras órdenes... El barbero afila ya la navaja, y si vuestra merced desea cambiarse de traje...

Pocos minutos después era despertado el campamento. Los soldados, con las barbas enmarañadas y caras de pocos amigos, se levantaban; en sus cabellos blanqueaban hebras de algodón y plumitas de su yacija. Para dormir no se habían quitado su uniforme, pues el campamento siempre estaba en alarma. Cortés pasó por debajo las arcadas:

—Hoy, lavaos y peinaos; tenéis una hora para ello. Poned en orden también vuestras armas.

Sus sirvientes habían sacado brillo a la coraza de plata, le cepillaban ahora su negra capa de terciopelo, que aquí en los trópicos debía parecer a los indígenas como un lujo indescriptible. Colgóse al cuello su cadena de oro, de oro macizo y adornos de pedrería. Púsose los guantes y se compuso bien los encajes bajo su barbilla. Una hora después llamó a los capitanes. Sandoval llegó el primero. La curiosidad le alargaba su prominente labio; era Sandoval un muchacho siempre sonriente, de buen humor y servicial. También llegó Alvarado, con su tupé bien peinado y su jubón de terciopelo con botones dorados. Luego vino Ordaz, con sus ojos negros iluminados por el milagro que se había hecho realidad. También Olid, el que un día había sido galeote, con su mirada dura, de tirano, y su musculatura recia. Olid no sabía leer y parecía siempre descontento. Le acompañaba al llegar el aristócrata Velázquez de León, sobrino del gobernador de Cuba y uno de los mejores amigos de Cortés.

—Si Puertocarrero estuviese aquí...

Por un momento todos pensaron en la carabela que había partido hacia España unos meses antes, llevándose su oro, sus nostalgias y sus cartas. Pensaron ahora en Puertocarrero, magnate de buena cepa; en el intrigante Montejo y en el inteligente Alaminos, plebeyo y patizambo. Ayer esos hombres eran enviados todavía porque marcharon hacia la patria; mas hoy todos les compadecían por no estar aquí, ahora que el milagro había madurado; todos lamentaban que esos camaradas no lo pudieran ver. Mil penalidades habían desgarrado sus vestidos y, sin embargo, ahora estaban todos ricamente ataviados con sus adornos dorados, sus barbas perfumadas, con nuevas plumas en sus sombreros, pulcramente enguantados y sus zapatos limpios; todos estaban ya ante Cortés. La niebla se había levantado y la bola roja de un sol tropical se elevaba en el horizonte. Era el día 8 de noviembre de 1519.

Los capitanes montaron en sus caballos, que caracoleaban inquietos y abrían sus narices al fresco aire de la mañana, que soplaba de la dirección de las aguas y que al depositar su rocío hacía llorar las piedras.

Cortés llamó aparte al Padre Olmedo.

—Padre, pasé una noche terrible luchando con diablos y con ángeles. Mi alma está turbada todavía y más que nunca me doy cuenta de que no soy más que un frágil y despreciable pedazo de arcilla en manos del Todopoderoso. Tranquilizadme, padre, y dadme vuestra bendición.

Su mano golpeó su pecho. Después, en el patio de palacio, apareció de nuevo Cortés, el capitán general siempre victorioso, montando sobre su grande y hermoso corcel. Volvióse a sus soldados y ésas fueron sus palabras:

—Ésta es la última mañana, españoles, que pasamos antes de nuestra marcha hacia la capital de este reino. Os prometí suprimir de aquí la idolatría, los criminales sacrificios y todo su terror; os lo prometí porque tengo fe en mí y en vosotros, contando siempre con la voluntad de Dios, que es quien nos ha permitido llegar. Os prometí conduciros hasta aquí; pero no os prometí una vida fácil y tranquila. Hemos caído en medio de grandes tentaciones y de grandes placeres. Somos pocos en número y en un momento cualquiera nos pueden asaltar y aniquilarnos. Estad siempre unidos, españoles, y siempre en guardia también. En nombre de la Virgen Santísima y en el de nuestro augusto señor Don Carlos, nos ponemos ahora en camino de la gran capital.

A la cabeza iban los caballeros. El camino sobre el dique que atravesaba las aguas del lago era tan ancho y despejado, que cómodamente podían marchar diez hombres en fondo. Los cañones eran arrastrados por indios. Detrás de ellos marchaban, medio formados en seis regimientos, los de Tlaxcala y cubrían la retaguardia los veteranos, armados de mosquetes.

A lo largo del camino se extendía a ambos lados una serie de templos y de casas. Éstas estaban medio construidas en el agua, sobre estacas y medio apoyadas en el dique; sus tejados estaban adornados de flores y en ellos aparecía una multitud de cabezas humanas que atisbaban curiosas. Llovían flores al paso de los españoles y el momento resultaba emocionante y atractivo como un sueño. Dos horas después, el camino se bifurcaba. En el cruce se alzaba una potente fortaleza. Los guías señalaron dos poderosas torres, separadas del dique por un puente levadizo. Las dos mitades estaban protegidas por puertas de piedra, y en los parapetos se veían centenares de hombres armados. Frente a la puerta se encontraba ahora un grupo de cortesanos con vestidos de ceremonia, adornados de joyas y de grandes coronas de plumas. Los guías se postraron ante ellos, pero no merecieron ni una mirada.

Todos los del grupo avanzaron hacia Cortés con aquel paso extraño, rítmico y lento de los indios. Cada uno de ellos hizo una inclinación; primero tocó la tierra con la mano, después la frente, dirigiendo al mismo tiempo algunas pocas palabras de bienvenida. Después quedaron esperando a que Marina comenzase a hacer de intérprete. Cortés estaba junto a su caballo. Inclinó la cabeza en señal de saludo, quitóse después el sombrero de plumas, dibujó una amable sonrisa en su boca, pero no se movió de su puesto. No debía mostrarse impaciente ni hacerse el admirado o extraño ante las fórmulas y costumbres de saludo y ceremonial. Los cortesanos observaban todos sus movimientos; todos sabían que el quitarse el sombrero era una muestra de respeto y de honor; sabían lo que significaba el abrazo y el beso de amistad y lo que significaba también si él se limitaba solamente a hacer un ligero saludo con la mano.

Un mensajero llegó corriendo, sin aliento, con una carraca en la mano, distintivo del que era portador de un mensaje del terrible señor. Los aztecas y los de Tlascala se postraron a la vez, como estaba ordenado por las leyes de Anahuac. Decía la noticia que el augusto señor salía a recibir a los extranjeros.

Por última vez pasó revista a sus tropas. Ortiz dio la orden a sus cornetas y sonó el toque de marcha. Los caballos comenzaron a hacer corvetas. Cortés se puso a la cabeza y abrió la marcha hacia Tenochtitlán. A ambos lados se apiñaba una multitud. Mil canoas, adornadas de flores, se mecían sobre las aguas. A los soldados les echaban flores a los pies, formando un abigarrado tapiz. Los cañones aplastaban orquídeas y alguna flor quedaba a veces prendida de las crines de los caballos.

Todo el ejército estaba vibrante de excitación. Cada uno de los soldados sentía que dentro de pocos minutos sería testigo de un acontecimiento grande y maravilloso, cuya importancia tal vez ninguno de ellos podía suponer aún con justeza. Cortés llamó a Marina a su lado. Desde la silla la miraba y se sentía turbado ante la gran belleza de aquella muchacha, que se había peinado para la gran solemnidad poniéndose flores y peinetas en los cabellos. La muchacha desplegó una tela blanca como la nieve y se la echó encima, cubriéndose hasta la cintura. El mensajero de la carraca la miró, hizo un gesto y le dijo algo; la muchacha aproximó más aún el velo a sus mejillas.

—¿Qué te ordenó?

—Que cuando hable con el señor del mundo he de tener la vista baja, pero que no debo doblarme ante él hasta tocar la tierra, pues hoy soy yo su palabra y le represento a él mismo.

Declaró el mensajero que los de Tlascala no podían seguir adelante. No era gente cultivada y el terrible señor no deseaba verlos. Quedaron atrás y también los cañones fueron puestos a un lado, porque desde aquí veíase mejor la curvatura del dique. Sólo los españoles siguieron adelante; de los indios, sólo Marina iba con ellos. Una guirnalda de flores marcaba el límite o frontera donde los rostros pálidos debían hacer alto. El sol había llegado ya al cenit y estaba ligeramente velado por alguna nubecilla. Las cantimploras iban de mano en mano; pero nadie pensaba todavía en la hora de comer y a lo sumo sólo en la cena que aquella noche los desharrapados y descuidados aventureros harían en la misma mesa de aquel emperador de las Indias. Ortiz hizo una seña y de nuevo resonaron los instrumentos... sobre las altas torres, las caracolas de los indios contestaron a estas notas. En el espejo de las aguas se reflejaban casas y templos, torres y palacios. Frente a la curvatura del dique, se levantaba el palacio de los príncipes. Los criados, con los ojos bajos, extendían los tapices bordados. Sobre ellos se iba aproximando la comitiva imperial. Delante, caminaban los dignatarios de la corte, cargados de oro y de piedras preciosas. Cada uno de ellos llevaba cruzado sobre su vestido un justillo o jubón de algodón, mientras que los de las últimas filas caminaban descalzos. llevando sus sandalias de oro en las manos.

Moctezuma llegó en una silla de manos magníficas. Todo el armazón estaba cubierto de oro, plumas de quetzal y piedras preciosas. Lo cubría todo una red de filigrana de oro, adornada de plumas verdes, formando sobre el trono del monarca un dosel. Las dos comitivas estaban ahora escasamente a cien pasos. Moctezuma hizo parar la litera. Los portadores quedaron mirando al suelo y Moctezuma descendió entonces sobre el tapiz. Su mirada se dirigió hacia delante y quedó fija en el grupo que lejos esperaba, en aquellos hombres que él, por medio de los dibujos, había estudiado noches y más noches.

Al bajar se vio su elevada estatura. Su rostro era un poco más claro de color que el de los demás indios y en su mentón crecía una ligera barba. Llevaba una capa de algodón blanco; en su cinto se veía una flor hecha de piedras finas. El borde de su vestido estaba bordado. Levantó ambos brazos y con ellos se apoyó en los hombros de los señores de Tezcuco e Itzapalapan. La comitiva se puso de nuevo en movimiento, lentamente, con un ritmo apenas perceptible en sus movimientos; detrás seguía el baldaquín. Los pies, calzados con sandalias de oro, brillaban sobre los dibujos del lujoso tapiz.

Cortés se aproximó a él, siempre sobre su caballo. Dos hombres y dos fuerzas se encontraban. El uno iba cubierto de pies a cabeza por su arnés, dejando solamente ver su rostro por la visera levantada; estaba erguido sobre su silla; su caballo estaba tembloroso por la proximidad de tanta gente extraña. El otro, estaba de pie sobre el grueso tapiz de algodón, rodeado de un sueño de oro y piedras preciosas. Se aproximaron uno a otro; eran dos continentes desconocidos que se encontraban; el Oriente y el Occidente; las dos ramas de la humanidad que durante milenios estaban separadas por el misterio y lo desconocido. Avanzaron aquellos quinientos soldados vestidos de hierro, Caballeros del Espíritu Santo, que ahora se frotaban los ojos ante lo increíble que se alzaba ante su vista. Parecían estar viendo un cuento fantástico... Frente a ellos estaba el descendiente del dios Tlaloc, que regía en todo el mundo por él conocido.

Como una desazonadora pantomima, fue este encuentro. Cortés paró su caballo y, de un salto, bajó de él. Estaba ardoroso, pues la fiebre que le acometió en las marismas de Tabasco le clavaba de

nuevo el aguijón y le abrasaba las venas. Vio como llegaba hacia él
aquella figura maravillosa. Llevaba la corona de oro de príncipe sobre su frente dibujada de verde: caminaba apoyado sobre dos de sus
vasallos, entre dos tapices de súbditos postrados. Cortés se descubrió,
tomó el yelmo en su enguantada mano e hizo seña a Marina, que,
con los ojos bajos y el velo blanco sobre la cabeza, avanzó. En el
borde del tapiz, se encontraron ambos. En aquel segundo, los ojos de
cada uno de ellos, buscaron los del otro. Moctezuma tocóse la frente
con la mano y seguidamente la bajó hasta el suelo. Cortés hizo una
profunda reverencia y con el yelmo trazó amplia curva hasta que las
plumas barrieron el suelo. Estaban aún unos pasos separados. Moctezuma dejó de apoyarse en sus vasallos, miró fijamente a los ojos
del español y dijo con una voz profunda y sonora:
— Recibe el saludo al pisar la tierra de mis padres.
Marina, con voz velada, transmitía las palabras.
— Pido a Dios que conceda una larga vida al infinitamente poderoso señor de este reino.
Moctezuma dirigió una mirada a sus cortesanos que seguían postrados y después tocó ligeramente el borde de la capa de Cortés.
Así estuvieron algún tiempo uno frente al otro. Después pasó Cortés
al lado izquierdo del augusto señor y le ofreció su presente. Era
una cadena de cristal tallado con cordón de oro retorcido y de la
que pendía una piedra perfumada, obra de arte veneciano. Con un
paso se puso ante Moctezuma y le colgó el collar. Después abrió los
brazos para abrazarle. En este momento Cacama y su hermano le
retuvieron con suavidad los brazos y Marina, a su indicación, manifestó que ninguna mano humana podía tocar al terrible señor.
Caminaron algunos pasos uno junto al otro. Detrás de ellos se
mezclaron los séquitos; juntos iban ahora los españoles hambrientos
de oro y los cortesanos indios, que temblaban al contemplar los caballos. Ahora tocó el turno a Moctezuma. Le trajeron dos magníficas
cadenas de coral en las que pendían diez mil hermosas figuras de oro;
monstruos marinos, cangrejos y ramas, símbolos todos del dios de la
lluvia Tlaloc. Moctezuma sonrió y colgó del cuello de Cortés una de
las cadenas de coral y pareció gustarle el ruido que hizo al caer sobre la coraza de plata del guerrero.
Estaban como rodeados de milagros. A su alrededor, las casas
construidas con ladrillos blancos que el sol hacía resplandecer. A la
sombra de las torres que parecían surgir de las aguas verdosas, llegaron al fin del dique y entraron por fin en las calles y plazas de la
ciudad. Sus miradas no encontraban otra con que cruzarse, pues todos los ojos estaban bajos de respeto; iban todos los indios con ves-

tidos sencillos y los pies desnudos que contrastaban con los vestidos de ceremonia de los cortesanos; parecía un pueblo de penitentes postrado ante su emperador. Las calles estaban bien embaldosadas y orilladas de eucaliptos. De una plaza central se extendían anchas calles, como radios de una gran rueda, en todas direcciones. El augusto señor hizo una seña para que retiraran el imperial baldaquín con sus plumas verdes y sus adornos de oro. Tomó a Cortés de la mano y le llevó ante una colosal agrupación de edificios.

—Ésta fué la casa de mis padres y ahora os servirá de alojamiento, Malinche.

Cortés entendió su nombre, sin necesidad de intérprete; conforme a las leyes de Anahuac su nombre quedaba sellado en la boca del terrible señor. Durante algún tiempo quedó mirando aquel edificio colosal. En vez de una puerta, veíase un pasadizo de entrada o pórtico con pilastras de pórfido y granito más altas que tres hombres. Por todas partes monstruos terribles, figuras crueles y sangrientas de dioses que con sus cuencas vacías, parecían mirar cruelmente a los extranjeros que entraban. Después de ese pasadizo estaban ya sobre la lisa y brillante piedra.

—Ésa es la casa de mis antepasados... —repitió Marina.

Estaban ya dentro. Detrás jardines con umbrosas veredas; en el centro, un pequeño canal y un surtidor con una pequeña y negra cabeza de chacal. En las salas, había infinidad de colchonetas de algodón, mantas y edredones y, alrededor, millares de vasijas. Las había negras y azul turquí. Unas representaban cabezas de animales, en otras rebosaba el chocolate fresco y espumoso sobre las espaldas de un hombre agachado. Moctezuma, junto a Cortés, le conducía por corredores a su habitación particular. En realidad estaba ésta vacía. Había sólo dos asientos bajos con pequeño respaldo y una manta ricamente bordada en cuyo dibujo un artista había representado con pluma de quetzal una escena de sacrificio. En los rasgos fisonómicos de Moctezuma, siempre tan serio, pareció iniciarse una sonrisa. Se despidió; pero su despedida fue menos ceremoniosa y solemne que el saludo de bienvenida.

—Estate como en tu casa, Malinche. Volveré aún hoy.

Quedó solo en aquel laberinto encantado. Todo lo que antes viera: el cortejo de caciques; pueblos y ciudades, guerras y momentos de desespero, todo se borraba ante lo de ahora. Con ojos insaciablemente curiosos, examinaba los misterios del palacio.

En un rincón de su habitación alzábase, sobre un trípode, un gran jarrón color azul turquesa lleno de agua para lavarse; en el otro rincón había colocada una gran jofaina con dibujos rojos con una tapadera enorme de piedra tallada. Una gran figura que había sobre ella indicaba sin lugar a dudas el destino de aquel recipiente. Todo estaba cubierto de estuco blanco como la espuma; en el suelo no había una sola mancha, ni una huella de pasos había dejado una sombra sobre las figuras de dioses formadas de piedras de colores. Estos dibujos del suelo continuaban en la pared, donde tomaban más fuerza y sus contornos se hacían más vigorosos, como si aquellas figuras hicieran un esfuerzo desesperado por trepar y libertarse de la piedra a la que estaban incrustadas. Por los muros continuaban esas figuras representativas del tiempo y desaparecían a la altura de las ventanas, donde en lugar de reja había un gigantesco caparazón de tortuga y una cabeza de leopardo; en el centro se dibujaba la figura de una mujer agachada con sus enormes piernas cruzadas bajo el cuerpo.

Los pajes trajeron una mesa y un asiento de campaña; prepararon tintero, plumas y armas, colgaron un crucifijo de la pared y una imagen de la Virgen, con dos lamparitas, sobre el lecho del general. Cortés había ya recorrido el palacio y designado los puntos de defensa, tomando las convenientes disposiciones. Los falconetes fueron apresuradamente emplazados detrás de improvisados parapetos, de forma que entre la pieza y la pared sólo quedaba un pequeño hueco. Sobre la muralla, los centinelas se paseaban. Los caballos fueron conducidos a un cobertizo; por todas partes reinaba actividad eficiente y guerrera. Los camaradas se buscaban unos a otros, cada uno trataba de convertir aquello en un alojamiento ventilado, bueno. Claváronse ganchos en las paredes para colgar sus petates. Pronto se reclamó la comida y al cocinero. El día de hoy había sido día de maravillas y milagros y ahora sonaba la hora del hambre. Los estómagos reclamaban atención, y su llamada era de tono más alto que el rumor de la fiesta. Llamóse a los soldados al patio y allí comenzó la distribución de la comida. Los capitanes daban sus órdenes; el trompeta tocó la llamada a cenar. Los doce alabarderos de Cortés permanecieron con sus alabardas frente a la puerta de la habitación de su general.

Declinaba ya el día cuando volvieron los mensajeros para anunciar la inminente llegada del terrible señor. Oyóse el ruido especial de los grandes abanicos. Los portadores se inclinaban bajo el peso de la dorada silla de manos. Brillaban las filigranas, las piedras preciosas, las joyas, y de nuevo se reveló el rostro del terrible señor ante los españoles que involuntariamente retrocedieron hasta el umbral. Los esclavos llevaban asientos bajos, incrustados de oro. Moctezuma inclinóse amable y sonriente ante Cortés, se repantigó en su litera y le hizo señal de que tomara asiento. Dijo algo a media voz y entonces todos abandonaron el salón, haciendo reverencias con paso servil. Cortés despidió también a los suyos; sólo tres quedaron con él. Marina parecía como una sombra con obscuros ojos, las mejillas coloreadas por la emoción, al contemplar aquel dios-hombre de sus mayores.

—Malinche: En el año de las Siete Mazorcas presentáronse casas flotantes en la lejana costa. Un año más tarde, aparecieron de nuevo hombres blancos, al otro lado de la lengua de tierra de Campoche. Eran tus avanzadas que iban explorando la costa y retrocedieron después. Luego viniste tú y te digo que me alegra tu llegada. Vi los dibujos de las batallas que sostuviste con los de Tlascala y también de la que libraste junto a las murallas de aquella ciudad. Cada dibujo, cada noticia, fue afirmándome en la idea de que erais los que debían venir según nuestra tradición. Debes saber, Malinche, que en nuestros Libros sagrados nada se dice acerca de los hombres que aquí vivían antes de nosotros. Nosotros llegamos a estos países desde remotas regiones en un tiempo cuya antigüedad escapa a la imaginación. Nuestros antepasados llegaron con un poderoso caudillo a la cabeza al que todos obedecían. Cuando se establecieron en este territorio, tomaron como compañeras de lecho a las mujeres de la gente que aquí vivía. Luego su jefe regresó a las tierras de donde procedían. Cuando volvió aquí por segunda vez, encontró miles de mujeres extranjeras y de niños que habían venido al mundo. Ya no quisieron regresar a su patria y se burlaron de él, que se presentaba en forma de una Serpiente Alada. Y no le quisieron reconocer como jefe suyo.

»Los que viven en este tiempo presente y no se preocupan de las cosas del universo, habían olvidado a Quetzacoatl. Pero nosotros los iniciados, los ungidos, sabemos que su reino nunca ha caducado, que un día ha de volver y que de nuevo ha de tomar el cetro y asumir otra vez el poder. Decís vosotros que venís del Oriente. Del Oriente es de donde él nos condujo hasta estas tierras. Habláis vosotros de un poderoso señor a quien llamáis *Cal-los*. Nosotros en verdad no conocemos este nombre; pero me parece a mí que debe ser el descendiente de Quetzacoatl. Dijiste a mis enviados que ese señor tenía ya noticias de nosotros desde hace mucho tiempo y que te había encomendado una misión cerca de mí. Tú no has retrocedido; los obstáculos no te han dado miedo. Creo, pues, que eres el enviado de Quetzacoatl y así te obedezco como a su lugarteniente.»

Esas graves palabras llegaban a Cortés en fragmentos difíciles. El monarca puso su mano sobre la de Cortés, sonrió y esperó las palabras que había de transmitirle Marina. Y al hablar la muchacha, iba haciendo con la cabeza signos de aprobación. Lo que Cortés transmitía ahora era como un puente que debía tenderse entre dos mundos tan diferentes y distantes.

—Augusto señor: Difícil me resulta expresar con palabras mi reconocimiento por tu bondad y por la ayuda que me has prestado. Venimos efectivamente de Oriente y somos súbditos de un grande y poderoso emperador que se llama Don Carlos, que es monarca de otros muchos reyes y príncipes. Sabe él de Méjico y ha oído hablar de su rey Moctezuma y por eso me mandó a ti, augusto señor, para que te hiciera conocer la verdad de nuestra fe en el Hijo de Dios, Jesucristo, el único que puede salvar vuestras almas y las nuestras de los castigos eternos.

—De eso habremos de hablar mucho, Malinche. Cuando llegue la noche, retírate a descansar a la sombra de tu propio palacio. Hoy debéis hacerlo todos, pues ya sé que estáis cansados después de tantas batallas y penalidades que han cubierto vuestro cuerpo de polvo, de sol y de cansancio... Ya sé que has recibido falsos informes de mí y de mi pueblo. Se vio que teníais hambre de oro y se os dijo seguidamente que yo había hecho edificar casas y palacios de oro, que me sentaba en un trono de oro puro, como una imagen divina, y que todos los objetos que yo tocaba eran de eso que nosotros llamamos inmundicia de los dioses. Ahora puedes empezar a ver cuál es la verdad. Cuando vengas a mi casa podrás ver que todo es allí de piedra tallada y no de oro... y en cuanto a mí mismo... mira:

Abrió su capa bordada. Debajo de ella llevaba un vestido blanco con broches de oro; soltó esos cierres y separó las ropas:

—Malinche, tócame con el dedo para que te convenzas de que soy de carne y de sangre y que estoy por tanto sujeto a la ley de todos que es la muerte. Te han mentido en esto como en otras cosas. Mis padres me dejaron objetos de oro que he conservado, naturalmente, como todos conservan la herencia de sus mayores. Si es tu deseo, Malinche, pueden pertenecerte a ti. Ahora vuelvo a mi palacio y tú puedes descansar de tus penalidades.

Levantóse. Las cortinas de la entrada se abrieron y los cortesanos entraron otra vez en la habitación, cargados por el peso de los presentes, que eran innumerables fardos de mantas de algodón, flores, telas y cestas. En una especie de caja había joyas de oro...

Los españoles estaban en semicírculo. Moctezuma dijo a Marina:

—Ruega a tu señor que me muestre quién sirve inmediatamente a sus órdenes, que se me diga cuál es su nombre y cómo se llama el cargo que ostenta, tal como lo decís vosotros en vuestra lengua.

Alvarado hizo una profunda reverencia ante el rey. Su esposa india había logrado contagiarle de su supersticiosa veneración. Ante sus ojos se formaban imágenes de grandeza y de fuerza. Cortés, sonriendo, le presentó dando su nombre en indio:

— Tonatiuh, el hijo del sol.

Inclinóse Moctezuma:

— Te conozco ya por los dibujos; eres tal cual te representaban y conforme a tu nombre: un hijo del sol.

·Buscó entre sus piedras preciosas y eligió un colgante de turquesas para el joven hidalgo.

Después se adelantó Sandoval, joven y tímido, con su eterna risa de muchacho bueno. Moctezuma respondió a su sonrisa con otra.

«Un verdadero rey», susurró Velázquez al oído del Padre Olmedo. «Eso se parece ya a la corte de Valladolid, aquellas audiencias con el rey... Nada hay en él de esos indios rígidos a fuerza de adornos, nada de esos caciques chupadores de sangre y tremolantes de grasa... ése es un verdadero rey.»

El Padre Olmedo se inclinó sobre la mano de Moctezuma. Era el sacerdote, cuya llegada habían anunciado los dibujos; un santo, cuya única arma en las batallas era la cruz y cuyo uniforme un sencillo y sobrio hábito. A veces poníase una vestidura blanca y ofrecía un sacrificio; levantaba entonces una copa que inexplicablemente y de modo incomprensible para todo ser humano, contenía la sangre de Dios; entonces todos caían de rodillas. Moctezuma sonreía. Estaban ambos sentados en una especie de estrado; en el escalón estaban sentados dos pajes. El Padre Olmedo miraba a los dos príncipes, lleno de admiración y meditabundo. Moctezuma le miraba fijamente; después se quitó de su vestido el precioso broche que representaba dos dragones cruzados que se mordían mutuamente, y con gesto sencillo, de gran señor, lo clavó en el sencillo hábito del fraile:

— Toma; es tu propio signo.

Era por la tarde. Los soldados, tendidos sobre sus colchonetas, arreglaban sus pequeños tesoros. Cortés se dirigió a su habitación. Una pequeña puerta se abría al jardín. Como siempre, hizo su ronda y pasó por aquellas veredas que parecían de encantamiento, entre frondosidades de ensueño y cascadas deliciosas. Los troncos de poderosos ceibas parecían centinelas que guardaban la avenida central. Detrás se veía la fosforescencia de troncos caídos llenos ya de moho, insectos y plantas parásitas, entre ellas esa especie exótica que es carnívora. Caían alrededor enredaderas, formando tupidas cortinas de follaje. Aquí y allí levantaban sus esbeltos tallos, curiosos como cuellos estirados, las amarillas orquídeas. Entre aquella media luz, las sombras formaban una extraña fantasmagoría. Las brillantes mariposas nocturnas abandonaban su escondite a esa hora en que lo envolvía todo una niebla azulada... aun eso era para ellas luz deslumbradora y veíase cómo tropezaban contra los troncos, ebrias de claridad. Arrastrábanse escarabajos venenosos, cuyos cuerpos obscuros se agazapaban asustados cuando pèrcibían el aleteo de algún cercano pájaro. Animales de presa, con su cuello alargado, se arrastraban sigilosamente y otros distintos animales de terrenos pantanosos, se sumergían en el agua llenándola de círculos y nadando entre las rosas de agua, inauditamente inmensas, pues tenían el tamaño de una rueda de molino.

El jardín estaba más alto que la ciudad, por alzarse sobre una colina. Desde él, podían contemplarse las siluetas de las altas torres, envueltas en el velo azulado del atardecer. Cortés no había visto nunca Venecia, ni Roma, ni París. Había visto Toledo; pero cuando era muy niño todavía. Conocía bien Salamanca; había pasado por Sevilla y por Palos. Muchos de sus soldados habían estado en las columnas de Hércules, otros en Egipto; no pocos habían pisado la tierra del Peloponeso; algunos habían llegado hasta Viena y recorrido el curso inferior del Danubio, por cuenta del rey de Hungría y habían podido contemplar la corte de aquel gran rey que lleva un cuervo en sus armas. Murmuraban frases deshilvanadas. ¿Cómo debía explicar todo eso a Don Carlos? ¿Cómo debía renovar en sí la fuerza de las palabras para que lo entendiera su Imperial Majestad? Le envió su homenaje y acatamiento desde un mundo de milagro, en forma de oro, perlas y joyas para su corona... era el presente del capitán al emperador desde ese mundo de cuento.

Se fueron encendiendo las luces. Encima de la cama de cada soldado había lamparillas llenas de aceite, que no eran más que unas escudillas en las que iba sumergida una mecha. Representaban cabezas de coyote, jaguares agazapados, espeluznantes luchas entre un dios y una serpiente, monstruos alados, cráneos, etc. Sobre las brasas esperaban innumerables marmitas de arcilla pintada. Algunas brillaban ya en las manos de los soldados. Era la primera cena en Méjico.

Detrás de la cabeza de ocelote de las columnas de pórfido, se filtraba la luz: Una luz tremolante de antorcha buscaba al caminante en la obscuridad. Sus pajes habían ido con él por las serpenteantes veredas del jardín, llevando en la mano una vela de sebo. Se habían extraviado en la obscuridad, porque aquello era un laberinto de salas, corredores y rincones, y la antorcha arrojaba un tenue destello de luz en la negra noche tropical. Caminaban por aquellas grandes y destartaladas habitaciones... haciendo la semiobscuridad y las sombras palpitar fuertemente los corazones de los pajes que en cada rincón creían ver fantasmas. Cortés iba sin armas. Estaba disgustado, aunque desligado del peligro del encanto que le rodeaba. Por todas partes se veían figuras de animales al acecho, máscaras de dioses, bajorrelieves misteriosos a lo largo de las paredes, llenos de ramificaciones y pinturas que a la luz de la antorcha eran sólo un amasijo de manchas de color. El pasillo formaba una curva y al final, se encontraron con que no podían seguir adelante, pues no había salida; era de fondo de saco. Así que hubieron de dar media vuelta para emprender el regreso. Para salir de su extravío tendría que llamar la guardia o hacer señas de luz por la ventana. Y así estaban cuando Orteguilla corrió hacia su señor diciéndole asustado: «¿Ve vuestra merced? Allí... hay luz en aquella habitación.»

Cortés asió su daga, magnífica arma de tres filos capaz de perforar corazas; hizo una seña al muchacho para que amortiguara el resplandor de la antorcha poniendo delante su gorra, y caminó con paso cauteloso en dirección a la luz. Apartó la recia cortina que con sus pliegues cerraba la entrada, como si fuera una pared y que sólo dejaba pasar un poco de luz por pequeñas aberturas. Hasta Cortés llegaron suaves cantos de mujeres, era como un recitado; alguien decía los versos y contestaban las otras con las antistrofas.

En un semicírculo de esterillas y cojines, véase, medio acostadas, algunas muchachas con vestidos bordados. Percibió el excitante y exótico aroma de la resina de copal. De momento sólo vio pequeñas llamas que despedían ligero resplandor desde un brasero; pero una mano arrojó sobre el rescoldo un puñado de polvos que crepitaron y ardieron con gran llamarada, llenándolo todo de una luz dorada. Reconoció en primer lugar la cabecita vivaracha de doña Luisa, con su cabello adornado de flores; después distinguió a Marina que levantándose caminó hacia él con los brazos extendidos. La llama, como una serpiente de fuego, culebreaba a derecha e izquierda y, a su fantástica luz, vio el nicho que había en el muro de la estancia y en el cual estaba el hechizo, el encantamiento.

Era una estatua; no estaba hecha de pórfido ni de lava cristalizada, sino que toda la morbidez de la carne femenina, tibia y morena se había modelado en oro puro. Era una estatua tan turbadora y al mismo tiempo tan pasmosa que no había otra que la igualara en el Nuevo Mundo. Hasta entonces, todas las estatuas que viera eran amenazadoras, terribles, desazonadoras y en la madera o piedra en que fueron talladas, véanse las carnes destrozadas en el horror de corazones arrancados en vida; eran como un amasijo de locura... Nunca había visto Cortés una sola figura que, ni remotamente, tuviera un soplo de realidad humana. Por eso no olvidaría nunca esa estatua que ahora contemplaba a la luz rojiza de la serpenteante llama. Representaba a una muchacha desnuda, tan real, con tal emoción de vida y feminidad, que cortaba el resuello. Cortés arrancó la antorcha de la mano del paje y, pasando entre las asustadas mujeres, llegó hasta el pedestal de la estatua. La miró profundamente, como si sus ojos bebieran aquella maravillosa y preciosa desnudez. La luz caía sobre los hombros de la figura, sobre los que veíase una orquídea de piedra. Dos trenzas descansaban sobre su pecho y parecía como si por el suave movimiento de la respiración, aquella carne de oro subiera y bajara. En la suave curva del vientre lucía una esmeralda incrustada en el ombligo. Sus caderas de curvatura virginal, en armonía deliciosa, conducían a la delicada y llena línea de los muslos. Los tobillos estaban arrebujados en una bordada tela que cubría el pedestal de aquella estatua. Cortés se aproximó a Marina y a *Miel-de-Flor-de-Tilo*, es decir, a Luisa.

— ¿Quién es esa figura de mujer?

— Fue Muñeca de Esmeralda.

— ¿Y quién era Muñeca de Esmeralda?

— La princesa supo su historia de labios de su madre. A causa de esa mujer, quedaron rotos los puentes entre Tezcuco y Tenochtitlán.

La noche era caliente y pesada, como si todos los cuerpos estuvieran febriles de amor carnal. Miró a Marina..., pero las últimas palabras le hicieron estremecer de repente: entre las dos dinastías de Méjico no había ningún puente.

— La princesa pudiera referir su historia y tú repetirme lo que dicen sus palabras.

— Muñeca de Esmeralda fue la señora de Tezcuco, una reina, como diríais vosotros. El gran señor no había nacido todavía, cuando el padre de la muchacha la envió al Palacio del Instaurador del Ayuno, pues su cuerpo estaba destinado a unir de nuevo las dos casas reales de ambas orillas del gran lago. Habitaba el más hermoso palacio de la orilla oriental y el Señor del Ayuno abandonó y olvidó por causa de ella a sus doscientas concubinas. Pensaba siempre en Muñeca de Esmeralda que entonces tenía sólo dieciséis lluvias, pero a quien el abrazo del hombre la había habituado tanto al amor que su lecho no podía quedar vacío ni una sola noche. Sus cortesanos tenían que buscarle muchachos, jóvenes guerreros, a los que entregaba su cuerpo y los arrastraba enamorados por la senda de la muerte. Así sucedía todas las noches hasta el amanecer en que el amante de una noche quedaba dormido.

»Entonces entraba en la habitación un mayordomo, caminando

de puntillas y amarraba bien al joven con un cordel adornado de flores; conducíale seguidamente a un patio donde, con el mismo cordel, le estrangulaba. Los jóvenes más hermosos de Tezcuco iban desapareciendo misteriosamente y nadie sabía que sus cuerpos morían a la grisácea luz del alba, junto a la orilla del lago. Sucedía eso todas las veces que el Instaurador del Ayuno debía marchar a celebrar Consejo o emprendía una campaña para que no faltaran corazones palpitantes y sangrientos a los dioses de su tribu. El número de los jóvenes héroes disminuía y no sabía nadie el motivo, salvo el verdugo y un escultor que modelaba una estatua del joven asesinado y colocaba la reproducción de su cuerpo en una sala secreta, donde día tras día acrecentábase el número de estatuas de amantes muertos. A veces abríanse las cerradas puertas de esa cámara y sigilosamente entraba Muñeca de Esmeralda para recrearse en el recuerdo de los placeres lujuriosos que aquellos cuerpos le proporcionaran.

»Solamente perdonó la vida a tres de sus amantes, a tres criados del Señor del Ayuno: *Pluma-de-colibrí, Sieteserpientes* y *Hoja-cubierta-de-Rocío*. A los tres, repetidamente, daba pruebas de su amor. Una vez, la muchacha puso un broche en el vestido de *Sieteserpientes*, broche que recibiera, hacía poco, de su esposo. Al siguiente día, el Señor del Ayuno vio tal adorno en la túnica de su criado. La confianza del príncipe en su mujer, se tambaleó. Fingió que partía para la guerra; pero por la noche, cuando las sombras cubrían todavía los caminos, se encaminó al palacio de su esposa, como acostumbraba a hacer en los días tranquilos. Las doncellas de la esposa abrieron los brazos ante él y dijéronle que su señora estaba fatigada, que se había retirado temprano a descansar y que la flor roja de la vida había abierto sus pétalos. Los guerreros amordazaron a las doncellas y el príncipe entró sigilosamente en el dormitorio de su esposa. A la escasa luz, vio sobre el lecho una figura, tapada apenas, exponiendo así a su vista su maravillosa belleza. Avergonzado el príncipe de su desconfianza, comenzó a maldecir de sus celos. pero le asombróle la absoluta inmovilidad de aquel cuerpo. Echó un puñado de polvos en un pebetero y surgió una llamarada llenando de luces y reflejos aquella figura de oro. El príncipe alargó la mano y tocó la frialdad del metal; su parecido era tan asombroso que sólo faltaba que el escultor le hubiera logrado dar respiración para que fuera real.

»En el fondo de la habitación estaba la esterilla donde habían descansado sucesivamente los amantes. Cuando entró el Señor del Ayuno, encontró escondidos en un rincón a sus tres servidores que, por turno, trataban de apagar el fuego de amor de su señora a quien, por lo demás, nunca podían contentar.

»Los hizo atar. Fueron aherrojados también todos los cortesanos de Muñeca de Esmeralda, su verdugo y los sirvientes que le buscaban amantes. El Señor del Ayuno hizo cargar en una litera la estatua de oro y conducirla, con honores reales y el séquito que le correspondía, al palacio de Tenochtitlán. Así devolvió al rey Molch su hija, precisamente la hija que había encontrado en el lecho matrimonial. Mientras el cortejo marchaba a lo largo de la orilla del lago, rápidos heraldos recorrían Anahuac en todas direcciones e invitaban a los grandes jefes y capitanes de todas las provincias para la fiesta de la diosa Toci.

»Los mensajeros corrían a lo largo de las dos orillas del lago y, después de varios años que eso no había sucedido, entraron por las puertas de Tlascala. Por todas partes el mensaje era idéntico:

»—El Señor de Tezcuco te ruega, oh príncipe, que te encuentres personalmente en el día de la Fiesta de la diosa Toci en su ciudad y que lleves contigo tu primera esposa así como tus hijas ya crecidas.

—Por eso fue mi madre —interrumpió la esposa de Alvarado en un español vacilante.

—Los príncipes de Tlascala fueron por primera vez, con sus mujeres, a la ciudad de Tezcuco.

Cortés se apoyaba en la pared, escuchando atentamente. Su mirada se fijaba obstinadamente en la estatua, que a la luz tibia y roja le parecía todavía más tentadora en su belleza.

—Habla, habla...

—El día que se celebró el juicio, todos estaban allí. Todos juntos: reyes y príncipes, sentados en sus sitiales por el orden que marcaba el ritual. El Señor del Ayuno no juzgó a su esposa. Informó solamente acerca de la vergüenza y la afrenta que le había causado Muñeca de Esmeralda. Fuera, junto a la orilla umbrosa, fue excavada una gran fosa que debía servir de sepultura a los condenados. Muñeca de Esmeralda sonreía. Veía a su padre entre los jueces; era joven, y no creía que a ella, a la reina, pudiera jamás sucederle nada. Habló el rey de Tlacopan descendiente de los riñones de la Serpiente de Obsidiana y que era el más viejo de los príncipes. Vinieron los esbirros del Señor del Ayuno y quitaron las vestiduras a Muñeca de Esmeralda; sólo le dejaron un blanco taparrabo sobre el cuerpo. La condujeron al hemiciclo donde comparecían en juicio las mujeres de sangre real; cuando estuvo allí, el Sacerdote de la Serpiente Alada arrancóle la única tela que quedaba en su desnudez y así su cuerpo absolutamente desnudo ya, apareció ante los jueces, señores e invitados al juicio. Le pusieron una capa por la cabeza y al quitársela de nuevo viose que una cinta de seda rodeaba el cuello de la muchacha, y cumplióse la sentencia a que había sido condenada: a seguir la misma suerte que corrieron sus amantes. Estaban sus cadáveres al borde de la hoguera, envueltos ya por el humo, a punto de ser echados al fuego que debía purificar sus cuerpos.

»Después, todos los cuerpos fueron enterrados, y terminada la ceremonia celebróse el festín funerario. El rey de más categoría era el Señor del Ayuno; pero el más triste era Molch, señor de Tenochtitlán, que había tenido que precisar la vergüenza de su propia hija.

»Cuando hubo regresado a su ciudad, ordenó que fuera llevada a palacio la estatua de oro de su hija, que ésta había hecho modelar para mejor engaño de su esposo. A su alrededor hizo colocar cuatro cabezas de ocelote que vigilaban la llama de la venganza que debía arder siempre a su lado. Esta tarde vagábamos por el palacio y la hija del jardinero nos condujo hasta donde estaba la estatua de Muñeca de Esmeralda, a la que le ponían todos los días jarrones con frescas flores; ella es quien lavaba las cabezas de los ocelotes para que el rostro de la venganza no se cubriera nunca por el polvo del olvido.

Cortés estaba junto a la puerta. Sus ojos angustiados se dirigían a la silueta, borrosa ya por falta de luz, de aquella estatua.

—Mañana haré venir albañiles y tapiaremos la entrada. Lo que has contado, es un cuento de mujeres y de viejos; pero lo que yo he visto es una prueba para el hombre más esforzado. Ordeno que nadie vuelva a mirar jamás esa estatua que es ciertamente una jugarreta del Maligno que sólo a la perdición puede conducir.

Medio vestido, con las armas al alcance de su mano, arrojóse sobre su lecho. Hoy no sentía deseos de Marina, ni de ninguna otra mujer. En sueños, la figura de Muñeca de Esmeralda le sonreía misteriosamente con sus párpados entornados.

Xaramillo acompañó a Marina con su antorcha a la habitación que estaba junto a la de Cortés. Le dio ella las gracias por su servicio y, al mirarle, observó en los ojos del muchacho un brillo extraño, un fuego que parecía encenderse en ellos cuando la miraba; sus labios estaban febriles y prominentes...

—Muñeca de Esmeralda te ha hechizado ya a ti. Los albañiles que enviará el gran señor, llegan ya demasiado tarde...

Sonrió Marina al decir esas palabras y pasó la mano sobre los cabellos del muchacho. Y al hacerlo, había en ella un poco de madre, un poco de amante y un poco de Muñeca de Esmeralda, todo a la vez.

13

El servicio en el campamento se cumplía con todo rigor; nadie podía salir del recinto. Los soldados abrían trincheras, reforzaban las puertas, apuntalaban y empalizaban los muros, construían nidos para los cañones y morteros. Arriba, en la cima de la torre, cada hora un tambor daba el toque de hora y su redoble era llevado por el viento por todo el valle de Méjico. Moctezuma había enviado una embajada anunciando que quería acompañar personalmente a sus huéspedes en un paseo por la ciudad. El séquito mejicano esperaba a la puerta. Teuhtitle, antiguo conocido ya, junto con algunos nobles, era responsable de la seguridad de los huéspedes; iban con capas ricamente adornadas, sandalias y sin armas. A la cabeza iban Marina, Aguilar, Orteguilla, los tres como intérpretes, y Cortés con el guía mejicano. Detrás venían los capitanes y al final, para recreo de curiosos, los doscientos lanceros, todos con armadura.

Llegaron a la enorme plaza. En realidad se trataba de una serie de plazas en las que pululaban millares de personas, en medio de una confusión de canales y pasos. Las canoas pasaban cargadas y rápidas. Allí hicieron alto los españoles para contemplar una vez más aquel panorama inolvidable.

—Es el doble de grande que la mayor plaza de Salamanca...

—En Sevilla, bajo la Giralda, no hay ninguna que...

—Contaba mi padre que una vez, estando en Constantinopla, donde vivió cuando había allí todavía emperadores cristianos... allí la muchedumbre... sí, el gentío sería como aquí quizá...

No existían las tiendas; era cosa desconocida allí. Toda clase de artículos, víveres, tejidos, adornos, vestidos, se vendían y compraban en los mercados. Eran unas calles anchas y regulares que formaban los mismos puestos. No existía el dinero, esa medida del valor de las cosas. Todo se hacía por cambio o trueque y el precio se refería a balas de algodón; para precios pequeños se hacía uso de almendras de cacao que se llevaban en saquitos de a mil y eso era, como quien dice, la unidad monetaria. Para valores elevados, usábanse las pepitas de oro que se llevaban en cajitas de hueso de ganso. Para ver su contenido, se ponían a contraluz y a través del tenue hueso veíanse las amarillas pepitas. Noche y día se cargaban y descargaban las mercancías que, en su mayor parte, eran conducidas por los canales. Grandes almadías cubiertas de follaje transportaban constantemente excrementos humanos que se utilizaban para el curtido de pieles, y a los españoles llamóles la atención que hubiera tantos retretes en cobertizos cercanos. En un rincón estaba el mercado de oro y plata y, al ver aquello, brillaron codiciosos los ojos de los españoles. Cortés tuvo que vigilar que ninguna garra se abatiera sobre las mesillas donde estaban los metales preciosos que atraían a sus hombres como a las urracas. Al llegar a la calle que seguía, se les ofreció una visión triste: el mercado de hombres. Allí veíase regatear el precio de un niño que sobraba a sus padres o del que, simplemente, querían deshacerse; allí eran vendidos los niños huérfanos, los hijos de padres codiciosos o muy pobres; se les vendía para esclavos... o para víctimas de sacrificio. Los padres de algún niño gravemente enfermo, compraban aquí un niño de pecho para ofrecerlo en sacrificio y salvar así al hijo propio. Lo llevaban al templo, donde los sacerdotes procedían al sangriento sacrificio. Los adultos estaban aparte, pintados de colorines, indiferentes, fatalistas. Las muchachas estaban en semicírculo y cantaban canciones melancólicas. Nadie las molestaba; no se veía ningún látigo; no se sabía ciertamente a qué hora se unirían a su dios y les sería arrancado el corazón sangriento y palpitante. Al pasar ante ellas, Marina se tapó los ojos con la mano e involuntariamente se llevó una mano al cuello para asegurarse de que en él seguía el signo de su padre; la esmeralda que llevaba colgada. Como cristiana que era ahora, compadecía la suerte de aquellas muchachas y gustosa las hubiera libertado. Cortés le dirigió una mirada en el momento en que Marina se secaba una lágrima que le caía. Cortés buscó en su bolsillo y, sacando un puñado de pepitas de oro, las puso en la mano de Marina al tiempo que le decía:

—Toma; para que con esto puedas comprar...

Marina aproximóse a las muchachas. El nombre de Malinche corría por todas las bocas y por eso fue recibida con las cabezas inclinadas, en señal de devoción, igual que se hace con las princesas. Cambió algunas palabras con el tratante. Regatearon. Marina era tan hermosa, que atraía todas las miradas. Cuando en su excitación llevó la mano al puñal de su cinto, todos los ojos se fijaron en aquella mano que había empuñado aquel cuchillo de material desconocido. Con este cuchillo iba cortando ligaduras de las esclavas que compraba. Ordenólas que tomasen su fardo de enseres propios y se colocaran detrás de ella. Malinalli tenía ahora diez esclavas. Ella que, en realidad, no era más que una esclava del hombre blanco.

Cortés, en tanto, estaba contemplando a los barberos que curaban heridas y hacían sangrías. Con sus tijeras de piedra, cortaban los cabellos conforme al uso de cada tribu o de cada región; en muchos casos no perdonaban nada y dejaban tan sólo como una coleta detrás que caía en trenza sobre la espalda.

Una serie de tiendas cubiertas pertenecían a los pasteleros y reposteros. Había allí tortas de maíz, tortas dulces, pasteles diversos y todo eso iba desapareciendo en los estómagos de los campesinos. En grandes vasijas, guardaban cerveza fermentada, bebidas endulzadas con miel, pulque y vino de fruta; pródigamente eran escanciadas estas bebidas a los consumidores. Más adelante, veíanse los puestos de pieles curtidas con magníficas pieles de chacal, de ocelote, de jaguar y de puma, como las que usaban los guerreros. Seguía luego toda una calle de puestos de armas, con montones de flechas y arcos, junto con mazas guarnecidas de oro, espadas y cuchillos de obsidiana, martillos de piedra, porras adornadas de plumas, escudos de cuero, tambores de piel de serpiente y trompetas de arcilla.

Alrededor de una tienda, estaban sentados algunos fumadores, a los que se les entregaban largos tubos que se llenaban a medias de tabaco. Este tabaco estaba aromatizado con áloe, mirra y alguna otra especie narcótica. En medio de una nube de humo, la cabeza del parroquiano descansaba sobre un cojín y se sumía en el profundo sueño que había comprado con sus almendras de cacao. Los vendedores de objetos de cobre y de estaño golpeaban sus artículos unos contra los otros de vez en cuando para llamar la atención y aquel ruido metálico se oía desde muy lejos. La mayoría de los visitantes del mercado parábanse ante los puestos de vasijas de barro y de loza vidriada. Allí estaban largo tiempo parados, tomaban un jarro en la mano, observaban mil veces su dibujo y los signos que allí se habían trazado, tratándolos de descifrar.

Entre las cosas notables, veíase en las tiendas de los comestibles una substancia obscura y prensada que olía a queso. El hambre que, como plaga, azotaba de vez en cuando al país, había enseñado a los antepasados a preparar y prensar las algas que el mar arrojaba. Los pescadores las recogían y limpiaban, las prensaban luego en debida forma y las presentaban en el comercio con el nombre de excrementos de las piedras.

Junto a estos puestos estaban los de los memorialistas y dibujantes. En pequeños recipientes de tierra, tenían sus tintes y colores y, con largos pinceles de pluma, dibujaban ágilmente sobre hojas preparadas para ello. Algunos sólo dibujaban. Las madres hacían pintar el retrato de su hijo; otros había que querían enviar noticias a sus padres que vivían lejos y para ello servían los jeroglíficos. Otros, dictaban largas cartas, llenas de noticias buenas o malas, de encargos que habían de ser ejecutados, indicando también a veces el número de víctimas que correspondía ofrecer a los dioses.

Se acercaban los jueces que debían entender y fallar en las disputas y diferencias que continuamente surgían en el mercado. Iban precedidos de criados, llevando los simbólicos abanicos. Algunas personas se apretujaban a su alrededor. Cuando el número era considerable, los curiales organizaban un tren o ristra y todos se dirigían a una casita de piedra blanca que era la Casa de Justicia.

Cortés estaba admirado. Todo aquello era palpable realidad; era como la circulación de la sangre en un organismo organizado perfectamente; era el pulso que denotaba la fuerza vital. Estaba admirado y le decía a Alvarado que su Majestad Don Carlos pudiera considerarse feliz de poder tener en España algo que se le pareciera... Aquel cuadro maravilloso le embelesaba; no podía apartar su mirada de aquello. Hubiera querido poder estar allí horas enteras, contemplando cómo los pescadores llegaban con su pesca fresca recién hecha; cómo manos de mujer tomaban aquellos pescados, los echaban en cubas, los pesaban. Con cuchillos de obsidiana, los limpiaban cuidadosamente y, ensartándolos después en varillas, los asaban sobre fuego de leña. Crepitaban y llenaban de apetitoso olor el aire y acudían en tropel a su olor los hambrientos, los jornaleros, los que buscaban trabajo, los ganapanes y todos cuantos querían tomar su bocado después del trabajo.

La comitiva de españoles llegó a una ciudad de templos. La mirada podía elevarse hasta lo alto de aquellos muros de ocho pies. Las torres se alzaban en forma de pirámides, interrumpiendo con terrazas la regularidad geométrica de sus líneas, formando como peldaños gigantescos. Esas cuatro grandes terrazas eran solamente lugares de descanso en la ascensión de las interminables escaleras. En la superior, sin embargo, estaban los dioses. La escalera era estrecha y empinada, construida de piedra y apropiada a los pies de los indios, ágiles como gacelas. Los españoles, por el contrario, subían con gran dificultad, debido a sus pesados y férreos calzados.

Todo, hasta la primera plataforma, estaba cubierto de blanco y limpio estuco. La baranda de la escalera estaba adornada con esculturas y relieves, formando una continuidad de serpientes estilizadas, de fabulosos monstruos alados, de dragones y jaguares. Terminaba la escalera, y para trepar hasta la construcción superior, ya menos maciza y extensa, había que subir por el otro lado. Cada plataforma simbolizaba uno de los puntos de orientación, así que, para llegar a la plataforma superior, el visitante tenía que ir subiendo por escaleras en forma u orientación helicoidal. Ya en la primera plataforma, embestía al visitante un fuerte olor a sangre. Díaz extendió una mano y señaló un bloque de roca cristalina, sobre el cual una concavidad indicaba el lugar donde era colocado el cuerpo de la víctima; era una de las piedras de sacrificio y su aspecto era más terrible todavía, porque en ella se habían secado, formando capas, restos de la sangre de sacrificios de los años anteriores. Cortés desvió la vista de aquellos dioses representados en forma de dragón con las fauces abiertas, que eran los demonios menores del calendario sagrado. Siguió subiendo, precedido por los sacerdotes. Cuando llegó al piso superior, sonaron las trompetas de arcilla y apareció Moctezuma acompañado de sus sacerdotes.

—¿Estás cansado, Malinche? —fue su primera pregunta.

—Los españoles nunca están cansados, señor —fue la rápida contestación.

Moctezuma dirigió una mirada a aquellos hombres que chorreaban sudor y se encorvaban; miró cómo se secaban la frente y el rostro. Y sonrió:

—Ya veo —dijo solamente.

Colocóse a la cabeza de la comitiva y ésta, como una serpiente humana, continuó su ascensión hasta que llegaron a la estructura de la cima, sobre la que se elevaba la capilla.

—Mira a tu alrededor, Malinche.

Dieron la vuelta a la plataforma. Como si fuera un plano dibujado a vista de pájaro, veíanse las dos ciudades reales, Tenochtitlán y Tezcuco, sobre las aguas de aquel inmenso lago. Los diques parecían desde arriba tenues como hilos que cruzaran los canales. Las canoas y almadías formaban como un bosque, no lejos de la gran mancha de la plaza del mercado. La comitiva siguió su camino. Desde la altura del templo, podía comprobarse la construcción simétrica de la ciudad, las plazas, situadas en los puntos de cruce, y las anchas calles que, como radios, iban a reunirse todas en el punto central donde se alzaba el templo.

—Padre, tal vez fuese ahora el momento de pedir al rey que cediera este lugar para edificar una Iglesia de Cristo.

—Lo que vuestra merced quiere es bien loable, pero estimo que la petición sería ahora prematura.

Moctezuma les siguió conduciendo. El panorama se extendía transparente y límpido. El dedo del augusto señor señalando lugares y ciudades, indicaba dónde se encontraban sus castillos, sus parques, sus palacios. Mostraba dónde estaban las fronteras de Tezcuco y dónde se alzaba el Monte de la Mujer Blanca, con su blanca cota, así como la Montaña Humeante, con sus anillos de humo encima.

—Vuestra Majestad es más poderoso y más grande de lo que yo creía y deseo que ese poder y esa grandeza se acrecienten de día en día. Hemos admirado vuestras ciudades y ahora nos sentiríamos felices de poder contemplar las imágenes de los dioses que vosotros adoráis.

Moctezuma dejó que Marina hablase, movió la cabeza y retiróse a un rincón a deliberar con sus sacerdotes.

—Los dioses son poderosos y vengativos. Miran el corazón y conocen los sentimientos de los hombres. Así que, si venís sin falsía y no os proponéis ofenderlos, podéis entrar.

Entre mil símbolos amenazadores, se pusieron en camino del templo principal donde se hallaba la imagen del dios de la guerra Huitzilipochtli. El dios estaba sentado en un trono sobre un gran altar y desaparecía realmente bajo un montón de emblemas de oro y plata con los que le habían adornado los suyos, y que mostraban la figura de la serpiente que rodeaba sus pies. En la mano derecha tenía un arco, y en la izquierda un haz de flechas. Sus pies descansaban sobre un ave de abigarrado plumaje y pico de oro. Llevaba colgada del cuello una pesada cadena de oro, cuyos eslabones eran centenares de corazones de oro y de plata, como símbolo de las vidas de tantas muchachas y jóvenes que le habían sido sacrificados. Todo estaba sucio de sangre. El olor era asfixiante en aquella habitación sin ventanas que se alumbraba solamente por medio de antorchas y lámparas; el pecho de los visitantes parecía hacerse pesado por aquel olor repugnante a sangre que formaba como un aliento sofocante y denso. Los españoles se santiguaron ante aquella satánica imagen y aquellos soldados, curtidos y endurecidos por la guerra y las fatigas, salieron precipitadamente a la antesala.

—Esto es peor que un matadero de nuestro país.

El Galante metió la mano en el agua de lluvia que se había depositado en una oquedad y con ella se humedeció la frente. Otros hicieron lo mismo; sentían náuseas y procuraban olvidar el olor horrible, pesado, asfixiante de la sangre seca. Sólo Cortés seguía erguido en la capilla. Contaba los corazones que parecían asarse en el fuego de las lámparas como si fueran todavía vivientes corazones humanos llenos de palpitación. Hacía una hora habían palpitado todavía quizá en el pecho de un hombre, habían pertenecido a alguien cuyo cadáver estaba ya despedazado por los sacerdotes de Satán y sus esbirros.

Cortés no pudo contenerse más y por boca de Marina dijo:

—Mi corazón no alcanza a comprender cómo un monarca, tan grande y poderoso como eres tú, puede vagar entre los abismos de la demoníaca idolatría. Tú debieras saber y comprender que todo eso no son más que ídolos, representaciones del demonio. Permíteme, señor, que yo coloque aquí la cruz de nuestra verdadera fe para que tus sacerdotes puedan ver, entonces, qué horror se apoderará de tus dioses.

Moctezuma se irguió. Con su corona en forma de tiara, era más alto que el general español. Se veía la sangre que se agolpaba en su rostro, sus ojos brillaban, y casi no podía dominar su cólera al oír las palabras que Marina iba repitiendo lentamente.

— Malinche. Te pedí y me prometiste que no ofenderías a nuestros dioses, esos dioses que nos han ayudado en tantas victorias, que nos dan nuestro cotidiano alimento y que cuando morimos conducen nuestras almas a regiones de paz. Eres mi huésped y estás protegido por nuestras costumbres de hospitalidad; pero no puedo consentir ni soportar que hables así en la proximidad de mis dioses.

— Augusto señor. Perdóname. No quise ofender a tu persona ni a las estatuas que tú llamas dioses. De todo eso volveremos a hablar en ocasión adecuada. Ahora, permíteme que me retire.

— Yo me quedo. Es preciso que logre la reconciliación con el dios de la guerra y de la victoria, a fin de que no se vuelva colérico hacia nosotros si ha escuchado tus palabras...

La multitud agolpada al pie del templo contemplaba con sus mil curiosas cabezas aquella representación nunca vista. En la cima de la torre se destacaban las figuras de los extranjeros con sus extraños trajes de colores, sus pantalones sorprendentes y sus arneses metálicos, mientras en la terraza superior del santuario, los sacerdotes, con sus túnicas negras, arrastraban hacia el sacrificio algunas víctimas que, en sus jaulas, habían sido cebadas previamente.

14

La primera carta fatídica vino de Vera Cruz. Informaban de la muerte de Escalante, comandante de la ciudad, y de quince blancos más. Habían salido a castigar a un cacique rebelde en la Tierra Caliente. Cayó en una celada y, después de una batalla que se prolongó todo un día, fue traído a la ciudad, moribundo, en brazos de los soldados supervivientes.

La segunda noticia era un comunicado del jefe del cuartel general. Las raciones para las tropas del campamento disminuían de día en día.

López, el carpintero, fue por toda la ciudad. «Con romper los puentes de madera, señor, nuestro ejército quedará como un pájaro encerrado en la jaula para que muera de hambre.»

Cortés inspeccionó todo el cuartel y campamento. En un grupo, veíanse mujeres españolas que habían venido con él desde Cuba; eran cantineras, esposas o amantes de los soldados. Beatriz de Palacios mostró a Cortés un pedazo de pan de maíz. Beatriz Bermúdez, la prostituta, con su labia característica, le arrancó a la otra la torta de las manos y la llevó ante las propias narices de Cortés, diciendo:

— Vea vuestra merced; está lleno de gusanos.

Sin decir palabra, Cortés hizo la ronda por todas las fortificaciones. Era aquello un mundo extraño, lleno de extrañas figuras de piedra, con sus Serpientes Aladas, crueles y desagradables, en los inhospitalarios muros... ¿Sería aquello un palacio encantado, destinado a su perdición?

¡Tortas agusanadas! Y Marina con un hijo en el vientre, bajo su corazón. En Castilla, a las mujeres encinta se les daba mucha leche de cabra. Aquí no había cabras, ni leche, ni carne de animales para comer. Sólo maíz, tortas de maíz... y agusanadas.

Mandó reunir a los capitanes y tuvieron un Consejo de Guerra. Sacó de su jubón la carta fatídica con el sello de cera negra en señal de luto. El palacio era una prisión, insostenible tan pronto como los aztecas destruyeran los puentes que se tendían sobre los canales. Parte de los reunidos expresó su opinión a favor de una retirada honrosa:

— Señor: habéis cumplido vuestra misión. Habéis hablado a la conciencia de los paganos. Habéis enviado y recogido oro y tal vez podríais aún lograr más. Ahora tenemos aún suficiente fuerza para regresar a Tlascala y, en caso preciso, llegar hasta Vera Cruz y desde allí pedir auxilio a Cuba.

Cortés callaba. Los debates duraron horas y más horas. Los hombres se contagiaban unos a otros los sentimientos; disputaban. Los más audaces no veían peligro. Moctezuma había prestado acatamiento y los españoles, si llegaba el caso, eran más fuertes que todos. Su retirada debía terminar en catástrofe. El enemigo estaba enfrente, detrás y a los lados.

— Señores: yo he tomado ya mi decisión. Mañana, todos los hombres deben estar dispuestos. La mitad de los cañones, preparados a todo. El bagaje, listo. La otra mitad, con equipo completo, debe encaminarse al palacio de Moctezuma, en pequeños grupos y sosegadamente. Mañana voy a audiencia en compañía de los capitanes. Si la cosa se logra sin violencia, le llevaré conmigo al campamento. Si no..., entonces todo se reduce a eso: él o nosotros.

Los capitanes cambiaron miradas. Sandoval sacó una cruz. La fortuna acechaba tras las palabras del general, y ¿quién se atrevía a impugnar que su plan no fuera el mejor? Se hizo un silencio de muerte. Los criados trajeron la comida y se volvieron a llevar llenas las fuentes de los manjares. El Padre Olmedo se retiró a la salita lateral que había sido habilitada para capilla y, durante toda la noche, estuvo oyendo confesiones.

Cortés se paseaba solo por los caminillos del jardín, preparándose para la muerte. En su espíritu trataba de buscar los hilos que en sus manos se anudaban y cuyo ovillo se enredaba más que todos aquellos que un día habían logrado desenredar los héroes de Plutarco. La fiebre ardía nuevamente en sus venas y le corrían escalofríos por la espalda. Su frente estaba perlada de sudor frío. Su barba negra contrastaba, como si fuera una máscara, con sus mejillas intensamente pálidas.

Por la mañana pasó revista y volvió a exponer su plan. Los soldados debían marchar en pequeños grupos al palacio real, como quien está de asueto. Debían cantar, reír y regatear con los mercaderes, fingiendo una vida de campamento despreocupada y alegre. Pero los mosqueteros debían estar atentos a la señal y los soldados de a pie llevar el escudo sobre las espaldas. Él mismo se puso en camino de palacio con cinco capitanes, Marina y Aguilar. Le había precedido una embajada, como otras veces, indicando que agradecería al terrible señor si quisiera esperarle.

La audiencia no se distinguía exteriormente en nada de las anteriores. Los capitanes estaban en semicírculo, Moctezuma sentado sobre un sillón renacimiento. Para Cortés habían puesto un asiento bajo y ancho que alcanzaba la altura de los demás a fuerza de almohadones. Los dos intérpretes estaban sobre escabeles delante de los personajes. Moctezuma empezó la conversación. Los españoles debían referir los acontecimientos del día anterior, informar acerca de lo sucedido y expresar sus deseos. Sobre una mesita veíanse algunas joyas y algunas piedras preciosas sin montura. Dio a Cortés un resplandeciente rubí y, según su costumbre, colmó también de regalos a los dos intérpretes. Sentía el deseo —dijo— de estrechar todavía más la alianza de la sangre entre los capitanes y las hijas de su casa. A Malinche le ofrecía un fruto de su carne y los capitanes podían elegir entre las damas de la corte.

—Augusto señor: tus mercedes nos cubren; pero has de saber que, según nuestras leyes, un hombre sólo puede tener una esposa legítima. Sin embargo, te ruego nos des tu hija para que nosotros la eduquemos en nuestra fe y después rogar a nuestro señor Don Carlos que elija para ella al príncipe que deba tener el honor de poseer su mano.

La conversación seguía ligera y amena. Moctezuma estaba de

buen talante y satisfecho. Cortés luchaba con su propio designio. Le hubiera gustado más decir: «Hasta mañana, caballeros.» Su mirada se fijó en Olid, que asía fuertemente el puño de su espada.

Todos habían callado. Cortés desdobló el pliego que había recibido de Vera Cruz. Moctezuma conocía ya aquellos signos alineados en papel blanco que hacían soltar la lengua a los que comprendían su sentido. El capitán general comenzó a leer con voz profunda y solemne. Detrás de aquellos renglones parecía que le miraba Escalante, mortalmente pálido y con el cuerpo acuchillado, y veía también un montón de cadáveres decapitados frente al altar de los sangrientos dioses. Decía en la carta: «Los prisioneros indicaban que la orden de atacar había sido dada al cacique de la costa por el terrible señor».

Moctezuma meneó la cabeza. Sus informadores le habían enviado ya antes la hoja que anunciaba el luto y la sangre. ¿Qué exigía por ello ahora Malinche?

—Que se invite al culpable jefe a presentarse ante ti y que por sentencia de tus jueces se nos entreguen los culpables.

Moctezuma desprendió de su muñeca un signo o sello real grabado en un jaspe; con su propia mano tomó uno de los abanicos guarnecidos de oro, símbolo de su autoridad y con los que se citaba a los culpables a comparecer ante la Justicia.

Cortés comenzó una larga y diplomática peroración que Marina iba traduciendo con esfuerzo y difícilmente... Estaban uno de otro a una braza de distancia, a sus pies la intérprete, y frente a ellos los capitanes, a un lado, como para protegerse del sol.

—Tu proceder, augusto señor, es una nueva muestra de que eres un monarca sabio y justo y que mienten las noticias que te atribuyen el conocimiento previo de la criminal sorpresa de que han sido víctimas mis hermanos. No dudo de que tu gente aprehenderá y traerá aquí a los culpables; pero, ¿será posible antes de que el sol salga y se ponga diez veces consecutivas? Y eso es un tiempo largo, muy largo... Y entretanto puede ser que los principales de tu país no conozcan la verdad acerca de tus verdaderas intenciones. Tal vez no sepan hacia dónde tu voluntad quiere que dirijan sus pasos. Debes de saber que los sacerdotes nos tienen enemiga. Surgen hechiceros por todo el país que van diciendo que nosotros somos escasos en número y que los dioses tienen sed. Yo sigo firmemente en mi opinión de que Vuestra Majestad es absolutamente fiel a mi emperador. Pero los signos son dudosos. Aquí somos pocos hombres, y si algo nos sucede el castigo de mi poderoso señor sería terrible. Nuestra situación (no me lo oculto a mí mismo ni a mis hombres) es terriblemente seria. Y para mejorarla no veo más que un camino: Suplico a Vuestra Majestad que, en tanto no sea castigado el cacique culpable y su sangre anuncie a todos que nadie puede levantar la mano impunemente contra nosotros, Vuestra Majestad me dé una prueba de su benevolencia y favor residiendo en el palacio donde actualmente se encuentra nuestro cuartel.

Moctezuma había estado escuchando las palabras de su huésped y comprendía bien su intención. Pero las últimas frases le cogieron desprevenido y le horrorizaron. Se levantó; su rostro estaba pálido y su voz tenía un timbre extraño.

— ¿Se ha oído contar alguna vez que un príncipe como yo abandone su palacio y se entregue él mismo prisionero a extranjeros?

— Augusto señor: has entendido mal mis palabras. Sólo se trata de que tú con tu séquito, tus cortesanos, tu servidumbre y tus mujeres cambies de residencia.

— Si yo soportara esa humillación, mi pueblo no lo soportaría y me exterminaría a mí y a todos vosotros.

Cortés comenzó a suplicarle. Le explicó los deseos de servirle que tenían los españoles; le habló de la sonrisa bondadosa de su señor Don Carlos. Le describió la bendición que significaba la nueva vida de amistad entre ambos pueblos y que estaba llena de felicidades. Le prometió instruirle en el arte de la guerra de los españoles; asistiría a sus ejercicios y maniobras; aprendería el manejo de los cañones y se sentaría sobre esos monstruos que se llamaban caballos; sabría todo cuando sabe un caballero español y, cuando le pluguiera, podría navegar sobre las aguas e igualarse así a todos los demás reyes que tenían a Don Carlos por emperador.

El diálogo difícil y torturante duró casi dos horas. Los españoles que de pie estaban presentes en la escena jugueteaban ya con impaciencia con los puños de sus espadas. El sol de mediodía brillaba sobre los petos metálicos. El calor era insoportable y los españoles habían cerrado cuidadosamente la puerta, de modo que no penetrara en la estancia el menor soplo de aire fresco. Velázquez de León no pudo contenerse más. Con la cara púrpura y los rasgos desfigurados por la cólera, se volvió a Cortés y le gritó:

— ¡Abrevie vuestra merced! Si no viene a las buenas, hágale amarrar... No podemos irnos sin él. Y si no cede..., ¡mil diablos!..., yo mismo acabaré con él.

Moctezuma volvióse en dirección de donde venía la voz. Vio cómo el iracundo hidalgo, con la cara contraída por la rabia, echaba mano a la espada y la brillante hoja salía de su negra vaina. Cortés fue a él para calmarle. Marina miraba al augusto señor, monarca de los de su raza; con él estaba el pasado y el porvenir y era como si de modo misterioso se uniera su pueblo con un mundo ya hundido. Ante sus ojos todo se cubrió de niebla. Conocía a Velázquez y sabía las intenciones sangrientas y crudas de la gente. Olvidó súbitamente sus obligaciones de intérprete; volvió a ser la muchacha india, cautelosa, envuelta en su capa de algodón, aquella muchacha que antes se arrojaba a los pies del amo y le besaba las sandalias.

— Augusto señor: te conjuro a que me creas. Los conozco. Cuando montan en cólera tu vida no tiene un momento de seguridad. Ellos no tienen nada que perder... Te conjuro, señor, que accedas a sus deseos y vengas con todo tu boato real al palacio de tus padres.

Moctezuma dirigió su vista por encima de todos aquellos hombres; en sus manos había armas y en sus ojos una indomable decisión. Cortés trataba de calmarlos. Marina se arrodilló ante él; de sus labios estaba pendiente la suerte de dos pueblos. Si de su boca salía la orden de lucha, sus soldados se precipitarían dentro de la habitación; pero él estaba desarmado, sin escudo y sucumbiría en los primeros momentos. Pero si accedía a lo que le exigían, le pertenecería entonces el mañana... y el tiempo era largo; el terrible señor tenía todavía fuerza y podía esperar hasta mañana.

La llamada de la vida era más seductora que la de la muerte. Hizo venir a dos de sus dignatarios y les comunicó que era su voluntad trasladar por algunos días su corte al cuartel de los blancos. Sus mujeres debían prepararse durante aquella tarde para trasladarse también a aquel palacio.

En pocos minutos estuvo organizada la comitiva. Los españoles estaban repartidos a lo largo de las calles, preparados para alguna posible sorpresa. Cuando el pueblo divisó a su señor, en su litera, escoltado por los capitanes con sable desenvainado, se echaron todos al suelo y se oyeron sollozos, y después pudo escucharse un cántico quejumbroso, como si la muerte se cerniera en los aires. Pero también aquí y allá viéronse puños que se alzaban; algunos agarraban piedras y formaban grupos amenazadores. Alguien corrió con la mala noticia hacia la plaza del mercado y en pocos momentos se reunieron algunos miles de personas, no con la mirada baja por el respeto o la humillación, sino con un alarido en la garganta que llegaba hasta la medula.

Moctezuma se levantó de su asiento. Dijo algunas palabras a media voz que sus cortesanos cuidaron de repetir a todos los vientos.

— El augusto señor advierte a su pueblo que debe volver tranquilo a su casa. No se le ha hecho ningún daño. Va al cuartel de sus aliados para gozar de su hospitalidad.

Por un momento todos callaron y el amenazador vocerío cesó. Todos hablaban entre sí vivamente y, aprovechando esos momentos de desorientación, los españoles llegaron al cuartel. Cortés hizo una seña con el sable y los centinelas abrieron las puertas de par en par. Los españoles, formados, rindieron honores; tocaron las trompetas la marcha de los reyes. Las banderas ondearon. Los capitanes ayudaron a descender al augusto señor de su litera con grandes reverencias y muestras de respeto e hicieron que pasara sobre los ricos tapices que se extendieron. Cortés daba órdenes, como: «Vigilad en la muralla», «Sacad los cañones», «Todo en orden de combate».

Eso para el exterior. En el interior todo como quisiera Moctezuma.

—Todos deben sacrificar su descanso, si así lo exige el séquito real. Tenemos el pájaro en la jaula..., hacedle el nido agradable.

Con la cabeza descubierta, los ojos respetuosamente bajos, atendían a las órdenes, deseos y disposiciones del augusto señor. Quería poner a su servicio a su paje Orteguilla, que ya conocía el idioma del país. Quería además dar una guardia de corps al monarca, de la cual pudiera disponer el augusto señor a cualquier hora del día o de la noche a su voluntad. Él mismo daba el ejemplo. Cuando alrededor de la mesa de los capitanes reinaba ya el silencio y los soldados se habían retirado a descansar, atravesó Cortés todo el palacio, fue a las habitaciones reales y él, personalmente, envuelto en su capa, hizo su primera guardia ante la puerta de Moctezuma vigilando hasta el amanecer.

15

Terminadas sus devociones del mes de octubre, las viejas hicieron una última reverencia ante el Santísimo y, envueltas en sus negras mantillas de blonda, se alejaron; al caminar hacían resonar el empedrado de las calles de Medellín. El estío tocaba a su fin; al anochecer aparecía ya la niebla y por la mañana la luz del sol era pálida y mate. Sólo al mediodía calentaban sus rayos, como correspondía al veranillo de San Martín.

Doña Catalina llamó a la vecina para que la ayudara a tranquilizar a su esposo, que estaba refunfuñando. Los rayos del sol de la tarde caían sobre el pesado sillón en que estaba sentado don Martín, con sus piernas envueltas en paños. Después de haber saludado con un «Buenas tardes» comenzó a quejarse de nuevo.

—Ved, vecina. En la pierna derecha siento como si me dieran

cuchilladas. Eso lo pesqué en las marismas de Calabria, donde hubimos de estar semanas enteras con las piernas en remojo. La izquierda me la rompí antes de la toma de Granada. Cuando pude levantarme del lecho, Boabdil había ya huido por las montañas.

Su mano se alargó hacia la botella de vino; pero doña Catalina la apartó suavemente.

—El vino te perjudica. No es bueno para la gota. ¿No es cierto, doña Teresa?

Así estaban sentados todos los días. Cada uno sabía ya lo que el otro había de decir. La vecina echaba un traguito de aquel vinillo y reía con risa de vieja.

—Sí, don Martín. Todos los que han sido soldados como vos, al llegar a esa edad solamente saben hablar de sus heridas; pero cuando eran jóvenes... No creáis que yo no he oído hablar de otra clase de aventuras..., pero cuando llegan a viejos todos parecen haber olvidado los pecados que están pagando... No os quejéis, don Martín. No pasáis ninguna privación, tenéis un tejado que os cobija. Doña Catalina no tiene por qué preocuparse de dónde sacará la carne que ha de echar al puchero... Por mandato del rey, su oficina del tesoro no se olvida de vos. Sí, ya sé, ya sé lo que vais a decir. Ya sé cómo se han puesto los precios, debido al oro que llega del Nuevo Mundo, según se dice. Veo cómo los jóvenes se marchan allí; hacen falta manos... Todos, todos quisieran irse a aquellas tierras y convertirse en príncipes de la noche a la mañana... Malos tiempos. No se hace aprecio a lo poco que uno tiene... ¿Para qué? También en vuestra casa, don Martín...

—Catalina, ¿cuánto tiempo hace exactamente que se nos fue Hernando?

—Ahora se cumplieron los dieciséis años.

—¿Y qué utilidad o provecho os ha traído eso?

—Los padres no necesitan sacar provecho... Vive en Cuba; dicen que se está enriqueciendo y que tiene muchos criados. Todos los años nos manda sus noticias. A veces nos envía alguna cosita. Hace tres años nos envió un papagayo, pero el pobre animalito murió... Nos escribe que debemos tener paciencia y que su suerte dará el mejor día un tumbo favorable.

—Todos escriben lo mismo, doña Catalina, todos. Pero un día aparecen con los ojos bajos, hambrientos y harapientos... Entonces sí que les resulta agradable encontrar un rincón donde meterse... ¿Quién había oído jamás semejantes cosas? La gente honrada de Extremadura parte para el otro lado del mundo a luchar con salvajes y a destripar terrones.

Quedaron silenciosos. Se iba haciendo de noche. Lejos, en el extremo de la calle se oía el ruido de cascos de caballerías contra el empedrado. En esta ciudad triste, donde había tantos viejos y tan pocos jóvenes, cualquier cosa llamaba la atención. ¿Qué venían a buscar aquí, ya de noche, esos jinetes? Al ponerse el sol cesaba todo tráfico en esta calle, pues las carreteras principales pasaban lejos de allí... Siguieron algún tiempo silenciosos, junto a la abierta ventana que les permitía respirar el aire fresco y ventilar la habitación donde se olía siempre a medicinas y medicamentos. El ruido de los cascos de las monturas se acercaba... Y en el silencio oyeron de pronto una voz clara que decía a alguien:

— Buscamos la casa de don Martín Cortés...

Las dos mujeres se santiguaron. Don Martín se estremeció y, de una manotada, apartó la piel que le cubría las piernas. Pero ya se oían los golpes de la aldaba. Momentos después abrióse la puerta y, a la escasa luz de una vela que habían encendido las mujeres precipitadamente, viéronse tres figuras de hombre en el umbral. Cortés, con un quejido de dolor, levantóse y abrió los brazos como en gesto de proteger a las mujeres. Los tres hombres entraron en la habitación y quedaron unos momentos de pie sin decir palabra. Después quitáronse el sombrero y se dieron a conocer:

— Alonso de Puertocarrero, alcalde y juez de la ciudad de Vera Cruz.

— Francisco de Montejo, enviado del capitán general de Nueva España.

— Alaminos..., el hombre que ha traído a esos caballeros desde allende de los mares.

Puertocarrero se dirigió entonces al anciano Cortés, que estaba pasmado por la sorpresa.

— Sea alabado el santo nombre del Señor y bendita la hora en que podemos traer el saludo del capitán general de Nueva España, nuestro augusto señor, a su padre...

Doña Catalina dio un grito:

— ¡Oh! ¿Habláis de mi hijo Hernando? ¿Sabéis si vive todavía?

Don Martín hizo un signo para que callara. El viejo hidalgo avanzó hacia los caballeros, estrechóles la mano a cada uno y les arrimó unas sillas. El piloto, con su nariz enorme y sus piernas cortas, sabiéndose plebeyo, titubeó antes de sentarse.

— Os doy las gracias, caballeros, por el saludo y por la visita. Considerad esta humilde casa como la vuestra. Pero perdonad, caballeros; tal vez sea ello una triste consecuencia de mi avanzada edad y los recuerdos se borran demasiado a menudo de mi cabeza... Tantos nombres... No recuerdo ahora. ¿Dónde está esa ciudad de Vera Cruz de que habéis hablado? ¿Dónde está Nueva España? ¿Y qué tiene que ver todo eso con mi hijo Hernando, que humildemente cuida su hacienda en la isla Fernandina?

—Don Martín: Dad gracias al Señor, que permite que esta noticia os encuentre con vida y salud y también la señora madre de nuestro general puede dar gracias a la Santísima Virgen. El tiempo apremia y no puedo ahora referiros con todo detalle y minuciosidad lo que hemos visto, los milagros y riquezas que han rodeado a nuestro señor don Hernán Cortés. Sólo os diré que vuestro hijo ha conquistado todo un mundo nuevo para España. No se trata de alguna islita llena de salvajes. Donde él manda hay ciudades y vastas regiones, hay reyes que obedecen a un emperador; las provincias son grandes y ricas, rebosan oro y plata y están habitadas por un pueblo que cree y reza a dioses sangrientos; saben escribir y se envían embajadores de un rey a otro... Pasamos por ciudades tan grandes como Sevilla o Granada... Después, la capital, que se llama Méjico, y donde vive el emperador de los indios, está ya en nuestro poder y don Hernando ofrecerá su trono a nuestro emperador.

Silenciosamente levantaron las copas y bebieron a la salud del hijo ausente y sus acompañantes. Siguió un rato de silencio. El más joven de los visitantes miró a los que le acompañaban. Puertocarrero se levantó, salió de la habitación y volvió seguidamente cargado con un saco de cuero.

—Nuestro señor Cortés envía esto como prueba. Son pequeñeces. Los grandes cofres que hemos traído están ahora en poder de los señores del Consejo de Indias, que cuidan de hacer inventario de su contenido. Esto lo trajimos nosotros personalmente bajo nuestras sillas de montar.

Sobre la mesa cayó un chorro de piedras preciosas: esmeraldas, zafiros, jaspes, todo revuelto con algunos rubíes de magnífico color de fuego montados en oro. También un pajarito con pico de oro, perlas blancas y otras negras...

A los dos ancianos les brotaron lágrimas. Contemplaron absortos aquellas preciosidades, tan alejadas del ambiente de la humilde casa. Puertocarrero respiró hondamente antes de continuar su peroración:

—Como he dicho ya, eso son solamente algunas muestras; todo lo demás está en el Consejo de Indias, pues, para decirlo tal como es, don Hernando ha conquistado todo un reino para Don Carlos. Lo prueba así el oro que hemos traído, los presentes que han mandado los soldados, la presencia de los indios que han venido con nosotros. Solamente los documentos no están en completo orden. Salimos de

Cuba un poco antes de lo que deseaba el gobernador. Vuestra merced no puede imaginarse cuánta sangre y cuántas fatigas nos costó el llegar a fundar una ciudad en la costa, esa ciudad de Vera Cruz que antes he citado, pues así la bautizamos. El gobernador Velázquez, empero, no nos da descanso. Tuvo noticias de que veníamos directamente a España para defender los derechos de nuestro señor y el nuestro propio, e inmediatamente envió a su capellán para que presentara sus quejas ante el Consejo de Indias. Llegó antes que nosotros; al desembarcar pusieron el sello real en todos los fardos con riquezas que traíamos, y así fue preciso que trajéramos a escondidas esos pequeños sacos de cuero.

— ¿Dónde hay que defender los derechos de mi hijo?

— Eso es una larga historia, noble señor. No gozamos de muchas simpatías en el Consejo de Indias. Ante el obispo Fonseca, el señor Velázquez siempre tiene razón. Sin embargo, don Hernando, por lo que sabemos, será defendido y apoyado por el que fue un día su compañero de estudios, el conde de Olivares. Si no hubiera sido por él y por el duque de Béjar, el señor obispo hubiera ya puesto sus garras sobre todo lo que trajimos, y quizá también en nuestro propio cuello, como ya hizo hace quince años con el pobre almirante Colón.

— ¿Y qué vías legales habéis seguido, noble señor?

— Apelamos a Su Real Majestad. Por ese motivo es por lo que también hemos venido a vuestra casa con el agua al cuello, don Martín. Vuestra merced lleva la medalla conmemorativa de la gran reina; en la corte se sabe, además, que fuisteis un día un bravo capitán. Os vamos a decir sin rodeos lo que habíamos pensado: Os suplicamos que vengáis con nosotros para dar fuerza a nuestras palabras si es preciso, para que mostréis vuestras heridas que Castilla nunca supo premiar debidamente y para que inclinéis junto a nosotros vuestra venerable y encanecida cabeza ante Su Majestad. Así, esperamos librar ante el emperador la acusación de motín que se ha lanzado contra nuestro señor.

— ¿Mi hijo envía una legación a Don Carlos?

— Envía legaciones a dos emperadores de dos mundos. Aquí, bajo mis ropas, está su carta. Nadie la ha visto todavía, ni aun el buitre ansioso del señor obispo. Nuestra consigna dice así: «En el pleito de ese lejano mundo debe hacer de juez Su Majestad y determinar nuestra suerte.»

— ¿Hacia dónde vais a ir?

— A Tordesillas.

La vecina se había deslizado fuera de la habitación sin ser notada; ya fuera, secóse una lágrima de su mejilla y seguidamente corrió por las casas vecinas con la gran noticia: el hijo de los Cortés había llegado a ser rey de un lugar lejano, al otro lado del mundo.

* * *

Todo el castillo estaba lleno de negros cortinajes. Allí, Doña Juana la Loca vivía en perpetuo luto por su esposo. Por toda España se hablaba con angustia de Tordesillas y la mole negra y sobria del castillo parecía agobiar con su peso las almas. Hasta muy lejos llegaban las habladurías de la servidumbre y en las provincias de las que era reina Doña Juana se comentaban con verdadero miedo las visiones de la pobre loca. En el castillo recibió Don Carlos la embajada de Cortés.

Los regalos al emperador fueron ordenados por la mañana temprano. Ninguna mirada había aún podido recrearse en la contemplación de las mantas preciosamente bordadas ni en la capa de plumas con sus figuras de colores. Sobre un almohadón de terciopelo se había colocado la corona o crestón de plumas de quetzal que contenía el curso de los planetas y aquel hermoso sol de oro y la luna de plata. Las piedras preciosas estaban en bandejas, así como las barras de oro macizo; el oro en polvo estaba en saquitos. Los indios estaban presentes. Eran en su mayoría hombres de Cempoal, dos hijos del obeso cacique amigo de los españoles y algunos sirvientes con afición a la aventura. En Andalucía fueron recibidos como si fueran siervos del rey. Caminaban con rostro admirado y un tanto avergonzado e iban empapándose de las cosas sorprendentes y grandes de este mundo nuevo para ellos. Pero cuando llegó el invierno y se continuó el viaje hacia el Norte, el clima crudo se les metió en los propios huesos y, si los españoles no les hubieran dado gruesas mantas con que abrigarse, hubieran sucumbido de frío aquí en Tordesillas. Para la ceremonia de hoy, se habían pintado el rostro como para una gran fiesta y se pusieron los mejores adornos que tenían. Los hijos del cacique añadieron a su crestón de plumas el distintivo de oro de los jefes. Esperaron hasta que hubo terminado la primera misa y la gran sala se hubo llenado de gente. El sol lanzaba sus rayos contra las colgaduras negras de la pared. La madre del emperador se había retirado a sus habitaciones, donde se cerraron los postigos cuidadosamente, pues no debía hoy penetrar la luz exterior en la habitación, alumbrada únicamente por las antorchas del túmulo.

Sobre un estrado estaban los dos sillones del trono: uno era para la reina; el otro, para Don Carlos. A los lados estaban las mesas de los notarios y de los asesores. Para el obispo de Fonseca, se había preparado un grande y bien tallado sillón de madera. Carlos entró acompañado de sus consejeros flamencos. Muy pocas veces usaba el título de Rey Romano, pero sus súbditos le hacían siempre los honores que corresponden al emperador del Sacro Reino. Carlos era un joven delgado, con barba negra y brillantes ojos; a la sazón no había cumplido todavía los veinte años. Su juventud, tan cargada de duras pruebas, se había deslizado a la sombra de la locura de su madre. La palabra «hogar» no tuvo nunca significación para él. No tenía realmente un idioma propio, en un lado u otro de su vasto Imperio, surgía alguna llamarada que había de apagar, y así se interrumpía continuamente su trabajo ordenado. Había nacido envuelto ya en la púrpura imperial. En las primeras letras que aprendió, pudo ya leer cuestiones de Estado y de Derecho, una mezcolanza de ordenanzas eclesiásticas y mundanas; interminable serie de preceptos de etiqueta con toda la severidad de las aulas pontificias y del protocolo español. Mientras los jóvenes de su misma edad, después de los besos heroicos de las novelas caballerescas, languidecían por los verdaderos besos, Carlos estaba haciendo mil esfuerzos para ir dominando las distintas lenguas habladas en su Imperio, y, aun en plena primavera, cuando las mañanas son tan deliciosamente luminosas, él, como siempre, debía recitar ante sus preceptores párrafos y más párrafos del Derecho de Justiniano.

Vestido de negro, apareció en la sala tapizada de negro y sin adorno alguno, excepto un gran crucifijo de metal. Carlos dirigió una mirada vaga a su alrededor, hasta que la fijó en la larga mesa sobre la que se habían extendido los objetos y joyas de precioso metal y pedrería traídos del Nuevo Mundo. Miró después a los indios, que se inclinaron ante él hasta tocar el suelo, de modo que las plumas de su corona o crestón rozaron la alfombra. El emperador levantó su enguantada mano y el maestro de ceremonias dio las órdenes inmediatamente para que los cortesanos que hacían guardia en las puertas dejasen entrar a los embajadores o enviados de Cortés. El heraldo anunció con voz chillona los nombres de don Martín Cortés de Monroy, capitán de la reina Isabel; don Alonso de Puertocarrero, presunto tercer heredero del condado de Medellín, y el noble señor Francisco de Montejo; los dos últimos, corregidores de la ciudad de Vera Cruz, fundada conforme a derecho en la provincia de Nueva España, embajadores todos del capitán general de dicha ciudad y provincia, don Hernán Cortés, de cuyas credenciales eran portadores.

Todos doblaron la rodilla. Carlos vio la venerable cabeza encanecida, las cicatrices en el rostro del anciano. En el jubón sencillo brillaba como una joya la condecoración de la gran reina, la abuela de Carlos. El emperador contempló al anciano, cansado ya, que había sido arrancado de su tranquilo rincón provinciano para pedir seguramente gracia para su incorregible hijo en las disputas surgidas allá en el Nuevo Mundo. Hizo señas a todos de que se alzasen y mandó ofrecer un asiento al anciano, en atención a sus años. Mientras tanto, Puertocarrero había tomado la conveniente actitud; sacó de su estuche la carta de Cortés, y con hermosa entonación, un tanto universitaria, comenzó a leer aquel mensaje que venía del otro lado del mundo:

«Si quisiera yo referir a Vuestra Majestad, como es merecido, lo que es este maravilloso mundo con sus ciudades, tesoros y pueblos, no podría jamás tener fin este escrito mío. Vuestra Majestad Imperial seguramente habrá de perdonarme que esta carta no esté, ni con mucho, escrita en la forma en que mi deseo y su misión exigieran. Debo confesar que mi soltura en escribir no es ya la que un día tuve. La vida de campaña, los continuos combates, no me dejaron tiempo para ejercitarme según deseara mi corazón en tan hermoso arte que aprendí en Salamanca...»

La voz de Puertocarrero era suave y melodiosa como correspondía a un noble caballero. El placer de las vividas aventuras le arrebataba y hacía crecer alas a sus frases que gloriosamente parecían volar en la vasta sala... Todos los obstáculos de tiempo y de espacio fueron superados; él mismo batióse con los otros en la costa de Tabasco; vio los primeros enviados que presentaron homenaje, doblándose hasta tocar el suelo; vio a Marina cuando era una esclava todavía, vio la ciudad de Vera Cruz, al obeso cacique; habló con los dioses de los indígenas, contempló los horripilantes sacrificios en que eran arrancados vivos corazones humanos, y la torre del templo; oyó los coros monótonos y lúgubres y vio volar infinidad de pájaros exóticos y hermosos, mientras los sacerdotes extendían los brazos como si hubiera un revoloteo de alas divinas...

En el reloj de arena seguían cayendo los granitos. Los dignatarios se miraron unos a otros como preguntándose si Su Majestad no estaría ya fatigado. Pasaba el tiempo y aún no se había leído el escrito de acusación que había redactado contra Cortés el mismo obispo de Burgos.

Pero Carlos estaba silencioso. A las primeras frases, su silencio y actitud eran fríos; después, poco a poco, animóse su rostro, y los consejeros, que estaban habituados a leer los rasgos de su fisonomía, le observaban con sorpresa. Los ojos del emperador estaban brillantes y parecían dirigirse hacia una lejanía, hacia un horizonte que llegaba hasta el Nuevo Mundo, hasta el otro hemisferio. Un desconocido hidalgo garrapateaba su escrito allí en una costa remota de un país desconocido, en unas regiones de las que nunca se tuvo noticia y que él llamaba Nueva España. Allí sumergía su pluma en una tinta hecha de zumo de fruta y se atrevía a enviarle directamente sus osadas palabras. Todo lo que contaba había sucedido realmente, estaba testimoniado por notarios reales; de no ser así, hubiera creído Carlos que aquello eran páginas de una novela de aventuras, de las que, desde muchacho, le habían enseñado a huir como del diablo sus directores espirituales y confesores. Carlos callaba. Sin saber por qué sentía tristeza de su niñez, entre su madre loca y los severos preceptores. Nunca, de niño, le habían contado cuentos. Ahora, a sus veinte años, había ya conquistado en el campo de batalla las espuelas de caballero, pero, en cambio, no había tenido en las manos la historia de Amadís de Gaula; sólo de oídas conocía la corte del rey Arturo, y, en cuanto a novelas, sólo sabía de ellas que diariamente eran echadas algunas de ellas en la hoguera de algún auto de fe. La primera novela que escuchaba había sido escrita para él por un capitán que, al otro lado del mundo, estaba metido hasta las rodillas en un país fabuloso de cuentos, un capitán que vivía entre indios...

Carlos miró fijamente a los dos indios, los hijos del cacique, que, inmóviles e imperturbables, sostuvieron la mirada. Contempló sus rostros, que parecían de bronce forjado y le recordaban las estatuas romanas de su galería. Evidentemente, en aquella habitación debía de hacer frío, porque los dos indios se estremecían de vez en cuando. Luego, los ojos del emperador se fijaron en las mantas bellamente bordadas sobre las que se desparramaba el oro del Nuevo Mundo. Los pajes le fueron acercando aquellas obras de arte de la orfebrería india; aquellas preciosidades de oro y de plumas, aquellas magistrales representaciones de animales, las imágenes de los ídolos que mostraban sus ojos de esmeralda brillantes y crueles. Palpó una de las telas; era suave como la seda de China... Tomó en sus manos un hacha; era un arma de obsidiana con mango de madera; después su vista resbaló hacia aquella jaula de mimbre donde chillaba una inquieta ave del paraíso brillante de colores.

«...Traté con mis escasos medios de escribir la verdad y resumir con humildad todo lo que hemos hecho para que Vuestra Majestad pueda sopesar con benevolencia tales acciones. Solamente suplico de Vuestra Majestad Imperial, que se digne enviar aquí algunos consejeros idóneos para que hagan sus investigaciones y comprueben mi informe o, en su caso, puedan desmentirlo. Para terminar, deseo que el Omnipotente conserve largos años la vida de Vuestra Majestad y que aumenten y prosperen igualmente todos los países que en Vuestra Majestad ven a su señor. De Vuestra Majestad siervo devoto y fiel, Ferdinandus Cortesius. Dado en...»

La última palabra sonó ya en el silencio de la sala. Todos callaban y esperaban con tensión si el emperador diría algo. Si callaba y movía su diestra enmarcada en finos encajes, entonces significaba que el obispo de Burgos podía tomar la palabra y, con un pergamino en sus temblorosas manos leería su acusación, con cuyos argumentos había de hacer que se revolcara en el polvo el indisciplinado e indomable aventurero del Nuevo Mundo.

Don Carlos seguía inmóvil. Sus párpados estaban medio cerrados, como si se encontrara en los umbrales del mundo de los sueños. Luego se dilataron sus pupilas ante el encanto de aquel hermoso cuento; el milagro le arrebataba. Mientras fluían las palabras y aquellas letras formaban en el cerebro de Carlos imágenes turbadoras, parecíale verse a sí mismo luchando al lado de Cortés, junto a un río desconocido, de cuyas aguas los indígenas sacaban polvo de oro con cucharas. Veía a aquellos indios cobrizos que se arrodillaban ante un altar nuevo, el primer altar del Nuevo Mundo. Piadosamente, hincaban sus rodillas aquellos hombres obscuros. El Padre Olmedo extendía su mano... Luego, a un tiro de mosquete, una nueva ciudad conquistada; las jaulas de las víctimas, cebadas y dispuestas para el sacrificio. Carlos imaginábase libertando personalmente a la primera víctima y poniéndose después a la cabeza de aquellos caballeros del Espíritu Santo...

El emperador se levantó de su asiento. El secretario que cuidaba de vestir en debida forma al defectuoso castellano del monarca español, inclinóse respetuosamente ante Su Majestad..., pero Carlos hizo una seña para que se apartara. Su mirada era firme cuando miró a Fonseca, y los cortesanos, pendientes siempre de los labios del monarca, le oyeron que inesperadamente decía en castellano:

—Han terminado las audiencias. Damos las gracias a nuestro súbdito que ha levantado el ánimo de Nuestra Persona, tan pocas veces bendecida por la alegría, y no solamente con sus presentes, sino mucho más todavía por su escrito. Por eso te rogamos, honorable señor Martín Cortés de Monroy, hagas llegar a tu hijo nuestra real benevolencia, como haremos igualmente por medio de nuestra cancillería. Nuestro tiempo está limitado y nuestro espíritu no puede por sí solo penetrar en tantas complicadas cuestiones. Por eso encomendamos a nuestro Real Consejo que compare los informes del

Consejo de Indias con el informe de don Hernán Cortés, y si ello parece necesario se envíe a un representante de la Corona para que nos informe de todo lo que ha sucedido hasta ahora y de lo que pudiera suceder de aquí en adelante. Desde ahora, puede don Hernando Cortés, así como el magistrado de Nueva España, gozar de todos los honores que se merecen por sus servicios y que les corresponden.

El color violeta de su capa hizo resaltar todavía más la palidez mate del rostro del obispo. Extendió sus brazos como para protestar..., pero la voz de Carlos dejó cortada en seco su palabra:

— La audiencia ha terminado. Los caballeros venidos del Nuevo Mundo quedarán aquí con Nosotros para continuar su narración. Esos indios, cuya cabeza fue humedecida ya por las aguas del bautismo, son nuestros hermanos en Cristo. Llevadlos a una región más cálida, donde no se hayan de estremecer de frío y donde los rayos del sol tengan más fuerza que el que tienen aquí en Tordesillas, entrado ya el otoño...

16

El terrible señor jugaba al ajedrez. Sentado sobre un bajo asiento de plumas trenzadas, se inclinaba sobre el tablero y miraba dónde colocaba las piezas su paje Orteguilla. Por todas partes se metían los más jóvenes jefes de la guardia. El diablo del juego inflamaba sus ojos, se oía el ruido de los dados. Espiaban el rostro del rey y su sonrisa cuando echando mano a su bolsillo sacaba la joya o el objeto y se lo entregaba como pérdida en el juego.

Eran unos días extraños en que pronto anochecía. Al principio parecía que el prisionero moriría de pena; luego, de día en día, estuvo más animado. Esperaba los informes matinales de Cortés y discutía con él las órdenes del día. A veces entablaba conversaciones con los soldados y les preguntaba acerca de su modo de vivir y de su suerte, y aun de sus familias. Inclinábase por encima de los hombros de los amanuenses cuando éstos trasladaban al papel las órdenes de Cortés y admiraba aquellos rasgos que representaban la palabra. Una mañana, bajó hasta el patio, que a aquella hora parecía un campo de ejercicios más bien que una residencia real. Observó los movimientos de las formaciones. Había aprendido ya a conocer los toques de corneta y movía satisfecho la cabeza cuando un ejercicio o movimiento resultaba de impecable ejecución. Contemplaba admirado los ejercicios en que los soldados con lanzas sin punta y sables sin filo, simulaban combates. En tales ocasiones, ofrecía premios, y personalmente entregaba alguna figurita de oro a aquel a quien el juez declaraba vencedor.

Después, sus servidores le acompañaron de nuevo a su cámara, donde le esperaba ya el desayuno. El monarca prefería la vajilla de arcilla cristalizada a la de oro y de plata, y así, la vajilla de Cholula con sus dibujos extraños, adornaba siempre su mesa. Los Grandes del reino le servían simbólicamente la mesa; en realidad, las jóvenes indígenas ponían las tortas de maíz, la sopa cargada de especias, la liebre asada o las gallinas y platos dulces. Cuando se sentaba, se montaba un gran biombo o mampara para que nadie viera cómo Moctezuma aplacaba su apetito.

Después del desayuno, se dirigía al salón del trono y allí, durante horas, se ocupaba en los asuntos de Estado, como si no hubieran llegado nunca españoles y él siguiera siendo el omnipotente señor de aquellas tierras. Venían caciques de todas partes del reino. Llegaban descalzos con la cabeza cubierta por una tela al modo de los campesinos. Debían repetir hasta tres veces: «Augusto señor, poderoso príncipe...» Ante la puerta, oíanse los zapatos claveteados de los españoles que golpeaban el pavimento y palabras extranjeras llegaban hasta aquella cámara. Moctezuma inclinábase sobre las hojas vegetales en las que se había dibujado o escrito sentencias. A su derecha y a su izquierda, estaban sentados dos jueces y un jurista del reino. Con los ojos bajos, cada uno de ellos decía en voz baja su opinión acerca del caso, y el rey entonces daba su sentencia fundadamente. Eran sus horas tranquilas y pacíficas durante las cuales los españoles no le molestaban. Cuando había terminado, si estaba de buen humor invitaba a los jefes jóvenes al célebre juego de pelota mejicano. Hacía que se pusieran los pesados delantales de piel; de otra manera pudieran lastimarse con aquellas bolas de oro y de plata que representaban los planetas. Los españoles eran torpes y pesados en este juego. Moctezuma les había enseñado con sus cortesanos todas las reglas y trucos del mismo. Pero sólo los indios, increíblemente ágiles, podían lograr la maestría.

Los caciques de las provincias costeñas desfilaban ante él, le presentaban las contribuciones que correspondían al monarca y magníficos regalos de príncipes vasallos de remotas regiones. Cuando había oro, una parte de él iba a parar al tesoro de los españoles o a los soldados. Moctezuma se reía de ver su alegría y frecuentemente arrojaba un pedacito del precioso metal a los centinelas. Tan generoso monarca, rodeado de su esplendor y poderío, y al mismo tiempo triste como pájaro con las alas cortadas, excitaba la fantasía de los soldados y daba pie a la superstición. Empezaron a cuchichear acerca de supuestos tesoros enterrados en cámaras ocultas del palacio. Pequeños grupos inspeccionaban y buscaban; golpeaban los muros y, por la noche, movían las antorchas para observar si se veía algún brillo metálico en la negrura de alguna grieta. Se hicieron reproches a Cortés por haber ordenado emparedar la estatua de oro. Todos estaban presos de la fiebre de aventura y de tesoros ocultos. Alfonso Yáñez, el carpintero, llegado ha poco de Vera Cruz para ayudar a construir grandes embarcaciones para el gran lago mejicano, se paseó ya la primera noche por todo el palacio con su vara de medir en la mano. Medía la anchura de los muros, buscaba posibles huecos, sondeaba en el suelo, creyendo encontrar pasadizos subterráneos, y aplicaba el oído a tierra tratando de oír misteriosos golpes.

Una tarde, suplicó a Cortés que le concediera una entrevista. Cortés sólo dejaba que le molestaran por la noche en ocasiones muy contadas y para casos muy importantes, pues las horas de la velada empleábalas en asentar sus cuentas, trazar sus planes, redactar la orden del día y, cuando había terminado con esas cosas, placíale charlar con Marina o irse a pasear por el jardín, envuelto en su capa. Pero aquel día recibió al carpintero.

—Señor: Yo no trabajo al buen tuntún. Metódicamente, he buscado por todas partes. Sin el beneplácito de vuestra merced nada quiero hacer. Sé cuál es mi deber; pero también sé que en caso de éxito, vuestra merced no se olvidará de la parte que me corresponde. En mis búsquedas, me encontré con una puerta tapiada en la parte norte del palacio; esta puerta está cuidadosamente disimulada, pero pueden verse algunas manchas de argamasa reciente. Golpeé y comprobé que detrás de la puerta no se encuentra ninguna habitación, sino que la abertura se dirige hacia abajo, hacia bodega o sótano, y si quitamos ese pedazo de pared, creo que tendremos entonces expedito el pasadizo subterráneo.

Cortés meditó. Hizo llamar a Xaramillo. Tomaron ambos zapapicos, y Yáñez sus herramientas.

El cincel golpeaba contra el mortero. Trabajaban a la luz de una bujía a puerta cerrada, pues no podían dejar oír el menor ruido. Los ladrillos, endurecidos por el sol de los trópicos solamente, se dejaban perforar con facilidad, como prueba de que el tabique había sido construido rápidamente ante aquellos muros ciclópeos. Fue descubierta una escalerilla que conducía a una mina. Encendieron una antorcha. El paje y el soldado se metieron por el orificio, pisando los escombros. Llegaron a un pequeño espacio que era como vestíbulo y detrás se alzaba una segunda pared. A ambos lados se veían amenazadoras cabezas de pórfido en los capiteles. Los tres hombres rascaron el revoco o estuco que cubría el tabique formado por una sola capa de ladrillos. El carpintero tomó una barra de hierro y Cortés un pico; pronto hubo un agujero en la pared. Xaramillo se introdujo por él y cuando hubo pasado le dieron una antorcha. Al principio le oían que se arrastraba abriéndose camino, después oyeron la voz clara y aguda del muchacho que gritaba:

. — ¡El Dorado!

La abertura fue ensanchada. Yáñez tenía en sus manos la capa, el sable y el zapapico de Cortés, mientras éste se introducía por el orificio. Dos antorchas, con sus movedizas llamas, llenaron de reflejos aquella cámara, de modo que el tesoro pareció centuplicado. Ni aun en los sueños más ambiciosos y disparatados, sus manos habían tocado tesoros como aquél. Solamente las madres pueden haber imaginado esos cuentos fantásticos de cavernas secretas donde se amontonan tesoros increíbles. Y aquí eso era, no sueño ni cuento, sino realidad. Aquí estaba depositado el tesoro de Axayacatl. Estaba ante sus ojos. En su mayor parte, estaba formado por oro en barras o en discos que representaban los astros, todo un montón inmenso. Comprendíase que los cortesanos de más confianza lo habían escondido allí precipitadamente, sin ayuda de albañil ni obrero alguno. Todo estaba amontonado de cualquier manera; las piedras preciosas, en sus saquitos; objetos de oro fundido; un mar de plata, como si la masa fundida hubiera sido arrojada en el agua y así se hubiera solidificado. Todo lo que los españoles poseían entonces; todo lo que los enviados de Moctezuma habían expuesto a sus ojos admirados, no era ni la milésima parte de lo que estaba amontonado en esta cámara; no sólo por su valor, sino por su belleza.

Quedaron quietos durante algunos minutos sin decir palabra; les faltaba la respiración al contemplar aquella abundancia, aquel esplendor. Era como si todos los sueños fantásticos y los deseos más ambiciosos se hubieran convertido en realidad a un golpe de varita mágica. Eran hombres y si hubieran obedecido a su inclinación, se hubieran arrojado sobre aquel inmenso montón, se hubieran embriagado en el mayor de los placeres, tan ebrios como si fuera vino; se hubieran desgarrado las vestiduras y se hubieran embutido tesoros por los desgarrones, y se hubieran cargado de oro de tal forma que hubieran caído bajo su peso...

Cortés estaba pálido mirando las joyas y riquezas que, según él ya sabía, fueron causa un día de la discordia entre Tenochtitlán y Tezcuco. Trataba de calcular el valor de aquellos tesoros; eran cientos de miles de pesos que parecían pasearse ante sus ojos, es decir, enormes, inmensas fincas en Extremadura. Pensaba en las Cruzadas que él, en posesión de tales inmensas riquezas, podría dirigir y emprender para arrojar a los infieles de Jerusalén. Parecíale ver el rostro de Don Carlos, que en la catedral de Toledo hacía rezar un Te Deum y armaba caballeros a los señores. Se veía a sí mismo al lado del emperador como gran maestre de la Orden de Calatrava, entre los grandes de España; y el pequeño Olivares le reconocía y se le aproximaba; lo mismo hacía el duque de Béjar. Él, entonces, enviaba un recado a Velázquez: «Como vuestra merced verá...»

Reaccionó. Eran un puñado de españoles, aislados en aquel mar de enemigos. Una gota de odio nada más, y en Anahuac no quedaría ni huella de ellos, sino eran unas ruinas en Vera Cruz que hablaran de ellos en los venideros tiempos... ¿De qué servía el gran tesoro de Axayacatl, del primer Moctezuma, del rey Molch, del Lobo del Desierto y de su hijo, del Institutor del Ayuno, de Cacama, de Mazorca Triste, el príncipe? ¿Para qué ies servía a ellos ese gran tesoro, si en un momento podían quedar convertidos en polvo? ¿De qué les servía, si no podían hacer balas con todo aquello, si no podían comer oro a falta de harina de maíz, ni beberlo en caso de que les cerraran el agua que manaba en el jardín? ¿De qué servía todo el grandioso tesoro de Axayacatl?

—Xaramillo, llama a los capitanes. Que cada uno despierte a sus soldados. Después hazlos venir uno a uno, uno después de otro. Que primero venga el señor Godoy y los tesoreros reales. Tú, señor Yáñez, quedarás junto a mí para que puedas jurar que no he tocado el tesoro ni aún con la punta de un dedo. ¿Me comprendes?

Yáñez, el carpintero, afirmó con la cabeza.

—Sí; os comprendo, señor. Sois más sabio que todos nosotros..., pero yo soy un pobre soldado y soy yo quien descubrió este tesoro...

Cortés echó mano al bolsillo donde llevaba el polvo de oro.

—Toma ese saco, Yáñez. Ya ves que te doy lo que es de mi propiedad particular, de lo que hemos reunido con nuestras fatigas y esfuerzos. Sería suficiente el agacharme y darte de ese oro, o sencillamente el decirte: «Toma»; pero yo quiero que veáis todos que Cortés nada toma de ello... Ese tesoro, Yáñez, no nos pertenece a nosotros... ¿Comprendes?... No nos pertenece a nosotros..., no.

—¿No, señor?

—Cuando tú ves algo en una casa o en un templo, ¿lo coges para ti sin más ni más? Tú sabes, sin embargo, que no me corresponde a mí. Si no procedemos como manda la ley de Don Carlos... Sólo podemos remover el oro, quitarlo mediante sentencia o disposición... ¿Es preciso que te lo explique? Eres un carpintero, como lo fue San José...; eres un artesano, no un simple y tosco soldado. Debes entenderme... Moctezuma se entregó voluntariamente en nuestras manos. No es un rebelde; ha jurado fidelidad al emperador y este oro le pertenece... Más importante que el oro es conservar su favor; debes comprenderlo. Por eso te lo explico, como si fueras un capitán. Quiero que tú lo entiendas para que lo puedas explicar a tu vez a los demás. Hernán Cortés no está poseído de los demonios; no piensa en vuestra perdición y no se propone, por lo tanto, llevarse el tesoro a casa, a hurtadillas, de noche. Si nos lo llevamos de aquí, en contra de toda ley, sin que antes no sea regalado o entregado..., te digo en verdad que si tal hiciera nos convertiríamos en bandoleros, en ladrones, en fruto maduro para la horca. ¿Entiendes todo eso, Yáñez?

Llegaron los capitanes con el notario y el Padre Olmedo; llevaban antorchas en la mano. Cortés repitió todo cuanto había tratado de explicar a Yáñez. Las mejillas de Alvarado se colorearon.

—¿Vamos a dejar eso a esos paganos?

—¿Quién os dice que lo dejemos aquí? Ahora estamos todavía nosotros aquí y necesitamos gente, provisiones, armas, pólvora. No podríamos llevarnos el oro y, por ahora, lo vamos a dejar aquí. Cada uno de los soldados puede venir con su antorcha y mirarlo. Que vean que sus jefes no han tocado ni tocan el tesoro, ni aun con una uña; que sigue aquí. Y que mi promesa no era una mentira. Pero el tiempo de repartirlo no ha llegado todavía.

A las primeras horas del alba, los españoles tapiaron de nuevo aquella puerta.

17

Contemplaba la lluvia plomiza que caía tristemente. En estos días que preceden a Navidad, los mercados de Castilla estaban repletos de vendedores. Recordaba que el viento soplaba cortante como un cuchillo; aquel frío riguroso; posiblemente estaría ahora nevando. Los monjes envueltos en su hábito y con la capucha calada, parecían osos pardos. En los conventos se preparaban las novicias para las funciones navideñas, y, afuera, los comediantes preparaban también sus afeites... Llovía también; pero aquí nada tenía principio ni fin; ni la tierra, ni el mundo.

El gran señor se inclinó sobre el mapa de tela y fue señalando. De ahí brotaban los ríos hacia el mar del Sur; y aquí donde el ancho río se divide en cien brazos, es donde la gente busca el oro en sus arenas. Por el otro camino que conduce a través de tribus montañesas amigas las unas, enemigas las otras, se llegaba a una región pedregosa y allí, bajo tierra, se encontraba la inmundicia de los dioses.

Cortés envió a sus argonautas en pequeños grupos. Ahora, cercana la Navidad, volvían poco a poco con más o menos oro. «El lavado de arenas es lo más productivo, señor», dijo el joven Díaz. «Dividiendo el trabajo entre doscientos indígenas, no cae ciertamente una lluvia de oro; pero tampoco lo que se encuentra es escaso. En dos semanas hemos reunido unos ochocientos pesos...» Otro enseñaba algunas gruesas pepitas que había logrado, cambiándolas por cuchillos o cascabeles. La tercera cuadrilla no había llegado a pasar de la tierra inhospitalaria y pedregosa.

Aquel oro le alegraba más que todo el montón inmenso que yacía en la habitación tapiada y que él en sueños visitaba tantas veces. De esos tesoros escondidos, le contaba todos los días cuentos medrosos el príncipe sin tierras y sin trono: Flor Negra. Estaba indeciso entre dos creencias; se paseaba como un espectro por todo el palacio. Su figura larguirucha y extraña parecía todavía más extraña en los corredores desiertos. Sus palabras, en un español desfigurado, goteaban sangre y venganza. Se inclinaba ante Cortés y escuchaba las enseñanzas del Padre Olmedo, por boca de Marina. Pero en el fondo de su ser seguía siendo inescrutable, un vástago real guerrero y caprichoso que había puesto su suerte en las manos del extranjero. Entonces decía:

—El tesoro está debajo de su cama; está tapiado. No pertenece al gran señor, sino que es el tesoro real de Tezcuco... y yo soy el único que ahora tiene derecho sobre él. Partámoslo entre nosotros dos, Malinche... Si me ayudas, nos lo repartiremos...

El príncipe desheredado vagaba por el palacio en el que el gran señor había partido el reino de Tezcuco entre él y Cacama, dejando al hermano menor desheredado. El príncipe vagaba tratando de hurgar en el fuego.

Flor Negra era conocido en todo Anahuac. Cuando se aproximaba a un grupo de muchachas, todas se marchaban en direcciones distintas y sus cantos cesaban. Se decía a sus espaldas que cuando era un muchacho, acompañado de algunos compañeros, una noche había sorprendido en sus casas a los ancianos y a los Grandes y los había matado a cuchilladas, les habían arrancado las hijas y había hecho violencia en sus cuerpos. Corría ese rumor y aún otros: cuando joven adolescente, Flor Negra se convertía todas las noches en un jaguar y erraba por los bosques y, cuando se topaba con pobres campesinos, saltaba sobre ellos y les mordía en la garganta, sorbiéndoles la sangre. Había vivido en casa de su padre, siempre indómito e indisciplinado, mientras su hermano mayor, llamado Mazorca Triste, siempre fue manso y melancólico.

Aún no se habían apagado los ecos de los coros funerarios por la muerte del Señor del Ayuno, cuando Flor Negra voló a los montes, libre como un pájaro, como había hecho hacía muchos años, muchos años, su abuelo. Como un coyote perseguido, vagaba con algunos adictos e iba rebelando a las tribus montañesas una tras otra contra Cacama, que era ya el señor o monarca de Tezcuco. En los montes vivía cuando oyó los golpes de tambor que comunicaban noticias intranquilizadoras y misteriosas por todo el país. Hablaban de casas flotantes y de unos hombres de color blanco y vestidos extraños como nunca se había visto en Anahuac. Eran dueños del trueno y viajaban sobre los lomos de unos ciervos sin cuernos, veloces como el viento... Llegaban nuevas noticias y el nombre del guerrero blanco Malinche sonaba cada vez con más frecuencia. Se hablaba de sus batallas. Supo Flor Negra que el gran señor titubeaba y trataba de contemporizar. Los dioses le habían atado las manos y no podía moverse. Solamente su feliz hermano, Cacama, le decía: «Atráele hacia aquí, a este lado de los diques... Los dioses tienen sed de sangre...»

Entonces envió mensajeros a Cortés y prestó homenaje y sumisión a los extranjeros, y le ofreció como señor el país que había que conquistar.

* * *

En Anahuac el viento formaba remolinos con las cenizas. Por primera vez habían sido quemados hombres en la plaza del mercado de Tenochtitlán. El cacique que había matado a Escalante y que había tenido que dar cuenta de ello al gran señor, había sido quemado junto con todos sus familiares. La multitud agolpada alrededor, había visto aquella escena incomprensible. La puerta del palacio se abrió y la comitiva, como una oruga, se puso en movimiento rodeada de españoles armados. Delante de todo, en su silla de manos, como correspondía a su rango, era conducido el cacique. Las llamas habían prendido en la pira y se elevaban ya a buena altura.

Lo primero que ardió fue su manta de algodón. En este país no había sido nadie quemado a fuego lento todavía y por eso la gente miraba con horror cómo las llamas lamían aquel cuerpo. Se vio cómo el cacique rechazaba a los sacerdotes de los hombres blancos y se tapaba la cabeza con la manta después de haber mirado a su hijo que debía acompañarle en el gran viaje. No se oía el menor ruido sino el crepitar del fuego que despedía un terrible olor a carne quemada.

* * *

Desde hacía algún tiempo, las funciones de intérprete eran desempeñadas casi siempre por Aguilar. Marina, con su cuerpo deformado, pesado y tambaleante, se paseaba por los pasillos del palacio y estaba retirada largas horas en las habitaciones de las mujeres. Los centinelas iniciaban una sonrisa burlona, pero nadie se atrevía a dirigirle una palabra atrevida y ella seguía saludando a los soldados con su extraña voz gutural. Por la noche, las mujeres de Moctezuma quedaban al lado de Marina, pues el gran señor deseaba que se le informara inmediatamente que se presentaran los primeros dolores, como si Marina fuese una de sus propias mujeres que esperara el trance. Todo se preparó según las viejas costumbres. Todas las noches se ponían grandes vasijas de agua al fuego, después de bendecidas por los sacerdotes. Las mujeres estaban toda la noche esperando y los centinelas oían cómo hasta el amanecer se elevaba el cántico monótono y apagado.

Flor Negra fue a Marina y habló con ella. Marina inclinó la cabeza y rió. Su rostro seguía sereno y no mostraba signo de las molestias que había de sufrir aquella mujer con su cuerpo hinchado y pesado: «Soy esclava tuya, Flor Negra...» dijo, según fórmula cortesana, y esperó después a que el príncipe hablase pensando si también buscaría escondidos tesoros por aquí o si trataría de sonsacarla mediante algunos pequeños regalos.

—Tú más que nadie en Anahuac conoce a esos *teules*. Debes de saber por tanto lo que proyecta Malinche. ¿Quiere pasar su vida aquí o le mandará regresar su señor, el que vive allende los mares? En tal caso, ¿quedará libre otra vez el terrible señor y las cosas irán como iban antes, como fueron siempre, desde los tiempos más remotos?

Marina se envolvió en su manta y sonrió. Flor Negra la acosaba de modo febril, insaciablemente, olvidando que defendía sus derechos delante de una humilde sierva.

* * *

Cortés dijo a Moctezuma:

— Augusto señor: No tengo fuerza contra los españoles, es decir, contra mi propia gente. Si te dejo salir de aquí y te hago conducir a tu palacio, como sería en verdad mi deseo, se sublevarían los míos y nos amenazarían a ambos con la muerte. Todos somos hijos del mismo Padre Celestial y por eso somos iguales. Pueden hablar conmigo como yo les hablo a ellos. Tan pronto, empero, como nuestros buques estén construidos de manera que podamos abandonar estas costas y volver a nuestro país... entonces será diferente... Debes ayudarme, augusto señor, a construir mis buques.

Sandoval partió hacia Vera Cruz llevando la orden de Moctezuma. Todas las manos debían ayudar a talar árboles, descortezarlos y desbastarlos, siempre que lo pidieran los rostros pálidos. El gran señor contempló los dibujos de las naos que el constructor López había planeado. Movió la cabeza en señal de complacencia. Aquellas casas flotantes serían hermosas verdaderamente. En su pecho llevaba encerrada y oculta la noticia de que los príncipes aliados se habían rebelado; que Cacama los había convocado a Consejo y les había enviado un mensaje diciéndoles que trajeran las pieles de ocelote, sobre las que era costumbre sentarse los hombres cuando se hablaba de guerra.

Los rumores corrieron por el palacio. Ante él venían solamente unos pocos. Él cerraba los ojos y veía a todos los que se inclinaban ante él rindiéndole homenaje; pero que ahora posiblemente en Iztapalapán se susurraban cosas al oído como un coro:

«En el gran señor se encierra un alma de mujer.»

Y decían los demás:

«Todos pudieron ver cuando el cacique Huapopoca fue conducido a la hoguera. Volvió su vista hacia nuestro señor; pero éste llevaba grillos en las muñecas. Malinche había colocado a Moctezuma una cadena solamente por una hora como signo de que era señor culpable de culpable siervo. Después le hizo quitar los grillos. Desde entonces nadie ha visto reír al terrible señor; desde entonces han aparecido hebras de plata en sus cabellos y su pluma de quetzal parece mustia y triste. Él oyó cómo se contaba en Iztapalapán lo que se podía leer en la hoja de agave: A estas horas el terrible señor no es ningún guerrero; lleva en sí el alma de una mujer.»

Cada noticia que llegaba le hacía palidecer más y le ponía más triste, pues todos los que hasta entonces estuvieron pendientes de un solo movimiento de sus cejas, todos, lejanos e insignificantes caciques, los príncipes aliados, los jefes de las ciudades, y también la más sabia y triste de todas, la señora de Tula, única amada del Señor del Ayuno, todos le enviaban ahora mensajes: «¿Qué más esperas? ¿Qué espera nuestro señor, a quien los rostros pálidos han metido en el cuerpo el aliento de una mujer?»

Moctezuma callaba. Esperaba ideas o pensamientos creadores y, entre tanto, medía el tiempo por el ruido acompasado de los herrados zapatos de los centinelas.

* * *

Los dolores se presentaron cuando se encontraba sola. Al principio, fueron unos dolores imprecisos que daban como empujones. Todavía no debe ser eso, pensó. Esperó. La noche empezó a danzar formando círculos de fuego ante sus ojos. Todo eso era una cosa buena; se sentía feliz, indeciblemente feliz, de poder libertar de la prisión de su cuerpo al hijo de su amo. En la estancia próxima dormía Cortés. Desde que ella estaba tan molesta y no deseaba la aproximación del hombre, le veía sólo a las primeras horas de la mañana, cuando él le traía noticias y hablaban un rato a solas. Era Cortés muy diferente de los hombres de aquí. Había visto a la segunda mujer de su padre durante el embarazo. Había podido ver cómo su padre no la trataba entonces con mayor suavidad que antes ni procuraba, en manera alguna, mitigar sus molestias. Así era conforme a las costumbres y leyes de Anahuac. Pero su señor era muy diferente. Su voz se había ido volviendo más cariñosa y de sus labios salían frases nuevas: «¿Estás cansada, Marina?» Otras veces le decía: «Toma esa manta, envuélvete en ella; te podrías resfriar.» Ella le miraba y le admiraba. Había llegado de remotísimas regiones misteriosas; había sido acariciado por los besos de innumerables mujeres blancas de las que había aprendido el amor...

Cuando los dolores arreciaron, todo le daba vueltas alrededor; pero se sentía increíblemente feliz, pues había oído que la víspera Cortés decía a Xaramillo: «Si oyes algo en las habitaciones de las mujeres, avísame en seguida; no quiero estar separado de Marina cuando llegue el momento supremo.»

En una ocasión le dijo: «Marina: eres una mujer a quien tengo mucho que agradecer.» Se lo dijo entre dos besos, después de un largo silencio. Nunca le habló de su esposa blanca que vivía lejos y con la cual estaba ligado hasta la muerte. Por los capitanes, había sabido Marina que el color de aquella mujer era tan blanco como su vestido, que tosía siempre y a menudo escupía rojas rosas de sangre. Otra vez él le dijo: «Marina: eres casi como si fueras mi verdadera esposa.» Moctezuma era un gran señor y cien mujeres gozaban de sus favores; sin embargo, entre todas ellas sólo había dos reinas. También doña Luisa era la esposa legítima del señor Alvarado; sin embargo, ayer mismo le había visto cómo se deslizaba cautelosamente en la habitación de la sucia Beatriz... Ella se había avergonzado y había vuelto la cabeza al otro lado, mientras Alvarado se reía. Los hombres blancos eran extraordinarios, sus abrazos y sus palabras no tienen freno. Es como si su pensamiento no reposara nunca en su interior y como si nunca se vislumbrara el alma desde el exterior.

Debió gemir con fuerza, porque oyóla la vieja mujer de Moctezuma y entró. Mezcló las hierbas y masculló las fórmulas mágicas mientras manipulaba en las vasijas. Trajo una escudilla que representaba la figura de la diosa Toci agachada; esa diosa era la fuente, el origen alegre de todos los dolores de la mujer. La vieja le dio a beber su contenido, que era amargo como la hiel.

—Almita mía; tus dolores han de acentuarse todavía. No te duermas. Debes sufrir todo lo que puedas soportar. Bebe.

El Padre Olmedo hizo preguntar si en esa hora solemne no sentía necesidad de fortificar su espíritu. Marina dijo que no. Estaba asombrada. ¿Un hombre en tales momentos? Olmedo apartó la cortina y miróla sonriendo. «Todos somos siervos de Dios. Te bendigo, hijita, en esta hora de dolor.» Y le dejó un crucifijo sobre la colchoneta, a la cabecera. Cuando el Padre hubo salido, la mujer vieja contempló admirada el crucifijo: «¿Un crucifijo aquí? ¿Se negará la diosa a prestar su ayuda?...» Fueron pasando las horas y llegó el nuevo día, el primero de un nuevo año que los españoles llamaban mil quinientos veinte.

Cuando llegó el hijo, era ya mediodía. Marina, pálida, sonreía; estaba rendida, marchita, como una flor arrancada de la planta. Se sentía tan débil... El niño había venido con dificultades y la mujer que la asistía había preparado ya el cuchillo para ayudar con algunos cortes si era necesario. Pero de un modo u otro había ya llegado el niño; pequeñito y débil. Pasada la rubicundez primera, su piel quedó pálida, casi blanca. Solamente por su pelo negro, por sus pómulos prominentes y sus ojos, mostraban su parecido con la madre. Los españoles cambiaban miradas. ¿Lograría vivir ese gusanito pálido? Las mujeres indias le envolvieron en lienzos. Una de ellas calentaba en un brasero unos paños suaves para acogerle y conservar su calor.

Se le echó por la boquita un líquido tibio; escuchaban su respiración, mientras un adivino afuera consultaba ya los astros.

Cortés estaba escuchando un informe de su enviado a Tezcuco cuando le llegó la noticia de que ya estaba ahí, en este mundo, su hijo. Levantóse de un salto y, sin sombrero, vestido de negro, entró en la habitación donde Marina sonreía, envuelta en gruesas mantas; y su sonrisa era desmayada, sin vida apenas. Cortés le puso la mano en la frente y le hizo el signo de la cruz. Sobre una tabla veíanse todas las cosas que Cortés había regalado a la muchacha: un peine español de madreperla, la mantilla, un pequeño puñal, algunas joyas, la pulsera, la cruz de oro, la sortija... «Si muero, quiero que me entierren con todas esas cositas.» Cortés vio claramente este pensamiento al mirar aquellos objetos, y las lágrimas le subieron a los ojos.

Miró al niño envuelto en mantas. Era su hijo, su primer hijo, su querido hijo y, como tal, debía reconocerle ante Dios.

—¿Qué hacemos con él, señor?

El notario real sonreía al saludar al padre, estrechándole la mano. Olmedo trajo velas y una pequeña jofaina con agua bendita y también un poco de aceite.

—¿Qué nombre llevará cuando sea mayor y cuál ha de ser su patrón?

—Dadle el nombre de Martín, que es el de mi anciano padre. Que Dios permita que llegue a hombre. Le reconozco como hijo.

Alvarado y doña Luisa fueron los padrinos. También, según los usos mejicanos, había padrinos, regalos de las vecinas, ritos. Doña Luisa frotó el cuerpecito del niño con miel, quemó copal y dijo a media voz unas oraciones para preservarle del mal, oraciones a las que, ni aun el Padre Olmedo, hubiera podido objetar nada. Marina estaba en el cuarto inmediato y, sonriendo, veía desde allí cómo Cortés se inclinaba sobre la criatura y reía... se quitaba el guante y pasaba la mano sobre la manta para alisarla. Marina se sentía muy débil y se adormeció. Al despertar, notó y vio el humo que ellos quemaban en honor de su Dios, y aun con los ojos cerrados lo hubiera conocido por el aroma peculiar que tan familiar le era ya. Olfateó como puede en los bosques olfatear la presencia de un animal nuevo o extraño cualquiera de sus habitantes.

Cortés contemplaba el rostro pálido, amarillento, de su hijo. Después, su mirada se dirigió por encima del jardín a la orilla del lago donde los carpinteros construían los bergantines. Fue hasta allí. En el lindero del jardín del palacio se había excavado un corto canal y se había construido una especie de astillero primitivo, donde se alzaban ya los armazones de madera de las embarcaciones. Aspiró aquel dulce aroma de resina fresca. El sol hacía brillar las maderas recién cortadas. Miró luego en dirección a la otra ala del palacio y sobre la plataforma vio al gran señor, solo, pensativo. También éste le vio a él. Los trabajadores indios iban y venían activamente, mezclados con los carpinteros españoles. Moctezuma contemplaba cómo se iban amontonando aquellas dispersas piezas, cómo se ponían los mástiles, cómo se iba formando la nueva cubierta y poco a poco se iba terminando el buque... los cuatro bergantines a medio construir parecían estar absortos en la contemplación del mar.

* * *

Por primera vez desde que fue preso Moctezuma visitó el Teocalli. Por primera vez, abandonó el palacio para ofrecer su sacrificio a aquel cuya fiesta se había de celebrar, al Ser Supremo, a quien no se designa con ningún nombre, aquel que está por encima de todos los dioses y que no puede ser representado por imagen ni dibujo alguno. En la plataforma inferior, le esperaban los soldados destinados a su custodia y protección, todos con armaduras y lanzas en las manos, mientras él estaba en la terraza del templo y esperaba a que el sol mandase sus rayos perpendicularmente, pues sólo entonces debía hablar la Divinidad. Esperaba el veredicto que pondría fin a sus dudas y vacilaciones. Pero el oráculo callaba; ningún viento movía las frescas flores que él había puesto como ofrenda ante los ídolos en vez de corazones humanos.

La noche anterior, los rostros pálidos habían pasado y vuelto a pasar por delante de su puerta; los oyó durante largas horas de insomnio; escuchaba el ruido de sus pasos, el chocar de sus armas y las órdenes que daban los capitanes. Al romper el día, aquellos ruidos fueron desplazados por otros nuevos: oyó entonces el golpear de las hachas en el astillero y los tablones que resonaron extrañamente. Levantóse y de puntillas, para no ser oído por los camareros, salió a ver la aparición de la aurora y contemplar aquellos extraños hombres que trabajaban afanosamente con sus hachas.

Entrada la mañana, manifestó a Cortés que deseaba ver cómo las velas hacían caminar las casas flotantes por encima de las aguas.

Se hicieron los preparativos. Se organizó una cacería. Los españoles y los aztecas estaban igualmente ansiosos y entusiasmados. Cada uno tenía algo que contar acerca de episodios de caza de fieras o de aves. Se dieron órdenes por los bosques de los alrededores. El gran señor salía de caza y el mismo Malinche quería también tomar parte en ella.

Al amanecer, se pusieron en camino. En cubierta se colocaron cuatro pequeños cañones; en el palo mayor ondeaba el pendón de Castilla, y en la proa, una enseña de la Iglesia. La proa, con su figura de cabeza de delfín, cortaba las olas; la marinería trepaba por la jarcia; las velas se abombaban. Soplaba un nordeste fresco. Fueron levadas las anclas y la embarcación empezó a deslizarse por encima del inmenso espejo del lago. En el castillo de proa se había levantado una tienda fastuosa amueblada con sillas y mesa para tomar refrescos. Pero Moctezuma no se movía de junto a la rueda del timón y contemplaba los movimientos misteriosos de la brújula. Su diadema de plumas le caía por detrás hasta la cintura. Se había puesto una preciosa capa de hermosos colores con un cinto adornado por figuras de guerreros. Llevaba en la mano un gran arco, flechas con puntas de oro llenaban su carcaj y un paje llevaba algunos dardos.

Los españoles reían como muchachos. La mañana era clara y fresca y todos estaban entusiasmados por aquel juego. Un gran número de nobles aztecas trataron de seguir a los españoles con botes movidos a remo; pero a los pocos minutos las velas se inflaron y el ligero y esbelto bergantín surcó el agua como una flecha hacia Tezcuco... Los botes quedaron atrás, como pequeños puntos. En el bergantín, la Cruz de los españoles parecía un milagro del Nuevo Mundo corriendo sobre las aguas.

Al otro extremo de la cubierta, estaba Flor Negra. Brillaban las piedras preciosas de los bordados de su túnica de algodón, y su diadema de plumas se encendía en colores al ser herida por el sol. No quería mostrar humildad frente al gran señor. ¿Por qué acatar a un espantajo a quien manejaban a su antojo los hombres blancos, como el viento juega con las velas? Flor Negra llevaba calzado a la española y en el cinto ceñía un sable; alrededor de su cuello llevaba cadena con una medalla de los cristianos y en sus ojos había una mirada astuta: la mirada del renegado. Ordaz, con quien había hecho amistad, estaba junto a él. Cada uno hablaba chapurreando el idioma del otro. Flor Negra preguntó a Ordaz, que había regresado hacía poco de su excursión exploradora:

— ¿Has encontrado oro?

— En la boca del gran río que se ve en vuestros dibujos con todos los valles y montañas. Allí encontramos oro, lavando arenas. Desde allí vi el otro mar.

— ¿Quién es el señor allí?

— Allí estuvo últimamente el ejército de Moctezuma. Más allá se alza una colina que se llama así: «Bajo esos lugares yacen los perturbadores de Tenochtitlán». Luego comienza el terreno de las tribus de los parajes rocosos. Hasta allí llegué. Y encontré oro. La mitad la di a mi gente y la otra mitad la traje conmigo. Hemos hecho amistad con los hombres de allí.

—¿Has de volver?

—Busqué un puerto para nuestras casas flotantes; exploré toda la costa. Volveré con mucha más gente y allí pondré los cimientos de una ciudad, como hicimos ya en Vera Cruz. Después, seguiré hacia el Norte, hacia el Oeste o hacia el Sur, pues en todas esas direcciones encontraré nuevos pueblos y oro. Ya ves; no puedo encontrar descanso.

—¿Por qué estáis siempre tan inquietos? Mirando el fuego se ve ya todo el mundo. ¿Por qué peregrinar?

—De ti se dice, Flor Negra, que por la noche desapareces del palacio sigilosamente.

—Es que mi cabeza de ocelote se levanta. Me transformo por la noche y busco la compañía de mis semejantes. Entonces caemos por sorpresa en las casas y nos llevamos a las víctimas. Ofrecemos sacrificios a nuestra divinidad, a nosotros mismos, pues no hay ninguna ley por encima de nosotros que nos señale el camino. Cuando oigo la llamada en mi interior, mis pasos se hacen sigilosos y amplios y mi cuerpo se torna flexible y blando como la seda. Si entonces te acercaras a mí, verías cómo se me eriza el pelo en todo mi cuerpo.

—Corre el rumor de que ya cuando niño...

—Así castigábamos a los ancianos y desvalidos en la ciudad de mi padre, que yo, por otra parte, no puedo visitar ahora sino es en sueños.

—Tú buscas nuestra fe. Conoces sus mandamientos. ¿Por qué, sin embargo, tienes deseos de sangre?

—¿Tiene la culpa el jaguar de que su sed no se apague con el agua, aunque sea de la fuente más fresca, y de que sus pasos sean ligeros y cautelosos?

—Flor Negra, siempre estás solo. ¿Tienes miedo de tus hermanos?

—También tú estás solo. Veo que tus ojos buscan algo continuamente en la lejanía.

—¿No deja el terrible señor que te acerques a él?

—Puedes adornar una estatua con perlas y oro; pero si le falta la fuerza para que arranque el corazón de tu pecho..., ¿la temerás, entonces, y la respetarás?

—Tu hermano Cacama mandó una embajada desde Tezcuco.

Decía que no quería tratar con mujeres ni tenía nada que ver con ellas. Un señor que está enjaulado no puede ser ya dueño de la vida y la muerte de los demás.

—Durante la noche, mi gente viene a lo largo de la orilla del lago para decirme que Mazorca Triste ofrece oro, esclavas y criados a aquel que descubra el secreto de vuestras armas. Ofrece todo lo imaginable al que logre imitar vuestra pólvora donde está dormido el trueno o al que indique en qué regiones se encuentra ese metal con que os fabricáis las espadas y lanzas. En secreto, se toma nota de las palabras que dicen vuestros guerreros cuando se ejercitan en el patio. «Si queréis ser tan fuertes como ellos, habréis de descubrir todos sus secretos.» Ésta es la fórmula.

Los botes de escolta habían quedado ya más allá del horizonte cuando los bergantines echaron las anclas, y para comodidad de los tripulantes fue puesta una plancha para el desembarco. Una gruesa columna de piedra indicaba la frontera y el tiempo. La cabeza del dios estaba adornada de flechas en vez de plumas. Aquí era el lugar para cazar, cosa que nadie podía hacer, salvo el gran señor, bajo pena de muerte. Moctezuma pasó por encima de los tapices extendidos. Sonaron las trompas; desde lejos, desde distintas partes de la selva, se oyeron tambores que respondían a la llamada; algunos habitantes de los bosques, que iban desnudos, anunciaron con los ojos bajos por el respeto, que habían visto un ciervo que pasaba por un calvero buscando a la hembra. Los españoles se agruparon. La orden era que no debían perder de vista ni un solo momento al emperador y, si trataba de huir, debían enviarle inmediatamente una bala. Los capitanes tomaron sus ballestas, prendieron el tendón del gancho y pusieron en la muesca el fino y aguzado virote. Cortés tenía en las manos un arcabuz.

Junto a cada indio había un español durante la cacería. Se prolongó ésta hasta la caída de la tarde. El aire libre, el cansancio y la sangre los había dejado como ebrios. Avanzaban con precauciones; los indios marchaban delante, entre los matorrales, sin hacer ruido y observaban si entre la maleza surgían de pronto los aztecas.

El gran señor sonreía; era un hombre. De nuevo se veía con un arma en la mano persiguiendo animales, cuyo mundo puebla la fantasía de los aztecas. Preguntaba a los capitanes con insistencia lo que habían cazado, qué piezas habían cobrado; entregaba generosamente sus arcos de caza guarnecidos de oro. Hacía contar sus liebres y corzos; las piezas que habían sido alcanzadas por sus flechas o sus venablos, eran señaladas con cintas verdes, pues todas ellas estaban destinadas al templo para cebar a los dioses y a sus sacerdotes.

Al regreso, preguntó Cortés al gran señor si tenía algún deseo para terminar el día a su gusto.

— Quisiera oír la voz de tus cañones cuando vomitan relámpagos. No lo he visto ni lo he oído nunca.

Los servidores ocuparon sus puestos detrás de las piezas. Los indios formaron un semicírculo; se sentían desconfiados y no creían totalmente que el hombre blanco pudiera tener guardado el trueno dentro de aquellos tubos. Simultáneamente partieron los disparos; las balas de piedra pasaron silbando hacia la lejanía hasta que cayeron en el espejo del lago. Entre los indios corrió una exclamación de espanto y de entusiasmo al mismo tiempo, sobresaltados por el estruendo, se cogieron de las manos; el humo azufrado de la pólvora les llenó los ojos de lágrimas. Se postraron para rezar a sus dioses; luego, lentamente, se fueron levantando.

— Has accedido a mi súplica, Malinche. ¿No tienes tú también algún deseo que yo pueda satisfacer?

— Veo tu poder. Todo el mundo baja la cabeza ante ti. Pero debes saber que nosotros hemos de dar cuenta a nuestro rey y señor de cada uno de nuestros pasos. Por eso ahora te suplico que mandes reunir a tus príncipes y les hagas saber que tú, a tu vez, inclinas tu cabeza ante el lejano emperador, nuestro señor Don Carlos.

— Cuando te recibí en las fronteras de Tenochtitlán y te conduje a mi palacio, te dije, Malinche, que mi reino te pertenecía desde aquel momento, pues creía yo que tu señor no era otro que un descendiente y sucesor de Quetzacoatl y que, por lo tanto, tiene todo su derecho a mi sumisión. ¿Qué quieres más?

— Oí las palabras que destinabas a mi señor; pero ambos somos mortales y también es mortal la mujer que oyó tus palabras, y ¿no sería posible que nuestros descendientes pudieran decir un día que en los libros nada se menciona acerca de las citadas palabras?

— Entre nosotros, el pasado queda fijado en nuestras imágenes para que no se olvide. Pero entre vosotros parece que se trata de parar el curso del tiempo y sólo creéis en lo sucedido si lo podéis agarrar por las alas y fijarlo con negros trazos.

— Las leyes de nuestro país mandan poner todo por escrito, con su sello correspondiente y una serie de testigos que lo afirmen, y los magistrados del rey lo anuncien, en voz alta, a fin de que las fugaces palabras de los hombres tomen fuerza y veracidad.

— Entre nosotros, los padres legan la historia a sus hijos. Y no se conoce un solo caso de que un hijo haya, ni una sola vez, perdido o interrumpido el hilo de la vida de sus antepasados. Ahora bien, si es tu deseo, haré lo que quieres...

Alvarado interrumpió a media voz:

—El oro es lo que importa, señor. No interesan ahora sus garabatos... Que saque el oro de una vez.

Moctezuma los miraba y sonreía. Había tanta realeza en su porte cuando caminaba sobre los tapices, que aun los mismos españoles le miraban como embelesados cuando pasaba con su paso elástico y lento.

18

Cuando llegó la luna llena, tuvo lugar la reunión. Los intérpretes escuchaban los discursos y los transmitían al gran señor, que estaba sentado en el trono de su palacio y, en presencia de los pajes españoles, recibía los informes. Habían venido todos, menos el hermano. El señor de Iztapalapán quedó en su tierra; también faltaba Cacama. La poderosa señora de Tula mandó decir que los aires de Tenochtitlán no sentaban bien a su salud. Los otros, los caciques, los príncipes, los gobernadores y jefes vasallos llenaban el palacio desde el amanecer, cuando entró Moctezuma y ofreció su incruento sacrificio.

La ceremonia fue silenciosa y modesta. En vano se había suplicado se ofreciera un sacrificio de mil corazones humanos; un cordón de soldados españoles cuidaba de que ningún sacerdote pudiera penetrar en la habitación llevando escondidos bajo sus vestiduras corazones humanos para arrojarlos al fuego ante la imagen de Huitzlipochtli.

Moctezuma apareció con todo su esplendor. Sus adornos de oro brillaban como los rayos del sol que salía y parecía rodeado como de un nimbo de luz. De los españoles, sólo Orteguilla debía estar presente. Moctezuma era el rey de su reino y quería estar solo ante sus vasallos.

Alvarado atizaba el fuego; ahora era el momento de caer sobre ellos, ahora que estaban todos reunidos había que cogerlos por el cuello y que tuvieran que pagar todos un buen rescate... «Así ganaríamos la campaña.»

—Y perderíamos Nueva España, don Pedro.

Estaban en la antesala, esperando los informes de Orteguilla, que era el único espectador español de aquel drama maravilloso e inolvidable.

El gran señor colocóse en un trono a manera de diván, extendió los brazos cubiertos de joyas y oró ante el humo de los incensarios. Después, dijo lentamente:

— Todos sabéis que la Serpiente Alada, en un tiempo que está ya más allá de nuestro calendario, dejó a nuestros antepasados con la promesa de que volvería en la plenitud de los tiempos para tomar de nuevo posesión de su reino. Mis padres y los padres de mis padres gobernaron siempre este reino en nombre de este dios y fueron monarcas de este país por voluntad divina, como yo mismo lo soy. Ahora han vuelto los descendientes de la Serpiente Alada. Los rostros pálidos han venido de aquella parte del mundo de donde sale el sol y piden que inclinemos nuestras cabezas ante ellos y les ofrezcamos sacrificios. Les hablé en vuestro nombre y les dije que los reconocía como señores de este país y que, ante ellos, humillaba mi cabeza. Vosotros, que fuisteis siempre mis más fieles súbditos, me obedeceréis también en esta ocasión, y ya conocéis mis palabras, con las que yo presto homenaje al excelso señor que vive al otro lado de las inmensas aguas, como hijo o nieto que es de la Serpiente Alada.

Su voz se cortó y sus ojos se llenaron de lágrimas. Todos se agitaron. Algunos caciques blandieron sus mazas de piedra; otros asieron sus cuchillos de obsidiana; pero el rostro del gran señor estaba de nuevo sereno y duro, como cuando ofrecía los sacrificios. La humedad de sus lágrimas estaba ya seca cuando dijo: «Inclinad todos la cabeza.» Dos ancianos jefes del Norte se abrazaron llorando. El ejemplo fue contagioso y aquellos príncipes, endurecidos por los combates y sacrificios sangrientos, no pudieron contener el llanto; se oyeron lamentos y sollozos como los de las plañideras cuando lloran a un muerto.

Orteguilla se tapó la cara con las manos y salió corriendo de la habitación, precipitándose en brazos de Cortés.

— Señor, no es posible oír eso, rompe el alma… El gran señor ruega a vuestra merced que entre, pero acompañado solamente del notario…; solamente los dos.

Cortés se quitó las armas. Godoy también tomó solamente los trebejos de su profesión: tintero, plumas de ganso y unos pliegos de papel. Cuando hubieron llegado al baldaquín del rey, doblaron la rodilla respetuosamente, se quitaron los sombreros de plumas y, en amplio arco, hicieron un ceremonioso saludo. Moctezuma dijo algo al paje y el muchacho salió corriendo, volviendo al poco tiempo acompañado de Marina.

La muchacha llevaba el blanco velo de las penitentes. Toda la reunión se agitó. Según las leyes de Anahuac, no podía estar presente ninguna mujer en los consejos de los Grandes. Marina se postró a los pies del gran señor y esperó a que éste le hiciese señal con la mano de que se alzase.

Moctezuma habló. Su voz estaba velada, como si saliera de la boca de un convaleciente de una grave enfermedad. Dijo: ·

— Yo, señor y monarca absoluto de estos países, presto mi juramento de fidelidad al monarca de estos hombres blancos, en el cual venero la sangre de Quetzacoatl. Por propia voluntad les entrego mis pueblos y los seguiré rigiendo en su nombre si así les place disponerlo. Y ahora os pregunto a vosotros: ¿Hay alguien que levante su voz contra esto?

Reinó el silencio. Muchísimos se tapaban la cabeza con la manta para no oír así al gran señor, que voluntariamente aceptaba la servidumbre. Callaban todos.

— Vosotros, rostros pálidos, que dejáis atadas por medio de signos las fugaces palabras de los hombres, haced que quede fijo y de modo perdurable que todos nosotros, los príncipes de estas tierras, os prestamos acatamiento y voto de fidelidad, y ¡ay! de aquel que rompa estas promesas...

Marina repetía las mismas palabras. Cortés, en voz baja, corregía un poco el español de la muchacha cuando era preciso y el notario escribía. Cuando hubo terminado. Cortés hizo que se leyera en voz alta lo escrito y Marina lo fue traduciendo a los indios. Todos los ojos estaban fijos en Moctezuma. Él hacía signos de aprobación con la cabeza. Estaba bien; se podía subscribir. Las gotas de cera fundida cayeron sobre el papel. Cortés sacóse del dedo su pesado anillo de sello, hizo presión con él sobre la blanda cera y seguidamente firmó.

Se aproximó al trono. Su voz estaba temblorosa por la emoción cuando dio gracias al gran señor por su noble proceder. También a él le había vencido la emoción; su voz flaqueaba; su mirada se paseaba por aquellos hombres indios cubiertos de joyas, hombres que ahora se les veía llorar a pesar de estar endureçidos por las guerras, destrucciones y sacrificios. Ahora en el cenit o en el ocaso de su vida, oían palabras nuevas por vez primera, como: *Carlos, Océano,*... Cortés los contemplaba. Si en este momento uno de ellos intentara un solo grito subversivo, quedaría apuñalado al instante. Pero no sucedió tal cosa; aquella muchedumbre llorosa se agitaba como un rebaño que ha perdido al pastor. Cortés sentía profunda turbación; no era dueño de su voz... Los cacices de regiones lejanas hicieron este descubrimiento: también los *teules* blancos tienen lágrimas. Cortés, durante un segundo, ocultó el rostro entre los encajes del puño de su camisa; después dio la vuelta y marchóse del salón. En su mano llevaba el pergamino con la escritura mojada todavía. Afuera, los soldados españoles le esperaban armados.

19

El viejo Miguel, con el cuerpo encorvado y las rodillas dobladas, hacía la ronda allá arriba, sobre el Teocalli, frente al altar de Nuestra Señora. Era un veterano que se había endurecido en las guerras de Andalucía y en las escaramuzas de Santo Domingo y Cuba. También había luchado bajo las murallas de Tlascala y de esta acción se había llevado un recuerdo. Era un hombre fuerte, de unos cincuenta años y se sentía orgulloso de ser ahora sacristán a mano armada en ese vestíbulo del infierno.

—Parece que los demonios rojos quieren hacer hoy alguna fiesta —murmuraba.

Se oyeron los tambores, que redoblaban; oyó los coros y los estridentes chillidos de los pífanos y trompetas. Después, todo quedó silencioso. Conocía ya el desagradable silencio precursor de uno de aquellos sacrificios; después venía el indescriptible aullido del cuerpo a quien arrancaban el alma. Contó: hoy fueron cinco; ayer solamente tres... La capilla estaba separada por un muro de la casa de Huitzlipochtli. Había sido una concesión de Moctezuma, hecha a regañadientes; pero Cortés, continuamente y durante mucho tiempo, es lo único que le pedía. Ahora ya tenían ahí la blanca imagen de María, rodeada de montañas de flores, renovadas todos los días. Con el Niño en sus brazos, parecía estremecerse a cada aullido que llegaba, indicando una víctima que moría...

Miguel sabía muy bien que, después de cada misa, aumentaba el número de víctimas de los sacrificios. Había que aplacar a los ídolos; se arrastraban hasta allí a docenas de víctimas y cada noche quedaban vacías las jaulas.

En el cuartel español reinaba el silencio. Aquella tarde, como en las anteriores, desde hacía una semana, había asuntos de que hablar en voz baja y al oído. Al pasar la guardia frente a la cámara de los tesoros, había oído por la noche el ruido del yunque, el silbar de la fragua y el silbido del oro fundido al caer en el agua. Después, de nuevo golpeaba el martillo de piedra y los herreros indios amasaban con sus instrumentos la inmundicia de los dioses, la fundían y la prensaban.

Moctezuma había explicado que la posesión del tesoro de Tezcuco sería entregada a Don Carlos, pues había decidido entregar el oro de los antepasados al monarca de allende los mares. Siempre, ante la cámara de los tesoros, había una guardia armada. Pero llegaron los albañiles y los orfebres reales e inmediatamente se formaron corrillos en el campamento de los españoles. ¿Cuál de los soldados conservaba aún oro? Hasta entonces pudieron seguir haciendo cambios con las chucherías que trajeron de la isla, y así habían logrado hacerse con un zarcillo o un trabajo de filigrana que Moctezuma les regalaba a veces por algún trabajo o servicio realizado... Pero las muchachas de la ciudad no se entregaban nunca sino a cambio de algo y, por otra parte, Cortés había ordenado que nada les quitasen o pidiesen sin ser pagado. También los besos de las cantineras, si bien baratos, tenían su precio: eran las únicas mujeres blancas que allí había, y cuando uno estaba harto de aquel olor sofocante y pesado de las indias... Beatriz se compadecía a veces, pero antes había que aflojar bien los cordones de la bolsa. Los dados rodaban continuamente; ponían una manta sobre el tambor y se oía el tintineo de los dados en su cubilete de estaño; había empezado el juego diabólico... Cuando se oían murmuraciones en el campamento y se hablaba de Cuba, Cortés venía con un saquito lleno de oro y daba un puñadito a uno y a otro de los soldados más gruñones; pero desde Vera Cruz no se había hecho ningún reparto de verdaderos tesoros, y aun allí el barco se había llevado los mejores bocados para enriquecer las arcas de Su Católica Majestad, abiertas ahora como en un bostezo de estómago vacío... Ahora, de pronto, se encendía una llamarada. Cortés cedió, y por la noche oyéronse los tambores que llamaban a Consejo; aquella tarde todos debían presentarse de toda gala y convenientemente aseados ante los jefes.

El pequeño patio del palacio fue dispuesto. Alrededor, se pusieron unas telas para impedir que ojos curiosos pudieran echar alguna mirada al recinto. Ante largas mesas estaban sentados los notarios y tesoreros con sus libros de cuentas. Repasaban ahora las sumas. Los indios no tenían unidades de peso; sus ideas acerca de cantidad oro no pasaban del que cabía en un hueso de ganso o el que correspondía a un determinado número de almendras de cacao; pero los herreros de los barcos habían construido algunas pesas de libra, y aun mayores. Fueron comprobadas por los contadores y ahora iban a servir de medida. Olmedo habló unas palabras preliminares acerca de los hombres justos que buscan el Reino de Dios y para los que el oro no sería un motivo de pecados.

Fueron trayendo las barras de metal precioso; los orfebres indios lo habían convertido todo en barras de una o dos libras de peso y sólo una pequeña cantidad había quedado en forma de polvo. Solamente se habían perdonado de la fusión algunas filigranas que eran de tal belleza que habían encantado a los jefes. Todas las barras estaban apiladas. Ninguno de los presentes había visto jamás tanto oro reunido. Se comprende. Allí estaba todo el maravilloso e inmenso tesoro de Moctezuma, junto con los regalos de los caciques; todo el oro, además, que se había logrado adquirir por medio de los cambios y el que los capitanes españoles habían encontrado en las arenas de los ríos o cambiado a los montañeses. Sobre las mesas fueron clasificadas las piedras preciosas: esmeraldas, diamantes y calkiulli, que allí eran consideradas como tales. En otra mesa estaban las armas guarnecidas de oro, diademas de plumas con arco de oro, sandalias con suelas de este metal y todo parecía aún aumentado a los ojos codiciosos de aquellos hombres.

El notario leyó:

«Un quinto del total pertenece a Su Imperial Majestad. El segundo quinto al capitán general. Don Hernando Cortés, además, ha de deducir el precio de los buques quemados. así como las cantidades adelantadas por otros empresarios. A los capitanes les corresponde una triple participación, con derecho a elección; a los jinetes y mosqueteros, un doble.» Tampoco podían olvidarse de las familias de los que habían caído en la lucha ni las de los muertos de enfermedad. Luego había una parte para fundaciones pías y lo correspondiente al Padre Olmedo. También una serie de gastos que hasta aquí había adelantado Cortés. Y, por último, debía recibir también una parte doña Marina, en consideración a los grandes servicios prestados.

Los soldados iban afirmando con la cabeza. Estaban serios. «Hasta ahora hemos oído la relación de lo que no recibiremos nosotros. Que se nos diga, caballeros, lo que nos corresponde. Que se nos cuenten ahora cuentos alegres.»

Amargados, esperaban el fin de la historia. En semicírculo, contemplaban la montaña de oro. En estos momentos, a ninguno le gustaba oír historias fantásticas ni pensar en montañas encantadas, valles, colinas o volcanes. Un lancero, en un rincón, dejó escapar un juramento no muy apropiado al momento. Olmedo dirigió una mirada hacia allí; y pudo ver que todos los ojos estaban brillantes y extrañamente profundos: inmundicia del demonio.

«Seiscientos mil pesos de arroz», anunció el contador cuando hubo llegado al resultado de sus cálculos. Los notarios se levantaron y dieron fe de que ésta era la cantidad, ni más ni menos, que allí había. ¿Poseería el Papa mismo tanta cantidad de oro? Todos callaban. Todo el Nuevo Mundo estaba ante ellos, mate y sin color, entregado totalmente a ellos y, sin embargo, los soldados sólo podían llenar su yelmo de oro; apenas un poco más de seiscientos pesos de oro para cada uno, con alguna piedra preciosa por añadidura, pues los buques habían costado mucho dinero. Los más viejos mascullaban injurias: «Eso es poco más que nada. Tomad vuestra parte, capitanes, y atiborraos los bolsillos... Reventad con ello... ¡Por mis heridas! ¡Quinientos pesos! Los intestinos se me retorcieron, el sol me tostó, mis pulmones sangraron allá arriba en las peñas de las montañas, tuve que batirme con lobos, me atacaron los lobos de las praderas..., y por todo eso te dan ahora quinientos pesos... Revienta y muere en el sitio donde saliste... ¡Hijos de zorra!...

Aquella noche todos estaban de mal humor, alrededor del fuego. Muchos echaban los dados; eso era todo. De nuevo tenían la asignación. Los capitanes sabían bien de dónde soplaba el viento. «Echa el dado más a lo alto; lo perdido, perdido está... He dormido otra vez con mujer blanca... Mañana reventaremos a lo mejor.»

— Tú, Vicente: ¡no hay salvación!

— ¿Qué dices?

— ¡Maldito sea el oro que me has ganado! Mañana te lo birlarán a ti... ¡Así te maten! ¡No hay salvación! ¿No comprendes por qué Cortés lo hizo repartir todo? Así lo llevaremos con más facilidad, si hemos de huir, si es que alguno de nosotros queda con vida... ¿Quién arrastrará los cofres con los tesoros y las pesadas barras cuando tengamos que pasar por canales, diques y esclusas? A eso vamos, camarada; yo sólo tengo que llevar mi piel; tomo mi sable entre los dientes y, si es preciso, atravieso nadando un arroyo... Pero tú, cargado con barras de oro, filigranas, botín... No hagas caso de todo eso: es la suerte de los soldados. ¿Es que quisieras vivir eternamente?

Como una sombra negra, Cortés iba de grupo en grupo. Se inclinaba sobre el fuego y escuchaba a los soldados. «No hemos muerto todavía, Vicente; aprieta bien el oro dentro de tu puño. Tú verás, Vicente, cómo te hará cría.» Y así fue toda la noche de hoguera en hoguera...

20

Iba en su atuendo de guerra; dos rayas blancas sobre la frente; las verdes plumas imperiales con broche de oro. Su figura, delgada y joven, su rostro tostado por el sol, sorprendió a los visitantes.

No llevaba capa blanca sobre la túnica, y hablaba con el gran señor como si fueran iguales. Cuando vio a Cortés, no se postró ante él, conforme al uso de los indios, sino que quedó mirándole a los ojos, y por unos segundos sus miradas quedaron enredadas. En el rostro del joven guerrero se leía nobleza y distinción. Moctezuma dijo algo y el desconocido inclinó la cabeza ligeramente ante Cortés, quien no se dio por enterado apenas del saludo. Moctezuma fue el primero en romper el silencio:

— El hijo de mi hermano y esposo de mi hija Tecuichpo, que nació de mi primera mujer. Se llama Guatemoc, que en vuestra lengua significa *Águila-que-se-abate*.

De nuevo ambos se miraron e hicieron una reverencia; esta vez algo más pronunciada.

— Has de saber, Malinche, que Guatemoc viene de lejos; le rodea aún el aire de lejanas regiones del Sur que miran al inmenso mar. Trae también prisioneros, pues en su campaña ha tenido grandes victorias. Cayó sobre las tierras de Michoacán y saqueó las ciudades fronterizas; ha traído tesoros; penetró profundamente hacia el Sur, hasta allí donde inmensos bosques se pierden en el horizonte. Ha vuelto victorioso. Guatemoc es el jefe de todas mis tropas que luchan en el Sur.

— ¿Dónde están los prisioneros?

— Por el camino sacrificamos a Huitzlipochtli a la mayoría. Otros han quedado con el ejército. Yo me adelanté con mi séquito para preguntar al gran señor lo que mandaba hacer ahora.

Sus palabras eran cortas y duras. Marina miraba con temor a aquel hombre e iba traduciendo sus palabras lentamente y con voz cohibida.

— ¿Por qué tiembla tu voz? ¿Le tienes miedo?

— La nombradía de *Águila-que-se-abate* llega más lejos que sus alas. Todos le conocen y le temen. Es el jefe más poderoso de todo el reino del gran señor.

Se oyó el ruido de los grandes abanicos y luego el sonido melodioso y fino de campanillas de oro. Los señores del séquito tomaron de nuevo su actitud humilde y respetuosa. Solamente el emperador y Guatemoc siguieron erguidos. Marina susurró:

— Ahora ha de venir la señora.

La litera llegó hasta el umbral de la sala y allí las mujeres que la llevaban la dejaron descansar en el suelo. La joven que la ocupaba saltó ligera y sonriendo; sus pies iban calzados con sandalias de tacones verdes. Parecía que bailaba, ligera como un copo de nieve. Hizo una inclinación ante su padre, después le abrazó las piernas y alzando la cabeza le miró dulcemente y sonriendo. Llevaba en la mano un hilo de perlas negras muy grandes. La joven abrazó al padre con los dos brazos y le pasó el hilo de perlas por el cuello. Volvió a sonreír y, después, dirigió sus ojos hacia Cortés, ese hombre pálido cuyo nombradía había llegado hasta todos los límites. Marina se puso uno de los extremos de su vestido sobre la cabeza y se encorvó ante la princesa. Tecuichpo no conocía el miedo. Midió a Cortés con una sola mirada y de nuevo en su boca apareció una sonrisa suave, como de niño, cuando vio que el sombrero del general describía amplia curva hasta tocar el suelo en un saludo cortesano.

— ¿Tú eres, pues, Malinche?

Mientras ella hablaba, Cortés la contemplaba. «¡Tiene unos ojos tan maravillosos!», observó Cortés para sí, cuando la mirada de la princesa se dirigió a él. Las princesas, como ella, desechan todo temor y no ponen en su rostro expresión de humildad, como las otras mujeres. Encogió los hombros dentro de su vestido ligero y vistoso, en un gesto un poco infantil. Ella, como los demás miembros de la familia de Moctezuma, tenía el color de su piel ligeramente más claro que el más común de aquellas tierras, si bien un matiz verdoso delataba a la mujer de otra raza.

— Me alegra mucho el conocer al capullo más joven de la casa imperial y celebro también que el largo viaje no la haya fatigado.

El saludo delicado de Cortés sonó mate y apagado en los labios de Marina. Ambas miradas parecían tantearse. Cada uno de los dos ya tenía noticias del otro. La sombra de la leyenda de Guatemoc, de sus batallas en el Sur, de sus campañas siempre victoriosas, y de la hermosura sin par de su esposa, la hija de Moctezuma, caía sobre el palacio. La fama de Malinche, por otra parte, la prueba de su poder estaba bien palpable, frente al trono de Moctezuma. Cortés vio en aquella princesa a la mujer más hermosa del imperio, refinada flor de muchas generaciones. La princesa miró primeramente la negra barba, que pareció no agradarle. Mientras llevó el sombrero, el rostro de Cortés quedaba medio oculto, pero al quitárselo pudo ver su alta frente; su cabello ligeramente peinado hacia atrás; las hebras de plata que se mezclaban con los cabellos de sus sienes; su figura regular y bien formada y los zapatos puntiagudos con los calzones negros ajustados. Sus guantes quedaban ocultos entre los pliegues de la capa. La mirada de la princesa se dirigía ahora a la cadena de oro con la medalla estilo renacimiento representando a San Jorge y el dragón. Contempló después su espada, ese instrumento extraño y largo que era inconcebiblemente fino, demasiado estrecho, para poderse llamar arma y no juguete.

Todo eso duró sólo algunos segundos. Ninguno de los dos sabía lo que había de hacer. La llegada de Cortés había interrumpido unas palabras que habían encendido rosas en las pálidas mejillas de Moctezuma. La princesa había venido a ver a su padre y se encontraba con su carcelero. El ejército de Guatemoc seguía invicto y temido en las fronteras del Sur. El príncipe no había mandado llamar a los españoles, ni tampoco había estado presente cuando se hizo el juramento de fidelidad por caciques y jefes.

Cortés hizo una reverencia ante la princesa e hizo señas a los caballeros de su escolta y a Marina, indicando que nadie molestase durante el día de hoy en el palacio, pues el gran señor tenía huéspedes.

La princesa miró a Marina, cuyo nombre era conocido por todo el país. Miró su vestido, hecho de finísima tela, contempló la cruz que colgaba en su pecho y el pequeño puñal que ceñía. Se miraron mutuamente. Marina estaba pálida como un cadáver. Aún llevaba las huellas de su reciente maternidad cuando cayeron sobre ella mil cuidados y temores. Sus palabras estaban teñidas de tristeza; ahora tenía un hijo y se trataba de poder ver claro lo que traería el mañana. Su hijo era el hijo de Cortés.

La princesa sonrió y le dijo:

— Tú puedes quedarte...

Marina hizo una inclinación de cabeza y sonrió a su vez. Ella también era mujer y la princesa le rogó que le mostrara el hijo que había tenido de tan maravilloso padre.

Desde este día, las cosas variaron mucho en el palacio. De pronto, la cosa pasaba inadvertida. Los hombres más sencillos comían golosinas, disfrutaban de mujeres. Moctezuma se sentía generoso con lo más florido de sus mujeres y de las que ya estaba cansado; las regalaba, pues casi todos los caciques que venían de lejos le traían esclavas. El cambio fue notable; hasta las miradas parecían otras. El mayordomo parecía menos servil, cuando el oficial español encargado de las provisiones venía con sus eternas quejas: «Así es, señor — le decía —, y no puede ser de otra manera. No nos es posible dar nada más...» Y si no en palabras, en el modo de decirlas había un tono de amenaza. Los sacerdotes tocaron las trompetas con más fuerza y el viejo veterano, desde el tejado, pudo contar las veces que se dejó oír el aullido, las veces que el sacerdote se inclinó sobre la rampa llevando un corazón sangriento en la mano izquierda.

Se quejaba Orteguilla de que su señor, el emperador indio, le mandaba a menudo a recados y quedaban allí los grandes del reino hablando en voz baja y cambiando misteriosas palabras, y cuando él estaba presente mezclaban en su conversación frecuentemente palabras extrañas, pertenecientes a otro idioma, cuyo sentido sólo a los indios era conocido. El emperador no perdía mucho tiempo entre sus mujeres y escatimaba las horas destinadas a fallar pleitos que los jueces mismos fallaban en su nombre. Muy a menudo, veíanse sombras que pasaban a la escasa luz de las lamparillas; otras veces, observó Orteguilla cuánta preocupación había en alguno de los rostros que pasaban, iluminados por la luz vacilante de una antorcha. A menudo prendióse fuego a algún trozo de tela de *nequem* y el aire de la habitación quedó cargado de un fuerte olor.

Algo se preparaba. Ello tenía lugar solamente en las células del cuerpo y del cerebro; la boca y las manos estaban aún inactivas, los párpados cerrados, como si tras ellos no existiera otro deseo que la contemplación de las cosas eternas. El aire se fue enrareciendo; por la noche había gente por los pasillos y se formaban reuniones secretas. Los sacrificios seguían verificándose por medios secretos. Las víctimas eran traídas en angarillas, sacadas de un escondite. Habían traído aquí parte de los prisioneros de Guatemoc y su número disminuía de día en día. El gran señor estaba más amable que nunca; ninguna nube pasaba por su rostro. Había desaparecido de su voz aquel timbre de incolora resignación, y sus palabras sonaban de nuevo como antes. De nuevo se le vio sonreír, bromear o censurar. Se vio cómo regañaba a un centinela que, estando de guardia por la noche, se había dormido y hasta había roncado fuertemente; el gran señor en persona ordenó a su capitán que relevara al centinela culpable. Burlábase a veces de su triste suerte y de su cautividad y no hacía la menor alusión a que quisiera vivir en su residencia habitual.

Todo eso se cernía en el aire. Incluso las mujeres se daban cuenta de ello. Lo veían las mujeres blancas, que no lograban consolar y calmar a los gruñones soldados cuando los estrechaban en sus brazos, y que comprendían que, por las salas y corredores del palacio, corría un aire maléfico.

Al correr los días, la situación se fue haciendo más amenazadora a ojos vistas. Las audiencias de la mañana eran ya solamente una formalidad vacía. Los capitanes, al encontrarse, se preguntaban cuáles eran las intenciones del gran señor; asían sus armas con fuerza, estaban llenos de tensión..., pero no sucedía nada, nada tangible.

Una tarde, cuando menos podía esperarse una sorpresa y los capitanes españoles estaban perezosamente echados en sus habitaciones, recibió Cortés una comunicación o recado del gran señor, con la súplica de que se sirviera visitarle acompañado de un intérprete. La verdad es que la hora era desacostumbrada.

—Te doy las gracias, Malinche, por haber acudido a mi llamada. Ahora te ruego que tomes mis palabras como si las oyeras de boca de un hermano, de un verdadero hermano tuyo. Los dioses no se han dormido sobre Anahuac. El dios de la lluvia, que tiene cabeza de ocelote, está ante las puertas de Tenochtitlán. Nuestros dioses no se han dormido. Hablan día y noche. Hablan en el idioma de los dioses a señores y a criados, para que todos lo entiendan. Malinche: los dioses hablan de vosotros. Tienen sed y están poseídos de la cólera. No hay salvación, a no ser que os alejéis de aquí libremente y sin ser molestados. Ahora aún me escuchan y me atienden; yo procuro mantener la paz y les digo que no se ha presentado todavía el signo. Pero ellos están ya cansados de esperar y amenazan... y tal vez se atreva alguno a extender la mano hacia la corona de plumas de quetzal. Soy amigo tuyo, Malinche, y por eso te conjuro a que os dispongáis para la partida antes de que sea demasiado tarde, pues el dios de la lluvia está ante las puertas de Méjico...

—Nuestros buques fueron quemados en Vera Cruz. Haz tú que nos talen árboles, que nos preparen resina fundida y pez; así podremos terminar de construir nuestros buques y podremos partir. ¿Quieres ayudarnos, gran señor, tú que eres un verdadero amigo de mi emperador?

—Si tú quieres, mandaré escribir la orden sobre un pedazo de *nequem*. Se te darán tantos hombres como necesites. Di lo que quieres y cumpliré todos tus deseos. Si quieres más oro,... lo tendrás. Si necesitas esclavos o pájaros exóticos y hermosos para tu rey, lo tendrás como pides. Si deseas nuestros libros sagrados para que tu señor pueda seguir el camino de nuestro pueblo desde Quetzacoatl hasta hoy, mis sabios los copiarán, aunque tengan que escribir ininterrumpidamente... Solamente has de comprender, Malinche, que los dioses están descontentos; no basta para aplacarles la vida de un solo hombre y es imposible así defender vuestra vida. Y ahora vete.

Cortés refirió lo sucedido solamente a los capitanes, y por la noche celebró un consejo de guerra. El gran señor había, evidentemente, dicho toda la verdad, y por esta vez se había mostrado sincero amigo de los españoles.

—¡Nos puede auxiliar España, señor!

Se convino en que se tendrían dispuestos los buques en la costa. Sandoval cuidaría de buscar lo necesario; haría aserrar las maderas y coser las velas; cuando todo estuviera reunido y sólo quedara el montar las piezas, podría tomarse un ritmo lento,... y esperar.

* * *

Cortés se inclinaba sobre la cuna adornada con la talla de una divinidad mejicana de ganchuda nariz. El niño chupábase un dedo y cuando veía que le cubría con su sombra el hombre aquel vestido todo negro, le miraba y sonreía. Marina entonaba a media voz una canción aprendida de su ama, y componía sobre el pecho del niño la cruz de filigrana que llevaba pendiente en una cadenita. Estaban los tres solos en el cuarto. En tales ocasiones, Cortés era suave y blando de carácter. Entonces Marina no era la intérprete, como se la llamaba en las cartas dirigidas a Don Carlos. Entonces era la mujer que allanaba el camino a Cortés y la que, según superstición firme de todos los españoles, de modo milagroso, le proporcionaba la suerte al general.

— ¿Qué quiso decir con aquello de que el dios de la lluvia estaba ante las puertas de Méjico?

Marina le miró, pues Cortés había dicho esas palabras para sí mismo, no preguntándoselas a ella. Vio cómo en la frente del general pasaban los negros nubarrones de pensamientos graves. ¿Qué significaban las palabras de Moctezuma? Eran ahora las horas agradables en que el cuerpo cubierto del pesado arnés parecía huir de su tormento, refugiándose junto a aquella mujer.

— Marina, dime: ¿qué quiso decir?

— Tlaloc, el dios de la lluvia y de las tormentas, ve venir la desgracia. Cuando la siente aproximar, el dios se sienta ante la puerta de la ciudad, y durante la noche se oye su voz. Entonces se transforma a menudo en un ocelote. La puerta de la casa ante la que se coloca, rechinará al abrirse para que pasen los cadáveres.

* * *

Con el velo sobre la cabeza para ocultar bien su tocado, Marina fue con su niño a ver a la princesa. Ambas mujeres estaban inclinadas sobre el primer mestizo que había venido al mundo en Anahuac. Observaban su blanca piel y sus grandes ojos azules que hacían resaltar el blanco todavía más. El cabello era negro, pero sedoso, como nunca se había visto semejante en este país. Sus pómulos eran prominentes y su nariz veíase ya que sería una nariz linda, fuerte y alta. Marina explicó que se llamaba igual que el padre de su padre: Martín. La princesa repitió: *Maltín... Maltín...* Los ojos de Marina brillaron; el nombre era corto: Martín Cortés, como su abuelo..., así lo había escrito en los papeles el sacerdote aquel.

—Escriben mientras nosotros soñamos —dijo la princesa sonriendo.

—¿Piensas acaso, señora, en aquella cuyo nombre no puede ser pronunciado en el palacio, cuya historia, empero, es conocida de todos nosotros?

—Pienso en mi tía Papán. Ella vio lo que había de suceder, mientras caminaba por la senda florida de los muertos. No he ido a su casa desde entonces, pues nadie puede ir allí; pero le envié una de mis criadas con un mensaje y la contestación ha llegado esta mañana, al amanecer.

—¿Pueden los muertos instruir a los vivos en sus cosas, señora?

—Papán regresó de la región de la muerte. Sabe más que yo, más que tú, más que mi padre y más que mi esposo. Pero nadie se atreve a preguntar a Papán, pues no escatima los malos presagios. Hablo contigo y de ti espero que guardarán mis palabras sin repetirlas.

—Me has mostrado benevolencia y favor; has querido contemplar a mi hijo. ¿Podía esperar tal favor una sierva?

—Tu padre no fue criado, sino jefe. Y tú eres señora en tu casa. Tú puedes hacer más que todos los demás que estamos aquí. Me gustas y me gusta también tu amo, que no bajó los ojos cuando yo le miré.

—Mi amo nunca baja los ojos; mira a los de quien le habla; y no es posible resistirle. Todos van ante él para suplicarle o para amenazar, a veces llevan malas intenciones y acaso llevan armas en la mano...; pero cuando le miran,..., bajan los ojos.

—Yo hablaré con él y tú serás mi palabra y la suya.

—Señora, recibiste, decías, un mensaje de aquella que volvió del reino de la muerte.

—Papán había visto buques...

—¿Dijo eso Papán?

—¿Por qué quieres saber la verdad? ¿También te das cuenta tú de que en este palacio sopla un viento extraño? ¿Sientes que se prepara algo? ¿Te das cuenta de que los lazos de la fatalidad se estrechan de minuto en minuto a vuestro alrededor?

—¿Había visto buques?

—Papán, no; otros los habían visto. Las noticias corren a lo largo de las costas; primero, por medio de señales de hogueras; después, son dibujadas sobre hojas de magüey... Ayer llegó la primera noticia. Los sabios estuvieron reunidos para descifrar su significado. No falta el dibujo de las casas flotantes. Había ochenta.

— ¿Los esperaban? Su señor les envía fuerza y sangre fresca.

— No. Los signos muestran las espadas cruzadas de los teules blancos y en los dibujos se ve a un rostro pálido que pisotea el emblema de Malinche. No llevan signo propio, pero tiene ochenta hombres que montan sobre ciervos sin astas y cuatro veces diez tubos de metal que ocultan el trueno. ¿No sabéis nada de todo eso?

— Señora, ¿viste tú esos dibujos?

— Vi cuando los leían, pues me introduje en la habitación al llegar el alba para buscar a mi señor.

— ¿Por qué hablaste, pues, con aquella cuyo nombre no puede ser repetido?

— Le envié un mensaje, pues es la hermana de mi padre y yo no tengo madre, y además mi padre es padre de todos los mundos. Le envié un mensaje en el cual le rogaba me dijese lo que debía hacer. La mujer que me crió con su leche me trajo la respuesta. No había visto a la princesa, pero había oído su voz. Y esta voz habló así: «Los que están vivos deben seguir viviendo. Los dioses no quieren sangre, y ¡ay de aquellos que arrojen corazones sobre el fuego de los sacrificios creyendo que con ello mejoran el porvenir!» Eso fue todo lo que dijo Papán. «Los que viven deben vivir.» Malinche no debe morir, como piden los sacerdotes y los dioses. Pero yo no creo a éstos; yo creo más a Papán. Vienen ahora otras casas flotantes, y los que en ellas van, dicen: «Venimos a castigar a Malinche.»

»¿Por qué sólo nuestros pueblos habrían de hacer la guerra? ¿Por qué sólo entre nosotros ha de haber prisioneros, víctimas? También ellos son hombres y deben de tener países con príncipes diferentes. ¿Quién estuvo jamás en su tierra para comprobar lo que hay de cierto en lo que cuentan? Los nuevos, los que ahora vienen, son mucho más fuertes; vienen a castigar. Los signos sobre las hojas de agave no engañan. Mi padre, el terrible señor, decidió esperar y aún no sabe si debe iniciar en ello a Malinche. Ahora se limita a esperar a que los otros se aproximen. Tal vez los buques pasen sin detenerse, y entonces los signos habrán mentido. Pero los sacerdotes, los soldados y los jefes del ejército, entre ellos mi esposo, se sonríen. No se necesita afilar las armas. La peste se curará con la misma peste, del mismo modo que una picadura de serpiente se cura dejándose morder en el pecho por otra serpiente. Los rostros pálidos se devorarán los unos a los otros. Será una escena de guerra ante las puertas de Méjico como los dioses no han podido ver nunca.

Y los que sobrevivan encontrarán su descanso eterno sobre las piedras de los sacrificios de Huitzlipochtli. Nuestros hijos contemplarán un día sus huesos calcinados por el sol y sus armas serán colgadas en los muros del templo. Los sacerdotes esperan ver a quiénes será dada la victoria en la discordia. Eso es lo que están diciendo los sacerdotes.

—¿Y qué dice aquella que ha regresado?

—Papán dice que los que viven seguirán viviendo. No quiere que se arranque el corazón a Malinche ni que sus entrañas sean mostradas al pueblo como un trofeo. Ella cree que al mundo viene un orden nuevo, porque los viejos dioses se equivocaron de camino.

—¿Puede saber todo eso mi señor?

—Todo eso son presagios. Todavía no vemos nada ni oímos nada. Tal vez sólo fue un sueño que ayer noche tuvo Tlaloc al mirar a Tenochtitlán.

—¿Por qué eres tan buena, señora y madre?

—Yo no quiero ver a tu señor rígido por la muerte. No lo quiero y pienso en ti cuando leo en nuestros libros el deseo de los dioses.

—¿Piensas en Tlaloc?

—Tú sabes que Tlaloc se pone alegre en primavera cuando todo está limpio y brillante por el rocío, cuando germinan las semillas y punza una nueva vida por todas partes.

—¿Piensas en mi hijo?

—Tú sabes que Tlaloc recibe en primavera el sacrificio de la sangre de criaturas de pecho. Se los presentan en pequeños lechos de madera; los sacerdotes observan sus lágrimas y por ellas predicen lo que ha de venir... Temo por tu hijo, porque Tlaloc ha proyectado su sombra sobre él.

Marina se echó a los pies de Tecuichpo, besó sus sandalias de suela de oro y adornos de piedras preciosas. Después le besó las rodillas, mientras la princesa le acariciaba los cabellos.

—¿Puede la princesa perdonar a su sierva el que ésta levante los ojos hacia su ama y de sus labios salgan expresiones de agradecimiento?

—Haz lo que quieras, Malinalli.

De debajo de sus vestiduras extrajo una alhaja cuidadosamente envuelta, que había comprado a una cantinera por un pedazo de rubí. Era una pequeña imagen de la Virgen, pintada sobre cristal; el fondo era azul fuerte; era una obra maestra de un artista sevillano. Marina lo apretó primero contra su corazón y después lo dio a la princesa. Ésta se inclinó sobre la imagen y la contempló largamente.

—Mira cuán triste está la mujer a quien se le mata el hijo.

21

— ¿Para qué necesitas los buques, Malinche? ¿Por ventura esos signos negros trazados sobre una hoja de agave te dicen que han llegado hermanos tuyos a la ciudad y sus casas flotantes bailan sobre las aguas? ¿Lo sabías ya?

— Al terrible señor nada le puede quedar oculto. La noticia no me sorprendió. Ya se me había avisado desde nuestra ciudad. Pero, dime: ¿qué te informan acerca de nuestros hermanos, los caciques de la costa?

Moctezuma desenrolló una hoja de agave. Sobre ella veíanse figuras de colores recientes y frescos: rojo, dorado, verde y azul. Con sus actitudes parecían querer escapar por el margen de la hoja.

— Esto lo enviaron anoche desde Cempoal. Quien quiera leer que lea. Veo ahí hombres que arrojan a un lado las blancas espumas de las inmensas aguas. Los números hablan de veinte veces setenta guerreros. Traen ochenta animales consigo y los dibujos de los tubos que esconden el trueno en su interior se elevan a cuarenta.

Cortés se quitó el sombrero.

— Alabado sea el Señor, que nos envía ayuda. Gracias te doy, augusto señor, pues tus palabras han alegrado mi alma. Ya no necesitamos buques; mis hermanos están aquí.

Cuando se hubo marchado, Moctezuma quedó pensativo; luego sonrió. Hizo llamar a Guatemoc.

— Le leí algunas partes del escrito. La barba le cubre el rostro y la palidez habitual de sus mejillas me impide ver cuándo palidece de miedo.

— ¿Cuál es tu deseo, señor, poderoso señor?

— Que los sacerdotes interroguen a los dioses y los ejércitos a sus jefes: ¿Debemos esperar a que los teules blancos se destrocen mutuamente ante la ciudad y solamente sacrificar a los supervivientes? ¿O, por el contrario, debemos obligarles a partir para salvar así a nuestra ciudad? ¿Deben nuestros guerreros limitarse a seguirles para estar presentes cuando se trate ya sólo de enterrarlos?

— ¿Deseas, señor, llevar a Malinche al sacrificio en el altar?

— Tal vez los dioses no me guarden rencor por esto; pero Malinche tiene un lugar en mi alma. Deseo no dar a los dioses la sangre de mi amigo; así, que no quiero levantar mi arma contra él.

— Señor, a veces los dioses disponen las cosas sin contar con tus deseos...

* * *

Por la noche, Cortés habló con los soldados. Había llegado una carta de Vera Cruz. De las islas habían llegado buques y tropas; posiblemente refuerzos enviados por el emperador. Nada se sabía, empero, con certeza. Hizo repartir algunas bebidas y cada soldado recibió un regalo del valor de un peso de oro. Después de cenar, se elevaron oraciones y los cañones fueron disparados. ¡Habían llegado españoles a Nueva España!

En los primeros momentos todo estuvo presidido por la alegría. Los soldados tocaban de nuevo oro y pensaban en el regreso pacífico a !a patria. Ante los ojos de los capitanes se cernían, como un sueño, nuevas cartas de nobleza. Los cañonazos asustaron a la gente que estaba en el mercado; admirados, vieron los fogonazos que no eran seguidos de bala. Los oficiales no bebieron; desde el primer momento se dirigieron a la tienda de Cortés. A ellos no se les ocultó nada. Les refirió Cortés el aviso secreto que había dado la princesa. La diplomacia de Moctezuma deseaba que los españoles se exterminaran mutuamente. Sandoval escribía que el jefe del ejército que llegaba era Pánfilo Narváez, sobrino de Velázquez, secretario ambicioso. Cortés les leyó en voz alta la carta que le había enviado Sandoval desde Vera Cruz:

«...Dicen, señor, que su llegada aquí no más tiene un objeto: restablecer el prestigio del señor Velázquez a sangre y fuego. No han tenido ninguna noticia del emperador. Con ellos viene un juez delegado de los Padres de San Jerónimo para conocer y fallar en la discordia surgida entre los españoles. Al asesor Ayllon le mandaron cargado de hierros al sollado de la capitana. Velázquez me envió a su capellán Guevara con un notario real. Todos debían abandonar el servicio de los rebeldes, decía la orden. Vera Cruz debía entregarse inmediatamente; de no hacerse así, no habría gracia para nadie. Mi contestación fue ésta: Yo no había frecuentado las aulas universitarias como mi capitán general Cortés; por eso era poco versado en asuntos de Derecho. Él era quien debía decidir si los papeles tenían algún valor. Al oír eso, se encolerizaron. Yo, entonces mandé les pusieran algunos cascabeles, y remito a usted, junto con esta carta, a los dos señores debidamente atados. A vuestra merced siempre afecto soldado y obediente hijo, Gonzalo de Sandoval, alcalde de Vera Cruz.»

Los capitanes callaron. Alguien repitió «afecto soldado». Ni uno

304

había en el campamento que no le amara. Ordaz se puso a reír.

—Así, Su Paternidad tendrá que hacer el camino *per pedes apostolorum*. Seguramente no habrá viajado sobre las espaldas de indios.

Cortés meditaba.

—Oíd, señores. Por mal que me pueda parecer que la Corona haya dispuesto que Narváez azuce y levante contra mí a los caciques, no deja tampoco de parecerme mal hecho que Sandoval trate de modo tan humillante y afrentoso a otros españoles. Mañana por la mañana, Ávila, con ocho caballos, les saldrá al encuentro. Y al llegar a Méjico, se les recibirá con los honores que les correspondan. Hemos de cuidar de aparentar que somos un pueblo unido.

—Velázquez de León se fue con ciento cincuenta hombres a Río Panuclo. Ahora nos harán falta esas lanzas.

—En Cholula recibió ya mis órdenes. Debo ahora esperar a ver qué noticias traen los dos enviados. Pero, desde este mismo momento, quiero hacer saber a Narváez mis disposiciones.

—Vuestra merced conoce a este rival. ¿Es posible atraérsele con buenas palabras?

—Sus servidores le odiaban; se le escapaban algunos todas las semanas y se refugiaban en mi hacienda, que estaba vecina a la suya. En el palacio del gobernador no nos podíamos sufrir mutuamente. Pero no es peor ni mejor que otros hacendados de Cuba. Ahora os pregunto: ¿quién se ofrece voluntario para llevarle mi escrito?

Todos callaron. Si uno se ofrecía con demasiada rapidez y vehemencia, se podía hacer sospechoso de desear escabullirse para salvar la cabeza y lo que todavía podía ser salvado. En todos los labios apuntaba la pregunta: «¿Somos, en realidad, rebeldes?»

El Padre Olmedo rompió el silencio. Él estaba dispuesto a llevar el mensaje al campamento enemigo.

La carta de Cortés comenzaba con las siguientes palabras: «Señor mío y antiguo amigo: El Padre Olmedo, este amanecer ha colgado algunos saquitos de polvo de oro en su arzón...»

La entrada de los mensajeros debía verificarse, según orden escrita, antes del mediodía. Ávila dirigía la expedición desde Cholula y tardó dos horas en poder calmar al capellán y al notario con sus palabras y con los regalos. Los dos estaban sin aliento y coléricos. Se les proporcionó buenas monturas y durante el camino ya se pasó en agradable conversación. El capitán refirió el esplendor, el bienestar y las riquezas, dejando entrever que el capitán general, a pesar de sus múltiples ocupaciones y trabajos de su cargo, no dejaría de recibirlos tan pronto como pudiera.

Las pupilas, cansadas de no dormir, no pudieron apreciar aquellos tesoros. Cuando la expedición llegó al dique mayor, estaba lleno de curiosos; las muchachas arrojaban flores y el capitán contestaba con gestos. Al llegar al palacio de Axayacatl, fueron recibidos los enviados por la guardia con honores y toque de marcha. Allí se detuvieron unos minutos. Apareció luego el mayordomo Lares y con una vara golpeó el suelo.

—¡Don Hernán Cortés, capitán general de Nueva España!

Fue descorrida la cortina y apareció Cortés, acompañado de sus capitanes, que llevaban todos arnés y cadenas de oro; detrás iban caciques y funcionarios de la corte. Entre el séquito, veíase a Flor Negra, que iba cubierto de maravillosas joyas.

El capellán y el notario habían preparado un pliego de cargos o acusaciones para saturar con él al insurrecto. Ahora, ante el aspecto de tanto aparato solemne y tanta grandeza, los dos no pudieron menos de saludar con una profunda inclinación. Cortés fue hacia el clérigo y le abrazó; luego estrechó cordialmente la mano del notario, mientras los dos servidores españoles le besaban la mano. Las primeras palabras fueron para el incómodo viaje. Cortés dirigió frases duras en voz alta al honrado Sandoval, que era un soldado osado e intrépido, pero que, desgraciadamente, no estaba muy acostumbrado a las costumbres cortesanas con un señor principal. Cortés invitó a su mesa a los dos recién llegados y a los capitanes. En esta ocasión usó por primera vez sus cubiertos de oro fabricados artísticamente por un orfebre indio. Los enviados miraban asombrados y encantados los platos con figuras repujadas de animales fantásticos y flores, y miraban hacia atrás, donde los criados indios, resplandecientes a fuerza de piedras preciosas, servían en el festín con su paso rítmico y el ritual prescrito para los festines de Moctezuma.

Después de la comida, los señores se sintieron un poco cansados. Cortés surgirió la conveniencia de echar un sueñecito; pero declaró que antes quería todavía satisfacer la natural curiosidad de los llegados. Él mismo condujo entonces a sus invitados por la escalera que conducía al subterráneo donde estaba amontonado todo el oro en barras y en polvo, y allí señaló las porciones que estaban separadas y selladas: el quinto correspondiente a la Corona, la parte de los armadores, el botín de Cortés. Antes de que los dos huéspedes pudieran reponerse de su asombro, tenían ya cada uno de ellos una barra de oro en la mano.

A la hora de comer, bendijo la mesa el Padre Guevara. Entre copa y copa de vino, empezó a hacer algunas alusiones: «Narváez es un joven muy fogoso..., pero tal vez no sea todo osadía; no sabe el arte de hablar a los soldados; también es un poco codicioso; parece

envidiar el dinero de los demás y a menudo priva a los soldados de
lo que han adquirido por medio de cambios.»

— Sin embargo, por mi parte he de alabar el acierto que ha tenido don Pánfilo en enviarnos como representante suyo a Vuestra
Paternidad. No conozco sus intenciones; pero me parece que Don
Carlos, nuestro señor, recompensaría como se merece al hombre que
en tan embarazosas circunstancias tuviese en cuenta el bien y los intereses de la Corona antes que pequeños partidos... Considerad,
Padre: los límites de la diócesis de aquí no han sido trazados todavía... y en Nueva España el pectoral no será simplemente un
adorno...

Al emprender el regreso, Guevara colocó algunos buenos saquitos
de cuero debajo de las gualdrapas. Se llevaba el oro que le habían
regalado y también el oro destinado a aquellos que debía conquistar
para el partido de Cortés.

* * *

Moctezuma esperaba a Malinche. En su presencia no podía resistir su supersticioso encanto. Seguía viendo en él al milagroso descendiente de la Serpiente Alada y lo hubiera dado todo para lograr la
gracia del emperador de los dioses que vivía allende los mares. Cada
vez que hablaba con Cortés, renacían en su recuerdo imágenes estu-
diadas y aprendidas en su niñez. Cuando quedaba solo, el encanto
se disipaba. Entonces venía *Águila-que-se-abate* y decía:

— Los dioses han enviado niebla ante tus ojos; no ves cómo los
ladrones y los buitres rodean tu palacio. No ves que nada bueno se
pueden proponer. Esos recién llegados quieren castigar, pero no unirse con ellos... Tal vez sean éstos los verdaderos que anuncian los
sacrificios sangrientos. Ya oíste lo que dijo uno de ellos: que en Tenochtitlán iba a quitarle las orejas a Malinche... También éstos quisieran a veces sangre... también ellos.

Secretamente, Pánfilo de Narváez enviaba mensajeros a Moctezuma. Y con ello perdió el juego. Llegaban unos indios con la cabeza cubierta, desenrollaban sus hojas de *nequem* y a media voz comunicaban su mensaje, como si se tratara del asunto de un pleito,
indicando que venían de parte de unos rostros pálidos que esperaban
en la costa. Esos enviados llegaban a él como el reclamo pueda llegar a los oídos del pájaro enjaulado. Narváez ofrecía sus saludos al
terrible señor, como triste prisionero del impío Cortés, lleno de
anhelo de ser liberado con ayuda del capitán Narváez... Le hacía
decir que vendrían gustosos..., pero que para ello necesitaba oro y

tesoros, para así poderse acercar más rápidamente y romper las cadenas del gran emperador prisionero. La carta que habían traído los emisarios fue quemada como se quema el copal en los braserillos; los emisarios tampoco fueron vistos nunca más... Teuhtitle había desaparecido del palacio. Disfrazado de mercader, marchaba hacia el Norte con algunas piedras preciosas en la faltriquera. La misión era corta, desagradable. La voz de Moctezuma sonaba solitaria en la boca del jefe: «Al nuevo gran jefe de los rostros pálidos le han engañado las noticias de fingidos servidores. El gran señor de Tenochtitlán está sentado en su trono en medio de sus príncipes. El antepasado suyo, y dios de su casa, Tlaloc, deja oír su voz. Tú hubieses visto al señor en todo su esplendor, y no en prisión.»

* * *

Cortés fue despertado muy de mañana por el Padre Olmedo, quien, valiente como un guerrero, había marchado por los caminos de la costa y ahora se apoyaba sobre la piel de oso que cubría a Cortés. Desde que se marcharon Guevara y el notario, todos habían dejado ya de usar las ceremoniosas formalidades.

—¡Una carta de Narváez para vuestra merced! Dice en ella que vuestra merced puede quedar contento con ostentar la representación del comandante y, en debida obediencia, entregarle las llaves de Tenochtitlán y Cholula. Pero en ello hay falsía, don Hernando. Si yo tuviera cien manos, todas se me hubieran fatigado de tener que contar y dar oro para comprar tantas adhesiones a vuestra merced como están para vender. Muchos capitanes y subalternos no eran conocidos de Cuba y no tuve que buscar mucho para poder oír algunas palabras sinceras. La gente desembuchó la verdad. No espere nada bueno vuestra merced de ese mocoso presumido. Él y los de su camarilla injurian continuamente a vuestra merced, sobre todo cuando están animados por el vino. ¿Quién se preocupa allí de los soldados? A éstos no se les deja nunca oro, ni se les da jamás carne. Comen de lo que pueden. Los jefes indios vinieron a verme a escondidas para preguntarme si alguna enfermedad extraña había privado de la razón a los rostros pálidos. Hasta el pobre viejo cacique cojea desde que le tostaron las plantas de los pies.

—¿Qué se propone hacer Narváez?

—Ahora descansa. Hasta ahora ha podido ir tirando escribiendo cartas. Todo lo que vuestra merced ha logrado hacer tan sabiamente, amenaza destruirlo él del modo más necio. Quiere levantar los caciques contra nosotros para que así caiga Tenochtitlán sin necesidad de exponer él la piel. Imagina que su camino ha de ser un paseo.

— ¿No me aconsejáis vos la paz?

— Es soberbio y además necio. Dios me perdonará el creer que ahora entre los españoles no conviene hablar de paz. Por lo menos aquí, no conduciría la paz a la victoria de nuestra fe. A mí solamente me salvaron mis hábitos de ser castigado, cuando me negué a sumarme a los suyos. Su mayordomo, el obeso Salvatierra, desea saborear vuestras orejas aderezadas con vino... Después de cenar, todos injurian a porfía a Cortés. No tenéis más que llevar la mano al puño de la espada, y me parece que todos volarán como pajitas en la era.

* * *

Al amanecer hizo decir al gran señor que deseaba hablarle inmediatamente, aunque la hora era intempestiva, por cierto. Moctezuma estaba sentado en su silla de astrólogo, tratando de ver y de adivinar los signos. Hizo una seña de aquiescencia. Para Malinche, siempre estaba abierta su puerta.

— Parto dentro de una hora. Lo acabo de decidir así. Ahora estoy escogiendo la gente. Vendrán pocos, pues conmigo está la palabra de mi señor Don Carlos y ésta es más fuerte que todas las armas. Voy a castigar a aquéllos y regresaré seguidamente y después orientaremos nuestras velas en el triunfo.

— ¿Cuántos hombres te llevas?

— Setenta. En Cholula nos esperan el doble.

— A cada uno de vosotros le corresponderán veinte de aquellos teules.

— La palabra del emperador está con nosotros. Por eso seremos fuertes. Si quisiera, podría llevar más gente conmigo; pero he resuelto dejar aquí a Tonatiuh con los cañones y los restantes soldados. Te ruego, señor, te hagas cargo de nuestra situación y del difícil cometido de Alvarado. Creo que tan pronto como hayamos podido poner orden entre nuestra gente y hayamos aumentado el número de honrados soldados que me sean fieles, podremos entonces cumplir más rápidamente la voluntad de nuestro rey, y todo el veneno y amargura de esos días tristes, llenos de cuidados, desaparecerá, y todos, con el corazón tranquilo, podremos emprender el camino hacia Castilla.

— Eso necesita su tiempo, Malinche. Ambos somos hombres y guerreros. Vuestro número es limitado y aquí no vas a combatir con tabascanos. Te ofrezco, con mi palabra de rey, mis cinco veces mil guerreros, mis mejores soldados. ¿Te place?

Cortés dobló una rodilla. Su voz estaba un poco velada cuando contestó:

— Augusto señor; eres en verdad bondadoso. Nuestro señor te recompensará por ello. Todo lo malo que yo hice, no lo hice para mi provecho personal y utilidad, sino para bien de nuestra fe. Te doy las gracias, pero no acepto tu generosa oferta. Parto solo con mis sesenta hombres.

* * *

Cuando se reunieron en el patio, la noche era negra. No se dejó oír ningún rumor. El general estaba allí con todas sus armas; todos sabían que ahora se jugaban la vida y la libertad. Buscó y escogió una tercera parte de sus hombres, jóvenes o viejos indistintamente. Eran setenta hombres fuertes; además se unieron a ellos doscientos tlascaltecas. Apenas tomó bagajes, ni cañones, ni caballos. Dejó también a la mayor parte de los mosqueteros para que guardaran el palacio.

— El señor de Alvarado toma el mando.

Dio el escrito en que se daba esta orden y, al firmarla, se preguntó si no sería ésta la última vez que mojaba la pluma en tinta.

En pocos minutos se hubieron despedido. Entró en el palacio. Marina dormía junto a su hijito. Cortés se inclinó e hizo la señal de la cruz sobre la frente del niño; éste se agitó un momento, pero siguió durmiento. Tampoco se despertó Marina. Cortés quedó unos momentos pensativo. Luego llamó a su paje:

— Xaramillo. Tú me respondes de Marina.

Moctezuma le mandó recado de que deseaba verle otra vez y Cortés subió a su cámara. Desde su llegada, no había llevado Cortés su armadura y equipo completo. Ahora estaba como guerrero, con la visera levantada, ante Moctezuma. Contemplóle éste largamente; después, sin decir nada, levantóse y le abrazó...

La tropa se puso en movimiento, sin toques de trompetas. El licenciado, desde la puerta, los bendijo. Eran setenta en total: la mayoría llevaba corazas o petos de algodón porque sus cotas de metal estaban rotas y los yelmos de buen hierro castellano habían quedado reventados. Algunos llevaban buenas cadenas de oro pendientes del cuello, pues oro sí que tenían; lo que les faltaba era hierro. Las cantineras escanciaban generosamente el pulque. «¡Vuelve a beber!»

Durante cinco días marcharon sin descansar; de día caminaban por los bosques y pantanos por los que sólo pasaban algunas sendas de indios. Al tercer día, llegaron a las fronteras de Cholula. La vanguardia anunció que había oído trompetas españolas. Cambiaron miradas. ¿Se trataba de Narváez o de Velázquez de León? En estos toques se escondía la vida o la muerte. Un soldado de los más jóvenes se encaramó hasta lo alto de una ceiba y con amplias manotadas dijo:

· — Lo conozco, señor. Solamente mi amigo Bernardo puede tocar tan mal una corneta. Son la gente del señor Velázquez de León.

Velázquez de León era capitán de Cortés; pero también primo del gobernador Velázquez y estaba, por añadidura, emparentado con Narváez. Si ahora les atacaba con sus ciento cincuenta hombres, estaban perdidos. Entonces sí que no había más que levantar la espada; era el fin. Se aproximaron con precauciones. «Toca el cuerno», dijo al muchacho, y seguidamente sonó la contraseña del capitán general. Esperaron. De pronto oyóse ruido de mosquetes y gran griterío de júbilo estalló en la tranquilidad de aquellas praderas y senderos. Velázquez de León llegó galopando, saltó de la silla y abrazó a Cortés. Durante un minuto permanecieron así, abrazados.

— Me alegro mucho de veros, tanto como si fueseis mi propio hijo.

Eran doscientos veinte ahora y creían que tenían, por tanto, la victoria en las manos. Enviaron mensajeros a Tlascala. Se acostaron, y muertos de cansacio permanecieron echados todo el día en la cama del cuartel del príncipe Maxiska. Aquí se le unió Tobillón con algunos montañeses y doscientos cincuenta hombres armados de lanzas con punta de cobre. «Contra los caballos», fue la orden que se les dio cuando tomando la lanza con ambas manos comenzaron a practicar ejercicios. Desde Cholula, Cortés envió un nuevo mediador a Narváez; le escribió una nueva carta en la cual le ofrecía la paz y una participación. Llegó aviso de Sandoval que estaba en camino con cincuenta soldados para unirse a Cortés. En poco tiempo, sesenta hombres de Narváez se pasaron a las filas de Cortés. Se les trataba mal — decían —; se les daba escasa comida... y además habían oído decir que Cortés regalaba oro a puñados.

Llegaban noticias continuamente. El cuartel general era como un hormiguero de laboriosos hombres; en el vestíbulo esperaban mensajeros de Tlascala, que por la noche llevaban el correo, veloces como el viento.

Continuó la marcha. El ejército se había aumentado en unos quinientos tlascaltecas. Iban por los atajos, caminos y veredas, que sólo eran conocidos por los indígenas. El aire de la selva era asfixiante, sofocante; les debilitaba. Durante el día tenían que echarse a descansar y, al hacerse la noche, reanudaban el camino. Los indios iban quedando atrás poco a poco. Ahora no se trataba de ir a guerrear contra mejicanos, sino que habría de medirse con teules... ¿Para qué iba a servirles eso? Solamente los porteadores y los guías seguían aguantando. Así llegaron a una aldehuela que distaba ya tan sólo una jornada de Cempoal.

Ocuparon los caminos. Al mediodía llegaron los dos emisarios enemigos al campamento. Uno de los dos era nuevamente Guevara; el otro era un antiguo amigo de Cortés, Andrés del Duero, que venía en funciones de notario real. El capitán general les salió al encuentro y, tomando la mano de Del Duero la retuvo algún tiempo entre las suyas. El descolorido funcionario contempló el rostro de Cortés, quemado por el sol, su barba rebelde y descuidada y su coraza abollada en las batallas. También la voz le había cambiado, se había vuelto más bronca, y en sus ojos no brillaba ya aquella lucecita de inquietud de antes. Duero, el inteligente y estimado Duero, antes siempre cínico y discutidor, hablaba ahora con frases breves y secas: «Daña Catalina ha pasado ya lo peor..., la señora se encuentra relativamente bien... aún tose algunas veces..., la casa y las tierras sigue todo igual; no ha sido confiscado nada..., doña Catalina está harta de indios y llora por su esposo ausente; espera que nada malo le sucederá...»

Ambos hombres se retiraron a hablar; se reclinaron sobre unas esterillas indias, a la fresca sombra de la tienda, y comenzó la entrevista a solas. Cortés fue quien comenzó:

—No toméis a mal, amigo mío, que os descomponga el orden de vuestros pensamientos. Me quitaré un peso de encima si permitís que os diga que puse a buen recaudo la parte de vuestra merced, junto con el beneficio que os corresponde; depositado está en el palacio de Axayacatl. Todo ello según os corresponde como propietario de los buques, según consta en este documento, sellado, firmado y extendido en debida forma.

Señaló el papel que ante sí tenía. Una ojeada le hizo ver cómo Cortés había administrado sus ducados.

—¿Quién habría de preocuparse del dinero si vuestra merced fuera hecho prisionero?

—Mi última instrucción al señor Alvarado dice así: «Si yo cayera en la lucha o fuera hecho prisionero, o el señor Narváez viniese sin mi consigna, entonces debéis salir a alta mar con los bergantines cargados con los tesoros y allí en medio del lago incendiarlos.» De mi oro, Narváez no tendrá en ningún caso un solo céntimo. Por muy penoso que sea decirlo a vuestra merced, en tal caso, preciso es que os avise que todo vuestro oro volaría, quedaría reducido a la nada... salvo esas pequeñas joyas que yo ahora como recuerdo de amistad os ofrezco.

El notario real cerró los ojos. Hacía tan sólo unos quince años que Cortés, joven tímido entonces, vestido con su jubón negro, llamó a la puerta del gobernador en la Isla Española. Ahora no parecía ya el mismo..., veía a un hombre de la madera de los *condottieri* italianos; era un jefe nato... ¿Estaba en su cenit la estrella?

— Vuestra merced conoce el proverbio latino: *ibis redibis*. Vuestra merced pudiera enterarse gracias a mí, a quien corresponde la victoria, según está escrito en !as estrellas. Leed la carta que llevo en el pecho.

Sacó la carta. Estaba escrita en frases cortas y crudas. Exigía deponer inmediatamente las armas y entregarse sin condiciones de ninguna clase.

— Mi querido don Andrés: ¿Siguen por ventura estos señores sin haber aprendido nada?

— Esas cosas sólo les pueden ocurrir a los españoles hidalgos de nuestra clase. Cuando el Padre nos trajo vuestro escrito, el mayordomo exclamó: «Arrojad al fuego sin leerla la carta de ese plebeyo vagabundo... Si estáis a mi lado... no le concederéis nunca perdón». Después se pusieron todos a beber. Todos son meridionales, señor; entre nosotros no hay ni uno solo de las regiones del Norte.

— Según vuestra opinión, ¿no ha sido reconocido mi derecho por Su Majestad?

— Eso es asunto jurídico, don Hernando. Si yo hubiera de entender en él os acusaría a ambos: a Cortés, tanto como a Narváez. De todas formas, el gobernador no ha recibido de Sevilla el placet para esta expedición de castigo; posiblemente sólo habrá una carta particular del obispo de Burgos incitándole a emprenderla. Los Padres de la Española se opusieron a la expedición, objetando que perjudicaba al prestigio de Castilla y desacreditaba nuestras virtudes militares el hecho de que un español persiguiera a los otros como si fueran bandoleros. Por eso enviaron con nosotros al señor Ayllon que fue llamado como juez o árbitro en vuestro proceso. Pero ese señor pareció inclinarse por el partido de Cortés, por lo que don Pánfilo le mandó a la sentina, cargado de hierros, y ahora le acusan de rebelión. Por otra parte, mirando las cosas bien, vuestra merced no puede vanagloriarse de ser puro como un corderillo recién nacido. Solamente que a vos os sonríe el más completo éxito. Vuestro buque llegó a España cargado de oro y vuestros emisarios llevaron vuestra embajada a Su Católica Majestad. En las cancillerías — según se dice — se pintan las nuevas armas que habrá de añadir a las innumerables que ya usa nuestro señor Don Carlos. Los sabios geógrafos trazan ya sus cartas y escriben los nombres de las nuevas ciudades según vos citáis e indicáis en vuestra carta. En la corte, reina la alegría y en Roma seguramente se habrá ya dicho algo... Cuanto más los malditos herejes arrancan del cuerpo de la Madre Iglesia en el Viejo Mundo, cuanto más devora el turco al irrumpir por las puertas del Levante, tanto más mérito adquiere lo que vos hacéis en esta parte de la tierra, en el Nuevo Mundo... Además vuestra merced ha reunido tanto oro que eso vale más que todos los pergaminos de leguleyos y tiene una voz más elocuente que todos los coros romanos. El tintineo del oro es lenguaje entendido claramente por todos y no habréis de tomar a mal que os diga que yo, por mi parte, también lo entiendo con toda facilidad.

Callaron. Afuera se oía el grito de alerta de los centinelas. El paje anunció que la vanguardia de Sandoval había llegado: un capitán con setenta hombres.

—Mañana se me unirán dos mil lanceros indios perfectamente adiestrados. También llegan más guerreros de Tlaxcala. No soy débil. Y es por eso precisamente por lo que deseo la paz entre los españoles. ¡Si lo supiera al menos quien pueda influir en las intenciones de Narváez!

—El señor Velázquez de León está emparentado con él...

—Hablaré con Velázquez. Una prueba de amistad...

* * *

Mientras Velázquez estuvo ausente, el pequeño ejército quedó acampado en un calvero, rodeado de cañaverales. Aquí esperaron el resultado de la gestión. Al tercer día regresó el capitán Velázquez, muerto de cansancio, sin resuello, sobre un caballo sangrando a fuerza de espolearle. Con él iba el Padre Olmedo, después de haber hecho su segundo viaje de emisario. Venían huyendo. Alguien había descubierto aquel nocturno reparto de oro y, solamente gracias a un criado que les advirtió, pudieron salvar la vida huyendo de escondidas. No había paz posible. Y, sin embargo, el oro de Cortés seguía ejerciendo su poderosa virtud entre la gente.

Llovía. Las gotas de lluvia eran como las pecas de Tlaloc, decían los indios aliados. Los soldados estaban encogidos en sus tiendas hechas de follaje y temblaban de frío. Cortés mandó tocar alarma. Al pasar lista fueron contados doscientos setenta españoles. En el camino, casi al borde de los matorrales, se alzaba una piedra como si fuera un centinela de una ciudad misteriosa y muda, convertida ya en ruinas. Cortés se subió en el pedestal sobre el que un día se alzara una estatua y comenzó a hablar a sus hombres, que parecían tristes y desconcertados.

—Los soldados no tienen la memoria embotada —según se dice—. ¿Habéis olvidado ya por ventura las tempestades de la travesía, las plagas de mosquitos y las fiebres de los pantanos? ¿Hubo alguno de nosotros que no pasara hambre cuando el desembarco, o que durmiera tranquilo en aquella noche de Tabasco? ¿Quién creía que salvaría la piel en la acción de Tlascala? ¿Quién no dejó de temer a la muerte cuando nuestra ascensión a los montes nevados? ¡Si por lo menos hubieseis recibido oro por todo eso, soldados míos! Vuestra parte fue dada para regalo a nuestro señor Don Carlos... Y ahora os pregunto yo, si no os queman las heridas y no sentís calambres cuando el tiempo va a cambiar... ¿habríamos podido acaso olvidar tantos padecimientos con la facilidad misma con que se olvidan las palabras y acciones de un borracho? ¿Podéis haber olvidado todo eso, hasta el punto de arrojar ahora las armas y alargar el cuello para que a su alrededor os pase una soga el señor don Pánfilo para haceros expiar las culpas? ¿Por ventura querríais besar, llenos de agradecimiento, a ese valiente capitán que está azuzando a los caciques contra nosotros y, en secreto, ha prometido la libertad al señor Moctezuma? Vosotros que sois españoles ¿os avendríais a arrastraros como miserables a los pies de un noble español que está dispuesto al fratricidio? Pero os voy a hacer esas preguntas en otros términos más concisos: ¿Queréis olvidar o recordar? El que crea que tiene motivo para tener confianza en mí, que confíe, pues. Hasta ahora la misericordia del Señor ha puesto en mis manos siempre los hilos que conducen a la lucha y a la victoria. Creo que ninguno de vosotros abandonará su puesto; ninguno de vosotros doblará el cuello para que le coloquen el yugo. Pero yo os pregunto: ¿Cuál de vosotros quiere seguirme para volver hacia el enemigo los dieciocho cañones?

Cincuenta veteranos se adelantaron pensativos. Cortés hizo una seña al notario. Éste leyó en voz alta:

«Ordeno a vuestra merced, señor don Gonzalo de Sandoval, jefe de justicia de Nueva España, detener al señor don Pánfilo de Narváez, pretendido capitán general, y hacerle prisionero en nombre de la Corona. En caso de que el susodicho señor hiciera resistencia, podéis quitarle la vida, según lo pida el honor de nuestras armas. Dado en nuestro cuartel general. Yo, Hernán Cortés; ante nosotros, como notarios reales, Godoy y Hernández...»

Sandoval se adelantó, inclinó la cabeza, tomó el pergamino y lo arrolló. En nombre de la ley, podía ya emprender el ataque nocturno. Caía la lluvia. Se formaban charcos y riachuelos. Aquí los cañones no podían ser utilizados; tampoco podían ser útiles los caballos, que se hubieran negado a caminar. Todos iban ligeramente vestidos, sin equipo, arrastrándose por entre los obscuros matorrales, confiando en el instinto de los guías indios. Los soldados apretaban contra su cuerpo las largas picas con punta de cobre. Así se deslizaba la tropa de veteranos, bajo el manto del silencio hacia las conocidas edificaciones de la frontera de Cempoal. Aquí se encontraron con el primer puesto de guardia, de dos hombres. Al primero le pudieron agarrar por la espalda; el segundo descargó su arcabuz, gritando: «¡Cortés está aquí!»

El cuartel general estaba sobre la terraza del templo. Había bajado Narváez; abajo estaban los cañones agrupados y formando un amasijo con los jinetes y soldados. Nadie había previsto una sorpresa nocturna. Todos se habían retirado a sus casas. ¿A quién no le repugnaba pasar la noche metido en el fango con un viento que penetraba hasta los huesos? Cuando partió el primer disparo y sonó la alarma, llegaron todas las tropas a un tiempo, temerosas y desorientadas. En la obscuridad, no se encontraban los unos a los otros; las armas no estaban al alcance de la mano. Los caballos coceaban en la obscuridad. La lluvia apagaba las mechas de los artilleros. No había mando ni dirección; del cuartel general no llegaban las órdenes ni se oían los toques de corneta. Alguien gritó desde arriba: «¡Estáis viendo fantasmas!... ¡Calma, no hay nadie ahí!...»

Sesenta soldados treparon por el Teocalli. Todos conocían aquello; apenas hacía un año que habían vivido allí. Algunos cañones tronaron desde arriba: los soldados se precipitaron hacia arriba; en sus labios llevaban las palabras de Cortés: «¡Espíritu Santo!»

Pesadísimas piedras pasaban silbando, arrojadas desde la parte superior; los soldados asaltaban con sus lanzas extendidas hacia delante. En pocos saltos estuvieron en la plataforma y se precipitaron en la obscuridad; los sirvientes de las fuerzas de Narváez cayeron o huyeron. El maestro Mesa hizo volver hacia los jinetes los cañones conquistados. «¡No hagáis demasiado daño!» Las balas de piedra volaban ya en dirección del Teocalli. De pronto, todo quedó mudo. Sandoval subió la escalera con cincuenta hombres hacia la plataforma, desde donde las mejores tropas de Narváez, su guardia personal, arrojaban piedras y toda clase de objetos pesados contra los asaltantes. Las agudas lanzas perforaban la obscuridad; la lluvia caía a torrentes. De pronto, brillaron en la obscuridad enjambres de puntos luminosos, lucecillas aéreas y movedizas: eran escarabajos luminosos de los trópicos, llamados *cocubus*, que asustados por el ruido habían levantado el vuelo. Alguien gritó que los indios de Cortés estaban allí. «¡Huyamos!» Todos golpeaban al azar. Narváez, de pronto, se vio frente a Sandoval; mas entonces una lanza pasó entre ambos. Don Pánfilo gritó: «¡Virgen Santa! ¡Me han herido!... ¡Mi ojo!...»

Abajo, las voces gritaban a coro:

— ¡Victoria!

Tres hombres se precipitaron hacia Narváez, que se desplomaba. Uno de ellos le ató las piernas con una cuerda. Narváez gritaba, se quejaba con las manos ante los ojos. mientras que los vencedores bajaban ya gritando y vitoreando por las escaleras, llevando una riada de prisioneros con ellos. En un rincón se movía Salvatierra, aquejado de una terrible diarrea que le hacía retorcerse. Todos buscaban a Cortés. Apareció éste, saliendo no se sabe de dónde, con su cota negra de humo, abollada y con su sable chorreando. Llevaba en la mano izquierda una antorcha; iba seguido de algunos hombres. Levantó la visera de su yelmo. Estaba ronco a fuerza de haber gritado tanto y su voz apenas era perceptible. Susurró solamente: «Sandoval, haz una limpieza en la torre. Arriba quedan todavía unos doscientos. Mientras tanto, nosotros acabaremos con los jinetes. Aquí están los caballos...» Mesa hizo colocar los cañones alrededor de la torre. Tres trompetas dejaron oír el toque español de «alto en la lucha». Se oyó la voz del heraldo, que gritaba: «Españoles, rendíos; si no, sois muertos». Tres veces repitió la intimación en nombre del rey: «Rendíos». Siguió el silencio, y después comenzaron a llover flechas arrojadas ciegamente desde arrriba. Continuó la lucha. Mesa dio orden y los dieciocho cañones, apuntados hacia arriba, hicieron retemblar el suelo con sus rugidos; las balas de piedra barrían la terraza del Teocalli. Comenzaron a trepar los soldados, mas apenas habían iniciado la ascensión, oyóse una voz: «Nos rendimos: Narváez ha caído».

— ¡Victoria!

Los soldados comenzaron su rebusca; se agachaban, gateaban buscando todo lo que allí se pudiera hallar; uno encontraba y se apropiaba de un buen yelmo; otro se hacía con una larga espada de magnífica hoja capaz de atravesar una coraza; otros se apoderaban de un peto o de un arcabuz y muchos eran los que a los prisioneros les quitaban las cotas y petos: «¡Ya no lo necesitas para nada, compañero!»

Cortés atacó a los cincuenta jinetes de Narváez, que estaban en el campo con todo su armamento y dispuestos a atacar la posición del pie de la torre. Primero se encontraron frente a la infantería, que atacaba con largas y agudas lanzas. Luego, cedieron las filas y Cortés se abrió camino con sus jinetes:

— ¡Caballeros! ¿Hemos de combatir unos contra otros? ¡Rendíos, confiados en mi palabra!

Detrás se levantó la negra figura de Duero:

— ¡Soldados! En nombre de nuestro señor Don Carlos, no hagáis derramar más sangre de españoles. Rendíos. No se hará daño a nadie. Os lo prometo yo en nombre del rey.

Cambiaron miradas. El notario real se había ya rendido. ¿Para qué luchar más? Narváez había caído en la pelea; tal vez estaba muerto... ¿Para qué continuar la lucha?

Se oyeron unas voces que gritaban:

— ¿Cuáles son las condiciones?

— Que todos entreguen las armas. Mañana os serán devueltas bajo palabra. Cada uno podrá conservar su caballo: Después de la entrega de armas, se entablarán las negociaciones.

En un momento estuvieron allí todos, contentos de no tener que seguir luchando en las tinieblas con esos diablos sucios y negros que se escondían por las grietas del terreno, que llevaban consigo a indios que combatían con grandes porras y no temían a la lluvia.

Cortés dio las disposiciones. No subió a la torre, que sabía era lugar peligroso y había que tenerlo en cuenta. Mandó erigir dos tiendas de campaña sobre la pendiente de una próxima colina. Se pusieron allí unas mesas. La lluvia iba amainando poco a poco, hasta que cesó; sólo se oían algunas gotas que tambaleaban sobre la tela de la tienda. Cortés entró en su tienda; el paje le mojó la cara con agua fresca para quitarle el humo y el sudor; quitóse su cota, que con sus manchas y abolladuras hablaba elocuentemente de la dura jornada. Le trajeron su capa amarilla con galones de oro, la gruesa cadena, el sombrero de plumas y la ligera espada toledana. Así, vestido de toda gala, salió al exterior y se sentó en su trono, que habían traído para él desde el palacio del obeso cacique.

Era la madrugada y se alumbraban todavía con antorchas; sobre los árboles brillaban los puntos fosforecentes de los escarabajos de luz.

— ¿Dónde está Narváez? —fue la primera pregunta.

Apoyado en dos hombres, con los ojos vendados, tambaleante,

ensangrentado y sucio, apareció Narváez. Difícil hubiera sido reconocer en su figura al refinado aristócrata de Cuba. Llegado que hubo frente a Cortés, enderezóse y dijo:

—Señor Cortés: Vuestra merced tiene sobrados motivos de regocijarse por esa su victoria tan inesperada como completa, debida principalmente a haber caído yo prisionero.

—Realmente, doy gracias a Dios por lo que ha sucedido en estas horas últimas, si bien la escaramuza ha sido una de las más difíciles de mi vida.

Se oyeron risas. ¡Bien dicho! La gente de Cortés y la de Narváez reían ya juntos.

Seguidamente comenzaron las ceremonias. Los capitanes fueron pasando por delante de Cortés uno después de otro. Cortés se levantaba de su asiento para saludar a cada uno de ellos, abrazaba a los que le eran conocidos y a los otros les estrechaba la mano. Tenía para cada uno de ellos una palabra amable y cordial. Su rostro estaba resplandeciente; ahora sí que se sentía caudillo, por la gracia de Dios; como los héroes de Plutarco, él quedaría también inmortalizado en los libros de los cronistas. Extendió la mano; ahora iban desfilando uno a uno los soldados, que al estar frente a él doblaban la rodilla y le besaban la mano; después mezclábanse todos, vencedores y vencidos.

Griseaba el alba. Cortés tenía doscientos cincuenta hombres. Los soldados de Narváez sumaban cinco veces más. Sólo se necesitaba que saltara una chispa y... Tenía miedo de este día que estaba naciendo y, frente a frente vencedores y vencidos, surgía la pregunta: ¿Tan débiles eran?

Cortés mandó que fuera pagado a cada soldado el sueldo de una semana, tanto a los suyos propios como a los otros y a todos en igual cuantía. El color de los pesos hizo buen efecto.

Al mediodía, las avanzadas de Cortés informaron que estaban llegando las tropas de los montañeses.

—¡En tiempo oportuno! —dijo Duero, que estaba al lado de Cortés, tan tranquilamente como si nunca hubiera estado en el partido de Narváez.

El sargento mayor había logrado establecer en pocos días una severísima disciplina. Había enseñado a tocar la marcha española a los indígenas y había que ver con qué alegría de niños soplaban éstos en los cuernos hasta quedar rendidos de cansancio. Los montañeses eran los indios más fuertes que los españoles habían visto jamás; eran hombres escogidos, robustos: Llevaban gorras de piel y cubrían sus espaldas también con pieles. Sus armas eran largas picas o lanzas con punta de cobre que manejaban según la táctica española que les habían enseñado los oficiales.

— En tiempo oportuno — dijeron los capitanes de Cortés, cuando vieron desfilar a los gallardos montañeses. Cortés sonreía y se volvió hacia los capitanes de Narváez, que, asombrados, contemplaban el desfile.

— Los caballeros han tenido suerte de que esas fuerzas auxiliares no llegaran anoche. Si así hubiese sucedido, hoy no tendríamos que lamentar solamente la muerte de dieciséis hombres. Basta ver el aspecto de esa gente.

Los oficiales afirmaron con la cabeza. Cortés era en verdad un gran hombre.

22

El palacio de Axayacatl era una caldera hirviendo. El gran señor se inclinaba sobre las hojas de *nequem* y leía los dibujos coloreados. Mostraban éstos a los soldados de Cortés — ciento cincuenta en total — al despuntar el día. Al siguiente día su número había aumentado en un centenar. Detrás de cada matorral había un espía de Moctezuma, que escuchaba la canción y los rumores del bosque por el que marchaban Cortés y los suyos. Indicaban los dibujos que Malinche valía por diez.

Moctezuma titubeaba. Trescientos cincuenta españoles hacían la ronda por las murallas y los sirvientes de las piezas de Mesa no dajaban de la mano la mecha, siempre encendida. Y, sin embargo, ¿no habían acaso los dioses enviado a esos extranjeros enemigos a ese remoto país para que con su sangre mojaran de nuevo la ya seca piedra de los sacrificios?

Por las vastas salas de arriba, iba y venía el gran señor como desorientado. Abajo, en departamentos obscuros y sin sol, estaban amarrados y cargados de cadenas los príncipes indios que habían sido hechos prisioneros. Había siete que, con las manos apretadas por los grillos, miraban angustiados y silenciosos para ver de descubrir siquiera fuera un rayo de luz que coloreara sus mejillas marchitas. Hacía poco que los príncipes se habían sentado sobre sus pieles de ocelote en Tezcuco, como se acostumbra a hacer cuando se habla de guerra. Cacama, el primer prisionero, dijo:

— Mi hermano Flor Negra les mostró el camino hasta mi jardín. Fue él quien introdujo la idea de traición en mi palacio. El Señor del Ayuno se portó como una serpiente. Anahuac no le era propicia. Nunca encontraba descanso en su tierra.

Por delante del calabozo se paseaban siempre soldados españoles con arcabuces. Cuando veían al traidor de su hermano, el príncipe tortuoso, le injuriaban y escupían detrás del apóstata.

El paje dormía echado ante el umbral de la puerta de Marina. Tenía quince años. Su cuerpo se iba robusteciendo y ya comenzaba a saber manejar la espada como un hombre. Si llegara la ocasión de tener que defender a su señora, se portaría de seguro como un excelente caballero. Marina estaba sentada en su habitación. Con su aguja de hueso, bordaba figuras fantásticas y de hermosos colores en una manta para su hijito y su mano ágil y mañosa manejaba las hebras con destreza. No se necesitaba ningún intérprete. El señor Alvarado solicitaba sus servicios en muy raras ocasiones. Marina era una mujer silenciosa y quieta. Contemplaba largamente a su hijito, pálido y de cara alegre.

Una mañana recibió el recado de que el gran señor quería hablar a su sierva. Marina se vistió con vestido de ceremonia, echóse sobre la cabeza el velo de la humildad y rogó a Xaramillo que le acompañase. En pocos minutos estuvo en la sala del trono, donde de nuevo se guardaba la más estricta etiqueta. De un vaso adornado con pinturas multicolores se elevaba el humo aromático, rodeando de vedijas la cabeza del emperador. Marina se postró y esperó que el gran señor le ordenase levantar la cabeza. Moctezuma estuvo callado largo tiempo. Por último dijo:

—¿Tienes noticias de tus señores ausentes?

—Solamente sé lo que todos han podido leer, augusto señor.

—¿Cree la mujer que volverá su señor?

—Mi nuevo Dios dispensa infinitas gracias a sus siervos.

—La compasión no es cosa de hombres. Entre los hombres y los dioses es la sangre la única alianza. Yo no siento compasión por los rostros pálidos. Tú me has servido a mí también. Vi lágrimas en tus ojos y supe que habías ayudado a muchos de nuestro pueblo. Sé que durante la noche trajiste alimentos y medicinas para Cacama. Sé que trataste de salvar a los que iban a ser quemados vivos. Todo eso lo hiciste siendo sierva, y es que los dioses te han dado a ti más inteligencia que a las otras mujeres. Malinche no puede quedar con vida. Si los números dicen la verdad, ellos se devorarán mutuamente. Los que sobrevivan están destinados a los dioses. ¿Qué puede hacer Tonatiuh para oponerse? ¡Son trescientos hombres contra todo nuestro mundo!

—Yo rezo a mi Dios de la manera que me ha enseñado a hacerlo el sacerdote blanco. Creo en el poder de los ojos de Malinche, con los que puede vencer a todos.

—Malinche se hunde; pero yo quiero que su simiente perdure en Anahuac. Quiero que quede el recuerdo de Quetzacoatl. Y en tu hijo veo la semilla de Quetzacoatl. Si todos los rostros pálidos se desangran en luchas fratricidas, y el resto de ellos acaba sobre la piedra de los sacrificios, quedará, sin embargo, un recuerdo de ese año maravilloso que en nuestros Libros Sagrados está señalado con el nombre de año de Tlaloc. Te llamé para decirte que no debes tener miedo, como podría tener una madre por su hijo. Mientras yo reina en Anahuac, ocuparás el primer puesto entre mis mujeres y tu hijo crecerá aquí como si fuese mi propio hijo. Su estirpe continuará la secreta promesa que fue interrumpida un día por la Serpiente Alada. Difundiréis vuestro idioma y siempre habrá en mi país sabios y sacerdotes que entiendan el lenguaje de los hombres que viven más allá de las vastas aguas. Si vienen los verdaderos descendientes de Quetzacoatl no tendremos que depender de las palabras que vaya traduciendo una mujer. Si viene Tlaloc, guardaremos la puerta y diremos que Malinche se fue con su hijo y que no sabemos dónde vive.

—Pero, ¿qué será de mi señor? ¿Qué será de él?

—Él es un guerrero y los dioses no conceden a los guerreros una vida perdurable.

* * *

Flor Negra dijo:

—Mañana tenemos danzas. La fiesta de la cosecha de maíz. Los jóvenes vendrán al palacio. Llevarán cuchillos y danzarán. Los caciques envían a sus hijos y los dignatarios envían también a sus hijos y a sus nietos. No vienen mujeres; mañana sólo bailarán hombres. El maíz brota en mazorcas, se vuelve robusto, le crece la barba..., ¿comprendes? Tiene barba, como Quetzacoatl, según la imagen de Tula, como vosotros, los españoles. Cuando llega su tiempo, el maíz es segado; primero se torna dorado como vuestros cuerpos... Sus granos blancos se vuelven amarillos con el sol... Poco a poco se tornan rojos; algunas hermosas mazorcas son rojas como sangre... ¿Sabéis vosotros, españoles, que los sacerdotes están ahora preparando la danza y que la cosecha de maíz es una fiesta en la cual se os destina como frutos primerizos para ser ofrecidos ante el trono de Huitzlipochtli? Vienen quinientos hombres, más de los que sois vosotros. En sus manos llevarán plantas de maíz arrancadas de la tierra. Con ellas ejecutarán su danza y 'cuando sea llegado el tiempo les tirarán de las barbas y rajarán con sus cuchillos de *ichtzli* sus tallos amarillos, secarán las mazorcas para ofrecerlas a los dioses. Así será, españoles, y quién sabe cuántos romperán las primeras mazorcas ya rojizas...

— ¿Por qué me cuentas eso?

— Un tallo de maíz se cimbrea en la obscuridad. No ve el sol, pero se mantiene erguido. No se le da agua y, sin embargo, crece; no se le recava en el suelo y, sin embargo, viven sus mazorcas; no dan nada que comer a la tierra que le rodea y, sin embargo, respira, y si lo rompes encuentras en su corazón semillas venenosas.

— ¡Habla claro!

— En vuestra bodega vive Mazorca Triste. Yo vengo a ti para advertirte, pues mañana es la fiesta en la que se cumplirán los signos. Vosotros, españoles, sois las mazorcas que serán sacrificadas. Hasta ahora hubo uno que esperó cargado de cadenas que los días pretéritos de Anahuac volvieran. ¿Lo comprendes ahora, Tonatiuh? La fiesta de mañana es un símbolo para Mazorca Triste, que en nuestra lengua se llama Cacama; y este símbolo le dice que es hora de levantarse. Él lo sabe porque el viento le lleva noticias a su calabozo. Cuando todas las mazorcas estén ya tronchadas, sólo entonces se elevará él por encima de vosotros y de mí. Mazorca Triste es más fuerte cuando está solo.

— ¿Cree Moctezuma en el regreso de Cortés?

— No; no cree en tal cosa, Tonatiuh. Me dijo que Malinche era un hombre y que no hay ningún hombre que pueda vivir eternamente.

— ¿Habló de lo que sería de nosotros?

— Habló de armas y de las losas de los sacrificios...

— ¿Estás seguro de que mañana habrá baile en el palacio?

— Sí; han abierto y limpiado la pieza más grande. La bailan solamente hombres, llevando un cuchillo en la mano.

— ¿Se hacen sacrificios con tal motivo?

— En toda fiesta de frutos primerizos se ofrecen sacrificios. Se matan prisioneros para dar gracias a los dioses por la buena cosecha. Cuando la sangre les mana del pecho, se salpica con ella la primera mazorca de maíz y así le es ofrecida a la imagen de la divinidad.

— Marina, tú quedas en tu habitación. Tal vez se necesitará recurrir a las armas y en tal caso no puede haber presente ninguna mujer. Tu paje responde de ti.

* * *

Alvarado estaba solo. Su mujer se había tomado unas vacaciones y se había marchado a Tlascala. Los capitanes habían partido con Cortés. Lo mismo había hecho el Padre. Allí habían quedado sólo algunos *plumíferos*. Olid, Ordaz, Lujo, Sandoval, Velázquez, todos esos hombres endurecidos y acostumbrados a la lucha estaban ahora lejos, a la cabeza de un pequeño ejército, luchando con los gigantes. No habían llegado todavía noticias. Solamente algunas de los indios: se les había visto aquí y allá. Su número había aumentado ya hasta los doscientos.

Numerosos soldados se habían pasado a sus filas... ¿Sabía ya él leer los dibujos y las huellas como los pieles rojas leen sobre la hierba pisoteada? ¿Podía estar ya de regreso Cortés? Escondía la cara entre las manos; sudaba. El palacio estaba lleno de una atmósfera pesada y sofocante, húmeda por la lluvia tropical. Las raciones de víveres disminuían cada día más. El mayordomo decía: «Esperemos la nueva cosecha, Tonatiuh; entonces habrá de todo». Ahora comprendía Alvarado aquella risa burlona que se dibujaba en el ángulo de la boca del mayordomo. La nueva cosecha. Las mazorcas segadas que debían ser mojadas en su propia sangre y ofrecidas a los dioses. Era la sentencia terrible que hacía estremecer a los soldados. De noche, cuando se oía un rumor o un pájaro cantaba, les sobrecogía a todos el miedo...; se habían vuelto supersticiosos como viejas desdentadas. Los centinelas se deslizaban hasta el compañero más próximo para susurrarle que un sapo había cantado delante de la puerta. Ahora los soldados decían: «El dios de la lluvia, con su cabeza de sapo, se convierte en un momento y misteriosamente en un ocelote». Estos hombres se santiguaban y creían que así alejaban el peligro. Se infundían temores mutuamente: «¿Oyes, oyes a Tlaloc?» Alvarado no tenía a nadie con quien aconsejarse. Cortés estaba Dios sabe adónde. Flor Negra había hablado sabiamente y había quitado la venda de los ojos de Alvarado. «La Fiesta de las Mazorcas — decía el mayordomo inocentemente —. Los jóvenes pueden alegrarse.» Alvarado tomó una antorcha y, acompañado de Aguilar, bajó la escalera que conducía al calabozo.

Allí estaban los príncipes conspiradores. Estaban apelotonados y atados con cadenas los unos a los otros. Iban envueltos en harapos; estaban flacos y sus ojos aparecían febriles. «¿Dónde tenéis el oro?», hubiera podido preguntarles; pero ahora no buscaba ni necesitaba oro. Al entrar Alvarado sintieron la proximidad de la muerte que acechaba. Alvarado preguntó a media voz cuál era Cacama. Salieron de allí y se alejaron del castillo. El carcelero les seguía con un sable desenvainado. Alvarado hizo señas al hombre para que se sentara sobre un tronco de árbol. El carcelero trajo cacao en una vasija: «Bebe». Cacama, de pie, miró y no tomó la bebida.

— Yo te pregunto y tú debes contestar. Si me contestas con sinceridad, se aliviará en mucho tu suerte; pero si te niegas a hablar, te haré torturar. Ahora te pregunto: ¿Qué significado tiene el que el tallo de maíz, en la fiesta de vuestros dioses, se rompa?

— ¿Abandonas por ventura a tu Dios y quieres ahora aprender nuestras fiestas según el rito de nuestros sacerdotes? La semilla está sembrada. La planta brota. Se la recava y se aleja de ella la mala hierba y se la poda. La planta crece, se eleva y por último le sale una barba. Y cuando llega la hora, se la siega.

— Tú eres el príncipe de estos... de todos estos pueblos... Dime si se prepara algo para la fiesta de mañana.

— Estoy preso y un preso no celebra fiestas. Sólo para él puede haber una única fiesta y es la de volver a ver la luz del sol y subir la escalera para unirse a la divinidad que le liberta de su miseria. Si mañana hay una fiesta, será una fiesta de los hombres, de los hombres que están al sol. En mi calabozo no hay noche ni día.

— ¿Acostumbráis a ofrecer sacrificios cuando se siega el tallo de maíz?

— ¿Puede haber fiesta sin sacrificio?

— ¿Cuántas mazorcas acostumbráis a ofrecer en sacrificio...? ¿y cuántos hombres?

— Igual número de mazorcas que de rojas esmeraldas vivas y palpitantes; eso te lo hubiera podido decir un niño. Te hubieras podido ahorrar el camino penoso de venir a verme.

— ¿Deseas algo?

— Desearía que os convirtieseis en tallos de maíz... en la fiesta de mañana...

El carcelero echó de nuevo el cerrojo. «Dadles algo de comer», le dijo Alvarado ya en la escalera. «Dale de comer... a ese individuo... Me ha dicho la verdad... Nosotros debíamos ser los tallos de maíz...»

* * *

Durante la noche hizo una ronda por el gran salón con los oficiales, por el mismo salón donde al siguiente día debía celebrarse la fiesta. A su alrededor se difundía ya el aroma de grandes flores que habían sido traídas desde su plantel; las guirnaldas para la danza estaban ya cortadas y preparadas. En el suelo se habían colocado las esteras y tapices. El licenciado señaló con su antorcha hacia una pared: «Vuestra merced puede aquí ver lo que nos espera». Veíase la figura de un dios de nariz ganchuda y con una gran diadema de plumas, arrancando un corazón humano arraigado como una planta en el suelo. Por todas partes veíanse en la pared figuras desagradables, cabezas que se asomaban; algunas eran de ágata negra, otras de cristal de roca,... un cráneo con dos órbitas guarnecidas de diamantes. Alvarado miró a su alrededor. «En esta sala, bien apretadas, caben unas quinientas personas y bailando, unas trescientas...» Siguieron la inspección. Por todas partes se abrían puertecillas que daban a la sala, cubriéndose su abertura, ancha y baja, por medio de cortinas. Tres de esas puertas se abrían a un pasadizo que conducía al patio. Por ellas debían entrar en la sala los que sirvieran las viandas en el festín, los refrescos, el pulque y demás bebidas. Al piso de arriba, conducía solamente una angosta escalerilla. Por ella debían venir los sacerdotes para bendecir el fuego nuevo, romper el tallo de maíz, como el pueblo hacía en el campo; solamente que ello ahora sucedía en el palacio de los señores.

—¿Por qué se danza en el palacio?

Esta pregunta, obsesionante y siniestra, no abandonaba su cerebro. Lentamente, iba contando los pasos.

—Tú, Gonzalo, estarás aquí mañana con veinte hombres. Ahí, al otro lado, estarás... no, no; no necesitamos mosquetes, sino espadas bien afiladas y, a lo sumo, algunos escudos, por si llevasen ellos cuchillos y tratasen de herirnos con ellos.

Redobló las guardias. Nadie podía salir. El mayordomo había acumulado provisiones para tres días. En los almacenes, había además harina y avena. Alvarado se echó sobre su piel de jaguar y durmióse. Soñó que era gobernador independiente de nuevas provincias. Después de su aventura en Méjico, quería embarcarse llevándose su oro. ¿Por qué estaban viajando siempre Velázquez y Ordaz? Al Sur debían existir regiones inmensas, desconocidas todavía; nadie las había visto aún; ninguno había llegado a las costas del océano del Sur, esas costas donde terminaba ese mar perezoso y luminoso. Así, en su cerebro, los pensamientos se sucedían atropelladamente. Se vio después en Madrid, arrodillándose ante el rey; sobre sus espaldas sentía el espaldarazo de caballero que le daba su señor Don Carlos. Veía a su esposa en traje de corte y oía decir al rey: «Alzaos, don Pedro...» Y ante sí tenía oro, oro tal vez menos duro de adquirir que el aquí logrado de los caciques. Allí el oro era como de cuento...

* * *

La fiesta comenzó a media mañana. A primera hora, los jóvenes nobles habían presentado sus homenajes al emperador. Había éste escuchado con atención las palabras a media voz del mayordomo, cuando se los presentaba uno después del otro. Sonreía a veces, moviendo la cabeza cuando algún esbelto y guapo mozo se postraba ante él. Cuando todos estuvieron juntos, los miró nuevamente a todos. ¡La flor y nata de Tenochtitlán! A ellos debería su resurrección el imperio. Alzó ambas manos: ¡Que empiece la fiesta!

Los danzarines se pusieron en movimiento con sus pasos rítmicos y ondulatorios; la música rompió el solemne silencio. Uno tras otro, fueron entrando en la sala ricamente adornada; desde el amanecer, cubrían los ladrillos del suelo infinidad de flores entretejidas. En los peinados, mostraban su magnificencia las orquídeas del jardín con su hermoso color azul violeta o cárdeno. Los sacerdotes bendijeron la guirnalda que debían llevar los danzarines en su danza en corro. En el centro de la sala estaba la figura del dios de las flores, era una estatua gigantesca sentada, con sus manos sobre el pecho, rígida, con sus ojos mirando la inmensidad del tiempo; era el dios de las flores, el del ayuno y el de la madurez; su nombre era Xochipilli y representaba hoy, en esta fiesta, a todos los demás dioses.

Los que entraban se quitaban de la cabeza el velo de la modestia que se habían puesto para presentarse ante Moctezuma. Con todo su esplendor brilaba el oro y las piedras preciosas, como flamantes recuerdos de las campañas de sus antepasados; sus vestiduras de ceremonia hablaban del brillo de aquel reino que se había hecho poderoso por la unión de las ciudades. No llevaban armas, excepto el cuchillo de *ichtzli* que pendía de su cinto; la empuñadura era en general de oro. Los criados se aproximaron por ambos lados. Sobre bandejas llevaban golosinas, hongos hervidos en miel, cerveza aromática. Otros, caminando con paso ceremonioso y rítmico, presentaban los tallos de maíz, recientemente arrancados, limpios y atados con cintas de colores. Cada uno derramaba una gota de la bebida en el suelo; después bebían al compás de la música el aguardiente de maíz hervido. Esta bebida contenía una substancia que embriagaba y hacía aparecer en los labios una sonrisa de felicidad. Los ojos se abrían desmesuradamente y las pupilas adquirían cierta extraña fijeza, como si estuvieran perdidas en la visión de un sueño. Los criados salieron de la sala; nadie observó que ya no entraba ningún otro invitado por la puerta. Con sonrisa feliz, danzaban ya todos en coro. En el estrado, estaban los músicos con sus grandes flautas de arcilla cocida, sus cuernos marinos y sus tambores hechos de cuero, sobre los que marcaban incansablemente el ritmo monótono.

Seguía el festival. Por la puertecilla que comunicaba con el piso de arriba, llegaban ya los sacerdotes; eran tres. Sus capas negras estaban abiertas por delante, dejando ver la túnica blanca y ricamente bordada con el signo de la paz y del sacrificio incruento. Se colocaron en medio de la rueda de danzantes, apoyando sus espaldas en la poderosa imagen de piedra; allí esperaron hasta haber tomado todas las plantas de maíz que uno a uno les iban ofreciendo los que danzaban; después, con sus cuchillos, hendían la cubierta de la mazorca y mostraban su contenido al dios de las flores y de la madurez. Ése era el sacrificio incruento que hoy se ofrecía; así había ordenado que se hiciera hoy en el palacio, el terrible señor.

Empezó la danza ritual. Comenzaron a inclinarse lentamente ante las flores, cual si el viento doblegase los tallos; luego recomenzaba con viveza la danza en un ritmo más vivo y creciente, como si la música fuera un látigo que fustigara. Algunos pétalos caían aquí y allí, como rendidos de cansancio, algún cáliz se desprendía del tallo y era tragado por aquel loco oleaje de sandalias doradas. En los ojos había un brillo de bienaventuranza y en los labios una sonrisa digna de dioses. Los sacerdotes cambiaron miradas... ahora... ahora... ahora que la embriaguez estaba en su punto más alto.

La música arreció... y de pronto se oyó una música exterior que contestaba. A las flautas de arcilla, contestaban desde fuera las trompetas de guerra de los españoles, que penetraban en la sala por las cuatro puertas a un tiempo. Una maza, una alabarda o un hacha rompía la puerta y los españoles iban apareciendo cubiertos de pies a cabeza con su arnés. De sus gargantas partían estentóreos gritos de «¡Victoria!». En sus manos blandían cortantes espadas y, en el brazo, veíanse sus poderosos escudos... Entraron por cuatro puntos a la vez, sin que apenas se dieran cuenta de ello los danzantes, que se estremecían en la voluptuosidad del ritmo. Se oyó un grito agudo, terrible, un grito de muerte..., las espadas no respetaban la danza y la sangre saltaba al aire. Tocaban las trompetas sin interrupción la marcha diabólica y bárbara, ese toque que convertía a los pacíficos españoles en demonios terribles... Así avanzaban los verdugos con un fuego terrible y dominador en los ojos; con ellos iba Alvarado, con su roja cabellera despeinada. Se había quitado el yelmo...

— ¡Adelante; no perdonéis a nadie…, lucháis por vuestra propia vida…, no hay perdón para nadie…!

Las dilatadas pupilas parecían romperse de horror. En los ojos se leía la pregunta: «¿Por qué? ¿Por qué?»

Los soldados segaban vidas por los cuatro lados del salón. El pavimento se cubrió de una papilla resbaladiza, formada por la sangre, junto con los pétalos y mazorcas pisoteadas. Empezó una danza mortal, en la que también algunos españoles cayeron. Los jóvenes indios se vieron como en una cacería nocturna en las garras de las fieras y lucharon como jaguares. Tenían sus dientes y su cuchillo… Las corazas presentaban también algunas aberturas y el peto de algunos españoles era solamente de algodón apretado, abierto en el cuello, en ese cuello donde se marcaba la yugular, esa yugular de los rostros pálidos… Bastaba morder y desgarrar con los dientes. Así que se arrojaron al suelo con los españoles luchando a mordiscos en un abrazo estremecedor y mortal… Ahí y aquí se oía a veces un estertor «¡Santa María!» y la palabra moría en la boca del soldado… En una puerta se abrió una abertura y uno de los jóvenes indios la vio; el miedo puso alas en aquellos cuerpos. Una salida no estaba cerrada… y unos cincuenta muchachos indios se precipitaron por ella, sangrantes, medio estrangulados… Con sus ensangrentadas mazorcas en la mano, corrieron para salvar su vida, arrollando a la guardia española. Con sus frentes heridas, sus brazos cubiertos de sangre, los ojos velados, corrieron por el patio del palacio y salieron en terrible fuga hacia la puerta de la ciudad. Por donde pasaban, la multitud quedaba admirada. Todos estaban allí esperando la solemne procesión que debía llevar a los rostros pálidos al Teocalli para ser ofrecidos en sangriento sacrificio; allí debía tener lugar el gran sacrificio de los corazones arrancados. Pero ahora, quien pasaba corriendo, eran los sacrificadores mostrando en sus rostros y en sus cuerpos ensangrentados su supremo terror… «Tonatiuh lo ha hecho», decían todos. En la plaza del mercado, la multitud de mil cabezas estaba llena de negro y terrible espanto, un espanto que los helaba. Este espanto se metió por los palacios donde aquella misma mañana los jóvenes nobles se habían acicalado para la fiesta… y los gritos de horror resonaban como el lúgubre canto de un búho.

En la sala, seguía aún la lucha entre los moribundos, un golpe más todavía antes de morir; una cuchillada entre las costillas… doce españoles yacían bañados en su propia sangre entre unos trescientos indios muertos o moribundos. En el centro, los sacerdotes se habían caído entre las piernas encogidas de la estatua; se abrazaban a la negra piedra de aquella figura; los tres estaban sin sangre…

Las orquídeas pendían marchitas de las paredes y caían en el torbellino de polvo que la lucha levantara.

La noticia llegó hasta Anahuac. Moctezuma nada sabía aún; pero en los barrios populosos de la ciudad se había encendido ya la fiebre; los huidos mostraban por doquier sus heridas a los sacerdotes. Corrieron éstos a la terraza del templo, a la cámara cerrada, donde estaba guardada la gran trompeta de arcilla, la trompeta cuyo sonido podía ser oído en todos los parajes del gran lago y que según decían llegaba incluso hasta la costa. Ninguno de los habitantes de la ciudad había oído nunca su sonido, pues la gran trompeta sólo podía ser tocada cuando Méjico estuviese en extremo peligro. Los sacerdotes corrieron a la plataforma superior, donde estaba la gran trompeta de arcilla de veinticuatro pies de longitud, rodeada de otras reliquias. Los sacerdotes juzgaron que había llegado la hora del extremo peligro para Anahuac. El terrible señor dormía. El terrible señor era como si no viviese ya; cada uno debía defenderse... El Sumo Sacerdote había aprendido cuando niño cómo debía tocarse la gran trompeta. Desnudóse el torso; fue traído uno de los esclavos destinados al sacrificio; el sacerdote humedeció sus labios con la sangre que goteaba de la herida que se hizo al esclavo; seguidamente sopló y oyóse el sonido lúgubre que jamás había oído ninguno de los habitantes que vivían en Tenochtitlán.

Era un sonido espantoso, como un prolongado lamento, un grito de dolor que llegaba a la medula y que atravesaba escalofriante el silencio solemne de la fiesta. Se le oyó en Iztapalapán; llegó hasta Tezcuco; fue percibido también por los habitantes de Teotihuacán. El portero del castilo de Xoloch dio la señal de alarma. En pocos minutos, las calles estaban inundadas de una multitud clamorosa y alocada. Todos salían presurosos de sus casas con las armas en la mano. Se sabía ya el resultado sangriento de la fiesta y la terrible muerte de los jóvenes de la nobleza. Las familias nobles tenían casi todas que lamentar la pérdida de algún hijo; por eso ahora marchaban delante de aquel furor popular: «¡Corazones... — gritaban — corazones de los blancos...!», ése era el grito que sacudía los nervios de todos; ese grito llegaba hasta los españoles, penetrándoles hasta los huesos, resonando en el alma, porque en su acento y en su tono había algo diabólico... No había salida. En vano uno se tapaba los oídos; el aullido penetraba lo mismo en el cerebro que en el corazón. No, no había salida ni escapatoria.

El veterano fue arrancado violentamente de frente al altar. Se estaba acariciando su dolorida pierna cuando, casi sin darse cuenta, ya le habían atado las manos. De un empujón, derribaron la imagen de la Virgen, que cayó haciéndose pedazos sobre la terraza de abajo. Con hachas de piedra destrozaron el retablo del altar y todos los objetos de culto. Poco tiempo después, el viejo estaba ya, con las manos atadas, en la rampa de la plataforma superior, donde le esperaba la piedra sangrienta de los sacrificios a Huitzlipochtli.

De pronto sonaron abajo las trompetas españolas. Enfrente, sobre los muros del palacio de Axayacatl, veíase al centinela español que señalaba con su dedo tembloroso hacia arriba, diciendo: «Mirad, mirad,..., el viejo Miguel,...». A todos les corrió el frío por la espalda... Vieron el torso desnudo del viejo; se oyó un grito de agonía, que se apagó en una espantosa gritería. Tal vez se hubiera santiguado, pero no pudo con sus manos atadas. En sus labios asomaron unas palabras. ¿Era un juramento o el *Confiteor?* Le echaron sobre la piedra con una mueca feroz. No, nadie pudo oír el grito del viejo Miguel. Su corazón chorreando sangre brillaba ya a la luz del sol. El sacerdote lo había clavado en una lanza y lo mostraba a la multitud... y a los españoles.

Ésa fue la señal de asalto al palacio; parecía que millares de diablos se habían reunido para ello. Los sirvientes de las piezas aplicaron simultáneamente la mecha al oído del cañón y se oyeron en un coro todos los cañones que barrieron filas enteras de asaltantes. ¿Pero qué era eso contra aquella inmensa multitud? Los indios estaban ya en el patio del palacio, cuando se puso en movimiento el mecanismo de la puerta. Los batientes rechinaban y las lanzas asaeteaban con furor por las aberturas. Los españoles pusieron en estado de defensa el palacio o castillo; fueron traídos cestones; los indios que habían penetrado en el patio caían muertos a golpes de pica; pero los españoles que quedaron fuera de las puertas eran ya llevados en triunfo al Teocalli; en vano se defendían a golpes, en vano pedían auxilio a sus camaradas: el desenfreno de la multitud los arrollaba. Millares de hombres se empujaban; les parecía que en sus puños amenazadores había ya un corazón palpitante y sangriento.

El primer asalto fue rechazado. El sol se había puesto y pronto obscurecería. Nadie sabía si Moctezuma vivía o había ya muerto. Se había encerrado en su habitación y allí, silencioso, inmóvil, envuelto en el humo de copal de su pebetero, parecía celebrar la ceremonia funeraria de sí mismo.

23

Estaba en Cempoal y, como un Imperator, distribuía las provincias entre sus jefes: Ordaz debía marchar a Río Panuco; Velázquez, a la costa del mar del Sur; Sandoval debía vigilar la región occidental de Vera Cruz. Debían elegir emplazamiento para nuevas ciudades y medir la profundidad de los ríos. Tenían delante de sí planos de las nuevas ciudades y sus dedos se movían con facilidad sobre aquel absurdo amasijo de líneas y dibujos que eran los mapas indios. Aquí debía ser edificada una ciudad fortificada, en ese paraje donde sopla el viento de Tierra Caliente. Para las ciudades de la montaña era suficiente un fortín de vigilancia. Daba sus órdenes como un emperador. Tenía bajo sus banderas a mil trescientos españoles a más de los cuatrocientos de Méjico. Era un ejército considerable con sus ochenta caballos, casi un regimiento, además los cañones y provisión abundante de pólvora.

Lejos, en el camino, se oía un coro lastimero. En el desfiladero, donde se iniciaba la cuesta que subía montaña arriba, veíase avanzar a un mensajero con una pluma roja, adorno que significaba desgracia y sangre. Su brazo derecho se extendía hacia delante, haciendo señales que eran entendidas por todos los indios de las tribus de Anahuac. El cacique se puso serio.

—Malinche; el mensajero trae noticias de desgracia y sangre.

Los capitanes se pusieron de pie. Habían aprendido ya a saber que la superstición de los indios no era una sencilla y pura superstición. La gente de aquí comprendía el alma de la selva, entendía la voz de los animales y hablaba con ellos. En los caminos serpenteantes entre praderas y bosques no se hacía jamás de noche para ellos.

Se esperó la llegada del mensajero. Arrojóse a los pies de Cortés y, de entre sus cabellos, sacó la negra y lúgubre carta de Alvarado.

Cortés fue a su tienda, para leerla él solo. Descifró la misiva: «Los indios atacaron. Ha corrido la sangre. Nos refugiamos en el palacio. Aún nos sostenemos. Envía pronto auxilio. Ignoro cuánto tiempo podremos aún defendernos. Provisiones para tres días, que bastarán tal vez para cinco. Encontré agua en el jardín del palacio. Moctezuma es ajeno a esos sucesos. Trató de apaciguar a los indios, pero no fue escuchado. Tenemos pólvora, pero no para mucho tiempo... Venid...»

Cortés tuvo la sensación de que era un grano de polvo en las ma-

nos de Dios. Hubiese querido rasgarse las vestiduras y maldecir el
haberse entregado a sueños ambiciosos. Ahora todo se le disolvía
en la mano; se había terminado el encanto. Los mejicanos se levantaban. Pensó en los tesoros de que era guardador Alvarado y en el
mayor de esos tesoros: Moctezuma. Tenebrosamente, se agitó en su
cerebro el pensamiento criminal de abandonar a su suerte a los españoles de Méjico. Vera Cruz estaba cerca y era una ciudad segura
y fortificada, que podía defenderse con los hombres y los cañones
de que él disponía. Allí podía esperar hasta que llegaran refuerzos
de Cuba. Y luego podía marchar contra Méjico. Pero, ¿y Alvarado?
    Hizo tocar alarma. Sus palabras fueron rasposas y secas:
    —Soldados: un guerrero tiene que estar siempre dispuesto igual-
mente a la paz que a la guera. Los mejicanos se han sublevado.
Alvarado está sitiado. Debemos castigarlos. Los sublevados no pueden esperar gracia de Su Majestad. Partimos dentro de una hora.
    La gente de Narváez se asustó. Por lo visto, era eso aquel paseo
que se les había prometido agradable, entre muchachas mejicanas,
que regalaban flores y hasta sus cuerpos a los soldados; aquellos
caciques pacíficos que hacían llover oro, aquellas ciudades de ensueño. Los más viejos apretaron sus cintos. Al buen tiempo, seguía
la tormenta. Así era la vida del soldado. Además, todo su oro estaba allí en Méjico.
    El camino pasaba por Tlascala; allí les esperaba la amistad, tro-
pas auxiliares. Se veían ya por el camino muchachos, niños, de color
claro, cuyos padres los estrechaban contra sus mejillas barbudas y
marcadas de cicatrices. Allí se les ofrecieron provisiones. En Tlascala
se concedió un día de descanso. Pero ya se había adivinado que en
Tenochtitlán había sucedido algo espantoso. Las noticias se filtraban
por todas partes. Al amanecer, Cortés, cargado de precauciones,
mandó tocar diana. En Cholula comenzaron a notar las huellas del
tiempo transcurrido. Las casas mostraban aún huellas de sangre.
Se veían las manchas negras que en las paredes habían dejado las
antorchas incendiarias de los españoles y empalizadas destrozadas
marcaban lo que fue vestíbulo o patio del templo. Salió a recibirles
un cacique, se disculpó, quejándose de la mala cosecha, de los tiempos difíciles, de que el pueblo era pobre, de que el maíz estaba car-
comido, de que los animales domésticos habían comido hongos venenosos, y los había diezmado, además, una epidemia. Parecía un
hombre nuevo, cuando abriendo los brazos exclamó: «Nada tenemos,
señor..., mira a tu alrededor; el pueblo está pobre y hambriento.
Desde que vosotros no permitís los sacrificios, ya no vienen peregri-
nos a Cholula, cuyos habitantes vivían en su mayoría de esos foras-

teros; de no ser por ellos, no hubiéramos podido construir las casas ni alimentar a nuestros hijos. Se necesitaban los grandes sacrificios para presenciar los cuales se vaciaban todas las tribus de la montaña y del valle... ¿Mas, ahora quién osa viajar? Toda la comarca es insegura; los tlascaltecas merodean y roban. pues a ellos se les permite todo desde que tú les proteges, señor. Tus lanzas, señor, interceptan los caminos y tus soldados, con sus hachas, han roto las jaulas en las que antaño se guardaban las víctimas cebadas... ¿Quién querría ahora cebar a sus prisioneros? Los tiempos son difíciles, no podemos ocultar esa verdad, señor...»

Lo que sucedió después, fue desastroso para ese país alegre y soleado. Los veteranos troceaban sus tortas de maíz y con ellas hacían unas miserables sopas. Los habitantes de los pueblos de los alrededores, habían desaparecido y todo el valle quedó como deshabitado, privado de toda vida.

El camino hacia Tezcuco conducía a lo largo del lago. Aquí descansaron. El jefe de la ciudad trajo el signo de paz; fueron extendidos los tapices y se entregaron provisiones. Pero tan pronto como se reanudó la marcha, reinó de nuevo aquel mortal silencio de desierto; el mercado estaba vacío; sobre las aguas del lago no se veía una piragua, aquellas piraguas que antes pululaban y llenaban las aguas de vida. Sobre las azoteas veíanse secas plantas y las flores y sus cálices quemados caían a la calle, sin que nadie las apartara. Las calles no estaban regadas como antes, y, sobre el Teocalli gigantesco, no se veían sacerdotes. Las mujeres, por la noche, molían maíz averiado.

El lago parecía obscuro y tenebroso. Los diques estaban estropeados; las calles, desiertas; no se encontraba resistencia. Faltaba el pulso de la vida; solamente de vez en cuando veíase algún bote rápido que, como asustado, iba de una orilla a otra, corría a lo largo de un dique o desaparecía en una ensenada. Los soldados veteranos cambiaban miradas: «¿Te acuerdas cuán diferente era todo eso en aquel día de noviembre?» La noticia macabra era ya conocida, se sabía ya todo lo referente a la fiesta de las mazorcas, de aquella danza de la muerte, de aquellos españoles que, para vergüenza de Anahuac, habían sido sacrificados ante la imagen del ídolo de las cosechas... Se contaba una y otra vez de manera desfigurada la escena de la matanza... Los lobos de Méjico aullaban, mataban. Algunos tlascaltecas se deslizaron inadvertidamente dentro de la ciudad y, al regresar, dijeron que aún quedaban españoles con vida detrás de los muros del palacio. Los que estaban fuera del palacio, al estallar la sublevación, descansaban ya sobre la trágica losa sangrienta. Todos los días se hacía un nuevo sacrificio en la cima del Teocalli. El rostro de Huitzlipochtli resplandecía de nuevo y su cuerpo estaba brillante por la enorme cantidad de sangre de los españoles desangrados sobre la losa.

Por la mañana marcharon por uno de los diques. Un soldado de la vanguardia disparó su mosquete. Y a los pocos minutos se oyó ya un disparo como contestación. El ejército sintió como si se llenara de una nueva vida. En los veteranos se inflamó el recuerdo. De nuevo iban a recorrer aquel esplendor maravilloso de la ciudad, con sus jardines, calles y templos; después contemplarían la torre gigantesca donde estaban tocando ininterrumpidamente los tambores de asalto. La serpiente de hierro, que así parecía aquel grupo de jinetes y cañones, llegó ante el Teocalli. Entonces, algo cayó allí, a sus mismos pies: era una cabeza de hombre blanco, con barba negra y con las órbitas profundas, vacías.

Las puertas se abrieron para que penetraran las tropas. Los soldados de Alvarado, rendidos de cansancio y de no dormir, buscaron a sus camaradas con los cuales compartían el pan de esa maravillosa aventura. Miraron a los nuevos soldados, con sus armas bruñidas, con sus uniformes nuevos y sus cotas. Los cañones rodaban; detrás venían los carros de bagaje tirados por indios y, como retaguardia, los ochenta jinetes con equipo completo. Cortés hizo su entrada como un verdadero general por la gracia de Dios, y le besaron al bajar de la silla. Venía también con ellos Velázquez. Era una magnífica mañana. Ante el palacio reinaba un profundo silencio; no se veía ni un alma. La guardia podía dejar caer las mechas encendidas. Los ojos de Cortés buscaron lo primero la mirada de Alvarado. Ambos se dieron la mano. Todas las miradas se dirigían a ambos hombres. ¿Se abrazarían? ¿Qué haría don Pedro al verse frente a su general? ¿Cuál sería la primera palabra que pronunciaría Cortés? ¿Sería un reproche o una censura? Ambos hombres se miraron. Cortés se quitó el sombrero, después fue dando la mano a los capitanes, saludó a los soldados con un gesto de cabeza y pasó ante las filas. Sin una sonrisa, seco, pasó erguido. Después, se metió por la puerta y salió. Solamente habló cuando hubo quedado solo con Alvarado:

—Don Pedro: Habéis echado a perder mis planes por vuestra acción insensata e infantil. No es ahora, sin embargo, el momento de pedir cuentas. Estamos rodeados y cercados. Me he metido en una ratonera. Sé que hubiese sido más prudente emprender la retirada hacia Vera Cruz; pero vine a recogeros. Vuestra merced podrá ahora ya comprender que fue una ocurrencia mal pensada el acuchillar a aquellos jóvenes inocentes, abriendo con ello las esclusas del odio.

— Se preparaban para su diabólica fiesta. Se me anunció por varios conductos que preparaban el sacrificio de las espigas y que, en realidad, los españoles habíamos de ser las víctimas. A mi parecer, mi deber de soldado era salir al paso de la astucia y atacar al zorro en su misma madriguera.

— Todos los años ofrecen el sacrificio de las mazorcas. ¿Fue Flor Negra el delator?

— Los signos eran evidentes, aun sin las habladurías de la gente. Dicho con franqueza: creo que no había ya medio de impedir el levantamiento de los indios. Hubiesen estallado de todos modos.

— Me arrepiento de no haberme llevado conmigo a vuestra merced. No sé ahora a quién hubiera dejado aquí, en la ciudad, en lugar de vuestra merced. Es designio divino el que comprendamos nuestras faltas y debilidades cuando ya es demasiado tarde.

Después de tales palabras dio la vuelta para marcharse. Frente a la puerta, la gente estaba en una apasionada discusión; contaban que habría discordia en el campamento.. Alrededor del fuego, alguien cuidaba de atizar la pasión. La gente de Velázquez, los antiguos partidarios de Cortés, la camarilla de Narváez y los soldados de Alvarado se agitaban todos como un hormiguero en revolución y disputaban. Cortés y Alvarado salieron uno junto al otro con expresión triste y seria. Don Pedro llevaba baja la cabeza. Ambos caballeros desaparecieron por el pasillo. Solamente pudo verse que Cortés apoyó su mano en el hombro de su capitán.

Al mediodía comieron todos y la comida fue un poco más abundante que de ordinario, pues los recién llegados habían traído con ellos provisiones. Cortés recorrió los sótanos que servían de almacenes y en los que, todavía ayer, los soldados recogían con las manos los granos de cebada polvorientos y agusanados. Pasó luego a ver la fuente recién descubierta, junto a la que había una guardia permanente. Metió en el agua un vasito de hoja de lata y bebió un sorbo. El agua amarga del lago debía de filtrarse por las capas inferiores del terreno; pero, al fin, era agua dulce y potable.

Moctezuma hizo rogar a Malinche que le visitara. Cortés entró con cara seria. Moctezuma le rogó le refiriera cuanto había sucedido.

— Hoy, al entrar en Tenochtitlán, han echado bajo las patas de mi caballo la cabeza de uno de mis camaradas. En las jaulas están cebando a españoles con miel. ¿Cómo puede llamarse rey al terrible señor si no puede mandar en su mismo pueblo? ¿Qué merece el monarca de un pueblo que en el espacio de una fase lunar olvida ya su solemne juramento? ¿En el trono del gran señor, está sentado por ventura un muñeco o se ha metido en su cuerpo el alma de una mujer?

Como general, recorrió los puestos de peligro e hizo emplazar, bajo la lluvia que caía, los cañones en los bastiones avanzados para defender las trincheras que se habían abierto. Después, subió a la parte más alta del palacio, donde se elevaba una pequeña edificación sobre el mismo terrado.

Desde allí contempló la ciudad de Méjico dispuesta enteramente para la guerra. Parecía envuelta en una atmósfera de lucha, como si la mano del vengador Huitzlipochtli se hubiese extendido sobre ella. Cada azotea era una fortificación. En la plaza del mercado se veía un mar de diademas de plumas. Reinaba un silencio absoluto. Entre los españoles no se había visto nunca un silencio semejante, terrible, que rompía los nervios. Parecía como si el aire estuviera paralizado y la vida se hubiera refugiado en los corazones que palpitaban, esperando lo que había de llegar.

La primera patrulla de castigo salió. Marchó por algunas callejuelas cercanas. El incendio brotó en el patio frontal de una casa y las rojas serpientes de las llamas se enroscaron en la baranda de madera adornada con cabezas de dioses. Los secos arbustos ardieron y las lenguas de fuego se reflejaron en el espejo de las aguas, lamieron después las estacas sobre las que se alzaba la casa en el agua y allí, al contacto del líquido, silbaron y se apagaron. Entonces se animó la escena. De las bocacalles cercanas desbordó una riada de enemigos; no eran ciudadanos a quien el aliento del demonio hubiera sacado de su tranquila paz, sino fuertes y salvajes soldados, tropas de Guatemoc, que habían llegado desde las regiones del Sur. De nuevo los españoles tuvieron que sentir el olor de la sangre caliente y ver aquellas pupilas encendidas de voluptuosidad, de muerte y violencia. Desde detrás de sus escudos de juncos trenzados, llovían las flechas con punto de pedernal; chocaban contra los arneses y yelmos, al tiempo que los sables de madera buscaban una hendidura, una abertura en los petos de algodón. Muchos indios se arrojaban de espaldas y dejaban que los caballos pasaran sobre sus cuerpos para entonces clavar un venablo en su panza. Los veteranos recordaron sus combates más encarnizados y blandían, entre juramentos, sus hachas de combate. Ocho de ellos yacían ya bañados en su sangre, pálidos como cadáveres, caídos detrás de la protección de sus escudos.

Ahora se oía una gritería infernal. Los indios atacaban en racimos apretados. Los jinetes iban cediendo paso a paso hacia la puerta del castillo y miraban a los sirvientes de las piezas que en la rampa estaban indefensos ante el torbellino que se iba aproximando.

Por fin pudieron refugiarse de nuevo tras el parapeto y cayeron entonces sobre sus cabezas las acres censuras del capitán general. Ocho bajas era un precio elevado en demasía para una escaramuza. Los veteranos se disculpaban; eran gente de Narváez y no sabían todavía usar las armas con perfección. Creían tener que habérselas con cubanos...

La noche. La vida no había cesado en Tenochtitlán. Más allá de este círculo de muerte que trazaban las balas de piedra de un quintal, la vida rebrotaba por doquier. Se encendieron luces. En la plataforma del templo se apretujaba el cortejo de los sacrificados y, sobre el lago, corrían de nuevo embarcaciones. Cada movimiento, cada actividad, era una prueba de odio, ese odio que ahora tenía acorralados a los extranjeros en el palacio del antiguo rey.

Se debía reducir la ración de pan y tener mucha economía en el consumo del agua. Tampoco trajeron nada para el gran señor los fieles vasallos y por eso tuvo que sujetarse al régimen severo del duro y agusanado pan de maíz de los españoles, que le era servido en bandeja de oro. Su mirada estaba turbada. Cortés evitó el acercarse a las habitaciones reales; se paseaba intranquilo durante la noche y trataba de aplacar el hambre de sus veteranos, que refunfuñaban, por medio de buenas palabras y de algún regalo en oro.

Los tlascaltecas eran portadores de tristes noticias. Alrededor se habían roto los diques y un cordón de embarcaciones cuidaba de que no se llevaran provisiones a los españoles. Diariamente éstos hacían salidas. Algunos indios de cuerpo rojizo quedaban tendidos en el polvo ensangrentado, pero también, cada vez, dos o tres españoles pagaban su tributo a la muerte. La ciudad parecía invulnerable al hierro y al fuego. Las casas tenían sus raíces, como quien dice, en el agua y en la tierra a un tiempo y, sobre sus estacas, se mantenían firmes en aquel suelo húmedo. Los incendios se apagaban y no era posible hacer que el fuego se propagase a toda una fila o hilera de edificios. Así iban pasando los días envueltos en peligro y en luchas. Pero las noches eran cien veces más tristes, cuando, después de la cena escasa, los capitanes apoyaban sus codos sobre la mesa y entablaban interminables discusiones. Cada uno de ellos tenía su propio plan. Proponía el uno una salida general y decisiva; el otro, se contentaba con salvar lo que aún podía ser salvado. También se oía alguna voz medrosa indicando que tal vez fuera posible llegar a una inteligencia con los revoltosos y renunciar de una vez a Moctezuma. Los cabecillas prisioneros sacudían la cabeza. *Águila-*

que-se-abate, es decir, Guatemoc, creía que la maldición de los rostros pálidos había alcanzado al gran señor; a la hora de la evocación de los espectros se le había privado de su fuerza corporal y ahora, como si fuera una mujer, cosía su propia mortaja...

Los carpinteros trabajaban. En día y medio habían construido una máquina guerrera, alta como una torre, que podía correr sobre ruedas. En su plataforma interior podían colocarse algunos cañones. Al despuntar el día, la máquina estaba ya dispuesta. Ante los baluartes se apretujaba una multitud vociferante y desagradable. Cada vez se veían más totems; no se trataba de habitantes de la ciudad, que, armados de garrotes, elevaran sus gritos de venganza, sino de verdaderos guerreros. Comenzaba a alborear cuando se abrió la puerta y salió la máquina maravillosa, escupiendo fuego, y comenzó a marchar por las calles, arrojando llamas, hasta que en pocos minutos llegó al pie del Teocalli.

En la terraza del templo, aullaba una multitud furiosa. Aquí estaban los mejores tiradores de arco y los más diestros honderos. Desde esta altura se podía vigilar el patio del cuartel y se disparaban contra él flechas de fuego, que en la noche iluminaban y dejaban ver el menor movimiento que intentaran los españoles. Del interior de la máquina salieron cincuenta veteranos de las tropas de sitio; a su frente iba el propio capitán general en persona. La torre de madera crujió bajo el peso de las grandes piedras que le arrojaban desde arriba. Una de sus tablas se hundió y, por el orificio abierto, salieron gritos de dolor; pero los españoles se habían lanzado ya al asalto. Comenzó el juego mortal de aquella subida en espiral hacia los pisos superiores. Fue una lucha sangrienta, lenta y penosísima. La escalera salía de cada terraza hacia la superior en dirección opuesta a la inferior, así hasta llegar a la cumbre de la pirámide del templo. En cada piso se quedaban los españoles sin defensa, a pecho descubierto, hasta poder alcanzar la continuación de la escalera. Mientras lo permitía el ángulo de la subida, los asaltantes eran apoyados desde abajo por medio de mosquetes... al subir, defendíanse lo mejor que podían con sus escudos de aquella lluvia de gruesas piedras que sobre ellos caía. Se había llegado solamente a la segunda plataforma, después se logró alcanzar la tercera; pero arriba estaban los mejores guerreros indios; ésos sabían buscar las junturas de los petos y su escotadura para meter por ellos sus flechas. Bajo un sol tropical, llegóse a la plataforma superior; no había allí baranda, ni parapeto; abajo, como si fueran hormiguitas, se veía la multitud de indios. Arriba había gran número pintados de colorado blandiendo sus armas sin descanso. El coro de sacerdotes cantaba entre ambas torres sagradas; una de ellas, la de Huitzlipochtli, miraba hacia el lago de Tezcuco; en la otra, hasta hacía pocos días se celebraban cultos en honor de la Santísima Virgen que fue allí entronizada. La superficie del suelo era vasta y estaba resbaladiza por la sangre; en pocos minutos estuvo llena de quejidos de los guerreros que caían. La deidad daba a los aztecas particular empuje; extendían los brazos y arrojaban lazos a los cuellos; a veces cazaban dos a un tiempo a un soldado español y le empujaban seguidamente hacia el borde del abismo, donde acechaba la profundidad llena de vértigos. Cortés iba a la cabeza. Hacía varios días que una flecha, al herirle en un brazo, se lo dejó casi paralizado; por eso se había atado el escudo a su brazo herido; pero en la mano derecha echaba destellos la temida hoja de su espada. El general combatía para sí, para defender su vida. A uno que se deslizaba por la escalera contra él, le rompió la cabeza con su guantelete; otro, quedó con el pecho atravesado; pero otros tres se arrojaron contra él, dos de ellos le agarraron por las piernas mientras el tercero le golpeaba en el pecho. Le fueron arrastrando hacia el abismo; pero violo un soldado y corrió en su ayuda y a una vara tan sólo del borde de la plataforma, los dos atacantes fueron muertos.

La lucha duró tres horas. Poco a poco, los españoles dominaron la situación. Se oía el canto funerario. Uno de los sacerdotes, herido en la cabeza, se precipitó desde la altura; a otro, le traspasaron de una lanzada. Un guerrero, con la garganta cortada, quedó acurrucado a los pies de su ídolo. Tres horas después yacían allí quinientos muertos; el número de los prisioneros no pasaba de doce. Los españoles se precipitaron en el interior de la torre sagrada. El Cristo que pendía de la pared había sido ultrajado; a su alrededor había salpicaduras de sangre. El ídolo Huitzlipochtli, cargado de piedras preciosas, con su rostro cruel y horrible, parecía mirar hacia el cielo. En un santiamén las antorchas pegaron fuego al techo de madera; la cara del ídolo se convirtió pronto en una masa de carbón. Un hachazo le separó la cabeza, otro le seccionó las piernas y el tronco rodó escaleras abajo; detrás de él volaron los emblemas, objetos de culto y ex votos. Abajo se oían los gritos de dolor de la muchedumbre; después reinó el silencio alrededor del Teocalli y algunos prisioneros escondían la cabeza bajo su túnica.

Pero pronto resonaron trompetas y se oyó una voz que gritaba: «Os alegráis demasiado pronto,..., moriréis, sin embargo, todos sobre la piedra de los sacrificios, que hemos de lavar con la sangre de los tlascaltecas. Todo es inútil, demonios blancos; inútil es vuestra victoria, pues estamos dispuestos a sacrificar diez mil de los nuestros

340

por cada uno de vosotros..., para que sucumbáis todos. Tlaloc vigila vuestra puerta. Dentro de pocos días careceréis de alimentos, no tendréis ni un bocado de pan. ¿Sabéis que todos los diques han sido destruidos...?»

En efecto; los confidentes confirmaban que todos los puentes habían sido cortados y los diques destrozados. Sólo quedaba expedito un camino: el de Tlacopan. Y por este único camino marcharon los españoles. Nueve puentes habían de pasar hasta llegar al fin del dique y alcanzar el terreno amplio donde era posible realizar movimientos de guerra. Pero al llegar al tercer puente, lo encontraron ya cortado. Salieron a relucir las hachas y comenzaron a demoler las casas próximas. En media hora se llenó de escombros la cortadura y los jinetes pudieron pasar por encima de aquel dique improvisado. Y así hubo que hacer en cada puente. En cada uno de ellos dejaban una débil guardia para que cubriese su retirada en caso de que quisieran abandonar Méjico. Cuando hubieron llegado al séptimo y último puente, oyeron disparos de alarma. Los indios habían caído sobre la guardia que quedó junto al primero de los puentes y después habían destruido de nuevo el dique improvisado por los españoles. Marcharon éstos durante todo el día, ora hacia la derecha, ora hacia la izquierda, hasta que llegó la noche envuelta en mil peligros, en congoja mortal, acosados, arrancados de sus sillas. Desde el suelo, los cuchillos se hundían en la panza de los caballos, llegaba una lluvia de piedras disparadas por las hondas; todo estaba salpicado de sangre. A uno le rajaban una mejilla; al otro, bajo el yelmo abollado, la sangre le formaba cuajarones. Sobre lanzas, los españoles retiraron cinco de sus hombres muertos.

Al amanecer fueron despertados los que dormían por una gritería espantosa. «Poco a poco Huitzlipochtli irá bebiendo vuestra sangre». Los españoles curaban sus heridas, afilaban sus armas, curaban a los caballos y colocaban sacos terreros sobre los muros del palacio. La ración del día se redujo a algunos bocados de pan y a un sorbo de agua. Los indios habían abandonado ya los alrededores. Las rondas encontraron vacías las cámaras y fosos.

Los capitanes estaban sentados juntos. Ni aun Sandoval sonreía. Esperaban a Cortés como si éste pudiera todavía traerles la salvación y hacer detener el oleaje. Las mejillas estaban hundidas, los brazos cruzados, los ceños fruncidos. Estaban sentados sobre el largo banco cuando Velázquez dijo, en voz baja, a Lugo que un centinela había oído hoy de nuevo la risa de Tlaloc frente a la puerta.

—Marina va a ir hoy ante Moctezuma para rogarle que hable a su pueblo. Hoy vamos a hacer esta última tentativa. Tal vez se ablande el gran señor y sus súbditos todavía quieran escucharle.

Marina y el emperador estaban solos. Cuando la mujer levantó la cabeza, después de haberle rendido homenaje, Moctezuma contempló su cara demacrada y el brillo ardiente de sus ojos hundidos; la vio con los brazos abiertos ante él, padre de su pueblo.

— Augusto señor, gran señor...

Ésas fueron sus palabras; pero en sus ojos se leía: «Eres mi padre y debes ayudarme».

— El gran señor tiene hijas. Y las flechas no se apartan en su vuelo cuando encuentran a una de ellas. Las hijas están temblando ante la casa de su padre y esperan. Cuando el incendio lo domine todo ¿quién sabrá entonces que fue la simiente del gran señor lo que produjo el fruto en el vientre de su madre?

— ¿Qué desea Malinche?

— Sólo su orgullo le impide arrojarse a tus pies. La sangre se filtra por los vendajes; las armas de los guerreros están manchadas de sangre. Las bocas de cada uno de ellos están cerradas; no tienen palabras que pronunciar; pero sus ojos te preguntan, augusto señor, ¿por qué permites tanto horror? ¿Por qué no ordenas al mar enfurecido que se calme?

— Malinalli, mis manos fueron atadas con ligaduras.

— Aquel a quien los dioses otorgan el poder, queda por encima de los mortales. A éste no pueden los hombres derribarle, sean de nuestra raza o sean rostros pálidos.

— ¿Hablas de los dioses de Anahuac, Malinalli? Has abjurado de ellos, Malinalli; ahora te arrodillas ante la Mujer Blanca con el Niño en brazos.

— Augusto señor. Cuando estoy frente a ti y abro ante ti toda mi vida, es imposible que diga que no existen los dioses de Anahuac... no puedo decirte que no aúlle el dios Tlaloc; que no existe la serpiente alada y que el puño sangriento de Huitzlipochtli no exprima los corazones sangrientos. Soy como una hoja seca, señor, arrastrada por el viento...

Moctezuma esperaba. Estuvo largo tiempo, horas enteras quizá, sentado sin moverse, sumido en meditaciones; sus párpados estaban medio cerrados. Arriba, en la cima del Teocalli sonaba la trágica trompeta anunciando a los pueblos del gran lago que los dioses tenían sed de sangre de los corazones de los rostros pálidos.

Se levantó. Marina caminó hacia atrás, cubierta la cabeza con el velo; salió de la sala y dijo a los camareros que acababa de ver cómo el gran señor se levantaba de su trono, llevando en sus ojos la mirada de los dioses. Moctezuma eligió entre sus dioses. Finalmente paróse ante una figura de ónix y allí quedó con los brazos cruzados; esa figura representaba al dios de las flores Xochipilli. Con sus propias manos echó copal en el pebetero y quedó rodeado del humo blanco que a su alrededor formaba espirales. Aspiraba su aroma. Después comenzó a vestirse con la lentitud de ritual. Sus pajes, flacos ya como esqueletos, le trajeron todas las vestiduras y atributos de la realeza. De su figura imponente se destacaba su corona en forma de tiara, cuajada de piedras preciosas. Su capa era blanca, bordada de plumas de colores; sus sandalias, de oro. Su túnica interior estaba bordada con hilo de oro. Todo su aspecto era tan resplandeciente y fastuoso que los españoles no pudieron evitar el dar un paso atrás cuando le vieron aparecer marchando majestuosamente, a paso lento, con la vista alta, como rodeado del toque solemne de flautas y tambores que llegaba del próximo balcón saledizo.

Se abrieron las puertas. La multitud de sitiadores, con sus crestones de plumas y su continuo arrojar flechas, quedó muda repentinamente. Desde abajo, sólo indios podían verse en la plataforma. Los españoles se habían retirado a la parte posterior con sus mosquetes preparados. La figura de la real majestad danzaba como un triste entorchado de oro ante sus ojos. Las mejillas hundidas, su cabello, blanco como la plata en muchos puntos, sus espaldas encorvadas, eran testimonio de los sufrimientos de aquel tiempo terrible. Pero la mirada era de nuevo la del terrible señor de todos los mundos.

— Venís con armas, guerreros, y con el rostro pintado para la guerra y no para la fiesta. ¿Contra quién se levanta ahora mi pueblo? ¿Contra mis huéspedes? ¿Podéis creer, pues, que yo en realidad esté prisionero y no por mi propia voluntad para proteger a mis huéspedes conforme a nuestros usos y leyes? Venís aquí con atuendos de guerra y ¿cuántas mujeres no encontrarán ya a sus esposos entre los que regresen a sus hogares? ¿Cuántos de ellos no están ya en los tristes campos del más allá? La llama roja devorará los tejados de muchas casas y los espíritus de vuestros antepasados vagarán sin descanso e inquietos porque no encontrarán por la noche los hogares que ellos habitaron. ¿Queréis, por lo visto, la destrucción, el incendio, la sangre, todo porque vuestros sacerdotes os han dado falsos signos? A mí, Huitzlipochtli no me ha hecho decir todavía que tenga sed de sangre. Yo no oí ladrar a Tlaloc. Guerreros: no olvidéis que soy yo vuestro rey y señor, que está por encima de vuestras vidas y dirige y juzga vuestra muerte. Guardad vuestras flechas, levantad las lanzas. Llegará el día en que yo os llame; pero ese día no ha llegado aún; no os necesito hoy. Dentro de algunos días estarán terminadas las casas flotantes de los rostros pálidos y en ellas partirán hacia Oriente de donde trajeron su mensaje; allí reside el gran señor a quien hemos prestado fidelidad; allí reina en todo su esplendor...

Por todas las partes de la inmensa plaza subió un gran murmullo; la gente se apretujó. Se oyeron lamentos de los guerreros de las provincias lejanas; se quejaron, agitaron al aire sus escudos de plumas y blandieron sus armas. Así comenzó el fuerte murmullo... Moctezuma seguía hablando, pero sus palabras eran oídas ya tan sólo por los que se encontraban en la misma terraza. Los de abajo sólo veían la figura cargada de oro que paseaba sus miradas por encima de la multitud. Pero ya se percibía el grito fatal: «¡Dentro del gran señor vive el alma de una mujer!» La multitud inventó instantáneamente la expresión: «rey de mujeres», que fue repetida millares de veces. Sobre los escudos golpeaban las espadas de madera. El rebaño humano vacilaba; tal vez unas palabras más y hubiera obedecido... Los que estaban delante bajaron las armas; pero detrás hervía el descontento. Entre la multitud se marcaron círculos negros; estaba allí *Águila-que-se-abate*, joven señor de la victoria. Todos los ojos se dirigían a él. ¿Qué decía *Águila-que-se-abate*? Si su mano hacía signo de retirarse, los españoles estaban salvados. Este día había de ser decisivo si terminaba la lucha; la multitud se dispersaría y al siguiente reinaría el silencio y la tranquilidad alrededor de las puertas de Tenochtitlán.

Pero Guatemoc levantó la mano. «¡Rey de mujeres!» Esas palabras, pronunciadas por sus labios, fueron repetidas por su guardia personal y la frase del gran jefe corrió por toda la multitud. Se agitaron las armas y se alzó un imponente griterío que, como oleaje, se dirigía a aquella plataforma donde Moctezuma y su corte esperaban que aquella multitud enfebrecida, furiosa y agitada se calmase. Las armas se pusieron en movimiento; se lanzaron los venablos, volaron las piedras arrojadas por las hondas, las flechas silbaron al perforar el aire, cayendo en amplia comba sobre la terraza, al principio con imprecisión, después ya más cercanas. Guatemoc corrió con su guardia y su brazo se agitó hacia la plataforma.

Todo ello pasó en pocos segundos. Se ensombreció el cielo. Una lluvia de flechas y de piedras caía sobre el palacio; la tormenta se aproximaba más y más; el asalto se hacía más despiadado... En primera fila estaba *Águila-que-se-abate* con sus tiradores; detrás de ellos estaba la multitud que gritaba «¡rey de mujeres!» Guatemoc levantó la mano, sus soldados tendieron el arco, partieron las flechas y las hondas despidieron sus piedras.

Moctezuma se llevó las manos a la cabeza. Una piedra, lanzada con fuerza sobrehumana, le había acertado en la frente, y su sangre. la sangre del gran señor, comenzó a gotear lentamente de la herida. El primer momento fue de enorme confusión; solamente una piedra podía volar tan alta y con fuerza tan prodigiosa. La diadema de plumas, la soberbia diadema real de Moctezuma, pendía hecha trozos y algunas plumas ensangrentadas volaron por el aire. La mayoría se tapó la cabeza con sus capas para no ver aquello, para no ser testigos de aquella deshonra y así, con la cabeza cubierta, pusiéronse delante para recibir ellos el primer tiro o piedra que llegase. En la plaza corrió un grito de espanto. Se vio tambalear al gran señor; la sangre caía sobre su manto real y manchaba trágicamente su blanca túnica. Alguien le echó encima un velo blanco. Moctezuma cayó en los brazos de dos cortesanos y el triste cortejo desapareció en el interior del palacio...

En la plaza se elevó un canto. El silencio cedió su dominio a un coro triste y funerario; los plañideros entonaban el coro que había sonado siempre cuando se llevaba un rey a la tumba. Moctezuma era ahora otra vez rey. El mismo Guatemoc ocultó su cabeza bajo su capa obscura y contempló la mano, su propia mano que había lanzado aquella piedra. ¿Era realmente su mano la que había dado impulso tremendo a la piedra? El canto funerario seguía sonando y la multitud, con sus crestones de plumas multicolores, se arañaba la cara con las uñas manchándose de sangre las manos. Poco a poco fuéronse retirando y toda la plaza quedó completamente vacía.

* * *

La mirada del gran señor estaba fija en los dibujos del artesonado; ningún suspiro se escapaba de sus labios y su aliento era a veces tan débil que las princesas horrorizadas se preguntaban si el dios de la muerte habría llegado ya junto a él. El Sumo sacerdote vino con sus medicinas secretas: hierbas y extractos vegetales para las heridas. La mano derecha del gran señor se extendió y éste dijo imperativamente: «¡Fuera!»

Cuando llegó el cirujano español, enviado por el general, con sus instrumentos, pinzas, bálsamos, etc., una sonrisa apareció en los labios de Moctezuma:

—Vete, es demasiado tarde...

Su mirada seguía fija en el techo, y ante sus ojos se agitaba toda la visión del cuarto que desaparecía, y el pensamiento delirante seguía su camino pavoroso. Cuando le abrasaba la fiebre, bebía un sorbo de agua. Sus antepasados, los poderosos monarcas, desfilaban ahora ante él. Los veía rodeando el féretro de su padre. Veía el Señor del Ayuno que se ponía sobre la cabeza la diadema de plumas. Veía también a los otros... con sus espadas encorvadas rindiendo homenaje; veía corazones arrancados. Veía un rostro que parecía salir de las profundidades misteriosas y los ojos de un remoto ídolo del bosque. Papan estaba detrás de él. Su hermana, siempre tan amada por él, le había extraído una vez más una espina de la mano y en aquella ocasión le había dicho: «Eres bueno...»

Veía a sus hijas postradas ante él con la frente mojada por aquel agua que usaba el sacerdote de los hombres blancos. Veía a sus hijos, fruto de su sangre, a sus mujeres que, como flores, llegaban al apogeo de su belleza para marchitarse después... Veía una mejilla redondeada, un brazo, oía una palabra; la sensación de un brazo desnudo que se enroscaba a su cuello y la caricia tibia de un beso inolvidable... Sentía terror. Los dioses le habían abandonado. Le parecía cernerse en el aire; su cuerpo no tenía peso; la fiebre había cortado todos los lazos que le unían a la tierra. No sentía dolor ninguno y el pulso de sus sienes iba disminuyendo de intensidad; la hemorragia se iba deteniendo...

El cirujano dijo a Cortés:

—Señor: La herida no es mortal. Nosotros los castellanos, hemos sufrido algunas más graves sin habernos tenido que rendir en el lecho. Es una contusión; perdió sangre y ahora le ha aparecido la fiebre de la herida. Tendremos que esperar a que termine el acceso; pero no suele presentarse inflamación ni gangrena en las heridas de la cabeza. La herida no puede ser mortal, señor; pero el enfermo no deja que nadie se aproxime a él y no quiere tomar ni alimento ni medicina.

—¿Qué dice?

El intérprete lo traduce así:

—¿Quién ha podido leer jamás en nuestros libros sagrados que un pueblo haya ultrajado así a su rey?

—Eso es todo lo que dijo y ahora está con la mirada fija, como si no conociera ya a nadie...

—Padre Olmedo. Vigilad cerca de su puerta. Si el emperador tuviera un momento de lucidez, acudid junto a él y conjuradle a que salve su alma. Tal vez está dormida en él la resistencia y nuestra fe puede hacer milagros. Padre Olmedo, vigilad bien cerca de él.

* * *

Los mejicanos hicieron saber que esperaban a los emisarios de la paz. Los que estaban en el palacio salieron a la gran terraza, la misma terraza que había sido manchada por la sangre del gran señor. Formaban con los escudos un parapeto y los que estaban en la plaza pedían ver solamente dos figuras: Cortés era una de ellas: la otra, Marina. En un silencio profundo las palabras fueron y vinieron:

— ¿Os retiráis de Tenochtitlán? ¿Dejáis los prisioneros y los tesoros aquí? ¿No volveréis jamás a este país? Deja que dos prisioneros lleguen hasta nosotros como enviados tuyos. Diles cuál ha de ser tu camino y lo que pretendes para no acabar sobre la piedra de los sacrificios.

Cortés estaba allí para mandar y ahora no era él quien preguntaba. Oía palabras duras y breves. La sombra de *Águila-que-se-abate* se proyectaba sobre los cabecillas indios. El gran señor luchaba ahora con la muerte. Ningún *rey de mujeres* reinaba ya sobre Tenochtitlán.

Trajeron a dos sacerdotes prisioneros y Cortés les hizo saber sus condiciones: Que se abran las puertas y se preste homenaje a él y al monarca Moctezuma. Que los guerreros vuelvan a sus hogares. Cuando la luna cambie, marchará él adonde viven sus hermanos para informarles lo que los mejicanos quieran hacer saber a su rey y señor. La mano formaba una bocina y, sin embargo, las palabras no eran más que un susurro cuando llegaban a la muchedumbre que esperaba abajo. Los tonos en la garganta de la intérprete se iban tornando más agudos y fuertes. Marina no necesitaba preguntar nada a su señor; sabía bien lo que Cortés quería decir:

— Dadnos comida, agua, aire.

Marina estaba al borde de la terraza protegida por el parapeto de escudos y gritaba:

— Los *teules* tienen todavía armas; sus armas son terribles y mortales. Haced las paces y no hagáis correr vuestra sangre inútilmente.

Los mejicanos cambiaban miradas. Finalmente, se levantó una voz:

— Devolvednos a los sacerdotes. Queremos hablar con ellos. Buscamos la paz.

Los sacerdotes salieron cargados de chucherías. La plaza estaba ahora silenciosa. Reinaba un profundo silencio que no se sabía si significaba paz o guerra.

347

A medianoche anunciaron a Cortés que la gente de Narváez hablaba arrimando las cabezas; la tropa formaba corrillos. No querían combatir más; no querían exponer más su piel. «¡A Cuba! ¡Volvamos a Cuba!», era la palabra... ¿A Cuba? Cortés bebió su taza de hierbas amargas contra la fiebre y quedó mirando al que le traía la noticia.

— Si tenéis alas y podéis volar para pasar por encima de los diques, entonces sí que podréis regresar a Cuba.

Era de noche. A la puerta de Cortés estaba Xaramillo; con su antorcha había acompañado hasta aquí a una sombra. Cortés la había recibido con una grave inclinación:

— ¡Princesa!

Ella sostenía, cruzada sobre el pecho, su capa de *tilmatli*. Su cabello caía sobre su espalda. No llevaba adornos ni joyas y su rostro claro y hermoso se diluía en la semiluz. Cortés hizo una gran reverencia y preguntó en qué podía servirla. Esta noche no podía ser dedicada al placer.

— El gran señor ansía verte.

— ¿Curará?

— La llama de la vida arde en él. Habla con sus antepasados. Ha levantado el dedo exclamando: «¡Que venga Malinche!»

Esta noche no habría tampoco descanso para Cortés. Se mojó el rostro con agua fresca, se ciñó la espada y, con el gorro bien metido, se dispuso a acudir allí. Ante sus ojos se movían círculos negros. En sus miembros sentía punzantes dolores. A su alrededor, en la cima de las montañas y en las orillas del lago, se veían las hogueras de las guardias; las trompetas fatales seguían sonando. Cortés debía sacrificar esa que era tal vez la última media hora de descanso libre de toda su vida.

Miró a las almohadas amontonadas donde se apoyaba el rostro demacrado, iluminado, sin embargo, por una maravillosa mirada aterciopelada. Era el rostro del hombre que no había pestañeado ante la visión de millares de corazones arrancados en vida. Ese hombre había conquistado reinos enteros, adoraba a sus dioses y no se había humillado más que ante la memoria de Quetzacoatl, cuando el pasado otoño había abrazado a Cortés a la entrada de Tenochtitlán. Cortés volvió a evocar aquellos minutos del juego de pelota, con las pesadas bolas de oro que el emperador hacía rodar. Le había visto cuando una sombra pasaba por su frente magnífica si una guardia no le rendía los honores debidos o cuando leía malas noticias en alguna hoja de *nequem*. Innumerables recuerdos acudían a la memoria de Cortés ante aquel hombre que ahora estaba junto a la puerta de la muerte, con aquel color amarillo del que va a partir. Allí estaba el gran señor con su aureola imperial, como cuando le había acertado en la frente aquella piedra. Tenía el aspecto temible y majestuoso de un emperador romano.

Orteguilla pasaba el rosario. Dos muchachas, sentadas sobre cojines, cuidaban de cambiar los vendajes y de lavar la frente del herido. Era todo lo que éste permitía que se hiciera. Ambos hombres se contemplaron mutuamente. Moctezuma extendió la mano. Cortés comprendió el gesto y tomó aquella mano, como hacen dos camaradas de armas cuando uno de ellos va a morir. Cortés se había despedido ya en igual forma en otras ocasiones, cuando él mismo había cerrado a veces los ojos de alguno de sus soldados, cuando había recogido su última voluntad o cuando sostenía la toalla al tomar el moribundo los Sacramentos. Así, del mismo modo, sostenía entre las suyas aquella mano fría de color oliva. Vio como un resplandor amarillento sobre el rostro del gran señor y conoció que sus horas estaban contadas.

Pensó en su alma, en el alma que iba a desprenderse de su envoltura mortal y rezó entonces la oración de los agonizantes. Después sacó su puñal del cinto y aproximó a los labios de Moctezuma la empuñadura en forma de cruz:

—Gran señor... piensa en tu alma. Es tu última ocasión. Te conjuro a que lo hagas, te lo ruego, me arrodillaré a tus pies para pedírtelo si así lo deseas... Soy tu amigo... besa la cruz y tu alma estará hoy mismo nimbada por la gloria del paraíso.

Moctezuma le miró. Dirigió después sus ojos a la ventana como para ver si llegaba ya el nuevo día, si se anunciaba ya por Oriente una pincelada color amarillo de azufre...

—Mis dioses me protegieron siempre mientras viví. No quiero abandonarlos en la hora de mi muerte. Gracias, Malinche, gracias por haber venido y por estar junto a mí en estos momentos. Tú no tienes la culpa en todo eso. Te tenía grande afecto...

—Te pido perdón, si alguna vez hube de causarte aflicción. Nuestro Dios, que es el único y eterno Dios de todos los mundos, lo dispuso así. Fui sólo un instrumento en sus manos que cumplió su voluntad. Sin embargo, perdóname si falté contra ti y dime si puedo hacer algo para aliviarte tus sufrimientos del cuerpo o del alma.

El intérprete iba traduciendo lentamente. Luego siguió el silencio. Cortés creyó que Moctezuma se había adormecido y se reclinó en su asiento, decidido a quedar velando allí toda la noche; pero de pronto se oyeron las siguientes palabras de despedida:

—Los hijos crecen y luchan. Su mano tiende el arco; vence el más fuerte, pues tal es la ley eterna de la vida. Pero las hijas son débiles y languidecen si no tienen alguien a su lado que las sostenga, si no tienen un techo que las cobije cuando brama la tempestad. Tú lo sabes, Malinche; tres sombras se han deslizado silenciosamente hacia fuera de esta habitación. Las puse en tus manos y no tomé a mal que tu hombre santo, tu sacerdote fuese inclinando su espíritu día tras día hacia vuestro Dios. Ahora, empero, me voy. Ellas quedan débiles y frágiles porque han sido educadas como hijas del gran señor. Los hijos luchan con arcos y espada, pero ellas, pobrecillas, Dios les dio débiles brazos y no tienen techo que las cobije cuando la gran tormenta se desencadena sobre todo Tenochtitlán.

— Gran señor. Las consideraré como si fueran mis propias hijas y te doy mi palabra de que todo lo que tengo les pertenecerá a ellas. Te doy mi palabra de que las apoyaré ante mi rey y si mi palabra y mi promesa vale algo para mi rey y señor, él cumplirá mi voto. Tus hijas serán educadas como damas de sangre real y contraerán matrimonio conforme a nuestras leyes castellanas. Eso te lo dice y promete Hernán Cortés...

Moctezuma pasó la mano sobre la cabeza de Orteguilla:

— Hijito, eres el único testigo de esta noche. ¿Lo has oído?

— Recordaré toda mi vida lo que he oído, gran señor, y no lo negaré nunca, tan cierto como Dios es nuestro Redentor.

Siguió un largo silencio. Cortés estaba sentado sobre un asiento bajo y lleno de almohadones. Allí permaneció hasta que llegó el nuevo día. Cuando empezó a grisear el alba, una respiración acompasada indicaba que el moribundo descansaba, tal vez por última vez en esta vida.

24

Con sus blancas vestiduras funerarias que volaban con el viento, los portadores del féretro salieron del palacio, como sombras. El viento jugaba con sus mantos y los hacía aletear y levantaba después la mortaja que cubría la tranquila faz del muerto. Nadie había en la plaza del Teocalli; sólo en el mercado se paseaban los soldados de Guatemoc con sus pinturas de guerra en el rostro. La envoltura mortal del gran señor era un símbolo del pasado. Apenas una docena de parientes iba en el cortejo fúnebre; los reyes aliados, los príncipes y los caciques se habían retirado, pues leyeron en el rostro del que un día fue monarca, la advertencia de los dioses coléricos.

El Padre Olmedo, desde la puerta, murmuró una oración. Sus

hermosas palabras no habían logrado atraer a aquel hombre terco; sus oídos habían permanecido cerrados y se habían marchado de este mundo suavemente, tranquilamente, en forma que pudieran envidiar los que emprenden el gran viaje. En el cuartel español se redactó un corto protocolo, cuyos firmantes certificaron bajo palabra de honor que el gran señor había sucumbido por las heridas recibidas de sus mismos súbditos y que la sangre no podía caer sobre Castilla, sino única y exclusivamente sobre los habitantes de Tenochtitlán. No había tiempo de hacer más. Mientras el gran señor estuvo en su lecho de muerte, no se había desencadenado ningún nuevo ataque. Los mensajeros iban y venían libremente. Todos esperaban el milagro de que Moctezuma se incorporara en su lecho, hiciera huir a aquellos demonios blancos y volviera a ser el augusto señor de otros tiempos, sediento de sangre, que ordenaba arrojar centenares de corazones en la bandeja de oro de los ídolos de la guerra y la venganza.

Los soldados españoles vigilaban desde la muralla. Los carpinteros construían un gran puente portátil; se preparaban los bagajes. El botín había sido embalado en grandes fardos. Olmedo salió de la cámara mortuoria; los soldados tocaban el toque de difuntos con las campanas que habían traído de los barcos. Pocos ojos quedaron sin humedecer por las lágrimas. Se hacían comentarios acerca del gran señor y más de un puño cerrado se alzó en señal de desconsuelo: «Era mi bienhechor», dijo un soldado que en una ocasión, estando de guardia, le había contado que tenía cuatro hijos en Cuba. Otro jugaba con su cadena que le había regalado el gran rey. Se murmuraba y juraba: «¿Quién hubiera querido hacerle daño? ¿Quién podía tenerle ojeriza?» Corrían rumores; se decía que alguien había visto al general que llevaba un veneno: que Ordaz había pasado con un cordel en la mano y que el puñal de Alvarado estaba manchado de sangre... «Se ha asesinado a nuestro bienhechor», aventuraba algún soldado. Y así se murmuraba cuando alguien gritó que se preparaba un nuevo ataque; y la noticia ahogó aquella sublevación que amenazaba.

Se emprendió una salida; se abrieron camino; pero viéronse obligados a replegarse. En la dirección de Tlacopan el gran dique estaba aún expedito; solamente se habían cortado los puentes. De nuevo los españoles veían disminuido su número en algunos soldados; la ración fue reducida a la mitad y el agua de la fuente escaseaba de modo amenazador. Por la tarde emprendieron los indios la retirada. Recogieron sus muertos, sacaron la lengua e hicieron rechinar los dientes diciendo: «Iréis a parar a la piedra de los sacrificios». Así llegó la noche.

Cortés habló lentamente, como cansado:

—He establecido mis planes sobre la base de la falta de luna esta noche. Es el tiempo más indicado. Tenemos seis horas para prepararnos. El enemigo nada sospecha. Que la guardia vigile bien en sus puestos. Ni una sola alma debe abandonar el palacio desde este momento. A la cabeza irán los jinetes, los bagajes en el centro, junto con las mujeres y los aliados. En la retaguardia marcharán ciento cincuenta veteranos. Cuarenta hombres llevarán el puente portátil y cuando el ejército haya pasado sobre un canal, cuidarán de llevarlo al próximo.

—¿Y si nos atacan?

—Estamos en manos de Dios. Nos defenderemos. Y mientras vivamos, podemos esperar que Dios no nos retire su ayuda, señores caballeros.

—¿Y el oro? ¿Qué se hace con él?

—He hecho abrir la puerta de la cámara del tesoro. Llevaremos un caballo cargado con todo lo que pueda llevar. El quinto perteneciente a la corona, lo llevarán los tlascaltecas. En cuanto a lo que queda, anunciad a la tropa que cada uno puede tomar lo que quiera; pero que se guarden bien de tomar demasiado oro, pues posiblemente tendremos que pasar vados e incluso nadar y entonces un exceso de carga significaría perder la vida. El que va más ligero y es más ágil, puede huir más fácilmente. Que nadie tome demasiada carga.

—¿Y vuestra parte?

—Me llevo la cadena que llevo colgada y su colgante. He mandado alguna pequeña cantidad a Vera Cruz. ¿El resto? Que lo tomen los soldados y, una vez que hayamos pasado, ya arreglaremos cuentas. Cada uno puede retener para sí un tercio... si alguna vez llegamos adonde debemos llegar.

Marina y el niño... La leche de la madre se había agotado. La criatura, hambrienta, pataleaba, extendía sus dos manitas hacia la tupida y negra barba del padre, tiraba de ella, reía de tal manera que hasta los hombres al verle reían también; muchos pensaban en sus propios hijos. Marina tomó a su niño; aquella noche debía ser la partida; aquella noche se debía pasar por encima del dique de la muerte.

—¿Y con nosotras, qué?

—Tú y doña Luisa vendréis con nosotros; inmediatamente detrás de la vanguardia. Xaramillo queda con vosotras. Responde con su propia vida. Yo iré delante.

Durante unos segundos, estuvo en el patio, a la entrada del jardín. Todos se habían marchado, incluso el ama con el niño. Marina y Cortés se miraron; pero ninguno de los dos habló. Marina sacó su puñal y trazó el signo de la cruz en la corteza del gran áloe.

—¿Tienes miedo?

—Pienso en mi niño y en vosotros. Si yo muero, señor, nunca más tendrás quien te sirva con la fidelidad que yo lo hago.

—Si tú mueres, Marina, no necesitaré ya quien me sirva, pues yo moriré también.

—Tal vez sería mejor que yo muriera. La mujer blanca espera a su esposo que es padre de su hijo. Mi niño tiene un hermano allá lejos, al otro lado del mar. ¿Para qué vive Marina?

—Dios nos proteja. Contigo hemos venido y contigo partiremos.

Fueron sacados los prisioneros; las luces de las antorchas los cegaban. Mazorca Triste estaba erguido y altivo cuando le quitaron los grillos. Iba medio vestido con una tela desgarrada; su piel estaba de color verdoso, ajada, herida y con sarna. Los soldados levantaron sus sables:

—Señor, acabemos de una vez. No tenemos tiempo, ¿para qué tantas complicaciones? No tenemos tiempo de llevar los prisioneros.

Cortés hizo traer a los príncipes nuevos vestidos y después los maniataron más ligeramente con cordeles.

—Tú vienes con nosotros. Cuando lleguemos al camino libre y descansemos, comparecerás ante tus jueces que juzgarán tus acciones y si te declaran inocente te devolveré la libertad y tus dominios.

—¿Cuándo puede decir la hormiga a la peña: «Te voy a derribar»? Me inclino tres veces delante de *Águila-que-se-abate*. Voló hacia la altura adonde tus flechas no llegan; se precipitará contra ti con sus garras. Nada vale la vida... Todos daréis con vuestros cuerpos en la piedra de los sacrificios.

—¿No quieres vivir?

—Nos rodeaba la noche; en ella nos guiábamos sólo por el canto de los pájaros que llegaba hasta nosotros, para conocer si estábamos en primavera o en otoño. A veces entraba por la ventana alguna hoja de árbol. Nosotros la tomábamos entonces y la tocábamos para ver si estaba fresca o seca... ¿Qué más nos puede suceder ya? Soy el monarca de Tezcuco. Tú, Malinche, me has traído a una trampa preparada para mí por el terrible señor. Él purgó ya su falsía y la traición que hizo a nuestra alianza. Ahora te toca a ti, Malinche. Tú no saldrás tan bien librado. Yo contemplaré cuando caigas a los pies de nuestro dios poderoso y tu corazón palpite y se estremezca.

Lloviznaba. En el cielo desapareció la luna. Las puertas traseras fueron abiertas de par en par. Los centinelas dieron su consigna, como siempre, con voz monótona. En las ventanas brillaban las luces. La campana de señales tocó como cada noche. Envueltos en la obscuridad y en el silencio salieron cautelosamente. Los cascos de los caballos iban envueltos en telas, los cañones iban tapados con mantas de lana. La vanguardia marchaba silenciosamente; detrás el grueso del ejército con el puente portátil. Todos iban de puntillas; no se oía el menor ruido. En la orilla del lago, abandonada y llena de restos de incendio, no se veía una sola alma. Era un cuadro de guerra congelado, vacío; un recuerdo sangriento. Los jinetes pasaron el primer canal; protegían a los pontoneros que tendían el puente sobre la brecha del dique. Todo el ejército pasó por encima. La vanguardia llevaba ya buen trecho de ventaja. Los jinetes pasaron nadando o vadeando y llegaron pronto a tierra firme. Pero entonces les embistió un ruido siniestro; pareció que de pronto se abría el infierno. La obscuridad se llenó de antorchas que volaban y así se iluminó la tragedia.

El puente, bajo el peso de los cañones y hombres quedó como una cuña entre el dique y la orilla. En aquella obscuridad no se podía siquiera ver lo que sucedía. Sonaron los cuernos. La torre del Teocalli dio la señal de alarma: el lago se llenó de gritos y de canoas que corrían llenas de guerreros; una lluvia de flechas cayó sobre los españoles. El estrecho camino de piedra era el único refugio; pero por ambos lados eran atacados. En las charcas que les llegaban hasta el cuello empezó una lucha a muerte; los que caían, se ahogaban o en pocos minutos quedaban con los brazos atados detrás y en el fondo de un bote indio. Nada podían hacer los españoles. Sus espadas golpeaban al azar en la obscuridad. Los indios eran precavidos; las aguas parecían haberse aliado con ellos; cuando arreciaba el peligro, bogaban alejándose en sus piraguas para atacar de nuevo cuando llegaba el momento propicio. Los cadáveres y ovillos formados por los hombres llenaban la cortadura del dique; y el pánico, por encima de todo. Los caballos, heridos y alocados, coceaban aquella masa de carne humana, pisoteaban los cuerpos color aceitunado de los tlascaltecas y se precipitaban después en las aguas con un relincho de dolor, arrastrando a los hombres, los cañones y los bagajes. La retaguardia se defendía. Los veteranos habían estrechado la formación y, con sus lanzas tendidas, formaban como una muralla cerrando el paso. Pero eso era sólo una gota en aquella riada de perdición. Se oía alguna voz que gritaba en la noche. Brillaban las antorchas; luego veíase un relámpago y todo rodeado del aullido ininterrumpido de los indios, gritando todos siempre lo mismo: «Perros... perros... todos iréis a la piedra de los sacrificios...» No había escapatoria a esa algarabía; se metía debajo de la piel y mordía en los huesos. Los veteranos se arrojaban, con el cuerpo destrozado, hacia delante, pisando a las mujeres y a los indios. El que resbalaba hacia el lado del dique estaba perdido; pero nadie se preocupaba de los otros; cada uno nadaba o vadeaba entre fango y sangre, tropezaba, volvía a levantarse, lleno de sangre y de heridas de flechas o de venablos. En la noche negra se oía el grito de «¡Santiago!», como único signo de que vivían los españoles.

Alvarado había quedado con el grueso del ejército. Velázquez conducía la retaguardia. A ambos los habían arrastrado el pánico general. Alvarado estaba herido; una piedra disparada con honda le había acertado en la pierna; no sabía si había causado rotura o sólo contusión. Iba y venía apoyado en su lanza a modo de muleta y con la espada en la mano derecha, avanzando siempre, abriéndose paso a golpes en la dirección en que se oía aquel grito continuado de «Cortés... Cortés...» El ruido de los cascos de los caballos retumbaba; pero en medio, había el corte del canal, como unas fauces insondables, y alrededor una multitud de indios que gritaban. Pedro de Alvarado tuvo que ceder al borde del puente roto. El capitán estaba ensangrentado, roto, deshecho; esta vez estaba como una pieza de caza acosada hasta la muerte. Aullando se precipitan los indios contra los españoles que se encuentran impotentes en la orilla opuesta. Alvarado da una carrera desesperada. Su pierna herida se dobla, la punta de la lanza se hinca en el suelo; el cuerpo se arranca de allí como con un tirón, traza una curva en el aire y el magnífico saltarín, con su garrocha improvisada, llega a la otra orilla como volando, aturdido y allí cae.

El clamor es insoportable y en la obscuridad estaba la única posible salvación, pues permitía a los pequeños grupos pasar entre los enemigos y unirse a las restantes tropas.

Cortés estaba en la orilla; junto a él, la infantería y los jinetes de la vanguardia. Se miraban los unos a los otros. Al otro lado, sus hermanos eran destrozados..., pero ellos estaban ya en seguridad. Sandoval habló primero:

—¿Podemos abandonarlos?...

Los jinetes agarraron bien su lanza y de nuevo se arrojaron hacia el torbellino de la muerte, el peligro hirviente, entre los diques corta-dos. Contra la lluvia de flechas y de piedras llevaban su arnés y su rodela. Alcanzaron el dique ensangrentado, donde todo era un ama-sijo de caballos y jinetes en lucha mortal entre los canales turbios y sucios.

— ¡Velázquez está muerto! — dijo alguien, y la voz pareció re-sonar extrañamente en la obscuridad; fue una voz única, un grito nuncio de muerte que tembloroso voló en las tinieblas. Los dos-cientos hombres de la retaguardia estaban todos perdidos, salvo con-tadísimas excepciones. El oro también estaba perdido. La gente de Narváez, que se curaba el malhumor con oro, se lo había atado en sacos, en vez de coraza, sobre el pecho y ahora se habían hundido en el agua como si llevaran lastre de plomo. El maldito oro los ha-bía arrastrado al abismo mortal.

¿Cuánto tiempo duró esta noche que ha pasado a la historia con el nombre de *Noche Triste*? A medianoche comenzó la salida, y ho-ras después iban los españoles dando tumbos inciertos, rodeados de un coro ensordecedor por las calles de Tlacopan que aun quedaban en pie, inciertos, llenos de angustia mortal. Había desaparecido la disciplina; sólo un pánico paralizador les hacía acudir a las voces de Cortés. Vagaban por plazas y callejuelas. Aquí no los podían alcan-zar los mejicanos; debían dar la vuelta a la bahía. Afuera, al campo libre, era la única consigna. Uno de los indios que iban con ellos husmeó para orientarse y, con pasos firmes y seguros, les guió. Lle-garon a una pradera. Caía la lluvia y las gotas producían un ruido pastoso al dar sobre el fango. La tropa se paró para respirar siquiera fuera unos minutos y vendar las heridas; se oían los quejidos de los heridos graves y el relincho de los caballos que se habían salvado. La desesperación daba fuerzas a aquellos hombres, pues ya se iba aproximando la gritería de los perseguidores. Oíase dentro de la ciu-dad el toque de tambores y se veían las antorchas que iban avan-zando hacia ellos como una siniestra oruga luminosa. El indio los condujo al declive de una colina, donde una imagen de los ídolos estaba protegida por un triple muro. En este templo se salvaron to-dos; aquí tenían un techo para sus cabezas, había tapices y esteras; aquí estaban protegidos contra la lluvia, podían descansar un mi-nuto, quitarse el yelmo, secarse el sudor y la sangre de la cabeza; un minuto tan sólo...

Alboreaba. Se buscaban los unos a los otros. Primero, los capi-tanes... Los que no estaban aquí, estaban ciertamente muertos. Ve-lázquez de León... *requiescat in pace*. Olmedo se había salvado. La vanguardia se había salvado. La mitad del grueso había podido pasar. De los cuatro mil tlascaltecas quedaban aquí sólo algunos centenares... ¿Qué había sido de los otros?...

Sonaron las trompetas. En Tenochtitlán resplandecía ya la imagen de Huitzlipochtli. Sangre... sangre... Llegó el día; los camaradas se buscaban con lamentos, esos camaradas que, desde que vinieron de Cuba, habían luchado uno al lado del otro. Los puños fuertes de aquellos soldados se bajaron...

La voz de Marina sonaba pesada y ronca en los oídos de Cortés. Eso era todo lo que ahora podía recordar. Alguien le secaba la frente con un lienzo. Cuando le quitaron la venda que cubría su herida de la cabeza, la sangre volvió a manar. Alguien le limpiaba la frente con un lienzo humedecido. Pasó algún tiempo y perdió la noción de todo. Cuando abrió los ojos, horas después, o tal vez sólo minutos, Marina, inclinada hacia él, sonreía. Era la primera sonrisa en aquella noche de terror.

—El niño está aquí —le dijo, y le mostró un cuévano de corteza tejida en el que aquella cosita blanda y redondeada agitaba las piernecitas. Algunas españolas que se habían unido a la vanguardia habían logrado pasar el puente. Los tlascaltecas se habían hundido en el negro abismo. El hijo de Moctezuma y sus dos hijas se habían perdido bajo aquella tapadera de negrura; solamente alguien había visto a doña Elvira que era llevada en brazos de un soldado... Había que buscarla; pero todos estaban tan cansados que su suerte les era indiferente. Nadie podía dar un paso a causa de la debilidad. En muchos, oscilaba esa cortina misteriosa que separa la inconsciencia mortal del alba de la inteligencia que despierta.

Poco a poco se volvía a la realidad. Sin cañones, sin comida, la pólvora mojada; algunos mosqueteros como único armamento. Los tendones de las ballestas se habían encogido con el agua; el abismo se había tragado el oro. Cortés, para no llorar, volvió el rostro. Sandoval dio el primer parte:

«Veinticuatro caballos. Los capitanes, todos, menos Velázquez. Unos cuatrocientos soldados; algunos centenares de tlascaltecas heridos. Un solo cañón; doce mosquetes sin pólvora. Unos catorce heridos graves. Nadie ha quedado ileso.»

Consejo de Guerra. Se sentaron y discutieron. El Padre Olmedo los consolaba. En vez de comer, Olmedo dijo una misa y rogó a los soldados que cantasen. De aquellas gargantas llenas aún de humo de pólvora salieron las notas graves de las antífonas y el viento llevó ese canto a los aztecas que se estaban concentrando. Dieron un paso atrás maravillados; sobre la terraza del templo apareció una figura

nimbada de blancura, con los brazos abiertos... El sol caía con
tanta fuerza que se sentían morir de sed, hasta que alguien encontró
una fuente. Uno tras otro fueron echándose de bruces y bebiendo
por turno. Pasó la mañana. Se defenderían aquí.

La única salvación: Tlascala. Se agarraron a esa esperanza como
a un sueño. ¿Qué había en Tlascala? ¿Por qué querían ir allí? Algo
les atraía hacia la ciudad. Los capitanes se quitaron un peso de encima cuando pronunciaron ese nombre. Tlascala, el país amigo, estaba lejos, muchas millas lejos, muchos días de camino. A su alrededor se oía el griterío de los enemigos y se veían surgir sus diademas de plumas y se asomaban unas cabezas mirando alrededor. No
había llegado aún el momento de la gran danza. Ahora, con que
la guardia estuviera en su puesto era suficiente; los demás podían
alargar sus miembros y roncar. Un pequeño grupo hizo una salida;
por los alrededores había algunos caseríos cuyos habitantes habían
huido. Se encontró maíz y se le llevó al campamento, tal como estaba: en mazorcas, en sacos o envuelto en lienzos, tanto como pudieron cargar. Pusieron el grano en los molinos de mano y las princesas, las criadas, las cantineras, sin distinción, molieron el amarillo
grano, cuyo pesado olor se extendió por todas partes. Eso fue su
desayuno y su comida. Lo tomaron en aquellas vasijas que contenían
el fuego de los dioses, donde se habían sacrificado corazones humanos.

Partieron. La vida de todos estaba en manos del guía tlascalteca:
«Os conduciré si nos apartamos de los caminos, como si fuéramos
sombras.»

La hierba estaba seca y agostada por el calor; el suelo de piedra
chamuscaba las suelas.

— ¡Santa María de los Remedios! — suspiró el Padre Olmedo al
dejar aquellos muros que los habían cobijado.

Con una sonrisa de cansancio se preguntó a sí mismo si no era
acaso la última vez que había consagrado el pan y el vino tan cuidadosamente conservados.

En medio de la comitiva iban los heridos graves sobre parihuelas
llevadas por los tlascaltecas. La desgracia hacía hermanos a los españoles y a los sufridos y valientes montañeses. Los veteranos de
ambas razas se entendían mutuamente por medio de signos, se apoyaban los unos en los otros en su hermandad de hambre y sufrimiento. Cortés hizo que dieran un caballo a Duero y la sonrisa de aquel
hombre seco y cínico fue lo único que mostró su alma dolorida. Los
hombres no cambian, pensó Cortés. Ese amigo hermético y seco,
Andrés del Duero, llevaba en el estómago solamente un puñado de

maíz y un sorbo de agua, pero seguía siendo el mismo con su barba cuidada, sus cabellos cuidadosamente peinados, su cuello limpio. Se inclinaba ante la muerte, pero no se rompía ni se arrodillaba. Marchaba a través de la noche desierta; sólo se oía sobre el sendero el ruido de los cascos de los caballos.

—¿Qué impresión causa en vuestro ánimo, don Hernando, el que se haya desvanecido todo y nos arrastremos ahora como serpientes pisoteadas?

—O moriré o volveré. Tal vez San Jorge nos auxiliará y lleguemos a Tlascala.

—¿Qué pasaría, empero, si desde las azoteas de Tlascala saliera una lluvia de piedras contra nosotros?

—Yo podría deciros que, en tal caso, nos abriríamos con la espada en la mano el camino hasta Vera Cruz. Pero no quiero disimular ni fingir con vos. Si Tlascala está contra nosotros, ya no veremos el siguiente día y ningún hombre conocerá nunca las maravillosas aventuras que corrimos en Nueva España.

—¿Qué es lo que os produce más pena, don Hernando, vuestra gente, vuestro oro perdido o Moctezuma?...

—Mis anotaciones... Yo todo lo he registrado por escrito. Cada uno de mis pasos está testimoniado por un notario. Yo no comía ni dormía, sino escribía durante toda la noche a la luz de una vela de sebo o de una lamparilla de aceite. Si no tenía tinta, hacía exprimir frutas de zumo coloreado. Mis escribientes escribían con espinas y con colores, como la gente de aquí. Yo lo guardaba todo reunido para poderlo justificar ante Don Carlos y no tenerme que asustar cuando Fonseca dirigiera hacia mí su mirada helada y maliciosa. Y ahora todo se perdió en un momento. Todos mis papeles, los libros de Moctezuma, las listas de impuestos, con grabados, que muestran los géneros con que cada tribu pagaba sus tributos: pieles, oro y plumas... El oro se ha perdido; sólo salvamos el que iba en la vanguardia... y las piedras preciosas... ¡y mis cañones...!

Era una noche tropical, que fluía rápidamente y se iba como había venido. En pocos minutos tiñóse de rojo el manto del cielo y en amplio arco, junto a la orilla del agua, entre los cañaverales, por todas partes, surgieron delante y detrás de los españoles multitud de perseguidores.

Siete noches. Durante el día se escondían entre la maleza, evitaban los caminos conocidos, se deslizaban por senderos que atravesaban los terrenos pantanosos de los bosques. Los tlascaltecas extendían sus brazos y rezaban. Era un coro como un zumbido. Uno empezaba el verso, los otros lo continuaban con sus voces sedientas...:

«...el dios de la tierra abrió su boca sedienta. Insaciable es cuando piensa en la sangre que hoy corre todavía por las venas de los guerreros. Pero ya prepara su maravilloso banquete... Las armas arrullan ya a aquellos cuya sangre él ha de beber y la simiente del padre fecundiza ya el regazo de la madre... Han pisado ya la puerta oriental de la vida, cuya sangre ha de consumir el ocaso occidental... Señor de nuestras guerras, acógenos con amor cuando a ti acudimos; haz que el sol y la tierra, el padre y la madre, a quienes debemos nuestras vidas, nos acojan con amor... Padre sol; tú que solitario vives y gobiernas, sénos propicio...»

Un coro de destinados a la muerte. La mano temblorosa no lleva alimento a la boca, y en vano buscan algún oculto depósito de amarillo maíz. ¿Para qué todo eso? Nadie levanta, esta noche, la tienda; los centinelas están en su puesto callados; todo está silencioso. Sólo delante de Cortés hay una lucecilla encendida; ha improvisado algo que parece una mesa con algunas tablas, y sobre ellas escribe:

«Hoy ha sido sacrificado otro caballo; son ya veintidós. Lo comimos. Vuestra majestad puede creerme; hacía dos días que no habíamos comido nada caliente. Los soldados se arrojaron sobre el animal y lo devoraron, incluso las entrañas...»

Una sombra se proyectó sobre el papel; Duero se inclinaba sobre el hombro de Cortés.

—Amigo Cortés, ¿podéis creer que esas líneas puedan llegar nunca hasta la mano del emperador?

—La gloria se coge de manera distinta que los niños cogen las flores. *Dum spiro, spero,* don Andrés...

—Vuestro espíritu sigue enhiesto; admiro vuestra fe. Yo soy un pobre mortal; pienso sencillamente si mañana a esta hora estaré aún con vida.

El sueño es un gran sedante. Los capitanes pidieron dos días de descanso. Se detuvieron. La gente estaba agotada, hambrienta, desmoralizada. Dormir era su único placer. Una satisfacción que estaba más allá del ensueño, cerca ya de la muerte. Cortés estudiaba los caminos que conducían a Tlascala.

Se despertaron sacudiéndose los unos a los otros y se pusieron en camino. Por la mañana debían estar en Teotihuacan y desde este punto sólo quedaba media jornada para alcanzar Tlascala. Caminaban de nuevo; solamente se oía el ruido de los pasos sobre la hierba seca y crujiente o sobre el fango; por lo demás, el silencio era mortal. Alboreaba. En la niebla plomiza, detrás de la maleza, se dibujó vagamente la inmensa mole de un templo colosal. Era una construcción en forma de pirámide, formada de varios pisos, que se elevaban a inmensa altura. Estaba dedicado al Sol. En sus costados estaban talladas las escaleras de las cuatro estaciones. En la parte superior estaba la maravillosa divinidad Anahúaca. Aquí venían en peregrinación las gentes, lo mismo que en Cholula sucedía con la Serpiente Alada. Hacia el Sur se elevaba otra pirámide, más sencilla y mucho menor, dedicada a la Luna. Doña Luisa dijo:

— Esto fue dedicado por los antepasados de nuestros padres, es decir, hace mucho tiempo, cuando aún no se conocían las piedras talladas que indican el curso de los astros. Lo construyeron hombres dos o tres veces más altos que los de ahora, que jugaban por distracción a la pelota con enormes masas de rocas, que podían romper con la mano los peñascos y que, si querían, podían hacer estallar el trueno.

— ¿Se puede subir hasta la cima?

— El camino que conduce arriba es el sendero de la muerte.

Las sombras se iban alargando al declinar la tarde. Por encima de ellas, se elevaba la colina desierta y rojiza donde se alzaba el templo, edificado por gigantes con monstruosos bloques de piedra y coloreado con mortero rojizo, amasado con sangre. Sandoval puso la mano sobre el hombro de Ordaz:

— ¿No os agradaría trepar hasta la cima, don Diego?

El interrogado miró a la lejanía. Recordó su ascensión; desde entonces parecían haber transcurrido siglos. Entonces aún era joven y estaba alucinado por imágenes de luz. Era el primero que había divisado la Tierra de Promisión, el primero que había respirado el aroma de las flores del valle... Ahora tenía una herida en el brazo que le supuraba. Su cuerpo estaba llagado; el cabello comenzaba a caerle. Por encima del ejército, trazaban amplios círculos los cuervos marinos...

Pernoctaron en este lugar, al pie del templo. Los espíritus se habían calmado. Los centinelas contemplaban las lejanas señales de hogueras que parecían hablarse desde los picachos. Mañana haría ocho días desde su salida de Méjico y si todo iba bien dentro de algunas horas estarían en Otumba; pero desde allí... Desde la cumbre de la pirámide podían verse los montes de Tlascala recortados en la bruma azulada. Era una hermosa tierra de pastos. Los caballos trotaban alegres, con nuevas fuerzas. Cortés hizo poner a los heridos en colchonetas para que fueran llevados a hombros de los indios. Se había restablecido el orden y la disciplina militar. Los tlascaltecas tomaron, cuando fue posible, las armas de los españoles.

Los jinetes que iban a la descubierta, retrocedieron.

— Señor. El demonio está sobre nuestras espaldas. Desde el declive de aquella colina hemos visto un gigantesco ejército indio. No hay ni un escondite por ninguna parte; por doquier se ven solamente campos abiertos, despejados. Estamos rodeados por tropas indias. Vimos sus distintivos, sus armas. Nos están esperando.

Cortés montó a caballo y en compañía de los capitanes salió para observar. Cambiaron miradas. «Desde Tlascala, nunca habíamos estado frente a un ejército como éste. ¿No hay escapatoria?»

La pequeña columna de españoles se formó en el orden acostumbrado. Se distribuyeron los jinetes. Los infantes formaron un cuadro armados de lanzas. Cortés detúvose ante ellos. Con voz apagada les dijo:

— ¿Quién de vosotros estaría dispuesto a elegir la muerte vergonzosa de ser sacrificado sobre la piedra y sentir que le arrancan el corazón? ¿Quién podría pensar en rendirse? ¿Quién podría ignorar que la única salvación posible ha de ser lograda por nuestras armas? Oíd: Llamamos a Dios en nuestra ayuda, porque nadie más que Él puede ayudarnos. El enemigo es fuerte; lo acabo de comprobar con mis propios ojos; se trata de verdaderos guerreros y no de grupos armados. Pero sabéis que entre los indios cada ejército sigue solamente a su propio jefe y que no existe un jefe supremo, un general que mande al conjunto. Si su jefe muere, sus soldados huyen, por eso cada jefe que muere significa una ventaja de cien hombres; he distribuido los jinetes; estarán en el punto donde haga más falta. No tenemos cañones y así es que habremos de ganar la victoria a fuerza de puños.

Atronó el grito de ¡*Santiago!* Los ojos brillaron como espadas desnudas y el griterío rompió el silencio anterior. Olmedo alzó en alto un crucifijo. Se dieron armas a las mujeres.

Avanzaron en esta forma unos centenares de metros hacia el enemigo. Llovieron flechas y piedras que en su mayoría rebotaban contra los escudos y corazas. Estaban ahora los españoles frente al más fuerte ejército de los indios. Los cronistas posteriores exageraron evidentemente su número, pues lo hicieron llegar hasta los cien mil; otros se contentaron con cincuenta mil; pero aún así, la apreciación más modesta que se ha hecho de este número es de treinta mil.

Al ocurrir el choque, se abrió una estrecha y relativamente larga brecha en las filas enemigas. La formación de hierro penetró a golpes sordos entre la multitud pintarrajeada de los indios; el hierro agujereaba los pechos desnudos; cayeron a centenares. Los caballos se emborrachaban con la sangre y sus cascos golpeaban mortalmente la blanda y desnuda carne. Sólo eran veinte jinetes, forrados de hierro de pies a cabeza lo mismo que sus caballos. Como centauros, se arrojaban con la lanza baja entre las filas de obscuros indios que volvían a cerrarse casi instantáneamente. El estrépito era enorme. De las gargantas de diez mil mejicanos salía el retador grito de guerra y coros de aullidos aumentaban el espanto. Los veteranos callaban, se limpiaban la sangre de sus manos y mejillas y miraban hacia el cielo donde brillaba implacable el sol tropical que enviaba sus rayos perpendicularmente sobre sus cabezas. Los veteranos miraban al cielo; la sangre les refrescaba con su humedad. No habían bebido ni un solo sorbo de agua y por unos momentos sus brazos extenuados se abatían... Pero las hordas atacaban de nuevo, volaban los lazos por el aire y si lograban enroscarse a sus cuellos...

La brecha se fue profundizando; los jinetes penetraban más entre las filas enemigas. Pero la situación se hacía más peligrosa, más desesperada. Aquella cuña de hierro continuaba su presión, pero el roce la desgastaba. Los jinetes se batían magníficamente. En grupos, limpiaban el terreno, ya aisladamente, y en forma compacta, cargando hacia delante o hacia los lados. Se oía a Cortés que gritaba: «Los jefes... arrojaos contra los caciques...»

Las ballestas estaban con los nervios tensos y volaban las saetas silbando, deshaciendo las ligeras corazas de cuero y plumas. De vez en cuando se veía desplomarse una figura de soberbia diadema de plumas y capa bordada. No había armas de fuego; los mosquetes estaban callados o sólo eran usados como si fueran mazas. Llegó el mediodía; hambrientos y sedientos, sangrando por mil heridas, resistían aquel combate sangriento y costoso, sin esperanzas, rodeados de aquella multitud de indios siempre en aumento, inagotable.

Llegó un momento en que sintieron ya en sus mejillas el aliento de la muerte. Todo ha terminado — pensaron —; pero continuaron juntos y su formación no se deshacía al embate de nuevos asaltos. Pero apenas podían ya levantar la espada ni sostener el hacha; dejaron caer la lanza. Los caballos resoplaban y, sobre su pecho, brillaban espumarajos sanguinolentos. «Esto es el fin» — se decían los unos a los otros. Solamente quedaba ya rezar un Avemaría; pero no podían ni moverse. Cuando a uno le acertaba una flecha en el rostro, se le arrastraba detrás, en medio del cuadro, donde las mujeres trataban de detener la hemorragia... «Se acabó»... En algunos puntos se desmoronaba el cuadro y se abrían brechas. Los que por ellas penetraron fueron matados a golpes; pero todo era en vano; la multitud inagotable que los rodeaba y los estrangulaba crecía más y más y nuevas columnas enemigas, de refresco, se lanzaban al asalto.

— ¡Sandoval... Sandoval!... — llamaba Cortés. Logró reunir cuatro jinetes. Eso fue todo. Los otros se habían arrojado ya desesperadamente, sin freno, entre la masa de indios, y de vez en cuando se les veía saltar en aquel torbellino. El coro fúnebre sonaba a su alrededor... «Esto ha terminado», pensó Cortés; pero saltó valientemente hacia la brecha.

Al pie de la pequeña colina estaba el cacique. Las varas doradas de su litera formaban un marco suntuoso a su poderosa y fuerte figura. Delante de él estaban los jóvenes nobles con magníficas capas. Los criados sostenían en alto la litera para que desde allí pudiera dar sus órdenes. *Águila-que-se-abate* era un jefe poderoso de Tenochtitlán. Había ordenado que los teules fueran sacrificados sobre la piedra de los dioses. El cacique estaba sentado con su gran diadema de plumas y una red de oro le caía sobre las espaldas en signo de su autoridad.

Los cinco jinetes se volvieron sobre sus monturas; Alvarado se les había unido; su cabellera roja volaba al viento; los caballos galopaban alocados... Era sobrecogedor cómo Malinche, con su coraza de plata con adornos de oro, se precipitaba hacia delante con la lanza tendida, teniendo en frente el rostro de la Muerte... La escena que siguió fue inolvidable: un hombre, con los brazos abiertos, cayó bajo los cascos del caballo; una mano arrojó una piedra, que pasó por encima de la cabeza de Cortés; una flecha quedó clavada en la silla de montar; se oyeron gritos y aullidos. Pero Cortés no veía nada, no tenía otra meta ni otro pensamiento que aquella litera dorada rodeada por las brillantes lanzas de los jóvenes nobles... Todo se desvaneció en la litera del cacique; todo se convirtió en vértigo y torbellino... Todos los obstáculos quedaron hechos polvo; todo duró una fracción de segundo; la mano de Cortés blandía la lanza... Cuando se levantó, estaba frente al cacique, a su misma altura. En el rostro del cacique había una máscara de miedo, una expresión tal que Cortés se vio perseguido por esta visión en sus noches de insomnio, cuando volvió a España.

Era la última carta que jugaba Cortés, soldado inspirado por Dios, como creía él mismo. El pesado cuerpo del indio se tambaleó y cayó de bruces sobre la litera; un jinete saltó de la silla y con su daga de tres filos atravesó al caído, cortó las alas de la red de oro y la levantó en alto para que todo el mundo, mejor dicho, para que ambos mundos pudieran ver que en aquel momento, por mágica suerte, por voluntad divina o por sabiduría del capitán general, se había salvado Nueva España para Don Carlos.

Tlaloc reía delante de la puerta,... La sombra de un dios pasó por entre las filas de guerreros; aquello era superstición y al mismo tiempo realidad viva y tangible. Rompióse la unión, aflojóse el lazo que unía a los ejércitos indios; la multitud se llenó de remolinos que se separaban unos de otros; se extendió el pánico. Alguien comenzó a gritar; millares de pargantas con sus chillidos y lamentos multiplicaron la sensación de peligro. Los centauros brincaban aquí y allí; sonaban las trompetas españolas. Alguien gritó: «Demonios... Los espíritus están detrás de nosotros.»

El pánico se fue formando de detalles sueltos, de intangibles detalles. Los indios corrían en todas direcciones arrojando las armas. Las diademas de plumas fueron hechas jirones; los escudos y las flechas quedaron dispersos por el suelo; detrás, con renovadas fuerzas, cargaban los jinetes, chapoteando en la sangre, sembrando la muerte como cien demonios. Los tlascaltecas supervivientes tomaron las armas, lanzas españolas, venablos, mazas y golpearon hasta llenarse de sangre... sangre... sangre. El sol se puso, sopló el viento sobre la colina. Un soldado se quitó el yelmo. La sangre le manaba formando hilos por entre su barba enmarañada. Las rodillas le flaqueaban y cayó sobre el polvo. Con su mano forrada de hierro dibujó una cruz en el suelo.

— ¿Lo has visto? — se preguntaron los unos a los otros —. ¿No has visto a San Jorge en su caballo marchando a la cabeza?... Iba detrás de Cortés. Lo reconocí; era igual que la imagen que en el pecho lleva. San Jorge, el vencedor del dragón, llevaba un arnés de plata pura. Luego se puso a la cabeza ante Cortés; seguía después Alvarado y, detrás de él, Sandoval. ¿Le has visto tú también?

El manto azul de la leyenda extendióse sobre el campo de batalla. Los más crédulos lo adornaban con mil detalles; describían al Santo, informaban acerca de los pliegues de su capa y hasta pretendían haber oído su voz. Los que escondían la duda en su pecho, movían la cabeza, y Díaz, que iba y venía por entre los capitanes, escribió así en sus anotaciones:

«Algunos afirman que le han visto... Yo no merecí ver el milagro con mis propios ojos. Yo sólo vi a Hernán Cortés cuando atravesaba al cacique con su lanza.»

El oro que yacía en el fango de los canales volvió a brillar ante sus ojos; brillaba en las vestiduras de los muertos, en sus capas ensangrentadas, en los adornos de la litera, en los tejidos de las diademas de plumas. Cuando llegó la tarde, todos se vendaban sus heridas, curaban sus contusiones y buscaban una yacija para descansar sus miembros rendidos, deshechos.

Al salir el sol levantáronse con trabajo. No se veían enemigos por ninguna parte, solamente en el horizonte, entre las colinas lejanas, se distinguían pequeños grupos que se encaminaban a su retiro; pero los españoles los dejaron marchar sin molestarlos. Los jinetes ilesos y los heridos avanzaban penosamente apoyándose la mayor parte de ellos en sus lanzas. «Allí... aquello de allí es Tlascala.» Unos a otros se mostraban los montes. Los capitanes estaban agrupados. «En Tlascala estaremos esta misma noche. Cenaremos... o seremos cenados...»

El jinete volvió: «El aire está puro, señor.»

Siguieron avanzando y a las primeras horas de la mañana los tlascaltecas entonaron un coro medio canto medio llanto. Un ídolo de piedra se alzaba en medio del camino; la mano de la figura, negra y con muchos dedos, estaba extendida.

—¡La frontera entre Méjico y Tlascala!

Los tlascaltecas se arrojaron a tierra, con su mano levantaron una porción de fango, caliente por el sol, lo llevaron hasta sus labios, lo besaron y entonaron el himno de gracias, con un ritmo lento y triste. Cortés entonces ordenó un descanso.

La frontera estaba marcada por un río.

—Lavaos —ordenó Cortés—. Acicalaos. No quiero entrar en Tlascala como jefe de una banda derrotada y desmoralizada.

Por el camino vinieron algunos labradores que habían oído los cantos. Detrás seguían las mujeres con grandes cestos sobre las espaldas llenos de huevos, miel y frutas. Cortés se adelantó a recibirlas y ellas, al ver a aquel extranjero de aspecto tan maravilloso, se postraron. Malinche las hizo levantar, las abrazó y arrojó en su cesta la primera piedra preciosa que su mano encontró en el bolsillo.

25

—Ambos descendemos de la estirpe de los ocelotes. Nuestro antepasado fue el gran ocelote en que encarnó el dios Tlaloc y que, en los tiempos brumosos por la distancia, misteriosamente se unió a nuestra primera madre.

La señora de Tula arrojó copal en el pebetero y lo balanceó para echar el humo hacia las otras dos mujeres.

—Para ti, el Señor del Ayuno fue solamente antepasado. Le pudiste ver cuando niño, en la corte de tu padre, poniendo sobre la cabeza del gran señor la diadema de plumas.

—Era yo —como bien dices— un niño y oía los comentarios de los criados. Inclino mi cabeza y espero que se disipe el obscuro nublado.

—Yo fui su esposa... Yo ya vivía cuando su padre, el Lobo del Desierto, fue arrojado y perseguido; entonces el Señor del Ayuno era todavía un muchacho, un niño casi. Cuando partió hacia Tlacopan para buscar esposa, vino en primer lugar a mí. Yo quedé en Tula, porque Tula era la tierra de mis padres y yo no tenía hermanos. Nunca pasé a residir al palacio de Tezcuco. El Señor del Ayuno era mi hermano y mi amante y yo vi crecer a sus hijos. De ellos, el primogénito —tú ya lo conociste, pues era mayor que Cacama— vino a mi casa y levantó sus ojos hacia mí. Los dioses me castigaron dando a mi rostro el color del lino; el agua borra en él el paso de los años y los besos no dejan huella. Sesenta y siete veces ha pasado ya el verano por encima de mi vida y en mis mejillas no hay todavía ninguna arruga ni tampoco se ven hebras de plata entre mis cabellos. Desde ese encuentro de que te hablaba, el tiempo ha dado veintidós vueltas: casi la mitad de un gran ciclo. Todo eso sucedió en el año de los tres erizos.

—¿Cómo habéis llamado a ese que vino... al hijo del Señor del Ayuno?

—Aquel a quien no se puede nombrar. No le llamo de otro modo. Le había conocido cuando muchacho, cuando tendía el arco para dejarlo caer seguidamente con los ojos llenos de lágrimas.

«No quiero matar», decía. Y dejaba que la liebre huyera. Me acuerdo de eso. Entonces era un muchacho y no un hombre. Se sentaba a ver cómo yo descifraba los signos de los dioses. Los seguía con su dedito. Tomaba la blanca piel y mostraba los signos.

—¡Qué hermoso es todo eso que me cuentas, señora y madre!

—Tú eres la primera esposa de Guatemoc e hija del gran señor. ¿Por qué me llamas tú señora, Tecuichpo?

Así te llamó también Papan, una vez que vinimos a tu casa durante la noche. Ella también te llamaba la señora de Tula.

Papan estaba sentada envuelta en sus ropas junto al fuego. Cuando los demás se asfixiaban por el bochorno, ella sentía todavía la humedad de la tumba y temblaba de frío. Estaba silenciosa y avara de palabras; se limitó a alzar la vista.

—Entre nosotras las mujeres, tú eres el único hombre. Debes hablar con Tecuichpo. para que ella vea lo que los dioses se proponen.

—Señora. ¿No quieres contar lo que pintó sobre la blanca piel aquel a quien tú llamas «el que no puede ser nombrado»?

—Yo conocía bien los signos y sabía cuán maravillosos cuentos se leían en ellos. Cuando los leía, las palabras salían como la música de las flautas en la danza de Areyo.

— ¿Amaste con tu cuerpo al hijo del Señor del Ayuno?

— Eso es curioso. El tiempo ha cerrado en mí las puertas del amor y el deseo carnal es para mí ya sólo un recuerdo muy lejano. Te podría decir que ello fue un cuento que el viento extendió por Anahuac. Yo era la esposa de su padre y jamás tuve hijos de él. No sólo le entregaba mi cuerpo, sino que con él partía mis tesoros y mis guerreros. Cuando se aproximaba a mi colchoneta, bajaba los ojos; y después de haberme amado no me apartaba como a las demás mujeres, sino que me abrazaba. Entonces hablaba conmigo y encendía en mí el entusiasmo por Tezcuco. Veía ciudades desconocidas, reinos. Veía el orden creado por su inteligencia y su fuerza. Su hijo era de otra manera: le gustaba ante todo mi corte; gozaba del cuerpo de una de mis esclavas. Entonces habían transcurrido dieciséis primaveras de su vida. Venía antes de ponerse el sol y traía sus dibujos que yo descifraba. Después yo me enjugaba las lágrimas, pues no quería que mis criados me vieran llorar. Una vez le abracé y le permití que durmiera conmigo. Su edad no llegaba ni aun a la mitad de la mía. Hubiese podido ser mi hijo y yo no le podía mostrar de otra manera mi inclinación hacia él que llevándolo a mi lecho y enseñándole que el verdadero hombre ha de saber vencer las pasiones innobles, así como también el odio que en momentos de saciedad surge del fondo del cuerpo. Le enseñaba a ser como su padre, el verdadero y grande rey de Tezcuco, a tomar en su mano los abanicos símbolo de autoridad.

— La sangre corrió...

— Sí, la sangre corrió. Un criado vino con las blancas pieles que los curtidores de Tezcuco habían ablandado con excrementos de paloma. El criado cometió una traición. Quería a una mujer del palacio y mostró a su señor todos aquellos libros. El Señor del Ayuno conocía los signos. Conocía todos los signos, pues juntos habíamos leído los grandes libros y era yo misma quien había ideado signos especiales para indicar «nostalgia» o «el hombre ama a la mujer». Esos signos no eran conocidos, por tanto, de los sacerdotes, sino solamente de nosotros tres, pues también los conocía aquel que no puedo nombrar... También a los sacerdotes se les cortaba el resuello cuando leían lo que en aquellas pieles estaba escrito.

«Entonces el Señor del Ayuno sintió sospechas. Durante siete días y siete noches estuvo sentado en su palacio, sin moverse, sin tomar nada más que un puñado de cebada y un sorbo de agua. Conforme al uso de sus antepasados, hablaba con los dioses y ayunaba. A los siete días llamó a los jueces. Y les dijo: «¡Juzgad!»

— ¿Pediste gracia?

— ¿Cambia de dirección el viento porque extiendas los brazos? ¿Eres capaz de ordenar al Invierno que no transcurra? Los jueces lloraron y juzgaron. Eran viejos y sus miradas estaban dirigidas a las antiguas costumbres y no veían que aquí se habían levantado voces maravillosas y la vida se había transformado. Habíamos visto a nuestros antepasados, salvajes y despiadados, que iban vestidos de hojas vegetales y venían corriendo desnudos por las montañas. Nosotros ya vivíamos en palacios y sabíamos representar el pensamiento fugaz por medio de signos perdurables. Los jueces eran viejos y la compasión se había apagado en ellos. Dijeron que debía morir porque había ejecutado actos en contra de su padre al escribir sus cartas y que había apetecido a la esposa de su padre.

— ¿Qué hizo él?

— Fue adornado de flores y rodeado de inciensos como uno que va a unirse con la divinidad. Eligió a Tlaloc, origen de nuestra estirpe, el que tiene cabeza de ocelote y no el de cabeza de tortuga y que conoce la compasión. A ese dios fue sacrificado y el Señor del Ayuno lo contempló. En su corazón no había misericordia.

— ¿Te envió un mensaje?

La señora de Tula se levantó de su escabel adornado de oro.

— Sí, me envió un mensaje. Una criada me lo trajo, la misma, por cierto, que aquella misma mañana le había llevado mis flores.

La estatua que estaba metida en la pared se abrió. La señora de Tula sacó de su interior un rollo de piel blanca atado con un cordón de oro. Lo desarrolló. Aproximó sus viejos ojos a las figuras y comenzó a descifrarlas. Las dos mujeres lo observaban inmóviles y esperaban las palabras de la señora de Anahuac.

— Escuchad — dijo, y su voz tenía un timbre extraño. Parecía rejuvenecida. Aquella mujer de cerca setenta años se había convertido ahora en una amante bella y apasionada. Ante sus ojos se cernía un mundo de maravillas. Y decían sus versos:

«...*Ese es mi canto. Soy jefe absoluto*
pues ordeno en el tiempo y el espacio,...
Los tres nos esforzamos a porfía
para que mi canción acojas con ternura
Todo mi ser rebosa la nostalgia.
No ha mucho aún que mis palabras eran
canción alegre. Hoy sólo con sollozos.
Mis pobres flores, bondadosa, acepta
y en su cáliz aspira su enervante aroma
¡ay! ya sin mí...

Quisiera a veces desechar temores
y aplastar, valeroso, todo miedo.
Y sonreírme cuando, atormentado,
el pensamiento triste de la muerte
mi alma ensombrece, cual fatal aviso
de que es caduco nuestro actual deleite.
Mis dedos pulsan las sonoras cuerdas
que a mis canciones, melodías prestan.
Y mis acentos llegan desde lejos.
Escucha el canto y en su ritmo envuelta
danza ligera envuelva mis flores
con la alegría de la vida llena.
Nada te importe, si cual flor marchita
mi vida el viento, cargado de nieve,
lejos arrastre, y el recuerdo borre
como el de aquellos que hoy son de la muerte...»

La habitación estaba llena de aromático humo y envolvía a la mujer como un velo azulado. Sus brazos se agitaban como si entre aquella niebla siguieran el ritmo de una danza triste. La figura del dios misterioso iba borrándose en la penumbra del crepúsculo. Las dos mujeres estaban acurrucadas sobre el escabel, contemplando a la anciana señora de Tula que parecía, con sus movimientos rítmicos, danzar sobre el estrecho paso que conduce desde los hombres a los dioses.

En el braserillo, el fuego parecía un ojo de luz. El humo fue posándose lentamente y la música de la canción acabó. La anciana encendió la luz. Papan rompió el silencio:

—Yo estaba en Iztapalapán, en casa de mi señor, cuando supe que el Señor del Ayuno había castigado cruelmente a su propio hijo porque éste había deseado a la señora de Tula. Estaba en Iztapalapán cuando llegó la noticia de que la señora de Tula se había encerrado en su palacio y ya no recibía a su señor, ni deseaba el trato de los hombres. Tampoco podía soportar la mirada baja de sus propias siervas. Se inclinaba sobre las hojas de agave y allí dibujaba los signos que el recuerdo le dictaba. Yo quedé en Iztapalapán cuando el sangriento y palpitante corazón del joven príncipe fue mostrado al dios de cabeza de ocelote. Mis sueños no permitían su representación en dibujos, cuando pasé por el reino de los muertos. Creía yo que el tiempo se había detenido y nada podía, por tanto, suceder. Fue entonces cuando recibí un mensaje, tu mensaje, señora, que para mí significaba más que una orden. Ambas estábamos en el camino que va desde los hombres hasta los dioses... Pero, ¿por qué llamaste a Tecuichpo? Mi vida ha visto el doble de inviernos que la de ella y la tuya más del triple. Para Tecuichpo la vida es todavía placer y en su cuerpo florece cada luna la flor roja de la vida. ¿Por qué has hecho venir a la muchacha?

—Los signos son más claros cuando se los hila en la soledad, como quien hila una hebra de oro que brilla a los rayos del sol. Tú viste los signos en el reino de la Muerte. Ya sé cuáles fueron tus profecías. Yo también vi signos en mis veladas de soledad cuando evocaba a los muertos en mis canciones y hojeaba los libros cuyo sentido es más complicado de lo que logran leer en ellos nuestros sacerdotes en sus lecturas diarias.

—Hemos arrojado a Malinche. Ciento cincuenta rostros pálidos son cebados en las jaulas. Si vas a Tenochtitlán, podrás oír todas las noches bajo las murallas sus lamentaciones.

—Tú eres una niña y no sabes conocer aún esa mezcolanza de luces y sombras del destino sucediéndose como la noche al día.

—¿Qué deseas de mí, señora y madre?

—¿Has visto a Malinche?

—Sí; retuve su mano entre las mías. La llevaba revestida de cuero; luego la desnudó; era blanca y surcada por azules venas. Sentí un estremecimiento cuando, según costumbre, tomó mi mano y la llevó a sus labios. En el palacio de Axayacatl se celebró un baile. Nosotros ejecutamos nuestras danzas y ellos las suyas. Ellos cuidaron que sus muchachos nos enseñaran sus bailes, pues no dejaron entrar en la sala a las mujeres blancas que iban con ellos y que aman a los guerreros por turno. Malinche hizo preguntarme por boca de Marina si yo quería bailar con él. *Águila-que-se-abate* miraba desde lejos; no podía vengar la ofensa, pues comprendió que Malinche quería honrarme. Fui con él, me tomó por el talle y percibí el olor de su cuerpo. Parecía el aroma de las flores cuando se abren por la noche; no se parecía al olor de ningún otro cuerpo. Notaba cómo sus dedos se apretaban en mi talle. Yo no pude bajar los ojos como lo pedía el decoro; me miró y un maravilloso fuego ardió en mí. Entonces, por única vez sentí como un vértigo y murmuré para mí misma: «Malinche es un dios.»

—Papan los vio cuando estuvo en el más allá.

—¿Qué dice la señora de Tula?

—No los vi, pues desde hace veinte otoños nada vi que estuviera más allá de los muros de este palacio. Contemplé los signos y los reuní, como se reúnen las pepitas de oro para ponerlas en los canutos de hueso. Malinche es la mayor y más cruel desgracia que jamás se haya abatido sobre Anahuac. ¿Son hombres o son dioses? La muchacha a quien llamáis Malinalli llevó en el seno el fruto de su amor con Malinche. Nació la criatura y la madre le dio el pecho. Las mejillas y los ojos del niño son más claros; pero apenas se distingue de nuestras criaturas. Los sacerdotes dicen que la esmeralda roja palpita en el pecho de los hombres blancos de igual manera que lo hace en el pecho de un esclavo de Tlascala. Sin embargo, los signos son más confusos ahora que nunca. Todo aparece misterioso. Los dibujan en un solo color, con la punta de una pluma de ave que mojan en un líquido negro; parecen como los rasgos que haría una mosca con sus patas sobre una hoja de agave. Pero ellos los descifran con rapidez y los dicen en voz alta; pero ninguno de nosotros los sabría leer.

—Marina lo intentó y dijo que no era difícil. Dijo que cada sonido de la garganta está representado por un signo que se une con los otros y así forman su escrito, como con ladrillos sueltos puede formarse todo un templo.

—Sólo un dios se atrevería a querer conquistar el mundo con cuatrocientos hombres.

—Un viento misterioso y lejano les dio fuerzas de gigante. Tienen mucha sed de sangre, de esa sangre que, sin embargo, no beben ni en nada aprecian.

—Al principio creí que eran los elegidos de una estirpe lejana; que su rostro había sido empalidecido por el tiempo y unos dioses desconocidos los habían enviado contra nosotros. Después comprendí; eran sencillamente hombres, que saben guardar el trueno en unos tubos, que se sientan sobre ciervos sin cuernos y que llevan además atados unos perros que destrozan y matan con sus dientes.

—Señora, maravillosa señora de Anahuac; me hiciste llamar para preguntarme algo...

—Quería saber si tu señor *Águila-que-se-abate*, ha visto algún signo que muestre con certeza que la esmeralda roja de los blancos deba ser sacrificada sobre la piedra de los dioses. Tú callas y Papan lo vio así; aquellos a quien ella llama *teules* van por camino derecho. Su Dios dulce, que pende de una cruz de madera, con su cuerpo lleno de abiertas llagas, y su diosa, dulce y sonriente, con un niño en brazos... son más fuertes que los dioses que nosotros adoramos en Anahuac. Siento el temor de hablarte así, Tecuichpo. Ruego a *Águila-que-se-abate* que estudie mejor los signos, antes de partir a la campaña para arrancar los corazones palpitantes de los hombres blancos. Decidle que veinticinco primaveras no alcanzan a descubrir todos los secretos. Los padres comprenden a menudo signos que están ocultos para los hijos. Sobre los palacios reales de Tenochtitlán y Tezcuco se proyecta la sombra de una mano extranjera. ¿Quieres tú también enviar un mensaje, Papan, de lo que has visto en el valle de los bienaventurados?

— El gran señor tocó mi frente cuando regresé. Desde entonces no me ha querido volver a ver. Corre el rumor, Tecuichpo, de que a tu padre le golpeó una piedra que sólo pudo ser arrojada por la mano de un guerrero de sangre real. ¿Debo enviar un mensaje a quien mató a mi hermano?

— ¿Quieres, pues, decir que mi señor fue quien arrojó la piedra contra mi padre?

— Así se dice en todo el límite del gran lago; pero la piedra no tiene boca y no puede por tanto hablar. Los músculos de *Águila-que-se-abate* son más fuertes que ese metal negro usado por los rostros pálidos.

— Nadie sabe eso cierto, y tú tampoco, y sin embargo, ¿estás llena de odio hacia Guatemoc?

— A nadie odio; pero estuve en el más allá. Vi a aquellos que pasaban el arroyo y hablaban a los de la otra orilla; y les decían que el dios de esos extranjeros era el verdadero dios. Los dioses no deseaban la sangre que gotea de los corazones arrancados... Desde entonces estoy sentada en mi casa temblando de frío. Bebo pulque y me envuelvo en mantas calientes. ¿Qué otra cosa te puedo decir, Tecuichpo?

— Tía Papan y señora de Tula; me habéis llamado y yo inclino mi cabeza ante vosotras, señoras y madres. Sé que queréis el bien y que leéis en el libro del tiempo, mejor que nuestros sacerdotes, porque conocéis los signos ocultos a nuestros ojos y que sólo pueden ser comprendidos por quienes pertenecen a la estirpe de Tlaloc. Todo eso lo sabíais vosotros mejor que yo. Soy una pobre mujer débil, impotente, que tiembla sola en la colchoneta de su señor, mientras él cuida de sus guerreros. En mis venas se agita caliente mi sangre cuando cierro los ojos y me imagino sentir de nuevo el contacto de aquella mano de Malinche. Es como si tuviera fiebre; entonces sueño que en Anahuac se celebra una fiesta, durante la cual Malinche es arrastrado hasta la piedra de los dioses y su corazón arrancado rueda a los pies de Huitzlipochtli, adornado de oro y flores... Pero yo soy solamente una de aquellas que tiene sed de paz. Estoy sola... y la senda que conduce hacia Tezcuco está también cortada...

— Las tres somos hermanas en sangre. El Señor del Ayuno derramó la sangre de su hijo que corre por tus venas y el rostro de *Muñeca de Esmeralda* vio al rey Molch alterado de miedo. Yo lo

digo y Papan te lo dice: Pinta tu rostro con los colores de la humildad, ve a tu señor y ruégale que estudie los signos y no se arroje hacia
su destino como hace la pieza de caza en la espesura. No debe olvidar que Tenochtitlán está seriamente en peligro y ha de volver a
ser salvada, no por el verdugo, sino por el médico. Dile que estudie
los signos y busque la paz, si así se lo indican. Ese es el mensaje que
yo le envío, ya que todos nosotros somos de la estirpe de Tlaloc.

—Tú crees en él..., ¿crees también en las dos caras del dios?

—La lluvia es el pulque de la tierra; la refresca y la embriaga
y entonces el mundo misterioso de las semillas dormidas germina y
se asoma de nuevo a la superficie. Tlaloc lleva una vasija sobre la
cabeza; en una de sus manos lleva el relámpago y un hacha de piedra; y sus dientes rechinan cuando olfatea la caza. Entonces arroja
serpientes por la cabeza y le cruzan su rostro; las pone ante sus ojos
para poder ver lejos, muy lejos. Las cabezas de ambas serpientes
se encuentran frente a sus labios... y cuando llegan a tocarse, truena
el cielo y caen los rayos que surgen de su boca... Así es nuestro dios
y antepasado Tlaloc.

La lamparilla osciló y la mirada de puma del dios de la lluvia
pareció hundirse en la negra nada. La anciana echó una cucharada
de copal en el braserillo. Abrió los brazos, como si ya nada le atara
a la realidad que la rodeaba, y comenzó a orar en voz baja... o tal
vez recitaba un verso.

QUINTA PARTE

EL DIOS DE LA LLUVIA
LLORA SOBRE MÉJICO

QUINTA PARTE

EL DIOS DE LA LLUVIA
LLORA SOBRE MÉJICO

1

Acariciaba los árboles con la mirada y parecía saborear la savia. Los rayos de sol penetraban por el follaje hasta llegar a los troncos del bosque húmedo, formando manchas de luz. El hacha, con sus golpes resonantes, causaba heridas jugosas en las lianas. López, el carpintero, iba delante; le seguía Yáñez. Un indio tlascalteca llevaba pintura blanca y con ella marcaba los árboles que se iban escogiendo. La vara resbalaba sobre el tronco para medir su altura, y la cinta métrica rodeaba su perímetro. El carpintero afirmó con un gesto. Ése era un árbol de madera laborable. El tlascalteca miró a su alrededor y preguntó con voz de falsete:

—¿Cómo quieres, señor, talar todos esos árboles? El árbol es como una caza noble... Necesitará mucho tiempo. Deberán salir a trabajar todos los hombres de una aldea; los cuchillos y hachas cortan lentamente. Durará seguramente desde una fiesta a la otra. Todo el tiempo entre una luna llena a otra luna llena será preciso hasta haber podido cortar uno de esos gruesos árboles hasta las raíces. ¿Cómo pueden pretender, señor, luchar contra tantos árboles como has señalado? Eres demasiado débil para ello... aunque desciendas de dioses.

Cortés estaba con Duero observando el trabajo. Oyó resonar el hacha de Martín López que silbaba en el aire y se hundía en las encinas. Estaban ya en la espesura; sus gritos llegaban lejanos y apagados. Imaginaba ya listos los buques, sus velas izadas; la gente corriendo ya por la cubierta; los estandartes ondeaban con el viento y de nuevo se ponía todo en movimiento como si fuera una fatalidad... hacia Tenochtitlán. Se levantó un soplo de brisa y acarició los rostros. El otoño estaba a punto de llegar. La mujer blanca notaba ya su aliento helado y su capa delgada y sin forrar daba poco calor. Todo era tan cruelmente inútil; el ir y venir, el trabajo de las hachas, los árboles gigantes, los buques, los combates, los insectos, los escarabajos, los gusanos que se arrastraban sobre la madre tierra; nada había fuera de eso. Estaba solo con su capa cruzada; sus escasas huestes, a su alrededor. Algunos estaban en Vera Cruz. Se sentía en manos de Satán que le arrastraba hacia la condenación. Se santiguó.

— ¿Habéis visto algún fantasma, don Hernando?

— Cuando se levanta la niebla, tengo fiebre y escalofríos. Llevo en mí la malaria que contraje en la costa de Tabasco, hace años.

— ¿Por qué no regresamos a Cuba? También podríamos dirigirnos a Jamaica... Vuestra merced se está desgastando aquí y se incomoda con su gente. De día en día estamos más sin fuerzas. La hidra levanta la cabeza. La gente no trabaja; los he oído por la noche en sus tiendas. Hasta los tlascaltecas comienzan ya a estar hartos de su hospitalidad; flaquea ya su fe en nosotros y se venden por algunos puñados de sal a *Águila-que-se-abate*.

— Mientras yo viva, no regresaré. ¿Comprendéis, don Andrés, cuál es mi sentimiento? Tenía un imperio en mis manos, su emperador en mi poder; provincias y estados dejaban caer los chorros de oro ante mí, me prestaban homenaje. Venían los príncipes; venían los caciques. Necesitaba tanto papel, que tuve que hacer preparar hojas de agave para inscribir en ellas las largas listas de homenajes y tributos. Mis capitanes eran príncipes; sacábamos oro de los arroyos; determinábamos dónde debían ser levantadas nuevas ciudades; el pueblo se acostumbraba a nuestra presencia y nos mostraba su amistad. Las princesas se casaban con oficiales míos; reinaba la paz. Bajo el pendón de Castilla, podía recorrer sin ser molestado todas las provincias de un extremo a otro un simple fraile franciscano, solo y sin armas... Yo estaba en Tenochtitlán; contaba los tributos, dirigía los ejercicios de los soldados y esperaba el mensaje bondadoso de mi señor Don Carlos, que se podía colocar sobre las sienes la corona de oro del imperio de Nueva España. Y luego, de pronto, todo se derrumbó. Cuando hube reunido casi mil quinientos españoles, un ejército, con caballos, cañones, muchos más que lo que jamás hubo en la Isabela... ochenta caballos... si sacáis la cuenta de todo eso en oro... Tenía buques, bergantines en el lago. Y todo se desplomó en un solo día, como si un encantador hubiera soplado a mi alrededor, como en un juego mágico. Volvemos a ser ahora cuatrocientos cincuenta españoles mal contados, sin cañones ni pólvora; veinte caballos..., eso es todo lo que tengo; y tuve además que ver cómo las llamas se elevaban de mis buques aquella noche y lo devoraban todo.

— Aquella noche, vuestra merced, como todos nosotros, envejeció. La desgracia hace prudentes.

— Yo no vuelvo a Cuba. Aunque todo se perdiera, quedaría en

Vera Cruz, donde puedo encerrarme y morir. Ahora tenemos exactamente la misma fuerza que teníamos al partir de Cuba. Mi gente está compuesta en general de veteranos. Su Católica Majestad no tiene soldados mejores. Con un bocado de pan de maíz en el estómago, son capaces de atacar al diablo mismo. Entienden ya el lenguaje de los árboles y de las hierbas tan bien como los indios. Con españoles como éstos, volveré a Tenochtitlán.

—¿Tenéis oro todavía?

—Una tercera parte de él pudo pasar el dique. Y ése lo conservo todavía.

—Haced traer caballos y armas de Cuba.

—Es el espíritu, don Andrés. A menudo me siento tan viejo y cansado, que me doy por vencido. Pero después hablo al Crucificado y le digo: «Señor, quisiera obrar según tu bondad. Aumenté tu reino y por eso hay tanta sangre en mi mano. Di mi propia sangre y derramé un mar de la ajena; pero yo creía que eso sucedía a tu mayor gloria, porque yo quería ensanchar tu Reino y salvar las almas de aquellos que desde el principio de los tiempos andaban perdidas en la obscuridad... ¿No corrí a todas partes donde debían ser sacrificados hombres?»

—A causa de una víctima cebada en su jaula, hiciste a veces atravesar a lanzazos a cien personas.

—Hicieron resistencia. No creyeron que yo quería su salvación. Quiero un reino para Carlos..., para mí...

—¿Qué esperáis para vos mismo, don Hernando? Conocéis la historia de las capitulaciones del gran almirante. Sabéis que hasta él fue engañado, a pesar de ser el primero que se atrevió a atravesar los océanos.

—Colón era un gran hombre. Un poseso, como decía de él su hijo, mi señor, en Santo Domingo. Yo no le llego. Soy hombre de espada, si es preciso dirijo la pluma y mi voz es oída. Pero yo no soy navegante; no trazo planes que den miedo a los franceses y a los portugueses. No sé hacerme obedecer del océano ni ordenarle dónde debe ofrecer nuevos continentes. Soy un sencillo capitán de su majestad. Le pongo reinos a sus pies y me arrodillo esperando que él me ordene levantar. Entretanto, reúno algún oro para que mis hijos y los hijos de mis hijos puedan tener alguna fortuna y no tengan que avergonzarse de que su padre se llamó Hernán Cortés. Pero si me comparáis con Colón, yo no soy más que un puñado de polvo.

—Vuestra fe es poderosa, pero no quiero ocultarlo: tengo miedo y me pregunto si no será más prudente regresar. No sería ya ni más héroe ni más navegante; volvería a mi escritorio como los demás licenciados, llenaría pliegos enteros con mis garabatos y cuando llegara a viejo contaría cosas de vuestra merced. Los nietos me sonreirían y no creerían en absoluto que hubiese habido españoles que con una fuerza de cuatrocientos hombres conquistaran reinos enteros y arrojaran a los dioses extranjeros a sangre y fuego. Tal vez fuera eso más prudente que estar tras de vos, escuchar el ruido de los árboles que se desploman, esos árboles que dentro de poco se habrán convertido en bergantines... Y cuando estén dispuestos, ¿cuántos podremos plantarnos ante las puertas de Méjico, débiles como somos, para batirnos de nuevo?... Todo eso me lo pregunto a mí mismo, señor; pues ya sé que vos no podríais contestar a mis preguntas. Aquellos hechiceros que son quemados en las plazas de las ciudades de Europa y que solamente gozan libertad en las provincias alemanas del Santo Reino Católico, limitan el poder divino al decir que el destino de los hombres no puede ser variado ni aun por Nuestro Señor Dios. Tampoco vos podríais apartaros de vuestro camino, ni por la sangre, ni por la fatiga, ni por las desgracias del destino. Estamos aquí en medio del bosque, cual si fuéramos santos o locos; los árboles son talados y de ellos hacemos tablones; esos tablones se convierten en buques que un día navegarán quizás por el gran lago y atacaremos, por escaso que sea nuestro número, por batidos y pobres que estemos. Sí, de todas maneras nos lanzaremos y entonces...

— ¿No tenéis fe en mí, don Andrés?

— Si no tuviese fe en vos, estaría hoy a la cabeza de los amotinados. Lo que sucede es que si vuestros planes no son puestos en el platillo de la balanza de la buena lógica, se necesita una gran dosis de optimismo para pesarlos... Pero después, cuando oigo vuestras palabras y siento el contacto de vuestra mano, inclino la cabeza ante vos. En tanto viva, no os abandonaré, don Hernando.

Un grupo de españoles aparecieron en el calvero, acompañados de indios. Martín López señaló un gigantesco árbol que se alzaba aislado. Todos se quitaron las gorras y miraron por algún tiempo pensativos. Brillaron las hachas. Los indios se pusieron en semicírculo con ojos muy abiertos. El viento se llevaba el ruido de los golpes. Un instrumento fue manejado y en amplio arco silbaron media docena de poderosas hachas. Luego, la gente se apartó de pronto; el gran árbol se tambaleaba como un gigante herido y se desplomó con un gran crujido, que pareció un grito de dolor, un suspiro...

Cortés lo miró con sus ojos de visionario; estaba quieto y rígido. Cuando los carpinteros se abalanzaron hacia el árbol caído, murmuró para sí Cortés:

— Tendré a Tenochtitlán de nuevo en mi puño.

2

El comerciante abrió los brazos y exclamó:

— Señor; habéis de pensar en mis intereses... No quiero hablar ahora de la travesía, del peligro de los piratas. No desembarqué ni una sola vez en la Española, sino que vine directamente aquí, a vuestra ciudad. Luego, hice ese viaje desde la costa, sobre las espaldas de esos sucios indios. Por ninguna parte pude encontrar un caballo; por ninguna parte hay caminos. La comida está averiada; no hay vino; siempre carne de ganso y además ese pan de maíz. No regateéis, señor; ya lo sé que vos mismo padecéis privaciones; pero tenéis oro en abundancia... Y yo llevo una gran riqueza de género, de los mejores géneros de Sevilla. Los mosquetes están construidos en Oviedo, según los últimos adelantos... Con ellos se puede dar en el blanco, señor. Llegan más lejos que la vista... Los tendones de las ballestas no se rompen nunca y podéis ver una novedad: una ballesta de doble juego, con la que es posible disparar a un mismo tiempo dos flechas... Y además tengo otra cosa que no habéis visto todavía; esa arma de las personas nobles, que se llama pistola; un arma para caballeros. Los mosquetes son para los soldados; pero esas pistolas, magníficamente trabajadas, son para vos y vuestros capitanes. Y podéis pagarme en oro amonedado, en polvo de oro, en piedras preciosas... También os cedería mis cañones y la pólvora; yo volvería sin armas, sin protección a España. Debierais ver mis doce caballos en Vera Cruz... sencillamente magníficos, nobles brutos, con guarniciones preciosas.

Regatearon. Era el primer buque que llegaba al puerto de Vera Cruz, el primer comerciante que lo visitaba. Una palabra se hizo escuchar:

— ¿No habéis echado las anclas ante las islas?

— No, señor. Pasé a lo largo de la costa de Jamaica.

— ¿Cómo sabíais, pues, que yo estaba aquí? ¿Cómo podíais tener noticias de estas tierras, si no estuvisteis en la isla?

— Soy de Cádiz. Allí se contó y comentó la llegada a la corte de dos caballeros que de estas tierras procedían. Hasta nosotros, pobres armadores, llegó una noticia... envuelta en toda clase de historias, que no son para repetirlas... He embarcado con todos mis bienes, he encomendado mi alma a Dios... y a vosotros llegué. Vos no tenéis todavía derechos de aduana ni peaje; no me tomaréis prisionero ni confiscaréis la fortuna entera de un pobre armador...

Vuestra merced no estima demasiado el oro. Os inclináis y tomáis un pedazo de la tierra misma; laváis las arenas de un arroyo y encontráis oro... Y en los fosos tenéis plata, según se dice... ¿Para que necesitáis el oro, señor? Os traigo cañones, caballos, vino y hierro.

— ¿También marineros?

— Señor, todos están inflamados de deseo de unirse a vos para poderos demostrar lo que valen. Si por ventura necesitarais buques, tengo un excelente carpintero...

Cortés se le quedó mirando fijamente. Después hizo un gesto: «Que se le pague.»

— Desarmaremos vuestros buques; también os compro eso; os compro igualmente la gente y todo el cargamento. Si queréis, venid vos también conmigo. No os acostaréis sobre lechos de rosas, ciertamente, y muy posiblemente tendréis que blandir la espada; mas entonces podréis comprobar si verdaderamente es de Toledo. Si venís conmigo, entraréis en parte. ¿Conformes?

— Vuestros ojos, señor... ¿Quién podría resistir a vuestras palabras? ¡Viva Cortés!

Día de sol. Los escribientes le esperaban ya, porque en esos días de lluvia le había dominado de nuevo la fiebre de escribir. El palacio de Tlascala se había convertido en una cancillería. Él con las manos cogidas detrás iba y venía inquieto, como errante, entre las figuras grotescas de los ídolos. Su lugar preferido era delante de un ocelote de pórfido; miraba a los ojos de la bestia. Contemplaba largamente aquella extraña cabeza; su sed de sangre había convertido a la fiera en un dios. Cerró los ojos y de sus labios salieron las siguientes frases:

«Real e imperial majestad..., a continuación sigue el segundo informe que envío a vuestra majestad. Sólo gracias al Todopoderoso hemos sobrevivido a nuestros innumerables padecimientos. Pero es mi firme intención y único anhelo de mi vida que vuestra majestad pueda tomar el título de emperador del Nuevo Mundo junto con los que ya ostenta. Y tal vez esta corona no desmerezca al lado de las otras que ya ciñen la cabeza de vuestra majestad y que vuestra majestad ha merecido por sus grandiosas acciones...»

La luz del sol penetraba en la habitación. Xaramillo entró de puntillas. Cortés se levantó; sus ojos estaban bañados en la visión de ciudades y pueblos, canales, diques, templos y víctimas. El paje esperó apoyado en la figura de un demonio tallado en la puerta, mientras la pluma seguía resbalando sobre el extraño papel que los indios hacen con hojas de palma. De vez en cuando, apenas pronunciada una palabra, se oía: «Tacha eso, sería servil; no somos esclavos ni aun cuando nos dirijamos al emperador...»

Xaramillo vio que se tranquilizaba y entonces se aproximó y le anunció que había llegado un emisario de la provincia de Chalco, como sucedía a menudo en días mejores. Quiso añadir que había llegado Flor Negra, el príncipe que atendía ahora al nombre de don Fernando de Ixtioxicritl, desde que el agua del bautismo había humedecido su frente. También quería indicar el muchacho cuáles eran las noticias que habían llegado de Tezcuco durante la noche,... pero todo se le quedó en la garganta y en un gesto de la mano apenas iniciado, pues Cortés hojeaba febrilmente el libro encuadernado de blanca piel lleno de antigua escritura. Era el libro que escribiera Julio César antes de una campaña, ese mismo libro que tanto había hojeado Cortés en vísperas de una batalla, antes de dirigir la palabra a los soldados. Hojeaba, buscaba algo que por fin encontró:

«...his rebus gestis omni Gallia pacata tanta huius belli ad barbaros opinio perlata est, uti ad iis nationibus, quae trans Rhenum incolerent, mitterentur legati ad Caesarem, qui se obsides daturas, imperata facturas pollicerentur,...»

Cortés iba leyendo con fuerte acento español las frases latinas. El paje corrió a un lado las cortinas de la puerta.

—El capitán general de Nueva España ruega que pasen los embajadores de los señores y príncipes de Huexocingo y Huaquehula.

Su mirada recorrió el palacio, ante cuyos muros se veían algunos centenares de ociosos soldados españoles, mientras algunos caballos, cojeando y flacos, comían la hierba. Sobre las plataformas del templo de ladrillos cocidos al sol, había aún sangre. Vio caras de color aceitunado que se inclinaban con superstición. Debían venir los enviados del nuevo emperador de Méjico, cuya astuta cara ya conocía de otro tiempo, pues antes había sido el señor de Iztapalapan y le había mostrado sus jardines, sus mujeres y su palacio,... Debía venir Águila-que-se-abate con el porvenir en la mano. Guatemoc, el ídolo de guerreros y jefes, el esposo de aquella princesa bella como una perla... Después se imaginaba junto al Rin, envuelto en una toga, con los legionarios que gritaban: ¡Ave Caesar! Cuando quisiera, podía marchar hacia Roma, pasar ríos a la cabeza de millares de guerreros romanos que esperaban con sus lanzas bajas y sus espadas cortas y rectas, formados en falange, el asalto de los bárbaros rubios montados a caballo.

En las manos de los bárbaros brillaban los objetos de regalo; algunas piedras de calkiulli, pedazos de jade, figuras de ídolos, mantas de algodón, plumas, pulque en vasos abigarrados... El notario real leía las fórmulas:

«Yo..., en nombre de Chalco o Hueroxinco...», o sabe Dios qué otro nombre difícil de pronunciar de alguna comarca o provincia.

— ¿Qué extensión tiene? — preguntó.

Alguien contestó; se le mostró un mapa dibujado en una hoja de *nequem* con mano maestra; contempló los dibujos que representaban montes, corrientes de agua, países...

— Di, Marina: Yo, marqués de la provincia de Huaquehula... ¿Qué miras? ¿No sabes cómo decir en vuestra lengua marqués o príncipe? Dilo como quieras, Carlos lo entenderá de todas maneras, mientras prestemos juramento... Ahora llévale la mano, pues debe hacer un dibujo o un signo al pie de esta hoja.

Se oyó el ruido de la cera fundida y la piedra del sello se tragó otra provincia más de Anahuac en nombre de Don Carlos de Austria.

En Tlascala la gente vivía como habían vivido los antepasados de Cortés. Su padre se lo había contado en su niñez... En el reino de Granada estaban todavía los moros; por la noche sonaban los cuernos; regiones enteras eran pasto de las llamas y si un golpe de los moros tenía buen éxito, algunas semanas después, en los mercados de Creta se ofrecía a la venta para esclavos una buena porción de mujeres y de niños. Nosotros, en Extremadura — le decía el padre — nos preparábamos semanas enteras; cuando no había luna, nos deslizábamos hacia la frontera, donde sólo se conocía que habían vivido hombres por alguna que otra columna romana. Nos deslizábamos hacia Andalucía... Las largas y rectas espadas se cruzaban con los alfanjes; sobre nuestras sillas temblaban las esclavas de Asia Menor. Cuando atravesaban el bosque y habían sido ya salvadas, se las arrojaba al suelo. «¿La mujer era una propiedad?», preguntaba entonces el muchacho con picardía y le subía el rubor a las mejillas, porque estaba, como vulgarmente se dice, en la edad del pavo... «Ahora nadie nos oye y por eso te lo digo; arrojábamos a la mujer sobre la hierba. El bosque estaba húmedo y obscuro..., el frío se me metía hasta los huesos, por eso me duelen ahora cuando el tiempo va a cambiar...»

Pensaba en el viejo capitán de infantería Martín Cortés, que cuando joven había marchado como corneta con los soldados españoles por intransitables caminos. La sangre del padre bullía ahora en las venas del hijo. Su mano resbalaba sobre el mapa, miraba las palabras tan poco claras de la toponimia india, buscaba los caminos que conducían a las ciudades, estudiaba los pasos, senderos y cañadas en que podía ser atacado con piedras arrojadas desde arriba y que habían de evitarse. Hoy enviaba algunos de sus veinte jinetes con cien infantes y dos o tres mil soldados trascaltecas, hacia el Sur; al día siguiente los enviaba hacia el Este.

La orden corrió de prisa. Si algo iba mal, él acudiría con el grueso del ejército. Todos dirigían expediciones: Sandoval, Alvarado, Ordaz y Olid, todos menos uno, uno cuyo nombre, sin embargo, estaba siempre en sus labios: Velázquez de León... Pensaba entonces en aquella noche negra en que el cuerpo de aquel valiente había caído acuchillado en las aguas del lago... «Id y vengaos». Recordaba bien dónde habían caído dos o tres españoles, cómo la horda gritando y aullando se había precipitado sobre ellos, cómo los había arrastrado tras las murallas del templo, cómo habían robado el oro... Por cada español muerto...

La primera casa quedó convertida en carbones; las llamas corrieron por su techo vegetal y por las copas de los árboles. Los que habían huido a las montañas vieron horrorizados las lenguas rojas de las llamas. Los sacerdotes echaban maldiciones y los ídolos parecían inertes, como esperando un milagro. La gente era amontonada y en la nalga se les hacía una marca con un hierro candente que silbaba al quemar las carnes; eran ahora esclavos, no prisioneros, protegidos por las leyes del reino. Esos esclavos eran como bestias de labor y en ese concepto se les conservaba la vida; ellos, por su parte, indiferentes al parecer, entonaban sus cantos funerarios, mientras los tlascaltecas a su alrededor buscaban ávidamente su botín, como un enjambre de abejas voraces.

Los soldados arrasaban las provincias del Norte. Cuando volvían cargados de esclavos, oro y documentos en los que los notarios reales habían extendido el testimonio de nuevas sumisiones y homenajes, Cortés movía ligeramente la cabeza:

— Bien —decía. Y se quedaba con la mirada fija en la lejanía.

Cuando todo iba bien, permanecía callado, como antes hiciera el loco de Ordaz, cuando miraba fijamente y con codicia los fatales pantanos donde parecía haber dejado su alma, que hasta ahora no había regresado.

Cuando estaba solo, la pluma corría ligera en su mano. Iba todos los días al taller de los carpinteros donde se amontonaban las maderas de los árboles talados. Los serradores se colocaban a ambos lados del tronco; con un trozo de carbón señalaban los tablones; brillaba el hacha siguiendo exactamente la marca trazada y en pocas horas se amontonaban nuevas vigas. En ocasiones, algún indio pedía el hacha, la sopesaba y se disponía a manejarla. Los primeros golpes eran sin destreza alguna. Temerosos retrocedían al principio ante aquella fuerza destructora e indisciplinada; pero poco a poco fueron acostumbrándose y aquel instrumento de trabajo extraño tomó en sus manos un' simbolismo y significación singular. Al manejarla, los indios hacían adornos en la madera y entre los centenares de tablones, Martín López conocía al instante cuál había sido cortado por manos indias. Terminaba el otoño y a nadie le causaba pena que aquel año de 1520 estuviese ya próximo a ser enterrado en el pasado.

Mesa, el artillero, hablaba con Sandoval.

—Yáñez y López construyeron el armazón de los buques; seguramente esperan un milagro. Estamos en Tlaxcala y el camino más corto que desde aquí conduce al lago, pasa por Tezcuco. ¿Cómo queréis que sean arrastrados los buques hasta allí en un viaje terrestre de tantos días?

—Posiblemente, nuestro capitán general tiene algún plan. ¿Por qué me lo preguntas a mí, Mesa?

—Soy genovés, como el gran almirante. Mi padre estaba en Constantinopla cuando entró allí Mahomed. Defendió las murallas bajo la torre Galata. Y de labios de mi padre oí contar cómo el sultán hizo transportar sus ochenta galeras desde el Bósforo al Cuerno de Oro.

—¿Era un largo trecho?

—Unas dos millas, tal vez; pero la carretera era cuesta arriba, pues se elevaba hacia la montaña y luego, en rápido declive, llegaba hasta el mar. Navarchium se llama el puerto aquel y en griego Kryssokéras el Cuerno de Oro. Así me lo contó mi difunto padre. El traslado se efectuó en una noche. El sultán hizo limpiar y despejar los caminos, y los dejaron como si los genízaros hubieran pasado por allí con navajas de afeitar. Casas, animales, árboles, todo desapareció; luego vinieron los constructores del camino, que fue pavimentado con la blanca madera de álamos recién cortados. A millares fueron alineados rodillos de madera en sentido longitudinal. Luego lo engrasaron todo con aceite y sebo y así podían resbalar fácilmente los gigantescos patines que Mahomed hizo colocar bajo los buques. Así fueron arrastradas las galeras; tiraban de ellas centenares de bueyes y búfalos por medio de cadenas y cuerdas. En una noche, en una sola noche, fueron transportadas a la dársena interior de Bizancio y al amanecer, desde aquellas costas seguras y protegidas, salió el grito de *Allah-il-allah*. Así es como Mahomed transportó sus buques por tierra.

—¿Querrías aconsejar en ese asunto al señor Cortés?

—Nuestro general lee libros en los cuales se describen las batallas que libraron y ganaron héroes antiguos, de tiempos tan remotos que aún no sabían el Padrenuestro. ¿Por qué no se ha de estudiar y aprender también las cosas que hicieron los que aún viven? ¿Por qué no aprender de los infieles que ya tenían cañones con los que derribaban una torre de un solo disparo? La boca de uno de tales cañones tenía una anchura de más de un pie y se le oía disparar siete veces todos los días.

—¿Piensas, al decir eso, en la muralla de Méjico?

—El general debe emplazar cañones en los bergantines y así, desde las aguas y a gran distancia, puede derruir fácilmente las murallas de Tenochtitlán.

—Haré saber a nuestro augusto señor todo lo que me has dicho, Mesa. Tenemos bastantes hombres y no nos faltan árboles, pero, ¿de dónde sacaríamos el sebo o la grasa? No existen aquí piaras de cerdos que nos puedan proporcionar manteca suficiente.

—No obstante, tenemos aceite; por todas partes se ven bayas maduras. Cuando el hombre se ve acuciado por la necesidad, busca y encuentra...

* * *

Flor Negra dijo:

—Déjame que vaya a Tezcuco. Mi hermano, que tú has tenido en el trono de los príncipes, ha establecido una alianza con el nuevo monarca. Detrás de ellos está, con sus alas extendidas, *Águila- que-se-abate*. Conozco la dirección de los vientos y me son familiares los bosques y los senderos. Cuando te pongas en camino, es preciso que todo Tezcuco se postre ante ti.

—¿Qué deseas de mí, Flor Negra?

—Por la noche me levantaré y miraré las estrellas. Por la noche, la luna guía nuestro camino. El día se obscureció en Anahuac y en la noche eres tú el único punto luminoso, Malinche. Sé conocer los signos en los campos, en los bosques, en el plumaje de los pájaros, en los árboles. No creo en vuestro Dios. No creo que ese hombre clavado en la cruz, cuyas manos atravesadas se tienden hacia vosotros, se ocupe para nada de nosotros ni de Méjico. Pero en ti sí que creo, Malinche, y veo cómo tienes las armas en la mano y el corazón me dice que conquistarás todas esas tierras. Vuestro número irá aumentando. Hoy llegan veinte hombres blancos más sobre las aguas: mañana llegará un centenar. Hoy recibís cuatro caballos, mañana recibiréis cuarenta. Hoy llegan máquinas que nosotros no habíamos visto jamás; mañana lanzaréis vuestros buques al mar. Tú eres más fuerte, y por eso te acato y presto homenaje. Sé seguro que tú mandarás sobre todos nosotros y no aquel excelso señor que desde lejos dices que os envió aquí. Confío en ti y espero que me llevarás al palacio de mis antepasados y allí, de tus manos, recibiré la corona de plumas que mis hermanos y enemigos quitaron al terrible señor.

— El príncipe pronuncia muchas palabras, Marina, y tú sólo me repites cortas frases... ¿Por qué no me lo repites palabra por palabra?

— El príncipe está contristado porque en el palacio de Tezcuco no le saludan las flores. La tristeza tiene más lenguas que la alegría. Las palabras de Flor Negra son favorables para ti; pero su mirada hace extraña impresión, como si se hubiera transformado en un jaguar o en un ocelote.

— ¿Pero crees tú en ese cuento terrible?

— Su cara se alarga. Sus dientes brillan; su cuerpo se torna elástico y se cubre de manchas... como el cuerpo de ese animal. Camina por los bosques, se encoge, olfatea el olor de los animales y de los hombres, les salta a la garganta y les sorbe la sangre. Lo mismo que hacía en el palacio de su padre, el señor del Ayuno, donde sus consejeros contaban de él tan terribles cosas.

— Estáis todos como borrachos. Vienes tú y viene Flor Negra y todo son palabras raras que tú repites pero cuyo sentido queda obscuro, como piedra que cae en la noche. ¿Cómo puede un hombre convertirse en un jaguar? ¿Cómo puede transformarse un hombre en un dios Tlaloc con cabeza de ocelote? El príncipe está aquí ante mí; dice que quiere marchar a Tezcuco para recoger noticias e impresiones... ¿Por qué se ha de convertir en un ocelote que por las noches muerda la garganta a los hombres y a los animales? ¡Qué obscura superstición, Marina! ¿Acaso no llegaréis nunca a ser verdaderos cristianos?

— Flor Negra se convierte en un ocelote cuando Tlaloc, su antepasado, le habla. Nada más puedo decir de Flor Negra, señor, que no sea lo que ya todo el mundo sabe.

Cortés, con un gesto, la hizo callar. Todo era negro e intrincado como las ramas de liana alrededor del tronco de los ceibas, siniestro como la humedad del bosque virgen de cuyo suelo se levanta la fiebre que se enrosca como una enredadera a los cuerpos de los hombres; esa fiebre que a él mismo le tenía agarrado desde hacía tanto tiempo... Y esa gente tenía que llegar a ser príncipes o hidalgos de España para rodear el trono del emperador del Nuevo Mundo, iguales en rango a los señores flamencos y valones... Y los caciques debían hacer las mismas reverencias, y los pajes llevar las armas heráldicas, y en registros dorados deberían inscribirse sus nombres, uno con el título de vizconde, el otro con el de marqués... ¿Cómo podía conciliarse eso con las historias de Tlaloc y su cabeza de ocelote? ¿Cómo era posible decir a Don Carlos: *Caesarea Maestas*... Ved ahí las columnas de Nueva España, ante el trono de vuestra católica majestad? Entonces muy bien podía ser que se levantase Ixchtioxichtitl y dijera: «Cuando ayer caminaba yo en mi figura de jaguar...» Y *Águila-que-se-abate* interrumpía para decir: «Le cogí con mi pico...» Y Marina podría muy bien decir: «Oí que la princesa Papan, cuando estuvo al otro lado del valle de los bienaventurados, vio con sus propios ojos...» Llegarían sacerdotes con sus túnicas negras, cuyos dibujos negros y rojos tendrían especial significado, pues recordarían los corazones arrancados... pondrían, con botones de oro, el círculo de los tiempos sobre la diadema de plumas... ¿Era posible que él trajera aquí a Don Carlos a ese mundo de espectros escalofriantes?

Bien estaba para los soldados. Bebían pulque; abrazaban a las muchachas indias. Devoraban como corresponde a soldados. Bien estaba para Alvarado que salía hasta el bosque buscando su última conquista, una amante de piel rojiza... También le iba bien a Sandoval que estaba cogiendo bayas para extraerles el aceite para lubrificar los rodillos según el plan de Mesa para trasladar los buques. Bien estaba para Olid que, como antiguo galeote, nunca hubiera podido soñar para él tan venturoso estado. Y Ordaz con sus ojos negros enfebrecidos... ése necesitaba siempre nuevas tierras, nuevas visiones y cuando abría la boca, ya sabía Cortés que era para decir: «Dadme permiso, señor, para...»

¿Pero acaso no tenían razón todos ellos? Esos no buscaban sino las eternas leyes de la vida. Todo lo demás, todo lo que sucedía allá en España era sólo un reflejo pálido de un rayo de luna. Tal vez era más juicioso escribir a Don Carlos para informarle que había vencido a los hombres, a los ejércitos, a los jefes y monarcas y que había conquistado las ciudades y las provincias... pero que los dioses ofrecían aún resistencia y que los creyentes, por la noche, perturbados por el aliento de los ídolos, conjuraban al dios de cabeza de ocelote que saltaba sobre la puerta de la ciudad, y no era posible sofocar y hacer callar sus carcajadas...

3

Era el mes de agosto, pero aquel cincuentón se estremecía ya de frío. El fámulo atizó el fuego de la chimenea y miró cómo las llamas lamían los leños amontonados. El cincuentón juntó bien los lados de su capa sobre el pecho y se encasquetó hasta las orejas su gorro de sabio que tenía reminiscencias bíblicas. En Bruselas, el otoño se inicia ya en agosto — pensó — y detrás de sus párpados cansados y a medio cerrar se iluminó la dulce visión de las llanuras toscanas, bañadas en dorada luz. Pasó su mano sobre la mejilla como buscando en ella las arrugas dejadas por los lustros. Y habló en voz alta, en flamenco, a pesar de que sólo así solía hacerlo cuando se dirigía a campesinos o gente sencilla...

— Apenas me quedan dos o quizás tres años de vida...

Quedóse mirando el fuego, paseó luego su vista por la habitación iluminada por suave claridad que llegaba de la gótica ventana. Sobre una mesita, frente a su sillón habitual, se veían hojas blancas o de color, restos de colores y carboncillo. El fámulo recogió los trozos de los apuntes y esbozos rasgados.

La gran campana de la catedral anunció con su toque el mediodía. Entonces Erasmo pensó que cuando era niño aún había gente que podía acordarse de la memorable victoria contra los turcos, en cuyo recuerdo el Padre Santo había instituido aquellas campanadas del mediodía.

Sujetaba Erasmo su cansado y achacoso cuerpo a una regla inflexible, a un método de hierro, aun cuando tenía como preciado huésped al príncipe de todos los pintores y grabadores en cobre, al maestro Durero, a quien no consentía nunca una dilación o un retraso.

Cuando llegó, le miró con envidia. También Durero se inclinaba bajo el peso de sus cincuenta años, que ambos habían cumplido no hacía mucho tiempo. Su cabello y su barba estaban pródigamente entremezclados con hilos de plata. Sin embargo, estaba más ágil y más robusto que Erasmo. Su estómago se conservaba en buen estado. Podía beber cerveza a sus anchas y trasladarse, sin pensarlo demasiado, a Nuremberg para visitar a sus mecenas o para ver en Flandes al emperador Don Carlos.

Ambos sostenían largas conversaciones en un italiano mezclado y que se había hecho familiar a los dos. El uno lo salpicaba de expresiones latinas y flamencas, y el otro lo entremezclaba con alemán.

El anfiitrión contemplaba a su huésped, aquel gran hombre con su amplio espíritu tan sensible que se acomodaba a las formas de las cosas y que en las imágenes buscaba siempre encontrar la idea... Llevaba Durero un casacón español de terciopelo, de color negro, que le había regalado hacía unos días Erasmo. Cuando se quitó el gorro — pues sólo con la cabeza descubierta podía trabajar — comenzó a hablar y su voz resonó en la estancia dominando con sus tonos de bajo el chisporroteo de los leños del hogar. Erasmo le escuchaba y aquella mezcolanza de sonidos le parecía la voz de la sabiduría y del bienestar.

— Maestro. Os habéis preparado, según veo, para mi llegada. Y de nuevo he llegado retrasado. Pero me retuvieron maravillosas manifestaciones del espíritu humano de los más remotos países y por eso me fue imposible cumplir el horario meticuloso que divide mis horas de trabajo.

— Maestro Alberto. ¿Os referís a esas obras de arte que los espíritus débiles prefieren ver esculpidas en piedras, talladas en madera, grabadas en cobre, o pintadas en lienzo? Nuestros pensamientos se apagan como chispas y nuestro recuerdo no podrá pasar jamás del estrecho círculo de los escribas. ¿Puedo ahora preguntaros qué es lo que os hizo perder el tino hasta el punto de haceros apartar del habitual orden con que distribuís el tiempo?

— Un consiliario de nuestra gobernadora Margarita me abrió las puertas del país del oro...

— ¿Habéis visto, pues, señor Durero, los tesoros que envía al joven rey el capitán, gobernador de ciertas provincias de Occidente?

— Es un nuevo mundo que tratan de dibujar sobre sus mapas los sabios. En lengua española se le llama Nueva España; pero los naturales del país llámanle Méjico.

— Siempre evité a los soldados. A menudo, mi desventura me ha hecho coincidir en las posadas del camino con esos capitanes fanfarrones y bravucones. No puedo creer que hombres que son llamados por los españoles «conquistadores» en buen derecho, sean capaces de realizar tamañas proezas al servicio de la humanidad.

— Ese capitán parece ser de distinta condición que los de su clase. Cuenta el consiliario, que ha dirigido a la *Caesarea Maestas* una epístola larga y enjundiosa. También, la elección de los tesoros, que ahora se conservan en la Casa del Consejo de Bruselas por disposición de su majestad, revelan el hombre entendido.

— ¿Cómo se llama el hombre de quien se cuentan tales cosas, maestro Durero? El mundo es grande, desde que se demostró que es una esfera girando alrededor del sol.

— Su nombre latinizado es *Cortesius*. Es de origen español y alguien asegura que estudió en la Universidad de Salamanca.

— Ésos son los peores, amigo Alberto. El verdadero soldado se bate, atiborra de plomo su mosquete, besa a las mujeres que pasan a su alcance. Y si muerde la tierra, la justicia humana le honra. ¿Pero quién ha oído hablar de un soldado que moje la punta de la lanza en tinta y ensucie con sus escritos los muros de las ciudades destruidas y reducidas a cenizas? Era yo de la opinión, que sólo en nuestra gloriosa parte del mundo se encontraban caballeros de esos que prenden sus versos de las puntas de sus flechas y se dedican ripios los unos a los otros. Creía que la corona de Castilla sólo enviaba a las Indias espíritus negros y turbulentos, tal vez para no destruir la ejemplar armonía que la Inquisición inauguró con la ayuda de cinco millones de monjes. ¿Qué otros milagros llegan de aquel lejano mundo, maestro Alberto?

— Maestro Erasmo; tampoco yo tengo gran concepto de los hombres cuando dirijo mi atención a sus virtudes; solamente que yo llevo en mí la devoción hacia todas las criaturas de Dios. Por eso, ese desconocido Cortés parece valer más que los otros soldados, pues no hizo fundir el oro, como hacen nuestras testas coronadas, sino que lo hizo recoger y lo envió en su forma original, que es digna de verse.

— ¿Es oro todo lo que reluce, en contraposición a lo que dice el refrán?

— No todo es oro. Sin embargo, es una flaqueza humana que atrae como un imán a los hombres codiciosos. El primer objeto con que mis ojos se encontraron es un disco de oro de un pie de ancho; sobre él, de manera maestra, están repujados los círculos de un lejano zodíaco. Así lo explica el secretario que entiende ya esa clase de dibujos. Dicho con franqueza, como el apóstol Tomás, también yo me incliné para tocar con mi dedo aquella obra maestra y pasar mi mano por su borde y así poderme convencer que aquello no era una engañosa alucinación que me proporcionaban los demonios.

— ¿Se quiso colegir acaso que tales ingenuas figuras de pueblos salvajes, han salido de los poderes ocultos demoníacos?

— Vos sabéis resumir y conservar el pensamiento creador de las obras espirituales de los gloriosos tiempos pasados. Mi vida se dirige más a lo material y me esfuerzo por encontrar las eternas reglas de la belleza en las obras artísticas de todas las épocas. Largo tiempo contemplé las figuras de aquel mundo remoto y lo que más cautivó mi alma fueron las representaciones de figuras humanas. El dibujo... vos sois testigo con qué esfuerzos trato de aproximarme a lo que está atado por el pasado... Esos dibujos, empero, que para simplificar, llamaré de los habitantes del país del oro, resuelven un mismo movimiento en mil formas y, si quisiéramos ordenar y reunir esas representaciones como en un juego de niños y hacerlas pasar rápidamente, serían semejantes a las figuras en movimiento. Las observé con atención. No presentaban traza alguna de ser esbozos. Nadie dibujó antes, ni la forma ni la composición. Ésta escapa a mi inteligencia y yo barrunto, como también dijo el secretario, que en tales dibujos se encuentren partes integrantes o escenas de sus ceremonias religiosas... Cuando pienso que nosotros podemos manejar los colores gloriosamente desde hace dos o tres siglos, desde que en Italia se comenzaron a copiar capiteles y sarcófagos,... Y los indios, esos habitantes de mundo tan lejano, crean maravillosas obras de arte sin tener el apoyo de la razón que a nosotros nos ilumina y facilita la labor; y que ellos lo hacen sobre una sencilla piel curtida...

—Por ventura, ¿tendrá eso influencia en vuestra tarea de hoy, que yo soporto con espíritu paciente, pero con el cuerpo ya cansado por tantas sesiones de posar?

—Con perdón, maestro..., mi limitada inteligencia se esfuerza por captar vuestra sabiduría para que algunas gotas de ella refresquen mi espíritu. Yo trato de fijar, de plasmar, esos pensamientos que iluminan vuestro rostro... pero a menudo he de dejar a un lado el pincel. Pienso que nosotros somos tan sólo partes insignificantes de lo infinito. Cuando en Italia, siendo casi un niño, me aproximé a los umbrales de los grandes, ¿quién sabía entonces que desde el principio de los tiempos existía oculto un mundo entero? ¿Quién sabía que al otro lado del mundo viven antípodas? No pienso en vos, pues quizás estabais vos, gracias a vuestro Platón, familiarizado con tales pensamientos... Pero nosotros, los que estábamos ocupados en nuestras luchas y andábamos a la greña cuando se hablaba de la eterna armonía del cuerpo humano... Entretanto, los monarcas de aquellos mundos cincelaban sobre oro el curso de las estrellas en el firmamento y tal vez sus mecenas ayudaban dadivosamente, tal vez más generosamente que nuestros señores, a sus adeptos que manejaban el pincel y los colores. Y de todo eso nosotros no teníamos ni una presunción. El océano, como una cortina, tenía todo eso oculto a nuestros ojos y así hubiera seguido si aquella cabeza loca del genovés Colón no hubiera abierto con sus naves el camino hacia las Indias occidentales.

—Pero, ¿qué hizo vuestro *Cortesius*, a quien tanto consideráis?

—El nombre se borra... Debo dar forma a mi pensamiento. No veré a ese hombre cara a cara; tampoco conozco nadie que le haya visto: pero vi sus escritos, su carácter de letra, con la que dedica a nuestro señor Don Carlos el libro considerado como Códice indio. Contemplé aquella letra. Apenas entiendo el idioma de Castilla, así que lo que llamó mi atención no fue su sentido sino los rasgos, la soltura con que escribe su mano de verdadero guerrero. No me atrevo a compararlo con el carácter de letra maravilloso del doctor Martín Lutero; pero sí he de decir que, estudiándolo con detalle, existe entre ambas escrituras una extraña semejanza... Tal vez vos no sentís tal emoción; pero cuando yo me inclino sobre un escrito, a los pocos renglones se me aparece en aquellos rasgos la personalidad de quien escribió. La tinta de ese *Cortesius* era pálida, violeta sucio, no era verdadera tinta, sino algún extracto o zumo. Su pluma era también más cruda, más rasposa que las que nosotros aquí empleamos. Vi las cuatro líneas de la dedicatoria. Sabéis que sobre mis espaldas llevo ya el fardo de medio siglo de vida en este valle de lágrimas; pues bien: aun me dan veleidades de tomar el camino de Amberes y, en llegando a su puerto, preguntar a los navegantes qué velero se dispone a partir para las lejanas costas de aquellas Indias. Pero de pronto me siento infinitamente pequeño y os envidio, maestro, porque vuestro espíritu recorre los dos hemisferios en un segundo y no anhela como a mí me obliga mi pequeñez, el contemplar con los ojos todo lo destinado a inmortalizarse.

Aplicó su carboncillo sobre el papel donde se destacaba la obscura, cansada y vieja figura del luchador contra las miserias humanas, Erasmo, *Erasmus Rotterdamus*, con sus párpados caídos, su boca ancha e irónica y su fuerte nariz de flamenco. El filósofo callaba. Miró aquella imagen, en cuyo espejo los tiempos futuros tratarían de adivinar los pensamientos no pronunciados de una larga existencia. Después abrió sus ojos fríos y grises, y dijo:

— Amigo Alberto. Cuando no me moleste el calambre y cese el vientecillo otoñal, también yo quisiera ir con vos a contemplar esos admirados objetos de las Indias. Quisiera que su contemplación alegrara mi espíritu cansado y pudiera olvidar las amargas palabras *nihil admirari* con que los filósofos nos hacen viejos antes de tiempo.

En la calle se oyó un rumor. Pasaban jinetes por la gran plaza. Los chicos chillaban agitando las gorras y sus gritos alegres subían hasta la ventana gótica:

— ¡El emperador Carlos está aquí!

Erasmo se levantó de su asiento y se asomó a la ventana. Dejando tras de sí su lujoso séquito, subía las escaleras el joven emperador, mozo de veinte años. Los ensueños le empujaban, desde su reino sobrio y cargado de fantasías, hacia las Indias fabulosas.

Alberto Durero terminó su tarea. Guardó sus compases, pizarrines y pinceles. Sacó su gran libro con cierre, donde, desde su juventud, estaba acostumbrado a escribir su diario. Primero lo hojeó. Aquí hablaba de Bruselas, de Margarita, del piadoso canciller Aegidius. Allá, acerca de una figura de San Jerónimo y de ciertos ducados que había dejado a deber el 19 de agosto a su patrón... Ahora su actual patrón, Maese Conrado, tenía el corazón más blando y se contentaba con un retrato. Mojó la pluma en el tintero y comenzó a escribir:

«... me ha sido dado el ver cosas que no ha mucho trajeron al rey desde el país del oro. Un sol de oro de un pie de anchura y una luna de plata de iguales dimensiones, dos habitaciones llenas de cosas de aquellos hombres; armas maravillosas, corazas, arcos... Igualmente inaudito es el esplendor de los vestidos y ropas, mantas y todos los objetos difíciles de describir que sirven para distintos usos y que no podría resumir. Tiene todo ello tan elevado valor que se calcula en más de cien mil ducados. No creo que en toda mi vida haya podido ver nada tan hermoso y que haya alegrado tanto mi corazón y mi espíritu. En esos objetos, elaborados con maravilloso arte, sentí la emoción de la destreza y capacidad nunca imaginada de los hombres de aquel mundo alejado. Nunca podré lograr expresar con palabras lo que experimenté en mi corazón al contemplar tales obras maestras.»

Miró por la ventana. La criada, que había hecho la cama al maestro, dijo en flamenco: «¡Eclipse de luna!»

4

Marina vigilaba la cesta de cuero donde dormía el niño. Las mujeres a su alrededor estaban sentadas en anchos y bajos taburetes. De todas ellas, la princesa, cuyo nuevo nombre de Elvira era aquí desacostumbrado todavía, llevaba el tocado alto, como prescribían las costumbres de Anahuac. Estaban sentadas allí, envueltas en las sombras del crepúsculo; afuera se oían las voces excitadas de los soldados españoles que discutían, maldecían, cantaban y bebían.

Una criada arrojó copal en el braserillo y el aroma resinoso y suave formó como un velo.

«... cuando el mercader me conducía,... caminábamos noches enteras, íbamos y veníamos siempre hacia oriente de Painala, donde mi padre Puerta Florida era jefe. Pasamos ríos y montañas; a veces veía el mar a lo lejos; ahora ya sé que pasamos por Campeche. Dejamos atrás Tabasco y así llegamos al territorio de Itza, donde se habla una lengua extraña y nadie comprende la nuestra. El mercader ofrecía sus mercancías. Yo estaba siempre esperando que llegase el mensajero de mi padre y dijese: «Ven conmigo, Malinalli; eres libre». Pero nadie vino y fui vendida a un jefe que pagó por mí y me dio algunos afeites y cosméticos para que arreglase mi rostro según la costumbre de aquel país y me enseñó las palabras que debía yo pronunciar al postrarme ante sus poderosos dioses.

— ¿Cuál era su dios principal?

· — En su lenguaje le llamaban Ku-kul-Kan; pero tal nombre significa dios de la lluvia y dios de las tormentas. Vivía el mercader en los lindes de la ciudad, donde se veía un lago, en medio de altos y poderosos peñascos. Nadie conocía la profundidad de aquellas aguas, que eran negras como medianoche, pero puras como el rocío. Quien cayera por aquellas peñas se destrozaba. Las orillas eran lisas e inaccesibles; sólo en un lugar había unas escaleras que bajaban hasta el agua. En la plataforma inferior se alzaba el templo del dios y allí eran conducidas al sacrificio las doncellas que se le destinaban como esposas, cuando llegaban las lluvias de primavera.

— ¿Arrojaban sus corazones al lago?

— Ofrecían sus sacrificios de otra manera: Elegían a la más hermosa y encantadora de las muchachas, la hija de algún jefe, cuyo cuerpo fuera perfecto y hubiera visto florecer por vez primera la roja flor de la vida. Al borde de la plataforma de piedra estaban sentados dos sacerdotes con tambores y en el techo de la construcción había un agujero, para que por él pudieran entrar los perpendiculares rayos del sol. Una después de otra se sentaban en su asiento las muchachas, y los músicos esperaban la señal. Esperaban a que el rayo de sol iluminara con su dorada luz el rostro de una muchacha. Una muchacha seguía a la otra y los tambores resonaban en señales secretas. Ninguna de esas doncellas sabía sin embargo durante diez días y diez noches cuál había sido elegida para novia de Ku-kul-Kan, ni cuál había de unirse a esa deidad el día de la gran fiesta. Así esperaban las muchachas,... en el día de la fiesta, detrás de sus templos que eran tan grandes como los de Cholula, Chi-Chen-Itza se llamaba aquel templo; cada una de sus piedras está labrada; parece una serpiente enroscada alrededor de la mano de alguien y luego resulta que está hecha de madera flexible o de resina. Todas las vestiduras sacerdotales y las de las mujeres van adornadas con campanitas de oro. Siempre cantan; sólo la pena les hace enmudecer; y en tal caso dicen que han muerto porque han perdido la voz; y entonces se las arroja al lago misterioso donde ya no se pueden salvar... Esperaron así hasta once días, en que la fiesta comenzó. Chi-Chen-Itza se llenó de vida. Los reyes no construían palacios en tal día y los dioses no querían que en esta fiesta sus casas crecieran... pues en tal ciudad el trabajo de construcción era incesante. Centenares de hombres y a veces diez veces ciento transportaban cestas llenas de tierra que pasaban de mano en mano hasta que cada piedra y cada cesta de tierra llegaba al jefe que dirigía las construcciones. A su derecha estaban los hombres con martillos de piedra y a su izquierda los que manejaban martillos de madera. Él, entonces, indicaba dónde había de ser colocada cada piedra... Cuando ya estaban colocadas en su lugar, venían los bruñidores y mezclaban tierra blanca con la resina de la planta llamada chichibe y con eso frotaban la piedra por medio de cepillos de pluma, hasta que brillaba la superficie como si fuera de plata; no quedaba en ella ni una grieta o desigualdad. Después, el arquitecto o jefe de obras llamaba a los escultores y éstos tomaban sus instrumentos de *ichtzli* o de cobre y trazaban primeramente líneas negras sobre la brillante superficie. Quien estuviera allí podía contemplar cómo de aquella piedra surgían figuras de dioses y de héroes... Al amanecer aún no se veía nada; pero al mediodía veíanse ya a los dioses persiguiendo la caza; dardos en el aire; pájaros con serpientes enroscadas por el cuello. Todo eran dioses y parecía como si todo aquello hubiese sucedido, pues no era una cosa antigua que hubiesen hecho nuestros antepasados, sino que uno mismo la había visto surgir ante sus ojos. Así lo querían los reyes y los ancianos... Al siguiente día, empezaban de nuevo; venían con nuevos cepillos y pinceles y lo negro se convertía en rojo y azul, y se veía de pronto la cola resplandeciente del quetzal y el cuerpo amarillo de las orquídeas y aparecía la cabeza del terrible Ku-kul-Kan...

—¿Qué fue de la princesa?

—Perdona, señora y madre, que mis palabras se desvíen. ¡Hacía tanto tiempo que no había evocado esos recuerdos! Eran esos tiempos en que yo lloraba mi condición de esclava, esperando el día en que también me vería arrastrada al altar del dios extranjero y me sería arrancado el corazón de dentro del pecho.

»Era una gran fiesta la Fiesta de Ku-kul-Kan; yo sabía que en ella no podían figurar más que princesas que se unían a la deidad en el fondo de las negras aguas. La más hermosa de todas ellas era Ix-Lol-Nicte, cuyo nombre en nuestro idioma significa *Flor-cuyo-*

aroma-es-extremadamente-dulce, pues había venido al mundo en una mañana en que florecía la nieve y todo estaba cubierto de copos blancos, de tal manera que su madre al mirar por la ventana, sonrió, porque vio que todo estaba blanco. Fue educada de manera que nunca la pudiera ver ojo de hombre y sí solamente los ojos del dios. Estaba sentada en el jardín, esperando siempre a que su dios la llamara, cuando en su cuerpo hubiera florecido la roja flor de la vida y pudiese ya desposarse con Ku-kul-Kan.

»Todo lo que refiero lo he oído contar, pues de ello hablaban los criados que lo habían oído al amo, quien por su condición tenía acceso al palacio del rey. Así había crecido *Flor-cuyo-aroma-es-ex-tremadamente-dulce*, cuya voz no había sido nunca oída por oído de hombre, según se creía. Nadie sabía que un joven cazador había una vez cazado por las cercanías del jardín real y sin preocuparse de la prohibición, saltó por encima del seto y persiguiendo a la caza se había internado cada vez más profundamente hasta que llegó a un claro donde ningún ojo de varón podía nunca mirar. Entonces Ix-Lol levantó la vista y miró el rostro del joven. Según las leyes de la costumbre, una muchacha debía bajar los ojos e inclinar la cabeza cuando hablara a un hombre. A esa joven la habían, sin embargo, educado para los dioses solamente y nadie había cuidado de explicarle o enseñarle las costumbres de la ciudad; y como ella nunca había visto a ningún hombre, rió mirando al cazador y le dijo:

»—¿Por qué cazas a un pobre jabato, habiendo en el bosque chacales que aúllan y pumas que acechan en la noche? A esos debe atacar un hombre y verdadero cazador, y no a indefensos cochinillos...

»Se miraron como mi señor me pide siempre que le mire a él. Se amaron; y la princesa no quería morir ni desposarse con el dios Ku-kul-Kan; pero no lo dijo a nadie y esperaba que el sol no iluminaría de oro su rostro, sino que señalaría el rostro de una de sus compañeras, que no hubiese sentido el hálito del amor terrenal. Pero el joven cazador tenía ya una amada cuando le aconteció el milagro y ésta vio cómo su amante se volvía más frío con ella y cómo se consumía de inquietud al aproximarse la fiesta en la que se conducía a las elegidas al templo del lago sagrado. Esta primera amante se llamaba Ek, porque era morena de cara, tenía por padre a un poderoso jefe, amigo del gran sacerdote, habló con los sacerdotes de los tambores y les hizo regalos para que vieran la marca del sol sobre las mejillas de *Flor-cuyo-aroma-es-extremadamente-dulce*, y Ku-kul-Kan deseara esa doncella como esposa. Y así llegó el día del misterioso toque del tambor, en la fiesta en que se unía la gran serpiente con el dios de la lluvia y el alma de la serpiente vivía por un solo día en el cuerpo de una doncella pura. La vida de la ciudad estaba paralizada, pues todos hablaban de lo que el tambor diría y de quién iba a ser la novia elegida del dios.

»Los sacerdotes llegaron con sus lujosos ornamentos; de sus vestiduras colgaban campanillas de oro; en grandes bandejas, también de oro, llevaban los alimentos que debían ser ofrecidos al dios Kukul-Kan, que vivía bajo las aguas del lago. Aquel día los sacerdotes anunciaron que la elegida era *Flor-cuyo-aroma-es-extremadamente-dulce*. El baldaquín real osciló y uno de los pajes cayó al suelo sin sentido. Gritaron las mujeres y muchas lloraban, porque conocían a *Flor-cuyo-aroma-es-extremadamente-dulce*. Habían visto su sonrisa alegre. La muchacha ahora aún no comprendía por qué la habían elegido como esposa de ese dios que vivía en las obscuras aguas del lago.

»Agarraron a la muchacha... aún parece que lo estoy viendo... Llevaba sandalias bordadas por sus esclavas, y cubría su cuerpo con una túnica blanca como la nieve con adornos de oro. Sus mejillas estaban sin pintar dejando ver su palidez mortal; sus pechos se dejaron ver por la túnica entreabierta y sobre ellos había la mancha de dos fresas de carne. Ek había sobornado a los servidores del templo para que éstos al arrojarla a las aguas no lo hicieran con demasiado impulso a fin de que así pudiera caer directamente en el agua y allí nadar y tal vez ser salvada por alguien que espiara detrás de las rocas. La arrojaron procurando que su cuerpo chocara con las aristas y ángulos de las peñas. Y así se vio su cuerpecito ensangrentado y destrozado que cayó al agua lanzando alaridos...

»Entonces se encolerizó Ku-kul-Kan y lanzó sus rayos, porque la novia que le habían destinado este año no era ciertamente inmaculada y pura... Surgieron rayos y palpitaron los truenos. Y huyeron todos.»

La conversación cesó, pues en el umbral de la puerta apareció Cortés. Todas se levantaron; sólo doña Elvira permaneció sentada porque ella era princesa y según las leyes de Anahuac no debía levantarse. Cortés buscó a Marina con la vista, y en español, le dijo:

—Prepárate. Flor Negra ha llegado de Tezcuco trayendo noticias. Arregla tus cosas. Mañana al amanecer, el ejército se pone en marcha... hacia Tenochtitlán. Después de la cena, ven a mi habitación; allí estarán los jefes de Tezcuco que han venido con Flor Negra. Durante toda la noche tendrás que hacer de intérprete; y al amanecer partiremos.

Con una cortesía, saludó y volvió a salir, desapareciendo tras de la cortina que cubría la puerta del pasadizo entre el muro exterior y el interior. Las mujeres quedaron solas. La hija de Moctezuma siguió a Cortés con la vista.

—Mucho honor te hace tu señor, Malinalli.

—Soy su criada.

—¿Has pensado alguna vez, Malinalli, que al servir a tu señor, traicionas a tus hermanos? ¿No dijiste que el esclavo sólo pertenece en cuerpo a su amo, pues el espíritu no puede ser atado con cadenas, como no pueden ser atadas las manos? ¿Qué sucedería, Malinalli, si en vez de tener en tu boca una lengua de serpiente inofensiva, tuvieses la de una cobra venenosa?

—Para ello sería preciso que volviera a nacer, señora. Soy hija de un jefe y sirvo a mi señor, no por oro, como muchos de sus soldados, ni le sirvo tampoco por la ciudad de Tezcuco, como lo hace Flor Negra; ni tampoco para evitar los latigazos y salvarme de la piedra de los sacrificios. No quiero palacios; no quiero piedras preciosas, ni quiero ser señora de ciudades o provincias. Sirvo a mi señor porque fue bondadoso, porque su sangre hizo dar frutos a mi seno; porque es el padre de mi hijo que se llama Martín, como su abuelo.

—¿Qué vas a hacer, Malinalli, cuando llegue en una casa de agua la mujer blanca y entonces tu amo no te conozca más y te regale a uno de sus guerreros?

—Esclavo es aquel cuyo cuerpo lleva la marca del hierro candente. El señor puede regalar a una esclava que fue infiel o no cumplía sus deberes. Pero Malinalli no es ninguna esclava y antes moriría que reconocer a otro hombre como amo y señor.

—¿Te prometió alguna vez llevarte a su casa, donde vive todavía su padre y de donde un día salió la serpiente alada? ¿Te prometió mostrarte aquellas tierras de allende el mar donde nacieron los rostros pálidos?

—Me citaba en una carta a su excelso monarca, a quien él habla cuando moja la pluma en jugo negro y con ella traza un complicado caminito sobre las blancas hojas. Una vez me dijo: «Mira aquí, aprendí a hacerlo. Mira: empieza así, como con un monte con dos cúspides y una hondonada en medio... Pero eso no es un dibujo, sino un trazo, de forma parecida a los que adornan el templo del Jaguar en Chi-chen-Itza... Aquella misma noche, me prometió que me señalaría un dibujo representativo de mi nombre. Esa clase de dibujos los tienen solamente contados personajes. Los que tienen uno de esos dibujos propios, lo llevan grabado en un anillo y lo aprietan a veces sobre cera o resina junto a su nombre escrito... Son imágenes de animales extraños que nosotras no hemos visto nunca; animales con cuernos y alas a un tiempo y que llevan una espada en las garras. Me contó mi señor que pasan de los padres a los hijos y que los pintan sobre sus escudos cuando van a la guerra. Pero solamente su señor puede conceder tales dibujos. Hasta ahora, mi nombre sólo puede ser representado por esas líneas complicadas que dicen: Marina. La noche en que él me explicó todo eso era muy hermosa; los dos, él y yo, estábamos solos. Era el día que transcurría la tercera luna de la vida de mi hijo.

—Oye. ¿También se aproxima él a la mujer, poniendo su boca con la de ella..., de esa manera que nosotros nunca habíamos visto en Anahuac?

—Señora y madre..., yo apago la luz siempre. Sólo veo sus ojos que tienen reflejos azules como el mar a lo largo de cuyas costas se me llevó un día. Cuando abre sus vestidos, su cuerpo parece brillar en la obscuridad; y cuando nos abrazamos,.. es como si la piedra inerte se llenase de vida, se despertase. Eso es lo que debe de sentir el bloque de piedra cuando el picapedrero la trabaja para convertirla en una figura del dios, llena de vida,..

En el patio oyóse el toque que indicaba la hora de cenar. El velo de humo sobre el braserillo se llenó de reflejos. Marina tomó el capazo de cuero que servía de cuna.

La princesa seguía inmóvil y completamente sola; los reflejos del fuego de copal eran la única luz. Estaba con la dorada diadema sobre la cabeza, con su túnica bordada, sentada en un ancho y sólido sillón hecho por los ebanistas tlascaltecas, de una sola pieza de madera, pesada como si fuera de hierro y oro. Entonces no se había despertado todavía el odio entre Tlascala y Méjico; entonces los rostros pálidos no habían quemado aún a reyes, ni reducido palacios a cenizas, ni habían puesto alrededor de las muñecas del gran señor aquellas ligaduras de un metal negro y desconocido en aquellas tierras. Entonces, cuando este sillón fue construido, Anahuac tenía una sola alma y hubiesen venido todos los pueblos y reyes a la gran pirámide de Cholula para la fiesta de su raza en la que los sacerdotes y reyes hubieran traído a Malinche, le hubiesen arrancado los vestidos hasta desnudarle su blanco pecho. El cuchillo de *ichtzli*, con su puño de oro representando serpientes entrelazadas hubiera brillado en lo alto...

Dos brazos se posaron sobre ella. Cuando él estuvo ya muy cerca, reconoció ella sus azules ojos, con reflejos de mar, de los que Malinalli acababa de hablar. Sintió aquel olor o aroma extraño como de azucena abierta en la noche. Su rostro se aproximó; sólo distinguió el arco de su nariz y una pequeña porción de su frente por encima de sus ojos, pues alrededor de su rostro crecía enmarañada la barba... Sólo la boca era una mancha roja y viva en la cara pálida. Sus dos manos estaban ahora desnudas y blancas cuando la cogieron. ¡Cómo había inconscientemente anhelado este momento!... ¡hija del rey! Hija del gran señor... ¿Tenía aún derecho a llevar sobre su cabeza la diadema dorada? El ancho sillón, ese sillón que había sido construido cuando todavía... ahora era demasiado estrecho... Sus pensamientos eran como un hilo enredado... Era un extraño desfallecimiento que la embargaba. No podía respirar apenas; se sofocaba. Estaba temblorosa; el corazón no la dejaba respirar. Miró el braserillo con el copal; su humo, su humo fugaz y aromático, era todo, todo lo que le quedaba de los dioses de su padre y de su niñez. Ya él la abrazaba; una de sus manos tomó su diadema y la quitó de su cabeza... Ningún hombre de Tenochtitlán se hubiera atrevido a hacer tal cosa. Él le abrió la túnica por la garganta. Tampoco hubiera osado hacer eso nadie de Anahuac... Sus manos la acariciaban, la acariciaban como Malinalli había explicado. Sí; era como la piedra que a golpes del picapedrero se llena de vida y forma un dios, ¿un dios o una esclava?

¡Una esclava! Esa palabra le pareció como un mordisco; pero un mordisco de cobra. Se levantó. Era casi tan alta como Cortés y tan grande como él. No era hija de esclava; era hija de jefe, no era una esposa cualquiera...

Hubo unas palabras apagadas y entrecortadas. ¿Qué otra cosa podía decir más que algunas palabras mal chapurreadas, oídas tal vez a algún soldado y no muy apropiadas tal vez para los labios de una princesa y algunas pocas palabras que Malinche había ya aprendido? Se miraron. Esperaba ella que Cortés bajara la cabeza, reconociendo a la hija del gran señor. Hasta los esposos de sus hermanas, que su padre había elegido, se aproximaban al lecho de las princesas con la vista baja. Pero ahora los dos se miraban a los ojos. Él la tenía abrazada y sus brazos pasaban por debajo de su túnica. Y se contemplaban sin decir palabra.

Cortés buscaba en el rostro de la princesa los maravillosos y tristes rasgos de Tecuichpo. La besó. Y así siguieron hasta que sonó un toque en el patio. Llegaban a su cuartel los caciques de Tezcuco. El traidor Flor Negra le ponía ante sus pies el reino de Tenochtitlán.

Él la soltó. Pensaba ahora que al día siguiente se ponía en marcha el ejército. Había que vestirse ya con la armadura; en su puño forrado de hierro debía blandir de nuevo la espada. El olor de sangre y de cuero iba a apagar el dulce aroma que despedían los cabellos de la princesa. En los labios de Cortés se agolpaban de nuevo palabras castrenses. ¿Volvería a encenderse entre los dos el fuego que había ardido ahora? Después de un último beso, él se inclinó profundamente ante ella a la manera india, como correspondía hacer ante mujeres de su rango. Pensó él en la noche que le esperaba. Su cama quedaría intacta; pues la pluma debía correr incansable sobre las hojas blancas y llenarlas de palabras indias...

5

El campamento se dividió en dos partes. La primera partió con el capitán general; la segunda, acompañó al señor Sandoval. En toda la región de Tlascala bullía la vida. A todo alrededor veíanse jefes de tribus lejanas, aliados de otras regiones, embriagados ya por el botín de los rostros pálidos. Todos los que se habían inclinado ante Moctezuma, habían vuelto ya a levantar la cabeza. Algunos habían visto a los rebeldes de Tezcuco, cuando por la noche buscaban el cuartel general en que estaba Flor Negra. Se hablaba de la negra y terrible desgracia que amenazaba a todo Anahuac como si fuera una mordedura de escorpión. Según rumores, la epidemia respetaba a los *teules,* si bien uno de ellos, un diablo negro a quien le habían marcado sus amos con un hierro candente, tenía ya la cara llena de cicatrices de viruela. Todo el valle estaba invadido, mendigos y caciques por igual. Los jefes enterraban a sus hijos y ofrecían en vano sacrificios a los dioses. La epidemia que resistía a todos los baños tibios y a todos los remedios, roía y destruía sus cuerpos.

El heredero del trono del gran señor se retorcía atormentado en su palacio y no encontraba paliativos a sus dolores. La gente aproximaba las cabezas, esperando ver las señales de humo en el valle. Esperaban oír los tambores o ver hogueras en la noche; esperaban con impaciencia, mirando fijamente la tierra. Cerca de la noche todo el campamento indio se puso de pronto en movimiento. Se oyeron primero los blandos ritmos de un tambor; sonaron los oboes en sus tonos bajos. Los timbaleros golpearon los parches y las caracolas dejaron oír sus llamadas; se mezclaban las llamadas de los de Cempoal con las de otomis, totonecas y tlascaltecas... Los españoles oían ese estruendo perplejos. Ninguno de ellos conocía el motivo. Cortés dirigió una mirada intranquila a los cañones.

— ¿Qué pasa aquí, Marina?

Marina bajó las escaleras del palacio con su paso rápido de ga-

cela y desapareció entre la multitud... Cortés sintió haber dejado ir
a la muchacha a que se metiera entre aquellos indios salvajes.

Volvió un poco descompuesta, jadeante por el correr y con la
mano extendida, como era costumbre en Anahuac cuando uno llevaba una noticia que no podía juzgarse si produciría alegría o pesar.

—Outlahua, el grande, inmensamente grande señor, ha vuelto a
sus dioses. La epidemia le atacó a él y a su esposa. Los caciques,
jefes y señores reunidos en Tenochtitlán, se aconsejaron con los príncipes y esta mañana colocaron la verde corona de quetzal en la cabeza del más audaz de todos ellos, de Guatemoc, *Águila-que-se-abate*.
Él ha aceptado la corona. Ahora *Águila-que-se-abate* es el grande y
augusto señor, que todos los de Anahuac veneramos...

—¿Tú también... Marina?

—Así me lo enseñaron. Así dice la antigua tradición. No sé decirlo de otro modo. Así decían mis padres y los padres de mis padres cuando por encima de las montañas llegaba la noticia de que
la sagrada corona verde de quetzal adornaba una nueva testa...

* * *

Después de la misa, los capitanes se abrazaron los unos a los
otros. Cortés sacó una cruz y con una espada en la otra mano, señaló hacia Tenochtitlán. En las manos del general estaba la victoria
o la nada. Precavido, cauteloso, se puso en marcha con ochocientos
hombres, por el mismo camino que había marchado no hacía demasiado tiempo. Frente a él no había ahora un dios, sino un guerrero,
Águila-que-se-abate, con su arnés indio y su lanza. Él conocía ya lo
que eran las espadas españolas y sus hachas, el secreto de las ballestas y el hierro de los yelmos. Después de la Noche Triste, le habían presentado a centenares armas españolas, tomadas de las manos
de los muertos que yacían en el fango del canal. *Águila-que-se-abate*
no era un místico, como lo fue Moctezuma, que se debatía siempre
entre supersticiones. Era un hombre que palidecía cuando Cortés
invitaba a bailar a Tecuichpo y le veía poner sus manos fuertes y
huesudas en el talle de su mujer. Era un hombre que conocía demasiado bien el rostro barbudo y obstinado de Cortés y que en las
noches de insomnio se recreaba imaginando el toque del tambor que
en lo alto del Teocalli anunciara el desgarramiento de las carnes del
intruso... Cuando el corazón palpitante de un rostro pálido se elevaba hacia el cielo, él se relamía de gusto los labios que la fiebre

había secado. Sentía la voluptuosidad febril de saborear la carne de Malinche. ¡Y Tecuichpo debía dormir ahora a su lado!

Le gustaba verlo todo con los ojos. Aquel hombre no era ningún dios blanco. Su destino no estaba defendido ya por las hordas de un reino cansado y decadente. Cortés se enderezó en la silla y paseó la mirada por encima de su ejército. Tenía ochenta jinetes y casi diez veces más infantes. Los indios arrastraban veinte cañones y unos diez mil tlascaltecas marchaban al son de las cornetas españolas. Cuando subió a la silla, era más viejo que el más viejo de sus veteranos, cuyo rostro había marcado el tiempo con sus cicatrices. De nuevo estaba sobre su caballo seco y de gran alzada y recorría las filas que le aclamaban. Volvió a sentir entonces aquel vértigo dulce, aquel sentimiento magnífico de sentirse *imperator*, ese sentimiento que le acompañaba desde sus tiempos de Salamanca. Le parecía oír la voz del que un día fue su maestro: «Mirad, el César se pone en camino».

Cortés *Imperator*, Caballero del Espíritu Santo, Vicario del Reino Sacro de Carlos V. Bajó la cabeza. Ahora sí que ya no podía cometer ninguna otra falta. Quien se atrevía a emprender de nuevo el camino hacia el Sur, después de aquel invierno de 1520, ya no era un hombre arrebatado y ebrio de aventuras como antes, aquel hombre que un día había esperado derribar con un golpe de su mano las puertas que cerraban el Dorado.

Mientras cabalgaba horas y más horas. silencioso, en compañía de sus capitanes, se iban tejiendo las leyendas. Se sumía Cortés en un diálogo mudo con su señor Don Carlos a quien dirigía interminables epístolas. «Excelso señor — así podía leerse —, ante Vos estoy en el reino ilimitado de Nueva España, con sus tribus y sus provincias, que están todas dispuestas a mostraros acatamiento y homenaje; vasallos y caciques, de los que mañana podréis hacer fieles condes. Ante vuestro trono están con su oro, sus sacos de cacao, sus ciudades plateadas por la luna. Y Vos tenéis los labios cerrados. Calláis. Desde que partí no hemos recibido ni un aliento de Vos. No me desautorizáis, pero no nos habéis enviado ni un poco de pólvora ni nos habéis hecho saber si tengo vuestro permiso para morir con vuestro nombre en los labios, si así lo dispone el destino…»

Olmedo tomó del brazo y condujo hacia un templo que estaba al borde del camino a aquel hombre que iba soñando en sus quimeras. En el vestíbulo del lugar de los sacrificados se veían todavía las manchas de sangre.

— Leed eso.

Sobre el blanco muro se veían medio borradas unas palabras españolas trazadas con un pedazo de plomo: «*Aquí vivió el desgraciado caballero Juan Justo con tres compañeros, elegidos para el amargo sacrificio. Dios se apiade de nuestras almas,...*» El pobre Justo, el joven rubio teniente de Narváez... Su mano se cerró; hubiese querido tomar la antorcha para quemar y purificar con las llamas todo ese paraje de muerte y asesinato... Después vinieron en largas hileras los caciques y jefes que se sometían y prestaban homenaje. Por los «Comentarios» de César, sabía que los romanos recibían con una sonrisa a los druidas que prestaban acatamiento. Abrazó al jefe, cuya mano tal vez había sido salpicada por la sangre de Justo, y le dijo: «¡Amigo!»... Cortés se había vuelto viejo y, según las palabras de la escritura, se había tornado al mismo tiempo sabio como la serpiente y astuto como el zorro,...

Había tomado la costumbre de establecer su corte dondequiera que levantara su campamento, ya fuera junto a un pueblo, en la plaza mayor de una ciudad o en la espesura del bosque. Vestido con su traje negro, recibía a sus vasallos y decidía sobre diferencias de límites entre caciques vecinos. Los hijos de príncipes que habían fallecido, le exponían sus divergencias en la cuestión de la herencia. De Guatemala llegaban enviados, llevando esclavas, sobre cuyos corazones se veían puntos rojos, como distintivo de que estaban destinadas al sacrificio de los dioses. Su cabeza era entonces mojada por el agua de la nueva vida y un día después servían en el campamento como panaderas que ofrecían su pan y su cuerpo a los soldados.

Nunca había existido tanta compenetración entre él y sus capitanes. El pobre Velázquez... a menudo le había él llamado, pero su sombra permanecía muda. Alvarado seguía tan indómito como el día que había partido de Trinidad. Sandoval era su hijo predilecto; Olid seguía siempre tan apartado y extraño; él le dejaba tranquilo como a un perro de caza que levantaba las alas de las negras leyendas: tantos hombres,... tantas mujeres,... tantos hijos... En los ojos de Ordaz se despertaba poco a poco la vida, del mismo modo que en el valle surgen las carnosas y olorosas violetas. Al subir entre bosques de coníferas, arbustos, musgo de la nieve, debía encontrar una gran peña y desde ella había de descubrirse ya la maravillosa Anahuac con sus innumerables templos levantándose y hundiéndose en el *Fata Morgana,* como si fuera el latido de un mundo extraño. A veces cabalgaba delante de Ordaz, con las riendas flojas en la mano; sólo sus ojos vivían y su mirada era ansiosa y escrutadora, como lo fue un día la de Godofredo ante Jerusalén.

A primeras horas de la mañana llegaron a Tezcuco. No se veían mujeres ni niños por ninguna parte. Lo primero fue subir a la plataforma del Teocalli, desde donde se podía contemplar el lago. Era aquello como un mundo de agua, una Venecia cien veces repetida, con sus chalupas, canoas, remolques, piraguas que parecían perseguirse unas a otras en el verde azulado del lago. Sobre la ancha calle empedrada resonaban los cascos de ochenta caballos. Los habitantes de la ciudad que se habían alineado en el borde.de la calle, se postraban y extendían los brazos y así permanecían hasta que había pasado aquella comitiva fantasmal. Sobre su silla se erguía rígido Flor Negra. Su rostro llevaba las pinturas de los emperadores y guerreros y de su cabeza pendían las imperiales plumas verdes del quetzal. Así llegaron a Tezcuco las tropas auxiliares indias. A su frente estaba ya Flor Negra, el poseso que había preferido tomar en sus manos la ciudad sagrada de sus mayores, del señor del Ayuno, su padre. Todo estaba vacío de hombres. En vez de comitivas de bienvenida, le recibían solamente algunos rebeldes con cara hosca, casas deshabitadas, rodeadas de vagabundos mendigos. Cuando subió a la terraza del templo pudo ver brillando al sol algunos pellejos de caballos y algunos cráneos de españoles, blanqueados por el sol, secos, tristes...

Despidióse de Sandoval, que durante la noche debía recorrer todavía el camino de Tezcuco a Vera Cruz. Mañana mismo cien soldados debían talar, con sus hachas de carpintero, árboles jóvenes y frescos, y sus troncos, untados de aceite, debían ser colocados en los caminos. Sandoval había dado su palabra de transportar las trece embarcaciones, ya terminadas, a las orillas del lago de Tezcuco.

Era una campaña sin guerra ni batallas. Marchaban delante los veteranos, los jinetes, los cañones. Sandoval iba y venía varias veces todos los días de un extremo a otro, vigilando cómo se untaban de aceite los grandes patines, cómo las ruedas de madera giraban, cómo los carros transportaban las anclas y las cadenas.

Estaba solo cuando por la noche, junto al fuego del campamento, un mensajero llegado de Vera Cruz se le presentó. Había recorrido las guardias para comprobar que todo estuviera bien y que entre el boscaje no se escondiera alguna banda enemiga. Cuando regresó le esperaba una carta. Había llegado de España el primer buque real, escribía el comandante de Vera Cruz. A bordo iban los comisionados por la Corte para tratar con Hernán Cortés. El buque de su excelencia el señor Alderete, había llegado pacíficamente al puerto. El ilustre señor se había retirado a descansar con el propósito de partir al amanecer. Esperaba del señor capitán de Hernán Cortés, que cuidara del alojamiento.

Sandoval estaba solo. No tenía tiempo de pedir instrucciones a Tezcuco, pues era ya más de medianoche. Debía tomar por sí solo una decisión. Se trataba de recibir al primer comisionado real de Nueva España, primera contestación que llegaba a la misión encomendada a Puertocarrero en España. Al romper el día regresó a Tlascala y tomó consigo a los oficiales más decididos, también a los hijos de los jefes, con sus vestiduras de ceremonia y los puso al frente de escogidas tropas indias. Una nube de polvo en los aledaños de una aldea demostró que estaba a punto de verificarse el primer emocionante encuentro.

Sandoval y Alderete bajaron al mismo tiempo de sus sillas. El más viejo de los dos españoles extendió sus brazos y abrazó al más joven. Sandoval se sonrió; los caciques se inclinaron, los sirvientes balancearon los incensarios y el momento del encuentro se vio orlado de humo de copal, toques de cornetas y cantos indígenas. El plenipotenciario real, con su traje madrileño de ceremonia, lleno de encajes, inclinóse ante Sandoval. Contempló después al joven guerrero de ojos azules y hermosos y labios prominentes como de liebre; pero que llevaba un jubón gastado y manchado de sangre, lleno de zurcidos; una coraza de cuero engrasada, un yelmo remendado con ataduras y un sable de soldado. A primera vista hubiese podido tomársele por un bandolero; sin embargo, sobre su pecho colgaba una ancha y pesada cadena de oro de la que pendía una medalla de la Virgen, orlada de piedras preciosas. Su cinto estaba también incrustado en turquesas y esmeraldas y el arnés de su caballo era de plata pura. Sus oficiales llevaban también sus vestidos gastados, pero bordados ricamente de oro; sus mejillas surcadas por cicatrices; pero el broche de rubíes en el yelmo o la cadena de oro de su cuello valía tanto como una pequeña finca rústica en España. Por cierto que de su bordado jubón salía su desnudo y negro cuello, sin camisa ni gola.

El pequeño grupo de jinetes llegó pronto al campamento. Los regimientos de indios chichimecas marchaban al son de bandas españolas con sus largas lanzas tendidas. Los soldados se quitaban los almetes de la cabeza y los agitaban conforme al uso de los soldados. El señor Sandoval observaba a su huésped. Era un caballero pálido, rubio, con rasgos fisonómicos de los Habsburgo. Un aristócrata del Norte que el favor de la corona había destinado a marchar a Nueva España para darle así ocasión de poner algún orden en sus finanzas ruinosas junto a la fuente del río de oro. Frisaba ya en los cuarenta; era un magnate cansado y apático, que, aburrido, se acordaba de la fastuosidad cortesana y al que el aire salino del mar, respirado durante tres meses continuados, había barrido de su cabeza las preocupaciones que antes le llenaran. Aquel largo paseo a caballo al aire libre le rejuvenecía; satisfecho, llevaba agarrada la espada que su padre había blandido en la Isabela. Pasaban entre malezas, y a él se le despertaba como un agradable sabor de las cosas. El mes de enero, lluvioso y maduro, desplegaba mil colores maravillosos; las lianas se enroscaban graciosamente a los majestuosos árboles; los papagayos, armando gran clamor, seguían a los jinetes. Vio al guía indio que ponía el oído en el suelo y escuchaba como con temor los rumores del bosque. A los mocasines de los indios seguían los zapatos con tacón de los soldados. Trescientos españoles y muchos miles de indios.

Medianoche. Se oyó un disparo de mosquete. El canto de un búho rompió el silencio; la señal fue contestada. Se oyó una trompeta en la noche. Alarma. Alderete tomó las armas; pero Sandoval le tranquilizó. Es cosa que sucedía a menudo. El rostro de Sandoval era de nuevo duro y negro; recibía las declaraciones de los informadores, disponía las tropas. El cortesano le observaba. Ese individuo de piel tostada, tartamudo, ese extremeño a quien él no le hubiera confiado ni dos soldados de infantería, se había convertido de pronto en un verdadero general. Miraba los mapas, espoleaba su montura y le gritaba al huésped: «¿Queréis ser vos también de la partida?» Alderete se arremangó los encajes de sus puños, apretó la empuñadura de su espada y pensó que no la había blandido desde hacía quizá quince años; la última vez fue en Spoleto...

La noche era obscura y pesada. Los indios se orientaban bien en ella, porque para ellos todo tenía nombre, gusto y color. Brilló una antorcha. El señor Alderete se vio entre veinte veteranos marchando hacia una meta desconocida. El aire se hacía denso como si la respiración se viese impedida por la sangre y el lodo. Una granizada de piedras y flechas caía sobre el escudo. El caballo se lanzó con ojos de miedo hacia aquel terror; la lanza se tendió; hasta ella parecía poder ver; sólo el hombre era ciego. De pronto hubo un choque blando y tibio; alguien se quejaba; una flecha se le había hundido por la articulación del codo; una humedad tibia y pegajosa corrió por el brazo del madrileño; su caballo seguía corriendo junto a los demás. Finalmente se vio una choza presa del fuego; las llamas subían rápidamente... y a su resplandor se vieron crestones de plumas de aquellos diablos medio desnudos que disparaban sus flechas. Un caballo cayó de rodillas y volvió a levantarse. Sandoval se sacudía el polvo y se limpiaba la sangre; se recogieron los cadáveres y el oro que llevaban encima; todas las plumas se echaron dentro de una cesta... Alderete se agachó; todo le hacía estremecer... y, sin embargo, era inconmensurablemente hermosa esa vida sobre el filo de la espada, según la vieja manera de las aventuras de caballería. No había golpe que se perdiera; pero eso no era un juego ni un torneo, pues a cada golpe caía un enemigo. Dos jinetes cayeron con la cabeza ensangrentada y a un soldado de infantería le llegaron los últimos sacramentos cuando era ya demasiado tarde.

— ¿Fue eso una gran batalla, señor Sandoval?

— Para vuestra merced eso es nuevo..., pero para nosotros es nuestro pan de cada día. Damos gracias al Todopoderoso, cuando podemos agarrar por la garganta al agresor nocturno. Pasamos ahora por los parajes más difíciles.

Al siguiente día, Alderete, acompañado de su séquito y escolta, partió para llegar aún de día a la ciudad de Hernán Cortés.

Como embajador del rey fue saludado al llegar a Tezcuco con veinticuatro cañonazos. A las puertas de la ciudad veíanse heraldos y detrás de ellos una fila interminable de guerreros indios. La ciudad despedía destellos a los rayos del sol. Aquellas paredes encaladas, aquellas calles anchas y alegres recordaron a Alderete la ciudad de Granada, el barrio del Albaicín, donde la carretera tuerce hacia la Alhambra... El madrileño marchaba en su caballo con curiosidad y una sonrisita cínica en los labios. Le esperaban Pedro de Alvarado y el Padre Olmedo frente al magnífico palacio del señor del Ayuno. Le hicieron subir por las amplias y altas escaleras, hechas para piernas ágiles de indios. Al pasar, los soldados bajaban la alabarda. ¿Se trataba de un aventurero rebelde que habría que sujetar con las órdenes del rey o era todo eso simplemente una comedia, de esas que en las plazas del mercado hacen los charlatanes con monigotes de madera?

Cortés recibió al enviado de Don Carlos en la sala de los señores de Tezcuco. Sobre su vestido sencillo y sobrio, llevaba una cadena; pero los caballeros de su séquito resplandecían a fuerza de joyas. Su rostro parecía como un astro blanco que surgiera entre los otros. Salió al encuentro de Alderete, tomó sus dos manos y luego le abrazó. Se miraron. Cortés era el más bajo de ambos; pero el esplendor que le rodeaba le era propio y daba fuerza a su mirada. Debía decidirse dentro de un momento si el que había llegado era un acusador o un amigo. Le tomó de la mano y le condujo al asiento adornado de oro que habían preparado para los dos. Más alto, estaba el trono del príncipe de Tezcuco, adornado de plumas y de una redecilla de oro. Los caciques tocaron el suelo con las manos, que llevaron luego a la frente. Alderete no había visto nunca hasta entonces tantas piedras preciosas juntas ni tanto oro reunido. En el esplendor de los vestidos de ceremonial brillaban los colores de las plumas, puños de las lanzas, empuñaduras de obsidiana de las espadas y pendientes de las orejas. Todo brillaba. Y en medio de tanto esplendor se veía a los capitanes españoles con sus pesadas cadenas de oro, sus broches en el gorro, las hebillas de oro de sus cintos... ¿Dónde estaba, pues, aquello de la Noche Triste? ¿La horrible noche de la cual se hablaba todavía tanto en Vera Cruz y que se había tragado el quinto correspondiente a la corona así como toda la gloria y triunfos de Hernán Cortés? Éste estaba ahora aquí, sin embargo, en su palacio real, señor de señores, con un verdadero nuevo mundo en sus manos. Ambos séquitos se inclinaron profundamente. Los caballeros que acompañaban a Alderete miraban de hito en hito a Cortés y a sus capitanes con sus trajes raídos, pero cubiertos de oro; contemplaban sus rostros de veteranos señalados por las cicatrices. Por la parte de afuera sonaban los cuernos; era Flor Negra que hacía su entrada principesca. Al entrar, los grandes de Tezcuco se inclinaron hasta tocar la tierra; y esos mismos hombres eran los que habían prestado acatamiento y homenaje a los españoles. Alderete vio ante sí a un hombre alto con su gran diadema de plumas. El indio le miraba y en un mal castellano, pero perfectamente inteligible, le daba la bienvenida. El cortesano tenía sus ligeras dudas, ¡si pasaba ya los límites de lo serio el tener que inclinar su cabeza ante ese salvaje!, pero como si estuviera ante un príncipe español dobló la rodilla, se quitó el sombrero, barriendo el suelo con sus plumas, y así quedó hasta que el príncipe, instalado ya en su trono, hizo seña de que le permitía levantarse.

Pasaron a una sala convertida en pequeña capilla donde se decía la misa para los oficiales y algunos jefes indios que habían recibido el bautismo. Después del *ite missa est,* los asistentes a la misa formaron grupitos que hablaban en voz baja y fue cosa natural que Cortés condujera a su huésped a la salita lateral donde había instalado su despacho. De su rostro había desaparecido aquella expresión de *imperator.* Hizo pasar delante a su huésped y le invitó a que se sentara a su lado en el amplio asiento de cuero, ofreciéndole al mismo tiempo una copa de cacao frío como el hielo. Ambos hombres se observaban; las palabras de protocolo quedaban ya atrás. Cortés sentóse y apoyó su mano en la de Alderete.

—Considero a vuestra merced como a un amigo.

—Dios ve mi intención, don Hernando.

—Vuestra merced viene de la pacífica y hermosa Toledo, donde colocaron mi cabeza en vuestra mano. Se decía allí seguramente que yo era un rebelde, un insurrecto, un hombre indigno que no merecía la gracia de nuestro señor Don Carlos... Así se hablaba de mí, señor, no se hablaba de otro modo.

— Su majestad recibió a vuestros enviados. Vuestra merced envió, además, un escrito y yo traigo ahora la contestación de Don Carlos.

— ¿Podríais, pues, comunicarme vuestro encargo?

— No veáis en mí a un cortesano que, como dice el Libro de Job, lleva, a pesar de la dulzura de sus palabras, la traición oculta bajo la lengua, Don Hernando; durante mi viaje por el mar, y en mis jornadas viniendo de Vera Cruz, en esta misma ciudad, que es más hermosa y más poderosa que la mayoría de las ciudades de Don Carlos, he visto mucho y he vivido mucho. Vuestra merced no tiene ningún motivo de ser modesto. He visto todo lo que vos, señor capitán general, habéis hecho para el bien y la grandeza de nuestra fe y de España.

— Os agradezco me honréis con el título. ¿Lo hacéis a sabiendas de su majestad?

— Nuestro augusto emperador ve en vos a su capitán general en tanto que... en tanto que no suceda algo adverso. Quiero decir, en tanto que sucediera algo que justificara las acusaciones... Ya sabéis, en España se habla mucho. Vuestra suerte está que contéis allí también con algunos amigos: el conde de Olivares y el duque de Béjar...

— Vuestra merced es mi juez. Podéis, pues, someter a prueba mis acciones y mis decisiones. Ved... mi mano izquierda está estropeada; hace apenas medio año perdí dos dedos. Mi brazo izquierdo está casi paralizado, apenas lo puedo mover. También la pierna derecha está algo dormida desde que recibí en ella una herida de flecha. En la cabeza tuve también una herida con supuración que ahora ya está mejor, pero que se vuelve a abrir cuando me pongo el yelmo de hierro. Cada tres días siento escalofríos de la malaria... ¿He de continuar mis quejas? Todo eso sucede a mayor gloria de nuestro emperador y no a la mía.

— Nuestro rey os dará las gracias por ello con seguridad.

— No deseo se me den las gracias, sino que me dejen llevar hasta el fin mis planes trazados y desenvueltos hasta ahora tan trabajosamente... Estamos sólo en el principio.

— Mi camino hasta aquí fue un paseo triunfal. Con Sandoval pasé una escaramuza nocturna; pero aquí he visto solamente súbditos adictos, vasallos indios, y no enemigos. Vuestra merced, ¿ha sometido ya a todos aquí?

— Si extiendo la mano, el tiempo es claro y hermoso. Vuestra merced puede ver Tenochtitlán por la ventana. Aquel a quien en nuestro idioma llamaríamos emperador, ha reunido doscientos mil hombres, según se dice. Es joven; acaba de subir al trono de Moctezuma, libre de supersticiones. Ha visto centenares de cadáveres nuestros en la Noche Triste. ¿Sabe vuestra merced lo que son doscientos mil guerreros? Tengo yo solamente ochocientos soldados y de ellos sólo doscientos cincuenta son veteranos, de los que vinieron conmigo desde Cuba. Los otros son gente de Velázquez o de Narváez, aventureros, caballeros de fortuna de Cuba y de Jamaica... Y los tlascaltecas, en los que debía tener un apoyo...

—Manejáis a esos salvajes con gran pericia; pero ¿no teméis que se os crezcan demasiado? ¿Podéis de nuevo someterlos al vasallaje cuando ya no necesitéis su ayuda?

—Don Julián; son mis aliados. En Tlascala les juré amistad con la mano extendida sobre la Biblia. No me abandonaron nunca, ni en los días buenos, ni en los días malos. No son para mí siervos o vasallos, sino amigos.

—¿Cómo decía vuestra alianza o contrato, señor capitán general?

—Lo extendimos en un protocolo. Acordamos que mientras ellos permanecieran fieles al reino de Don Carlos, estarían libres de todo impuesto, contribuciones y gabelas; serían ciudadanos libres de Tlascala, con los mismos derechos que los ciudadanos burgueses de Castilla. Su nobleza, empero...

—Vos no podéis creer en serio que esos salvajes... Comprendo vuestra intención de aprovecharlos y engatusarlos..., pero, dicho sea entre nosotros dos, don Hernando, ¿no querréis creer que nosotros hayamos de reconocer a esa gente como caballeros e hidalgos?

—En mi escrito a nuestro señor Don Carlos, le rogaba decidiese qué rango correspondía en la nobleza a los que voluntariamente le han prestado acatamiento.

—¿Vuestra merced se propone convertirlos en condes o marqueses?

—Don Julián. Hoy habéis visto a Flor Negra, señor de Ixtlioxichitl, que es mi ahijado y que fue bautizado con el nombre de Hernando. Hoy es el monarca legítimo de Tezcuco. Según las leyes de Castilla, es vasallo del emperador, igual que lo es el duque de Milán o el conde de Mantua.

—¿Sois, pues, amigo de ese pueblo?

—En las islas conocí a los salvajes desnudos, reacios al trabajo y a nuestra misión. Vine a estas costas en la creencia de que tampoco aquí los indígenas valdrían nada. Y vos mismo habéis visto hoy, don Julián, que yo me siento con ellos a la mesa, que celebro consejos con ellos, que instruyo a sus guerreros y que pacto alianzas con sus jefes. Llegamos con las armas en la mano y ellos defendieron su tierra como hombres valientes y dignos. Hago la guerra en nombre de mi señor Don Carlos. Quien le acata y presta homenaje, ése es mi aliado; quien le resiste, es enemigo mío. Pero en modo alguno veo en ellos a esclavos, ni azuzo mis perros contra ellos, como hicieron tantos en las islas. Vuestra merced no conoce aún todas las circunstancias. La fuerza y las armas no lo son todo, excelencia. A veces es más eficaz una palabra. Unos con otros nos tratamos como hombres y si pudiésemos hablar como ellos nos sentiríamos también amigos. A ellos les cuesta mucho esfuerzo aprender nuestro castellano. Por eso me sirvo de Marina, que vuestra merced ha visto ya en mi casa.

—He oído hablar de ella en Vera Cruz. No lo toméis a mal; pero lo cierto es que oí también que no os es indiferente.

—Es la madre de mi hijo Martín, que se llama así, como mi padre. No le niego porque sea hijo de madre india. Vea vuestra merced, sin esa muchacha, no hubiéramos venido a Méjico probablemente, ni estaríamos ahora por segunda vez en camino... Los soldados son supersticiosos y dicen que sólo quieren avanzar si Marina viene con nosotros, a quien —según dicen— la muerte no le puede hacer nada. No creo yo, naturalmente, en tales habladurías, pero rogué a Don Carlos que aquilatara sus servicios, sus pecados y las torpezas propias de su estado y me las atribuyera a mí mismo. A ella pudiera concederle su majestad como recompensa el rango de mujer noble de Castilla.

—¿Cómo guardáis el oro?

—El canal estaba hambriento en la Noche Triste. Como dicen los indios en su lenguaje florido, abrió sus fauces. Pero hay oro en la arena de los ríos; hay oro en las minas que pudieran abrirse...; lo que hay aquí en los templos, en sus estatuas y reliquias, es sólo una porción pequeña del que se podría obtener con trabajo asiduo. A mí personalmente apenas me ha quedado oro; la vida de campaña devora el oro. Si no recibo comida a cambio de algunas buenas palabras, no puedo en un país amigo imponer contribuciones. Cuando los soldados murmuran, o están cansados ya, o hambrientos, o sienten vivos deseos de regresar a la patria, se vacía mi bolsa, mi propiedad particular, pero nunca el tesoro de su majestad. Lo que le pertenece lo guardo cuidadosamente y seré feliz de podéroslo entregar, en presencia de los señores Godoy y Duero, que hasta hoy, antes de vuestra llegada representaban aquí a su majestad imperial. Ahora sois vos el encargado de hacer llegar tal tesoro a nuestro rey y señor. Y ahora aprovecho para preguntaros, ¿cómo deseáis abandonar Nueva España?

— ¿Cómo debo interpretar esa pregunta?

— Yo puedo entregaros el oro que pertenece a Don Carlos y proporcionaros una fuerte escolta además para que, con seguridad y paz, podáis llegar a Vera Cruz.

Alderete se levantó, se irguió y con voz altanera y un tanto velada, dijo:

— Don Hernán Cortés... ¿Me tomáis acaso por una vieja o por un escribiente? Si ésta es vuestra intención, yo como noble estoy dispuesto a lavar vuestra ofensa con vuestra sangre. ¿No me creéis digno de servir a mi rey con mi espada?

— Tenéis la palabra del emperador. Me siento feliz y orgulloso, si os puedo contar como colaborador. Pero si queréis tener mando... habréis de tener circunspección con mis capitanes. No son ciertamente de las mejores familias. Algunos son hijos de padres sencillos y humildes; y ése o aquél puede incluso tener un origen obscuro y no conocer a su padre ni a su madre. Pero están ya endurecidos por la vida; su brazo está acostumbrado a la espada. Tienen experiencia en las cosas de guerra, adquirida aquí cruelmente sin descanso.

— No pido tener mando. Os pido sólo que me tengáis a vuestro lado. Estoy cansado de la vida cortesana. Me parece vacío de sentido el hacer cortesías a esos señores flamencos. He llegado a este nuevo mundo con un fabuloso caballero del libro de Amadís. Quisiera acompañaros...

Cortés rompió con los dedos una torta de maíz, miró hacia las aguas del lago y en sus labios se marcó un estremecimiento casi imperceptible.

6

Se veían ya las hogueras de las guardias de Sandoval y los jinetes de la escolta llegaron hasta Tezcuco. El lugar mejor guardado y más seguro del territorio dominado por los españoles era el destinado a astillero. Los caciques y príncipes estaban representados en aquellos miles y miles de trabajadores. El dinero nada significaba: un puñado de maíz, a veces un poco de pulque, algunas buenas palabras sagazmente repartidas, algunas chucherías... eso era todo. Se aproximaba la primavera; el tiempo se había ido haciendo caluroso y fijo y, como el ardor del estío no había llegado todavía, se podía remover la tierra algunas horas todos los días. Los medidores iban y venían por el camino de la orilla del lago al campamento español. Media milla, decían al regresar. Llevaban un cordel en la mano y brochas con pintura blanca. Cortés recorría los puntos marcados. Al siguiente día, bien de mañana, pululaban enjambres de trabajadores en ambos lados del camino y sus palas se hundían en la tierra arenisca. Cavaban. A los pocos días era ya visible el trazado de un canal: sus lados eran revestidos y se establecían guardias para que el ritmo del trabajo de los mejicanos no se interrumpiera.

Al cabo de algunas semanas, el canal estaba terminado. Su cauce era recto, tirado a cordel; tenía una media milla de longitud y sus lados estaban asegurados con empalizadas; los esqueletos de los buques eran trabajados y embreados. En el mar, todo eso hubiera sido imposible de hacer. El litoral de Tezcuco era abierto y hacía posible la aproximación de millares de embarcaciones ligeras. Durante las últimas etapas de trabajo en el canal, debían encenderse fuegos todos los días. Las estacas encendidas, envueltas en algodón resinoso, extendían su resplandor y las canoas de Tezcuco eran demasiado débiles e inseguras para defender la indefensa flota.

Entretanto los escuchas iban de un lado a otro. Traían noticias acerca de *Águila-que-se-abate*. Guatemoc había traído tropas del Sur. Había concertado la paz con los caciques de las regiones distantes; había renunciado a impuestos, y a cambio de ellos, pedía tan sólo ejércitos armados. En la parte del Norte había perdido casi todo de lo que había pertenecido antes a Méjico hasta el Océano Atlántico. La guerra de guerrillas había cuajado en la noche; sorpresas y emboscadas, informes secretos, Iztapalapan resistía; aquí o allí desde una ciudad fortificada o de un monte llovían piedras y peñascos bajo los que vacilaban los españoles con la cabeza ensangrentada... Tal vez era de nuevo Malinche quien dirigía la danza y una flecha podía clavársele de nuevo en la rodilla..., pero el norte del país estaba perdido. Hombres, caballos y material de guerra salían continuamente de Vera Cruz. A cada diez hombres correspondía un caballo; y a cada centenar posiblemente un cañón..., pero el espíritu de Cortés no se separaba del astillero. Se levantaba a lo mejor hasta tres veces por la noche, envolvíase en su manta, temblando por los escalofríos de la malaria, visitaba los puestos avanzados para vigilar si todo andaba bien. A la luz de una linterna sorda vigilaba y examinaba los esqueletos de sus buques que parecían enormes monstruos dormidos. Al amanecer daba la orden del día. Algunos hombres de confianza trabajaban también por la noche a la luz de antorchas. Junto a cada antorcha debía colocarse un hombre para vigilar únicamente la llama. Todo se convertía en una masa resinosa y empapada de trementina. Las rendijas eran tapadas con goma. Martín López, que era ahora el hombre más imprescindible del campamento español, único constructor de buques, entre todos los restantes, hacía sus probaturas con la savia de árboles tropicales. Los desnudos armazones íbanse así llenando; se construía ya la cubierta; se tejían y preparaban los emplazamientos para las piezas. Los indios tejían las cofas con paja. Los más viejos cosían y remendaban el viejo lienzo sevillano para las velas.

Por fin una noche fue desmontado el astillero. Los grandes tablones cayeron con estrépito al suelo. A lo largo del canal veíanse listos, llenos de banderolas, bien pintados, con hermosos mascarones tallados en la madera, los trece bergantines. Los oficiales no podían pegar los ojos; se hacían servir la comida allí mismo y vigilaban toda la noche hasta el amanecer; no fuera que a última hora una traición lo echara todo a perder. Llegó la mañana. Cada buque tenía ya su capitán y el jefe de la flota era Sandoval. En cada uno se montó a proa una culebrina; la tripulación era de veinte a cincuenta hombres, entre ellos algunos mosqueteros. En la orilla se elevó un altar. Como víspera de grande empresa, todo el ejército español formó para las paradas; detrás, en amplio semicírculo, estaban millares de indios aliados. Todas las miradas se dirigieron a Cortés cuando éste dio la señal. Flor Negra se aproximó con su séquito lujoso a la orilla. Sonaron las trompetas y los cuernos. Una larga y grande alabarda brillaba en la mano del príncipe; la blandió y, de un tajo, cortó el cable del primer buque.

El bergantín, deslizándose por su propio peso, corrió a lo largo del canal y así llegó sin tropiezo hasta la embocadura donde su cuerpo poderoso se chapuzó en el agua salada. A los pocos minutos, al primer buque siguió el segundo; y en el espacio de una hora, todos habían sido ya botados. Cortés, en un bote, se dirigió al buque del comandante. Subió a bordo. Cuando subía la escala, fue izado el gran pendón de Castilla; sonaron las cornetas y los cañones dispararon salvas, que fueron contestadas por las piezas emplazadas en la orilla. Como gigantes que se tambalearan un poco, los buques se hicieron a la mar hacia la lejanía que envolvía la costa sudoeste de Méjico. Las canoas que en todas direcciones cruzaban las aguas y a las que nadie hasta ahora había obstaculizado sus maniobras, huyeron despavoridas ante aquellas casas flotantes que, envueltas por el humo de la pólvora, parecían espectros que venían de otro mundo. Esta misma impresión hicieron a los tripulantes de una gran barcaza cargada de víveres, llevada por quince o veinte remeros y que se dirigía a Méjico. Se levantó un ligero viento, las velas abombadas impelían a las naves con velocidad asombrosa. En vano los remeros de la barcaza aumentaron la velocidad de su ritmo; en vano los remos chapoteaban en el agua; la distancia disminuía por momentos, hasta que aquel espectro gigantesco embistió; se oyó un crujido y en el remolino de las aguas desaparecieron pronto los cuerpos humanos y los pedazos de la barcaza.

7

Hablaba lentamente, acentuando cada sílaba; sus frases eran cortas y sencillas para así poder ser bien comprendido por la muchacha:

— Haz llegar a tu hermana Tecuichpo un mensaje. Dile que todos deben perecer, si no se establece la paz entre nosotros.

— Guatemoc es un gran jefe; no escucha las palabras de las mujeres.

— Las tuyas sí que las escucha; a las palabras de Tecuichpo sí que atiende. ¿Quieres que muera Tecuichpo?

— Según es tu deseo enviaré a una de mis criadas a que le transmita el mensaje.

Él le acarició el pelo. Era una muchacha alta y esbelta, de porte tranquilo y reservado. Cuando nació, su padre sacrificó veinte mil criaturas a los dioses del mar. Príncipes de lejanos países la pretendían como esposa, pero el gran señor no la había dado a nadie. Al día siguiente de la llegada de los españoles, el gran señor había hablado de ella al decir: «Malinche, te doy a mi hija». Así dijo el gran señor y no comprendió aquello que contestó Cortés, de una isla lejana, donde le esperaba una mujer pálida y de cabello claro. Cortés le rogó entonces enviase la hija al Padre Olmedo, quien la instruiría en la nueva fe, y así la haría digna de unirse con un caballero de allende los mares. Quedó entonces en el cuartel de los españoles, compartiendo la suerte de su padre. Cuando la piedra de la honda le rompió las sienes, fue esa muchacha, esa hija, quien le recogió primero en sus débiles brazos. Estaba detrás de aquel cuerpo robusto y ensangrentado, y con mirada ansiosa, observaba los ojos vidriosos del padre. Moctezuma sonrió; llamó a su hija dándole nombres de flores y de mariposas, hizo un signo a Cortés para que se aproximara, y dijo así:

— Malinche; esas muchachas son mi propia sangre. En ellas está la bendición de los dioses. Son débiles y sin fuerza. Pon tu mano sobre su cabeza y que sean así tus propias hijas y participen de tu fe.

Su hermana fue tragada por las aguas del canal en la Noche Triste. ¿La habría recogido un bote indio? ¿Habría sido matada por una flecha? ¿Se había ahogado? ¡Quién podía saberlo! De las dos hermanas, sólo ella quedó con vida; marchó con los españoles por todos los caminos; tembló de miedo en el centro del ejército en la batalla de Otumba y llegó con ellos a Tlascala, donde los dignatarios la recibieron como hija del príncipe de Anahuac. Era callada, triste; jamás se la veía sonreír. Cortés hubiera querido librarse ya de ella y pensaba en buscarle un príncipe o un caballero español, de esos de cadena al cuello; así no tendría que cuidarse más de ella. Pero cada vez que eso pensaba, se imaginaba a Moctezuma moribundo diciéndole: «Malinche...» Veía de nuevo aquellos ojos que habían contemplado a los dioses ávidos de sangre. Cortés le dijo a la muchacha: «Si conquisto el reino de Méjico, entrarás en posesión de la herencia de tu padre.»

Una vez, sólo una vez, había alargado su mano hacia ella y había sentido la morbidez y tibieza de sus senos, esa misma tibieza que emanaba del cuerpo maravilloso de Tecuichpo. ¿Podría ser aún un Caballero del Espíritu Santo, quien así atendía las palabras de un moribundo? Durante una noche pesada y atormentada, entre mil cuidados y preocupaciones, sintió el deseo de unos momentos de placer y de alegría; deseó fuertemente sentir el aroma de una mujer nueva y la tibieza de un cuerpo virginal... y entonces intentó poseerla y ya extendía sus brazos hacia la muchacha... cuando ésta le dirigió una mirada... y a él entonces le pareció encontrarse de nuevo con los ojos mágicos de Moctezuma moribundo. Y jamás, jamás volvió a tocarla.

Repetía ahora con palabras lentas, para asegurarse de que era comprendido: «Haz que llegue mi mensaje a Tecuichpo.»

Pensó en la otra, ante la que un día estuvo y ella apartó la vista. Recordábala en el baile y el calor que habían dado a la fiesta los instrumentos españoles de música. Moctezuma había contemplado aquel baile como bebiendo sus notas y su ritmo extraño en aquel hemisferio. Se bailó a la manera española. La princesa reía y atrapó al vuelo el extremo del velo que Alvarado le ofreció. Danzaron en círculos; él, el capitán rubio, con sus zapatos de tafilete; y ella, la esbelta mujer, con su color aceitunado y sus ojos negros y fogosos. Cortés fue el segundo que sacó a bailar a la princesa; había apoyado su mano sin guante en su talle, donde el vestido se ceñía a su cuerpo y se adivinaba al tacto la tibieza y suavidad de aquella carne.

—Haz que llegue mi mensaje a Tecuichpo —dijo; y sus ojos, mirando hacia el lago, contemplaron las linternas de los buques; los sirvientes de las piezas, junto a los cañones; vio los innumerables puntitos de luz que punteaban la superficie, el perfil de la costa y lejos, muy lejos, una columna de llamas. Era la señal que los sacerdotes habían encendido en la terraza superior del templo por orden de *Águila-que-se-abate* y que apagaban en espacios regulares de tiempo, al transmitir sus mensajes al mundo de los dos océanos.

* * *

Jefes de lejanas comarcas llevaron sus tropas a Cortés. Los emisarios venían cargados de oro, porque todos los caciques de Anahuac sabían ya que sólo era dado aplacar con excremento de los dioses la cólera de aquellos *teules*. Los bergantines formaban una larga cadena desplazando el agua al navegar. Aquí y allí, veíanse algunas piraguas de los enemigos, pero los más medrosos ni siquiera osaron emprender el viaje, pues un cañonazo o una bala de mosquete acertaba pronto y con precisión al bote que se aproximara. Los novatos predicaban un ataque brioso y rápido. Los jefes cambiaban miradas con los veteranos. Era fácil aproximarse a Tenochtitlán, y alcanzar el lugar, dominar los edificios; sí, todo eso era fácil, pero... ¿y después? Podían colocarse cuatro jinetes con sus lanzas sobre el dique que así lo permitía su anchura y en ese espacio habrían de combatir a vida y muerte. Si los diques eran cortados y se inundaba todo de agua, la pólvora se mojaría y los caballos no podrían moverse entre los restos.

La princesa no contestó. La contestación llegó directamente de Guatemoc:

«Los rostros pálidos tienen memoria débil; sus débiles dioses les han privado de la razón. ¿No recuerdan ya aquella noche en que, si sobrevivieron algunos, fue gracias a nuestra compasión? ¿No recuerdan que el altar de Huitzlipochtli en los templos de todas las ciudades, está adornado con blancas calaveras? El gran señor está muerto y ahora en Méjico ya no hablan las mujeres.»

Tecuichpo, la lejana y solitaria princesa, no envió contestación alguna.

En las escondidas radas de aquel lago, en las marismas, había espías y escuchas que comunicaban sus informes por medio del lenguaje de los pájaros; de las emboscadas indias se elevaban columnas de humo; un centenar de canoas surcaban las aguas velozmente y sorprendían de flanco alguna avanzadilla o puesto de vigilancia de los españoles. Detrás de los peñascos de la costa, se arrastraban los escuchas de *Águila-que-se-abate*, protegidos por empalizadas de estacas y tierra apelmazada. Dominaban los terrenos pantanosos y vadeables donde no podían ser perseguidos por los rostros pálidos, calzados con pesadas y herradas botas.

El campamento español se estiraba y se encogía. Ora en un ala, ora en la otra, se entablaba el tiroteo. Se oía el canto de aves nocturnas y los hombres y la obscuridad se unían trágicamente. No se sabía quiénes eran los sitiados y quiénes los sitiadores. En Chapultepec veíase el espinazo seco y sediento del acueducto y en Tenochtitlán había de extraerse el agua salobre y amarga de los pozos. Las cabezas de puente de los caminos de los diques, estaban en poder de los españoles, cuyos buques cerraban el paso a las barcazas de víveres. Pero, a pesar de todo, la realidad es que su número no llegaba a los ochocientos hombres y los millares de aliados indios podían verse poseídos en una hora de temor supersticioso. Se ponían en marcha por la noche, con sus pies de gacela, recorrían muchas millas y esperaban en un valle el signo favorable que llegara a sus almas. Cuando regresaban, contestaban solamente a todas las preguntas que se les hacían: «¡Así lo han querido los dioses!»

El camino hasta Vera Cruz estaba medio asegurado. Dominado en el Norte — se decían — ¿quién podría barrer el camino por la noche? Algunos españoles desaparecieron después de una escaramuza y los caciques mostraron sus cabezas cortadas: «Mirad, los dioses están coléricos.»

Eran sitiados y sitiadores; salían en grupos de doscientos, daban una batida por la orilla del lago y así, paso a paso, pulgada a pulgada, se aproximaban a la capital. Era la estación húmeda, los penachos de plumas pendían empapados sobre los rostros; los hombres se arrastraban por los senderos pastosos y malolientes de lodo. Los tlascaltecas gustaban de salir a dar batidas, deseosos de aventuras. Una vez dieron un golpe de sorpresa contra Tlacopan; fue una maniobra rápida, en la que cada uno debió combatir por sí y para sí. La mano enguantada de Alderete blandía la hoja de acero toledano que cortaba los escudos de plumas; pero que se mellaba a su lado, pues había recibido del capitán general el encargo de no apartarse de él y cuidar de que nada le sucediese. El joven veterano puso su mano sobre la capa del señor.

— Con perdón de vuestra merced, el día es más bien caliente...

Sonrió. La ola se puso en movimiento, se hinchó... ¿Quién se acordará mañana de esta escaramuza de hoy?

— Mientras eso no acabe en un fracaso... — dijo Díaz y vio aparecer a Cortés sobre un caballo que renqueaba; estaba más pálido que un cadáver y alrededor de su cuello veíase, roto ya, un lazo indio. Dos de sus jinetes habían sido arrancados de la silla; ahora, seguramente los arrastraban ya a la muerte, los enemigos sedientos siempre de sangre.

Era noche cerrada cuando se despertaron los unos a los otros y se pusieron en marcha. Cuando llegaron a Tlacopan el día griseaba ya. Estaba todo tan silencioso que los veteranos venteaban en ese silencio una batalla próxima. En formación apretada, cautelosos, penetraron en la ciudad peligrosa; se adentraron hasta la plaza del Mercado, donde estaban acurrucados los viejos dioses sobre la terraza del templo. Dos sacerdotes ancianos dispuestos a la muerte, se envolvían en sus capas negras, manchadas de sangre y echaban maldiciones a los españoles en un lenguaje ininteligible. Las tropas rodearon lentamente el amplio edificio del templo. Cortés llamó a su séquito y se dispuso a trepar por las pinas escaleras, sin soldados ni escolta. Brillaba el sol, y las ropas empapadas por el agua de la lluvia humeaban ahora bajo el ardor de aquellos rayos. Jadeantes y sudando, subieron de piso en piso, subieron y subieron; allá abajo se desplegaba el maravilloso panorama. Cortés marchaba delante, muy adelantado a los restantes. Viose su sombrero de plumas en la plataforma de poniente; de pronto se lo quitó y con él les hizo señas: «¡Venid, venid...!»

Hernán Cortés tomó cordialmente a Alderete de la mano y le dijo:

—Vea vuestra merced, aquello... es Tenochtitlán.

La mística ciudad del nuevo mundo, blanca como la espuma, estaba sumergida en la neblina matinal. Los tejados de los palacios y torres, las resplandecientes y blancas casas, las calles, los jardines de las azoteas, los blancos paredones de la orilla del lago y los diques color de marfil que cortaban el azul intenso de las aguas; todo estaba allá abajo de nuevo a la vista de los españoles, como miles y miles de hormigas, las canoas surcaban las aguas. El sol lanzaba sus rayos por entre las nubes formando como gavillas de luz dorada y espolvoreando de oro la blanca ciudad de plata. La exótica belleza del valle, su encanto indescriptible, estaban allí bajo los pies casi de los españoles.

—Don Hernando. Paréceme que todo cuanto habéis hecho en ese nuevo mundo, puede difícilmente ser la obra de un solo hombre, y es más bien una muestra de la gracia del Omnipotente que os permitió llegar hasta aquí. He leído muchos libros de hechos heroicos; pero ni aún desde Alejandro Magno, ningún general pisó país tan maravilloso como éste, ni nadie había ganado todavía para Castilla

422

provincias más magníficas que éstas. Me siento feliz de anunciar a un nuevo César...

Cortés hizo una inclinación, sonriendo. Después dirigió una mirada a la ciudad de Méjico. Pensó en sus dos jinetes que ahora serían llevados en una canoa adornada de flores al lugar del sangriento sacrificio.

—Ved, don Julián. ¿Veis cómo los diques se reúnen todos allí? Aquello es la gran plaza, el Tlateltuco, donde se celebra el mercado; allá junto, está la ciudad de los templos... Los palacios reales... Ved, en aquél tienen su terrible dios Huitzlipochtli a quien hay que alimentar, como a un demonio guerrero, diariamente con sangre humana. Allí guardan las grandes trompetas de barro cocido con las que llaman a la guerra; sus sones son oídos en todo el litoral. Como sé por experiencia, allí están las cabezas de nuestros pobres soldados y los mosquetes que nos tomaron; todo amontonado a los pies del ídolo.

Bernaldo Díaz, forjador de versos, se apoyó en el parapeto y miró, lleno de anhelo, la niebla azulada que envolvía a la ciudad. Estaba ante un amplio muro blanco y trataba de escribir en él con una bala de plomo. Con sus letras redondas, conventuales, escribió un renglón y el ritmo le guió para escribir los siguientes versos. Los soldados que sabían leer se inclinaron sobre su hombro; los capitanes le miraban también y hasta Cortés y Alderete se aproximaron. Alguien comenzó a puntear en una guitarra y detrás del poeta se oyó el romance del campamento:

En Tacuba está Cortés
con su escuadrón esforzado.
Triste estaba y muy penoso,
triste y con grande cuidado.
La una mano en la mejilla
y la otra en el costado
hacia Tlacopan miraba.
Pregúntale, buen soldado,
¿Qué sucederá mañana?

Y aún no se habían apagado los ecos, cuando Duero abrazó a Cortés y a Alderete que estaba a su lado. Fue un momento de emoción extraña, en que quedó como a un lado e invisible todo lo feo y sangriento de la epopeya.

—Don Hernando. Pensáis en la inestabilidad de la suerte. En esta ciudad que, según vuestra opinión, debe perecer. ¿Conocéis la canción que trata de Nerón, de aquel que hizo incendiar Roma?

Mira Nerón, de Tarpeya
A Roma como se ardía:
Gritos dan niños y viejos,
Y él de nada se dolía.

Cortés apoyóse de espaldas en el parapeto y vuelto hacia Duero, dijo:

— Dios es testigo de cuán a menudo, aun al precio de mi humillación, pedí la paz, la mendigué más bien. Pero mis esclavos volvieron con los brazos cortados y las lenguas arrancadas. De nuevo envié otro mensajero, pero siempre en vano. Dios sabe bien cuán triste es para mí el pensar en los horrores que han de venir. Por eso conduje aquí a los caballeros para que algún día puedan servir de testigos ante nuestro señor Don Carlos, de que vieron con sus propios ojos, la intacta belleza de la más hermosa de las ciudades del Nuevo Mundo y quizá también la más hermosa de la vieja España: Méjico.

8

Se celebró un *Requiem*. Una misa de difuntos para los que todavían vivían. El altar estaba adornado de negro. El cuerpo reseco de Olmedo, comido por la fiebre, tiritaba mientras cantaba el *Miserere*. Alrededor estaban los españoles cubiertos de vendas ensangrentadas y sucias. Al extremo del dique estaba el muro de fuego de los cañones; detrás, los jinetes, y más allá, el oleaje de plumas de los mejicanos victoriosos. El *Requiem* era para la aventura trágica de ayer. Asalto a la ciudad. habían dicho los más audaces. Alderete había tocado la mano de Cortés:

— Señor: como caballero tomo y acepto los mayores peligros para mí; quiero ser el primero en llegar a la plaza del Mercado... Me lanzo al asalto con mis jinetes y cuando yo llegue allí, pueden las columnas atacar desde los tres lados...

Sandoval sacudió la cabeza, y hasta Alvarado, siempre sediento de aventuras, calló en esta ocasión.

Por la noche se reunieron en consejo. Ya habían pasado catorce días desde que, como páiaros cansados, arribaron para tropezar con las murallas de la ciudad. Ahora cada pulgada de terreno debía ser comprada con sangre y a golpes de hachas. En vez de espadas y mosquetes, había que manejar ahora palas y azadas que desollaban las manos a la gente. Apenas se veían guerreros aztecas; la lucha era ahora contra esclusas, canales y corrientes. Fueron derribadas casas; las palancas de hierro derruían los débiles muros de ladrillos de los palacios. Centenares de manos derribaban los templos y arrasaban el suelo. Las piedras, ladrillos y morteros caían con estrépito en los canales. Por la noche se colocaban centinelas en los puestos; el ejército se retiraba entonces por la carretera ancha y lisa que no se veía ya interrumpida por canales. Y así avanzaban día por día, paso a paso. Desde tres costados iban rompiendo, destruyendo, derribando la imperial ciudad de Méjico. Si un día habían abierto una brecha en un lugar, al siguiente se precipitaban contra otro punto, contra un palacio o un templo, sobre cuyo techado los albañiles tlaxcaltecas trabajaban y señalaban los lugares donde debían golpear las piquetas de los españoles.

Brechas de derribo. Los hidalgos juraban. Eso no era trabajo para caballeros; pero nada podían decir. pues Cortés en persona manejaba la piqueta y el zapapico a lo largo de los canales sucios y malolientes llenos de agua turbia y de carroñas. Al trabajar debían tener siempre en cuenta de qué lado llegaban las flechas. Los jóvenes, los recién llegados, maldecían junto al fuego a Cortés; languidecían en aquellos largos días, sin botín, sin mujeres, pasados entre el cieno. El ruido apagaba el sonar de los tambores; aquel continuo estrépito de las paredes al derrumbarse taladraba ya el cerebro y parecía encontrar un eco en los alaridos de furia de los indios. Todos esperaban con los nervios en tensión, a punto de romperse, cuánto tiempo duraría eso; cuándo terminaría ese asedio plebeyo y terrible; cuándo tendría fin esa destrucción, ese arrasamiento.

En el Consejo de la noche, el capitán general, cansado, dijo sobriamente: «Mañana», y entonces los capitanes saborearon vino fresco que ha poco recibieran de las islas. Como chispas ardientes, brotaban las palabras. Junto a las hogueras del campamento se oían sabrosos soliloquios. Con el júbilo del momento, cada capitán se había convertido en el innato orador que con sus frases luminosas y elevadas entonaba la heroica canción española en el asalto ordenado para el siguiente día.

Desde el Sur, Cortés mandaba las tropas que marchaban contra el dique. En los otros lados llevaban el mando Alvarado y Sandoval. Las hachas habían enmudecido y los veteranos olfateaban de nuevo el olor de sangre de los días victoriosos. Alderete, como delegado real, reclamó el derecho de iniciar el asalto de Méjico. Montó en su caballo bien cuidado, se puso al frente de su escolta y avanzó hacia el dique: detrás de él iban las tropas auxiliares indias. Hizo señas a los guías de que se apartaran, los cuales se acurrucaron en el borde del dique mirando si había cepos de lobo o cortes del canal disimulados y preparados para tragarse a los armados jinetes. Alderete se lanzó hacia delante; algunas flechas rebotaron sobre su armadura y varias piedras acertaron inofensivas en plena rodela. Como en los torneos medievales, aquí también se luchaba con la lanza tendida y a cubierto con el arnés. Se marchaba así contra los indios, que no conocían las armas de fuego. En línea recta, sin pararse ni un segundo, pasaron los jinetes por entre las filas de casas hasta llegar a la plaza del Mercado, ante la cual estaba la torre de la ciudad de los templos como un viso de los dioses. Hizo señas a los cornetas para que tocaran dando la señal a las tropas de los flancos de que Tenochtitlán había caído. Mas de pronto, resonó el grito de alarma de los tlascaltecas. Alguien gritó que los diques habían sido rotos y que detrás de ellos abrían sus fauces innumerables trampas y cepos de lobo.

En un santiamén se poblaron las desiertas calles; por los tejados, detrás de setos, surgieron interminables filas de hombres armados. Cada sector de la calle se convirtió en una fortaleza; parecía que la granizada de piedras quisiera aplastarlo y destruirlo todo; y el escaso fuego de la mosquetería no encontraba apenas protección en los cruces de las calles.

El muro que formaban los españoles se deshizo; el terror rompió la formación. Los que retrocedían empujaban hacia el dique a los que allí esperaban. La noche triste amenazaba con repetirse, y así hubiera sucedido de no encontrarse Cortés al otro lado de la cortadura del canal. Con sus gritos logró detener a los que huían. La rotura no era ancha y los veteranos arrojaron ramas, troncos de árbol, escombros; colocaron lanzas sobre la cortadura y arrojaron cadáveres al agua... Cortés trató de pasar el primero.

El caballo pateó y tropezó en los escombros, relinchó; las espuelas se le hundieron en los flancos y saltó. Cortés estaba ya entre sus tropas en peligro. Los otros le siguieron con mejor o peor suerte. Los rodeaban los penachos de plumas que se agitaban; el aire se obscureció a fuerza de flechas. Los venablos, arrojados desde poca distancia, atravesaban los petos de algodón. Los soldados vacilaron, pero después se fueron ordenando. Detrás de los mosqueteros estaban los soldados con las baquetas. A cada descarga se marcaba una brecha entre los enemigos. Ahora se podían ya levantar y limpiarse la sangre del rostro. ¡Adelante hacia aquella curvatura! De nuevo Cortés fue a la cabeza, pero los cascos del caballo se hundían en la tierra arenosa; se arrodilló la montura con una flecha clavada en un muslo y arrojó al suelo a su jinete. Cortés pudo con dificultad sacar un pie del estribo. En aquel mismo momento, tres guerreros indios se arrojaron sobre él; le sujetaron los brazos; la espada le cayó de las manos; su única arma era el guantelete, con el cual golpeó la cara aceitosa de un indio; rompióle un hueso con el golpe y el indio se tambaleó. Cortés aprovechó este segundo para echar mano a su cinto y tomar el puñal que allí llevaba. Como en un sueño, gritó: «María y San Jorge, apiadaos de mí». Brilló el puñal, describió un veloz círculo y se entabló una rápida lucha con los salvajes que le habían atacado.

El borde del dique estaba solamente a algunos pasos de distancia. El que por él se precipitara estaba perdido, pues un enjambre de canoas esperaba las víctimas, y sus tripulantes alzaban sus obscuros brazos amenazadores..., no había salvación... Pero alguien vio lo que sucedía. Olea, muchacho fuerte de brazo y robusto, corrió a todo correr blandiendo el sable. Su brazo se abatió y quedaron entonces ya sólo dos enemigos; la lucha seguía a un pelo del borde del dique. Alguien gritó que Cortés estaba en peligro. El capitán de su escolta corrió con algunos soldados; con ellos iban Xaramillo y Guzmán. Pero también surgió, blandiendo su espada española, Flor Negra. Cortés y Olea vacilaban bajo el peso de los cuerpos muertos; habían perdido el equilibrio y pareció por un momento que iban a caer por el borde del dique. Xaramillo recibió un flechazo en el cuello y bañado en sangre cayó del caballo. Guzmán le tomó la brida. Pero alrededor de las piernas de Cortés se enredaban ya algunos lazos. Un solo tirón y caería sobre los botes; una docena de brazos le esperaban ya; pero Cortés, tomando la montura que Guzmán le ofrecía, montó en la silla y se abalanzó hacia el borde del dique, quiso saltar... Un momento de titubeo; pero ya un soldado gritaba: «¡Atrás, señor, se os necesita en otra parte!»

Cortés tenía clavada en la pierna la astilla de una flecha. Una maza le había acertado sobre el hombro; bajo su yelmo goteaba la sangre. El hombre no era más que un cuerpo jadeante, agotado, con un alma sacudida en su interior. Llevaba asido el puñal; pero sentía ya el soplo del desvanecimiento. Luchó con los de su escolta; quería lanzarse a la lucha; pero los suyos tiraban de él, le arrastraban hacia un lugar menos peligroso, donde era más fácil el paso del dique. Cadáveres, troncos de árbol, cuerpos de animales, un cañón, fardos, arena; tuvieron que pasar con dificultad sobre todas esas cosas, que obstruían la brecha. Uniéronse por fin a Alderete, mientras Tapia trataba de llegar a la plaza del mercado marchando por una calle paralela...

De pronto, un estrépito llegó por los aires, sobrecogiendo a todos y sacudiendo los huesos y el tuétano. Sobre el Teocalli sonaban las trompetas de Huitzlipochtli. El sonido corría por el valle y, según decía la leyenda, era oído en ambas costas del país, en ambos océanos. Era la trompeta de los dioses, que sólo los sacerdotes podían tocar solamente en caso de que Tenochtitlán estuviese en sumo peligro. Los caballeros se agruparon, formando la retaguardia. Los caballos estaban aún en buenas condiciones. Querían ya lanzarse de nuevo al ataque cuando llegó el horrísono tocar de aquella trompeta. Parecía que el infierno se hubiera abierto. Muchos miles de hombres, decididos a morir, avanzaban gritando en una mezcolanza de colorines de plumas, cuerpos y sangre. Iban encendidos por el fanatismo, corriendo sin vacilar contra aquellas armas, aquellas corazas y aquel fuego de mosquete. Así se precipitaron contra los españoles. Algunas cabezas rodaron a los mismos pies de Cortés. «¡Tonatiuh!», aullaron al arrojar la primera... «¡Sandoval!», gritaron al arrojar la segunda. Eran cabezas de españoles con el sangriento muñón del cuello, los ojos color de plomo en los que había quedado grabado el terror del último momento. Cortés se inclinó sobre la silla; en su mano brilló de nuevo el acero de su espada y con trazo seguro la blandió en el aire. De nuevo estaba lleno del más alto espíritu; era otra vez un caballero del Espíritu Santo, con su arnés, su espada en la mano, luchando contra cien mil herejes. Fue un momento magnífico cuando se reunió con la retaguardia de Alderete. Los hombres estaban ya bañados por el frío sudor de la muerte. Las tropas de Tapia también se le unieron; de un modo o de otro habían logrado estar reunidos de nuevo. Los cañones retumbaron otra vez; ahora el núcleo fuerte estaba en la retaguardia, pues en ella estaban todos los caballeros y con ellos Cortés. Fueron cediendo el terreno pulgada a pulgada. Una descarga, un nuevo asalto... y, paso a paso, se retiraban hacia el dique.

¿Que había sido de Sandoval y Alvarado? Se eligieron dos jinetes para los dos caballos que habían quedado ilesos. «Haced la ronda por la orilla del lago, pasad de nuevo el dique y averiguad lo que ha sido de mis capitanes.»

Una hora después, apareció la figura de un jinete, pálido y ensangrentado; caía la lluvia. Los soldados le miraron con atención; uno de ellos salió a su encuentro y gritó al acercársele: «Sandoval viene... ¡Sandoval!» Ambos se abrazaron. Cortés cojeaba; un brazo y una pierna le habían sido vendados y alrededor de la cabeza llevaba otro vendaje. Su coraza estaba reventada y rota; estaba pálido. Nunca nadie le había visto tan maltrecho; parecía envejecido y encogido. Y casi perdió el equilibrio cuando Sandoval le estrechó entre sus brazos. Los dos caballeros lloraban; los soldados lloraban al ver la escena, y así sucedió que todos los que alrededor estaban lloraron también.

—Sandoval, hijo mío...; todo eso sucedió a causa de mis pecados. Mis pecados han sido castigados por Dios. Estoy demasiado débil y acabado. Te entrego el mando de mi ejército para el día de hoy. Ten cuidado de buscar a Alvarado...

Sandoval contestó en frases cortas y troceadas:

—Avanzamos fieles a las órdenes recibidas. Oímos disparar a los mosqueteros de Alderete. Mis soldados ya conocían el camino desde el año pasado. Cuando oí que Alderete había llegado a la plaza del Mercado, me lancé con toda mi fuerza y velocidad y ordené no preocuparse de las trampas ni cepos. Así me lo había ordenado a mí Alvarado. Cuando llegamos... éramos ya pocos, y de pronto se oyó aquella música infernal. Parecía como si todos los canales se hubiesen abierto... Cada azotea era ahora una fortaleza, llovían las piedras; a mí, uno de los proyectiles me partió el labio, porque no había cuidado de llevar bien la visera... Alvarado se unió a nosotros; también había quedado cercado..., pero fuimos cautos y prudentes y retrocedimos lentamente. Los veteranos no lo hicieron mal, a costa de algunas heridas más. Vuestra merced puede ver; también yo estoy aquí con cuatro heridas..., pero los dominaremos... Pero entonces los indios nos mostraron sus lanzas con cabezas en las puntas y nos gritaban: «¡Malinche!... ¡Malinche!...» Dios parecía que nos había dejado de la mano. ¿Quién podía saber lo sucedido? Emprendí la retirada. Entregué el mando a Alvarado. Me abrí paso a través de todos los obstáculos. No podía soportar estar más allí y me abrí paso entre empalizadas y hombres, y me salió bien, pues ahora estoy aquí. Gracias al Omnipotente, encuentro con vida a vuestra merced.

* * *

Todo eso había sucedido la víspera. Al romper el día, el ejército entero se arrodilló y comenzó el *Requiem*. A algunos tiros de mosquete se alzaba, inaccesible y amenazadora, la gran torre del templo. Al principio se veían tan sólo manchas parduscas, pequeños fragmentos de aquella multitud de mil cabezas que pululaban alrededor y sobre el templo; luego la masa se extendió, formando largas columnas. La serpiente humana extendió su cabeza, se volvió y comenzó a trepar por las escaleras del templo. Olmedo se arrodilló en el reclinatorio. Todos sabían cuál era el motivo de aquella fatídica procesión matutina de los indios. Tan cercanos estaban, que la vista, pasando por encima de los diques, muros, empalizadas y tejados, alcanzaba fácilmente a distinguir los complicados dibujos de los muros del templo. Impotentes, miraban hacia la altura, hacia la plataforma adonde había llegado ya la gran serpiente humana. Los soldados extendían la mano y señalando decían los nombres: «Mira, mira,..., allí llevan a Guzmán...» Iban los prisioneros unidos unos a otros por medio de guirnaldas de flores. Llevaban también guirnaldas de flores en la cabeza y telas de colores chillones les cubrían. Detrás de ellos tocaban las diabólicas trompetas. Los sacerdotes los golpeaban con látigos y bastones, obligándoles a seguir en aquella corriente humana. Se tambaleaban; pero sus voces no alcanzaban a oírse donde estaban los españoles. Sólo se percibía el doblar de los tambores y un ruido rítmico impenetrable e incomprensible. Se les obligaba a bailar, unos minutos tan sólo, pero que parecían eternamente largos; se veían sus cuerpos, como de macho cabrío, que temblaban. La procesión seguía subiendo. Durante un minuto desaparecían en la revuelta de la escalera; parecía que la torre había quedado vacía; pero pronto aparecían por el lado opuesto; siempre como una serpiente pardoverdosa. Llegó ésta luego a la segunda plataforma. Se podía seguir cada uno de sus movimientos cada vez más claramente al ir elevándose. El vocerío, por el contrario, parecía más lejano. Se les hacía bailar de nuevo, forzados por los golpes de bastón y de cuchillo; tal vez era un sacudimiento nervioso; sin embargo, sus semblantes parecían alegres y risueños. Se les había hecho beber hongos cocidos en miel o pulque, y así aquellos cristianos, en aquella hora suprema, habían olvidado el Padrenuestro.

Tercera plataforma. Pocos pasos quedaban para llegar al sacrificio. Abrióse la puerta que conducía al dios Huitzlipochtli, con su rostro terrible y sangriento adornado de oro. Los sacerdotes y dignatarios pasaban en procesión fabulosa. Delante iba Guatemoc. *Águila-que-se-abate* aparecía casi cubierto de oro. Su cuerpo joven y esbelto parecía el de un muchacho; su rostro pálido era apenas más obscuro que la piel de los españoles. Parecía una estatua con su corona en forma de tiara, su vestidura resplandeciente y su amplia capa. Oyéronse de nuevo los sones solemnes de la música. Y comenzó la danza en rueda con carracas, matracas y tambores de cuero, que condujeron pronto al paroxismo a aquella marejada humana que danzaba. Seguía la danza. Los destrozados y acabados cuerpos de los veinticinco españoles saltaban y brincaban destacándose por encima del corro de danzantes; se les empujaba hasta el borde de la plataforma, se les volvía de cara adonde estaba el campamento de los españoles. Sí, evidentemente era lo que se proponían los indios; todo era una función sagrada, ritual... Delante estaban los sacerdotes, detrás el coro y las víctimas, a quienes se hizo dar tres vueltas alrededor de la piedra de los sacrificios.

«*Miserere*...», clamó con voz profunda el Padre Olmedo. Después, como un sollozo y una queja, entonó el canto de difuntos, que estremeció al campamento entero. Impotentes estaban ante aquel espectáculo cruel. No se podía apartar la vista de allí; era imposible no mirar cómo el sacerdote-verdugo, con paso lento y acompasado, se aproximaba ya. El coro parecía un gran lamento. Cogieron al primero de los españoles; los demás seguían bailando, pero el primero... Era un pobre y viejo veterano, cuya cara morena estaba rodeada por una barba ya encanecida. Con sus manos atadas, trató de defenderse aún; sus labios murmuraban algo; posiblemente pedía al Señor el perdón de sus pecados. Fue tumbado sobre la piedra. Se vio el brazo del sacerdote con su amplia manga que se elevaba, brilló el cuchillo de piedra y un momento después en la otra mano mostraba algo..., era como un pedazo de carne amorfa y sangrienta.

Los soldados se abrazaban unos a otros y lloraban. Eso no se podía soportar; no se podía resistir tampoco aquel ruido: el vocerío, los cuernos, que redoblaban cada vez que el sacerdote daba el golpe con su cuchillo; entonces había un español menos; su cuerpo era arrojado por las escaleras; abajo le arrastraban a las calderas. Aquella noche los caciques debían darse un festín de carne de españoles.

Los capitanes estaban agrupados; sólo Ordaz seguía apartado e inmóvil de pie. Miraba hacia delante, como si contemplara el tiempo. «Ya vuelve a ver espíritus.»

Se hizo el silencio. Comenzó a llover y la gente se retiró a sus tiendas. Tenían la comida delante, pero hasta el pan de maíz quedó intacto aquel día. Los tlascaltecas iban y venían indiferentes; no habían temblado ante aquel espectáculo y, en secreto, abrigaban extraños pensamientos. ¿Cómo debía de saber la carne de los *teules*? Las trompetas habían callado. Hoy no habría ataque. Los diques quedaron sin componer. Hoy, en ambos bandos, debían curarse las heridas. Solamente sobre las aguas del lago cruzaban los buques de vigilancia, apretando cada vez más la cadena que estrechaba el corazón de la ciudad sitiada.

* * *

¿Paz? Por un momento el hacha quedó inmóvil en la mano del soldado. ¿Paz?, se dijo, y miró al cielo, de donde caía constantemente la lluvia en largas hebras. La humedad había reblandecido los ladrillos, corría el agua por las grietas y el viento frío entraba en el interior de las casas... ¿Paz? Centenares de brazos golpeaban las piedras, abrían minas, las encendían y los muros se derrumbaban en los canales. Después del gran descalabro, continuó el asedio. Paso a paso, iba avanzando la fuerza desde tres puntos distintos. Por la parte del lago, los bergantines. Y en tierra se manejaban también las armas de la diplomacia, de las promesas. Méjico actuaba con habilidad desde el Teocalli. Guatemoc tenía de sesenta a setenta mil guerreros y solamente se podía llegar a la frontera del Sur por el inseguro camino de las aguas. El asedio era casi incruento; no corría la sangre. Todas las noches, las piraguas trataban de romper el cerco. Entonces se efectuaba una batida. Algunas veces los indios lograban atraer a los buques hacia los cañaverales y allí les cerraban la salida por medio de troncos. Así se habían perdido ya dos pequeñas embarcaciones y sus tristes esqueletos se veían entre los juncos.

Reinaba profundo silencio en el mismo lugar donde hacía algunas semanas había estado todavía el cuartel general de los indios. Hoy no trabajaban los tlascaltecas; la gente de Cempoal no amontonaba las piedras en los diques, tampoco nadie oyó cantar hoy a los totonecas. Silencio por todas partes. *Águila-que-se-abate* había hecho anunciar que, antes de que pasaran ocho noches, Tlaloc pronunciaría un terrible juicio contra todos los rostros pálidos. Así habían hablado los sacerdotes, y Guatemoc se inclinó ante los dioses de sus antepasados y envió emisarios a todos los pueblos, a todos los caciques, aun a aquellos que habían levantado su mano contra él. «Hoy perdona todavía Huitzlipochtli y también Tlaloc perdona hoy todavía —decían los emisarios, que se habían deslizado sigilosamente a través de la noche—. Ahora puedes todavía volver atrás, pues dentro de ocho días se realizarán las profecías. Yo, *Águila-que-se-abate*, te invito a la gran fiesta, que será la mayor que se haya celebrado jamás, mayor aún que aquella del sacrificio que se celebró por primera vez en el Tenochtitlán. Será la fiesta de Anahuac, cuando la risa de Tlaloc sobrecoja de miedo a todos los traidores y el sumo sacerdote muestre el corazón de Malinche.»

Los cuarteles indios quedaron vacíos en dos noches. La obscuridad era su aliada, y Cortés, impotente, extendía los brazos. No podía retenerlos. Solamente Flor Negra y el séquito del tlaxcalteca Chichimecatl seguía siendo una nota de color en el ejército que trabajaba en los diques.

Cortés envió emisarios a los aliados. «Esperad siete días, que es cuando se cumple la profecía; ya veréis que entonces seremos más fuertes que nunca. Esperad esos siete días.»

Alrededor, a dos días de marcha tan sólo, se establecían poderosos campamentos de indios, esclavos de ritos supersticiosos, y por esos campamentos corrían confusos rumores. Era gente que se reunía cuando el viento soplaba de la parte de Tenochtitlán. «¿Cuáles son los signos?», preguntaban. En sus espíritus se mezclaba la tradición con el barbudo y místico Padre Olmedo. En su interior luchaban la cruz con Huitzlipochtli; la Virgen y el Niño combatían con el monstruo de las siete flechas. ¿Quién vencería? Esperaban el resultado de la lucha de dioses y estaban atentos a los signos y señales que Guatemoc cuidaba de enviar por el aire, con el humo o con sonidos.

Los encantadores creían en sí mismos; pero los signos que adivinaban en los intestinos y entrañas humanas fueron falsos y en la mañana del octavo día los españoles saludaron al sol con un renovado tronar de sus cañones. La gente de Vera Cruz había comprado un buque en viaje a la Florida; habían enganchado los caballos a las culebrinas y carros estaban ahora aquí, recién llegados de Tezcuco. Volvían a tener pólvora y los dioses negros de fauces silenciosas volvían a sacar por sus bocas sus lenguas de fuego. Al noveno día, en que debían cumplirse todas las profecías, avanzaban de nuevo los españoles y las tres columnas cambiaron sus señales a la hora convenida. Cortés había esperado el amanecer de esta mañana como el Papa Silvestre, quien, según la leyenda, extendió los brazos ante el altar mayor de Roma en la noche de San Silvestre, esperando el fin del mundo de aquel histórico siglo cristiano. Así había esperado Cortés el alba de aquel día que parecía llegar pausadamente y él mismo envió sus mejores emisarios, envió jinetes en todas direcciones; debían llegar a las montañas y mostrar así a todo el mundo que todos los signos de los dioses de Anahuac nada tenía que ver con los *teules*. «A los signos, debes responder con otros signos», le dijo lentamente Flor Negra cuando paseaban uno junto al otro en aquella brumosa mañana. «Envíales tus signos», le dijo también Marina, que había pasado en vela la noche.

— ¿Debo protegerme yo también con los signos de los idólatras?
— Hazles saber, señor, que tus soldados han visto a Tlaloc, que

con su cuerpo de ocelote saltaba sobre la puerta... Hazles saber que Tlaloc se ha reído sobre la puerta de Tenochtitlán.

Corrían las noticias; volaban por entre las malezas, llevadas por las voces de los animales a lo largo de todo el valle; y con la velocidad del viento llegaron a la desembocadura de Tabasco; se extendieron por Yucatán; se esparcieron por toda la región de Honduras; penetraron hasta el fondo del Mar del Sur. Los *teules* eran invulnerables a los signos y Tlaloc había reído sobre la puerta de Méjico.

Aquella misma noche se notó la reacción. Secretamente, regresaron los que habían huido de sus antiguos cuarteles, encendieron las hogueras, sus mujeres molieron maíz entre dos piedras, cocieron el pan y después quedaron inmóviles y silenciosos, mirando al fuego, como si nada hubiese sucedido. «¿Quién se atrevía a luchar contra los signos?», fue toda la disculpa que dieron los cabecillas ante el Consejo de Guerra. «¿Contra los signos?» Bajó la cabeza. Si hubiese sido recién llegado al país hubiese erigido una horca y hubiese dado un castigo ejemplar a los prófugos. Pero ahora bajó la cabeza; estaba ya aclimatado a un nuevo orden de cosas, a un nuevo mundo; sabía ya que ningún mortal sería capaz de cambiar la mentalidad de esas gentes. «Contra los signos no se puede luchar», dijo, y vio los suaves rasgos de Olmedo que calmaban a todo aquel que llevara una pesadilla en el pecho. Olmedo, desarmado, con su hábito, cruzaba por los campos llenos de cadáveres para curar con sus propias manos a los indios moribundos.

Aquel descanso de una semana había sido útil. La lluvia amainó lentamente y acabó por cesar. Los que regresaban venían con víveres, pero los botes no podían romper el cerco. El hambre imperaba en Méjico. Los desertores y los prisioneros pernoctaban ante su umbral. No precisaban los servicios de Marina, pues podía verse que el hambre les había roído la carne hasta los huesos, y Cortés miraba cómo extendían sus manos ansiosas hacia el pedazo de pan de maíz agusanado que se les arrojaba. En Méjico apenas quedaba nada para comer. En la orilla del lago se recogían algas carnosas que se hacían fermentar como un queso; se las prensaba y se consumían así; era un alimento maloliente y desagradable, pero que servía para llenar el estómago. Se recogían piedras para buscar el musgo y las raíces que había debajo. Las ratas y los pájaros eran golosinas que habían desaparecido ya casi totalmente. «¿Coméis hombres?», preguntó Cortés. Los prisioneros bajaron la cabeza, como si no comprendieran la pregunta; pero Cortés volvió a preguntar con decisión: «¿Coméis hombres?»

—Tenemos muy pocos prisioneros, Malinche. A los españoles,

los dioses les han dado una carne desagradable y amarga. Todos los que la han probado, sacerdotes y jefes, la han tenido que escupir; tenía un sabor amargo, como de hiel; ni aun para eso son útiles, dijeron los jefes. Se encuentran muy pocos prisioneros tlascaltecas y menos aún de Tezcuco; pero a los pocos que tenemos, los comemos.

— ¿Y a los más débiles de entre vosotros? ¿Los niños?

El prisionero se tapó los ojos.

— Terrible lo que preguntas, señor. ¿Comerse a nuestro propio pueblo? Eso no se ha visto nunca desde que los gigantes dejaron este país a nuestros antepasados y a nosotros.

No se devoraban mutuamente. Disimulaban el horror del canibalismo con humo de copal, y si comían carne de semejantes, lo hacían deificándola, convirtiéndola en un manjar celestial.

Cortés hizo llamar a tres prisioneros de categoría superior. Eligió a tres portadores, los cargó de víveres y les dio el distintivo de los mensajeros. Se prepararon para partir cuando se aproximó Marina.

— Permíteme, señor, que vaya con ellos. Quiero hablar con Águila-que-se-abate.

— ¿Acaso alguna mujer ha sido encargada alguna vez de una embajada?

— No me puedo comparar con la señora de Tula; pero la señora de Tula envía solamente mujeres como embajadoras. No me impidas, señor, que yo hable con él y le ruegue que ponga fin a este horror. Por todas partes se ven cadáveres, cuyo hedor envenena el aire. El niño no puede apenas respirar. Llora toda la noche cuando oye los tambores.

— ¿Y si no te dejan regresar? ¿Si te sucediera algo, Marina?

— En Anahuac no se hace daño nunca a los emisarios. Los dioses de nuestros antepasados así lo mandan. Los portadores de una embajada o mensaje son sagrados.

Marina avanzó llevando el distintivo de embajador. Detrás de ella marchaban los tres caciques y seguían después los portadores. No le fue disparada ninguna flecha; no voló ninguna piedra. Se la condujo detrás del dique principal, que estaba aún indemne y donde se alzaban todavía los magníficos palacios en aquella ciudad destruida. Guatemoc no vivía en el palacio de Moctezuma. La entrevista se celebró en una fortaleza en forma de castillo, formada por varias habitaciones unidas. Los jefes estaban sentados alrededor de una mesa. Ésta se curvaba bajo el peso de las grandes fuentes de manjares. Sobre platos de oro había manjares y bebidas como en los tiempos de Moctezuma. Marina pudo ver cómo los caciques doblaban sus dedos como garras y miraban con ansia las fuentes. Fue un triste espectáculo el que ofreció Méjico, condenado a muerte, a Marina y a sus acompañantes.

Marina habló. Todos la conocían. Nadie pensó en preguntarle qué buscaba aquí esa mujer que pasaba por encima de la naturaleza y abría sus labios para hablar en el lugar donde estaban reunidos sus señores, los hombres. Estaban callados e inmóviles. Marina se cubrió la cabeza, según la costumbre cortesana, con un manto de *nequem;* bajó después la vista, como la bajara un día ante el terrible señor, y se aproximó con pasos breves a *Águila-que-se-abate*, en cuyo rostro se leía la historia de aquel año y medio transcurrido. Marina habló en voz baja. Entre los españoles se había acostumbrado a usar expresiones cortas y agudas, sin arabescos que adornaran su pensamiento. Hablaba breve y sin colorido, sin la amplitud acostumbrada en los hombres que asistían a los consejos. Habló de cosas extrañas, que solamente podían ser pensadas por las mujeres y de las que nadie había oído hablar. Nadie había visto nunca que un emisario en tiempo de guerra hubiera hablado en Anahuac de cosas semejantes.

—Pensad en los niños, augusto señor, que extienden sus manitas pidiendo pan a sus madres, cuyos pechos están ya secos. Te traigo la palabra de Malinche, que dice que nada desea de ti más que quites estos diques que nos separan los unos a los otros. Reúne a tus jefes y promete cumplir tu palabra, y que ellos a su vez también prometan cumplir la suya y el voto que hicieron ante el terrible señor. Reconoced a Malinche como señor vuestro y entregad lo que sea necesario de vuestros tesoros para congraciaros con el señor infinitamente poderoso que gobierna al otro lado de las aguas.

Guatemoc callaba. Luego levantó la vista. ¿Tenía algo más que decir?

—Piensa en las mujeres,..., en Tecuichpo, a quien honro como mujer y como madre. Piensa que no tiene pan y que su paladar ha olvidado ya el sabor de unas gachas calientes. Soy portadora de la palabra de Malinche. y él, por medio de mis débiles y humildes manos de esclava, os ofrece la paz; y os la ofrece,´gracias a mis ruegos de que me enviase a mí como emisaria, contra toda costumbre y contra toda ley; pero yo quería decirte, augusto señor; apiádate de tanta miseria y comprende que tus dioses no son verdaderos dioses y que la Mujer Blanca con el Niño en brazos es más poderosa que todos vuestros dioses,...

Siguió un silencio. Luego habló Guatemoc:

—El pueblo no está en mi mano; el pueblo está en manos de

436

los dioses. No te atribuyo a ti ninguna culpa. Tú eres una esclava y serviste fielmente a tu señor. Nunca le has traicionado, y también sé que ahora misno tampoco piensas en ninguna traición. Por eso hablo contigo, en vez de enviarte, como mujer que eres, a amasar y a cocer el pan. La suerte de la ciudad no puede estar en manos de mujeres. No quiero que se me maldiga nunca por haber pronunciado la palabra fatal. Quiero aconsejarme con los jefes, con los padres y con los sacerdotes. Espera, pues, aquí.

Pasaron horas y más horas. Los que habían venido, protegidos por el distintivo de los embajadores, seguían sentados, esperando.

Guatemoc celebró consejo. Los jefes militares, con las hojas de *nequem* en la mano, le daban cuenta de cuántos hombres quedaban, cuántas armas, cuántas flechas, cuántas piedras... y cuánto tiempo podrían aún resistir los soldados. Los dignatarios de la corte dijeron las cantidades de alimentos que aún quedaban en los depósitos subterráneos destinados a los soldados para el último empujón. En las voces de todos temblaba el dolor; sus gestos o ademanes eran inseguros. Decían: «Tal vez...» y sus manos pendían inmóviles y vacías. Los soldados no decían nada; no decían que ya no podían soportar más; pero en los ojos de los caciques se leía un anhelo de paz. El sumo sacerdote era viejo y seco; por sus venas corría sangre real; había sido reducido a prisión junto con Moctezuma. Pocas veces bajaba del Teocalli; los ojos de los mortales no le podían ver más que una vez por año, cuando subía a la embarcación con el dios Sol humanizado para ofrecer el sangriento sacrificio expiatorio del año transcurrido. El sumo sacerdote hablaba muy bajo; estaba cansado y como soñoliento. Los dioses no le habían proporcionado alimento desde hacía muchos días.

—El terrible señor envió a los extranjeros su sonrisa y ellos le ataron las manos con ligaduras de metal extraño y le encerraron como si fuera un prisionero o un malhechor. Los extranjeros no son dioses; les llamáis *teules* insensata y neciamente. Tal nombre corresponde sólo al vástago de los dioses y de los demonios. Pero ellos son hombres, cuya carne y cuya sangre han blanqueado los rayos del sol. Son mortales, como todos nosotros. Pero sus lejanos dioses metieron en sus venas locura y bilis. ¿Qué preferís, volver al mundo deleitoso de los héroes o arrastraros como esclavos y oír restallar el látigo? ¿Preferís ver derribar vuestros dioses y que sea reducido a polvo de oro todo el ornato del culto? ¿Preferís presenciar cómo esos gusanos blancos se arrastran sobre el cuerpo de vuestras hijas y perpetúen en ellas su sangre de sapo con criaturas que huelen a cadáver?... *Águila-que-se-abate*, eres todavía muy joven para tu edad, pero viejo por lo que has padecido. ¿Prefieres tú también llegar a ver cómo el látigo silba y cae sobre tus espaldas, cómo se eleva el humo de las piras crematorias, como aquella de Quipopoca? ¿Quieres ver el estado de Cacama, que acabó siendo un cadáver que arrastra cadenas y no tuvo fuerzas suficientes para arrastrarse entre los diques cuando nuestros guerreros ocuparon los canales? Habla, *Águila-que-se-abate*. ¿Crees acaso que los dioses te deparan una suerte mejor, que vivirán en bienestar si tú inclinas la cabeza y la rodilla ante sus encantadores vestidos de burda tela y bebes el amargo vino de los *teules* juntamente con Flor Negra?

Guatemoc se levantó de un salto. Las últimas palabras le habían parecido una puñalada en el corazón. El nombre de Ixtlilzochitl era más repugnante y repulsivo que un escarabajo de carroña y a nadie le era permitido pronunciar el nombre del traidor.

Con el nombre de Flor Negra quedó automáticamente disuelta la reunión. Todos se dirigieron al Teocalli e hicieron comparecer al infeliz Guzmán, que durante dieciocho días tuvo que acompañar en el cortejo a sus compañeros que eran llevados al martirio. Estaba tan flaco que sólo le quedaban ya la piel y los huesos. Así fue echado sobre la piedra de los sacrificios; el sacerdote le sujetó el cuello con una argolla de cobre y el otro le clavó con mano firme el cuchillo de *ichtzli* en el pecho. Redoblaron los tambores y Cortés supo que sus emisarios volvían con las manos vacías.

* * *

Una tarde, fue abierta una pequeña brecha en la empalizada que cerraba el dique. Los españoles se preparaban para el ataque; en cualquier momento había que esperar una última y desesperada salida de los sitiados. Los españoles dirigieron sus culebrinas hacia las calles llenas de escombros, mientras que la alegría sin freno e indisciplinada de los aliados anunciaba un festín de ritual. Al cabo de un minuto de haber salido, regresaron los soldados enviados en descubierta.

—¿Qué hemos de hacer, señor? Vienen arrastrándose ancianos, mujeres y niños... en gran número..., forman una legión; llegan cantando algo que oprime el corazón. No nos hemos podido resolver a atacarlos... Parecen venir del vestíbulo del infierno... ¿Qué hemos de hacer?

—Paradlos hasta que lleguemos nosotros. Poned en la avanzada solamente centinelas españoles. Que nadie avance hacia ellos ni dejad tampoco que ellos avancen. Me respondéis de ello.

Por la calle, dispersos, se encontraban unos centenares de españoles y, a su alrededor, millares de indios. Si adivinaban el olor del botín, les saltaría esa cascarilla de sentimiento humano que los envolvía. Hizo llamar a Flor Negra y a los dos jefes de los tlascaltecas.

—Los signos hablan. Las horas de Tenochtitlán están contadas. Los dioses la han abandonado. Mirad: nos envían sus mujeres y sus niños. Nuestra Señora los protegerá a todos. Así hablan los signos.

—¿Quieres tú que en ellos se cumpla una ley distinta a la nuestra?

—Don Hernando de Iztlilxochitl: El agua del bautismo os humedeció la frente. Estáis dentro de nuestras leyes. Encargaos de la protección de los fugitivos. Respondéis con vuestra persona de que nada suceda a ninguno de ellos.

—Dirige los cañones contra mi pueblo y rodéalo con tus soldados. Soy débil contra nuestras leyes, que son las leyes de nuestros mayores.

—¿Quieres asesinar a las mujeres y a los niños?

—Así lo exige la ley de Anahuac.

—Aquí rige la ley de Don Carlos. Esa gente se ha entregado indefensa; tienen hambre y frío.

Era una escena triste. Una barrera de mosquetes dispuestos a hacer fuego cerraba el camino. Por todas partes había jinetes. Los cañones estaban emplazados más atrás, dirigidos contra los propios aliados. El Padre Olmedo iba delante con la Cruz, acompañado de varios soldados jóvenes; detrás seguían aquellos millares de infelices, aplastados bajo el yugo de la muerte, desesperados, expulsados de la ciudad condenada a morir. Fuera de esa cadena, estaban los tlascaltecas, en cuyos ojos no había la menor lucecilla de piedad y que, como lobos, miraban si se abría una brecha entre los españoles para lanzarse por ella a matar y amontonar botín o esclavos.

Pero no se abría ninguna brecha. «No se oyó ni un solo grito de muerte», escribió casi cuatro lustros después Bernaldo Díaz, que iba en la columna de Alvarado. Cortés, sin embargo, dejó a la posteridad la siguiente descripción: «...durante cuatro días no atacaron..., pero después se llenaron las calles y caminos por que pasábamos de mujeres y niños, seres miserables, medio locos de hambre, que salían de las casas arrastrándose. Era un espectáculo triste. Ordené a mis aliados indios que respetaran a esa gente inocente y que nada les hicieran...»

Llevaban el hálito de la muerte consigo; sus manos, agarrotadas y cadavéricas, apretaban algunas raíces que ni tan sólo soltaron cuando las bondadosas españolas les arrojaron sus panes de maíz recién cocidos. Cortés contemplaba el desfile desde la azotea de una casa medio destruida y caída en el agua. Entre aquellas figuras horripilantes buscaba a Tecuichpo, con su rostro de color de perla y sus dientes blancos como la nieve. Y dijo a Marina:

—Atiéndelos. Eres mujer y ellos son de tu raza. Lleva a diez españoles contigo a tus órdenes. Establece guardias para que los tlascaltecas no se acerquen de noche sigilosamente...

. —¿Qué te propones hacer con la ciudad y con los que allí quedan, señor? Éstos han tenido aún fuerza para arrastrarse hasta aquí; pero se dice que los más débiles, los ancianos, mueren allí a montones porque carecen de alimentos y de bebida.

—Enviaré de nuevo un mensaje. Lo haré todos los días. Hoy, Guatemoc, según me dijeron, esperaba en la plaza del mercado de Tlatelcuco. Allí fui y aguardé. Me hizo esperar largas horas. Un emisario seguía al otro. Todos se postraban y mentían en nombre de su señor... Hago todo lo que puedo. Lo intento todo.

Pensó que hablaba delante de una mujer. Marina estaba abajo. Su mirada se dirigía soñadora y asustada a las lejanas torres todavía indemnes. También Flor Negra miraba en la misma dirección. Habían visto a Méjico cuando Moctezuma era todavía el monarca sagrado. Ahora sólo quedaban unos muros ahumados y unos escombros pestilentes; y sus habitantes estaban señalados por la muerte. Volaban los buitres y rondaban los chacales... Eso era hoy Tenochtitlán, la maravillosa ciudad de Nueva España. Siguió hablando sin preocuparse de si la muchacha oía o no sus palabras... ¿A quién debía hablar? A su alrededor había soldados, pajes, el malhumorado Duero... El Padre Olmedo estaba confesando no lejos de allí.

—¿Dices por qué no intento la paz? ¿Crees tú, pues, que me alegra el ver las casas hundidas y las calles obstruidas? ¿Crees tú que ha de agradarme escribir a mi rey, diciéndole que hemos conquistado un cementerio? Sois una raza satánica y odiosa, una raza de asesinos y antropófagos que os despedazáis los unos a los otros. Tengo que apuntar mis cañones contra vosotros y echar mano de mis soldados para proteger a esos infelices desgraciados contra sus hermanos... Los totonecas y los tlascaltecas, y aun los de Cempoal y Tezcuco,... todos están al acecho. cuchillo en mano, deseando asesinar; quieren darse un festín, quieren mujeres; se arrojarían sobre esos espectros para ultrajarlos y matar después a puñaladas, a sus hermanos de raza. ¿Y decís de nosotros, los españoles, que somos carniceros? Decís que hicimos crímenes en Cholula y que Alvarado, en Méjico, en el salón del baile... Me confesé ante Dios y le rogué que su sangre no cayera sobre mi cabeza; pero aquéllos eran por lo menos hombres que se podían defender; no eran como esas mujeres, harapientas y muertas de hambre; no eran hermanos de raza: eran extranjeros. Nosotros éramos muy pocos y teníamos que defendernos si no nos hubieran despedazado. Pero a vosotros se os curvan las garras; afiláis vuestras lanzas y arrastráis al bosque a aquel a quien queréis mal, para arrancarle allí el corazón. No quiero yo que todo se convierta en un montón de cascotes. Quisiera poder poner esa ciudad a los pies de mi rey, invitándole a que pasara el Océano y viniera aquí como emperador de Occidente, a visitar y contemplar a la más hermosa de las ciudades de sus dominios. ¿Crees tú que yo deseo que se destruyan esas calles, que el fango lo cubra todo y se trague los palacios, de tal forma que no pueda yo decir un día a mi emperador: «Aquí estuvimos los españoles y de aquí se nos arrojó en aquella Noche Triste»? ¿Qué podría yo mostrarle ahora? El camino pasa sólo entre escombros y ruinas... ¿Crees que mi rey habría de recompensarme por tanta destrucción? Necesitamos tierra, ciudad y gente; necesitamos reyes que nos den oro; necesitamos labradores que cultiven la tierra; necesitamos hombres que trabajen en las minas, horaden las piedras, llenen los hornos de cal, limpien las ciudades y edifiquen templos a la Santísima Virgen. Pero no deseo esclavos de los que mueren diariamente algunos centenares azotados por la viruela, ni niños sin fuerza vital que sean arrastrados por sus madres llorosas; ni mujeres con pechos estériles que se entreguen al primer hombre que las llame... Yo necesito hombres y no espectros como esos que me mostráis con vuestros brazos obscuros...

Marina contemplaba a su señor. Nunca le había visto hablar tanto tiempo con nadie. Y a la muchacha le pasó la idea por el cerebro si Cortés no habría bebido pulque o tequila. Pero le conocía bien y sabía que sólo a la hora de la comida bebía una copita de vino; era sobrio; no bebió nunca aquella miel con hongos hervidos. Le miró largamente. Sentía hacia él un amor intenso, era su amado y el padre de su hijo. Marina tomó una jarra y le llevó agua; su voz era dulce, baja, como si llegara de la lejanía.

—Los infelices tienen hambre... Haz un milagro, señor. Haz un milagro. Di lo que tú no quieres que suceda, y sucederá. Si tú dices que no quieres destruir, todo se convertirá en polvo y cenizas. Si quieres ahorrar vidas humanas, a centenares caerán en el sacrificio... Déjame hacer una prueba. Déjame ir nuevamente allí, señor.

Partió con dos clarines de la banda. Subió la terraza inferior del templo, ocupada por los españoles y desde donde podían ver y oír la gente de la ciudad sitiada.

—Malinche es poderoso. Nada podéis contra él. Malinche manda decir a *Águila-que-se-abate* que le respeta y honra como hombre y que no le quiere arrebatar ni la ciudad ni su reino. Le tratará como a amigo. ¿No habéis oído, acaso, cómo Tlaloc, noche tras noche ladra sobre vuestras murallas, y no comprendéis que se derrumban los muros y el agua lo inunda todo porque no le obedecéis?... Soy una pobre sierva; pero ya veis que a mí nadie me hace daño, ni a los otros tampoco. No se nos arranca el corazón; se nos da de comer. Ya veis, las mujeres y los niños que han venido a nosotros desde vuestra ciudad, se encuentran ahora en un lugar seguro... No se ha oído ni un solo grito de muerte. Están sentados y en sus manos hay pan de maíz; están sentados y lloran por vosotros, que estáis condenados a muerte... *Águila-que-se-abate* es un gran monarca, por encima de la vida y de la muerte. Era señor de la muerte y prestaba a la noche los colores del día. Caed a sus pies y rogadle que os salve. Que deje que el día sea día y mande parar ese río de sangre que fluye sin interrupción. Oíd: Malinche espera vuestra contestación.

9

Le ofreció un puñado de manzanas secas. Guatemoc sonrió: «Cómelas tú», dijo. Durante un minuto reinó el silencio. Se oía el retumbar de los cañones. Estaban acostumbrados. Conocían ya el curso que seguían las balas de piedra y sabían que no hacían ningún daño, si llegaban muertas. Desde la azotea miraban hacia abajo. Alrededor se veían las hogueras de las guardias, de los que antes les eran fieles. Más allá, las fogatas de los españoles elevaban sus llamas, formando figuras regulares, cuadros o triángulos con el ángulo agudo delante. Con sólo mirar aquellas hogueras se conocían que eran de los rostros pálidos... Después, sus llamas se hicieron menores y acabaron por apagarse como si hubieran recibido señales. El centinela observaba vigilando donde estaba el campamento de los tlaxcaltecas y donde los otros pernoctaban. En el lago se veían los buques; oscilaban las linternas rojas, que el viento balanceaba. Izaban una bandera y entonces se hacían señales...

Extendió el brazo y ofreció la comida a Tecuichpo. A su alrededor había esqueletos, como sombras que hubieran vuelto del otro mundo. Habían sido un día fieles servidores del terrible señor. Pensó en Papan. Ésos no se despertarían ya más. Tal vez seguía pensando. Tenochtitlán se sostendría aún dos días más. Ochenta y ocho veces la noche había seguido al día, desde que Malinche y sus españoles habían invadido la región. ¿Hambre? Casi todos los días comía carne; el buen bocado que le correspondía. Siempre carne sin sal ni aderezo, sin grasa; carne asada en su propio jugo, carne de indios flacos, pues casi cada día caía algún prisionero; a veces también algún blanco, que se traía herido o desvanecido en una canoa con' el lazo todavía alrededor del cuello... Era carne. Siempre un bocado tan sólo, pues la fuente iba de mano en mano y cada uno cortaba un pedazo. El sacerdote decía:

— Parece que han vuelto los tiempos de nuestros antepasados. Antes nutríamos nuestro cuerpo con carne de aves, frutas y plantas de la tierra. La carne y la sangre humana sólo llegaban a nuestros labios como un sacrificio religioso. Entre los jóvenes guerreros había ya algunos que cerraban los labios y no querían probar tal clase de comida. Ahora han vuelto aquellos antiguos tiempos en que nuestros antepasados conquistaban tierras. mataban los prisioneros y comían sólo su carne. Nosotros nos habíamos degenerado. La carne humana nos parecía tener un sabor amargo y soso y nos gustaba ya más la carne blanducha y manida de las aves, los bollos con miel... Ahora hemos vuelto a la verdadera nutrición.

Pero eso sólo lo decían los guerreros que guardaban el templo y que recibían algún pedazo de la carne de las víctimas. Las mujeres languidecían y estaban pálidas. Tecuichpo estaba cada vez más hermosa, más ligera, más infantil... como envuelta en un hálito de juventud. Se estremecía cuando oía pasos; a menudo le saltaban las lágrimas cuando se inclinaba sobre una mujer moribunda y comprobaba que en su seno había también un niño... ¿Por qué había que llorar por un niño?, decía el sacerdote. El niño no vivía, sus ojos ampliamente abiertos no veían el Todo. Su débil vida era un círculo estrecho y ligero y se rompía fácilmente y sin dolor... ¿Por qué había que llorar porque muriera un niño?

Tecuichpo tomó las manzanas. Desde hacía varios días se alimentaba solamente de frutas secas que se habían encontrado en la caja de una esclava fugitiva, una caja llena. Las frutas eran cortadas en rodajas finas y se las secaba al sol. Y así eran más sabrosas y alimenticias. La cena de una emperatriz. Estaba tan sin fuerzas que *Águila-que-se* abate no la enviaba ya con sus mujeres que estaban en la habitación cercana llorando. ¿Para qué? Venían hombres, guerreros. Era mejor que viese cuán próximos estaban el principio y el fin. Era mejor que viese que era una piedra al vuelo, una flecha disparada... Venían emisarios y gente de la ciudad. Todos querían la paz. Guatemoc callaba; luego sacudía la cabeza y decía: «No.» Corrían las lágrimas por las mejillas y el rostro del dios de la muerte. Los dioses — decían —, no podían abandonar a Méjico. Guatemoc no podía proponerse ya nada eficaz. La oruga se arrastraba cada vez más cercana entre los escombros; estaba ya a la sombra de la gran torre de Teocalli; las gentes de Alvarado subían ya las escaleras... ¿Dónde estaba Huitzlipochtli? En la isla del gran lago, donde aún podía llegar la barquilla, donde los dioses descansaban. El sacerdote le miró y preguntóle: «¿Deben los dioses trasladarse?» *Águila-que-se-abate* quedó silencioso y, en su lugar, contestó el sabio y viejo cortesano Teuhtitle, que vio cumplirse el destino de Moctezuma: «Dicen los *teules*, señor, que ellos llevan el dios consigo... lo muestran sobre su pecho y dicen que vive allí... ¿Tendrán razón? ¿Será tal vez en vano que tú quieras llevarte a nuestros dioses por encima de las aguas y trates de esconderlos en la montaña, romper el cerco y buscar una nueva patria en las provincias del Sur? Tú lo sacrificas todo, señor... para sostenerlos aquí todavía algún tiempo y huir luego si es posible... Pero ¿quién sabe adónde ellos quieren ir? ¿Quién sería capaz de indicar el camino que debe seguir Quetzacoatl?»

Guatemoc levantó la mano.

—No puedo ahogar tus palabras ni tampoco castigar más. Yo no soy Quetzacoatl, quien — como dicen los habitantes de Tula —, era absolutamente contrario a los sacrificios de los corazones palpitantes. Yo soy un guerrero y sirvo a Huitzlipochtli. Yo debo morir aquí, Teuhtitle.

Tecuichpo miró a su esposo:

—¿Por qué no quieres hablar con Malinche? Él ha enviado a un emisario tras otro y la voz de Malinalli se oyó sobre las murallas... ¿Por qué hemos de morir, Guatemoc?

Los hombres se miraron. Extendieron los brazos. ¿Quién podía tomar en serio la charla de una mujer? Era una cosa vacía, llevada por el viento. Pero Tecuichpo seguía preguntando con excitación febril: «¿Por qué no escuchas a Malinche?»

—Podría atraerme a una celada.

—Llévate a tus guerreros contigo. Él también necesita ya la paz. Yo no quiero morir y tampoco quiero que tú vuelvas a la región de los dioses. Quiero vivir y ver en paz y feliz a la ciudad de mis padres. Envía un mensaje a Malinche.

—Una flecha es mi único mensaje. Enviada por una mano sin fuerzas, es como charla de anciano, pero no deja de ser una flecha y no una sumisión cobarde. Que todos se dejen enterrar bajo los escombros de Tenochtitlán antes que rendirse.

Las palabras salían sin fuerza. Guatemoc no era supersticioso; no era fanático. Miraba con ánimo vivir, pero silenciosamente como hombre dispuesto a morir... Miraba por encima de las fronteras que llenaban sus ojos de círculos de fuego.

— Mañana lo intentaremos...

— ¿Qué has decidido, señor?

— Mañana intentaré romper el cerco por la parte de las casas flotantes. Intentaré llevarme conmigo el excremento de los dioses, las piedras y las joyas que amontonaron mis padres y los padres de mis padres. Dad de comer bien a los remeros. Sacrificad a algunos esclavos para que se los coman y en sus brazos haya así fuerza nueva. Di a los guerreros más fuertes, que saben manejar los remos y arrojar las lanzas, que se preparen. Mañana al amanecer ofreceré un sacrificio; celebraremos una gran fiesta y Huitzlipochtli podrá saciarse de corazones. Ofreceremos también sacrificios a Tlaloc para que nos favorezca con un buen granizo o un terrible aguacero sobre el lago para que se tienda así un velo entre nosotros y las casas flotantes y vuelva contra ellos sus propios rayos y truenos... Ofreceremos sacrificios a Tlaloc que, noche tras noche, salta sobre las puertas de Méjico. Si ponemos pie en los límites del lago: si nos abrimos paso y podemos llegar a la orilla del Sur, estamos salvados. Llevaremos todo con nosotros: nuestros dioses, los dioses sagrados. Si uno de nosotros queda con vida, que engendre un niño con la primera mujer que encuentre y enseñe a su hijo: «Venganza, venganza...» Mañana al dejar Tenochtitlán nos lo llevaremos todo con nosotros.

Sus miembros enflaquecidos parecían contener fuego. Se levantó de su bajo asiento; ahora se veía cuán alto y esbelto era y cuán pálida estaba su piel aceitunada. Sus pies iban calzados de sandalias con cordones de oro. En su labio inferior llevaba incrustada la esmeralda imperial. El cabello de su cabeza estaba sujeto con un broche de oro. Su capa, blanca como la nieve, volaba con el viento.

— Quiero volver a mirar la ciudad.

Todos se inclinaron ante él y los hombres formaron el séquito. Mañana sólo habría un montón de cenizas en el lugar donde una vez estuvo Tenochtitlán, la ciudad de los antepasados, sobre cuyos tejados habían descansado los dioses, esa ciudad que era la más grande y más hermosa de todo ese continente situado entre dos mares. La comitiva se puso en movimiento. El señor de Iztapalapan les acompañaba. Iban todos los príncipes fieles, los caciques, los dignatarios;

todos eran ahora parias hambrientos, fantasmales, envueltos en vestiduras preciosas y floridas y con ricos brocados de oro sobre las costillas.

A su alrededor estaba la ciudad de la muerte. Las sandalias de *Águila-que-se-abate* resbalaban a veces sobre la curva que formaba un montón de cadáveres. Parecía asomarse sobre la tierra el demonio de Méjico. Por todas partes, posiciones de españoles, detrás de las murallas, detrás de los solares arrasados, de las casas derrumbadas, junto a los palacios destruidos y esos canales, obstruidos ahora, donde antes se veían los diques dibujando su raya blanca y prolongada como una franja de nieve en la cumbre de la Mujer Blanca. Al otro lado piedras. Aquí y allí, alguna terraza derrumbada, una fachada destruida por la que se había abierto paso alguna bala de piedra; pero la planta de la ciudad estaba intacta. Sobre el tejado de la pirámide del templo, brillaba el fuego del sacrificio; de minuto en minuto, agudos gritos anunciaban que los dioses aceptaban bondadosamente una nueva víctima. Eso no había cambiado; las piedras eran de colores diversos, llovía en abundancia y sobre los terrados de las casas lucían millones de flores, rosas y claveles, cuyo perfume se mezclaba con el hedor de las carroñas y cadáveres. Las paredes estaban aún en parte erguidas; sólo los hombres, entre ellas, estaban muertos. Cuando el cortejo iba pasando por las calles, surgían recuerdos... Allí arriba se alzaba antes el palacio del terrible señor con su parque de aves y de peces de colores, animales exóticos y toda suerte de flores, todas las entonces conocidas en aquel mundo. Ahora, a contraluz, se destacaban las vigas carbonizadas; era el único recuerdo tangible. Todo estaba destruido. Lo que estaba a esta parte era un montón de piedras muertas, sembrado de hombres muertos. Por todas partes se arrastraban cuerpos cadavéricos, castañeteando los dientes y cayendo de debilidad mientras murmuraban algo. Eran los enfermos e impedidos para los que nada significaban ya los horrores de la hermosa muerte. Los guerreros se reunían abajo, junto a la orilla del lago, alrededor de las canoas y botes. Los ancianos, las mujeres y los niños que todavía podían arrastrarse habían abandonado la ciudad desde hacía varios días. Él mismo había dado la orden para que no fueran por más tiempo una carga para Méjico y para que el hedor de sus cadáveres no fuese una molestia más para los guerreros; para que sus llantos no hiciesen aflojar la mano que agarraba la lanza y no inclinaran los corazones hacia un deseo de paz.

Siguió marchando por las calles y pasando los puentes. Aquí estaba todavía la red de canales; aquí estuvieron un día aquellas hermosas y alegres fuentes. Hoy, unas manos ansiosas escarbaban la tierra para desenterrar alguna raíz. Un día pasó por este mismo lugar la lujosa comitiva que acompañaba a Tecuichpo desde el palacio imperial hasta el de su esposo. Entonces existía aún la casa de sus padres, de la que ahora ni aun los restos se descubrían. Por aquí había pasado el cortejo nupcial; el sumo sacerdote había extendido los brazos y todos los invitados se habían apretujado. Alguien había comenzado a decir los epitalamios tradicionales... Todo eso había pasado; estaba ahora en el más allá, al otro lado de ese mundo donde hoy solamente cadáveres se veían. El monarca hizo seña de que quería regresar.

Brillaban las luces. El copal convirtió en un salón de príncipes aquel granero limitado por sacos. Tecuichpo estaba sentada entre las mujeres y escuchaba adormecida la canción quejumbrosa y dolorida. Como un tallo de lirio cruzó por la habitación y se echó después, desfallecida de debilidad, en su poltrona. Las mujeres se contaban cuentos, se quejaban, cantaban, embriagándose y aturdiéndose a sí mismas. Fue entonces cuando entró *Águila-que-se-abate*. Las que no dormían bajaron la cabeza para que sus ojos no contemplaran la divinidad que resplandecía en su augusto rostro.

Los movimientos de Guatemoc eran todavía seguros y vigorosos. Desde su primera juventud había sufrido toda suerte de padecimientos corporales y había saboreado todos los tormentos y dolores. La fuerza que parecía irradiar, refrescaba el vigor de los guerreros ya cansados, que esperaban ver alegrado aquel rostro semidivino por una graciosa sonrisa. Se paró a la puerta, ante el grupo de hambrientas mujeres que respiraban el embriagador humo del copal para asfixiarse y morir así fácilmente y sin dolor.

—No nos preparamos para la muerte, Tecuichpo —gritó con voz alta y apasionada.

Las viejas se alejaron y él quedó solo con sus esposas.

—He tomado una decisión. Mañana quedaremos libres. Por la noche estaremos ya al otro lado del lago y marcharemos hacia regiones desconocidas... por países que no se han separado de mí. A nuestro alrededor tendremos bosques, donde la flecha alcanza a la caza. Tú cogerás fruta fresca. No tendrás que sentir más este hedor de cadáver... Encontrarás una fuente donde bañarte. Que nadie se prepare hoy para morir. Todos aquellos a quien los dioses han dado un corazón fuerte y brazos robustos, vienen con nosotros.

—¿Quiere mi señor huir a las montañas... como hizo en una ocasión El Lobo Ayunador de las Praderas?

Guatemoc calló. Afuera se oían las garras negras de la lluvia arañando la noche. Algunas gotas caían por las rendijas de las paredes del granero.

— Tlaloc nos ayuda. Lloverá y la niebla cubrirá el lago.

Era hora de comer. Por lo demás, no se trataba más que de engañar el estómago. En el templo se había sacrificado la última víctima. Estrechó a su esposa contra el pecho. Era su última noche en la ciudad. ¿Podía pensar en eso, él que había visto centenares y millares de veces como morían los hombres? Debía hacer algo para ahuyentar a los espíritus de la noche. Levantó en alto una lámpara que representaba a Tlaloc. Tomó en su mano una piel blanca que envolvía un libro con dibujos. Tecuichpo se inclinó a su lado; ambos conocían cada dibujo; habían tenido que estudiar aquel libro años y más años hasta que supieron de memoria todos los cantos y versos que en él había. *Águila-que-se-abate* abrió el libro de las leyendas de los reyes de Tezcuco y recitó, medio leyendo, medio con el sonsonete de los narradores de cuentos, la maravillosa historia del mil veces victorioso Lobo Ayunador de las Praderas, que huía por montes y valles.

10

Tembló el labio de liebre de Sandoval.

— ¿Vuestra merced quiere despedirme y me envía al buque a descansar?

— Don Gonzalo: Os pongo en el puesto más difícil. Somos aquí sobrados para rechazar los ataques. Los guerreros prisioneros no tienen nada de carne sobre sus huesos; están cansados y hambrientos... Tal vez las tropas más escogidas reciban mayor ración; pero en todo caso pocas serán. Somos, pues, lo suficientemente fuertes y por mi parte no deseo emprender ningún ataque. Espero que mis planes estén maduros. Tenemos provisiones suficientes; los indios están ahora a nuestro lado y no tengo ninguna prisa, pues el tiempo trabaja en mi favor. No quiero destruir las pocas casas y templos que todavía quedan en pie en la ciudad. No deseo conquistar una localidad donde mis tropas encuentren solamente cadáveres. Anoche pensaba en tiempos pasados y me parecía que algo tan lamentable, tan desastroso como esto, sería lo de Cartago. Yo he de enfrentarme con el presente y también con lo que ha de venir. Lo he de tener todo previsto, pues mis enemigos son más numerosos que mis amigos. No quiero destruir y matar más. En vez de la ciudad de los muertos quisiera yo la de la vida.

— Pero ¿por qué, señor, he de ir a las galeras?

— Los tenemos cercados y no pueden escapar. Los diques están en nuestro poder y ni un pájaro puede pasar por los caminos que conduce a tierra. Pero en el agua somos demasiado débiles. Con doce buques no podemos bloquear completamente; en la orilla sur no tenemos soldados ni los caciques de allí están a nuestro favor. Os envío a vos, pues quiero que tengáis los ojos bien abiertos y miréis si se prepara una salida en aquella dirección.

No quedaba ya nadie cuyos pulmones fueran lo suficientemente fuertes para hacer sonar las trompetas de Huitzlipochtli. La noche se extendía por encima de la ciudad; sólo se veían unas pocas luces como indicando que aún quedaban algunas personas con vida. Tal vez un poco de lumbre trataba de calentar los fríos miembros de alguna mujer. En la torre no se veía el menor vestigio de vida; no se oía un solo ruido a un tiro de mosquete; sólo la lluvia cantaba con desoladora monotonía.

Aquella misma noche había llegado a los buques. El buque almirante era una embarcación primitiva, pequeña y toscamente construida, con bancos para los remeros y una gran vela latina. A proa llevaba dos pequeños cañones; en las cofas iban mosqueteros. Los buques que habían salido en crucero regresaron; por las bocinas gritaron que no habían visto ningún movimiento y que ninguna embarcación trataba de romper el bloqueo. El lago estaba tempestuoso y el oleaje era fuerte, encrespado por el viento. Con tal marejada no se atrevían a salir las canoas.

Al amanecer ordenó una nueva alineación de los buques. Los hizo colocar en amplio semicírculo para rodear así toda la dársena y poder ver de todas partes si alguien trataba de romper el cerco. En el extremo sur estaba el bergantín más rápido al mando del capitán García. Si la salida era en dirección sur, ese buque era el más adecuado para emprender la persecución.

Por la mañana se rompió el silencio. Sobre la superficie de las aguas apareció primero una piragua; después siguieron otras como si de un oculto arsenal las fueran soltando. Pululaban ya a centenares, a millares, lejos aún, fuera del alcance del tiro. Aparecían como manchitas de color en orden de batalla, adornadas de flores como si no hubiera el menor peligro. El almirante novato, Sandoval, hizo con timidez las primeras señales... ¡Cuán diferente era eso que el avanzar a caballo con el sable en la mano! Ahora estaba sobre ese buque de madera que se mecía inseguro... Los indios atacaron, el semicírculo de los bergantines se estrechaba; se agrupaban. Los ojos acostumbrados de los veteranos sabían distinguir entre los guerreros indios: descubrían los adornos dorados de los caciques, de los príncipes y de los jefes. Los indios de la escolta se veían en sus barcas hermosamente talladas; cada uno de ellos tenía en la mano una flecha. Los remeros eran estimulados a latigazos; los jefes llevaban lanzas arrojadizas... Sonó el primer tiro de mosquete, lejano todavía, pero el mortero acertó en medio de las piraguas; un crujido, manchas rojizas en el agua. unas figuras que se agitaban... El agua del lago se rizaba; el viento era favorable a los españoles y abombaba las velas; los remeros podían respirar... en pocos minutos irrumpirían entre los mejicanos. Las piraguas, talladas en un tronco de árbol o ahuecadas por el fuego. no constituían apenas peligro para los buques de los españoles de bordas altas... eso mientras las flechas incendiarias no se clavaran en una vela o prendieran fuego en las secas maderas al penetrar por algún ventano. Los cañones dijeron la última palabra, las ballestas dispararon sus saetas sobre aquella carne viva. El coro de aullidos de los indios cubría toda la superficie de las aguas y llenaba de ecos la costa próxima.

Pareció durar una eternidad. Sobre el agua, la persecución y la defensa eran difíciles. Las tripulaciones estaban todas dispuestas con sus cubos para apagar el incendio que se iniciara. Los indios trepaban agarrándose a las junturas de las bordas y llegaron a poner pie en uno de los bergantines; llevaban sus cuchillos de piedra entre los dientes; pero fueron rechazados, barridos. Era una lucha desigual. Volaba alguna piedra arrojada por aquellas manos ya sin fuerzas; pero las hondas no tenían alcance por falta de vigor en los brazos. Las lanzas se clavaban entre las tablas del parapeto. Los mascarones de los buques parecían mirar aquella escena. La luz de aquel día de últimos de noviembre se disolvía en el agua. Del puerto, misterioso y oculto, salían empero nuevas embarcaciones: canoas y chalupas en cantidad infinita. ¿No terminaría nunca eso?, pensaban los españoles cuando tenían un momento de respiro. Los marineros orientaban las velas y los timoneles mascullaban toscas palabras.

El semicírculo se cerraba y se volvía a abrir. Al extremo de la derecha combatía el pequeño bergantín que, gracias a su bien lograda estabilidad, era el más rápido. El capitán García Holguín estaba en el castillo mirando como las piraguas se corrían hacia el lado y, cuando el botín le pareció ya tentador, envió una bala a los fugitivos. Junto al arsenal, vio un movimiento; el sol multiplicaba los reflejos sobre el agua. Levantó su mano por encima de sus ojos y vio que surgía un nuevo enjambre de embarcaciones y que la mayoría de ellas avanzaba en línea de combate hasta que se abrió para dejar paso a tres embarcaciones largas y lujosas en las que detrás de los remeros se veían sentadas algunas mujeres. La multitud de embarcaciones cubrían las tres lanchas que evitaban todo combate tomando en línea recta el rumbo hacia el Sur.

Sólo unos minutos le era dado titubear. Cuando se volvió y abandonó su puesto, el ala derecha estaba descubierta y el círculo se estrechaba. Si se demoraba, las tres piraguas se escaparían del círculo y su carga era tal vez más preciosa que todo el resto del botín que hoy se anunciaba. Después de meditar unos minutos, mandó izar las velas y se lanzó a la persecución de las embarcaciones que ya se alejaban de la orilla. El artillero estaba con la mecha encendida: «¿Debo hacer fuego?», preguntó. Holguín denegó con un gesto. Las presuntas riquezas caerían al agua si la piragua quedaba destrozada por un disparo; no tenía, pues, objeto el hacer fuego. Había que capturarlas. Comenzó la caza; los remeros trabajaban con toda su fuerza, sin respirar casi; pero la distancia disminuía rápidamente, pues la nave española acortaba la separación con su marcha segura. El capitán ordenó a los ballesteros que se pusieran en el parapeto; eran ocho; se oía el vibrar de los tendones de las armas al tensarse; la clavija se sujetó en la muesca; sólo quedaba ya apuntar y apretar el gatillo.

Estaban ya solamente a algunos pasos de distancia. El capitán hizo sus cálculos. «Ahora les acertamos con seguridad. Atención... disparad cuando yo haga la seña... esperad... atención... apuntad...»

En la primera de las tres canoas podían verse claramente sus tripulantes; las otras dos embarcaciones habían quedado un tanto rezagadas. Veíanse los rostros cansados y atormentados; los brazos, que se agarraban, flacos y sarmentosos, a los remos, en un último esfuerzo. Se les veía a todos: la figura pálida que a proa se inclinaba... Los dedos de los ballesteros se apoyaban en el gatillo y los ojos se dirigían interrogantes al capitán. El indio que iba a proa se inclinó, no tomó ninguna arma sino una diadema de plumas. Un ballestero bajó el arma y dio un paso atrás. Era de los que había venido a estas tierras con Cortés, con él había recorrido todo Méjico y por eso conocía ahora la diadema de Moctezuma. Con un gesto, el guerrero mandó parar a los remeros; la embarcación siguió aún moviéndose gracias al impulso que llevara. Enderezóse el guerrero como si se dispusiese a ascender a una tribuna... ¿Se iría tal vez a arrojar al agua? Todos los ojos estaban dirigidos a la maravillosa corona verde de plumas de quetzal, la cual parecía un río de colores que cayera por el manto. El guerrero hizo una seña; en el buque, la vida quedó como paralizada.

—No tiréis. Soy Guatemoc. Ya que me habéis alcanzado, me rindo.

El veterano dejó caer la ballesta. «El augusto señor...», murmuró. Entendía ya el lenguaje indígena. Los pocos hombres de Tezcuco que había a bordo del buque español se arrojaron al suelo. Las tres canoas estaban ya a la misma altura que el bergantín. De nuevo se oyó la voz:

—No tiréis; tomadme a bordo. Tomad también a bordo a mi mujer y a mis guerreros. Conducidme ante Malinche, pues quiero decirle que la lucha entre nosotros ha llegado ya a su fin.

El intérprete iba repitiendo las palabras lentamente. ¿Prisionero? ¿Prisionero el monarca de estos países que con voz resonante daba sus órdenes? ¿Sería tal vez todo una añagaza, mientras el verdadero Guatemoc se estaría escabullendo por otro lado? Un hombre de Tezcuco sacudió la cabeza: «Es *Águila-que-se-abate*. La lucha ha terminado...» Y se tapó los ojos con la capa.

Fue bajada la escalera de cuerda. Más por signos que por palabras, se indicó a los otros que subieran a bordo. Las embarcaciones se aproximaron. Los remeros agarraron la escala y formaron con sus propios cuerpos una especie de puente para que pudieran subir cómodamente algunos de aquellos magnates; después extendieron un gran tapiz y entonces, apoyándose en Tecuichpo, el emperador comenzó a subir.

Holguín era un sencillo marino que había forjado su extraño destino en los combates en tierra firme. Recordó una mañana en Marsella, en que el duque de Enghien, hacía ya muchos años, recibió a bordo de su capitana al antiguo pirata, ascendido después a Emir: Kheyr-ed-din-Barbaroja. Por un momento se despertó en él el recuerdo en los cuernos que sonaban, la revista naval, el canto de los esclavos cristianos al oír el toque de campana de la tarde...

En la bahía del lago de Tezcuco sonaban las trompetas; la bandera fue izada al tope del palo mayor, lo que, en lenguaje del mar, significa victoria definitiva y fin de la lucha. El artillero aplicó la mecha al oído del cañón y la bala de piedra salió para caer inofensivamente en el agua. Formaron los soldados, con las armas en la mano, y prorrumpieron en una gritería que era saludo a los personajes indios. El viento llevó el sonido de las trompetas por encima de las aguas. Todos los ojos se volvieron hacia la nave de Holguín. Los marinos comprendieron todos lo que significaba aquella bandera izada, oyeron el cañonazo y todos prorrumpieron en un Tedéum que un viejo había comenzado a entonar según vieja costumbre. Los bergantines hicieron señales. La nave de Holguín salió del círculo y navegó en dirección contraria al diámetro de la formación ante todos sus camaradas, llevando la noticia del botín a Cortés.

Sandoval estaba al otro extremo donde la lucha seguía con no amenguada violencia. Los indios protegían y cubrían a su señor y deducían de la fuerza y duración de la lucha que tal vez sería posible a su monarca huir hacia el Sur. Y de pronto apareció ante ellos el bergantín con la fatídica noticia. La bandera en el palo mayor, las figuras aquellas gritando y dando gritos de alegría y Guatemoc asomado a la borda. La lucha, que era sobre el agua menos sangrienta que en tierra firme, cesó instantáneamente. Las canoas iban sin rumbo fijo, alejándose y acercándose. Los españoles ahorraban la pólvora y sólo de vez en cuando veíase el fogonazo de un disparo de cañón al aproximarse en demasía alguna embarcación enemiga. Aquí y allí veíase alguna canoa que era volcada por medio de un largo bichero.

«La lucha ha terminado», gritaba Holguín y mostraba a Guatemoc, pálido como un cadáver, magnífico, con el esplendor de su gran corona de plumas.

— No combatáis. Es ya inútil. Bajad las armas. Así lo quieren los dioses. Decid a todos mis guerreros que ha llegado el día en que las armas han de callar.

La noticia llegó también a Sandoval. Su buque, que mostraba desde lejos su insignia de almirante, estaba rodeado de un enjambre de piraguas; aquí el derramamiento de sangre había sido más copioso y sobre su buque habían caído la mayor parte de flechas incendiarias. Con una herida en la frente, cubierto de sudor, se arrojó Sandoval en medio del furioso combate, medio sordo por los disparos de los cañones, llevado por el impulso mecánico, con sus últimas fuerzas en tensión. De pronto vio a los arqueros que saltaban en las cofas y hacían señas... De los bergantines vecinos se elevaba un gran clamor. El asalto de las canoas pareció hacerse lento. Todos miraban hacia el Sur, donde veíase la nave de Holguín que rápida, ligera, en amplia curva, surcaba las aguas con su bandera al viento. Cuando pasó por delante del primer bergantín, desde las cofas de ambas embarcaciones, por medio de bocinas se cambiaron las noticias: «El emperador indio se ha rendido... Hahoo... rendido... la lucha ha terminado... se ha rendido...»

Guatemoc estaba en el parapeto, dirigía su vista hacia atrás donde las mujeres estaban echadas sobre un tapiz extendido. El capitán había hecho traer alimentos; aparecieron los panes de maíz de los marineros, las grandes jarras de pulque, le cecina de cerdo, tocino que, por otra parte, daba asco a los indios. Manejaban los cuchillos de los españoles, cortaban pedazos y calentaban sus fríos cuerpos con la alegría lenta de los muertos de hambre. Guatemoc no había tomado ningún alimento desde el primer sacrificio de la mañana... un joven de Tezcuco que sus marineros habían cogido prisionero... Desde entonces no había llevado a la boca ninguna comida y ya había olvidado el gusto del pan, de la sal y del agua. Ahora estaba donde la borda era más baja y su figura se recortaba más alta. El alboroto de la lucha, el ruido, el chapoteo de los remos ahogaban su voz; solamente podían percibirse palabras sueltas o fragmentos de palabras; pero se le entendía lo mismo; se entendían sus gestos y éstos decían que la lucha había terminado y que era inútil seguir la resistencia.

Detrás de la nave de García Holguín se había formado una gran aglomeración. Las canoas, que hasta ahora habían luchado, se alineaban todas detrás de las dos barcas reales, sin lucha, sin tiros de flechas, en ese momento inseguro y ambiguo entre guerra y paz. ¿Qué iba a pasar ahora? Nadie lo preguntó. Las armas se bajaron y las miradas se dirigieron hacia la orilla donde estaban los españoles. ¿Paz? Algunos indios se escabulleron hasta el más cercano cañaveral. El buque español los dejó huir y ninguna bala ni ninguna flecha les siguió... Podían marchar,... Estaban erguidos con los remos en la mano, ante su monarca, *Águila-que-se-abate,* por quien se habían quedado todos con la piel pegada a los huesos.

La nave de Holguín cortó el amplio semicírculo y pasó frente a la nave capitana. La noticia, que había corrido de un buque a otro, había llegado hasta Sandoval. Él mismo en persona tomó la bocina; llamó con grandes voces y ordenó que el buque de Holguín se acercara para que sus prisioneros pasaran a la capitana. El buque se aproximó y Sandoval dijo:

— ¡Entregadme los prisioneros!

— No puedo, señor. Los he tomado yo y a mí me corresponde el honor.

— Soy vuestro comandante y os ordeno que me los entreguéis.

Un bote salió de la fila; sobre el banco de los remeros estaban sentados dos soldados españoles que con todas sus fuerzas se dirigieron hacia la ribera. Saltaron a tierra en el cañaveral e iban gritando ya desde lejos: «¿Dónde está el capitán general? ¿Dónde está don Hernando?» Todos los miraban y se daban cuenta de que traían una gran noticia. Corrieron por encima de los diques medio hundidos, pasaron por encima de montones de escombros y empalizadas hasta llegar a la plaza del Mercado, al pie de la terraza del templo, desde donde Cortés contemplaba la batalla.

—Traemos la buena noticia... la traemos a vuestra merced antes que a nadie: el emperador indio está prisionero, con todos sus acompañantes... Ahora disputan por él los señores García y Sandoval. Hemos venido a anunciaros la gran noticia...

Cortés bajó los altos escalones a toda prisa. Detrás de los diques se combatía aún; la negra masa de los mejicanos atacaba todavía con griterío a los españoles. La ciudad medio derruida estaba llena de juramentos y gritos; a la sombra de las estrechas callejuelas se agitaban todavía los vivos mezclados con los muertos. Cortés bajó corriendo aquellas escaleras que habían hollado tantos millares de víctimas conducidas al sacrificio; llegado abajo, quedó ante los dos soldados que jadeaban de cansancio... Lo que había oído le pareció un imposible en los primeros momentos. Preguntas y respuestas se cruzaron rápidamente; parecía como si se hablase en un sueño... Se quitó el yelmo de la cabeza y miró hacia la terraza del templo donde se alzaba de nuevo la cruz desde hacía algunos días, en el mismo lugar donde hacía un año, el viejo Miguel ponía sus flores ante el altar de la Santísima Virgen.

«Te Deum laudamus...», dijo, y tomó de la mano al Padre Olmedo. Su mirada se paseó buscando a sus amigos; pero Sandoval estaba en su buque, Alvarado y Ordaz luchaban con sus columnas; Ortiz mandaba los tlascaltecas; Alderete estaba herido... Buscó un pedazo de oro o una piedra preciosa para recompensar a los dos soldados por el servicio que acababan de realizar al llevarle la noticia. De pronto se dio cuenta del sentido de las últimas palabras y miró alrededor buscando a alguien, pero de todos sus oficiales sólo Lujo estaba junto a él.

—Don Francisco, apresuraos a ir al buque en la canoa de esos hombres. Hacedles saber que el momento no es para disputas y que yo mismo decidiré la diferencia..., pero que se apresuren a dar por terminada la lucha y que cuiden de que nadie se atreva a tocar a los prisioneros ni un pelo... Todos me responden de ellos. Pero id, id de prisa, antes de que sea demasiado tarde.

Durante un minuto quedó solo con sus oraciones. A su alrededor, la plaza del mercado de Tlatelcuco, casi tan grande como una ciudad, con el Teocalli a un extremo. Hacia el Sur, las murallas, detrás de las que se apretujaba todo un mundo distinto e impenetrable que no parecía de este hemisferio... Sangre, aquí y allí, cadáveres de guerreros, piedras tal como habían caído al ser arrojadas por unas manos ya sin fuerzas; los restos de lo que fue antes magnífico palacio; cabezas de ídolos rotas a hachazos con sus serpientes enroscadas; cabezas de ocelote mostrando lo inescrutable de los tiempos.

Hasta la empalizada, todo eran cascotes; desde allí, corría la línea de protección sobre los tejados de las casas más bajas como si la muerte corriera con las espaldas encorvadas hacia el agua. En estos momentos, Cortés se encontró terriblemente solo. Buscaba a algún ser que le comprendiera, que comprendiera cómo el alma le subía a los labios... ¿Dónde estaba Marina? Y oyó su propia voz que gritaba llamando a Marina.

Cuando ésta llegó, miróle de tal manera como si esperara de él una revelación. Cortés la tomó por el brazo y le señaló la canoa que se alejaba de la orilla.

—Vienen; los tomaron prisioneros cuando querían huir con sus barcos... Dentro de una hora estarán todos aquí,... Guatemoc y los suyos... y Tecuichpo. Tienen hambre; están rendidos,... Hace días que casi no han comido nada. Marina, cuida de ellos. Llama a las mujeres para que hagan pan; cuando lleguen, dales cacao. Pide vino... Demos gracias a Dios,... Vuelve pronto, Marina...

Detrás de las empalizadas, la lluvia azotaba las removidas piedras. Los guerreros entonces imploraron a Tlaloc.

Cortés hizo llamar por medio de las trompetas a un grupo de soldados. Paseó la mirada sobre ellos. Estaban sucios, rotos los trajes, su semblante era el de hombres que no han dormido. No eran, en verdad, un adorno. Mandó a los capitanes que como mejor pudieran pusieran cierto orden en aquellos hombres. Después, se marchó a su cuartel; quitóse el pesado arnés y se lavó bien para limpiarse el sudor y las salpicaduras de sangre. Púsose un jubón más ligero y, por primera vez, se miró al espejo. Pasó un peine por sus desordenados cabellos y se los humedeció con aceite perfumado. Se aproximaba Tecuichpo.

Volvió a subir las escaleras del templo. Con la mano protegió sus ojos del deslumbramiento del sol. Así pudo ver cómo los buques se aproximaban; cómo se ponían en movimiento las largas y estrechas chalupas; distinguió también las plumas de colores de las diademas indias y en medio de ellas, arrogante, poderosa la corona verde de plumas de quetzal. Aun hubo de pasar media hora hasta que llegaron. La excitación del momento le envolvió; su fiebre subió más que nunca, más que cuando en el castillo de Xoloch se le avisó que el terrible señor le esperaba a un tiro de arcabuz. «Un país que se divide, cae por sí solo.»

Miró hacia abajo. Los capitanes se agrupaban ya. Vio también a Alvarado y al otro lado de la plaza apareció la figura esbelta y pálida de Flor Negra.

A un lado de la plaza resonaron las trompetas, y los músicos de

Ortiz tocaron sus instrumentos. Por el camino del sur apareció Sandoval; junto a él, el capitán Holguín con los ballesteros de su buque. Detrás de ellos marchaba Guatemoc, con la cabeza erguida, con todo su esplendor imperial, con su manto de plumas y su corona, y sus sandalias de oro, sucias ahora por el barro de las calles. Llevaba en la mano un venablo con la punta hacia abajo. A un paso de distancia, seguía Tecuichpo, y detrás, el séquito con los ojos bajos. Cuando estuvieron cerca de los españoles, se echaron a ambos lados. En el rostro cansado de *Águila-que-se-abate* brillaban, fuertes como siempre, sus ojos. Cortés le salió al encuentro y le abrazó. Después, juntos, fueron hasta el extremo de la plaza, donde los carpinteros, con unas tablas y unas piedras habían improvisado unos asientos. Entonces Cortés miró a Tecuichpo y, al mirarla, se quitó el sombrero, barrió el suelo con sus plumas e hizo señas con su enguantada mano que se sentara. Guatemoc quedó frente a Cortés esperando. La escena se animó. Iban y venían ya los sirvientes, llevando manjares. Marina se inclinó ante los pies de Tecuichpo y los abrazó. Después prestó su homenaje al señor del mundo, cuyo aspecto famélico y agotado indicaba bien las privaciones de las últimas semanas. Marina se inclinó hacia él y esperó hasta que éste hizo signo de que se alzara; entonces se colocó detrás de él esperando las palabras que había de traducir. Esperaba las palabras más graves y sombrías que jamás se habían pronunciado en Anahuac entre los dos mundos.

Cortés estaba ante *Águila-que-se-abate*. La emperatriz estaba sentada. Unos pasos más allá se hallaban los príncipes aztecas, desarmados, y con el señor de Tlacopan a la cabeza. Al otro lado de la plaza, se habían colocado los españoles; Sandoval con semblante de enfado, Alvarado, Ordaz, y, en medio de ellos, Ixtioxichitl. Alrededor de la plaza se habían formado los soldados españoles con armas y detrás de ellos, millares de tlascaltecas sedientos de sangre y de víctimas.

Guatemoc habló. Su gesto era duro, rasposo cuando se dirigía a Cortés. Hablaba lentamente, marcando bien cada sílaba. Hablaba en el idioma de la corte, empleado solamente por los príncipes de sangre y los sumos sacerdotes. Sus expresiones eran fuertes, sus giros cuidados; era este idioma como un niño predilecto que pasara de generación en generación.

—Malinche. Yo debía defender a este pueblo y a mi país, del cual era monarca. Así lo ordenaba la voluntad de mis antepasados. Ahora todo ha terminado; he caído en tu poder. Te suplico, Malinche, que no me hagas sufrir largo tiempo.

Avanzó dos pasos y, tomando con su mano el puñal que pendía

del cinto de Cortés, lo sacó de la vaina. Cortés, inconscientemente, llevó rápidamente su mano a la espada. *Águila-que-se-abate* continuó:

— Te suplico que uses esta arma que llevas al costado. ¿Qué esperas? Un prisionero como yo significa para el vencedor solamente una carga; que me quepa a lo menos el honor de morir a tus manos, ya que no pude caer en la lucha... Te suplico; acaba pronto, para que podamos ir al reino de nuestro dios de la guerra... Estoy cansado de la vida y del sufrimiento... ¿Qué esperas? Tú eres hijo del sol y también el sol acaba su carrera cuando ha recorrido ya todo el cielo... ¿Qué esperas?

Su voz se quebró. Sólo entonces observó Cortés que el príncipe había tomado el borde de su vestido; todo se había derrumbado para él. El hombre era todavía joven, demasiado joven... Cortés dio un paso hacia él y cuando Marina dejó de hablar, dijo Cortés casi en un susurro:

— Tu ánimo heroico te honra, Guatemoc. No te censuro. Cumpliste con tu deber de hombre. Yo hubiese sido feliz si te hubieses avenido a mis razones de paz y no me hubieses forzado a aniquilar esta ciudad y con ello a millares de sus habitantes. Pero ya no tiene remedio, por eso te ruego que consueles a tus jefes y les digas que nada hay ignominioso en haber caído en manos del más grande emperador del mundo, quien en su infinita bondad, no te despojará de tu reino ni te someterá a cautiviad. Mientras nuestro emperador no decida acerca de tu suerte, apenas te darás cuenta de que no te encuentras entre tus fieles. Todos los españoles te honrarán como es debido.

Esperó un minuto, mientras Marina hablaba. Contempló a su adversario, vencido por una fuerza superior. En su mente se despertaban recuerdos de ejemplos, romances del rey Arturo, de héroes desterrados que se despedían de su patria. Constantino, que se quedaba enterrado bajo los escombros de Constantinopla... Boabdil... Sí; de éste le había hablado mucho su padre... Y todos esos cuentos, ahora, de pronto, eran sangre y realidad. Era un ejemplo consolador su recuerdo:

— Mira, hace sus buenos treinta años mi padre empuñaba las armas. Cuando los moros fueron expulsados de Granada por nuestra gran reina y su esposo, mi padre oyó desde el campamento cómo gritaban los sacerdotes al ver que los caballeros españoles arrasaban la magnífica vega... Era tan hermosa como el valle de Méjico. Veían cómo la gente, en la calle, moría de hambre y alzaba sus puños clamando hacia su rey: «¡Dadnos la paz!» Boabdil cada mañana y cada tarde miraba largo tiempo el mar, esperando los buques, los buques que en su auxilio debían venir de África con gente de su raza... Pero nadie llegó y entonces Boabdil escribió a nuestro rey que entregaba la fortaleza, sin dar siquiera un golpe de espada. Mi padre, que cabalgaba a la cabeza de su tropa, contempló el cortejo real que llegaba a la colina de la Alhambra y quedaba parado frente al gran palacio. El rey y la reina se arrodillaron y dieron gracias a Dios... Boabdil fue hacia ellos a caballo, su rostro estaba todavía más sombrío que el tuyo, Guatemoc; iba todo cubierto de oro... Y vinieron los soldados hambrientos y los oficiales y los generales... y Boabdil entregó las llaves de la ciudad que eran de oro forjado. Así salvó a su pueblo; así salvó a su ciudad y a sí mismo, pues Boabdil marchóse por el mar. Los españoles le dejaron ir. Tampoco tú debes llorar ahora, augusto señor, pues como en nuestro romance se dice: «si llega un rey en triunfo, otro llora amargo llanto»... así se canta en nuestro país. Se dice también que Boabdil, en su triste viaje por la montaña, lloró también y fue consolado por su madre Ayesha. Por eso tú tampoco debieras avergonzarte de tus lágrimas, *Águila-que-se-abate*. Piensa en la suerte de Boabdil que es la de todos los que levantan la mano contra nuestro grande y poderoso señor.

Calló. No observó que Marina esperaba una interrupción en sus palabras y que ella también podía contar la historia de un rey extranjero y remoto, cuyo rostro había dejado de iluminar la luz del sol y que había también levantado la mano contra la que los aztecas llamaban «espuma blanca del mar».

Marina habló. Cortés se dio cuenta de que ahora no traducía. Sus ojos se abrían en un círculo de fiebre. Extendió la mano y señaló el tejado de Teocalli de donde ya no llegaba la llamada estridente de Huitzlipochtli.

—Augusto señor. Créeme que ello ha sucedido como había predicho el señor del Ayuno: que los ídolos no son más que madera y piedra. No tienen palabras; no sienten, y no pueden gozar de las delicias de la vida celestial; no pueden gozar del sol, ni de los arroyos, árboles y praderas. Detrás de todo debe estar oculto un creador más grande y más poderoso y que sólo él puede calmar la angustia de mi alma y la amargura de mi corazón...

Guatemoc calló. Sentía todo el peso del silencio... Le rodeaban seres extranjeros... Buscó los ojos de Tecuichpo y, horrorizado, vio que aquella su mirada soñadora estaba fija en la figura esbelta de Cortés. Vio a Marina en el éxtasis de los conversos; vio a aquellos señores, odiados y malditos, cuya amarga carne hubiera apestado en el festín del sacrificio.

En medio del silencio se levantó Tecuichpo. Fue hacia Cortés, inclinó la cabeza ante él y dijo:

— —No hagas caso de nosotros, Malinche. Somos pocos y podemos soportar el hambre. Ve con tu caritativa gente a la ciudad y ayuda allí a los que todavía viven. Ve y promételes no matar a los que aún conservan la vida.

Cortés se inclinó. De nuevo se despertaba el ardor de su virilidad al contemplar la mirada de nácar de aquella mujer y aquellos ojos que brillaban como piedras preciosas en el rostro pálido. Inclinó su cabeza.

—Esa súplica es para mí una orden. Tan pronto como hayáis acabado vuestra comida, iremos a la ciudad. Guatemoc ha instaurado la paz entre tu gente. Que no opongan ya más resistencia, dificultando mi benevolencia y yo tomaré su suerte en mis manos, en nombre de Jesús... Que me acompañen algunos jefes que sean conocidos de tu gente.

Miró alrededor. En el grupo de los jefes veía rostros pálidos como de muerto. Más allá veíase a Flor Negra que parecía quererse aproximar a *Águila-que-se-abate*. Ahora aún los separaban unos veinte o veinticinco pasos. Guatemoc se estremeció cuando vio aquella odiada figura. De pronto se enderezó y la vara con punta dorada que llevaba tembló en su mano.

—Malinche. Si quieres que los muertos se levanten y te salpiquen con su sangre; si quieres que los árboles caigan sobre ti y los bosques apaguen tu voz... lleva a ése contigo. Ponle sobre uno de tus ciervos sin cuernos, ponle en la cabeza el tubo que arroja fuego, vístele con vestiduras de metal que le protejan de flechas y de pedradas. Llévale contigo y verás, cómo todo eso no le será de utilidad, pues la maldición lo traspasa todo... Los muertos le agarrarán y le señalarán como al traidor, cuyo nombre ya no puede ser repetido jamás por nadie sin asco ni horror, mientras en Anahuac subsista y se produzca nuestra simiente.

Flor Negra se estremeció. Su mano se crispó sobre la cruz que colgaba de su pecho, como si fuera un fetiche; sus dientes rechinaron..., pero Guatemoc seguía hablando:

—Tú, cuyo nombre nadie puede poner en sus labios, te has convertido de nuevo en un jaguar y muerdes en la garganta de tus hermanos. Te has convertido en un chacal que desentierra a los muertos. Te has convertido en un coyote que aúlla allá donde Tlaloc ha hecho su trabajo... Al señor del Ayuno se le deslizó un demonio en su virilidad cuando te engendró en el seno de tu madre. En nombre de mi casa y de mi genealogía, os ordeno a todos, como señor único de este país, os ordeno a todos los que escucháis mis palabras, al viento que las lleva, a los árboles, los senderos: Sea infecto el aliento y maldita la palabra de aquel que no puede ser nombrado y malditos e infectados sean todos aquellos que le toquen o le ayuden. Así he hablado yo, que soy vuestro señor...

Cortés estaba escuchando las palabras cuyo sentido iba adivinando en el brillo de las miradas. Vio cómo palidecía el renegado, cómo el sudor le perlaba la frente, cómo su cuerpo se contraía dispuesto para el asalto, cómo su mano se tendía hacia el puño de su espada. Sin embargo, fue detenido por los pajes que suavemente le contuvieron. Orteguilla dijo. «No querrás atacar seguramente a un prisionero que ya no tiene armas y que sólo puede luchar con las palabras.»

Teuhtitle se aproximó. Su hermosa y aguda cara era como un recuerdo, hermoseado por la distancia, un recuerdo de los arroyos dorados que brotaban en los arenales de Vera Cruz. Un recuerdo de las primeras palabras que Cortés había cambiado en el interior de su tienda con el embajador indio y con la ayuda de dos intérpretes: Aguilar y Marina... Ahora Teuhtitle estaba ante él con el cabello revuelto y semblante preocupado, como si quisiera preguntar: «¿Sabes todavía cómo me abrazaste? ¿Sabes que eras un principiante tímido a la cabeza de tus asustados soldados, cuando yo llegué ante ti por primera vez en nombre del terrible señor? ¿Recuerdas cómo tu mano se crispaba hacia el oro y cómo tu mirada se ponía rígida de asombro cuando viste que de la punta del pincel surgía tu imagen y la de tus guerreros?... Malinche; llévame contigo. Soy ya viejo y conozco Tenochtitlán. Y la gente me conoce también a mí. Si levanto mis brazos, no volará ya ni una piedra más y si yo voy por la ciudad sabrán las mujeres moribundas que yo no arrastro a sus hijos hacia la piedra de los sacrificios... Voy contigo, Malinche.»

Sobre las anchas tablas fueron extendidos amplios manteles blancos. Marina daba órdenes en voz baja cómo debía prepararse la mesa. Fue adornada de flores. Se trataba de un festín, mitad español mitad indio, con tortas de harina de maíz y pan de trigo español que había traído un buque a Vera Cruz. Había gallipavos indios y piernas de carnero traídas de las islas; vino en jarros y en una jarra alta de metal en la que un maestro toledano había repujado la lucha de San Jorge con el dragón. Cortés se puso los guantes; después tomó a Tecuichpo de la mano y la condujo a la mesa. Marina se puso un velo blanco sobre la cabeza, pues solamente así podía sentarse a la misma mesa del monarca Guatemoc. El séquito ocupó sus asientos.

La solitaria figura de Flor Negra había desaparecido detrás de las tiendas y barracones del campamento.

El Padre Olmedo bendijo la comida. Empleó en hacerlo más tiempo del usual y en su voz se notaba un ligero temblor. De su boca salían algunas palabras indias; frases suaves y compasivas de un sacerdote militar en el lenguaje *nahuat* medio aprendido ya, que comprendían todos los habitantes del valle y del que algunas palabras habían ya logrado familiarizarse con los oídos de los soldados españoles. Rezó su *benedícite* al ir a romper el primer pedazo de pan que se había elaborado con la harina de un trigo cosechado en España. Y, al romperle, había de pensar en Aquel que había dicho: «A quien te arroje una piedra, le arrojarás tú un pedazo de pan.» Tecuichpo olió el pan, como si en aquel olor notase el aroma tibio de un cuerpo vivo. Después mordió como con temor y con ansia al mismo tiempo; pero en el mismo momento, perdió el dominio de sí misma y comenzó a llorar amargamente.

Los jefes aztecas devoraron los alimentos con cierta cautela. Todos miraban a los señores que, a ojos vistas, sólo tocaban los alimentos por compromiso. Los capitanes españoles eran crueles y estaban sedientos de sangre; pero ahora, ante ese grupo de indios amarillos, pintarrajeados y envueltos en lujosas vestiduras, se despertaba en su pecho la compasión y espontáneamente les ofrecían los mejores bocados, hablándoles en un indio chapurreado. Todos se veían rodeados de una nube de enemigos y ¿quién sabía lo que el porvenir les reservaba?... «Ésos pueden llegar a ser todavía ovejillas del Señor», decía el Padre Olmedo y los otros hacían signos afirmativos con la cabeza. El Padre decía la verdad: ésos podían aún llegar a serlo. Así lo pensaban para sí mismos mientras miraban el jaspeado en el pecho de los indios.

Se levantaron. La orden fue: *Águila-que-se-abate* y los hombres de su séquito debían retirarse a Cojohuacan, donde debía restablecerse el nuevo cuartel general. Guatemoc debía ordenar que la ciudad fuese limpiada y puesta en orden por cinco mil hombres. Cortés, los capitanes y algunos dignatarios indios, los intérpretes, y también Tecuichpo, debían ir a la ciudad.

Tuvieron que pasar por encima de obstáculos. Los caballos se asustaban por el hedor que les embistió al pasar las empalizadas. Se veían cadáveres o cuerpos muertos solamente en apariencia, con sus ojos vidriosos y horrorizados y sus manos sarmentosas extendidas al aire. Casas con las vacías órbitas de las ventanas; sobre las azoteas cadáveres ya descompuestos. Una criatura, flaca como un esqueleto, gemía. Una mujer, que se había vuelto loca, miraba con ojos desorbitados el paso de la comitiva. Entre el fango veíanse carroñas, perros retorcidos por el dolor. Cortés se ató sobre la nariz un pañuelo embebido en vinagre. Los otros siguieron su ejemplo. Silenciosos, oprimidos, se encorvaban bajo el peso de su terrible responsabilidad. Los que con él estaban, así como los veteranos de Alderete, habían visto todavía a Tenochtitlán cuando era todo sonrisa y belleza, con sus treinta mil casas y sus cien mil habitantes; conocían sus palacios, calles y plazas, sus parques riquísimos, los enormes colosos de sus templos, el hormigueo de sus botes en la red intrincada de los canales. Así había sido la ciudad de Méjico, decía el uno al otro; pero la voz se les cortó, tan pestilente era el hedor que llenaba las calles y que se extendía sobre los fosos penetrando hasta por los canales. En las partes de la ciudad que habían sido respetadas por las piquetas de los españoles, quedaban, es cierto, las piedras, pero a su alrededor había desaparecido toda vida. Los que todavía se podían mover fueron lavados con vinagre por algunos samaritanos voluntarios del Padre Olmedo; después fueron colocados sobre mantas que de Tezcuco habían traído algunas almas caritativas. Así pasó Cortés con su séquito por la ciudad de los muertos. ¿Cuántos deberían de ser? Cortés calculó su número en unos cuarenta mil y, al contemplar aquel cuadro, le envolvió el horror. Junto a él caminaba Duero, pálido como un difunto. Su figura flaca y maquiavélica se recortaba sobre aquel panorama aterrado. En sus labios no había ahora su habitual sonrisa.

—Vuestra merced es el verdugo de esta ciudad. En nuestra religión no hay ningún precepto que ordene la destrucción de Jerusalén. Habéis convertido en un depósito de cadáveres esa ciudad que os proponíais poner a los pies de Don Carlos.

—Duras son vuestras palabras, pero por mucha que sea la ligereza con que habléis, sabéis, y Dios es testigo de ello, cuánto insistí yo en ofrecer la paz. No me quedaba otra salida. Si vos podíais hacerlo de forma más ligera y caritativa, ¿por qué no lo habéis hecho?

Duero se enjugó el sudor de su frente, lo cual era en él, hombre frío y tranquilo, un signo de excitación.

—Ayudé a vuestra merced en ello. Y me pregunto a mí mismo si todo ha sucedido por mandato de Dios o de Satanás. Grijalva fue y vino. La expedición de Córdova fue y regresó. Todos trajeron oro y joyas..., pero tanta sangre... ¿Quién se hubiera atrevido a derramar tanta sangre?

Cortés volvió la cabeza. No era aquel el momento más oportuno para apelar al juicio de Dios. Tecuichpo caminaba delante de él. Se estremecía ligeramente cada vez que pasaba cerca de un cadáver.

Por primera vez los veía en su desnudez y pobreza, en su corporal realidad. Ahora la hija de los dioses debía inclinarse sobre aquellas criaturas negras y sucias para tocar en ellas la vida. Por primera vez veía Tecuichpo a los seres tal como son; veía por primera vez a las madres que no se postraban ante ella, madres que no tenían ya lágrimas que llorar, ni leche en los pechos. Siguió caminando; tropezó. Un noble caballero del séquito de Cortés, recientemente llegado, don Tomás Cano, la sostuvo con sus brazos. Tecuichpo le miró mientras recobraba el equilibrio; dijo algo en voz baja y por sus labios pasó como una sombra de sonrisa. La comitiva siguió. Todo estaba destruido, revuelto. Los tlaxcaltecas se habían ya introducido en la ciudad en busca de tesoros. Tecuichpo levantó una vasija rota: era un braserillo de Cholula en el que se había quemado copal... Tenochtitlán era un montón de escombros.

La comitiva iba pasando por las calles de la necrópolis. Los tlaxcaltecas gruñían como fieras solitarias tan pronto como veían algo que aún se agitaba. Los soldados españoles, con sus lanzas, los arrojaban de allí. A los supervivientes, les echaban algún alimento, pero desde lejos, porque la pestilencia los rodeaba. De algunas casas llegaba un estertor anunciador de que a la mañana siguiente no quedaría nadie con vida.

Olmedo ya no pudo más. Se arrodilló en medio de la calle. Todos se pararon. El Padre se arrodilló y el fango manchó sus hábitos. Cuando un rato después subió a la azotea de una casa medio derruida y comenzó a rezar, su alma se había derrumbado. Invocó al Dios de la bondad y de la misericordia y pidió la absolución y que todos los que allí estaban, pudieran borrar un día de su mente aquella horrible visión.

—Debemos regresar a Cojohuacan. No podríamos quedar aquí ni un solo día. Lo que hemos conquistado por las armas, nos lo arrebata el hedor y la peste.

Volvieron. Los más compasivos amañaron unas parihuelas para trasladar algunos enfermos. Los llevaron a un rincón más tranquilo, junto a la orilla del lago donde encontraron cobijo bajo el techo de un barracón abandonado por los españoles. Aquellos que aún podían arrastrarse, les seguían con un pedazo de torta de maíz en sus temblorosas manos. Salieron de la ciudad. De sus labios no salía ni una sola palabra; no animaba aquel momento ninguna alegría, a pesar de que todo se había consumado, como dice la Escritura: «Todos los trabajos habían llegado a su fin... Alegraos con los que se alegran... No os volváis, pues por el borde destruido y cegado de los canales, se arrastra hecho carne el horror.»

Al día siguiente debían venir los enterradores. Con las caras tapadas debían ejecutar su trabajo y destruir por el fuego los cuerpos de aquellos que ya no podían servir más para la gloria del imperio de los españoles.

Regresaron a Cojohuacan silenciosos y tristes. Las tropas fueron retiradas; nadie podía en manera alguna penetrar en la ciudad de Méjico. Los habitantes debían abandonar la ciudad. Adrede quedaron sin vigilancia los diques que quedaban. A los aliados se les prepararon cuarteles lejos de la ciudad. Los españoles, con excitación febril, comenzaron los preparativos para el festín de la victoria.

Fue traído todo lo que pudieron procurarse: grandes vasijas de pulque; vino español refrescado en cántaros de piedra; cerveza de miel y vino de palma, mientras en los asadores se tostaban los cerdos, los pavos y los gansos. Todos iban y venían atareados y con la alegría precursora de la fiesta. Entre los soldados, había mujeres indias que habían venido desde Tezcuco atraídas por el encanto de la fiesta y de los bailes. Eran muchachas a las que la alegría les llegó hasta los huesos después de aquellos tres terribles meses. Ahora, para los soldados, se habían acabado de pronto aquellos noventa días de servicio continuo, heridas sobre heridas, hambre y sed. Quedaban solamente algunos puestos de vigilancia; solamente, junto a los cañones, seguían sus sirvientes con la mecha encendida. Otros estaban enfermos por la fiebre.

Cortés llegó con su séquito.

—Todo eso lo ha ordenado Alvarado.

Eso dijo, confuso y tímido, el soldado que había abierto el almacén de víveres. Cortés se pasó las manos por sus ojos cansados y enrojecidos. Hacía muchos días que apenas había dormido; la excitación, la lucha y la fiebre le consumían. Sus heridas se habían abierto y cada uno de sus miembros clamaba por una noche completa de descanso tranquilo, de sueño profundo. Ahora se encontraba con que debía celebrar un banquete con sus brindis, sus bromas, alegrías y otra vez traje de gala. Debía arreglarse el cabello, hacerse recortar la barba y contemplar las danzas de sus veteranos.

Bebió vino. Hacía ya días que no había probado un sorbo. En los momentos de excitación, debía cuidar de conservar su cabeza clara y sus sentidos despejados. Por lo demás, no era bebedor y por eso no podía resistir mucha bebida. Ahora bebió grandes tragos. Un tibio y melancólico sentimiento le envolvió y le hizo ver las cosas desde un distinto y nuevo punto de vista. Algo en él, parecía gritarle: «Mira; estás en la guerra. Has podido librarte de los tiros de piedra, te has defendido; no te alcanza a ti culpa alguna. En

tu corazón anidaba la compasión y aún ahora proteges a todos aquellos que la voluntad del Señor ha salvado.»

Antes de la cena volvió a beber y la bebida le subió a la cabeza.
¿Debía comer con su estómago revuelto por el hedor y la suciedad
de todo el día, sin antes limpiarle con un buen trago? La rigidez de
sus miembros se disipó. Se abrieron sus ojos; en el horizonte vio un
sol que subía y lo bañaba todo de tibieza. Las aletas de la nariz le
temblaron al percibir el olor de los asados y de la grasa caliente.
Sus dientes tenían ya ganas de masticar; sus dedos se extendían de
deseo. Le escocieron las heridas, diez o veinte; un anhelo se despertó
fuertemente en su interior, le subió al pecho donde había suspiros
y sollozos escondidos. Todo parecía cambiado a sus ojos; lleno de
luz, caliente, como una llama del Todo. Su cuerpo se agitó y se llenó
de deseo de mujer. No supo si era de Marina o de Tecuichpo o de
cualquier amante de ocasión o tal vez quizá de aquel cuerpo de
piedra de «Muñeca de Esmeralda», que descansaba en el misterioso
palacio de Axayacatl y que tal vez habíase consumido de ardor devo-
rador... Se sentía anhelante. Hizo señal de empezar el banquete; no
puso trabas a la alegría de su gente. Apenas oyó cuando Olmedo
cumplió el rito del rezo. Sus manos estaban ansiosas; se regocijaba de
los buenos bocados. Después bebió y el vino le corrió por el gaz-
nate, haciéndole toser. En los vapores de la bebida pensó en su padre
y en su madre y en los camaradas de Salamanca. Vio de nuevo al
pequeño Olivares, cuando le alargaba la botella diciéndole: «La mañana es calurosa, beba vuestra merced un trago.» Se vio de nuevo en
casa de Velázquez, irrumpiendo para lograr la mano de Catalina...
¿Dónde estaría ahora Catalina? Por un momento se le apareció su
esposa, pálida y enferma del pecho, todo mirada, sin cuerpo apenas,
imposible ya de ser acariciada, tan atrás había quedado de él, aunque
fuera tan sólo en espíritu... Era su esposa legítima. Y aquí le rodeaban reinas y rameras... No; Marina, no. Su rostro espiritual le sonreía aún ahora. No podía dar ni un paso si no sentía su mirada cobriza fijada en él. Era una mirada contra la cual nada había podido
el tiempo. Era tan dulce y tranquila como siempre, como cuando
en el primer reparto le había correspondido a Puertocarrero, quien
levantó la mano y dijo: «Si la queréis vos, señor...» Puertocarrero
ahora estaría seguramente en Madrid y Carlos diría algo que tenía
más valor que esa victoria de ahora, más que ese botín sobre el que
revoloteaban los cormoranes, más que toda esa ciudad de Méjico
moribunda, carbonizada, con sus muros derrumbados y sus pobres
y aniquilados parias. Carlos hablaría en alguna parte y ¿quién sabe
adónde conducirían sus palabras?

Ortiz se superó a sí mismo. Sus instrumentos de viento lo hicieron vibrar todo con su marcha. La gente de Tezcuco que estaba sentada en abigarrada mezcolanza a la mesa del festín, escuchaba con delicia y temor las nuevas artes de aquellos semidioses. Los soldados cantaban. Luego, todos a coro, entonaron canciones de soldados cuyo final se apagaba en carcajadas. Eran canciones de mujeres morenas, cuyos cuerpos ardían de deseos, de manera que se precipitaban hacia los *teules* para ser poseídas... Era agosto, el día de San Hipólito; la tarde era tan cálida y excitante que parecía tragarse el humo aromático y serpenteante del copal. Las orquídeas se abrían sobre los mohosos troncos y se entrelazaban con el follaje. Alguien reía. La risa corrió por las bocas de todos, aunque nadie sabía por qué; pero era contagiosa. En la mano de Cortés brilló el cuchillo con el cual golpeaba un huevo de cocodrilo. Lo habían traído fresco del lago aquella madrugada. Su rostro serio se ablandó, el sol dibujaba sobre él algunas manchas de luz. También él de pronto comenzó a reír; reía de un chiste que había recogido del último de sus soldados. «Cortés ríe», dijeron los que estaban cercanos a él. La conversación se llenó de vida; rieron todos. Alguien se dirigió al poeta pidiéndole una poesía que no fuera triste. Bernal Díaz movió su mano reluciente de grasa...

—Déjenme en paz, caballeros...

Comenzó una discusión.

Alvarado le hacía señas.

—Hoy todo está permitido, amigo de mi alma. Hoy vienen bien las cosas bien sazonadas; no hay temor de que se nos atraganten las palabras...

Díaz se levantó. Alguien le gritó: «Canta lo que escribiste en la terraza del Teocalli, aquello que dice: *En Tacuba está Cortés con su escuadrón esforzado*...» Pero la mayoría comenzó a gritar que no, que debía ser algo más substancioso, de broma. Los señores debían ver que ellos también tenían algo en la sesera. Las carcajadas le envolvían. Sus cabello castaño y sedoso flotaba perfumado; su rostro de muchacho, con barba incipiente, su limpio dolman y sus pantalones rojos, le hacían aparecer hoy más bien como un cortesano que como un pobre campesino. Desplegó algunas hojas de agave llenas de himnos. De sus ojos partió una mirada suplicante hacia Cortés:

—No lo toméis a mal, señor... No es culpa mía, señor; ellos lo quieren.

Y entonces se alzó su voz velada por la alegría, dulce y quejumbrosa. Recitaba medio cantando y esperaba tras de cada estrofa los compases intermedios de la orquesta:

Tú ves la luna, el sol y las estrellas
que su curso siguen presurosas,
y tú sabes también que una vez su camino
han recorrido entero
encuéntranse de nuevo en el mismo lugar.
Pero, ¿quién osaría afirmar de Cortés la misma cosa?
Cortés, que alcanza con su mano
la suerte que se cierne en las alturas.
Todo resulta poco para su osada mano.
Tal vez aspira a ceñir una corona
y el oro y esplendor no tienen valla.
A los aduladores regala sus tesoros solamente
y lo que oculta cuidadoso en su bolsa o en su mano
es para aquellas que en su dulce boca
les rezuma la miel;
sí, para aquellas a quien la miel
gotea de sus labios...

La música atacó un trompetazo de aplauso. Cortés reía. Sólo fragmentos del verso llegaron a sus oídos. Oyó que algo decían de oro y de aduladores. Él era *primus inter pares;* el caudillo elegido de esa república de soldados, como aquel que con diez mil españoles, hacía doscientos años, había conquistado Achaya y en Atenas se había nombrado duque... Cortés reía; hoy estaba permitida cualquier broma con que le quisieran cosquillear los oídos sus oficiales, como había querido hacer en su día aquel charlatán de Salvatierra. Su mano, sacó al azar una figurita adornada de piedras preciosas de su bolsillo, un erizo, que le había regalado un cacique de una lejana provincia: «Eso es para Díaz — dijo —, pero cuidado, porque pincha como pincha la verdad misma...» Díaz tomó al vuelo el regalo, jugó con él. Los envidiosos le rodeaban. Alguien lanzó un *viva...* En todos ellos fermentaba ya una buena porción de pulque. Reían; y los indios, que en sus horas más alegres permanecían sentados con sobrio semblante y siempre, en tales casos, sin mujeres, se susurraron los unos a los otros:

— ¿Acaso Tlaloc ha privado del juicio a esos *teules?* Viene una lluvia y borra de ellos los colores; viene una tormenta y les corta la voz en la garganta... ¿Qué les ha sucedido a los *teules?* Se han vuelto niños; sus brazos están sin fuerza y ríen todos como si fueran criaturas...

Una broma siguió a la otra. Cada uno tenía algo que contar, algo que era todavía más picante que cuanto se acababa de referir. Se dirigían a las mujeres que allí estaban, a las cuatro o cinco mujeres blancas, que, entre las rameras de los soldados, se habían quedado convertidas en verdaderas amazonas... Beatriz e Isabel de Palacios y las otras guerreras, que en la terrible batalla de Otumba habían acabado por llenar los puestos de los hombres caídos. En aquella ocasión, cuando todo parecía ya perdido, Isabel de Palacios había gritado (Cortés recordaría siempre aquel grito): «¡Detrás de mí... detrás de mí!»

Ahora todas aparecían dulces y femeninas y hasta bajaban los ojos. La noche les pertenecía a ellas y hasta los más avaros de aquellos hombres les presentaban pequeños obsequios. Sus ojos se encontraban con las miradas abiertas de los indios y las resistían. Ellas comprendían perfectamente el sentido de aquellas miradas en las que parecía haber la pregunta·de cómo serían los pechos de una mujer blanca. «¿No es cierto, cacique cubierto de oro y con vientre pintarrajeado, con tu rubí en el labio inferior, no es cierto que estás pensando en eso? ¿Cómo serán sus senos?», pensaba cada uno de ellos; pero seguían, al parecer, impasibles e inmóviles. Los prisioneros no tomaban parte en la comida. Se estaban paseando ahora por el jardín de Cojohuacan, como si fueran sombras del más allá. Tecuichpo le había mandado decir: «Donde está mi señor y amo, allí estoy yo también.» Él no había insistido. ¿Para qué quería caras largas y miradas tristes? La alegría de la fiesta se congelaría a la vista del luto. Tampoco tenía que hacer nada en una orgía un sacerdote... Olmedo, el piadoso Padre Olmedo, bajaba tristemente los ojos. Hoy era el día de San Hipólito y no podía transcurrir esta noche sin que cayeran las estrellas una tras otra...

Ahora todos estaban gritando y riendo; sus sables estaban desceñidos como estaba mandado; solamente los centinelas, condenados a la sobriedad más absoluta, vigilaban·en sus puestos y los artilleros habían quedado igualmente en los diques. Marina estaba sentada junto a Cortés; en su mano había un vaso de metal lleno de vino hasta los bordes. Ya sabía Cortés por qué había escanciado tanto vino aquella mujer... Contemplaba ella a su señor; era variable como las estaciones del año, como las flores y como el cielo estrellado. A la muchacha todo le daba vueltas alrededor de la cabeza: la casa de su padre, *Puerta Florida;* allí se bebía aquella miel con hongos hervidos..., pero ella era entonces una niña, su cuerpo no había florecido todavía, mas ahora ya era madre. El cuerpo ocultaba todo lo que pudiera haber tras él. Trataba ahora de expresar esa idea para la que no había dibujo ni jeroglífico en el idioma mejicano; sólo una palabra española correspondía a eso: espíritu...

Tronaron los cañones; era medianoche. Según lo ordenado, ésa era la señal de que debía cesar la orgía. Pero los capitanes no se movieron de su asiento; las muchachas se habían sentado sobre sus rodillas y ellos las acariciaban. Reían las muchachas; con sus manos desnudas de guantes, acariciaban el cuello de los hombres y notaban el pulso de su arteria yugular. «Son vampiresas», pensaba Marina, y pensó en aquella leyenda de Flor Negra que por las noches se convertía en leopardo, marchando sigilosamente por el bosque buscando muchachas... Entre los españoles, la cosa era más cruda y más sencilla también. Alvarado se preocupaba muy poco de doña Luisa; tenía agarrada fuertemente a su actual querida y observaba cómo, con sus atrevidas caricias, se coloreaban las mejillas de la mujer y sus ojos brillantes se levantaron para mirarle; para mirar a su amo a quien no era dado mirar ciertamente al rostro. Los gestos e insinuaciones eran cada vez más pasionales. Los soldados iban desapareciendo de la mesa uno tras otro y los caminillos que conducían al cercano bosque se iban poblando de sombras; eran sombras siempre dobles y veíanse resaltar en la obscuridad las blancas manos de los soldados que abrazaban a una figura que se agazapaba entre las hierbas No podían cambiar ninguna palabra; pero las muchachas de Tezcuco tenían la fama de que Tosi, la diosa del amor, se adelantaba un año en ellas y no despreciaban los besos sino que voluntariamente se ofrecían al deseo de aquellos veteranos de barba de erizo. ¡Qué diferentes eran esos hombres de los indios! Los indios eran callados, secos; empaquetados, tomaban a sus mujeres que se entregaban con humildad para compartir tímidamente el deleite de su amo... y separarse inmediatamente después, presurosas, calladas...

Pero éstos, éstos eran como bestias en celo que regalaban oro a su amante de una noche con esa alegría soldadesca o marinera del que ha salvado su cuerpo del peligro y de la muerte. Después eran amables, se embriagaban de placer y, al estrechar entre sus brazos a la mujer, sus labios murmuraban un nombre, tal vez el de una muchacha que dejaron en su patria; después se dormían estrechándola aún, honor que jamás un indio dispensó a su esposa o amante.

Los jefes seguían alrededor de la mesa y los cocineros seguían sirviendo manjares, quesos calientes, pasteles de pavo. Los aztecas y los castellanos se fundían ahora en un común deleite, como las parejas del cercano bosquecillo... Los aztecas y los castellanos también estaban saboreando sus pipas, chupando de los largos cañones de plata el humo del tabaco aromatizado con vainilla. También los castellanos trataban de sentir ese nuevo goce; sus bocas se sonreían y cada uno de ellos comprendía que era un tratado de paz sin pa-

ras, esa fumada en común, que era protocolaria en Anahuac.
umaban uno tras otro los de Tlascala y los de Tezcuco, hombres
que antes ni aun tan sólo se conocían. descendientes de los antiguos
toltecas de Cholula, donde un día vio la luz Quetzacoatl, cuando
los sacrificios a los dioses se limitaban a flores y plantas. También
fumaban las gentes de Cempoal, lo cual era suficiente para que de
ello hablaran toda su vida y lo contaran a sus nietos. También los
de Itza, el alejado país de las dulces raíces de yuca, a quien los marineros de Colón dieron el nombre de Yucatán. Los embajadores
del rey maya Kanek habían venido de las regiones de Itza, pues habían oído decir que se preparaban cosas milagrosas y que las estrellas corrían en sentido contrario a su curso; que Moctezuma ya no
reinaba en ninguna ciudad y que ya no se ofrecían en los templos
sacrificios de corazones humanos...

Seguían sentados alrededor de la mesa. Las lámparas de aceite
daban una luz amarilla y temblona. Los festines de los indios no
se prolongaban jamás hasta el siguiente día, pues el espíritu de la
noche se ponía sobre los estómagos e impedía la digestión..., pero
los españoles resistían; el vino seguía corriendo. Echaban dentro
frutas y un chorro de aguardiente encima y ahora se trataba de apu-
rar de un solo trago todo el contenido de la copa gótica. Las mujeres debían también tomar parte en la prueba. Con una mano se
sujetaba fuertemente la copa, la otra se apoyaba sobre el desnudo
pecho. Se atragantaba el sorbo y se oían ronquidos y toses. De tiempo en tiempo, levantábase un capitán con la novia elegida para una
sola vez; el bosquecillo estaba cerca... desaparecía... Y los otros
brindaban a su salud, hacían chasquear la lengua,... el juego continuaba.

Sandoval no bebía; estaba encargado de vigilar los puestos de
guardia. Hacía remojar con agua fresca a los centinelas que relevaban a los salientes. Era sobrio voluntariamente; se hablaba de
que era una promesa que había hecho. Ahora estaba contemplando
las estrellas. La medianoche había quedado ya atrás hacía tiempo,
pero seguía el desenfreno. De pronto se puso frente al Padre Olmedo:

—Padre; no creo que todo eso pueda suceder a la mayor gloria
de nuestro Dios.

—Me avergüenzo de permanecer aquí, pero ¿qué puedo hacer
yo solo? Voy y vengo por la obscura noche, escucho si se oye un
grito para acudir en su socorro... ¿Que puedo hacer frente a un mi-
llar de hombres?

Esto lo decía cerca de Cortés para que éste lo oyera. Cortés le
miró. Sus ojos estaban enrojecidos de vino y de sueño; sin embar-

go, estaba ya otra vez casi sereno, se sentía solo; de nuevo le llenaban los pensamientos de que nadie había allí que se preocupara de él. Marina se había marchado hacía tiempo para cuidar y vigilar el sueño del pequeño Martín. Tecuichpo no estaba lejos; tal vez estaba despierta y oía el barullo; pero todos, todos los que en él pensaban de verdad estaban lejos, muy lejos: su padre, que no le podía ahora ver, el viejo Martín, estaba en su casa de Medellín con todas las personas entre las que Cortés había crecido... Todo eso le daba vueltas en la cabeza. Nadie hubiera podido reconocer en él al hombre arrebatado de antes, al perseverante galanteador de las damas, al pendenciero... Países y reinos estaban ante él... Pensaba en el plan de ir al día siguiente a Chapultepec para restablecer las conducciones de agua, hacer presión en *Águila-que-se-abate* para que cuidara de la limpieza y reconstrucción de Méjico. Al otro día también debían venir los hombres con picos y azadas, cestas y escobas para comenzar sus trabajos; diez mil hombres debían construir ladrillos, otros diez mil cocerlos al sol y a los dos días, en vez de ruinas, debían levantarse de nuevo casas; debían echarse los planes de grandes palacios y levantar una fortaleza junto a la orilla del lago. Y eso había que hacerlo en poco tiempo, pues no podía llegar a oídos de Carlos que todo aquí había sido destruido y aniquilado, ni que estaba todavía sin corona la Nueva España, de que sus tribus nada sabían aún de la paz española... Al día siguiente mismo, debían venir Yáñez, el carpintero, y Martín López, el constructor de buques. ¿Tenía mejores constructores que estos dos?... Eran en todo caso hombres firmes y sinceros que sabían cómo se coge un hacha o una azuela. Al otro día debían comenzar la construcción. Al mismo tiempo quería enviar mensajeros a todas las ciudades haciendo saber que, antes de la luna llena, todos los fugitivos podían regresar, que la ciudad les pertenecía: lo que de ella había quedado y también lo que reconstruía o construiría de nuevo. Todos podían volver. Los magistrados decidirían como antes las diferencias y los pleitos; el mercado funcionaría de nuevo y de nuevo también surcarían las aguas del lago millares de embarcaciones. Entre ellas cruzarían los buques de vigilancia. Debía ser una nueva ciudad, adornada, sin embargo, con la misma imagen de la Virgen María que coronaba la alta torre del Teocalli, la cual había resistido a todos los desastres. Todos los templos debían ser consagrados a santos cristianos; no debía quedar huella de la antigua alma de la ciudad.

Así meditaba Cortés y ahora a su lado había caballeros que se preocupaban de asuntos del momento: Sandoval, con su modo de hablar lleno de circunloquios, y el Padre, que siempre tomaba partido por los indios y ya mil veces había detenido su mano cada vez que intentó derribar aquellos ídolos grotescos.

—Señor; el festín ha terminado,... los soldados están ebrios y abrazan a las muchachas... ¿Qué van a pensar de nosotros los indios?

Sin moverse de su asiento, miró a los dos que le hablaban. No tuvo ánimo de preguntarles si eso era todo; si no tenían otros cuidados y no veían nada más importante,... Se arrastraban a ras de tierra como reptiles y no era milagro que atrajeran el vuelo de los cormoranes... También él comenzaba ya a hablar y a pensar en parábolas indias y adornaba sus pensamientos con figuras de animales. En ese mundo complejo se había acostumbrado a ello, pues aquí todo era distinto de lo que en España estaba prescrito para los buenos cristianos.

—Dejadlos hoy. Por lo demás, no se podría refrenar de pronto su alegría. El día de mañana os pertenece a vos, Padre. Anunciad que celebraréis un oficio divino y en él podréis exhortarnos severamente y con motivo. Pero hoy me veo impotente para poner diques a esa alegría.

Se levantó. El suelo parecía mecerse un poco bajo sus pies y tuvo que apoyarse en el borde de la mesa. Al salir, le embistió el olor tibio y resinoso del bosque. Las hojas húmedas goteaban; eso le serenó. Siguió un sendero y a derecha e izquierda pudo oír voces y rumores de placer; aquello parecía un lupanar. ¿No había en ello como una plenitud de sentimiento caritativo? Hoy esos hombres no robaban, ni mataban, ni asaltaban las casas; hoy solamente amaban a las muchachas que habían venido voluntariamente a la fiesta de los españoles. Hoy eran generosos; daban sus propios andrajos, les ofrecían los mejores bocados; hoy eran hombres. Cortés sonrió al pensar eso: los soldados, los campesinos eran mejores y más honrados cuando estaban en los burdeles. Sus corazones se llenaban de bondad y de belleza, entendidas a su modo. Esos hombres, acostumbrados a la sangre y a la espada, cantaban ahora canciones infantiles, se convertían en caballeros, cuya tosca sencillez tenía algo de enternecedora puerilidad. Sonreía al pensar que contaría todas esas cosas al Padre... Luego seguiría a eso el *confiteor* y el *misericordia.* Hoy el bosque estaba caluroso y pesado; los chacales se habían retirado a sus cubiles y las fieras no se atrevían a acercarse a las hogueras; los pájaros habían huido; solamente se oía lejos el ruido de los cascos del caballo de Sandoval que por allí galopaba.

Llegó a su cuarto, donde una mesita para escribir, una piel de oso y algunas mantas, indicaban que allí vivía un hombre. A la puerta estaba Orteguilla con una india magníficamente ataviada. El muchacho, sable en mano, vigilaba la morada de su señor. La muchacha trajo una cesta artísticamente tejida, cuando vio que Cortés había llegado. A la luz de la lámpara de aceite, vio Cortés a las dos figuras; cuando se hubo aproximado más, la muchacha se postró conforme a la usanza india. Orteguilla hizo de intérprete:

—Esta criada de una princesa tiene un mensaje que daros. La princesa Papan os suplica que la visitéis cuando os sea posible. Manda algunos presentes y espera vuestra contestación.

Cortés destapó la cesta. En una especie de puntilla tejida de oro y plumas había una torta. Era un hermoso regalo para aquel que iba haciendo obsequios a cada paso de sus soldados. Cortés conocía el rito. Debía partir la torta, ponerse un bocado en la boca y ofrecer un pedazo a la mensajera.

—Dile que mañana iré, después de la misa. Llevaré conmigo algunos caballeros. Pienso que estaré allí alrededor del mediodía. La muchacha que espere.

Buscó un regalo, pero ¿qué podía ofrecer a una mujer que había estado ya en la tumba? Miró a su alrededor. Los tesoros estaban guardados día y noche por una guardia especial y a cargo de comisarios regios. Ni él mismo podía ahora llegar hasta ellos y, en todo el cuartel, sólo cosas insignificantes podía hallar. Su vista tropezó con un pequeño libro encuadernado en piel; era un libro de oraciones que un impresor sevillano había ilustrado, conforme a la moda, con grabados en madera. Lo había recibido como regalo de un capitán que había traído un cargamento de tocino, hierro y pólvora. Lo tomó en las manos. Era un volumen en octavo; veíase en un grabado al Salvador rodeado de avecillas. En otro, se representaba a María, junto con las otras santas mujeres, al pie de la cruz. Juan estaba sentado junto a la costa y, sobre su cabeza, volaba la paloma del Espíritu Santo... Cortés hojeaba el libro a la luz de una antorcha.

—No puedo ahora encontrar nada mejor. Que le lleve eso a su ama.

* * *

Los oficiales y capitanes fueron a misa sin coraza ni armamento, con la cabeza descubierta. Los soldados estaban formados, limpios, como si la noche anterior no hubieran ensuciado sus cuerpos y sus almas con el pecado. El altar se alzaba al lado de los diques. Si hubiese quedado alguien en el interior de la ciudad de los muertos, hubiera podido escuchar el coro, contemplar los ornamentos sagrados y oír cómo la tierra temblaba cuando todos aquellos hombres a la vez hincaban la rodilla en tierra al ser elevado el Santísimo Sacramento. Pero sólo buitres y cormoranes volaban incansablemente por encima de las ruinas, y el silencio sólo se interrumpía por las voces de alerta de los centinelas indios.

. Entonces habló el Padre Olmedo. Subióse sobre la plataforma que formaba un calendario de piedra, extendió sus manos sobre la cabeza recién mojada por las aguas del bautismo de dos niños indios, y dijo:

—¿Acaso traje yo aquí lobos y chacales para que se pasasen la noche aullando como condenados? ¿No existe en vosotros ni una chispa de piedad y está vuestro corazón helado para todo sentimiento humano? Conmigo estuvisteis en los diques y visteis los infelices habitantes de esta ciudad..., los visteis cómo en sus caras llevaban la palidez del sepulcro y percibisteis cómo de sus cuerpos se desprendía el olor de la putrefacción... Los visteis; parecían los muertos que se levantaban en el día del Juicio para presentarse harapientos y miserables ante el trono del Juez. Pero los mirasteis y bromeasteis. ¿Quién de vosotros extendió la mano para sostener a una pobre madre que apenas se tenía en pie y que llevaba a su pobre hijo en brazos? ¿Quién le dio un pedazo de pan para prolongar un día su esperanza? Allí estabais y lo contemplabais, como si aquellos infelices fueran habitantes de otro planeta y no criaturas de Dios, como vosotros mismos. ¿No pensasteis que más fácil es mostrar con actos la bondad y que un gesto de compasión, un acto de misericordia significa más a los ojos de Dios que todos los golpes de pecho que os podéis dar ahora al tiempo que alzáis los ojos hacia el Señor? Nadie tuvo mejor ocasión que vosotros para hacer el bien. Y, sin embargo, allí estabais mirando qué más podíais robar y si vuestras manos ansiosas podrían aún arrancar algo a los que estaban muriendo. Dios os ha conducido a estas tierras para que anunciéis la verdad y éste es nuestro único derecho de conquista. Todos debieran encontrar un ejemplo en cada uno de nosotros. ¿Pero qué ejemplo es el vuestro que sólo rezuma sangre y qué amor es el que no reconoce ni ve al hermano que sufre? Mientras luchasteis armados, os defendíais, como yo mismo, pobre pecador. tuve también que defenderme en ocasiones; pero ahora se trataba de llevar por el camino de la verdad a los que a vuestro alrededor estaban en las tinieblas. Debíais darles pan, para que después pudieran recibir el Pan de los

Ángeles. Debíais ofrecerles la paz y la piedad para salvar su cuerpo que alberga sus almas, las cuales hemos venido a salvar. ¿Qué hicisteis, en vez de todo eso? No dirigisteis vuestros ojos con piedad hacia los infelices, sino que en vuestra mirada mostrasteis solamente codicia y lujuria. Os vi a todos ayer por la tarde y por la noche... No faltaba ninguno, y hasta los centinelas se agitaban inquietos y preguntaban continuamente a Sandoval cuándo les llegaría el relevo. No faltaba ninguno y nadie cuidó de vigilar si los lobos crueles caían sobre vuestro rebaño de hambrientos y enfermos. Estabais sentados a la mesa del festín, aunque no teníais hambre; bebíais, aunque no teníais sed, y seguíais bebiendo cuando ya estabais borrachos y os revolcabais en vuestra propia asquerosidad. ¿Es posible que pueda yo describir aquí, en este lugar consagrado a Dios, la magnitud de vuestro desenfreno? ¿He de censurar, por ventura, a los infelices que habéis salvado de la muerte con un pedazo de pan y que aún no pueden saber que hay un hambre más atroz que el hambre del cuerpo? ¿Puedo censurar a aquellas muchachas o mujeres, es igual, que vuestras sucias manos agarraron para arrastrarlas a la condenación? Allí estaba yo y rogué a vuestro general y le imploré. Y él extendió los brazos y dijo que se veía impotente. Le censuro yo ahora desde aquí, y censuro igualmente a sus capitanes y a todos os digo con palabras del Señor que ninguno de vosotros es digno de hablar en nombre de Dios, pues pisoteáis sus votos y deberes. Sí; vuestro general extendió los brazos y dijo que se veía impotente; pero si hubiera estado en peligro su vida o la de alguno de sus allegados, o alguien hubiera querido arrebatarle sus propiedades, ¿creéis que entonces hubiera dicho: «Me veo impotente; dejadlos»?

»Os censuro y acuso y no os pongo más que una penitencia: la de ir a la ciudad. Los que la vieron cuando estaba en la cumbre de su prosperidad, cuando era todavía poderosa y estaba orgullosa de sus torres, de sus millares de habitantes, de sus ídolos, piedras preciosas, oro, éstos pueden preguntar a los veteranos que vieron la ciudad en aquel ocho de noviembre, dónde se encuentra ahora todo aquello, que parecen haber pasado millares de años. Los veteranos os podrán contar lo que permitió la cólera de Dios... Pero yo os ordeno que vayáis allí y miréis con vuestros propios ojos lo que hizo el Señor, cuál fue la suerte que deparó a esa desgraciada ciudad, peor que la que cupo un día a la orgullosa Nínive y a Jerusalén, envuelta en llamas. Pero vosotros sois cristianos y os vanagloriáis de ser soldados de Cristo. ¿Os debo comparar a los soldados de reyes paganos? Dice la Escritura: «Mirad ahí la ciudad alegre, protegida por murallas, que decía en su corazón: Yo y no más»... se convirtió en desierto, en morada de fieras y todos los que pasan por ella prorrumpen en lamentaciones y retuercen sus manos...

»Y ahora os digo yo que vosotros también debéis pasar por la ciudad que vuestras manos convirtieron en cementerio y desierto. Y si entonces vuestra alma no se llena de compasión y arrepentimiento, entonces mereceréis ser exterminados como está escrito en el Libro de los Profetas, de aquellos que se postran ante el Señor y le sirven, pero que también sirven a su Moloch... Soldados, os pongo como penitencia que paséis por la ciudad de Méjico...

* * *

Hacía tiempo que el sol había salido, cuando Cortés se puso en camino. La victoria era para él una pesada carga. El botín había embriagado a los soldados. Los aliados indios se disponían para la marcha; sus jefes esperaban buenas palabras y una parte del botín. Se había ya recomenzado el trabajo. Guatemoc debía marchar con su gente a Chapultepec para restablecer las conducciones de agua. Cuando Méjico volviera a tener agua, podría procederse al desescombro y limpieza, enterrar a los muertos y hacer que la vida volviera a establecerse entre sus murallas. Después, comenzarían el trabajo de reconstrucción. ¿Pero entretanto quién trabajaría los campos y cogería las cosechas? En el camino del odio y de la muerte, encontraba pequeñas, pero tangibles realidades. En la comida que los pobres miserables cocían en vasijas de piedra; en las mujeres que molían el grano de maíz; en los piensos para los caballos; en el cuartel donde la gente podía descansar un minuto y estaba protegida de los mosquitos; en el agua que no estaba infectada; en el lecho donde sus doloridos miembros descansaban y no se anunciaba el retorno de sus fiebres intermitentes. Cortés se agarraba con anhelo a esas pequeñas realidades.

Pasaban horas y más horas; no valían ahora las palabras y había que construir. Los caciques iban y venían para prestarle homenaje; exponían quejas imprecisas sobre sus propiedades, que un vecino invadía en sus linderos; se formaban grupos excitados y quejosos. Ciertamente que ante él inclinaban la cabeza hasta tocar el suelo, pero sus lenguas pronunciaban palabras extrañas. Con ayuda del intérprete, procuraba entenderse con todos; los notarios lo escribían todo en su protocolo y el Derecho Español dictaba su sentencia. «¿Soy ya por ventura virrey?», se preguntaba. Y entonces pensaba en la lejana patria de donde no llegaba la esperada contestación. Permaneció entre los barracones y tomó algunas tortas de maíz y un trago de miel antes de tomar el camino de Iztapalapan. Tomó consigo a su paje y algunos caballeros. «Estaré de regreso por la noche», dijo. Dio el mando a Alvarado y pronto el pequeño grupo había desaparecido entre la niebla.

Conducía el camino por el borde de un bosque. La niebla pronto se disipó y el follaje se envolvió como en un velo azulado. Los cascos de los caballos golpeaban rítmicamente el camino. De vez en cuando encontraba a un indio o le veía inclinado sobre la tierra trabajando; veíale levantar la vista y desaparecer como un fantasma. Después, los colores se fueron haciendo menos vivos como si se hubieran mezclado pinturas más obscuras en la paleta del cielo; los murciélagos comenzaron a revolotear ante ellos. El camino estaba hecho para pies descalzos de mocasines y había que abrirse paso difícilmente por la espesura; pasaban luego entre altas hierbas, por plantaciones de maíz que el viento llenaba de olas. Aquí el crepúsculo volvía a hacerse claro y luminoso. Algunas manchas de luz deslumbraban los ojos: eran los escarabajos luminosos que medían a veces hasta media pulgada de longitud y que siempre llevaban una lucecita consigo, como la llama de una pequeña antorcha. Así llegó el grupo a los alrededores del castillo solitario y apartado de todo poblado, donde vivía la princesa que había estado en el reino de la muerte.

Estaba situado el palacio al borde de un estanque. Sus paredes, blancas como la nieve, parecían luminosas a la escasa claridad crepuscular y, a la luz de las antorchas, las sombras formaban sobre el albor figuras extrañas y misteriosas que se hubiera dicho cumplían algún rito extraño. A su alrededor había pájaros, serpientes y follajes, todo de sentido oculto, en forma de letras. El palacio se levantaba sobre un terraplén que le protegía de una posible inundación. El tejado ancho y plano no se apoyaba en bóveda alguna. En la fachada que miraba al estanque, se abrían pequeñas puertas que conducían a un largo corredor a cuyo extremo había toda una ala de habitaciones, corredores y departamentos.

Los soldados desmontaron y el trompeta dio un toque. Cortesanos ricamente ataviados salieron al encuentro de los recién llegados, haciendo grandes reverencias de respeto. Detrás de ellos, algunas mujeres traían alimentos y bebidas para los jinetes. Por todas partes se veían criadas que, con sus brazos extendidos, señalaban la dirección que Cortés y Orteguilla debían seguir.

El corredor torcía y se llegaba a un patio. A la luz temblorosa de las antorchas se distinguió un gran adorno de oro. Bajo la copa de un árbol llamado *cecropia* asomaba la cabeza de un pájaro asustado; un animalito pequeño que se puso en movimiento estremecido, moviéndose hacia su escondite; se extendía y se movía como un candelabro la verde cola que brillaba hermosamente a la luz de las antorchas. Su vuelo no podía confundirse con el de ninguna otra ave.

— Un quetzal...

Revoloteaba por encima de los viajeros, asustado por las luces y aquel ruido inusitado. Era el maravilloso pájaro *totem* que se había aparejado con Quetzacoatl, el dios en figura de serpiente que, en tiempos remotísimos, reinó como rey en Cholula y que quizás era un *wiking*, llegado hasta aquí, blanco y barbudo, con vestidos maravillosos. Su hogar podía muy bien estar lejos, muy lejos, hacia el Oriente. Tal vez había llegado en su buque para luego partir hacia su tierra. Todo eso ahora se presentaba ante los ojos de los recién llegados en la forma de ese pájaro indescriptible y divino. A partir de la puesta del sol, la servidumbre caminaba de puntillas y sin luz, cuando pasaba por el patio, pues en él dormía la encarnación del dios alado y ¡ay de quien perturbara su sueño!

Cortés le contemplaba. Fuera del círculo de luz de las antorchas, parecía tan sólo un punto brillante perdido entre los escarabajos voladores y las estrellas; pero seguía volando alrededor del árbol en una de cuyas oquedades la hembra empollaba sus huevos pequeños y azules.

Cortés siguió caminando entre la servidumbre que permanecía inclinada respetuosamente. Le parecía ser él mismo un dios o un ser divino que tenía la ley bajo sus pies. Trabajo le costaba ir encontrando su camino, pues aquello era más bien una agrupación de edificios, galerías, corredores y jardines para seguir luego de nuevo por grandes salones. Le parecía como si un laberinto se lo hubiese tragado.

Las lámparas de aceite ardían con su luz amarillenta. Eran unas vasijas grandes, adornadas de cabezas de dioses.

Papan se levantó un poco de su poltrona. Su rostro era pálido y hermoso, como el de todos los Moctezumas; el color se diferenciaba apenas del de las mujeres sevillanas cuando van sin afeites ni polvos. Papan no llevaba tampoco pinturas ni afeites. Eso daba más vida a su rostro y al mismo tiempo le hacía extraño, ya que aquí era difícil ver nunca el rostro de las damas de calidad, por ir cubiertas de una verdadera máscara de pintura. El óvalo de su cara era alargado; sus labios finos, y la nariz, alta. Tenía ojos brillantes y obscuros. Llevaba el cabello sujeto detrás con una redecilla adornada de esmeraldas. El palacio no tenía grandes y vastas salas; incluso esta habitación era más bien como una alcoba, no muy alta de techo; pero sus paredes estaban cubiertas de preciosos adornos, bordados o tejidos. En un brasero se veían las brasas que despedían el aroma cálido de hierbas odoríferas dando al aire un sabor dulzón. Cuando Papan tenía frío, se echaban más brasas, y cuando se iba calentando, poco a poco, separaba de sí las gruesas mantas en que se envolvía hasta quedar sólo con su túnica blanca. Llevaba los brazos desnudos hasta las axilas; sus manos eran muy bien formadas y sus brazos magníficos. El tejido de su vestidura era como de seda, tan flexible y blando, y se adaptaba de tal manera a sus carnes, que se dibujaban hasta las líneas más íntimas de su cuerpo.

Era sencilla, pero distinguida. Toda etiqueta de corte era en ella innata, natural, y jamás tenía el aspecto de cosa aprendida. Al entrar los dos visitantes no se levantó de su poltrona, pero inclinó la cabeza y sonrió. Dijo algo. Los españoles pudieron escuchar su voz. Hablaba lentamente, acentuando bien las palabras para poder ser fácilmente comprendida por el intérprete. Cortés se quitó el sombrero y, con su pluma, barrió el suelo; no volvió a ponérselo, sino que lo arrojó sobre una mesita baja que allí había. Acercóse después, hizo una reverencia y saludó a la dama en español y con las palabras usadas según costumbre cortesana. Después, su voz se hizo insegura; de su boca salían palabras en el lenguaje llamado *nahuatl*, del que había logrado ya aprender mucho y entender casi todo. Repitió entonces su saludo, tal como lo oía decir todos los días mil veces de labios de los que acudían a él con súplicas o peticiones.

Papan sonrió. Dijo algo; la criada atizó el fuego y las llamas brillaron y despidieron fuerte aroma con su humo que se elevaba en honor de los dioses y servía de adorno al mismo tiempo. La habitación se iluminó así; ahora se podían distinguir bien las figuras, los crueles perfiles de los dioses de piedra, así como las esferas de ágata, sin adorno alguno. Papan extendió la mano y tocó la enguantada mano de Cortés que, según la etiqueta, no podía ir sin guante.

—Dile a tu amo que se desnude la mano; quiero vérsela.

Comprendió esas palabras Cortés y obedeció un poco confuso. Su mano era nervuda, fuerte, varonil; era la mano de la cual él mismo había dicho al escribir a Carlos «que se había vuelto tosca por el manejo de las armas y que ya no podía conducir la pluma como una vez supiera en Salamanca». Estaba curtida por el sol y por los puñetazos; pero al mismo tiempo era bien conformada y fina, y más lo parecía aún entre los encajes de puntilla de los puños. Papan la tocó. A Cortés le pareció aquel contacto el de un dedo de hielo. Experimentó como un miedo ancestral y pensó en la leyenda de Kapernaun... ¿Había regresado de *allí* Papan? Por la primera vez se le convirtió en una interrogación aquella leyenda que había oído varias veces sin prestar demasiada atención. Papan había vuelto del más allá. Había estado en la frontera de las leyes terrenales: tal vez esas leyendas ya no rezaban para esa mujer. Papan contempló a Cortés; le encontraba negro, barbudo y con ojos brillantes. En sus cabellos se entremezclaban ya muchas hebras de plata y en el cuello mostraba una profunda cicatriz. También veíanse algunas cicatrices en la cara, una de ellas, rojiza, le cruzaba la frente: era un recuerdo de la batalla de Otumba. En el dedo llevaba un anillo de cornalina con las armas de la familia Cortés de Medellín... ¿Serían verdaderamente dioses esos rostros pálidos? Papan notó, al tocarle, la tibieza de aquel cuerpo y un olor especial de hombre. Papan lo veía todo con gran sensibilidad, como rodeado de una neblina de belleza; a su alrededor la vida se hacía más sutil y en cada una de sus manifestaciones veía millares y más millares de misteriosos destellos de pensamientos. Contempló a Malinche que había llegado a Anahuac como si fuera un dios.

También Cortés contempló a Papan. Contempló su cuerpo enfermizo, pero prócer. En los rasgos fisonómicos de aquella mujer, en la redondez de su barbilla, en la forma de su cabeza, en la expresión de su mirada buscaba ver alguno de los rasgos o gestos de Moctezuma, el gran hermano, el terrible señor. Contempló aquel cuerpo femenino y sintió un estremecimiento, un deseo voluptuoso, un deseo, sí, pero mezclado de pavor. Ese cuerpo tenía algo de superterrenal; ningún ser humano podía tocarlo, como si el cielo tuviese ya en él sus derechos.

—Eres señor de tu palabra, Malinche. Me produce doble alegría el verte, pues sé que has interrumpido gustoso el festín de la victoria para corresponder a mi deseo.

—Señora: Tú que has estado en el misterioso cruce de caminos de la vida y de la muerte, debes de saber que vuestros dioses son falsos: polvo o piedra y nada más. No os pueden proteger y sólo sirven para mantener vuestras almas en el error y en la esclavitud.

Orteguilla iba a traducir, pero Papan le hizo callar con un gesto:

—No hables. Ya entiendo lo que dice de los dioses y leo en sus ojos lo que quiere decir. Pregunta a Malinche cómo ve él a su Dios. ¿Lo ve siempre igual, con sus manos atravesadas por dos clavos que le sujetan a un madero?

—Nuestro Dios está sobre todas las cosas y es invisible. Ese signo que tú ves, la cruz, que llevamos sobre el pecho, en el puño de la espada, que tenemos en nuestras casas y en nuestros templos, es sólo eso, un signo, una señal y una advertencia también, pues todos somos frágiles y necesitamos ver las cosas con nuestros propios ojos. Pero eso no es nuestro Dios. Dios está por encima de nosotros; Dios está en todas partes.

— ¿Ves aquella esfera allí? También es, como tú dices, un signo, un símbolo; pero no un dios. Nuestros antepasados de la estirpe de Tlaloc y que llegaron a este país en tiempos remotos, con lluvia, tormentas y niebla, rezaban solamente a un dios invisible, un dios que en nuestro idioma se llama Tezcatlipoca, que significa el más alto. Primeramente era el sol, después dejó de ser el sol y se extendió por todas partes. Tú no lo puedes ver, ni oír, ni sentir. Y esa esfera es su símbolo.

— He visto pájaros quetzal al entrar en tus jardines. No los había visto nunca antes. Mueren en cautividad, se dice. Observo que su nombre se parece al de vuestro dios Quetzacoatl.

— Fue un rey. Cuando su pueblo sufría hambre, la serpiente alada se ocultaba detrás de un hormiguero y observaba la dirección en que partían las hormigas. Cuando veía que venían arrastrando los amarillos granos de maíz, se convertía él mismo en una hormiga negra. Era conducido por una hormiga roja hasta que llegaban ante unas mazorcas. Quetzacoatl las miraba y después las mostraba a su pueblo. Desde entonces se celebra la fiesta de la madurez de las mazorcas... Fue una de esas fiestas la que Tonatiuh convirtió en una carnicería...

— Acerca de las verdades de Dios, fácilmente nos pondremos de acuerdo, señora; más fácilmente que acerca de las cosas del mundo. El alma es igual para los hombres que para las mujeres; pero las manos de los hombres sostienen las armas con más brío. Me has hecho llamar, señora, y yo he venido para suplicarte algo.

— ¿Qué puede pedir el poderoso a aquella que nada tiene? Tengo solamente losas en el corazón y en la memoria. Bajo esas losas están todos aquellos a quienes amé un día y yo debería levantar muchas piedras para volverlos a poner entre los vivos. ¿Qué podría desear de mí Malinche?

— Has hablado de tu dios todopoderoso, ese dios que lleva un nombre tan extraño. Has hablado de él por primera vez claramente y con verdad dijiste que los reyes a quien adoras como dioses no son más que grandes reyes muertos hace ya muchos siglos, envueltos ya en complicadas leyendas, como se comprende ha de suceder en un pueblo que no tiene medios de fijar fielmente las palabras en el papel. Vosotros leéis imágenes y escribís imágenes. ¿Quién puede saber al cabo de diez años — sólo diez años — cuál es la imagen de un dios y cuál la de un rey? Has hablado de un dios supremo y tú misma eres grande y maravillosa en este antiguo reino. Debes comprender, princesa, que mi Dios, mi Dios invisible, es el mismo, ha de ser el mismo de ese que tú llamas el más alto. Te ruego que me des ocasión de convertirte a mi propia fe.

— Sólo los niños se precipitan. Mis pasos son lentos desde que volví de allí. No puedo apresurarme. Vosotros mismos tenéis temor de la sangre que piden nuestros dioses. Yo también siento terror de esa sangre que habéis derramado en vuestro camino que os conduce a la gloria de vuestro Dios. Hemos de acostumbrarnos todavía el uno al otro, los unos a los otros, Malinche... Ignoro si vuestra fe es la verdadera fe, como pretende vuestro amable sacerdote... pero no será ciertamente ésa que tú y Tonatiuh enseñáis con vuestras armas. Pero no es para eso por lo que te mandé llamar.

— La princesa puede mandar; soy sólo tu criado.

— Toda lengua se dulcifica si se unta de miel. Ya sé que si vivo es porque tú me lo has concedido como favor. Si quieres puedes llamar a tus soldados, saquear mi casa y entregarme a mí como esclava a tus hombres. Todo eso puedes hacer, Malinche. Por eso te agradezco las palabras que usas al hablar conmigo, palabras que son como las de un embajador que lleva un mensaje de su rey. Sabe, Malinche, que el terrible señor era mi hermano. La misma madre nos trajo al mundo y el mismo padre nos educó. Él murió y su hermano, el señor de Iztapalapan, languidece en la cautividad. Y su sobrino carnal, el esposo de su hija, Guatemoc, languidece también en cautividad. Tecuichpo está allí y también la hermana más joven. Los otros hermanos se han perdido o andan errantes por los bosques. Hoy viven quizás, pero ¿y mañana? Vosotros sois hombres extraños; no pesa mucho en vosotros la palabra de hombre; pero os quitáis con respeto cuando habláis con mujeres ese extraño adorno que lleváis en la cabeza. Tú sabes que el terrible señor no quiso volverme a ver desde que yo volví del profundo y misterioso mundo del más allá y le dije que allí te había visto a ti. Sí; allí vi a los rostros pálidos, cubiertos por la espuma del mar, y os vi como vencedores de Anahuac. Desde entonces mi hermano no quiso volver a verme. Yo quedé sola, temblando siempre de frío, y no sé cuántas épocas de lluvia han pasado desde entonces... Desde entonces sólo contemplo la eternidad. Te suplico, Malinche, que te des por saciado con toda la sangre que has derramado. Nosotras somos mujeres y por tanto débiles. También nuestros hombres son débiles porque el poderoso roble del poder se ha derrumbado. No hablo por mí. Si

yo muero, iré a mi hogar, porque ya conozco el camino que allí conduce. Ahora pienso en los niños. Conoces a Tecuichpo; ella también es como un niño..., su risa, su llanto, su sonrisa... No le hagas
daño, Malinche. Sé que tú adoras la inmundicia de los dioses y que
la colocas sobre el cuerpo de tus soldados porque eso os cura. El
oro... pues con oro compraré la paz de Tecuichpo.

—Señora. No soy yo un capitán de bandidos y no creo merecer
esta ofensa. El terrible señor me confió a sus hijas; a su lado estaba
yo cuando exhaló su último suspiro. No levanto la mano contra mujeres. Las hijas del terrible señor, mientras yo viva y mi palabra
tenga algún peso ante los ojos de mi emperador, serán protegidas
de mi señor Don Carlos. No necesito tu oro. No hago tratos comer-
ciales contigo, princesa. Yo no soy un hombre que ponga su mano
sobre una mujer para apoderarse de un brazalete...

—No quise ofenderte, Malinche. En Tenochtitlán volvió a caer
el oro al sitio de donde había sido sacado: en el agua, en la tierra y
en el aire. Fue fundido; con él se hicieron puntas de flecha, se arrojó a los canales, se enterró en los escondites de las casas, esas casas
que vosotros habéis destruido. Yo nunca he amontonado el oro; pero
sé que para vosotros es lo que más vale. Toma el oro, Malinche,
que para ti he dispuesto. Y llévatelo para darle también parte a
mi sobrinita, si vuestro mundo así lo exige.

Se incorporó, apoyándose en el brazo. Es el ciclo que se cierra,
pensó Cortés. Comenzó con *Muñeca de Esmeralda*, pasó por Moctezuma, encontró en su camino a Elvira, rodeó a Papan con el su-
dario. También Tecuichpo, Tecuichpo, etérea y transparente como
eran tal vez las hijas del rey de Portugal. ¿Qué debía hacer ahora,
en realidad?, pensó, mientras su mano acariciaba el oro que las
criadas le presentaban en bandejas de tierra hermosamente adornadas. ¿Qué haría Carlos, si una beldad como ésta se le echase a los
pies? Un rey no sacaba los ojos a otro rey. La madre de Boabdil tuvo
a su disposición una escolta de reina; los emires fueron recibidos con
salvas y, según es tradición, el emperador romano dio un beso de
bienvenida al embajador del emperador de China. El rostro color
de marfil de Papan se había suavizado, sonreía y parecía un alma
ingrávida.

—Malinche; soy la mayor de la familia cuyo antepasado, según
la leyenda, fue el milagroso dios de la lluvia y de la tormenta, Tlaloc.
Descendemos de la estirpe de los ocelotes y ahora soy yo la más
vieja de todos. Por eso me atreví a hacerte venir aquí. Te doy gracias, Malinche, y te agradezco que tu promesa sea como el jaspe
que un hombre lleva en su labio y no le puede ser quitado en vida.

484

— ¿Cómo puede nadie descender de un dios?

— Tlaloc es eterno. Cuando la niebla envuelve al mundo, aparecen manchas azules en el cielo del mediodía y todo se vuelve color de azur, como el mar; las hojas susurran con el viento y los vapores se convierten en rocío; gotea de las hojas. parece que habla, que murmura, que llora,... que llora quejumbrosamente, pero al mismo tiempo, de modo delicioso. Conozco esa voz del dios, y todos aquellos que descendemos de él la reconocemos. Antes de tu llegada, yo hablé con Tlaloc. A veces, me separa de él solamente una cortina; a veces, sus lágrimas tibias me corren por la mano. Otras veces, se rebela y se llena de espuma y entonces luchamos los dos y yo le digo: «Tlaloc, ¿por qué quieres hacer daño a tu hermanita pequeña?» Él escucha mis palabras, se calma, baja los ojos y la lluvia entonces cae más lentamente, más suavemente. Eso lo supe yo cada noche cuando venía diariamente... Su mes es el décimotercero de cada ciclo y en este mes se sacrifican pequeñas criaturas,... El décimotercer mes es el mes de Tlaloc. Cuando vino, su llanto me indicó que lloraba por Méjico. Estaba tranquilo y pesaroso cuando vino. Se puso sobre la puerta de Tenochtitlán y contempló vuestros movimientos. Nadie le veía, pues los dioses se envuelven en un vapor invisible, pero los soldados y los moribundos conocían su voz, su tos, que ellos llaman ladrido,... Las gotas de lluvia me anunciaron a mí todo lo que sucedería y, cuando todos los seres vivientes hubieron abandonado la ciudad, entonces vino Tlaloc a despedirse y me dijo que había llorado sobre Méjico.

Sus ojos se abrieron más. Una criada tocó a Orteguilla en el brazo: «A esta hora le aumenta la fiebre todas las noches, entonces nuestra señora ve espíritus, habla con sus dioses y los llama por su nombre. Después tiembla, y la fiebre llega... y viene la noche y entonces nosotras también temblamos y sentimos miedo, porque nuestra gran señora, Papan, habla con los dioses, que llama por sus nombres, y tememos que vengan y pregunten: «¿Eres tú realmente aquella hermana de los dioses?»

Como quien sale de una casa de orates, Cortés salió de puntillas al aire libre. Todo estaba negro. Con su mano rígida, agarró el puñal y su corazón palpitaba indócil. Se imaginaba que el joven paje no observaba su estado, mientras la antorcha bailaba en sus manos... Así abandonaron el laberinto entre criados respetuosamente inclinados y criadas postradas en el suelo. Todavía tembloroso, hizo la señal de la Santa Cruz cuando salieron a la noche mate y lluviosa, donde los caballos resoplando anunciaban que allí había un mundo para coger con la mano y ofrecer al emperador. Con su mano tembjorosa, ensanchó el cuello de su jubón y refrescó la garganta con cl aire de la noche. Todo eso era palabrería de mujeres locas o necias, palabras que con un solo gesto se disipaban... Pero mientras cabalgaba por entre el bosque, las gótas de lluvia le golpeaban el rostro; por todos lados brillaban los asustados y azules ojos de los viejos árboles y, bajo la lluvia monótona, lanzaban quejidos los cormoranes.

Era el mes de Tlaloc — se dijo para sí mismo — y creyó a Papan, la princesa que había regresado del reino de la muerte: El dios de cabeza de ocelote lloraba sobre Méjico.

SEXTA PARTE

LA RÁBIDA

López, el carpintero, echó la red y cogió algunos pececillos. Los apretó con ambas manos y aproximándolos al rostro aspiró de cerca el crudo y salino olor del mar de su patria. Ya era tarde; la niebla se acostaba sobre los arrecifes y esfumaba el perfil de la costa. Aquella misma noche echaron anclas. En la obscuridad, sólo era posible distinguir a la derecha una raya prolongada de color parduzco que indicaba la proximidad de la tierra. En el entrepuente todos se habían retirado a descansar. Después de un viaje de cincuenta y cinco días, habían hoy agotado el último tonel de vino y repartido el resto de la cecina y de la galleta. Los hombres, con sus caras obscuras, curtidas y marcadas de cicatrices, estaban echados sobre las tablas embreadas. Hubiérase dicho que eran mensajeros de un mundo lejano. Los oficiales se movían presurosos, envueltos en sus capas. Después de tantos años, volvían a sentir el tacto de la noche española fría y húmeda. Allá en la costa, brillaba como una estrella el faro de Palos. En las almas de los viejos marinos se despertaba una superstición. A medianoche — se dice — un fantasma larguirucho y reseco debía pasearse por cubierta; con sus sarmentosos brazos extendidos hacia la luna y su mirada fija en la lejanía, hablando en un extraño castellano: era el espíritu inquieto del almirante muerto que hacía su llamada a todo buque que venía del Nuevo Mundo.

López, el carpintero, estaba solo en cubierta, junto a la rueda del timón, sosteniendo la red en la mano. Miraba la niebla gris apelotonada: el mar y el cielo, la lluvia y la niebla luchando contra la luz del nuevo día. Cortés se le aproximó con paso quedo hasta quedar junto al otro y abrió el ventano de la cámara de la bitácora para dejar entrar en ella el aire fresco de la costa española.

—¿No te parece maravilloso, López, que estemos ahora en España?

Iba vestido de negro de pies a cabeza; llevaba doble luto. Su pálida y anémica esposa, Catalina, había muerto en Méjico, destrozados sus pulmones por la tos. Le había hecho edificar palacios, los jardineros indios le habían construido en Cojohuacan los más hermosos jardines que jamás se vieran; la había llevado a Chapultepec, de aquí, a las montañas, a Tlascala, hasta la costa del Pacífico,... Pero ella siguió tosiendo; su rostro estaba como endurecido, huesudo y hosco. Murió al fin; la enterraron. Ahora Cortés se sentía molesto en el silencio de la hora, que era la de los espíritus, la hora en que el almirante acostumbraba a hacer la ronda. Era la hora de los muertos, cuando Cortés pensaba también en su padre muerto por el que también llevaba luto y a quien no podría ver ya más, allá en Medellín; sólo su tumba podría visitar. Le desasosegaba el silencio, por eso se había puesto a hablar con el veterano carpintero; y debía hacerlo forzando la voz porque el contiguo golpear del hacha había apagado los oídos del anciano.

— ¿No notas, López, ese olor? Un olor de agua corrompida y de pescado,... ¿No hueles el olor del agua de mar de Andalucía?...

El carpintero miraba con mirada vacía. Hizo seña de que sí con la cabeza, pero en su gesto se adivinaba también su deseo: «Déjame solo.» Era la última noche en el mar, ante el puerto de Palos. Treinta y seis años antes había partido de aquí el almirante Colón. ¡Cómo pasaban los años!

En los cabellos de Cortés veíanse ya muchas canas; había cumplido los cuarenta. Casi un cuarto de siglo había transcurrido desde que abandonó las costas de su patria, con entusiasmo de muchacho. ¿Qué había sucedido en este espacio de tiempo? Los recuerdos le dolían como si fueran reuma o gota. ¿Qué había sucedido en tan largo tiempo? Ahora debía dar cuenta de todo, de todo lo que había destruido y de todo lo que había edificado... «Vuestra merced rige el reino de Nueva España *de facto* en nombre de nuestro rey y señor Don Carlos; *de jure*, empero, hay que esperar la confirmación.» Así se dijo en sus espaldas en la cancillería de Méjico,... Pero ¿quién de esos que ahora hacían tales sutilezas había estado a su lado cinco años atrás, cuando, después de la toma de la ciudad, pasó por sus calles con algunos obreros y algunos indios, llevando las narices tapadas con un pañuelo empapado en vinagre para poder resistir la pestilencia de los cadáveres en descomposición? Los dioses sanguinarios fueron derribados de sus altares y arrojados desde la terraza del templo; habían abandonado a su pueblo moribundo. Así había pasado Cortés por las destruidas calles de Tenochtitlán, con sus albañiles cargados de cal para echar sobre los muertos, y con grandes cestos de tortas de maíz para echarlas a los hambrientos y meterlas en la boca de los ya inmóviles y agotados. La ciudad, edificada en medio del lago, el corazón de aquellos diques de piedra, el orgullo de Nueva España, estaba destrozada, destruida bajo sus pies forrados de hierro. Todo lo que quedaba era lo situado al sur del mercado, medio destruido por las balas de los cañones. ¡Qué escena tan horrible lo rodeaba cuando pasó con Teuhtitle a su lado y algunos cortesanos que habían salvado la vida!... Entre los que le seguían en aquella ocasión estaba López, el carpintero,... No se perdió ni un solo momento, se extendió en seguida la cinta métrica, se clavaron las lanzas en el suelo. Cortés había dicho: «Aquí se levantará el palacio del gobernador...» Los soldados y los capitanes le miraban con admiración. ¿Se proponía en realidad el general reedificar la maldita ciudad destruida?

A los dos años de haber tomado Méjico, había pasado otra vez por sus calles y las dos alas del gran edificio del palacio del gobernador cerraban ya la plaza del que fue un día palacio del rey Axayacatl. Una catedral se levantaba sobre las ruinas del antiguo palacio de Moctezuma. La gran plaza del mercado estaba un poco variada; pero como antes, volvía a estar llena de una multitud abigarrada que se apretujaba alrededor de los puestos de los vendedores... Sonaban las campanas: veinte iglesias y otros tantos conventos, recintos piadosos, tocaban el *angelus*. De la escuela, salían niños y niñas indios con sus camisitas blancas. En la esquina de la calle desembocaba un cacique adornado con su diadema de plumas; iba tieso sobre su cabalgadura: era el jefe de una provincia... Junto a la orilla del lago, una fortaleza defendía el puerto. Brillaba el sol. Los cañones,... cien cañones de metal fundido reforzado con estaño, estaban emplazados en la fortaleza de El Matadero. A pesar de todas las insistencias no se traía hierro de España. El obispo de Burgos ponía su huesuda y avariciosa mano sobre todo el metal destinado al Nuevo Mundo... Así pasaron los primeros meses y los dos primeros años. Entonces fue cuando llegaron caballeros y cortesanos y dijeron: «Señor, recordad Sevilla: las calles estrechas y serpenteantes protegen mejor del sol y son más seguras,...» Cortés hubo de contestarles: «Nunca haré construir calles estrechas. Las calles anchas pueden ser recorridas a caballo y por ellas puede marchar una bala de cañón en línea recta y lejos sin tener que tropezar a los pocos pasos con la fachada de un edificio. Yo he trazado esas calles amplias y esas espaciosas plazas sobre una ciudad en ruinas. Seguid edificando así.»

Los indios estaban poseídos como de un furor de trabajo. Como hormigas iban y venían sobre las ruinas. Millones de ladrillos de arcilla se secaban al sol y se volvían ligeros y duros. Desde el amanecer hasta la noche se edificaban paredes; la ciudad de los indios se levantaba de nuevo; las barcas remolcaban cortezas de árboles, hojas de palma, haces de juncos. De treinta a cuarenta mil hombres, con sus correspondientes familias, estaban ya juntos y así surgió el nuevo barrio indígena. Cuando Cortés pasaba por allí, centenares de niños corrían hacia él, le besaban la mano a usanza española; pero le llamaban todavía el antiguo nombre: «Malinche... Malinche...» Él mismo se llamaba Malinche.

Tardaron tres años en levantar la nueva ciudad sobre las ruinas de la antigua. Los jefes y capitanes se albergaban ya en palacios, no lejos de los lugares que habían quedado incólumes. El tiempo trabajaba también de prisa. En pocos meses, barrios enteros de la ciudad tomaron un aspecto distinto; por todas partes se sentía el olor de ladrillos, mortero y cal. Los capitanes, a porfía, se construían los más lujosos palacios; cada uno quería que el suyo fuese el mejor: una villa de verano en cuyo patio agradable se pudiera descansar... Una de las casas en la tercera travesía, a la que le pusieron el nombre de Medina, pertenecía a Marina. Eso era la ciudad; pero a su alrededor se adaptaba y transformaba también el campo.

Pasaron meses y más meses y no llegaba ninguna noticia de Sevilla. Cortés no recibía instrucciones y se sentía un cíclope obligado a resolver montañas, lo cual era superior a sus fuerzas. Había destruido un reino y ahora debía edificar uno nuevo. ¿Qué ayuda tenía para ello? El hosco Duero, el Padre Olmedo, el orgulloso Alderete. Los pocos hombres, en su mayor parte aventureros, eran sus únicos consejeros.

Era monarca de un pueblo de indios formado por millones. No eran en modo alguno salvajes, desnudos y escondidos en los bosques, sino que formaban tribus con sus leyes, su historia, sus tradiciones. Los caciques de lejanas provincias, que aún no figuraban en mapa alguno, le traían grano, presentes, pieles, oro. De vez en cuando, también le traían esclavos, pues a pesar de todo lo que se les decía, creían ellos que los dioses de los blancos también sentían a veces sed de sangre. Así edificó todo un reino, sin dinero, sin sacerdotes, sin hombres entendidos que le ayudaran. Un puñado de soldados aventureros. Tales hombres eran ahora gobernadores de distritos enteros o de regiones, substituyendo a caciques rebeldes. Tales hombres habían formado su corte y se hacían servir por esclavos indios. Los bienes destinados a un príncipe de sangre y cuyos vasallos pagaban tributo desde hacía siglos al altar de Huitzlipochtli, iban ahora a parar a la iglesia y estaban bajo la dependencia superior del Padre Olmedo.

Los habitantes de los pueblos y aldeas estaban más cerca de él. Los de los campos seguían en su mundo cerrado y propio. Los grandes sacudimientos no habían logrado desplazar a tales gentes; cultivaban sus tierras, sembraban, recolectaban maíz, regaban las plantaciones de cacao. Los ancianos distribuían su campo entre cada familia; los casados recibían mayor porción; por cada hijo se les daba una parcela de plus. Los muertos estaban en la tumba y sus tierras quedaron para los vivos. Los soldados españoles extendieron sus manos y dijeron: «Denos vuestra merced esos campos; valen más que los terrenos sin roturar; son cultivables, regados por canales, como los campos andaluces...» Él protegió a los labradores y protegió también a los aldeanos. En el campo había indígenas que ejercían de jueces. Ésos debían juzgar según las leyes españolas y ¡ay de aquel que se atreviera a aproximarse demasiado a los campos comunales indios!

Por todas partes se edificaba. Padres franciscanos vinieron a pie de Vera Cruz; doce en total. La gente les salió a recibir, les dio flores y víveres. Venían con burdos sayales, descalzos, sonriendo y chapurreando ya la lengua de los indígenas. Cortés los esperaba a la puerta de la ciudad, ante los diques, con la cabeza descubierta; al verlos hincó una rodilla en tierra y besó la mano del prior que enviaban desde Castilla. Miles de indios, caciques, nobles, dignatarios, miraban cómo Cortés se humillaba ante aquellos padres pobres y humildes, pero de cuyas manos surgían conventos, escuelas, hospitales, iglesias... En la cancillería había ya escribientes indios, pues de los colegios salían ya jóvenes indígenas de quince y dieciséis años que sabían escribir el castellano, pero que no habían olvidado, sin embargo, la escritura jeroglífica de sus antepasados.

Cada capitán era gobernador de una provincia. Alvarado estaba en Guatemala; Olid, en Honduras; otro, estaba en Panuco; otro, en la región del Sur, junto al mar. «El poder de Malinche llega lejos», decían los indios, cuyos mensajeros traían sus comunicaciones por valles, montes, pasando a veces entre tribus hostiles. Cortés reinaba realmente. ¿Cuántos podrían ser? Tal vez dos o tres mil españoles, un número escaso que se perdía entre los millones de indios que ya habían adivinado que los *teules* no eran dioses. Sin embargo, Malinche estaba en su trono de Tenochtitlán y reinaba sobre aquellas tierras de Don Carlos. Hacía que sus capitanes llevasen bien las cuentas, deducía la quinta parte de ingresos para la corona y, todos los meses, mandaba las cuentas a Sevilla. Informaba acerca de los

493

conventos, sobre el constante aumento de indios que se bautizaban, acerca de los bienes de la corona..., pero callaba, porque debía callarlo, lo que ardía debajo de las cenizas. Omitía hablar de los rumores que circulaban por aquella ciudad supersticiosa. Ora aquí, ora allá, se oía invocar al dios de la lluvia; algunos susurraban: «*Águila-que-se-abate* vuelve a decir algo desde su cautiverio... envió un mensaje atado al ala de un quetzal. El ave voló por encima de las costas y descendió en las regiones donde los hijos del pueblo aún conservan su libertad. Guatemoc languidece en su cautiverio honroso de Cojohuacán. El codicioso vampiro Alderete le había sometido a torturas a causa de supuestos tesoros escondidos.» Cortés había tenido que tomar cartas en el asunto, pues, como hacía quince siglos, le dijeron como un día al gobernador de Judea: «Si no lo hacéis, no sois fiel servidor de vuestro emperador...» Desde que quemaron las plantas de los pies a *Águila-que-se-abate* por medio de un hierro al rojo, el príncipe indio cojeaba..., pero seguía callado. Su esposa Tecuichpo vivía a su lado; pero en la cautividad no tuvo ningún hijo de él. Los guardias españoles no oían nunca su voz, pero en Anahuac todos sabían que *Águila-que-se-abate* era todavía joven y, si no se tenía cuidado, podían volverle a crecer las alas que le habían sido cortadas.

Perezosamente pasaban los meses. Si no hubiese sido por las amarguras que le causaba su esposa; si no hubiese tenido esas continuas contrariedades causadas por espías, inspectores, licenciados que llegaban continuamente en los buques y le apretaban el cuello, Cortés se hubiera sentido completamente monarca de este reino cuyos límites nadie conocía y cuyo verdadero rey, Don Carlos, estaba inmensamente lejos. Se hubiera sentido emperador si no fuera por esas pesadas y fastidiosas cargas, sin esas continuas disputas entre los caballeros españoles. Con nostalgia miraba a los jovencitos que enviaba con un recado a este o a aquel capitán... Un día llegaron noticias desde la costa oriental de Honduras, de Yucatán, de Guatemala. Cada informe comenzaba lo mismo: Que Olid se había sublevado contra su legítimo señor y había levantado bandera de rebelión. «Cortés quizás mande en Méjico; pero aquí mando sólo yo.» Fue el primer fracaso que con velocidad del rayo se supo en toda la costa. Durante días tuvo que madurar sus planes; llevaba el mensaje en su jubón y lo releía continuamente. ¿A quién debía enviar contra Olid? ¿A qué compañero, a qué amigo? Todos habían estado junto al rebelde en las adversidades. Por fin tomó una resolución: Aquella noche se trabajó hasta muy tarde en la cancillería. Se escribieron centenares de cartas, una a cada veterano, una a cada hacienda. El escrito comenzaba con las palabras: «Os hago saber, señor, que parto personalmente para castigar al rebelde Cristóbal Olid. Os suplico os encontréis aquí armado por San Miguel...»

Le sacudió el estremecedor pensamiento de volver a hacer lo imposible con sólo cien hombres. Se sintió de nuevo como cuando tenía veinte años y sus únicos bienes eran la hoja de su espada... «Todo debe empezar por el principio, caballeros...», dijo a los escribientes de la cancillería, que con espanto vieron a su señor lanzado a una loca aventura, de un modo infantil...

Cuando aquella mañana montaron sobre los caballos, Olmedo llorando, bendijo la expedición, a la que le impedía unirse la gota que le martirizaba. En aquel momento recordaba el veterano la primera salida desde Santiago. Marina, que por disposición de Carlos, había sido elevada a estado de nobleza de Castilla, había venido de Chapultepec montada en una mula. Desde que doña Catalina había venido de Cuba, Cortés apenas había visto a Marina; sólo de vez en cuando visitaba a su hijito en ocasión de alguna cacería... Ahora volvían a estar juntos; Cortés escuchaba de nuevo su voz extraña y profunda; los veteranos la rodearon saludándola con alegres gritos y los más viejos la abrazaron. Marina estaba con ellos... con ella las cosas no podían andar mal. Cortés y Marina se miraron durante un buen espacio de tiempo.

¿Los otros? Los otros se habían acostumbrado a la vida muelle; se habían convertido en grandes señores comodones y gruesos. Muchos tenían hijos, pues habían tomado como esposas a mujeres indígenas. Tenían criados, caballos, armas; se hacían ceremoniosas visitas mutuamente, pero se atenían en sus tratos a la rígida jerarquía española. Venían ahora sobre caballos con arnés, con corazas brillantes. Cortés no conocía ya a algunos de ellos, pues no se parecían en nada a aquellos soldados de antes, sucios, harapientos... Vinieron también los caciques de los aliados; montaban también a caballo, pues se habían acostumbrado a aquella costumbre española. También iban de cacería por el bosque a caballo, persiguiendo ciervos y lobos. A veces, empero, se oían tambores durante la noche; unas manos invisibles daban en la obscuridad aquella señal que era la llamada de los dioses. Entonces podía uno adivinar que alguien era colocado sobre la piedra de los sacrificios y que los sacerdotes indios, de modo subrepticio, a escondidas, habían tomado de nuevo el cuchillo de *ichtzli,* cuya hoja limpiaban de sangre frotándola contra sus ropas.

Trajeron a Guatemoc. Nadie debía darse cuenta de que era un prisionero. Su rostro estaba pálido como el de un cadáver. Cortés contempló a los jefes indios, que bajaron rápidamente los ojos cuando vieron ante ellos la verde pluma de quetzal, símbolo de su monarca y de sus dioses. Le hizo montar a caballo, tomó las riendas y le atrajo hacia él; su sitio debía estar entre él y Marina. Los españoles no comprendieron eso y algunos preguntaron: «Señor, ¿por qué llevamos esa carga con nosotros?»

— ¿Acaso querríais dejar aquí al que fue monarca de este imperio? ¿No sabéis, pues, que cuando hubiéramos partido, podrían abrirse las cerraduras y que, con sólo una chispa, ardería todo Tenochtitlán?

Orteguilla y Xaramillo ya no eran muchachos sino jóvenes crecidos, principalmente Xaramillo, que ahora cabalgaba a la derecha de Marina, no sin antes haberle hecho el ceremonioso saludo que se debe a las damas... ¿Se acordaría aún el muchacho de aquella noche lejana ya, cuando en Tabasco guardó el sueño de la nueva esclava con el sable en la mano?

Los desposados con la muerte, se abrazaron. Cambiaron apretones de mano. Cada uno buscaba a sus camaradas. Cada uno de ellos sabía contar cosas de los otros; cada uno sabía bien redondear la historia de los demás que, reunidas, eran la historia de todos... El día era hermoso, sí, un hermoso día de San Miguel. Su destino era Honduras.

Eran apenas doscientos cincuenta, pero Cortés no deseaba tampoco un gran ejército. Más de la mitad eran jinetes; cincuenta hombres llevaban mosquetes; los otros, armas blancas. Como en otras ocasiones, los oficiales que ahora mandaban la expedición se inclinaban sobre pedazos de tela donde estaban dibujados montes y valles, ríos y lagos. El general les indicaba la ruta.

Toda la aventura de Honduras se esfumó como en la niebla. Había en ella alegría verdadera cuando pasaban entre salvas por los diques donde las mujeres les ofrecían flores. Oíanse las trompetas de Ortiz que abrían la marcha. Atravesaron el valle. Los jefes, caciques, centenares de gentes sencillas, se agolpaban en el borde del camino. De nuevo en Anahuac hablaban todos de Malinche; todos le querían ver pasar. Los colonos y las guarniciones que quedaban atrás se apretujaban para verle marchar. Así llegaron a Vera Cruz y luego siguieron caminando hacia el Este. Los buques seguían lentamente, no lejos de la costa. Volvieron a ver el campo de batalla de Tabasco y rezaron un *requiem* piadoso por las almas de los camaradas que allí cayeron. Siguieron marchando. Estaban ya en el país de los mayas, y aquí era de nuevo Marina la única que entendía el lenguaje del pueblo.

Ya era de noche cuando Cortés, fatigado, se retiró a su tienda. Este viaje le había resultado más fatigoso que aquel primero desde Cuba. Miró alrededor; le hacía falta alguien... era la antigua costumbre. No era la flaqueza de su carne lo que le hacía buscar alrededor, sino que deseaba ver los ojos de Marina en aquel silencio nocturno del campamento; necesitaba oír su voz que prestaba como un sentido profundo a las cosas más triviales... Pero en vez de Marina, le esperaba, vestido en traje de fiesta, Juan de Xaramillo, su antiguo paje. Apenas comenzó a hablar, ya sabía Cortés de qué se trataba...

Claramente comprendió entonces por qué el joven, días y días, había cabalgado junto a Marina, por qué tan a menudo arreglaba su cuello de puntilla, por qué, tan solícito, cuidaba de llevarle agua...

— Señor; os ruego me concedáis la mano de Marina. La quiero para legítima esposa... Y si ello no ha de ofender a vuestra merced, quisiera hacer las veces de padre al pequeño Martín...

Cortés dudó entre atacar al joven con el sable o abrazarle... Su propia voz le parecía lejana y absurda cuando contestó al muchacho, que escuchaba con rostro pálido como la luna:

— Bien... por mí... estoy conforme, hijo mío. Y si Marina quiere...

Al día siguiente todo el ejército se formó en forma de cuadrilátero. Cuando hubo terminado la bendición, el Padre soltó la estola que ataba aquellas manos. Los veteranos besaron a Marina y por primera vez la trataron de «tú». El sacerdote preguntó en voz alta y clara si Juan de Xaramillo quería como esposa a la noble dama doña Marina de Painala. El primero en dar la enhorabuena fue El Galante, el cual dobló una rodilla ante Marina y dijo: «Durante la ceremonia, López el carpintero, ayudado de dos soldados, ha levantado en el bosque un pabellón para los recién casados, a los que el ejército entero felicita».

Cortés bajaba a caballo por el sendero que era el último que estaba marcado en el mapa de hoja de *nequem*. Ante ellos, se abría una garganta de más de ocho mil pies de profundidad. Los mulos de carga debían pasar por encima de arroyos espumeantes y revueltos. No se veía un alma alrededor. La gente había huido de las aldeas y, en el camino que seguía el ejército, sólo se veían piedras mohosas y muertas. El hambre parecía extender los brazos y gritarles continuamente: «¡Alto!» Como si fueran langostas o saltamontes roían raíces, cortezas de árboles, gusanos. Los guías indios desaparecieron en la espesura del bosque o se perdieron por los pantanos. Cortés sólo conocía una cosa: la dirección que había de seguir y que su brújula le mostraba y de la cual, la superstición de los indios, decía que traicionaba los pensamientos de los hombres y que, cuando uno mentía, la aguja oscilaba.

Hubo también días más alegres. Los emisarios de un rey maya vinieron a anunciar la inminente visita de su señor. Era el rey de la célebre y legendaria región de Itza, un caneca, de cuyo poder ya se tenía noticia en Méjico. Esperaron al rey, como antaño habían esperado en la costa del norte la llegada de los caciques. Se lavaron, se peinaron. La voz del indio era extraña, melodiosa. A Marina le costaba gran esfuerzo comprender sus palabras. Era un verdadero rey, como no habían visto ninguno semejante desde los tiempos de Moctezuma; llevaba su guardia de corps; iba cubierto de oro y de brillantes piedras finas; era más alto y esbelto que los otros, era, en fin, un rey de raza en la cumbre de su poder. Los veteranos se frotaban los ojos cuando sonaron los pífanos de Ortiz y la aromática nube del incienso envolvió los cantos gregorianos del pequeño ejército español. Los ojos de Cortés se fijaron en el rey indio y, maravillado y asombrado, vio cómo aquel excelso príncipe prorrumpía en sollozos. Cuanto más fuerte cantaban los coros, cuanto más apasionadamente cantaban los soldados, tanto más copioso era el llanto de aquel rey caneca. «Es como si hablaseis con los dioses en un idioma de maravilla», dijo, y rogó después hiciese cantar de nuevo al ejército. No se cansaba de oír aquella música desconocida y, al amanecer, rogó a Cortés que, en calidad de amigo, le acompañara a la sagrada ciudad de sus antepasados, donde deseaba rendir homenaje al dulce y blanco Dios de los españoles por medio de aquel canto arrebatador.

Todos le hablaron de la aventura en que estaban ocupados, pero él se sentía como caballero español, como héroe de un antiguo romance y tampoco podía resistir la tentación de la aventura. Con diez hombres, embarcó en el bote del caneca para visitar la ciudad de Itza. Con sólo cerrar los ojos, veía la risueña y extraña ciudad profundamente incrustada entre montañas, ciudad donde todo era color y flores, donde todos parecían ofrecerle su afecto... En vez de austeros, secos aztecas, habían allí los mayas alegres, frívolos... Entre filas de sacerdotisas fue conducido a la orilla del lago sagrado, a ese lago profundo que devoraba una vez al año a la más hermosa doncella de Itza. Por vez primera, sonó el saludo español a la orilla de este lago y las largas trompetas repitieron ante el rey, anegado en llanto, el alegre himno pascual de la Resurrección...

La aventura de Itza fue la última agradable que quedó en lo profundo de su memoria. El ejército siguió después por comarcas abruptas, pasó por barrizales inmensos bajo la lluvia incesante. Durante semanas y meses, marcharon hambrientos, luchando contra toda suerte de alimañas. Estaban ya en Honduras; había que prepararse para ajustar cuentas. Una mañana llegaron a hurtadillas algunos españoles al campamento de Cortés. Como nuncios de tristes noticias en escenario de cómicos ambulantes, se arrojaron a los pies del general y le cantaron la cantilena de la fraternidad entre los españoles. «Señor, vuestra merced nada tiene que hacer aquí; ya se ha hecho justicia en la persona del rebelde Cristóbal de Olid. Sus capitanes le prendieron en ocasión de cenar juntos y en nombre de vuestra merced le ajusticiaron a puñaladas. Así se cumplió la justicia española.»

Aquella misma noche, los capitanes estaban silenciosos, sentados a la mesa de la escasa cena. Pensaban todos en Olid, el antiguo galeote, con quien habían partido de Cuba en el *anno Domini 1519*.

Una noche en que apretaba de nuevo el hambre, a la hora de cenar se llegó a él un cacique joven.

—Ten cuidado. *Águila-que-se-abate* lleva algo entre manos. Todas las noches habla en voz baja con los dos señores cautivos. Al pasar, dejan señales en los árboles. Los bosques guardan sus palabras. El viento cuida de llevar rápidamente las noticias por Anahuac. Sois pocos. Si el viento arrecia temblarán los bosques, y los árboles caerán sobre vosotros. Los habitantes de las selvas tienen cuchillos y *Águila-que-se-abate* es el único jefe que dispone de la vida y de la muerte de los hombres de nuestra raza... Ten cuidado, señor, pues aunque tengas el oído más fino que cualquier fiera del bosque, no oirás nada de eso y creerás que es el viento quien mueve y hace susurrar las hojas de los árboles.

Cortés meditó y vio que aquel confidente tenía razón. Aquella misma noche celebró consejo con los capitanes. Estuvo presente en el juicio sobre Guatemoc y sus dos prisioneros y dobló la vara de la justicia. Por la noche se dio la sentencia. Aun hoy resonaban en sus oídos las risas de *Águila-que-se-abate*. Él, que siempre permanecía callado, alzó entonces su voz que ponía de pie a los espectros y tal vez se oía en todos los lugares donde vivían pieles rojas. No se inclinó bajo el peso de sus pecados, sino que se sujetó la pluma de quetzal en los cabellos, con lo que, según su fe, el emperador se convirtió en juez. Volvióse entonces hacia Cortés, como si el español fuese el acusado y habló así:

—Malinche: Yo hubiera sido un hombre necio si me hubiese fiado de tu promesa; sabía que me arrastrabas a lugares desiertos para librarte de mí sin testigos ni obstáculos..., pero los bosques son enemigos vuestros; las piedras, los hombres y hasta la hierba cuidan de que se extienda la noticia... Los dioses callan..., pero no olvidan.

Toda la noche hubo gran agitación. Los soldados iban y venían. Hasta el joven Díaz se atrevió a arrimarse a Cortés, para decirle:

— Señor: Yo también pido gracia. Guatemoc es un hombre sincero. No nos empujes hacia la perdición. No dejes que sea juzgado con demasiada severidad.

Los indios estaban sentados quietos, como si guardaran luto; todos: criados, mujeres o caciques. Marina metió la cabeza entre las almohadas y no acudió cuando Cortés la mandó llamar para que se colocara detrás de *Águila-que-se-abate*. Tal vez Guatemoc confesaría aún dónde había escondido sus tesoros..., o quizá querría morir en la fe de Cristo.

Guatemoc no escuchaba a nadie y cantó durante toda la noche. Desde aquel día le pareció a Cortés oír siempre aquel canturreo terrible, incomprensible y monótono con el que el príncipe indio narraba toda su vida, enumeraba su estirpe generación tras generación. Su genealogía empezaba con el dios de la cabeza de ocelote que lloraba con lluvia inagotable. Aquel canto continuó toda la noche, sin parar ni un minuto. Los españoles huían del campamento.

— No se puede resistir eso, señor.

¿Por qué Cortés no se doblegó en aquella ocasión? ¡Cuán a menudo tuvo que responder después de su inflexibilidad! Ante sacerdotes, ante la Ley, ante Don Carlos... y ante sí mismo.

Cuando el verdugo pasó la soga alrededor del cuello de la víctima, seguía todavía el ritmo de aquel terrible canto... Los jefes sentenciados a muerte lo continuaron y sólo cesó aquello cuando el último cacique perdió ya el sentido.

¿Pensaría acaso Cortés en Tecuichpo..., como se susurraba? ¿No le miraba Marina con cara hosca, como se mira a un asesino? ¿No había gente que pensaba que había mandado a la muerte a Guatemoc a causa de Tecuichpo? Mil veces trató de hacer examen de conciencia. «Señor: Estoy tranquilo. Yo no tuve esa intención asesina, como la que se atribuye al rey David. Señor: Tú sabes cuán indefensos y abandonados nos encontrábamos en el bosque; un soplo nos hubiera derribado. No hubiéramos podido resistir ni un solo asalto de los indios. Si algo malo nos hubiese sucedido allí, la noticia hubiera corrido por toda la costa; a los pocos días se hubiera sabido en Méjico; hubiera corrido por los bosques y hubiera sido llevada por los arroyos... Y en menos de una semana, la corona de Don Carlos en este nuevo mundo se hubiera hundido en sangre; ni uno solo de los españoles hubiera quedado con vida.» Pero, ¡cómo quedó inerte pendiendo de aquel árbol, con su pluma de quetzal en la cabeza! ¡Cómo resonó el último grito con que invocó a su dios Tlaloc y que hizo retroceder asustado al Padre que le mostraba un crucifijo!

Tal vez sobre su conciencia podían pesar muchos miles de vidas humanas y, sin embargo, todos los ojos, al mirarle, parecían decirle: «¿Por qué mataste a Guatemoc? ¿Por qué mataste al legítimo monarca de Nueva España?» A bordo, cuando viajaba por el océano, leía Cortés un librito traducido de la lengua toscana al castellano; eran las meditaciones del notario florentino Maese Niccolo Machiavello. Este libro era leído entonces en todas las naciones por los grandes hombres, se decía, y el de Cortés era un regalo que le habían traído de España. ¿Por qué había ahora de recordar sus páginas cada vez que le atenazaba el recuerdo de Guatemoc colgado de un árbol, con los estremecimientos y los estertores de la agonía?

Llegaban malas noticias. Toda suerte de malas noticias le llegaban mientras estuvo en Honduras. Además, la fiebre le acometió tan fuertemente que hizo llamar al *Pater* y le pidió los últimos Sacramentos. A veces, perdía el sentido y gritaba, según se decía, cosas incoherentes. Seguían llegando malas nuevas. Después de casi dos años, le llegaban noticias de Méjico; discordias, luchas de partido, persecuciones de indios, días negros de la dominación española: *homo homini lupus.*

Con su hambriento y diezmado ejército, echó un poco a la ventura hacia la costa, y allí un buque que pasaba los sacó de Honduras. Todo le era adverso: tormentas, temporales; parecía que los elementos se habían aliado contra él. Cortés se reconcentró y rezó mucho... Con sesenta hombres escasos volvió a Nueva España, a Vera Cruz. Como espectros, desembarcaron al amanecer para ir al templo a rezar un *Te Deum*. Aun hoy recordaba el semblante del sacristán, que, asustado, dio un paso atrás al verlos: «¿Venís del más allá? ¿Quiénes sois?»

Enteróse aquí de que en Méjico creíanle muerto y se habían celebrado por él unos muy solemnes funerales..., que ya se habían echado suertes de sus propiedades y hasta sus amigos se apresuraban a llevarse algo de lo que fuera fortuna personal de Cortés.

Se repuso. En Vera Cruz curó de la fiebre. El cirujano sangróle y le cortó las barbas; pudo ponerse un traje nuevo para recibir el homenaje de los habitantes de la ciudad, esa ciudad cuya primera piedra pusiera él un día con sus propias manos. Los tambores resonaron en los bosques y mensajeros misteriosos corrieron de tribu en tribu. Al día siguiente, llegaron junto a Cortés los dos hijos del obeso cacique de Cempoal, los jefes de Tlaxcala, los jueces de Cholula... A su alrededor volvieron a aparecer los veteranos, muchos de ellos con su esposa e hijos... Se puso en camino. A cada paso veía un rostro conocido, a un cacique aliado de aquellos que le habían prestado sumisión los primeros. Y le decían: «Señor: Hicieron de las suyas en tu nombre y se les oía decir: «Ese perro de Cortés ya está podrido.» Nosotros sabíamos que volverías y harías justicia. Mientras estuviste fuera, nos robaron nuestro oro y nos arrancaron los hijos. Nuestro nuevo dios es mucho más terrible que el antiguo. Fuerzan a nuestros jóvenes a que trabajen bajo tierra, donde, en la obscuridad, deben cavar para encontrar los tesoros que el suelo encierra. Y trabajan allí hasta que sucumben... El nuevo dios es más cruel que el antiguo; sólo tu fe, Malinche, fue siempre caritativa...»

Cuando llegó al valle pasó por pueblos y aldeas como un rey recién coronado y victorioso. Los magistrados le salían a recibir y le besaban la mano. Los monjes le saludaban con *hosannas* y los jefes de tribu le echaban voluntariamente pedazos de oro a los pies...

Quedó junto a la orilla del lago, donde había un recuerdo en cada piedra, y desde aquí mandó decir a la despótica Audiencia de la capital que el capitán general del reino había llegado y esperaba que vinieran a prestarle acatamiento y homenaje. Sentía por ellos asco, como si fueran sapos: leguleyos, oficinistas, intrigantes que corrían como ratas por debajo de las arcadas del palacio del gobernador cuando llegó la noticia de que las selvas de Honduras no se habían tragado para siempre a Hernán Cortés. Cuando se aproximaban los comisarios, mostraban ya de lejos los pergaminos que traían de Sevilla; cada uno de ellos trataba de justificarse. Cortés sentía cómo le miraban con el rabillo del ojo, y así también los miraba él.

En cada buque llegaba gente nueva. Comisionados unos, pretendientes otros al título de virrey; desde Santo Domingo llegaron los Padres para actuar como jueces; desde Madrid, la corte enviaba un sinnúmero de comisionados, cuyas jurisdicciones se entremezclaban y confundían; desde Sevilla mandaba el Consejo de Indias no menor número de gente. Entonces, Cortés hacía cada vez una excursión a Chapultepec, a los jardines donde se criaba su hijo Martín y donde, cada vez mejor, sabía ya descifrar lo que Cortés le escribía sobre la arena. En pocas semanas debía disponerlo todo, porque ya entonces se afirmaba en él la decisión de poner fin a aquel estado de inseguridad y de acudir a los altos jueces y poner en manos de Don Carlos el proceso de Nueva España, que llevaba ya en curso más de diez años.

El único amigo que llegó desde España con un cargo burocrático fue el enfermizo y amable Ponce de León. Era un hombre lacónico, uno de los pocos a quien el profesor Lebrija, en Salamanca, había señalado como humanista. La primera noche, después de la cena, dijo al levantar la copa: «De todos nosotros, vos sois, don Hernando, el único hombre grande..., los demás no somos más que imitadores decadentes. La Historia os hará la justicia de señalar lo que os deben vuestros contemporáneos. Conozco vuestra *Anabasis*.»

Lentamente sacó el volumen encuadernado en pergamino, que había sido impreso en Sevilla el año anterior. Su mano temblaba cuando empezó a hojear y a leer: «Cartas de don Hernán Cortés a su imperial majestad...»

Cortés se quedó sin saber qué decir; los comensales quedaron mudos cuando vieron que comenzaba a hojear el libro. ¿Quién hubiera podido creer que su *Cesarea* majestad destinara a tan alta distinción los renglones de aquellas humildes cartas? ¿Era posible que el rey hubiera entregado a sus impresores aquellas cartas escritas sobre hojas de agave con zumo de bayas? ¿Qué las hubiera enviado a su imprenta real, donde, con tipos de madera, se hacían centenares de ejemplares de los libros? ¿Que los hubiera hecho publicar para que los conociera todo el mundo y viera cómo algunos centenares de españoles luchaban en un lugar incierto de una alejada y desconocida costa del océano?... No podía trinchar el pavo; leyó hasta que los ojos se le llenaron de lágrimas. Se sumió en la lectura. Los comensales se fueron marchando poco a poco. ¿Había, en realidad, ejecutado algo tan grande para que el emperador entregara a la Historia sus pobres renglones, como mil quinientos años antes había sucedido con los *Comentarios de César*? César era el hombre más grande de los tiempos pasados, casi un emperador..., mientras que él solo luchaba, combatía y derramaba su sangre en defensa de su derecho y como un jurista escribía sus informes a Don Carlos... Hojeó el libro. Como si lo saboreara, leyó y releyó cada uno de los párrafos. Recordaba cada renglón, cada cosa que allí estaba escrita. Volvió algunas páginas... *Segura de Frontera. 30 de octubre de 1520*... ¿Eran esas letras impresas verdaderamente una alegría? ¿Eran, en realidad, algo más que el último informe que él había escondido en el tahalí para llevárselo a España?

Cuando hubo regresado de Honduras, el Nuevo Mundo parecía haber muerto. Buscó a Olmedo y encontró su tumba. Otros muchos de sus veteranos habían cerrado también los ojos para siempre; los otros estaban avejentados; sólo los enemigos se habían vuelto más atrevidos. Buscó a Tecuichpo para inclinarse ante ella y decirle que *Águila-que-se-abate* no era inocente y que él no había sido su verdugo, sino su juez, que, conforme a la ley, tuvo que dar sentencia de muerte. En Coyohuacán ella salió a recibirle; iba envuelta en negros velos y le miró con ojos hoscos. Dos monjas la acompañaban; ahora se llamaba doña Isabel; así la llamaban las monjas, compadecidas de su viudez. Se acercó a él con aquel su paso rítmico que Cortés no había podido olvidar nunca. Iba desprovista de joyas y dorados; vivía de la caridad del convento, en orgullosa pobreza. Sus magníficas manos de color de espuma sostenían un rosario. Las monjas salieron de la habitación y los dos quedaron solos. Ella comenzó hablando del hombre que se interponía entre los dos, de aquella sombra más acusadora que todas las demás; la sombra que acusaba, pues no necesitaba defenderse *Águila-que-se-abate*. Se miraron. Los dos sabían que no se podían acostar en el mismo lecho con una sombra en medio de los dos.

Unos días después fue personalmente a la cancillería. Hizo que le leyeran las leyes de Don Carlos: los párrafos de la Recopilación de las Indias, que dejaba bien sentados los derechos a la conquista y a la validez de las pretensiones imperiales sostenidas por medio de bulas pontificias. Los letrados llevaban con acierto sus argumentos y acabaron por declarar que: «Vuestra merced es el representante de la Corona. Lo que habéis confiscado en nombre de la Corona, estáis obligado a justificarlo y a entregarlo, en tanto la Corona no disponga lo contrario...»

Entonces ya sabía que regresaría a España. Tenía que dar cuenta clara de todo. Todo de una vez. Aquella misma noche comenzó a dictar. «...Este escrito vale como privilegio de doña Isabel de Moctezuma, que es la hija del gran Moctezuma, último emperador legítimo de la ciudad y reino de Méjico, y que después de la debida preparación e instrucción fue admitida en nuestra única y verdadera Iglesia por medio del bautismo... Por voluntad de don Hernán Cortés, gobernador de Nueva España y conquistador de todos esos países en nombre de su majestad...»

Dictaba. Su voz sonaba suave al narrar en frases largas y entrelazadas cómo el terrible señor se había puesto bajo la protección de Don Carlos con fidelidad de súbdito, cómo habían transcurrido las últimas horas de aquella vida en las que se inclinaba ya hacia las enseñanzas de la verdadera fe, si bien no llegó a recibir las aguas del bautismo. Cómo voluntariamente había confiado su hija a Su Cesárea Majestad y cómo Hernán Cortés, en nombre de la Corona, había aceptado la honrosa tutela... De cómo Moctezuma, velados ya sus ojos por la proximidad de la muerte, le había dicho: «Cuida de mis hijas, pues los hijos pueden tender la cuerda del arco; pero las muchachas son débiles y frágiles...» Pero ahora su imperial majestad decidió que todos los pueblos, ciudades y jardines que se enumeraban debían pertenecer a Tecuichpo. Le legaba la antigua provincia de Tlacopan. Él mismo le llevó la noticia al frente de una comisión, inclinóse ante ella y le dio el título de *Princesa*, que llevaba incluido el rango de las hijas del rey de Tlascala y Tezcuco, a las cuales correspondía el título de *Duquesa*.

Tecuichpo... Mientras el oleaje mecía la carabela anclada ya, no podía librarse del recuerdo de ella. Cuanto más lejos estaba, cuanto más fuera de su alcance, tanto más firmemente la sentía adherida a la medula de sus huesos. ¿Qué significaba el haberla salvado de la estrechez del claustro, haber puesto fin a su destino triste y obscuro, haberle asegurado el título de los Grandes de España, y haberle regalado toda una provincia en nombre de Don Carlos, una provincia cuyos cuarenta mil habitantes la honrarían como a una diosa? ¿Cuál de sus compañeros de armas había observado que él, Hernán Cortés, se esforzaba en ayudar a los indios? Hacía venir de España Cartas de Nobleza a grandes fajos. Intercedía para que dejasen a la señora de Tula su ciudad y a los tlascaltecas la exención de impuestos de que gozaban desde tiempos remotos. Solicitaba que no se les descontara el quinto de la Corona de sus posesiones e ingresos y que las residencias de los principales y jefes que voluntariamente habían prestado acatamiento fueran consideradas como *salvaguardia*. Lograba que Don Carlos enviase presentes a Flor Negra con la dedicatoria: «A mi fiel vasallo...» Pero tal vez todo eso lo hacía sólo por Tecuichpo, cuyo nuevo nombre de Isabel le desagradaba y sonaba a extraño.

Pasaron meses antes de que pudiera tenerlo todo en orden, todo lo que él mismo había destruido y aniquilado en dos años. El poder de la Corona española llegaba ya hasta Honduras. Sabía Cortés que, al llegar la época de las lluvias, cuando comenzaran a soplar los vientos favorables, partiría hacia España. Tenía todavía algunos meses para sí. Febrilmente, con mano codiciosa, reunía oro y piedras preciosas sin descontar en muchos casos el quinto que correspondía a la Corona; pero reunía todo eso para poderlo entregar como cosa suya a la misma Corona. En los talleres, los orfebres indios manufacturaban trabajos de filigrana, se tejían mantas hermosísimas, capas de pluma como llamaradas, se construían asientos y muebles de fibra. De vez en cuando dejaba caer alguna palabra ante sus enemigos: «En otoño, si Dios lo permite, cumpliré mis votos ante la Santa Virgen de Guadalupe.» Hizo decir a los oficiales y capitanes que debían disponerse si querían visitar la patria en su compañía. Fue al colegio donde los padres enseñaban latín a los hijos de los indios nobles y de los caciques. Contempló a aquellos muchachos bien formados, esbeltos y de color de cobre, puso la mano sobre el hombro de algunos de ellos y dijo: «Habla con tu padre para ver si quiere dejarte venir conmigo para conocer al emperador.»

La noticia corrió como el viento. Las leyendas que parecían arder entre cenizas se reavivaron hasta despedir llamas. La leyenda de Quetzacoatl revivió; se decía que la serpiente alada había enviado a Malinche un mensaje de que quería conocer a sus hermanos de estas tierras... Corrió la noticia desde Cempoal hasta el río Panuco, siguió por el país de los mayas y vinieron jóvenes nobles, se inclinaron ante Cortés, diciendo: «Llévame a mí también contigo, augusto señor.»

Cortés se preparó, purificó su corazón y su alma; se sintió lleno de bondad; se apartó de las mujeres, observó los ayunos y se esforzaba en permanecer silencioso cuando la cólera le dominaba.

Llegó un buque a Vera Cruz. En la carta que había dictado allá, en Medellín, doña Catalina Pizarro de Cortés, se leía la triste noticia de que el viejo capitán don Martín Cortés se había dormido en el Señor. Cortés, con ojos llorosos, evocó la figura de su padre, hidalgo de aldea, que no había sido ni mejor ni peor que innumerables otros hidalgos de Isabel... Con dolor, contempló el arnés de plata, el puñal con empuñadura de rubíes y otros regalos que tenía ya preparados para su padre, y llamando al capellán, ordenóle se celebrara un *Requiem* por el difunto.

La caravana de los portadores se puso ientamente en movimiento hacia Vera cruz. Unos días después llegó un cañón muy grande, envuelto en telas. Cuando Cortés lo hizo descubrir, los rayos del sol llenaron de luces blancas la plata de que estaba fundido. La etiqueta mandaba que aquel cañón fabuloso que Cortés ofrecía como regalo a Don Carlos llevara una inscripción adecuada. Durante la noche, buceó en sus recuerdos y encontró un antiguo epigrama que había leído hacía mucho, mucho tiempo, allá por Salamanca, en un sarcófago. ¿Quién podía recordar todavía las palabras textuales? Al amanecer, Cortés había logrado ya reconstruir más o menos aquel recuerdo y, algunos días después, los orfebres lo grabaron en el cañón: «Esta ave nació sin par, — yo, en serviros, sin segundo — vos, sin igual en el mundo.»

Cuando llegaron al puerto, hizo cargar el cañón con poca pólvora y él mismo aplicó la mecha. Cuando el trueno resonó, dijo, sencillamente uno de los caciques: «Quetzacoatl.»

La leyenda de la serpiente alada le acompañaba cuando saltó al bote que debía llevarle a la carabela. En sus rasgos se veían las huellas de su última y dura aventura en Honduras; iba vestido de negro de pies a cabeza. Subió por la escala de cuerda al tiempo que era izada la bandera de terciopelo negro bordada en oro, la misma que había ondeado un día en el mástil de la capitana a su llegada, la misma que había sido izada en el lago de Tezcuco y que siempre le había acompañado como símbolo de victoria. Apenas había pisado la cubierta, sonaron las trompetas; Ortiz dirigía la música. Los bufones, enanos, etc., pululaban por el alcázar; parecía aquello una corte real. Junto a Cortés, se pusieron los oficiales y capitanes mezclados con los caciques adictos, con sus vestiduras aztecas, zapotecas, tlascaltecas o mayas.

Toda Nueva España se apretujaba ante el puerto. Se levaron las anclas lentamente, se largaron las velas y la costa se fue alejando a los ojos de Cortés. El viaje fue feliz. Trepaban los marineros a los mástiles, tratando de descubrir islas en el océano; los indios estaban silenciosos, paseando por la cubierta y miraban largamente el inmenso mar cuyas fronteras no había alcanzado ningún hombre de su raza. Pasaron cincuenta días antes de llegar a las islas Canarias. Desde allí siguieron navegando con cautela, sin hacer ninguna escala, para evitar que alguna flotilla de piratas les atacara y les sucediera lo mismo que hubo de suceder años antes a Ordaz, que fue sorprendido por el jefe de los filibusteros de Su Católica Majestad de Francia y le fueron arrebatadas mil riquezas, entre ellas la segunda carta que Cortés había escrito a Don Carlos. Ahora navegaban con precauciones. No deseaba Cortés tener que combatir, si bien no lo temía. Mesa iba a bordo y los sirvientes estaban junto a cada uno de los cuarenta cañones; además, a bordo llevaba los más aguerridos veteranos. Le tentaba el peligro, es cierto; una última aventura gigantesca antes de llegar a la costa española... Los buques que pasaron navegando a gran distancia, así como los barcos de los pescadores, miraron con admiración aquel estandarte negro y desconocido.

Dejó atrás las aguas portuguesas. Aquí había un peligro tal vez, porque nadie podía saber cómo estaban entonces las relaciones entre Toledo y Lisboa, que variaban mucho de un día a otro. El mar estaba tranquilo, soplaba un constante viento del Sur; todo el viaje había sido como de cuento, de aventura. Así se deslizaron cómodamente en la bahía de Cádiz y el serviola dio el grito de que divisaba ya la costa española. Por la noche, arrojaron el ancla frente al faro de Tavira. Al día siguiente continuaron el viaje para llegar por la noche al puerto de Palos. Viajaban relativamente cerca del continente; la gente de a bordo distinguía con sus agudos ojos cada media milla las atalayas de Carlos, que protegían día y noche la costa de las incursiones de los piratas berberiscos.

Era un hermoso otoño aquél. Las grandes flotas habían partido ya hacía un mes y en la costa de Andalucía no se esperaba ya ningún buque del Nuevo Mundo. Palos se había ya dispuesto a ser durante el invierno un solitario puerto de una pobre ciudad de pescadores, como lo fuera antes, cuando Colón embarcó en sus carabelas sus tripulaciones reclutadas entre aquella pobre chusma. Cuando el piloto hubo conducido la galera a la bahía, la noche había ya llegado; las puertas estaban cerradas, poco a poco se apagaron las pocas luces que en la ciudad brillaban aún y el puerto y la población parecieron envolverse en una capa negra de obscuridad para pasar la noche.

Cortés pasó esta noche en cubierta. López, el carpintero, se había escabullido ya y Cortés quedó solo en la cámara de derrota, tras las abiertas ventanas, frente al viento de la noche que le traía el olor de la tierra, el olor de la campiña española, sobria, con sus largas hileras de álamos, sus olivares, las higueras, las vides... No había aquí helechos gigantescos, ni bosques de cactos, ni grupos de áloes. En la tierra que ofrecía ya su pendiente hacia el mar había blancos carneros, bueyes, interminables rebaños de cabras y de ovejas, que animaban la campiña, rompiendo la monotonía del paisaje, poniendo movimiento y tono en la escena y cerrando así el paso a aquel silencio profundo que pesaba sobre la costa de Anahuac, donde salvo los perros mudos y algunos pavos no se veía animal alguno.

Por la noche, durante la cena, cuando se hubo ya vaciado el último jarro de vino y de pulque en los vasos de los soldados, Cortés dio sus órdenes: Las galeras debían abandonar Palos a la mañana siguiente para fondear un poco más arriba, en la lengua de tierra en cuyo punto más alto se elevaba el Convento de la Rábida. Aquellos que quisieran acompañarle en su retiro de ocho días, capitanes, oficiales, indios conversos, desembarcarían con él. Los restantes seguirían teniendo su cuartel a bordo y cada día podrían desembarcar para visitar Palos una tercera parte de la tripulación y dar gracias a la Virgen que, con su infinita bondad, les había permitido llegar a la costa felizmente.

Por la mañana temprano, antes del alba casi, fue arriado el bote. Envió Cortés a su capellán y al capitán Tapia a los Padres para suplicar asilo durante ocho días para Cortés y sus acompañantes.

Regresaron una hora después. El viento traía desde Palos los sonidos de las campanas. El Prior enviaba su bendición a todos los tripulantes del buque, sin distinción de categoría y accedía a la piadosa petición del capitán general. El convento no era grande; tenía cabida tan sólo para diez monjes; pero aún quedaba sitio para cualquier alma pecadora que buscara la paz en aquel retiro.

Cortés se sintió aligerado. Todo parecía sencillo. El Padre que venía a recibirle abrió sus brazos, le estrechó contra su pecho y le echó sobre los hombros el hábito de San Francisco. No preguntó nada; no inquirió si llegaba allí como favorito del emperador o como rebelde; solamente dijo que todos los que llegaban al convento eran recibidos y acogidos en nombre de Dios.

Desde la ciudad llegaba el ruido de disparos de morteretes. La gente de Palos se había enterado de quién era el huésped que había arribado en aquel buque que ostentaba el pendón de almirante y se balanceaba ahora frente a la desembocadura del río Tinto. Las barcas rodeaban ya a la galera, los saludos debían ser contestados y debían izarse las empavesadas. Por orden de Cortés, subió al mástil el maestro gaviero y, con la bocina en la boca, avisó a los tripulantes de las barcas: «Vecinos de Palos, don Hernán Cortés, capitán general de Nueva España por la Gracia de Dios y la voluntad de nuestro emperador Don Carlos, os envía su saludo. Os da gracias por vuestra acogida y él mismo quisiera corresponder a ella; pero ahora está sujeto por un voto, cual es el de dar antes gracias a Dios y por eso sus primeros pasos han sido para encaminarse al convento de los Padres Franciscanos. Os suplica un Padrenuestro, un Avemaría por las almas de los compañeros caídos. Eso manda anunciaros nuestro general. Alabado sea el nombre de Nuestro Señor Jesucristo.»

Las barcas fueron arriadas; en ellas se puso todo el oro y tesoros que llevaba y sobre su negra vestidura, se echó una capa de burdo paño. Cuando descubrió la cabeza, los capitanes siguieron su ejemplo. Cuando los botes tocaron la arena de la playa, los remeros saltaron y arrastraron los botes hasta dejarlos en seco. Cortés fue el primero que saltó a tierra. No había nadie en aquella playa; solamente una muchachita de unos seis años que miraba con ojos curiosos...

Después de veintiún años, otra vez en España... Cortés se arrodilló y besó el suelo. Los otros, marineros, oficiales y soldados, hicieron lo mismo. La muchachita miró aquellas figuras extrañas, pálidas, que parecían venir del otro mundo. Cortés distinguió a la niña y la llamó a grandes voces. Al aproximarse, abrazóla. Tenía los ojos hermosos y azules, el cabello rubio; a causa del calor iba cubierta tan sólo por una camisita. Cortés abrió la bolsa y un trocito de oro brilló en la manita de la niña: «Ve a tu casa y di que yo te lo he regalado; tu padre con eso puede comprar una casita...»

Los dos se miraron sonriendo. Todo era nuevo y viejo: los árboles, las cepas, los pinos cuyas copas vibraban con el viento, las extrañas figuras de los olivos, las higueras y los pequeños matorrales... Todos se sentían en casa después de aquel largo viaje; los marineros no juraron ni se injuriaron durante algunas horas, ni tampoco acudieron presurosos al barrio del puerto...

Algunos nunca habían estado en España, pues nacieron en Cuba o en Santo Domingo; otros habían dejado la patria cuando eran sólo muchachos, huyendo quizá de la justicia o señalados por el hierro... Los conquistadores caminaron al mismo paso que los indios.

Alguien entonó una canción; era Ortiz que no había olvidado su buena costumbre; entonaba ahora un cántico penitencial. Todos cantaban; los sonidos de aquellas gargantas roncas por el aire salino del mar, bajos los unos, barítonos los otros, entonaban un coro en su camino hacia el convento. Oyeron los monjes aquel canto y abrieron las puertas a los que llegaban. Los rayos del sol alargaban las sombras cuando los padres, presididos por un sacerdote alto y vestido de negro salieron a recibir a los penitentes y los dos grupos quedaron mezclados. Capitán, marinero, soldado... El prior abrazó a Cortés: «Hermano mío», le llamó. El capitán general dobló la rodilla, besó al sacerdote el borde del hábito, después la mano. Los caciques y príncipes contemplaban desde cubierta aquel recibimiento y miraban admirados cómo una vez más Malinche se humillaba ante los monjes pobres y descalzos.

En el claustro, bajo las arcadas góticas, se disolvió el cortejo. El Prior condujo a Cortés por unas escaleras. Por el camino no podía nadie decir ni una sola palabra. Algo inesperado, maravilloso, había en esos minutos, como si se hubieran unido un sueño y una realidad de modo mágico. El Padre condujo a Cortés a su celda; era ésta como todas las celdas de los franciscanos: pequeña, con una ventanuca que miraba al mar; un crucifijo y unas tablas... y unas flores bajo el Cristo.

—Don Hernando, hermano mío. Sed bienvenido. La casa es modesta; pero no hubierais venido aquí si en ella buscarais la gloria, la fama, el esplendor de las cosas del mundo. Hacéis algo muy meritorio a los ojos de Dios, tratando de purificar vuestra alma a vuestra llegada; igual que en *anno domini 1493*...

—Padre. Veo que habláis de él... del almirante... ¿Le habéis conocido acaso?

—Era yo entonces novicio; dieciséis años o cosa así. Dormía yo entonces en un cuartito junto a la portería. El hermano portero era ya viejo y andaba con dificultad; por eso me habían puesto a mí para que le ayudara. Dios me perdone si lo digo con vanidad... pero fui yo quien aquella noche, en que ladraban los perros, fui yo, repito, quien le abrí la puerta. Era alto, seco, de aspecto noble, pero hambriento y cansado iba después de la larga caminata... Y su hijito, de cinco años apenas, iba sobre su hombro... Golpeó a la puerta grande. Me despertó el ruido. El hermano, que se llamaba Cipriano, me dijo: «Abre la puerta.» Abrí antes el ventanillo y vi a aquel hombre que esperaba afuera. Vi sus ojos; pero unos ojos que no se olvidan nunca... Abrí. Entretanto, el hermano Cipriano había llegado hasta donde estábamos. Preguntó al viajero cómo se llamaba. Hablaba con extraña voz y su castellano sonaba de modo muy distinto del que aquí hablamos; marcaba las sílabas como si leyera las palabras. Y dijo: «Me llamo Cristóbal Colón. Llego de un largo viaje y quisiera hablar con el Padre Antonio de Marchena, a quien quiero pedir, en nombre de Cristo, hospitalidad por esta noche.»

—¿Le visteis solamente en esa ocasión?

—Estuvo una semana o más bien diez días con nosotros. Aquella misma noche se encerraron en una habitación él, el Padre Marchena y Juan Pérez. Los tres estaban trabajando en la celda bajo la torre con la ventana que da a la inmensa mar... De allí puede verse a menudo la costa africana. Yo les llevaba la comida y un jarro de vino, en el cual echaba agua porque así lo querían ellos... Perdone, señor; pero era yo un muchacho y por eso tengo el recuerdo de esos detalles pequeños que se quedaron grabados para siempre en mi memoria. La voz del almirante llenaba la celda diciendo cosas maravillosas. El Padre Juan Pérez extendió los brazos y dijo con tranquilidad y finura —ya sabéis que le provenía de la corte — le dijo, pues, no tratándole de tú, sino en el lenguaje cortesano: «Vuestra merced es un hombre justo...» Yo estaba presente; escanciaba el vino y permanecía callado. Ellos discutían. Yo no entendía gran cosa de lo que hablaban, pues estaba yo todavía en el *Alpha* de la ciencia que los Franciscanos me enseñaban. Nacido en el interior de la península, pocas cosas conocía referentes al mar, pero sí tenía ya rudimentos de latín. De todas formas aquello era una discusión en que se manejaban toda suerte de argumentos. Los tres se levantaron; sus voces eran dulces, pero lo que decían era fuerte... El extranjero entonces se dirigió a la ventana y como si quisiera bendecir el mar, extendió los brazos y exclamó: *Mondi formam omnes fere consetiunt rotundam esse.* Y añadió después que esto mismo lo había escrito el Padre Santo Pío cuando era todavía Eneas Silvio. Me acuerdo de eso y del niño que le acompañaba y que me dieron para que cuidara de él. Lavé a Dieguecito —que así se llamaba—, le di de comer,... Pero vuestra merced me preguntó si fue ésa la única vez que Colón nos visitó. No puedo recordar exactamente el número de sus visitas; pero sí sé que llegó a ser amigo nuestro. Venía a comulgar aquí con todas sus tripulaciones y aquí se sentaba Alonso Pinzón, sí, maese Pinzón, que le había acompañado en su primer viaje. A la segunda noche, le hizo llamar el Padre Antonio. Era un marino fuerte y robusto. No andaba sobrado de argumentos. No sabía escribir ni entendía nada de latín. Se limitaba a escuchar y a decir de vez en cuando: «Bien, lo que dice don Cristóbal puede que sea cierto,...» Le vi partir. Vuestra merced sabe muy bien que la mayor parte de sus marineros venían directamente de las cárceles de Palos, verdaderos pícaros que así huían del castigo. Fuera de ésos, sólo había allí los marineros de la familia Pinzón que confiaran en él... Hablando en confianza, señor, todos nosotros creíamos que la teoría de Colón no era más que eso: una teoría,... Primero había la gracia de Dios, después esa familia de los Pinzones, y luego las manos fuertes de la gente que sabía manejar la vela.

Cortés se paseaba por el claustro. Todo estaba lleno de recuerdos. Nombres que le eran familiares, porque don Diego Colón mismo los había dicho en una tarde feliz de La Española en que su dignidad y tiesura de Grande de España se ablandó a fuerza de beber. También se había referido entonces en su conversación a esa primera noche en la Rábida en que él, niño todavía, estaba colgado ebrio de sueño del cuello de su padre mientras un joven hermano le servía un poco de leche... Ahora todo se había vuelto tangible; estaba al alcance de su mano. No era ya una leyenda, como tampoco él mismo era ya leyenda sino el hombre llamado por Dios para destruir el reino del demonio y edificar en su lugar uno mejor y más justo. Esos muros, empero, con sus líneas góticas, obedeciendo a la moda, iban aceptando las columnas románicas a medida que se ensanchaban.

La puerta se abrió, mientras el guardián le invitaba a entrar. Trajeron lámparas, lámparas de aceite modernas que en España eran todavía una novedad. Por las paredes veíanse mapas, instrumentos náuticos y dibujos. Cortés no era hombre de mar, pero debido a sus viajes, conocía las cartas, las indicaciones de la brújula y había oído hablar bastante de las corrientes. Aquí había de todo, como si hubieran traído todos los instrumentos de toda una flota; como si hubiesen traído los dibujos de la escuela del príncipe Enrique de Portugal. En un rincón veíase un objeto grotesco: una masa en forma de huevo alargado; encima, los continentes en forma de dragones escupiendo fuego; los imprecisos contornos de Anahuac, como un delfín inclinándose un poco hacia bajo, zambulléndose en las costas inmensas del Sur. Cortés pensó para sí que al siguiente día les regalaría a aquella gente algunos mapas aztecas, la maravillosa hoja de *nequem*, sin la que se hubiera extraviado mil veces en su excursión a Honduras; el mapa que le había servido para orientarse en el valle y que le había regalado el pobre y obeso cacique de Cempoal, el primer mapa que le había ayudado tanto, aquel al cual sus ojos ya se habían acostumbrado, donde era posible calcular muy bien las distancias y que él había aprendido a medir perfectamente, así como a distinguir las montañas y ríos y a reconocer caminos y senderos... Crónicas... El Padre mostró la de Juan de Mandeville... «Sobre esta crónica se inclinó Colón cuando se encerró y solamente podía yo entrar para llevarle comida y agua... Aquí está el libro de maese Milione, aquel Marco Polo del año de gracia de 1310... escrito en lengua toscana y copiado entonces. Esos son los dibujos, el mapa de Colón... Ya veis, señor, todo está reunido aquí... También tenemos un fragmento de sus diarios que puede leer quien lo desee. Están aquí cuidadosamente guardados en este armario, protegidos del polvo. Nuestro orgullo es que vuestra merced, que ha adquirido una categoría igual a la del almirante, venga aquí y se entretenga inspeccionando todos esos papeles.»

Cortés buscó entre aquellos *in folio*. Revolvió pergaminos. Era aquélla una habitación conventual, pero al mismo tiempo una especie de archivo donde descansaban en paz los antiguos y dorados documentos. Cortés se aproximó; el Padre le hizo una seña. Ambos se inclinaron sobre una hoja grande que desenrollaron y en la que se veían debajo dos sellos reales de Castilla y de Aragón: «...*tú, Cristóbal Colón, por nuestra voluntad, con nuestros buques y tripulaciones partirás para el descubrimiento de nuevas islas en el Océano. Es conveniente que recompensemos tus servicios, por lo que ordenamos que tú, Cristóbal Colón, seas almirante y virrey de todas las islas y continentes que ya has descubierto o descubras en lo sucesivo... Por ese motivo deberás llamarte de hoy en adelante como corresponde, don Cristóbal, y tus dignidades pasarán a tus sucesores. Tienes derecho de proceder en nombre propio, así como también el de nombrar gobernadores que gobiernen en nombre tuyo. Te corresponde a ti la administración de la justicia en los asuntos civiles y criminales, cuya decisión está encomendada a nuestros almirantes y virreyes... Ordenamos que todos los funcionarios que tú insti-*

tuyas en sus cargos y dignidades, cuiden de tus derechos y prerroga-
tivas; que entreguen en tus manos las contribuciones y gabelas que
nosotros te concedemos y que en todas esas cosas nadie debe impe-
dirte tu función ni ponerte obstáculo, pues ésta es nuestra volun-
tad... Dado el 30 de abril de 1492 en Granada. Yo: el rey. Yo: la
reina...»

—Ved también ese escrito; es de fecha más reciente; precisamente un año después de haberse celebrado el Tedéum en Barcelona. Oíd:

«...siendo así que tú, Cristóbal Colón, con la ayuda de Dios des-
cubriste las islas que se indican en nuestro escrito real, te confirma-
mos de nuevo en tus dignidades y te reconocemos como almirante
del Océano, así como gobernador vitalicio de todas las islas y países
que tú has descubierto o descubras en lo sucesivo... Queremos que
tú, en calidad de almirante del Océano, tengas mando sobre todos
nuestros buques que navegan por los mares. Obedecerán a tus órde-
nes y harán lo que tú juzgues necesario que hagan. Tendrás el dere-
cho de castigar las faltas, para lo que aprobamos por la presente los
juicios que pronuncies y los damos por buenos. Deseamos que tus
dignidades con todos tus empleos pasen a tus hijos y concedemos a
ellos los mismos derechos que corresponden a los almirantes de Cas-
tilla y León. Yo: el rey. Yo: la reina.»

Leyó y dobló el pergamino. ¡Qué magníficos e interesantes documentos eran ésos! ¡Cómo brillarían los ojos del gran genovés cuando
los leyó y cómo se acordaría de ellos cuando en la lejana isla de
Haití, desdoblaría la sencilla hoja que decía sencillamente: *«Don*
Cristóbal Colón, almirante del Océano. Hemos encargado a nuestro
plenipotenciario don Francisco Bovadillo, poner en tu conocimiento
determinadas cosas. Te ordenamos que cumplas todo obediente-
mente, lo que en nuestro nombre te ordene... Dado en Madrid. —
26 mayo de 1499...»

Se estremeció. En la Española estaba todavía en el recuerdo de
todos, y los viejos aún habían podido verlo con sus propios ojos,
cómo el almirante había sido llevado a bordo con sus dos manos
atadas, en compañía de sus dos hermanos; cómo la plebe reía, gritaba y le insultaba cuando él, con grillos, sin armas, pasaba hacia
el buque, con el rosario entre sus manos...

¿Pagarían siempre así los monarcas los tesoros que sus fieles
súbditos les ponían a los pies? ¿No querrían jamás las testas coronadas inclinarse ante los mundos que se les regalaban?

Estuvo durante un espacio de tiempo lleno de confusión. Estaba ante esa podredumbre que nunca se pudría... Esa extraña Abracadabra había atraído un día a todos los sabios y cabalistas como suprema ciencia. Hoy... hoy se sabía ya cuántas millas marinas había entre el Viejo Mundo y el nuevo continente; qué corrientes conducían hasta allí. ¿A quién se le ocurría buscar ya Cathay o las islas de Zipango en las huellas de maese Milione? Había Cuba y Méjico y el istmo de Darién, desde donde se podía ver el mar del Sur y más allá de este mar todavía interminables tierras.

—Cada día trae algo nuevo —dijo el Prior, como en disculpa—. Cada día llegan buques; alguien viene a este edificio consagrado a Dios y siempre tienen algo que contar. Así, en estas nuestras celdas, vemos cómo se va extendiendo, cómo va creciendo el mundo conocido; dibujamos las nuevas provincias que se descubren y anotamos si allí se predica ya nuestro evangelio a mayor gloria de Cristo. Llegan los navegantes y, antes de partir de nuevo, se hacen bendecir por nosotros, y otros, al volver, dan las gracias por la ayuda a la Estrella del Mar y nos cuentan todo lo que les fue dado vivir y experimentar. Así vivimos nosotros, humildes siervos de San Francisco, en nuestro estrecho mundo, incansablemente en la fe de que todo sucede a mayor gloria del Señor.

Pasaron días. El penitente había dejado crecer su barba; dormía sobre tablas, llevaba el duro y tosco sayal del hábito franciscano; se alimentaba de pan y platos de vigilia. Por la mañana oía las exhortaciones de un severo Padre, leía las homilías y meditaba sobre los temas que cada día eran señalados. Poco a poco comenzó a saltársele la corteza; parecía que cada día, cada hora, algo se desprendiera de él. Ahora, después de tanta agitación, movimiento, horror y sangre, le rodeaba la tranquilidad, la paz, como un maravilloso baño y en este silencio se sentía sanar de cuerpo y de alma. En Palos se reunían los curiosos; todos los días les asaltaban nuevos admiradores; la noticia de grandes acontecimientos se extendía. Desde los tiempos de Colón jamás tantos ojos contemplaron con admiración el pequeño puerto de Palos. Los mensajeros que habían partido para Toledo llevando cartas de don Hernando iban anunciando por el camino: «Ha llegado el victorioso capitán general de Nueva España... Nuestro excelso señor, en cuyas manos no se acaba nunca el oro...»

En Palos se reunieron curiosos, gentes de placer, mujeres ansiosas de botín, cortesanas que pululaban entonces en la península; llegaron aventureros, artistas, caballeros de industria, alquimistas que habían hallado la piedra filosofal. La ciudad estaba atestada.

La noticia corría de boca en boca, subía desde el Sur hasta Sevilla. El Consejo de Indias celebró largas sesiones extraordinarias y se dirigieron a Don Carlos apremiantes escritos. Don Carlos residía entonces en Toledo. El obispo de Burgos, Fonseca, mojaba su pluma en veneno y decía a sus íntimos que ahora era ya llegado el tiempo de hacer bajar la cabeza al capitán general. En su castillo, el duque de Medina Sidonia escuchaba. Había envejecido junto con el almirante. El duque movía la cabeza y decía: «Ese Cortés debe ser todo un hombre...» Otros grandes magnates admiraban también la aventura mejicana. Cuatrocientos, contra diez millones; eso era para ellos el balance y lo contaban con los dedos... Ese Cortés era alguien, aunque su familia pudiera ser sencilla y su nombre no perteneciera a los grandes linajes de Castilla. Todos hablaban de él, mientras él, envuelto en el hábito tosco de los franciscanos, leía las confesiones de San Agustín, forzando su cabeza a desentrañar de nuevo el ya olvidado latín y pedía al joven fray ayuda para descifrar el viejo códice. Cortés se sentaba a escuchar las exhortaciones del Padre que, con su agudeza, le explicaba la naturaleza de la gracia y le analizaba la disputa que desde hacía siglos seguía entre dominicos y franciscanos. Cortés estaba sentado con su larga y descuidada barba, apoyándose sobre los codos... «Éste es el caliz que Dios me ha destinado.»

Un día llegó el Prior a él y le dijo confuso que un noble caballero, acabado de llegar del Nuevo Mundo, quería hablar con él sin dilación. No prestó la menor atención a las palabras del Prior, el cual le dijo que el penitente debía permanecer durante varios días alejado de todas las cosas de este mundo. «Es inflexible y duro como el hierro. Decida vuestra merced si he de tratar de disuadirle o le he de arrojar de aquí. Se llama Francisco Pizarro y dice ser pariente de vuestra merced por línea materna...»

En los recuerdos de Cortés había una figura seca, huesuda, vestida de negro. Se trataba de un primo' de segundo o tercer grado, un hijo bastardo del coronel de Trujillo. ¡Francisco! Pronto el corazón se le animó. Hacía largos años se habían ya encontrado. Debía de haber sido allá por el año 1510 en Santo Domingo; había hablado con él en el cuartel de Ojeda acerca de un establecimiento en el continente. Después de eso desapareció y Ojeda con él. Entonces fue cuando Cortés marchó a Cuba y ya nunca más había oído hablar de su primo... Francisco Pizarro... Meditó. Su primo tenía unos cinco o seis años más que él. Cuando le encontró por primera vez, no era ya ningún muchacho, sino un hombre fuerte, callado, un verdadero guerrero de ojos brillantes. Había sorprendido a Cortés cuando comenzó a hablar. Su voz de barítono llenaba la estancia. Al recordarlo, Cortés sentía como un pesar... Hubiera podido muy bien llevarse a Méjico a ese Pizarro. Como capitán hubiera podido muy bien figurar entre sus hombres... ¿Pero qué buscaba aquí? ¿Qué hacía en Palos y por qué quería hablarle?,... El gran *in folio* con las Confesiones, resbaló de las manos de Cortés; de nuevo su fantasía se poblaba de imágenes, de expediciones, de soldados, de buques; un torbellino turbador le rodeaba; hubiera querido arrojar a un lado de un puntapié el asiento donde se sentaba; su sangre hervía. ¿Qué quería ese Pizarro?

El hombre entró. Pronunció un saludo con el respeto debido a un legítimo pariente que ha alcanzado gran categoría e inclinó su cabeza con respeto, pero sin servilismo. No le dio título ninguno. No dijo *excelencia*, a pesar de que tal era el tratamiento debido a un gobernador. Dijo, sencillamente, don Hernando. Eso era tal vez un poco más de lo que le correspondía en derecho como pariente, pero también mucho menos de lo que correspondía a un soldado o a un oficial al dirigirse al gobernador de Nueva España. Cortés dio un paso hacia él, le miró unos instantes y después le abrazó:

—Te doy las gracias por tu visita, Francisco. La paz de Dios sea contigo en este lugar de recogimiento, donde yo mismo, como ves, soy medio huésped, medio penitente. Puedo ofrecerte solamente lo que poseo y no debes tomarlo a mal si, a causa de la paz de mi alma, no te retengo mucho tiempo. Antes de ponerme en camino hacia Toledo, he querido limpiar mi alma de toda escoria. Siéntate, Francisco, y cuéntame de dónde vienes, cómo me has encontrado y cómo puedo yo ayudar a un valiente capitán como tú, en mi calidad de pariente.

—Te agradezco, Hernando, que me honres hablándome así. Eres tú ahora la estrella brillante de Castilla. Puedes creerme, bajo palabra, que sabemos todo cuanto a ti se refiere. Yo sé todas tus cosas por boca de los soldados que contigo servían. La fama pregonó todas tus hazañas y aquellos que son más duchos en leer de lo que yo lo soy, han leído tus cartas al rey, a quien yo también quiero acudir.

—¿También tú buscas a Carlos?

—Repito tus propias palabras cuando digo que perturbo la tranquilidad de tu alma si dispongo excesivamente de tu tiempo. Tú fuiste bondadoso y te acuerdas de nuestro único encuentro con Ojeda. Sabías también que aquella expedición terminó con muertos, derrotas y perdición. Pocos salieron con la piel entera. Entonces quedé harto de las islas. Marché hacia el Sur... No necesito contarte quién era Balboa. Estuve con él, Hernando. Tú has visto muchos países, muchos más de los que nosotros podemos esperar ver en toda nuestra vida. Pero no conoces ese sentimiento... Seguí a Balboa, con un pequeño ejército. Pasamos por Darién, trepamos por la montaña... Balboa, siempre delante. Y nunca olvidaré cuando gritó: «El mar... el mar.» Entonces divisamos el mar del Sur, allí donde el continente entre los dos océanos es más estrecho... Tú sabes todo lo que después sucedió con Balboa... Tuve bastante. Cuando se hablaba de ti y de los milagros que tenían lugar en Méjico, me quedaba excitado y no podía pegar los ojos en toda la noche... No ser nunca más que capitán, nada más; no pasar de aquí. Nosotros, al sur de todas las restantes posesiones de la corona española, oíamos a menudo noticias que a vosotros no os hacían soñar. Viene gente, aprenden el idioma de los indios, entienden sus palabras, sus leyendas... Al Sur, mucho más al Sur, existe un país de cuento, un país lleno de oro. Allí viven los hijos del sol... Debes entenderlo; lo debes haber experimentado en tu propio cuerpo... Uno se sienta esperando la buena suerte. El gobernador es avaricioso y codicioso; yo soy pobre; vivo miserablemente en el pantano, respirando fiebre con un rebaño de perezosos indios... Otro capitán, Almagro de nombre, y un fraile, el vicario Luque, allí en Panamá. Tenía dinero... Salimos todos en un buque; siempre hacia el Sur. No quiero contarte lo que nos sucedió; pasamos hambre, tormentos de toda clase, fiebres... bosques, bosques, y nada más. Ningún hombre por ninguna parte. Yo envié mi buque en busca de socorro... Ya sabes lo que eso quiere decir; resistir allí con cien hombres y algunos caballos, sin mosquetes; sólo ballestas... Y, sin embargo,..., todo indio que cogíamos prisionero, llevaba oro. Y en todas las bocas oía lo mismo; que más al Sur vivían los hijos del sol... Todos nos señalaban hacia el Sur. Continuamos el viaje; encontramos una costa de arrecifes desnudos y tristes y un pueblo de indios diestros en disparar sus flechas... Nosotros éramos muy pocos. Regresamos a Panamá y allí enseñamos el oro que llevábamos. El gobernador hizo una seña; nada quería perder. Luque echó de nuevo mano a la bolsa. Otra vez partimos. Ahora llegamos más lejos y veíamos las cosas más preciosas y claras. Así como tú allí conquistaste todo un imperio poderoso, grande y rico, cuyo monarca se llamaba Moctezuma, seguramente que también allá al Sur debía de haber un poderoso monarca que reinara sobre todos, que tuviera reyes vasallos y que es llamado el hijo del sol... Pero el oro no nos era de momento útil ni tampoco las noticias que teníamos nos eran provechosas. Pedrarias sacudía la cabeza diciendo que a nada se prestaba... El mismo Luque, el sacerdote, fue de la opinión que no nos quedaba nada más que apelar a la corona. Carlos nos ayudaría. Traje conmigo todo lo que pudimos lograr por medio de cambios o por la espada. Traje conmigo algunos animales para que los vieran: son más pequeños que vacas y más grandes que cabras; se llaman llamas y dan leche, carne y lana. Traje algunos conmigo. Pero eso es todo y ahora me juego la última carta. Me juego los últimos mil quinientos ducados que me cuesta el viaje, el traje de corte y el alojamiento hasta el día en que sea recibido por el emperador. Así están las cosas, Hernando.

—¿Cómo se llama ese país de que oíste hablar?

—Si entendimos bien a los indígenas, se llama Perú. Así le llamamos por lo menos al hablar entre nosotros. Cuando uno queda con la cabeza gacha, se le ocurre en seguida la pregunta: «¿Llegaremos al Perú?»

—También oí yo muchos cuentos acerca de los pueblos del Sur. Cuando te oigo, la cosa me interesa fuertemente; me gustaría partir con vosotros; pero me parece que Dios no me permite hacer ya más de lo que por mi mediación permitió que se hiciese. ¿Cómo te podría ayudar, Francisco?

—No quiero dinero y mis recomendaciones me bastan. Podré llegar hasta el rey y tal vez me conceda el tiempo suficiente para poder decirle todo lo que no dicen las cartas de los amigos. Yo quería verte, como Tomás el incrédulo, para poner mi mano en tus heridas y rogarte me des tus buenos consejos. Debes decirme que no son quimeras eso en que he puesto mi alma toda. Estoy ya en una edad en que la gente de aquí, de Castilla, creen es la del descanso. He cumplido ya cincuenta años...

—¿Eres acaso, Francisco, tanto más viejo que yo?

—No sé cuándo nací. Quizá en el año 78 del siglo pasado. Mi padre no me mandó a frecuentar las aulas de la Ciencia donde tú pasaste algunos años. No conozco ni las letras y sólo sé dibujar ya que no escribir mi nombre. Siempre fui soldado y lo sigo siendo. Pero tengo ojos y voluntad... Y no he de regresar si no es con buen éxito.

—Si quieres, puedo prestarte un buque en Vera Cruz. Si quieres te vestiré de general. Si quieres te daré recomendaciones para el duque de Medina Sidonia y para el duque de Béjar también... Tenía un querido y antiguo amigo, el conde de Olivares... Si eso te pudiera servir, Francisco,..., pero sabe que yo no soy la poderosa encina por la que me tienen los envidiosos de mi suerte. Miles de gusanos roen mi tronco. Estoy untado de pez y un sinnúmero de nobles señores sentirían una gran alegría si pudieran meter en mi pecho un puñal traidoramente. Ahora me tranquilizo, procuro apagar mis pasiones humanas, perdono en nombre de Nuestro Señor Jesucristo a todos mis enemigos y falsos amigos y después me pondré en camino hacia Toledo. Allí se verá, Francisco, lo que más pesa en la balanza: las provincias, los reinos, las regiones que yo he conquistado con su gente y sus reyes y que ahora coloco ante las gradas del trono... o los papeluchos, leguleyos, contables, gente de camarilla... Francisco, no sé si mis recomendaciones te podrán servir mucho. Soy más joven que tú; pero interiormente me siento tan viejo, tan gastado, como uno que ha llegado ya al término de su existencia. Quizá mañana la cosa haya variado. Mi puerta estará siempre abierta para ti, así como también abiertos estarán mi corazón y mi bolsillo. Deja que te diga que no escuches a nadie; no escuches a envidiosos; no escuches a los que les gusta echar la zancadilla.

— ¿Qué me aconsejas?
— Que partas hacia el Sur...

* * *

Era a últimos de mayo; habían llegado los días más largos del año en Extremadura. Después de vísperas, los vecinos paseaban un poco por las calles. Sobre aquella estampa provinciana se extendía el silencio de las viejas; los niños se iban retirando poco a poco a sus casas; las parejas de enamorados se separaban por miedo a las malas lenguas, de los patios salía olor de comida y rumor de charloteo. Dos viejas estaban sentadas una junto a la otra en la callejuela llamada de la Viuda. El Señor había visitado allí una casa después de la otra; viejos soldados ya retirados se habían ido de esta vida, rápida y sucesivamente; ora aquí, ora allí, aparecía el Cuerpo del Señor; la campanilla que sonaba, la cruz y detrás el sacerdote con su estola.

En esta callejuela, vivía doña Catalina, rodeada de vacío y añoranza. La familia había muerto toda; el hijo había desaparecido también, tragado por la leyenda. El oro y la plata no bastaban para hacer corto aquel cuarto de siglo en el que sólo el recuerdo del hijo había en la casa; el recuerdo tembloroso y mimado con obstinación por la sexagenaria: «No, no ha muerto; tengo a mi hijo todavía al otro lado de los mares.» Como si fuera un cuento que en vez de contárselo a un niño, se lo contara a sí misma, buscaba con el ardor de su fe atravesar la puerta de la fría realidad. Así era ahora el crepúsculo frío de la anciana desde que el bueno de don Martín, su compañero, se había llevado a la tumba sus acciones y hazañas guerreras cuya narración animaba y calentaba sus veladas. Ahora estaba sentada en medio de los visitantes que tenían la costumbre de ir a charlar todos los días una horita en casa de la viuda.

Los árboles en plena floración daban su sombra al pequeño jardín español, el corral. El jardinero era ya viejo, un antiguo criado de la casa Cortés que se había retirado aquí para que la señora no viera sola. En la frialdad de la noche también había dos perros, callados y quietos. Ciudad pequeña, lejos de las carreteras reales, ciudades sin tiempo, insignificantes.

Parecía un sueño a Cortés cuando a caballo, al dejar la Rábida, dobló el camino. Dejó atrás a sus heraldos, su séquito y sus valientes soldados y durante aquel día cabalgó desde el amanecer, sólo con cuatro acompañantes para llegar aquella misma noche a Medellín.

Así llegó Cortés; cubierto por el polvo de la carretera, pues no había llovido en muchas semanas; con ello su caballo gris parecía todavía más encanecido. El caballo levantaba la cabeza; no estaba acostumbrado a aquel clima severo, pues había nacido en Méjico. Corría al galope en aquella tarde azulada, después de haber tomado un corto pienso. Un paisaje seguía al otro. Cortés no hubiera tal vez podido orientarse a no ser por el guía que le iba mostrando tal o cual castillo o una guarida de bandidos y en voz baja repetía los nombres de linajes antiguos y modernos, de ciudadanos enriquecidos y que habían comprado con dinero las armas de su escudo, hombres que habían vivido al borde de los caminos en cabañas abandonadas. De vez en cuando veíanse algunas horcas, símbolos de la *Pax Carolina*. «Ahora podéis ya caminar solo, de noche, señor; ya no hay bandoleros ni salteadores...» Todo parecía más duro, más hermético, como si razas extranjeras hubiesen dejado caer algunas gotas de su esencia sobre España. «Todo eso lo ha hecho revivir el buen gobierno... —dijo el guía—. Existen por aquí un gran número de conventos, fundaciones de Ximénez que rigió a España envuelto en humilde sayal y con el cilicio en la cintura...» Un pequeño trecho después, todo era nuevo y, sin embargo, al mismo tiempo, viejo... Los cruces de caminos, cerca de la ciudad, que tan bien conocía él antes... Ahora nadie reconocía al pequeño grupo de jinetes; nadie preguntaba quiénes podían ser...

Y casi sin darse cuenta estuvieron en Medellín. Todo parecía más pequeño y más triste de lo que él recordaba. Muy a menudo había soñado en Honduras, acosado por los mosquitos, que se golpeaba hasta sangrar contra el muro detrás del que le esperaba su amada, y mil veces en sus sueños, flotaban recuerdos deshilachados formando una mezcolanza de rostros e imágenes. Ahora, todo le parecía más pequeño y más tranquilo; lo conocía todo paso a paso, pulgada a pulgada. Se daba cuenta de que aquí habían pintado de amarillo lo que antes estuvo de azul; más allá observaba que habían derribado la casa de don Bautista y habían construido un pórtico. Aquí había una nueva iglesia y aquí un nuevo convento, adornado con el emblema de la Orden de los Mercedarios; aquí y allí un nuevo escudo de armas sobre una puerta, recompensa a guerreros que habían ya vuelto a sus casas. Después pasaron por la Plaza Mayor, irregular y alargada, orgullo de los vecinos, rodeada de barberías, posadas y bancos donde comadrear, una cerería donde se vendían también estampas de santos; junto a ella, el taller de armero donde podían verse sables ligeros, modernos, escopetas, pistolas... Medellín. Siguió marchando al paso; el caballo resoplaba; los vecinos escuchaban con curiosidad, pues cinco jinetes eran ya un acontecimiento en el pueblo. Todos sabían quién vivía en la callejuela de la viuda. El joven Hernando estaba al otro lado del mundo... Había que esperar que no fueran portadores los jinetes de la noticia del fallecimiento del hijo. Los observadores miraban a los jinetes; venían de lejos, se decían los unos a los otros, pues la capa de polvo era gruesa y los animales iban sudorosos. Dos caballos trotaban detrás cargados de cofres y sacos... El hombre que iba delante se enderezó. En el cruce donde empezaba la callejuela empedrada de guijarros, sabía que se elevaba una cruz; delante, una imagen de San Jorge y una lamparilla de aceite.

Cortés saltó del caballo; los demás siguieron su ejemplo. Llevaba una amplia barba negra, parecía triste, estaba tostado por el sol, pero, a pesar de ello, se transparentaba su palidez; sus ojos brillaban. Llevaba una gorra de terciopelo en la que brillaba algo; un diamante tan grande como aquí nadie había visto jamás, y mientras se arrodillaba en el suelo, se abrió su capa, bajo la que brillaba su gran cadena de oro... Se arrodilló. La imagen era antigua y Cortés la miró entre las lágrimas que salían de sus ojos, pensando en aquel muchacho, que era él, aquel muchacho provinciano que había salido de allí hacía un cuarto de siglo y ahora volvía en la edad viril, cuarenta años no cumplidos, y se postraba sobre el polvo ante su santo protector. Centenares de veces había contemplado aquella figura del santo, acometiendo al dragón con su lanza, y la había visto también en sus grandes batallas, en Tabasco, y después en aquella horrible confusión de Otumba... Siempre tuvo esa imagen ante los ojos, la imagen del santo con el caballo al galope tendido, su nimbo alrededor de la cabeza y su lanza de oro en la mano con la que atacaba al dragón. Esa imagen pueblerina le había seguido a todas partes, le había empujado a seguir adelante... Era un vértigo, la embriaguez de minutos extraordinarios y sangrientos... Ahora veía la imagen tal como era en realidad: un cuadro cándido y descolorido en aquel cruce de calles pueblerinas.

Alguien extendió el brazo; era un señor de barbas blancas que, señalándole, le dijo: «Ése es Cortés. Le reconozco; en aquella época ya sacudía los hombros de esa misma manera.» Una comadre le miró: «Así era su padre cuando volvió de la guerra.» Un niño quedó admirado al contemplar sus espuelas, grandes y adornadas, y que por su brillo parecían ser de plata... Después que se hubo levantado, no se limpió las rodillas del polvo adherido. Continuó caminando. Esa gente de Medellín eran buenos con su madre; habían acompañado a su padre en su camino sin pedirle nada por ello; no sucedió así con el hijo a quien todos pedían algo a cada paso... Un anciano señor se acercó a él: «¿Eres tú, Hernando?» ¡Cuánto tiempo hacía que nadie le había saludado tratándole de tú! Resultó ser aquel notario real cuya esposa, ¿cómo se llamaba? ¿Isabel? ¿María? Del viejo sí que se acordaba cuando pasaba por la calle con sus trebejos de escribir... «¿Eres tú, Hernando?», preguntaban las piedras; y también los árboles le reconocían, aunque se habían vuelto viejos y sus troncos se habían ensanchado y agrietado. El sol declinaba ya; en la vuelta de la callejuela la luz era pálida; pero aquí la noche no llegaba tan rápidamente como en el Nuevo Mundo... Aquí la vida se apagaba poco a poco, suavemente... y así discurría la procesión de los días... ¿Por qué en los pueblecillos la gente vive tanto tiempo?

¡Qué silencio reinaba! De pronto dieron las ocho. Cortés miró a la gente. Su criado le sujetó el caballo. Todos habían ya desmontado. «So»; dijo y sacó su mano del guante de piel de ciervo mejicano y brilló entonces la esmeralda tallada en forma de rosa. Un desconocido atravesaba la calle. Era uno de esos extraños y tranquilos momentos que se experimentan tan sólo cuando uno llega a su ciudad.

La madre le recibió en el umbral. Había oído el barullo y había visto a la gente apretujándose para mejor ver. ¿Quién sabe si era un cortejo conduciendo a lomos un ataúd? La anciana, siempre temblando, extendió los brazos sin decir palabra, sin llorar tampoco. Los profundos y maravillosos ojos con aquella mirada bondadosa y firme los había heredado el hijo. La anciana extendió los brazos; pero todavía no le atrajo hacia sí. Saboreaba la alegría. En ella alternaba todavía el pensamiento de la madre con el fuego de la leyenda...

Ahora el cuento estaba ante ella y lo recibió casi con dolor, como si ya nada más tuviera que esperar. Desde hacía un cuarto de siglo había terminado su *Ave María* todos los días con el nombre de su hijo Hernando... y entonces sonreía, como hubiera sonreído igualmente viendo aquellos hombres cuando estaban ante las murallas de Tlascala o metidos en los pantanos fatales o cuando la corriente del agua se tragaba el puente portátil... ¿Habría sonreído siempre doña Catalina, cuando Cortés estaba al pie del Teocalli con la espada en la mano; cuando el lazo arrastraba ya hacia las canoas en la noche; cuando el pequeño Martín había sido recibido en el regazo de Marina?

Cortés abrió los brazos. Se arrodilló ante su madre y la besó. Los demás se quitaron los sombreros y los yelmos y quedaron silenciosos. La puerta del patio, una pesada reja, se abrió, ofreciendo a la vista un lugar adornado de azulejos y a medio cubrir; era el pequeño patio moruno de las casitas españolas con algunos árboles en flor; dos o tres palmeras, una mesa puesta ya en esa víspera de fiesta: sobre ella una jarra de vino. Todo parecía pequeño y sorprendente. Surgía el recuerdo del palacio de Axayacatl, con aquellos cuerpos de edificios, con enormes salones; los dioses, Tlaloc tragándose a un niño y echando lluvia por los ojos: sombras sangrientas en Cholula se alzaban de murallas de calaveras en cuyas órbitas vacías fosforecía aún la última divinización... Palacios y murallas que se extendían hasta las costas de la inmensidad, palacios del gobernador y castillos del virrey, todo en gigantesca mole. Ciudades talladas en piedra, de las tribus montañesas a ocho o nueve mil pies de altura; palacios y ciudades de ladrillos de arcilla en los que vivían y morían miles y miles de personas, sin que nadie supiese cuándo y cuánto tiempo... y aquí, los rojizos arbustos de algunos resecos oleandros, algunas palmeras polvorientas, una imagen de María con una lamparilla vacilante, un jarro de metal, la cena solitaria de una anciana, una viuda; detrás de ella una achaparrada criada de Extremadura que hacía señal a los soldados y a quien doña Catalina mandó entrar en la casa... «Nobles señores... la comida...» Una alegría estrecha, una alegría entre paredes; muebles de nogal y altas camas con colchón de plumas impregnadas aún del aroma de los tiempos de la reina Isabel, sencillos hidalgos que no pasaban privaciones de vino ni de alimentos, pero que debían echar sus cuentas cuando aparecían huéspedes inesperados... Corría la criada para pedir prestado un pan al vecino; había que mudar la ropa de la cama de la antigua habitación de Hernando... Los perros se acercaban moviendo el rabo; comprendían después que no se les necesitaba y que todo iba en orden y se retiraban a olfatear los caballos. Todo estaba silencioso; sólo una campana dio algunas campanadas... En Tenochtitlán no había esas viejas campanas; aquello era extraño y nuevo; allí se olía aún la sangre con la que un día se edificó aquella construcción y después de la destrucción por los extranjeros, fue reconstruida por Cortés solo. Aquí en Medellín transcurrían a menudo diez años antes de que el alcalde hiciera ahorcar a algún que otro bandido apresado por la gente de la Santa Hermandad. Aquí la Inquisición no había establecido sus reales y en la Plaza Mayor nunca había sido quemado ningún hereje. La gente de aquí era suave y piadosa; los comerciantes compraban y vendían con el espíritu del Nuevo Testamento, pues no había judíos. En Medellín todo estaba tranquilo; los más viejos contaban con los dedos los que habían muerto durante el año y los nacimientos ocurridos...

Todo era aquí tan pequeño... Él, el hombre, cortó el pan con el cuchillo que se había desgastado ya en las manos del padre. Sintió de nuevo en la boca, después de veinticinco años de olvidado ya, el gusto del comino con que Catalina aromatizaba su pan. Volvió a sentir el olor áspero del membrillo que llenaba la habitación; miró el cofre de hierro donde se guardaban los trozos de oro que en el transcurso de los años había enviado a su casa. La madre lo había conservado para él... «Si hubieses vuelto pobre... si un día te retiras...» Así habría pensado la madre al guardar aquel cofre y fue casi una dolorosa decepción cuando él se apartó la capa y dejó ver su magnífico traje de terciopelo, con puntillas de holanda, una cruz de diamantes en el pecho y el brazo adornado también de joyas...

Hernando cortó el pan; la criada sirvió una sopa de pescado cargada de especias; dentro de la sopera había un gran cucharón. Eran las especias amigas, las viejas especias del viejo mundo, de su casa; nada de vainilla y otras semejantes a las que ya se había acostumbrado *allá arriba.* Aquí la sopa olía a azafrán y a mejorana. Resultaba dolorosamente insoportable aquel puesto vacío del señor de la casa, con su plato; la misma silla en la que se sentaba; el mismo plato en que comía y la copa de plata que él a su vez recibiera de su padre.

Hernando rezó el *benedicite;* los demás inclinaron la cabeza. Catalina echó la bendición y todos siguieron callados. Metieron las cucharas en el plato; todos callaban; eran hombres y el largo viaje les había abierto el apetito. El vino era obscuro, sutil, de Málaga; el que aquí se bebía siempre porque la familia tenía una pequeña viña y el viñador les enviaba por Santa Teresa un barril.

Catalina miraba a su hijo. Hacía años, cuando fueron impresas y publicadas sus cartas, las había hojeado y el cura de la vecina iglesia le había ayudado a descifrar aquella escritura impresa y extraña. Se había enterado entonces en qué mundo vivía su hijo; pero no había acabado de creerlo; no había tenido nunca la sensación de que aquello fuese real y aquel papel impreso le parecía algo semejante a los libros de caballerías que le leía en voz alta a trompicones su esposo cuando ya estaba impedido por la gota y prisionero en su sillón. Pero ahora Hernando estaba ahí, pálido y arrugado, marcado de cicatrices, aviejado, con un dedo de menos en su mano izquierda y el pie derecho torpe y un hombro casi sin movimiento. Sobre su rostro cruzaba una profunda cicatriz; sobre su frente formaba un zigzag el rastro de un lanzazo. Catalina era viuda de un guerrero y había visto algo semejante en su esposo Martín. Veía ahora aquellas mejillas con cicatrices y aquella mano mutilada en la que brillaba una esmeralda. Brillaba el vino al ser escanciado. Cortés le dijo en voz baja a Orteguilla:

— Si volvemos allí, me llevaré a mi madre conmigo...

* * *

La nube de polvo creció al dar la vuelta al camino. En el horizonte apareció el perfil de Toledo, el río, las iglesias, las agujas de la catedral. Parecía que en la lejanía se disparaban morteretes o armas de fuego; las detonaciones se oían más cercanas ahora. La ciudad parecía echada de bruces, apoyada sobre los codos uno a cada lado del río; era una ciudad populosa, medieval: era la meta. Hicieron alto. Muchas veces Cortés había ordenado sus tropas y mandado a sus soldados limpiarse del polvo y fango del camino. Muchas veces vivió tal escena: el descanso ante la puerta de Cholula... el avance hacia el castillo de Xoloch, donde le fue llevada la noticia de que se aproximaba el terrible señor, el gran monarca de todas las tierras, el gran Moctezuma... Nada más que recuerdos. Ahora no tenía ningún ejército a sus órdenes, sólo un pequeño séquito, una pequeña guardia personal, a lo sumo cincuenta hombres, algunos cortesanos, bufones, músicos, cocineros, criados, porteros de diferentes rangos. Detrás venían los carros de carga, tirados por blancos toros andaluces. Ahora no eran indios los que hacían girar las ruedas. A su alrededor iban sus lacayos con alabardas y guardias protegiendo las riquezas; a caballo marchaban los señores y los caciques jóvenes que habían aprendido por fin a montar a caballo. Habían partido muy temprano. Todos se habían preparado cuidadosamente para este viaje, pues era el día decisivo. Los príncipes indios se habían puesto sus mejores galas. Las piedras preciosas, las piedras de calkiulli, los rubíes, los broches brillaban a los rayos del sol. El oro rojo verdoso del crestón de plumas de quetzal caía hasta más abajo del cinto. Cortés iba vestido de negro; sobre el pecho lucía una magnífica cruz de diamantes; su capa iba sujeta por un broche con dos esmeraldas y en el puño de su espada estaba incrustado en oro un hermoso rubí. Los otros, oficiales y soldados, llevaban sendas cadenas de oro macizo de un peso de tres libras. Todos llevaban la marca de cicatrices; eran guerreros curtidos por el viento y por el sol, capaces de atemorizar con sólo su figura a los maridos celosos de los pueblos cuando pasaban por las calles y eran saludados respetuosamente por los de la Santa Hermandad. Los indios iban erguidos y tiesos en las sillas de sus cabalgaduras y no dejaban adivinar la sorpresa ante tantos milagros como iban viendo sus ojos: la dulce y amable campiña andaluza con sus atalayas, la gente de las calles al pasar por las ciudades, hombres blancos todos, completamente blancos; millares de hombres blancos que parecían lavados y desteñidos por el mar. A la derecha y a la izquierda, castillos e iglesias, conventos junto a las carreteras. De los castillos salían señores para estrechar la mano de Malinche. Mujeres desconocidas se acercaban a él con sus sombreros de plumas, sentadas de través en las sillas de sus caballos, con sus manos enguantadas, perfumadas y sonrientes. «Hernando... Don Hernando...» Así pasaron los días en creciente impaciencia; los descansos se hicieron cada vez menos frecuentes y se forzó la marcha, pues era preciso llegar pronto a Toledo, donde el emperador tenía su Corte. Ya había hecho saber por sus heraldos que Hernán Cortés era huésped del rey y podía exigir para sí y para su séquito alojamiento y honras reales. Todos se inclinaban respetuosamente, porque el oro corría generosamente, deslumbraba a las damas, que sonreían, y hasta a las princesas. Los grandes maestres enviaron a sus tesoreros y les mandaron decir: «Para prueba, señor, sólo para prueba...»

La nube de polvo se hizo más densa, como si se aproximara otro grupo de jinetes en dirección contraria. Cortés tiró de las riendas. Acababan de dar las doce; el sol se había enredado como una corona roja en las copas de plata de los olivos. Entre la nube de polvo se distinguieron algunas figuras; aparecieron hombres y animales. Se aproximaban; estaban ya tan sólo a un tiro de flecha cuando también se pararon. El polvo fue posándose lentamente. Eran jinetes con trajes de gala y damas vestidas de amazonas; detrás iban pajes vestidos de carmesí y lacayos de negro con las armas bordadas. Se destacaron tres jinetes del grupo; Cortés, a su vez, les salió al encuentro.

Se encontraron. Siguieron algunas preguntas... ¿Qué deseaban los desconocidos? Uno de los jinetes sonrió..., en el fondo de sus ojos brilló un regocijo de niño; sonreía como un muchacho, alegre y divertido... ¿De dónde conocía a ese hombre? ¡Había conocido tanta gente! ¡Había visto tantos rostros! ¡Habían combatido tantos hombres con él; tantos le habían abandonado!,... ¿Cuántas personas se habían puesto ante sus ojos en los últimos ocho años? Como un relámpago brilló un recuerdo en lo más profundo del abismo del pasado: Salamanca. Un joven que iba con él de la mano, detrás el adusto y seco preceptor... Gaspar..., el pequeño Olivares..., el envidiado condesito, el mimado hijo de Grande... Cortés exclamó:

— Gaspar... Caspar... ¿Eres tú, Olivares?

— Hernán Cortés, bienvenido seas entre nosotros. Me siento feliz de ser el primero que te saluda a las puertas de Toledo.

Había engordado, pero parecía aún el muchacho de entonces, cuya voz cuidada parecía recitar algo aprendido de memoria. Vio cómo sonreían los caballeros que le rodeaban.

— Debes saludar a estos señores que están aquí, Hernando. Ellos no tuvieron la suerte, como yo, de conocerte allá en Salamanca. Ellos sólo te conocen por haber oído tus hazañas. En ellos debes reconocer a tus bienhechores, a quien has de estar agradecido. Aquí está el duque de Béjar y el conde de Aguilar, que se han unido a mí para darte la bienvenida.

— Don Hernando, habéis llegado antes de lo que esperábamos. Sin embargo, no debíamos nosotros llegar demasiado tarde para esperar a un conquistador que ha puesto todo un reino a los pies de nuestro rey.

Los más importantes dignatarios de España hacían caracolear sus caballos. Los caballeros rodearon a Cortés y los dos séquitos formaron pronto uno solo. Cortés presentó, uno después de otro, a sus capitanes que le habían acompañado en la conquista; después, a los hijos de los príncipes indios, que, con tiesura, saludaban cuando oían que Cortés pronunciaba su nombre. Los caballeros se separaron y siguieron las presentaciones de las damas. Las amazonas, alegres, sonrojadas, le sonreían. Los ojos del enlutado viudo brillaron; después, quitándose el gorro de terciopelo, describió con él una amplia curva en ceremonioso saludo.

El duque de Béjar llamó a una joven condesa con cabellos de color castaño y ojos luminosos de alegría, y dijo:

—Mi sobrinita, don Hernando. Se llama Juana de Zúñiga y hace tiempo le tenía prometido que sería la primera de las damas de la Corte que se vería honrada con vuestra amistad.

Los cortesanos cabalgaban a su alrededor y le conducían como si se tratara de un ser maravilloso y exótico, recién llegado de los trópicos, como si fuera un elefante blanco o un bicho raro dentro de una jaula. A Cortés se le despertó un sentimiento de amargura y miró a su alrededor. Su gente iba charlando alegremente con los hijos de los condes, que preguntaban ya acerca de las inagotables vetas de oro descubiertas por el célebre don Hernando. El duque de Béjar habló así a Cortés:

—Cuando era mozalbete, igual que esos jóvenes ahora, corrí yo también con mi caballo para ver al almirante cuando regresó de su primer viaje anunciando que había descubierto nuevas tierras en el camino de las Indias, entre ellas un extremo del reino de Cathay,... También nosotros le salimos entonces a recibir, como ahora ha sido recibida vuestra merced. A ambos lados del camino se apretujaba la gente; me acuerdo todavía muy bien. Llevaba Colón consigo tres o cuatro infelices indios temblorosos por el frío; no eran hijos de príncipe, como los que vuestra merced lleva en su séquito... Se celebró una parada como desde entonces no ha habido otra en España. Por eso es que ahora he traído conmigo a esos jóvenes. Cuando tengan mi edad, podrán contar: «Yo vi a don Hernando cuando vino de aquel reino de Nueva España para ponerlo a los pies de Don Carlos.»

La voz de doña Juana sonó como una campanilla de plata:

—¿Sólo habéis traído hombres de aquellas tierras? ¿Por qué no habéis traído algunas doncellas para poderlas tener como esclavas en nuestra Corte?

—Doña Juana, los que vienen conmigo son señores indios que en nobleza y rango son superiores a algunos de nuestros príncipes. Sus hijas viven rodeadas de deslumbrante lujo y cuando el agua del bautismo ha humedecido su frente, son legítimos vasallos de la Corona de Castilla. No hay allí esclavos, sino hombres de otra raza que tal vez saben entender mejor que el lenguaje humano el lenguaje de los árboles y de las selvas. ¿Me honraríais permitiéndome que, de una vez, os explicara todo eso a vos y a vuestras amigas?

—Sería un honor demasiado grande para mi sobrina, don Hernando.

—Temo, señor duque, que no me sepa yo servir diestramente del lenguaje empleado por esos señores de aquí. Doña Juana podría familiarizarme con lo que en Castilla es elegante y usado.

Cortés hizo una seña al joven don Diego de Maxixka para que se aproximara. Este joven príncipe de Tlascala se había educado en el colegio mejicano y hablaba correctamente y con distinción el idioma de Castilla. Las muchachas le rodearon, extendieron su mano para tocar las maravillosas plumas de quetzal y pidieron una como recuerdo. Cortés las miró. Se sentía feliz en aquel momento. Buscaba alguien que le comprendiera. Su mirada se fijó en Díaz.

— Bernal, así se mezclan ahora Anahuac y Castilla. Ambos reinos serán uno solo y juntos se fecundarán mutuamente. La paz de Cristo reinará sobre ambos pueblos y quedarán unidos. Ese joven elegirá una esposa en nuestra corte. Y vos...

— Vuestra merced sabe que yo ya tengo tres hijos de piel obscura y cabellos ralos allá, en Cojohuacán. Yo no haré a su madre la ofensa de abandonarla...

Una extraña sonrisa se dibujó en los labios de Cortés; con ello se le marcó más la cicatriz de su rostro, señalándosele una línea roja y tortuosa.

Oyó la voz de doña Juana:

— Los herejes os han causado muchas heridas, según parece.

— Las heridas cicatrizan con el tiempo y no dejan escozor. Es de hombres el recibirlas.

— ¿Quedaréis ahora en España, don Hernando?

— No, doña Juana; sólo el pensarlo me resulta horrible... Tengo allí tierras y también almas, muchos millones de almas que son buenas e indóciles al mismo tiempo... La tierra es tan grande como España, mayor aún, llena de ciudades y castillos... En lo que antes era tierra de paganos se elevan ahora iglesias dedicadas a la Virgen... No me podría yo separar de todo eso...

— Al ver y oír a vuestra merced, al escuchar lo que dicen los señores de vuestro séquito, al meditar vuestras palabras, me siento invadida también yo por el anhelo... ¡Qué maravilloso sería visitar Nueva España!

En obsequio a vos suplicaré hoy a su imperial majestad trasladar su residencia a Tenochtitlán en el período más hermoso del año, cuando aquí tenemos niebla y escarcha. Allí entonces brilla el sol y florecen los agaves...

— ¿Creéis que a mí me importa mucho la corte? ¿Creéis que no iría también sin la corte..., sola?

Cortés calló. Siguieron cabalgando uno junto al otro. Él iba meditando en silencio. Debía tener la muchacha unos dieciocho años. Era la primera dama española que el destino había puesto ante sus ojos. Miró su mano izquierda, donde faltaba la primera falange del dedo medio; en lo que le quedaba de dedo brillaba la magnífica esmeralda tallada en rosa.

* * *

Carlos había ya dejado el luto que llevara por su cuñado, el rey Luis de Hungría, muerto en Mohacs. La corte volvía a estar alegre; se hacían preparativos; en el campo se levantaban las tiendas. Una campaña era muy agradable en mayo; pasaría unas semanas en Toledo; después partiría hacia la costa, para emprender allí una expedición contra los berberiscos en tanto no llegara una noticia de que en Lombardía no iban las cosas tan pacíficamente como había prometido Francisco al firmar la paz. La corte estaba alegre. Don Carlos tenía entonces veintiocho años.

Esperaba a Cortés desde hacía unos días. Cuando llegó el primer mensajero, tenía ante sí actas extendidas en cuyos márgenes se veían anotaciones del obispo de Burgos, unos rasgos que parecían ser el dibujo de una quimera sobre las agujas de la catedral de Milán. Allí estaba el peligro: en esas negras anotaciones que hablaban de abuso de poder, asesinatos, distracción del quinto de la Corona, la perdición estaba agazapada en esos protocolos que habían proporcionado amigos traidores y contables aduladores. En España el papel lo aguantaba todo y esas serpientes no podían enmascarar la veracidad de este Hércules. La verdad brillaba siempre en las cartas y referencias que llegaban al emperador. La había adivinado ya en las palabras de los primeros que de él le hablaron; había coloreado las mejillas de Montejo cuando en Tordesillas, por primera vez, leyó al emperador una carta de aquel aventurero... Desde entonces, Don Carlos creía en Cortés. Aquello que parecía una leyenda y que Carlos apenas pudo comprender por la dificultad que aun tenía de seguir con facilidad el español, se volvía ahora algo vivo, tan vivo que iba a llegar junto a su mismo trono. Hernán Cortés debía llegar a Toledo para rendir cuentas y para pedir... La mano del obispo de Burgos jugaba dibujando y escribiendo juicios y sentencias. Aquel día, Don Carlos encontró ante sí unos escritos extendidos. Era un nuevo protocolo de los procuradores del Nuevo Mundo: «*Sacratissima Caesarea Maestas*... El llamado Hernán Cortés vuelve a aspirar a la corona de Nueva España. El anticristo extiende ya su mano hacia ella...» Y fue en este momento en que un mensajero, cubierto de polvo, llegado de La Rábida, anunció que el devoto servidor, el fiel soldado de su majestad, el capitán general de Nueva España, pedía humildemente audiencias.

Carlos conocía a su gente. A los letrados, que sacaban sus documentos de estuches de piel; a los hambrientos y sedientos, poseídos de la codicia del oro, de sangre y de poder. ¿Iban a ser mejores ésos que ese hombre de Medellín, que no había perpetrado más crimen que poner a sus pies todo un reino?

No pudo Carlos dar a conocer su deseo de abreviar el piadoso retiro del capitán general en el convento de La Rábida. Recibía continuamente noticias de cada paso que daba Cortés. Extraño; el hombre no se apresuraba demasiado por llegar a Toledo. Hizo un viaje a Medellín para visitar a su anciana madre... ¿Era esto un pecado? ¿Era igualmente pecado que se parase en Guadalupe para doblar sus rodillas ante la imagen de la Virgen? ¿Estaba mal que hubiese hecho amistad con el gran maestre de la Orden de León, que hubiese entregado turquesas a los niños, que llevara una escolta de cincuenta hombres y viajara como un príncipe del imperio? Todos los días, Carlos tenía sus noticias y sabía hasta dónde había llegado en su viaje. Sonrió cuando el conde de Olivares pidió gracia para su amigo de la niñez y despidió bondadosamente al duque de Béjar cuando éste le suplicó no tener en cuenta las faltas que hubiera podido cometer Cortés, pues era hombre sencillo, solamente ducho en el arte de la guerra y en todo lo referente a los indios, pero poco versado en el hablar cortesano... Por la noche, a la luz de una vela, Carlos abrió el segundo informe, en que Cortés le daba cuenta, con su extraña letra y su tinta violeta, del fabuloso encuentro con el emperador indio: «Vino hacia mí el maravilloso monarca de todas estas tierras, Moctezuma... Yo le salí al encuentro...»

Fijó la audiencia para el mediodía, que era la hora destinada solamente a los grandes personajes, embajadores y altos dignatarios. Mandó buscar al jefe de su Cancillería, al Consejo de Nobleza, y con ellos se sumió en el estudio de los pergaminos.

Los que llegaron fueron conducidos al salón. En las puertas, hombres armados con coraza mostraban las insignias imperiales; los cortesanos se reunieron con sus trajes de suave terciopelo, con alzacuellos de encajes de Brabante y envueltos en pieles. El severo gusto gótico del tiempo de Isabel se había suavizado en los años que llevaba en el trono el emperador. Sólo Hernán Cortés seguía rígido y pálido, envuelto en su traje severo y negro, que no mostraba en esta ocasión el adorno de ninguna joya. Detrás de él iban sus jefes militares, su capellán y su mayordomo, que, con gestos discretos, indicaba el camino que debían seguir los caciques. Entre el brillo de la seda y terciopelo negros, en medio de ese sobrio lujo español, brillaban extrañamente las plumas de quetzal, las sandalias bordadas de oro, los arneses de oro, las varas de oro del general, las puntas de oro de los venablos, que eran símbolo de autoridad sobre Tezcuco o Tlascala. De esa guisa entraron: el sobrino de Flor Negra, el cacique más joven de Tezcuco, el hijo más joven engendrado por Moctezuma; Diego de Maxixka, el hijo del obeso cacique de Cempoal; el hijo de Kanek, rey de Itza; el sobrino de la señora de Tula... Los que un día combatieron furiosamente, estaban ahora aquí reunidos como huéspedes de ese hombre albo como la espuma, dueño del mundo de los blancos. Miraban con admiración, envueltos sus cuerpos rojizos en sus lujosas vestiduras. Dos caballeros extendieron la mano hacia Cortés: era el uno Montejo, que defendía sus intereses ante el tribunal, y Puertocarrero, con su cabeza calva y fina de magnate... Ambos sonreían; ninguno de los dos había cambiado gran cosa. «Nos damos cuenta de la importancia de este momento, excelencia.»

Carlos entró en la sala. Era un hombre alto, esbelto y robusto, con barba negra y miembros finos y proporcionados; sus ojos eran obscuros y brillantes. También él iba vestido de negro, como la mayoría de sus Grandes. Era árbitro de la moda; el puente entre Toledo y Brujas. Llegó con paso ligero y elástico, con ese paso acompasado del jinete, entre estruendo de trompetas. Delante iban mayordomos con largas varas de ceremonia, heraldos y portadores del cetro, secretarios, toda la rica herencia de sus ascendientes de Borgoña, cuyo símbolo de oro afiligranado ostentaba en su pecho.

Hernán Cortés se adelantó y se arrodilló ante el trono de Don Carlos. Hacía días que se estaba ejercitando en ello, con el fin de que, en el momento preciso, no le fallase su pierna herida y poco flexible y pudiese arrodillarse de modo conveniente y sin tenerse que avergonzar. Quedó arrodillado unos momentos, aguantando vivo dolor. El emperador sonrió; después entornó un poco los ojos, como si mirase a la lejanía. Ante él, el mundo se esfumó, se hizo borroso; pero cerca de él veía claramente, como si fuera un cuadro, aquel hombre con barba española que enmarcaba un rostro pálido y extraño, tostado por el sol y, sin embargo, ascético, jamás emblandecido y afofado por el aire de los salones de la corte. En sus rasgos se veían los años de Tenochtitlán. Los ojos del emperador se fijaron en la mano mutilada, en la dificultad de doblegarse, en el hombro rígido; después buscó los ojos de Cortés, cuya mirada siguió firme. Los caciques miraban todo esto rígidos e inmóviles; se admiraban de que Malinche se atreviera a mirar rectamente el rostro del rey y señor de todos los mundos...

Ambos se contemplaron y ambos a la vez sonrieron; aquellos

dos hombres, sobrios, con su rostro castellano que salía de entre el cáliz negro de su vestidura, sonrieron a la vez, como obedeciendo a un signo mágico. Carlos se inclinó hacia Cortés y extendió los brazos para ayudarle a levantarse.

—Don Hernán Cortés, vuestro rey os saluda con afecto a vuestra vuelta a la corte, después de tan largo y peligroso viaje. Sea nuestra primera palabra la de bienvenida. Os recibimos como a un querido amigo que vuelve por fin. Que se dé al viajero un asiento cómodo.

—Eso raya en el milagro —murmuraron los Grandes, mientras Don Carlos, con sus propias imperiales manos, ayudaba a sentarse a Cortés. Era eso un honor que la etiqueta borgoñona sólo permitía en rarísimos casos para grandes vasallos.

—Don Hernando, nos complacería que por nuestra palabra os sintierais dispensado del protocolario deber del silencio y os sirvierais describir los sentimientos que ahora os embargan, cuando, después de tantos años de gloria, os veis ante Nos.

—Majestad, si yo no hubiera sido educado en la creencia de que las lágrimas son indignas de un hombre, de seguro que ahora expresaría con llanto mi agradecimiento a vuestra imperial majestad. Vuestra benevolencia me hace esperar la indulgencia. Vuestra majestad me autoriza para que hable libremente y yo, antes, he de pedir perdón para este tosco soldado que ha pasado casi veinte años entre el ruido de las armas y rodeado de sus tropas. Lleva este soldado en su cuerpo huellas de cien batallas y se encuentra ahora deslumbrado por el resplandor que le rodea. Humildemente suplico a vuestra majestad perdón por mis escasos conocimientos de las costumbres cortesanas. La gracia de vuestra majestad me colocó en un lugar demasiado elevado y estoy acostumbrado a obrar y mandar en nombre de vuestra majestad. La benevolencia de vuestra majestad es infinita; pero yo sé que nadie, excepto Dios, puede disculpar mis debilidades de hombre. Solamente vuestra majestad puede prestarles indulgencia, pues todo lo que hice lo hice por la victoria de nuestra fe y para mayor grandeza de vuestra majestad; por eso me atrevo a presentarme aquí sin vestir el burdo hábito de los penitentes, que vestí en el convento de los Padres franciscanos. Allí hice penitencia por mis debilidades; pero ahora estoy ante vuestra majestad para expiar las culpas y faltas de las que se me acuse antes de...

—¿Antes de poner un reino a los pies de su rey?

—Majestad, confieso que durante mi vida he leído a menudo los *Comentarios de Julio César*. En ellos encontré buen consejo en noches de vela, cuando mi pobre y limitado juicio no era suficiente. ¿Un emperador que ha conducido ejércitos poderosos y que tiene siempre a su servicio centenares de miles de soldados, puede objetar a su criado y servidor que con algunos centenares de soldados hambrientos y heridos, al otro lado del mundo, se enfrente con ejércitos de centenares de miles de indios?

—Don Hernando, no dudamos de todo lo que nos habéis descrito ni de lo que ahora contáis. Pero nos imaginamos aquellos pueblos de allí como hordas ignorantes y bárbaras cuyo valor, a pesar de su gran número, no debiera exagerar un general.

—Perdone vuestra majestad la contradicción. Yo no exageré la grandeza del reino de Tenochtitlán, ni menos la cultura de sus habitantes, ni la incomparable riqueza de sus fuentes, ni la sabiduría de sus instituciones, pues yo estaba lejos de quererme ensalzar con eso y querer hacer resaltar más las virtudes militares que nos condujeron a la victoria. Mucho debe de haber oído hablar vuestra majestad del pueblo de las Islas, que se encuentra hoy en el mismo estado de como lo descubrió el almirante en su primer viaje. Los habitantes del continente vivían, empero, en el seno de una gran monarquía; sus nobles eran más orgullosos que todos los vasallos de nuestro mundo. Si yo pienso en los señores aquellos que alcanzaron tan mal fin y que yo quiero llamar emperadores por respeto a vuestra majestad, aunque muy altos estaban por encima de príncipes y de reyes, como lo puede estar vuestra majestad en el mundo de los hombres blancos; si pienso en ellos, repito, he de confesar que Moctezuma fue un gran rey y que, no obstante, prestó su acatamiento y fidelidad a vuestra majestad. La Providencia no le permitió rendir personalmente homenaje a vuestra majestad, como ambos habíamos acordado en nuestros planes.

—¿Y aquel otro rey, a quien vuestra merced, según rumores, mandó ahorcar en medio de la selva?...

—Como de mi acción respondo ante mi conciencia y ante Dios, deseo también dar cuenta de esto a vuestra majestad. Éramos muy pocos españoles en Nueva España. Aquel pueblo no ha olvidado todavía sus antiguas costumbres; a veces es regido aún por sus antiguos monarcas, cuyas palabras se extienden, como sucede también con las de sus antiguos sacerdotes, y entonces se oyen tocar las trompetas y redoblar los tambores en el momento en que nosotros, en pequeños grupos, estamos dispersos por las haciendas o aldeas y, por lo tanto, impotentes para defendernos. En la ciudad de Méjico hay acuartelados, como máximo, trescientos soldados. Guatemoc, que en nuestro lenguaje traduciríamos por *Águila-que-se-abate*, era un hombre de cuerpo entero, semejante a aquel rey Constantino que defendió a Bizancio. Ese hombre no quiso reconciliarse conmigo ni consintió en prometer fidelidad a vuestra majestad. En sus ojos brillaba fuertemente el odio, y al presenciar el santo sacrificio de la misa, se retiró, rechazándolo. Reconozco mis pecados; algunos meses después de haberle tomado prisionero, cedí a las insistencias de mi gente y le sometí a tortura para saber por él dónde había ocultado el tesoro heredado de Moctezuma, así como el oro que nosotros habíamos arrojado al lago y que él había hecho sacar de las aguas. Puede creer bien vuestra majestad que no era eso conforme a mi voluntad y seguidamente mandé interrumpir la tortura, tan pronto como encontré un pretexto para hacerlo así, y para salvarle tuve que acallar a mis soldados con oro de mi propiedad particular. Estaba pesaroso por la suerte del monarca indio y procuré no apartarle de mi lado. Iba y venía libremente en su palacio y por sus jardines; su esposa vivía con él; era hija del gran Moctezuma, que al recibir el bautismo se le impuso el nombre de doña Isabel. *Águila-que-se-abate* no dejó ni un momento de conspirar y conjurar día y noche; tenía yo que cuidar de deshacer sus maquinaciones. Y yo ahora pregunto a vuestra majestad si era posible que yo dejara a tal hombre en la ciudad de Méjico cuando tuve que partir hacia las tierras del Sur, que no habían sido visitadas jamás por cristianos. Éramos apenas trescientos hombres. Los indios que estaban con nosotros serían tres veces más. Todos respetaban a Guatemoc, como yo le respetaba también. Una sola palabra de este hombre era suficiente para que fueran todos alegres a la muerte, pues para los indios el camino de la muerte no es penoso. Yo le vi cómo invocaba a sus falsos dioses y les pedía la ayuda de Tlaloc, que fue, según dicen, antepasado suyo y que se presentaba, ora bajo forma de tortuga entre las piedras, ora como un pájaro quetzal, ora como un jaguar... Invocó a sus dioses y por la noche fueron sacrificados niños en el campamento indio; eso no lo pude impedir porque no tenía fuerza para ello...

—¿Quiénes son los indios que vuestra merced ha traído ante nuestro trono?

—Vuestra majestad ha leído la carta, en la que me refería a la fiel Tlascala. Sin sus habitantes, sin su fidelidad a vuestra majestad, nadie habría hoy en Anahuac...

—¿Qué entendéis por Anahuac? Extraña palabra...

—Ellos, los indios, llaman así a todo el mundo por ellos conocido que se extiende entre ambos océanos... así como nosotros hablamos de África desde el tiempo de los romanos.

— Continuad...

— Cuando llegué a Tlascala con mis menguadas huestes, establecí una alianza con los tlascaltecas. Sus consejeros, sus cuatro príncipes, lo aprobaron y el tratado fue legalizado por el sello del notario real. Ahora yo suplico a mi señor y emperador: Dígnese vuestra majestad considerar a esos jóvenes señores de Tlascala y Tezcuco como hijos nobles de los príncipes de allí y que han sido ya instruidos en nuestra fe.

— Acerca de su rango tendrá que tomar acuerdos la Cancillería junto con la comisión especial del Consejo de Indias. Desde luego, los considero ya como mis huéspedes y ordeno a los dignatarios del reino que les den el trato que corresponde a fieles vasallos de mis provincias del Occidente. Os seguimos escuchando, don Hernando.

— Majestad: Para expresar mi idea por medio de un proverbio indio, os diré que *las palabras forman una selva a través de la que es difícil abrirse un sendero, pero fácil extraviarse*. Temo abusar de la benevolencia de vuestra majestad y no sé bien cuánto tiempo me ha de ser dado hablar ante vuestra majestad acerca de la maravillosa vida en esas provincias... Por ese motivo, he tomado nota de todo lo que he realizado en los últimos años, añadí a ello mi experiencia y suplico permiso para poner ese mi escrito a los pies de vuestra majestad.

— Leedlo, don Hernando. Os escucharemos con atención y gusto.

El paje entregó a Cortés una cartera de piel de la que sacó un grueso volumen, encuadernado en blanca piel de cerdo. Sus folios estaban totalmente escritos. Tenía 250 páginas.

Se levantó la voz de Cortés. Conocía bien el valor de las palabras y aquel su escrito era el resultado de cavilaciones, de amarguras, de oraciones tachadas y vueltas a escribir, de giros una y otra vez enmendados... A menudo gente insignificante se había encaprichado por un pedacito de inmortalidad y había llamado a la puerta de la estancia donde eso se escribiera: «Yo... también estuve en Honduras...»

Tenía soltura de palabra y, sin embargo, fue un momento de emoción aquel cuando se levantó de su asiento, avanzó un paso y se colocó de manera que la luz que entraba por los cristales de colores de la ventana cayera bien sobre las hojas. Sostenía el texto lejos de los ojos como si su vista se hubiera debilitado. Después comenzó con aquel tono de voz a que se había acostumbrado a leer en Salamanca:

— Quisiera dar completo informe a vuestra majestad acerca de los acontecimientos más destacados de nuestro viaje; observo, sin embargo, que los sucesos son tan importantes que precisaría destinar un solo volumen a cada uno de ellos... Partimos entre lluvia y tempestad y, con aquel terrible tiempo, no hubiéramos podido avanzar ni un paso, si no hubiésemos dispuesto de los botes indios... Subimos después, en medio de terrible sequía y sed, altísimos acantilados, que antes de nosotros no habían sido jamás escalados por ningún hombre impunemente, ni mucho menos por un ejército... Llegamos por fin a una selva virgen, en la que durante semanas enteras no pudimos ver el sol por lo tupido del follaje y, tan intrincado era el bosque, que aun las voces con las que nos llamábamos los unos a los otros no alcanzaban a más de un tiro de piedra... Los padecimientos de cada uno de nosotros son testimonio de cuán fielmente servimos a nuestro rey. Vuestra majestad, espero confiadamente, apreciará esos nuestros servicios. Mi conciencia está limpia y yo sé que todas las personas honradas saben como yo que siempre fui en todos los tiempos y lo sigo siendo un fiel criado de mi rey... Esta es la única herencia que yo dejaré a mis hijos, como privilegio inalienable...

En el salón reinaba un silencio absoluto. El emperador Carlos miró, como buscando un rostro conocido... aquellos rostros que estaban a su alrededor cuando por primera vez llegó hasta él la voz de Cortés por boca de Montejo y Puertocarrero... aquello que pareció un cuento fabuloso de un mundo de ensueños, y en el que se destacaba la figura solitaria, vestida de armadura, de un hombre que allá en el ardor de los trópicos luchaba con firmeza y perseverancia abriéndose camino... Y ahora ese hombre estaba junto a él, al alcance de su mano, pálido como un asceta y al mismo tiempo rojo por la exaltación, humilde y consciente de sí mismo, un pobre hidalgo y asimismo monarca de países ilimitados; que había declinado ceñirse una corona de rey o hasta de emperador, como podía ya ver bien Carlos oyendo al mismo Cortés que de eso hablaba... Había firmado paces en nombre del emperador y en nombre del emperador había hecho guerras. Todo lo había hecho en nombre de Don Carlos; por él había derramado la sangre y había luchado por el oro. Todas sus hazañas habían sido realizadas para mayor grandeza y utilidad de Don Carlos de Austria. De nuevo, Carlos sintió que la frente le ardía, como si envolviera su cabeza el resplandor áureo de aquel cuento. Él, que había tenido prisionero al rey de Francia, él, que tras la victoria de Pavía se había arrodillado en el reclinatorio, él, que había presenciado el derrumbamiento de Hungría en Mohács y el saqueo de Roma; él, a quien Carlos de Borbón le había ofrecido su España sobre las rodillas... sintió en su mente la quemadura de todas esas cosas, mientras contemplaba al caballero que ante él estaba, como en las narraciones de los cortesanos había estado Cristóbal Colón, almirante de los Océanos y virrey de mundos conquistados, ante el trono de su abuela Isabel... Alzó Carlos su enguantada mano e hizo seña a Cortés de que parara.

Los empleados de la cancillería entraron con tinteros y plumas de ganso, dispuestos a cumplir lo que ordenara su majestad, como estaba dispuesto por las Leyes de Castilla y de Aragón. Carlos tomó de ellos un rollo de pergamino y leyó:

«Nos, Carlos, por la Gracia de Dios, quinto emperador del Sacro Reino Romano de ese nombre... Nos, en virtud de la Bula de la Santa Sede, rey legítimo y señor de los países y reinos de allende el Océano, aprobamos todos los servicios que tú, Hernán Cortés, has prestado con el fin de aumentar las posesiones de la Corona de Castilla así como para la propagación de nuestra Santa Religión Católica. Sabemos y reconocemos los sufrimientos con los que has ejecutado tus grandes y trabajosas conquistas, en las que te has mostrado en todo momento vasallo fiel y honrado de nuestra corona... Siendo así que uno de los deberes impuestos por Dios a los príncipes es honrar y apreciar a sus honrados servidores para de esta manera hacer conocer a la posteridad sus glorias y sus hazañas, para que con su luminoso ejemplo se acicate en las generaciones futuras el deseo de tales heroicas acciones, te elevamos, citado Hernán Cortés, a capitán general de nuestras provincias de Nueva España y te nombramos marqués de las posesiones de la Corona de Castilla en la región del río Oaxaca... (Alzóse aquí la voz del emperador y leyó la última frase del documento dirigiéndose a los que, envidiosos, escuchaban)... junto con el reconocimiento de pertenecer tu estirpe a la antigua nobleza castellana, encomendándote entrar en posesión de todos los beneficios prescritos por nuestros usos para el estado de marqués y de conde...

—Sigue leyendo.

Calló el monarca. En la mano del canciller crujió la hoja del pergamino. Siguieron nombres de ciudades y pueblos, palabras extrañas en indio castellanizado que se enredaban en la lengua del secretario. Los indios que escuchaban parpadeaban cada vez que oían pronunciar una de esas palabras.

Cortés seguía inmóvil. Su rodilla estaba un poco doblada; por su mente pasaban pensamientos extraños... Pensó en Marina, en el pequeño Martín, en los otros... en Tecuichpo, en su padre, en Ordaz, el hombre que por primera vez había divisado el valle de Méjico...

En los labios de Carlos jugaba una sonrisa suave y amable. La voz del que leía cesó. Todos esperaban que el César hablase. La corte estaba callada. Y entonces se oyó una voz suave y melodiosa, más extranjera que nunca. Don Carlos recitaba un verso:

> *Esta ave nació sin par*
> *yo en serviros, sin segundo;*
> *vos, sin igual en el mundo.*

Sonrió y dejó al nuevo marqués de Oaxaca se inclinara a besarle la mano. El mayordomo dio tres golpes en el suelo con la alabarda al tiempo que Don Carlos se levantaba de su asiento. Los presentes se inclinaron respondiendo a su señal de despedida y Don Carlos salió de la estancia con ese paso un poco precavido del miope.

* * *

Salamanca estaba cubierta de un manto de nieve. Desde la plaza Mayor el viento traía granizo pequeño. Sobre las piedras toscas se extendía una delicada alfombra. Los habitantes de la ciudad, poco acostumbrados al frío, se golpeaban el pecho con los brazos para entrar en calor y resoplaban encogidos en sus abrigos. Era domingo y bajo las arcadas de la plaza se agitaban los miembros de la Santa Hermandad, la milicia ciudadana, en uniforme de gala, y los bedeles de la Universidad, junto con una multitud de estudiantes con sus gorros de colores. En el camino de Mérida aparecían los sarcófagos romanos hallados en las excavaciones, colocados a ambos lados de la carretera, como para contemplar el paso del grupo que se aproximaba.

Habían salido de Madrid hacía día y medio y ahora veían ante sí, después del viaje cómodo, un panorama bañado en la pálida luz matinal en el que se destacaban las torres de la catedral, de donde venía una vibración sonora de campanas. Cortés cabalgaba delante. Tomó un puñado de nieve de sobre su cabalgadura y la llevó a la boca. Hacía tiempo que no había sentido ese sabor de la nieve blanca y limpia de esas tierras; recordaba su gusto de cuando era niño... Detrás de él iban habitantes de las islas, nacidos en Cuba, y que nunca habían visto la campiña española nevada o helada. Iban también los dos caciques jóvenes, envueltos en sus suaves mantas, temblorosos de frío, contemplando esa maravilla de los dioses blancos que sabían cubrir, por lo visto, los campos con una manta blanca y fría. Sobre sus cabellos anudados se fundían, derretidos, los copos de nieve. Al pasar por los pueblos, los niños salían corriendo de las casas, vestidos de harapos, envueltos los pies en trapos, y arrojaban bolas de nieve a los viandantes. Por las primitivas chimeneas salía humo de las casas. En las posadas les ofrecieron vino caliente y aromatizado, en jarros de tierra. Aquí y allí se veían gentes socarrando cerdo en una hoguera y rociándolo de aceite para que el fuego quemara todas las cerdas... Así se vivía en este tiempo invernal. Por el camino, recogieron dos legos de un convento que marchaban por la nieve a quienes cedieron los caballos de los guías. También recogieron a un estudiante que caminaba hacia la ciudad; así la comitiva iba creciendo. Por la mañana llegó frente a la Universidad.

Los heraldos de la ciudad anunciaron la noticia. La campana de la iglesia de la Universidad comenzó a tocar alegremente, como en un *Veni Sancte*. Se abrió la puerta del Rectorado y apareció la Guardia de la Universidad con sus bandas de colores, sus brillantes alabardas, llevando los oficiales la espada desnuda. Los recién llegados desmontaron un poco pesadamente, por tener los miembros ateridos, sacudieron los copos de nieve de sus vestiduras y entraron en el zaguán. Detrás de los notarios, protonotarios y cancilleres apareció el *Rector Magnificus*, con su toga larga y adornada de armiño con las insignias de su cargo. Los caballeros, con sus capas negras, se inclinaron profundamente ante aquel humanista pálido y rasurado. Cortés buscó la mirada del conde de Olivares... y en los ojos de ambos brilló una sonrisa. Seguidamente ascendieron las escaleras y, en las habitaciones destinadas a los huéspedes, pudieron cómodamente cambiarse de traje. Cortés rehusó se le acompañara; conocía ya bien todo eso. Nada había cambiado; las puertas del corredor seguían enrejadas, como si fueran de una fortaleza. Arriba, en la bóveda, había una pequeña ventana por la que entraba entre aquellos viejos muros una pálida y fría luz invernal. Todo eso era familiar a Cortés; la imagen de la Virgen con la vela encendida delante; los cuadros de los santos, cuya serie sabían recordar los adultos hasta en sueños. En estas vastas salas no había calefacción; a lo sumo, en ocasiones, se colocaba en medio una caldera de agua caliente ante la cátedra, o un brasero. Los muchachos se acercaban a ese escaso calor para calentarse las manos cuando, a causa del frío, no podían ya sostener la pluma entre los dedos.

—Mirad; los asientos son nuevos, de otra forma. Ya no son altos y estrechos, sino más bajos y cómodos... y el banco de los *magisters* también está colocado de otro modo...

—Dormí aquí con mi preceptor la primera noche que pasé en la

Universidad, pues la habitación que se me destinaba no estaba aún libre...

—Nunca había estado en este corredor... Yo era un estudiante pobre, dormía junto con otros tres compañeros en una misma habitación. Vivíamos en el ala del edificio y sólo subíamos a la hora de comer.

—¿Y por la noche?

—Mi difunto señor padre no tenía suficiente dinero para pagar la cena... y me enviaba de casa algo de comer...

—Una y otra vez te invité a cenar.

—No quería ser siervo de un gran señor.

—Sigues hoy siendo igual que entonces, Hernando... orgulloso.

—Yo no tenía detrás de mí a ningún licenciado; pero el juego más hermoso lo aprendiste de mí, Gaspar.

—Sí; cavábamos por los caminos y encontrábamos tumbas de romanos muertos,..., pero desde entonces tú has visto cosas mucho más extrañas y sorprendentes.

—Cuando hace tres años partimos hacia Yucatán, dos jinetes volvieron para darnos la noticia de que ante ellos había sucedido algo milagroso. Los perros que llevaban, temblaban de espanto... Yo espoleé a mi caballo seguido de los míos, galopé hacia allí y, llegados que hubimos junto a un arroyo, tan seco que yo podía vadearlo fácilmente, vi allí una muralla o paredón... era largo, construido a manera india, sin mortero alguno, por yuxtaposición de grandes piedras. Pasamos por encima de aquella muralla y nos encontramos en una ciudad muerta. Imagina, Gaspar: una ciudad muerta, pero no como las que hemos visto aquí, no, una ciudad romana,... Aquello es completamente diferente; cada piedra está labrada con figuras de horribles dioses; sus columnas son tan altas como tres de nosotros, todas con capiteles formados por cabezas de dioses y todas con un significado especial comprensible para el que las sabe leer. Una ciudad muerta. A nuestro alrededor había indios, intérpretes y guías. Yo pregunté: «¿Qué ciudad es ésa?» Entonces los indios volvieron la palma de la mano hacia arriba para indicar que nada sabían. Pregúnteles cuándo los habitantes de aquella ciudad la habían abandonado. Tampoco lo sabían los indios. Pregunté entonces cómo se llamaba. No lo sabían. Pregunté cuál era el nombre del arroyo. Dijeron entonces algo que sonaba a Copán o algo parecido. Este nombre es el que quedó. El ejército, entretanto, siguió avanzando, sólo yo me adentré entonces por aquel lugar; visité los palacios arruinados, sus templos, desiertos tal vez hacía ya más de cien años. Las hierbas lo cubren ya todo; la lluvia penetra en el interior de las ruinas...

Dentro de veinte años o menos la selva se habrá acabado ya de tragar la ciudad entera.

—Siempre tus pensamientos siguen allí, Hernando.

—Mientras estuve en Méjico, mis pensamientos estaban siempre aquí. Mil veces, en mi imaginación, me trasladaba a Salamanca hablando con los profesores y en sueños decía: «No soy un cualquiera. Soy solamente pobre y a menudo estoy hambriento; que me dejen aprender aunque sea más lentamente; que no me echen de aquí...» Siempre soñaba en España. Lo olvidado parecía renacer en mí... Y ahora que estoy aquí parece que el mundo da una vuelta dentro de mí y mi mirada se dirige siempre hacia aquel mundo turbador de gente extraña y de sangre...

—¿Sientes nostalgia de volver allí?

—Muero por volver allí. Si supiese que no he de poder volver a ver aquellos países,.. mis países, mi pueblo, mis indios... Dios me perdone mis pecados, pero creo que,..

El *magister* estaba con una sutil sonrisa detrás de él. Era anciano y su rostro estaba arrugado y por su edad bien podría ser que recordase aquellos tiempos en que los dos frecuentaban todavía la escuela.   '

—Señores condes, con perdón... Ha tocado ya la campana y el magnífico señor Rector debe entrar dentro de media hora en el salón de ceremonias presidiendo el claustro. Suplico al señor marqués que cambie de traje como está ordenado por las reglas de la Universidad.

Su criado y su paje le esperaban ya con la toga preparada. Las ordenanzas de la Universidad tenían reglamentado los colores, la forma de los trajes, forros, etc., de las togas, birretes y capas. Al doctor en Jurisprudencia le correspondía reglamentariamente un cuello de armiño con triple broche y un sencillo birrete de terciopelo negro. En la habitación — que era la mejor de las destinadas a los huéspedes de la Universidad — había un gran espejo veneciano, regalo a su señoría con motivo del jubileo de la Universidad. Cortés se miró en él. Desde que era hombre, aparecía por primera vez sin traje de guerrero, sin armas, con capa de hombre de ciencia, con el honroso hábito de *magisters* y doctores. Se aproximó al espejo. Hacía muchos años que no se había podido contemplar así. Estaba ahora en sus cuarenta y tres años. A esta edad, muchos ya estaban rotos; pero él estaba todavía en todo su vigor, dispuesto a casarse... Detrás de su sonrisa, que hoy debía ser sólo la discreta del hombre de libros, se escondía la imagen de la noble dama Juana de Zúñiga...

Desde que se le comunicó el acuerdo del claustro universitario de honrar con el título de doctor en Jurisprudencia al marqués del Valle de Oaxaca, Hernán Cortés, antiguo bachiller de la Universidad, su alma se había llenado de una alegre paz; su rostro parecía más dulce en aquella luz tamizada entre los jóvenes nobles y las condesas. Animado por el amor, se había borrado la sequedad de su rostro y sus mejillas parecían más llenas. Se había preparado febrilmente para este día. Había leído de nuevo a los autores latinos para poder contestar al saludo del rector con lengua ágil y poder desarrollar su disertación de doctor, si bien se le había considerado como tesis los informes que había enviado al emperador y que habían sido impresos en Sevilla. El extracto o esencia contenía algunos datos acerca del modo de vivir de los hombres del Nuevo Mundo, acerca de sus costumbres y leyes que observaban. Además, como introducción, su escribiente le había escrito un preámbulo ciceroniano.

Pensaba Cortés en los muchos que habían marchado ya a la eternidad y que con él estuvieron. En el Padre Olmedo y en Sandoval. Tampoco vivía Velázquez; el terrible señor. *Aguila-que-se-abate*, y otros no vivían ya, y de ellos había recogido su último aliento. Y él estaba ahora aquí con su toga de sabio, con un tintero en la cintura en vez de un sable, esperando a que los *magisters* le vinieran a buscar para encaminarse a la *sala áurea* con los jóvenes compañeros, donde iba a ser honrado por todo el claustro universitario y los magistrados de Salamanca que habían de entregarle el birrete de doctor.

Bajó las escaleras y, al pasar, todos se inclinaban saludándole. Marchaba erguido, cojeando ligeramente, imperceptiblemente casi; como si fuera el paso característico de los que cabalgan mucho; llevaba alta la cabeza con su negra barba sembrada ya de hilos de plata y la magnífica esmeralda en el dedo. Su paje llevaba ante él las armas de las siete ciudades que figuraban en su escudo de marqués... Caminaba con porte digno con su pergamino arrollado en la mano... Era aquel muchacho de tantos años antes, pueblerino, hambriento, que no se le había considerado apto para los estudios universitarios y que solamente, a fuerza de esfuerzos y trabajos, había logrado obtener el título de bachiller... Pensaba ahora en su padre que no podía ya estar con él y conducirle como antaño ante sus profesores que le miraban y examinaban atentamente... Todo eso parecía haber sucedido hoy mismo. Parecía ayer aún cuando el fraile aquel de cabeza calva y cara rasurada, después de haberle mirado largo rato, había dicho al Padre dominico: «Ved, reverendo Padre, eso es la *áurea aetas*,... Los toscos campesinos nos traen a sus hijos para que nosotros los eduquemos en virtud del derecho que Dios nos ha dado...»

Todo eso parecía haber sucedido hoy y lo iba recordando mientras bajaba las escaleras y oía las alabardas que golpeaban el suelo como saludo al nuevo conde... Pasaba ahora el capitán general de Méjico y a su lado iba el pequeño y querido compañero de ayer. Sólo Gaspar, Gaspar de Olivares, sabía en lo que pensaba su amigo. Le dio la mano y así bajaron juntos las escaleras cuyos peldaños estaban desgastados por el uso y no eran altos, irregulares y sangrientos como aquellos del Teocalli allá en su casa. «En su casa», así lo pensó... y bajó la cabeza. ¡Cuántos pensamientos pueden pasar por el cerebro de uno mientras se baja un tramo de escaleras! Así iban las cosas del mundo; los ciclos se cerraban. Hernán Cortés había venido para dorar de nuevo los adornos pálidos ya de la edad de oro. Había traído quintales de polvo de oro que prestaban ahora gran brillo a la corte real. Y también traía ahora oro a la Universidad para establecer fundaciones que perpetuaran el nombre de su familia... ¿Habría llegado la *áurea aetas* citada tan a menudo por el profesor Lebrija?

Sobre un cojín color de púrpura estaba el birrete de color carmesí con el que había sido nombrado el nuevo doctor. Inclinóse éste profundamente ante el Consejo de la Universidad y escuchó quieto, con los labios apretados, cómo el magnífico rector comenzaba su solemne discurso...

SÉPTIMA PARTE

ANIVERSARIO

Al bajar de su cabalgadura, su falda de brillante seda resbaló sobre la silla y el palafrenero puso su mano bajo la ligera sandalia de cuero. La dama se servía de una lengua extraña que no era entendida por la gente de aquí. El criado indio, con librea amarilla, contestaba con los mismos sonidos guturales. Mientras hablaba a la señora tenía los ojos bajos. La dama trataba de orientarse. Estaban a un tiro de piedra de la catedral; ante ella se alzaba con sus líneas hermosas el palacio del virrey. Ante la puerta había hombres con armadura que golpearon el suelo con sus alabardas cuando los recién llegados se aproximaron a la escalera.

Hoy era un jueves bien distinto de los demás jueves del año en Nueva España. Durante semanas enteras no se veía aquí ningún rostro nuevo; a lo sumo, venían algunos parientes de las islas; se enviaba plata desde las minas o algún prisionero era conducido ante el virrey... Pero hoy era un día notable, un día festivo: los oficiales, escribientes, secretarios iban y venían en número muy crecido. Muchos de estos hombres habían ya nacido en el Nuevo Mundo, mientras que algunos pocos habían llegado no ha mucho de Castilla. Aquí había crecido ya una gran ciudad, llena de conventos y de iglesias; los palacios de los nobles mostraban su magnificencia y sólo las aguas subterráneas hablaban aún de aquellos primitivos diques de los que quedaban algunos todavía en el extremo de la ciudad, junto a la orilla del lago.

Por todas las ventanas y galerías se asomaba la gente; desde hacía días, en las cocinas se estaba preparando la fiesta, a la que habían sido invitados todos los hidalgos del valle. En esa fiesta el virrey quería honrar el pasado y volver a vivir sólo por un día todo lo que la leyenda había ya hermoseado doblemente.

Por la tarde se cumplían treinta años desde que el pequeño buque del capitán Holguín había atacado a los botes del emperador indio y los ballesteros habían apuntado sus armas contra el pecho de Guatemoc. Hacía treinta años que se había celebrado aquel festín fúnebre en la ciudad, aquel en que don Hernando se levantó a los postres para penetrar en la ciudad asolada por la epidemia; y se decía entonces había oído cómo el dios de la lluvia lloró por última vez sobre las ruinas del palacio de Axayacatl.

La dama paseó su mirada por la amplia plaza. Era todavía esbelta; caminaba erguida y hubiera podido pasar todavía por una mujer en la flor de la juventud si no hubiese traicionado sus años el cabello gris que asomaba bajo el amplio sombrero de amazona. Llevaba el vestido de las damas nobles de España. Su corpiño era de terciopelo negro con cuello blanco y duro; sobre su pecho brillaba una cruz de oro y en el dedo una sortija con una esmeralda. El puño de su puñal representaba un cocodrilo de oro con las fauces abiertas. Miró la señora atrás para ver si seguían las acémilas de carga de las que tiraban lacayos con las armas de su señora en la librea. Eran estas armas representación de la terraza de Cholula en la que había una blanca figura de mujer, cuya cabeza estaba adornada con una corona de cinco puntas.

Con la mano se resguardaba los ojos de la luz del sol y así miró alrededor de la plaza. Los recuerdos brotaban de su pecho y trataba de ver lo que quedaba aún de lo antiguo en las casas, palacios e iglesias. Cuando por primera vez había llegado con los españoles, temblando y rodeada de sones de trompeta, se levantaba aquí el palacio de Moctezuma, en el mismo lugar donde ahora estaban sus acémilas de carga que levemente avanzaban. ¿No quedaría todavía alguna piedra que hubiera sido testigo de su primera llegada, que la hubiera visto entonces con su túnica sencilla de algodón, la cabeza cubierta, como era la costumbre en las mujeres indias? Aquí se alzó un día el palacio del monarca; allí estuvo el colosal Teocalli... Nada de eso quedaba ya; todo se lo habían tragado los canales; todo había sido demolido por las piquetas de los españoles y junto a la carretera blanca, mostraban ahora los pantanos la maravillosa y destruida metrópoli... ¿Pero dónde estaba el cinturón interior que había defendido Guatemoc hasta el último momento y que había sido respetado por las llamas y las balas de los cañones?... Semanas después, habían llegado los arquitectos de Cortés con sus cintas métricas... sencillos constructores de buques, carpinteros y capataces que fijaron dónde debía alzarse el palacio del gobernador, dónde la fortaleza o ciudadela que Cortés bautizó con el nombre de El Matadero... La catedral se apoyaba por la izquierda en el ahumado muro del Teocalli; sólo la otra pared estaba construida a usanza española con piedras cuadrangulares y mortero. Si se la contemplaba a la luz del sol, se veían brillar en ese muro los materiales. Las casas del recinto interior habían sido repartidas entre los capitanes, los sacerdotes y los funcionarios de la corte. Del antiguo Teocalli no quedaba ya nada; el recuerdo tan sólo.

La dama subió los escalones de la gran escalera del palacio del virrey; eran escalones bajos y cómodos para los españoles; hechos para ser subidos por piernas forradas de armadura y, por tanto, un poco rígidas y pesadas, y no para piernas de indios que podían trepar fácilmente por las empinadas escaleras de los templos con escalones de un palmo de ancho. Todo era aquí magnífico, cómodo y hermoso; las puertas grandes y doradas. Los centinelas se aburrían en sus garitas de madera pintada; había un paso especial para las calesas y tres accesos: uno para los señores de categoría; el segundo para los españoles sencillos, y el tercero para los indios que debían esperar allí cuando eran llamados a palacio para algún asunto importante.

En el rellano inferior, la guardia le hizo los honores con las lanzas rendidas. ¿Qué tenía que buscar en el palacio del Virrey una india, india al fin, aunque fuese vestida a usanza española y sus lacayos llevasen bordadas sus armas? Por unos momentos paróse; sonó una trompeta; un secretario, con traje negro de gala, se asomó a la balaustrada y gritó a la guardia: «Presentar armas.» Sonaron las trompetas. Así lo había ordenado su excelencia...

Subió con cierta rigidez en las rodillas, pero sonriendo; saludó a la guardia.

— Hago uso de mi derecho, señor mío —dijo en un español algo velado, pero que aun así era más suave y menos gutural que el idioma empleado por los indios de aquí—. Hago uso del derecho que me concedió Don Carlos para poderme dirigir personalmente a su majestad o a su lugarteniente...

Todo el mundo sabía ya que Marina había llegado. Desde la Cancillería se había extendido la noticia; los soldados la repitieron; se la oyó por todas partes y todos querían ver a Marina, esa mujer envuelta por la leyenda, testigo extraño de tiempos ya pasados, amante de Cortés; la confidente de monarcas indios, la madre de Martín Cortés, comendador de la Orden de Santiago, la viuda de un tal señor Juan de Xaramillo, que había tomado parte en la conquista.

Marina sacó sonriente de su bolsillo la lujosa invitación del virrey con palabras modernas y escogidas dirigidas a las personas que, por gracia de Dios, habían sobrevivido desde la conquista de Méjico treinta años antes.

Cuando hubo llegado arriba, iba cubierta de sudor y con satisfacción tomó la fría naranjada que le ofrecieron. Los colonos andaluces habían logrado ya aclimatar aquí esa fruta. Marina penetró en la antesala, donde se veían los sobrios cuadros representando a don Carlos, a Fernando y a Isabel. A un lado, estaba la puerta que conducía a una pequeña capilla. En ella había una imagen de la Virgen, vestida de seda blanca y manto bordado en oro; una imagen de San Jerónimo, ejemplar de estilo barroco, que al parecer no había logrado aún introducirse en el Nuevo Mundo, pues la visitante sólo después de un rato pudo descubrir los mosaicos de las partes laterales del altar en los que se representaban, en marcos adornados de piedras preciosas y plumas de cormorán, quetzal y ave del paraíso, las figuras de santos con rasgos indios en el rostro.

Marina entró en la capilla. En el umbral, quedó parada y surgió en ella el pensamiento que era tal vez aquí donde tuvo lugar la fatal entrevista entre Malinche y el terrible señor; que posiblemente era aquí donde Ordaz y Olid habían sacado despiadadamente sus armas... Tal vez era aquí donde sonó aquella invocación: «Ven con nosotros al cuartel de los rostros pálidos, poderoso señor del cielo y de la tierra...»

Pensó eso unos segundos, en el umbral todavía. Los recuerdos la envolvían como en un encaje. Lo mismo le pasó allí en Oaxaca, cuando por la mañana entró en el gran patio. Entonces también le parecía que a su lado había alguien invisible; pero tuvo que sacudirse esos pensamientos, porque muchos indios de los alrededores se llegaron a ella, muchos huyendo de un señor español, y le mostraron las espaldas marcadas por el látigo o la marca de hierro. Entonces Marina había entrado en su casa y dictado una carta al propietario vecino a quien se dirigía, según costumbre de la nobleza, como señor y hermano en Cristo, y a quien, al mismo tiempo, enviaba el rescate del indio llamado Juanillo para poderlo retener junto a ella. Envió tantas cartas que su trabajo hubiera honrado a una cancillería; escribió al virrey, a quien nunca había visto, envió mensajes a los antiguos protectores, al Obispo de Chiapa, viejo ya, llamado Bartolomé de las Casas, y a quien se le conocía aún con el sobrenombre de *Protector de los Indios* que le diera el rey don Fernando... ¡Cuántas veces no hubo de repetir la misma historia, las mismas palabras!... «Piadoso Padre: Se azota a la gente de los pueblos, se escarnece la honra de las mujeres, los hijos de los colonos atropellan a las muchachas impúberes casi...» Escribía, y en tanto no recibía contestación, recogía en su casa a las pobres muchachas deshonradas.

Desde que había muerto su esposo, el noble señor Juan de Xaramillo, hombre jovial y piadoso a quien en parte mató la cerveza y las fiebres, Marina se sintió cada vez más apegada a la raza de la que era hija. Se había tornado melancólica; apenas visitaba a los vecinos. Los caballeros españoles se apartaban de ella. A poca distancia relativamente, los colonos ya ni siquiera sabían que doña Marina era señora de aquella comarca, que había sido distinguida por el propio emperador Don Carlos. Ella no se preocupaba de sí misma; tampoco se preocupaba de aquellos pequeños nobles; se había vuelto muy piadosa, verificaba devociones de vieja; acudía con sus ducados siempre que había un choque entre un indio y la ley, y alguien se atrevía a afirmar que la ley era española. De vez en cuando el gobernador contestaba a alguna de sus cartas: se harían investigaciones y se comunicarían a la noble dama los resultados obtenidos. Ella entonces enseñaba la carta a los trabajadores que sabían leer: «Mira aquí; el escrito ha llegado ya; ya ves que tu señora no te olvida.» Sonreía para sí misma: «Mientras viva, tendrán los pobres un defensor en mi persona.» Creía que no volvería ya más al gran mundo; golpeaba con las manos como hacen los campesinos cuando le contaban nuevos milagros de la ciudad de Méjico: «Ya no la reconocería», decía, y después se ponía triste, le saltaban las lágrimas, pero a través de sus ojos llorosos sonreía al pensar que no volvería ya a ver Méjico... Fue entonces cuando llegó la carta del conde de Tendilla, primer virrey de Nueva España, rogándole acudiera con su séquito como huésped predilecto del virrey para asistir a las fiestas que se preparaban.

Se arrodilló ante la imagen de María y se sintió invadida por un sentimiento de bienestar. Contando los años a la manera española estaba ya en los cincuenta. Quedaban ya hoy pocos que pudieran contar cuánto tiempo había transcurrido desde el año de las nueve mazorcas en el que *Puerta Florida* la ofreció al dios de su tribu y declaró que le había nacido una hija: Malinalli. Mientras estaba en su oración, una mano se posó suavemente sobre su hombro y oyó crujir de sedas y sintió el perfume de una rica esencia. Ambas se arrodillaron en el banco de las mujeres. La otra era todavía hermosa; no estaba arrugada, en sus cabellos sólo contadas canas se veían y su corpiño mostraba su talle delgado. Mientras se miraban una a otra, se despertó en Marina la antigua costumbre y bajó la cabeza cubierta por la mantilla y echó el velo sobre su rostro, mostrando así que no sólo se humillaba ante la Virgen, sino también ante su señora.

Ambas se levantaron y volvieron a la sala, cuyos balcones, protegidos contra el viento, daban a la plaza. Estaban solas; la otra mujer abrazó a Marina y su voz sonó dulce. Hablaba la antigua lengua mejicana de la corte, el idioma de los príncipes de las regiones circundantes del lago que los caciques sometidos habían aceptado sucesivamente y propagado entre los comerciantes de todo Anahuac. Marina le sonrió:

—Tecuichpo,... ¡qué hermosa eres aún!... En ti no se ve el tiempo ni la pena... Leo en tus ojos la alegría de tus hijos y la felicidad que oculta tu carne y tu sangre.

Le hablaba como a su señora; se dirigía a ella con el tratamiento azteca de «señora y madre» y ambas se sonreían al mirarse y verse con vestidos extranjeros, con nombres extranjeros, en un mundo extraño. Sonaron de nuevo las antiguas palabras y entonces la viuda de Juan de Xaramillo convirtióse de nuevo en Malinalli y la viuda del señor de Cano fue de nuevo princesa e imperial esposa de *Águila-que-se-abate*... A Marina le gustó bajar la cabeza ante ella, según la etiqueta antigua, como hiciera antes, cuando no le era dado mirar directamente al rostro de la princesa y agradóle ver que la otra le daba las gracias por ello. Después se levantaron,...

Los camareros abrieron las puertas. El mayordomo dio tres golpes, porque el virrey de Nueva España representaba la autoridad de su imperial majestad. Entonces, las dos mujeres se inclinaron profundamente, en saludo español, ante un caballero serio, seco, vestido de negro, que con su cruz de la Orden de Calatrava en el pecho, se destacaba como una estampa sobre el fondo plateado y brillante de la pared. Mendoza descorrió la cortina, condujo a las señoras a su cámara y allí las saludó ceremoniosamente, con el saludo respetuoso que correspondía a dos grandes damas; primero saludó a doña Isabel, después, a Marina. Abrió las ventanas, mostrándoles allá abajo la encantadora ciudad que se alzaba, como en un cuento maravilloso, del espejo brillante de las aguas, como un ave fénix que se levanta de sus cenizas.

—Las damas conocieron aún la antigua Méjico, que yo ya no tuve la dicha de poder ver en todo su esplendor y brillo. En lo que de mí dependió, lo hice construir todo tomando modelo de nuestra patria... siempre tratando de seguir las intenciones que tenía el marqués del Valle.

—Vuestra merced hizo milagros; pero no me tomará a mala parte si le digo que después de tantos años de ausencia me acuerdo ahora mucho de la antigua ciudad. Ante mí, tengo la visión de Tenochtitlán y de la figura de mi padre, el terrible señor, que en este mismo lugar me acariciaba tiernamente cuando nadie le veía, pues él era un terrible señor y las mujeres, aun sin exceptuar sus hijas, no podían mirarle directamente.

—Y yo, con perdón de vuestra majestad, me acuerdo todavía de cuando entramos aquí... hace treinta años. Ante mí sobre un caballo gris, aquel cuyo nombre sea bendito... mi señor don Hernando... Como si le viera, con un pañuelo embebido en vinagre, tapándole la nariz, porque el hedor era insoportable. Su vestido estaba manchado y roto; en los últimos días no habíamos comido... Con él, iban, me parece, el señor de Sandoval y Ordaz... junto a mí iba el Galante. Si mi memoria no me engaña, yo en esta ocasión fui también la intérprete y por eso debía ir cerca de mi señor. Así entramos en la ciudad. Por todas partes veíamos manos obscuras que escarbaban el suelo buscando tallos de hierba y que pescaban algas en el canal... Todo eran escombros ennegrecidos; la sangre corría como fuentecillas; por todas partes se veían cadáveres. Los templos estaban derrumbados, las casas destrozadas; de los canales venía un olor pestilente... Los niños lloraban y las mujeres parecían fantasmas. Y allí por donde pasábamos veíamos cadáveres...

—Yo cabalgaba delante, en lugar de mi esposo Guatemoc, e iba diciendo a la gente: «Ahora debe reinar la paz...»

—Guatemoc había escondido el oro de Moctezuma. Nadie sabía dónde lo había ocultado. Nunca lo dijo a nadie. Doña Isabel, ¿habéis tenido alguna vez noticias de ese oro?

—Por la noche se había embarcado en un bote. Con él iban los jefes de Tlacopan y Tezcuco, como exigían nuestras leyes, pues los tres eran de la estirpe de Tlaloc y todas las riquezas pertenecían a la tribu entera. Donde el agua era más profunda, allí hundieron el tesoro de mi padre, de mi abuelo y de mis antepasados. Eso es todo lo que sé de esta antigua historia, dicho sea con perdón de vuestra merced.

—No estamos aquí para turbar el descanso de los muertos ni romper la paz en que yacen. El oro del terrible señor está hundido profundamente en el fondo del lago, pero ¿no hay oro por todas partes en la superficie de la tierra?... Cada grano que sembramos produce oro. Decían los antiguos que, si trabajamos bien la tierra, ésta produce oro, y aquí en Nueva España resulta bien cierto este refrán.

—¡Pero vosotros abonáis la tierra con la sangre de nuestro pueblo!

—Duras son vuestras palabras, doña Marina, y me lastimarían de veras si no estuviera acostumbrado a ellas. Vuestras cartas son edificantes y han hecho posible que nos enterásemos de muchas irregularidades. Vuestra merced debe conceder que yo no me he portado contrariamente a nuestra moral religiosa y que el estado de este pueblo más bien ha mejorado desde que yo represento en Nueva España a nuestro emperador Don Carlos.

— Vuestra merced ha hecho edificar una gran escuela en la Plaza del Mercado, donde antes estuvo el templo de nuestros padres, y allí los niños de las dos razas aprenden enseñanzas que mi inteligencia de mujer no logra expresar. Vuestra merced sostiene conversaciones con los jefes de los alrededores; vuestra puerta está siempre abierta a esos jefes indios. Vuestra merced ordenó se celebrara el domingo y obligó a que salieran, cada dos lunas, de su trabajo los que cavan en las entrañas de la tierra. Pero por fuerte que sea la voz en que vuestra merced da las órdenes, no llega apenas más lejos de lo que llegaba el sonido de la trompeta desde la terraza superior del Teocalli... Los castellanos aman la ley..., pero no obran de acuerdo con ella...

— Doña Marina. Vuestras palabras serían peligrosas si tuvieran siempre razón. Con vuestras palabras podríais quitarme de un golpe toda mi fe en que algún día habré logrado mejorar la suerte de esos hermosos países.

— Nuestros antepasados no soportaban que nosotras las mujeres nos inmiscuyéramos en asuntos propios de los hombres. A mí, los inescrutables designios de Dios me llevaron a convivir con el pueblo de vuestra merced y dispuso que sirviese a mi señor y me mezclase en asuntos de los hombres, porque así lo mandó mi señor. Por eso habrá de perdonarme si yo, con mi endeble juicio de mujer, me atrevo a querer conocer vuestras intenciones.

— Para todos nosotros, Isabel fue más que una reina, una madre; y era una mujer. Fue la voluntad de Dios que vuestra merced fuera nuestra estrella guía. Estoy aquí como representante de su majestad Don Carlos y éste dispuso que pudierais en toda ocasión dirigiros directamente a la imperial majestad. Vuestra merced, por tanto, no hace más que usar de su pleno derecho.

— Para esta idea, nosotros no teníamos palabras. Nuestros padres combatieron o vivieron en paz, nacieron y murieron. No teníamos leyes escritas. Teníamos piedras en las que grabábamos la medida de los tiempos. En otras piedras, teníamos esculpidas las figuras de nuestros dioses, esos dioses que hoy ya sabemos que eran falsos, aunque yo no quisiera ofenderlos. Cuando construíamos un templo o un palacio, se inscribía en piedras quién lo había mandado edificar y cuáles habían sido sus hazañas. Sobre hojas de *nequem* se dibujaban el número de prisioneros o las cuentas de las contribuciones. Todo era más sencillo; todo era más fácil y, sin embargo, nos entendíamos perfectamente. Ahora, nuestros hijos van mucho tiempo a la escuela, después van a la gran escuela de Tlatelcuco, que los españoles llaman «Universidad», y de allí vienen con títulos de doctor o de licenciado. Antes, no sabíamos que la fuerza y el dominio son del oro. Teníamos piedras y bayas de cacao y con ello comprábamos telas. También teníamos oro. Vuestra merced hizo acuñar monedas de oro y plata de este país y, con ese dinero, ahora nosotros compramos toda suerte de cosas: mulos o caballos, armas, indios... Nosotros dibujábamos o pintábamos sobre pieles de animal los acontecimientos y así podía un cacique saber lo que había hecho otro y un hombre piadoso aprender de otro hombre piadoso. Vuestra merced mandó levantar un gran taller, donde se pintan unas letras hechas de madera y de hierro y aplicándolas sobre papel imprimen su signo muchas veces, centenares de veces, luego coséis esos papeles y a eso le llamáis un libro. En uno de esos libros estaban las cartas de mi señor don Hernando que había escrito por las noches, cuando yo... cuando yo estaba acurrucada a su puerta. Escribía él mismo o le decía al licenciado, que luego fue mi marido: «Escribe por mí». Ahora yo puedo leer aquellas cartas, las sé descifrar y aquí y allí encuentro escrito mi nombre... Dios me perdone, si eso es un pecado.

— ¿Sabéis, doña Marina, lo que ha sido de los primeros conquistadores y cuántos de ellos podrán hoy venir a las fiestas?

— Hace tres años vino de España la noticia de que el marqués había marchado al mundo donde estaban sus antepasados. Yo estaba en mi casa. Mi hijo Martín, con pluma negra en el sombrero, trajo la noticia y dijo: «Mi padre ha muerto», bajó la cabeza y sollozó. Casi todos los de entonces están también muertos. El señor de Sandoval hace ya mucho tiempo, cuando hizo su primer viaje a la patria. El señor Alvarado marchó al Perú y allí luchó y derramó su sangre junto al señor Pizarro, y murió. También me acuerdo del Padre Olmedo; siempre fue bueno y piadoso. La edad lo venció un día, cuando volvimos de Honduras... A Olid le cortaron la cabeza... Ordaz ¿qué habrá sido de Ordaz? Se dijo en una ocasión que había quedado en España; que no quería regresar a Méjico, pues poseía tesoros y oro... y que, en su escudo, el emperador le dio como armas un monte humeante para recordar que fue el primero que un día subió a la montaña que echa fuego.

— ¿Os acordáis de los indios?

— Flor Negra está decrépito; reside en su palacio de Tezcuco. Se ha vuelto cruel y ya no toma nunca la figura de un jaguar... ya no necesita sangre. Lleva ahora un nombre español que exige se le dé siempre que a él se dirigen. Sus hijos se llaman jóvenes condes, lo mismo que los hijos del cacique de Tlascala y todos los descendientes del terrible señor... Cuando se visitan los unos a los otros, llevan delante criados portadores de sus armas y escudos y tienen esclavos negros que han comprado con oro... Y los tlascaltecas están alegres de no tener que pagar contribuciones, pues así se dispuso en el tratado que don Hernando hizo con ellos...

— ¿Recuerda aún vuestra merced el tratado de Tlascala?

— Todos estábamos hambrientos. Casi no podíamos tenernos de pie. Estábamos cubiertos de heridas y por la noche fundíamos la grasa de los cadáveres para untar con ella nuestras heridas... Por la mañana vino el joven Xicontecatl, a quien Dios privó de la razón, por lo cual en sus últimos momentos fue nuestro enemigo. Pero aquella mañana vino como amigo y prestó su acatamiento... De las antesalas de la muerte, pasamos a Tlascala. Aquí vinieron los notarios, Godoy entre ellos, y leyó algo que apenas entendí. Yo debía irlo traduciendo al mejicano y ellos entonces lo repetían en el dialecto montañés.

— ¿Habéis conocido a Duero?

— Andrés del Duero... Cuando volvió, hace de eso por lo menos veinte años, me hizo llamar y me contó lo que el emperador Carlos había dicho de ésta su sierva y me trajo papeles para nuestro hijo y dijo que el niño llevaría con el tiempo preciadas veneras y que sería un igual de los que habían nacido de doña Catalina o de la nueva esposa. El primer hijo de Cortés fue Martín. Siempre lo dijo él así y aún vivía don Hernando cuando Martín fue nombrado Comendador de la Orden de Santiago y su nombre es ahora conocido por sí mismo y por su padre en toda Nueva España... cuando volvió — así es una mujer vieja, pasa de los cientos a los miles —. He hablado de Duero. Me dijo que había sido amigo de mi esposo; habían ido mano a mano y el oro del uno era también del otro. Después Duero se apartó y regresó a España. Estaba allí cuando mi esposo tuvo que rendir cuenta ante los Obispos y Grandes. Ordaz estaba junto a él y Duero, el que un día había sido como un hermano, se puso contra él en nombre del gobernador de Cuba... Entonces Carlos movió una mano y dijo a cada uno de ellos solamente: «Mañana...»

Un hombre alto y encanecido penetró en la habitación. Su barba estaba cuidada, sus mejillas, rojas. Una cadena de oro artísticamente trabajada, joya antigua de los aztecas, le colgaba del cuello. Miró con extrañeza a su alrededor, como si se tratara de ver espectros del pasado. Marina le miró y le abrió los brazos:

— Don Bernal... señor Díaz... Galante. Ya no sé cómo debo llamar a vuestra merced... Hace ya veinticinco años que los caminos de nuestras vidas se separaron allí cerca de Honduras...

—Marina… Yo estaba en el buque, en la capitana, cuando vos disteis pruebas de vuestro saber. Estaba yo allí cuando don Hernando os habló. En recuerdo de lo pasado, considerando que soy ya un viejo… ¿querríais darme un beso?

—Siempre igual, siempre el Galante… Lo seguisteis siendo cuando quedasteis de gobernador de Guatemala… así lo dijeron todos. Una esposa, lo que se llama una esposa legítima, jamás la tuvisteis; pero en cambio sí que tuvisteis hijos… muchos.

—Me ponéis como chupa de dómine tan pronto como me encontráis de nuevo; y eso en presencia de su excelencia el virrey. ¿Por qué no esperabais a hacerlo cuando marchemos juntos y podáis entonces usar libremente de vuestro ingenio?

Mendoza interrumpió:

—Se dice, empero, que vos, don Bernal Díaz del Castillo, aún encontráis en el invierno de vuestra vida no pocas rosas que coger. Debéis envidiar al Padre Gomara sus laureles cuando habéis formado en las filas de los cronistas…

—No envidio los laureles al Padre Gomara, excelencia. Quisiera más bien arrancárselos de las sienes si pudiera. Un cortesano deslenguado, capellán de Cortés, como es él, quiere mostrarse agradecido… Cada palabra de él que yo he leído está mojada en miel; escribe conforme a modas nuevas, seguidas por los jóvenes de hoy. Acostumbra a divagar siempre y a remontarse a lo más antiguo, como si se tratara de hablar de lo que sucedió en tiempos de Olid y atiende a tanto a los Santos que, según él, no ha habido ni una sola escaramuza en la que no haya aparecido San Jorge y, con su lanza, no haya mandado a algunos indios al más allá…

—¿Le corrige vuestra merced o le comenta tan sólo?

—Yo escribo la verdadera y pura historia de la conquista de este reino. Cuando me lo permite el tiempo de que dispongo, así como mis facultades, reúno todos los datos dignos de mención y nada omito.

—¿También nos citaréis a nosotros, don Bernal?

—Vuestro nombre resplandece ya en los primeros capítulos, doña Marina, y al aparecer vuestro nombre, parece que todo se torna más hermoso y sigo entonces contando las cosas tal como sucedieron.

—De mí ya no se acordará seguramente vuestra merced…

—Doña Isabel: A vos os he dado el título de *serenísima* como os corresponde por ser reina, y así lo he escrito en un informe dirigido al rey Don Carlos y que el capitán general me dictó una noche. Recuerdo aún su estado de ánimo cuando el campamento entero…

— ¿Es conveniente contar tales cosas después de tantos años?

— Nosotros, los íntimos, lo sabíamos todo... Doña Marina estaba entonces con el niño... Vos bailasteis con don Hernando en el palacio y su rostro se encendió, a pesar de que siempre estaba pálido..., y cuando apareció vuestra serenísima ante él, en aquel grande y maravilloso día que hoy es objeto del trigésimo aniversario... fueron esas sus primeras palabras: «¿Dónde está la emperatriz?», pues así os llamaba siempre. Nosotros, los íntimos, sabíamos que Hernán Cortés ardía con fuego infernal por la princesa Tecuichpo... *Requiescat in pace...*

— ¿No pondréis todo eso en vuestra crónica?...

— No sería procedente el hacerlo allí donde se habla de cosas de hombres. Aquí ya nadie sabe los nombres de los que hicieron aquellas hazañas, pues el capellán Gomara sólo da el nombre de sus favoritos. Don Hernando fue un hombre grande y maravilloso; pero era hombre y sin nosotros, los viejos veteranos, no hubiese podido dar un paso adelante. Y eso sabemos que es la pura verdad todos los que aún vivimos.

— Como ya os mandé decir, don Bernal, debéis hoy coronar el día leyéndonos algún fragmento de vuestra obra. ¿No podemos ya saber todo lo que figurará en la crónica?

Bernal Díaz sonrió: «Mi escribiente está fuera y tiene las hojas. Me limito, con mi escasa capacidad, a ceñirme a la historia..., pero escribí la conclusión por adelantado. Y ésa es la que os leeré, nobles damas y caballeros.»

Durante un minuto reinó el silencio. Mendoza afirmó con la cabeza. Matronas e hijas de nobles entraron en la sala, sonó una dulce música desde la galería y los criados comenzaron a servir refrescos. Entraron algunos jóvenes indios, vestidos a usanza española, pero con el cabello anudado al modo indio; llevaban todos hojas toledanas en el cinto. Inclináronse ante los presentes. Eran jóvenes licenciados de un colegio. Uno, el más joven, aproximóse a Díaz y le contempló. El viejo conquistador le pasó la mano por la cabeza:

— ¿De quién eres hijo, joven amigo?

— Mi padre es Flor Negra, cuyo padre fue el Señor del Ayuno y cuyo padre fue el Lobo Solitario. A mí me han bautizado con el nombre de Fernando Alva de Ixtioxichitl.

— Hablas bien y animoso. Yo conocí a tu padre cuando era un muchacho como tú eres ahora. Pareces ilustrado y veo llevas el tintero sujeto al cinto. ¿O es que acaso aún dibujas jeroglíficos?

— Los dibujos están ya callados, señor. Apenas queda ya gente que los sepa descifrar. Los bosques rodean y devoran a las antiguas ciudades. Las nuevas calles borran los lugares donde aún quedaba el recuerdo de nuestros antepasados. Los españoles se preocupan tan sólo de su propia gloria. Nosotros debemos pararnos a cada paso e inclinarnos a contemplar las viejas piedras y a escuchar las historias de nuestros antepasados de labios de los ancianos. Por eso estoy yo también aquí, pues supliqué al virrey la gracia de poderos escuchar y así instruirme y enriquecer mi escasa y limitada instrucción.

Tecuichpo se aproximó y contempló a su, hasta entonces, desconocido sobrino. Le dijo algo, una palabra de su tribu, una palabra que sólo los iniciados, los pertenecientes a la rama real, los de la familia de Moctezuma, podían entender; una palabra de los dioses y de los emperadores. Y esperó a ver si el joven había comprendido. Éste hizo un signo con la cabeza y contestó. Tecuichpo le abrazó entonces. Continuaron después hablando en español.

—¿Has oído hablar de tu tía Tecuichpo?

—Entre las casas de Tezcuco y Tenochtitlán reinaron siempre la paz y el amor.

—¿Sabes algo de la señora de Tula?

—Sé sus versos de memoria y los he traducido al español. La señora de Tula fue buena para mi abuelo y colmó de flores al malogrado hermano de mi padre, aquel cuyo nombre no puede ser pronunciado, pues es una maldición.

Tecuichpo se acercó más. Para ella no había allí nadie más que el joven y Marina. Su lenguaje se deslizó de nuevo al pasado y las dos mujeres gozaron al oír de labios del muchacho los magníficos y arcaicos giros del viejo idioma.

—¿Has oído hablar de una mujer que el Señor del Ayuno tuvo como esposa?

—Su nombre ha quedado así: *Muñeca de Esmeralda*. Soñé con ella y aún sueño a veces cuando caigo en pecado y me atormentan tales tentaciones. Entonces me arrodillo delante del Padre y le digo que por la noche me ha atormentado la pesadilla de mi tribu... y si me pregunta el nombre, no me atrevo a nombrar a *Muñeca de Esmeralda*.

—¿Te enseñó tu padre la antigua historia?

—Mi padre vive encerrado con sus sombras, con las cuales habla y a las que llama como si vivieran todavía. Les habla en voz alta. Dicen sus cortesanos que la edad le ha privado del juicio y que sus pecados le desazonan como si fueran un cilicio. Pero yo estoy mejor enterado. Siempre está llamando a su hermano Cacama que fue tragado por el canal y llama también a su madre y a su padre y siempre les explica por qué...

— ¿Por qué Flor Negra tuvo que inclinarse ante Malinche? — sugirió Tecuichpo.

—Señora y madre. A mí me dieron en el sagrado bautismo el nombre de Hernando, como el marqués. Inclino mi cabeza y reconozco que el Señor nos castigó así por nuestros pecados. Por las innumerables vidas que habíamos sacrificado en honor de falsos dioses; pero eso parece no va de acuerdo con lo que sucedió con ellos. Flor Negra se inclinó ante Malinche, tú misma lo dices, señora y madre, y tú a quien los antiguos cronistas llaman por el nombre de Malinalli... Nuestros cronistas pintan varillas con cordones de flores y guardan así los antiguos escritos, doña Marina, y dan noticias también de tu padre que se llamaba *Puerta Florida* y así lo dicen en los dibujos. Mi padre inclinó la cabeza, pero mi abuelo era el Señor del Ayuno y nosotros somos los descendientes de las casas reales de Tezcuco y Tenochtitlán y por eso no podemos olvidar todo eso...

Tecuichpo miraba a la lejanía. Era viuda del noble asturiano don Juan Cano y disponía, por voluntad de Cortés, de muchos bienes en Tlacopan; pero a su alrededor sonaban palabras extranjeras, sus propios hijos le eran extraños, extranjeros, condes de Moctezuma por disposición del emperador... ¿Y ella? Una vieja ya, cuyos ojos no estaban todavía rodeados de arrugas y cuyo cuerpo tal vez no había envejecido nada con los años. Sonrió al muchacho y, de pronto, le pasó por la mente aquella noche extraña y fatal en el palacio de Tula... Las tres, Papan, la señora de Tula y ella, la más poderosa de las tres porque era la esposa legítima de *Águila-que-se-abate*... En aquella ocasión, la señora de Tula había hablado de un muchacho, cuyo nombre no podía ser pronunciado... Contempló al muchacho. Tenía la frente alta y poderosa, su piel se había tornado pálida de vivir en el colegio; era un vástago real de pura sangre. Estaba, de todos modos, más cercano a la nueva raza. Sonreía como los nuevos señores, hablaba su idioma, como ella misma lo hablaba, y estaba sujeto a este nuevo mundo por invisibles y múltiples hilos. Mendoza se esforzaba en mantenerlo afecto; le había prometido un cargo en su cancillería y posiblemente, tal vez, uno en el Consejo de Indias, en Madrid. Allí se podría casar con una señorita de la nobleza española... Pero ahora aún les pertenecía a ellos; era sangre de su sangre, muestra de su raza en esta noche en que todo eran recuerdos. Esta noche pertenecía todavía a Tecuichpo; ella podía retener en su poder al muchacho, como la señora de Tula le retuviera un día, no con el derecho del cuerpo, sino con el de la sangre y de los recuerdos.

— Esta noche eres mi huésped. Soy la más antigua de la familia y te lo ordeno.

— Tu mandato será cumplido, señora y madre.

* * *

El franciscano se frotó sus manos gotosas. Llevaba larga y roja barba que cubría todo su rostro, dejando ver solamente sus dos ojos pequeños, curiosos y regocijados a un tiempo. El gastado hábito envolvía su huesuda y alta humanidad y se destacaba fuertemente entre los trajes de terciopelo que le rodeaban. Mendoza salió a su encuentro, dobló la rodilla y le besó la mano.

— Os doy las gracias, Padre, por haber venido. Como se dice, andáis escaso de tiempo; mojáis la pluma a la luz de modernas lámparas y gastáis la tinta a jarros. ¿Es así, en verdad?

— Me dejáis avergonzado, excelencia. Soy un simple y humilde monje que apenas sabe cómo moverse en el gran mundo. Además, poco a poco me voy desacostumbrando al uso del castellano. En los pueblos donde hablo con gente vieja, oigo solamente el idioma indígena durante meses enteros. Hablo con los viejos que aún se acuerdan de cosas y cuya memoria no está aún turbia. No son mestizos, como son muchos de los más jóvenes que ya tienen por supersticiones la fe y creencias de sus mayores, pero en cuyas almas, no obstante, no han echado todavía raíces las enseñanzas de Nuestro Señor.

— ¿Con qué plan trabajáis, Padre Sahagún?

— Cuando vine aquí, cinco años después de la conquista, vi que muchas de las cosas sucedían aquí para mayor gloria de Dios; pero los insensatos eran de la opinión de que hacían labor meritoria ante Dios, extirpando todos los recuerdos de todo lo referente a los pueblos de aquí y que, sin embargo, creían también en cosas más elevadas que sus ídolos, conocían los movimientos de los planetas mejor que nosotros posiblemente, labraban calendarios en piedra y sabían cantar hermosísimos himnos... Los que llegaron antes que yo, creyeron aconsejable y prudente destruir todo eso. Con disgusto, llegué yo, después de bien meditarlo, a la conclusión de que tal destrucción no podía agradar a Dios. Todo eso me recuerda a Mahoma que holló con sus pies todo cuanto provenía de Constantinopla e hizo arrojar al fuego todos los libros del califa Omar... A mí me parece meritorio y agradable ante Dios, el ir de pueblo en pueblo, reunir a los hombres instruidos, a los antiguos sacerdotes, o a los grandes señores que visitaron las escuelas de antes y que me ilustren acerca de los antiguos tiempos.

—¿Y en qué idioma escribís todo eso?

—En el idioma en que me lo cuentan. A veces les dirijo preguntas. Y al siguiente día vienen con sus antiguos documentos en los que hay dibujos en lugar de letras y que no pueden ser descifrados por cualquiera. Yo he aprendido ya el sentido de esos dibujos, los leo con ellos y los pongo en mis papeles con letras nuestras; después, empero, dibujo las figuras aquellas al otro lado de la hoja. Después voy a buscar a otro indígena que sepa leer aquello, le enseño los dibujos, le leo las palabras que yo he escrito y le pregunto si está bien interpretado. Si dice que sí, quedo contento; y si dice que no, busco un tercer intérprete. Así voy haciendo mi libro y, si Dios me ayuda, quedará así en forma perdurable el recuerdo de todas las costumbres y usos, ya piadosos, ya impíos de este Nuevo Mundo.

—¿Qué lograréis con ello, Padre Bernardino Sahagún?

—Sabéis, señor, que la Orden de San Francisco es eterna; pero que es caduco y pasajero el individuo aislado. Pongo yo mi trabajo de hormiga. Nadie conoce los caminos de Dios. ¿Cómo podría yo conocerlos?

—Si todo lo que escribís está en el idioma de los indígenas, ¿cómo es posible que pueda ser entendido por nadie...? Quiero decir: por nosotros o los de vuestra Orden.

—Por todas partes escribí el sonido de las palabras por medio de las letras que usamos en castellano. Cualquiera que sepa leer castellano, puede entender mi libro.

—Cuando lo tengáis listo, añadid una dedicatoria y permitidme que yo envíe la obra a España y me pueda jactar de ser amigo del autor.

—Ponéis demasiada benevolencia en mi pobre obra, señor. Vuestro nombre no ha de faltar en la dedicatoria.

—Gracias, Padre Bernardino; pero yo pensaba en otro nombre...

—¿En el Padre Las Casas?

—Él se disculpó. Díjome era viejo y que estaba enfermo; no quiere dejar Chiapa. Tiene ochenta años largos ya.

—No es por eso por lo que se mantiene apartado. Es que no quiso venir... al aniversario.

—Ya sé. Tiene a todos los conquistadores, empezando por el gran almirante, por pecadores y criminales, maduros para el fuego del infierno. A sus ojos, todo español es un cruento malhechor y al Paraíso no irán más que los indios...

—Le juzgáis demasiado severamente... Las Casas es todo un hombre. Firme e inflexible. Consuela a los colonos y, a pesar de su edad, por las noches visita campamentos y barrios de indios. Sin él, no se hubiera publicado el Decreto del emperador y los indios desaparecerían a millones... como ocurrió en las Islas.

—Las Casas es uno de los antiguos. Nosotros, los más jóvenes, nacimos con el cambio de siglo... Hemos encontrado el mundo así: compuesto de dos partes, el Nuevo Mundo y el Viejo Mundo y sabemos que, cuando aquí sale el sol, se pone en nuestra patria. Todo eso nos es ya conocido. Pero el Padre Las Casas vio nacer todo eso. Fue contemporáneo de todos. Conoció al almirante y en casa del gobernador de la Española, sostuvo un gran debate con el marqués. Lo ha visto todo, lo ha vivido todo, lo ha sufrido todo. Como si toda la sangre derramada hubiera salido de sus venas, todos los horrores llegaron por su boca a oídos de Don Carlos... o a Fernando, a quien amenazó cuando ya estaba enfermo mortalmente... Le señaló con un dedo y le dijo: «¡Te acuso, rey!»

—Todo eso está ya muy lejos, Padre Sahagún... Nosotros no podemos hacer nada mejor que arreglar las cosas de aquí conforme a las enseñanzas de Cristo; que no haya en los campos de los colonos falta de brazos de labor y que los indios sean súbditos fieles de la corona española...

—Sus tutores les arrebatan sus propiedades...

—Yo hice conocer a todos el Decreto del rey. Ningún indio puede vender su tierra a un español, de ninguna manera. Tampoco puede entregar su tierra a ningún convento, institución o fundación... se debe cuidar de ellos como si fueran indios... ¡Vive Dios!, que en lo sucesivo nadie podrá arrebatar la tierra a un indio.

—¿Creéis que se podría detener la acción del tiempo? Donde esta gente vive en rebaños, allí el conquistador puede poner el pie sobre ellos... ¿pero los otros?

—Tengo noticias de Yucatán. De nuevo los españoles se han visto desplazados y, en la región de Itza, se ofrece de nuevo el tributo de las doncellas al ídolo Quetzacoatl...

—Si visitáis sus campos santos y lleváis con vos alguna gente con azadones, podréis ver que entierran a los suyos todavía al modo pagano, con perro, criados y vasijas. Y es que no se puede dar a un Nuevo Mundo una nueva alma de la noche a la mañana. Vos sois el padre de este pueblo, señor. ¡Desde hace ya casi veinte años... el primer hombre, después de Cortés, que ama a los indios!...

—Pero, Padre Sahagún, ¿queréis decir que Cortés amaba a los indios? ¡Él que los sometió a la esclavitud y los pisoteó!

—Muchas veces hablé con el marqués cuando regresó a Méjico después de su largo viaje a Castilla. Ya en Vera Cruz le esperaban contrariedades. Creyó la gente de la Audiencia que volvería vencido, si es que recibía permiso para volver a pisar el Nuevo Mundo. Pero él volvía triunfante con la Gran Cruz de la Orden del León, el título de primer marqués de Tenochtitlán... Llegó y la Audiencia acordó que sólo podía llevar espada como gobernador militar y que, en las cosas civiles, Méjico había de prescindir de él... No se le dejó entrar en Tenochtitlán y tuvo que poner su campamento en la orilla del lago, en Tezcuco. Allí es donde yo le vi. Vi también cómo los caciques acudían a él... Eso debía ser en el año treinta y uno o treinta y dos. Llevaba con él a su esposa. Vuestra serenísima hubiera podido ver cómo los jefes acudieron corriendo adonde él estaba; cómo le abrazaron, cómo acudían a él los que habían sido sus enemigos... todos... todos querían volver a ver a Malinche...

»Sí; yo creo que Cortés amaba a los indios. Hablaba con ellos en idioma indígena chapurreado; pero él mismo se sentía indio; no dejó nunca de hacer los honores debidos... Cuando un cacique entraba donde él estaba, se levantaba y le hacía una reverencia... a veces a la manera india. Les apreciaba, les sonreía, abrazaba a sus huéspedes y correspondía a sus regalos. Conocía yo bien su rostro. Si estaba cansado, se le marcaban las arrugas de la edad. Si estaba descontento, le dolían las cicatrices y también le dolían los constantes alfilerazos que le dedicaban los españoles de ínfima categoría. Si entonces se le anunciaba una visita de alguien de Tlascala, o llegaba un jefe de Cempoal o de alguna remota región, se erguía seguidamente, rejuvenecía y se volvía locuaz; saboreaba el vino y se olvidaba de la gota que le atenazaba las piernas...

—Le veis de modo muy distinto de nosotros. Nosotros, los que le conocemos tan sólo por los escritos, por lo que de él nos contaron, le vemos como a un conquistador negro y siniestro... o pensando mejor, como a un protegido de San Jorge que le ayudó en todos sus apuros. Tal vez no conocíamos a Cortés. Para nosotros no tenía rostro humano... era como una estatua, como las gárgolas de las catedrales y que le recuerdan a uno que, a pesar de todo, están arriba y allí quedan.

—¿De quién habla vuestra serenísima...? Es como si os representarais una figura de esos dioses terribles y crueles... una de esas que se ponen a veces sobre la puerta...

—¿También vos creéis en la leyenda de Tlaloc, Padre?

—Así dicen los viejos: Hace treinta años se puso Tlaloc sobre la terraza inferior del Teocalli en ruinas y... lloró. Lloró sobre Méjico... Hace sólo treinta años eso era una realidad. Algunos de los de entonces viven aún; treinta o cuarenta soldados, algunos oficiales y el Galante, ese anciano de cabellos blancos... También está ahí Marina y la esposa de Juan Cano... la que fue emperatriz; quedan algunos viejos caciques. Ixtlixochitl no se movió de Tezcuco y de Tlascala han venido muy pocos. Como sé por cartas que me han escrito, allá en las plazas pueblerinas de España, se representa su historia en verso por verdaderos comediantes...

— Al mediodía saludarán con salvas los cañones de bronce del Matadero; dispararán cien cañonazos para anunciar que hoy hace treinta años cayó Tenochtitlán en manos de los conquistadores. Y nosotros, los que nos hemos reunido, celebraremos un *Te Deum*. Todo eso parece que pasó hace ya cientos de años. Pero si nos alejamos una hora de camino, se llega a bosques donde el perro ventea y siente el olor de cosas extrañas. Una hora no más, entramos en la selva y llegamos a un calvero donde se ven corazones ofrecidos en sacrificio a la sombra de una piedra calendario o una figura de ídolo...

— Es como si los sacerdotes fueran a la procesión. Nosotros, los más indignos seguidores del Santo de Asís, nos abrigamos en nuestro hábito hoy como ayer y así en los siglos... Creo que de todos los españoles que han atravesado el Océano, sólo han comprendido el alma de esas regiones inmensas, aquellos doce franciscanos que, descalzos y apoyándose en un bastón, salieron de Vera Cruz. Sí; nosotros fuimos los primeros que comprendimos a Méjico.

* * *

El virrey, con una pesada copa de oro en la mano, pronunció un discurso. Su cruz de caballero brillaba sobre el negro terciopelo. Su rostro, noble y pálido, estaba enmarcado por su barba rubia y ya canosa a trechos. Sus manos, largas y estrechas, de nerviosa belleza, al asir los objetos parecían blancas serpientes que se enroscaban en el oro de la copa. El conjunto era como una filigrana azteca. El virrey pronunciaba un discurso en recuerdo de los ya difuntos.

— Todos sabéis, nobles damas y caballeros, que cuando hablo del Hado, es que quiero llevar a vuestra memoria el hado de Hernán Cortés, marqués del Valle de Oaxaca. Vosotros, soldados, encanecidos ya porque pisáis el trecho del camino que es la vejez, pensáis en los tiempos pasados, como piensan los héroes. Volvéis a ver ante vosotros los días en que la capitana echó el ancla por primera vez... las primeras batallas. ¿No volvéis a ver a Cortés a caballo delante de vosotros? Soldados, ya sé que vuestros ojos se abren excitados y rendís homenaje de verdadero guerrero al hombre maravilloso que fue Cortés. Hace cuatro años que nos llegó de España la lúgubre noticia de que el Todopoderoso había libertado su alma de su envoltura terrenal; de que se había despedido de todo lo que quería y le era grato en el mundo y que su testamento había quedado sellado con su sello.

»Este hombre, a quien los caciques y el pueblo llamaron Malinche, y cuyo nombre resonará durante siglos por los bosques y montañas, no fue conocido por mí; no le vi nunca. El hombre que yo vi estaba ya en la cumbre de su poder, combatido, perseguido por la envidia; pero con su voluntad de rey, deshizo a sus perseguidores con el orgullo de quien tomó de su rey su destino de hombre. Yo, a menudo, estuve frente a él de varios modos. Nosotros, los que representamos a la corona en estas costas lejanas y estas aguas remotas, estamos obligados a la letra de las leyes, y la pluma de ave es a veces un arma más fuerte que la ballesta, pues llega más lejos y acierta mejor en el blanco. Estuvimos en ocasiones en oposición y fue entonces cuando conocí a Cortés.

»Su figura, ensombrecida en España, calumniada aquí, vivió entre mentirosos y calumniadores que le persiguieron con su odio. ¿Debo yo ahora, como penitencia, prestar homenaje aquí al nombre de Cortés? ¿Debo yo aquí deciros quién fue, descubríroslo a vosotros que con él fuisteis por valles y montañas, por las selvas de Honduras...? ¿He de deciros yo: Ése era Cortés... no, ese coleccionista de tesoros, no, ese terrateniente que hizo traer, antes que nadie, los naranjos de España, la caña de azúcar de las Islas, las vides de Portugal, en cuyas granjas de Oaxaca pacieron los primeros rebaños de ovejas, que repartió entre los campesinos y a los que dio caballos para que montaran? Sí, ése fue también un aspecto de Cortés; pero, antes de ser marqués, fue el hombre que trabajó para dejar bienes a sus descendientes. Pero el verdadero Cortés, sólo vosotros le conocisteis. Es el hombre que de noche, sacudido por la fiebre, sale del campamento para ir de puesto en puesto, visitar a los soldados heridos; el que en la Noche Triste salta del lugar seguro donde estaba a salvar a algunos de sus hombres que eran arrastrados ya hacia los botes de los indios.

»Vosotros, señores, habéis conocido un día a este Cortés. Cuando su majestad Don Carlos se hizo a la mar con una poderosa flota para castigar a los beys y sultanes de Berbería... cuando la flota navegaba hacia Argel, me encontré al marqués en uno de los buques, guerrero y caballero como siempre, y que en España, en aquellos momentos, luchaba por sus derechos. La inescrutable voluntad del Todopoderoso desató los vientos. Los arrecifes y acantilados se asomaban al mar y las innumerables masas de infieles esperaban desde la costa ver la perdición de los cristianos. Entonces vi a Cortés. Era dignatario de la corte; llevaba la Cruz de la Orden del León en el pecho. Había cumplido ya los cincuenta; estaba encanecido y flaco. Vi cómo eran arriados los botes de salvamento. Nuestro buque estaba junto al suyo que se hundió. Le vi a un tiro de ballesta de la costa, donde el mar parecía de poco fondo, cómo saltaba de la chalupa antes que los otros; vi cómo infundía ánimo a los soldados... Iba delante, sin armadura, con un sombrero ligero, metido en el agua hasta la mitad del muslo, pero con el sable en la mano derecha... Estaba tan admirable y terrible, que todos los que le habíamos injuriado y molestado, quedamos callados; mirando cómo él, un hombre ya de edad, se precipitaba contra los infieles con el sable desnudo, mientras los otros le seguían saltando de las chalupas. Todavía hoy me parece oírle gritando: «¡Santiago!, ¡Santiago!» Los que con él iban vieron en él al general. Yo vi todo eso desde la cubierta del buque y sé que, aquella tarde, se debió agradecer a Cortés que pudieran desembarcar todos. Llegó la noche. La *Caesarea Maestas* celebró consejo y los almirantes fueron viniendo uno después de otro y también los generales, y todos decían que debían volver atrás, no se podía hacer otra cosa. Todos decían lo mismo; pero entonces se levantó Cortés, con su traje desgarrado, manchado por el combate, pero animoso y dispuesto, con un nuevo arañazo en la frente y con su brazo izquierdo envuelto en un vendaje, y dijo: «Dadme dos mil soldados, majestad, y os juro por Dios que los guiaré y demostraré cumplidamente que Argel no es más fuerte que Tenochtitlán...»

»Los generales callaron. También calló Don Carlos. Después abrazó a Cortés. Todos estaban desalentados y atemorizados. Pocos días después, la flota levó anclas y regresó a la península.

»He referido eso para probar que Cortés no era uno de esos guerreros que alcanzan algo por la suerte y se echan después a descansar. Todos sabéis que cada vez que reunió un poco de oro, armó con él algunos buques y los envió a las aguas del Sur, a los países del istmo de Darién, antes de que el señor Pizarro hubiese decidido la suerte del Perú... El mar devoró a todos sus buques, pero su abnegación no conocía límites; la ociosidad aquí en Méjico le aburría; su carácter siempre le empujaba, como él decía, a correr nuevos peligros y a descubrir nuevas tierras. Yo conocí a este hombre cuando vino a mí y me dijo: «Señor virrey: ninguna noticia. Ninguna noticia de los buques que partieron. Mi fe de cristiano me dicta el ir a encontrarlos. Pido a vuestra serenísima, me honre con la orden a fin de que mi esposa crea que así lo exige el honor de Castilla.» Y así partió de nuevo, cargado de años, hacia los mares del Sur y llegó a comarcas maravillosas donde todo le sonreía; donde volvió a encontrar oro y donde le recibieron en la costa nuevos pueblos con nuevos idiomas, pueblos que ignoran todavía quiénes eran aquellos dioses blancos. Fue él quien llamó California a aquella costa y el golfo que forma. Y los actuales colonos de allí, de los que de vez en cuando tenemos noticias, pero que, según sé, prosperan, pueden dormirse tranquilos por la noche cuando han rezado un Ave María por el alma del Señor Hernán Cortés.

»Mi cargo y el destino quieren que sea yo el llamado hoy a evocar su recuerdo aquí en Nueva España. Mientras al otro lado del Océano, en el Viejo Mundo, los infieles asaltan los bastiones orientales del Cristianismo, nosotros, los españoles, hemos adelantado sus fronteras más allá de los mares y hemos obligado a que vengan al curso de nuestra verdadera fe, arroyos espumeantes e indómitos que hasta ahora se perdían en el mar. Aquí, en estas murallas, en los terraplenes del Matadero, hay aún hombres que han visto a Cortés con sus propios ojos. Su figura negra y enteca parece moverse aún entre los cien cañones de cobre que él hizo fundir por primera vez de este metal, porque sus enemigos de España no le mandaban hierro. Y ahora que elevamos nuestras copas y bebemos vino, vino mejicano, procedente de las vides que él mismo hizo plantar,... es mi deseo que sea olvidada ya la sangre derramada, que el odio y la rivalidad en estas provincias, donde se establecieron los españoles, cesen ya de imperar. Pensemos que fue un verdadero servidor de su Dios y de su ley y que España no conoció a un súbdito más fiel, como él mismo hizo grabar en los cañones de plata...

El virrey trinchó entonces el pavo que, con su cabeza de perlas, su rollizo cuerpo, sus robustas alas, parecía estar entre el mundo español e indio. Estaba lleno de una mezcla de habichuelas negras y setas cocidas en miel. Chocolate espumoso, pan de manioca, detrás de lo cual fueron servidos jarros de pulque y de cerveza ligera de palma. Después de la comida, los criados trajeron largas pipas para los más jóvenes, hojas de tabaco enrolladas y aromatizadas con vainilla, y con unas tenacillas se echó lumbre encima. Mendoza agitó su mano rodeada de encajes:

—Señor Bernal Díaz del Castillo. Os suplicamos nos leáis algunos pasajes de vuestra crónica... quisiéramos oírlos antes de que la imprenta de la Universidad devore la obra entera para darla a conocer a los que saben leer.

El Galante se levantó sonriente, gozando del momento. Su cara seca tenía aún las huellas de una belleza varonil. Ordenó las hojas que el escribiente le entregó. Preguntó después:

—¿Desean oír antes el epílogo que he compuesto para fin de mi crónica con una modesta crítica del capitán general por uno de los antiguos camaradas?

—No podíamos terminar mejor el día ni la fiesta de hoy que con un recuerdo a él, Díaz.

Miraron todos en dirección a la voz. Era el joven comendador de la Orden de Santiago, que inclinó su hermosa testa, don Martín Cortés, el hijo de Marina. Su rostro resplandecía; sus grandes ojos pardos eran iguales que los de su madre. El cabello era un poco más áspero que el de los españoles; los pómulos, un poco anchos, y la nariz no tenía la línea recta y larga de la de Cortés, sino curvada y algo ganchuda. Era Martín alto y esbelto, de talla superior a la de un indio y su porte era el de un caballero español. El primer bastardo nacido en suelo mejicano, era un hombre callado y triste que huía de las sombras de los castillos y conventos para buscar los bosques, y allí, con su voz sonora y bien timbrada, cantaba canciones españolas o mejicanas.

—Escuchemos la alabanza de Cortés, señor... —dijeron muchos al mismo tiempo. Díaz seguía con las hojas en la mano y se hizo rogar aún algunos instantes. Y después comenzó a leer con voz un poco melodiosa y en tono un poco escolar de soldado el último fragmento de su crónica.

—«Ese hombre maravilloso fue de buena estatura y cuerpo bien proporcionado y membrudo, y el color de la cara tiraba algo a ceniciento y no muy alegre; y si tuviera el rostro más largo, mejor le pareciera. Los ojos, en el mirar, amorosos y por otra parte graves. Las barbas tenía algo prietas y pocas y rasas, y el cabello que en aquel tiempo se usaba era de la misma manera que las barbas. Y tenía el pecho alto y la espalda de la misma manera; y era cenceño y de poca barriga y alto estevado; y las piernas y muslos bien sacados; y era buen jinete y diestro en todas las armas, ansí a pie como a caballo y sabía muy bien menearlas y sobre todo tenía corazón y ánimo, que es lo que hace al caso. Oí decir que cuando muchacho, en La Española, fue algo travieso sobre mujeres y que se acuchillaba a veces con hombres esforzados y tenía una señal de cuchillada cerca de un labio debajo, mas cubríasela la barba. En todo lo que mostraba, así en su presencia y meneo, como en pláticas y conversaciones y en comer y en el vestir, en todo daba señales de gran señor. Los vestidos que se ponía eran según el tiempo y usanza y no se le daba nada de no traer muchas sedas ni damascos ni rasos, sino llanamente y muy pulido; ni tampoco traía cadenas pesadas de oro, sino una cadenita de oro de primera hechura, con un joyel con la imagen de Nuestra Señora la Virgen María con su Hijo precioso en los brazos y en la otra parte del joyel el Señor San Juan Bautista. Traía en el dedo un anillo muy rico con un diamante y en la gorra que entonces se usaba de terciopelo, traía una medalla...

»...Servíase ricamente, como gran señor, con dos maestresalas y mayordomos y muchos pajes; y todo el servicio de su casa muy cumplido, e grandes vajillas de plata y oro...

»...Era muy afable con todos nuestros capitanes y compañeros, especial con los que pasamos con él de la isla de Cuba la primera vez. Y era latino; y cuando hablaba con letrados y hombres latinos, respondía a lo que le decían, en latín; y oí decir que era Bachiller en Leyes...

»...Era algo poeta; hacía coplas en metro y en prosa y en la que platicaba, lo decía muy agradable y con muy buena retórica...

»...Y rezaba por las mañanas unas horas e oía misa con devoción. Tenía por su muy abogada a la Virgen María, Nuestra Señora; y también tenía al Señor San Pedro, Santiago y al Señor San Juan Bautista. Cuando juraba decía: «En mi conciencia», y cuando se enojaba con algún soldado de los nuestros, sus amigos, le decía: «¡Ah, mal pese a vos!» Y cuando estaba muy enojado, se le hinchaba una vena de la garganta y otra de la frente. Y aún algunas veces, de muy enojado, arrojaba una manta, mas no decía palabra fea ni injuriosa a ningún capitán ni soldado. Y si alguno de nosotros decía palabras muy descomedidas, le decía: «Callad o iros con Dios; y de aquí en adelante tened más miramiento en lo que dijéredes, porque os costará caro por ello e os haré castigar.» Era muy porfiado, en especial en cosas de guerra, por más consejo y palabras que le decíamos. Cuando había tomado una decisión porfiaba en ella por mal que ella pareciese a sus capitanes y soldados...

»Pero dicho sea en su honor, acometía él personalmente los trabajos más pesados y se echaba antes que nadie a la refriega, como yo no he dejado de hacer contar siempre en mi crónica. Sus camaradas no le andaban a la zaga; sin embargo, era él quien, por su valor, nos servía de ejemplo y él fue quien en tiempos difíciles nos guió y sostuvo...

»Si alguien piensa acerca de lo que escribí de Cortés habré de lamentar que después de la conquista de Méjico tuviera que luchar con tantas dificultades y cuidados, como si desde entonces le hubiera abandonado su buena suerte. Dios le habrá dispensado la recompensa en el otro mundo, como se merece un tan excelente hombre, pues siempre veneró a la Santísima Virgen y a su precioso hijo. Dios le perdone sus pecados y a mí los míos y me permita abandonar en paz este valle de lágrimas... lo que vale más que todas nuestras victorias aquí en las Indias Occidentales.

»Al mismo tiempo nos hemos de preguntar qué utilidad salió de todo eso que logramos por la victoria y la conquista. El más alto suceso me parece es que hemos echado en el surco la simiente de la verdadera fe y hemos librado a estos pueblos del terrible rito de los sacrificios humanos, los que, como dicen nuestros frailes franciscanos, sólo en la ciudad de Méjico devoraban anualmente cerca de tres mil personas, y con privarlos se impidió la idolatría cruel y los pecados terribles. Tratamos nosotros de levantar de la ciénaga de los pecados a los que en ella estaban caídos y les llevamos nuestra verdadera fe y así preparamos el terreno para los *padres* que llegaron aquí dos años después e hicieron madurar la semilla. Hoy por todas partes se levantan en toda Nueva España iglesias y conventos, campanarios de catedrales y Anahuac está dividido en diez obispados.

»Poderosas ciudades, pueblos y fundaciones han sido edificados. Vemos pacer los rebaños de bueyes y cultivamos los frutos de la patria. Los indios han aprendido nuestros oficios y en los talleres los ejercen junto con los suyos. Elaboran verdaderas obras de arte. Los niños no son solamente bautizados y no sólo se oye en todos los lugares los toques de las campanas, sino que por todas partes se han empezado ya a edificar escuelas y, en la ciudad de Méjico, tenemos una Universidad en la que han encontrado albergue la Ciencia y las Artes. Se imprimen ya aquí libros en español y en latín y se forman licenciados y doctores. Entre los indios reina el orden, la seguridad y la ley. Por todas partes se elevan sus Ayuntamientos. En los pueblos ellos eligen a sus jueces y regidores, cuyas sentencias son promulgadas con tanta seriedad y ciencia como en España. Sólo los crímenes son llevados ante la autoridad del virrey. Los caciques conservan sus enormes fortunas, se hacen acompañar de sus pajes y de sus criados, con los que van a hacer sus visitas; y la mayoría tienen sus propias caballerizas, con sus caballos y mulas, y ejercen el comercio. Muchos indios han logrado maestría en equitación, y, como que disponen de muchos medios, han hecho grandes progresos en el uso de buenos modales.

»Realmente somos nosotros los que pusimos los cimientos de esas cosas maravillosas y brillantes... Pero, ¿qué hemos alcanzado nosotros, los que tal hicimos? ¿Dónde están los monumentos funerarios de los héroes y de los conquistadores que cayeron en la lucha? ¿Dónde están los blasones, dónde se levantan los castillos de aquellos que mil veces estuvieron en las mismas fauces de la muerte?... En verdad que sería inútil buscar todo eso. Los que cayeron en cautividad acabaron en el festín canibalesco de los indios... y los otros heredaron tan sólo la gloria mundana... Entre los supervivientes acaso sea yo uno de los viejos, pero no fui el último de mis camaradas y, contando exactamente, me acuerdo de ciento diecinueve batallas. Conquistamos estas tierras con nuestra sangre y nada costó a nuestro emperador. Enormes tesoros entraron en sus cámaras de tesorería y ni uno solo de nosotros le negó nunca la parte a que la Corona tenía derecho. Y sin embargo, cuando nuestros hijos y nuestros nietos de los que aún vivimos nos preguntan por el oro y por los tesoros, quedamos confusos en lo que hemos de contestar... Yo he de decir honradamente que a nosotros sólo nos ha quedado el testimonio de nuestras heroicas acciones y por eso es por lo que pido en nombre de mis camaradas un poco de indulgencia si he hablado acaso demasiado frecuentemente hoy de nuestra sangre derramada o nuestras batallas. Los pájaros y las nubes que pasan sobre nuestras cabezas durante la hora en que muchos no pueden contar más de ello... por eso séanos permitido que los que realizamos estas hazañas las recordemos a veces... Mis parientes y descendientes no heredarán de mí oro ni tesoro alguno y por ello les he de pedir humildemente que no maldigan por ello al pobre Bernal Díaz del Castillo si en estas tierras maravillosas y ricas, no pudo adquirir otro bien terrenal que el que representa un nombre glorioso e inmaculado...»

* * *

Los veteranos, soldados y oficiales se secaron los ojos. La voz, que ya no era joven, resonó temblorosa en la sala, pasó por las arcadas y por la línea de las lisas paredes, salió y corrió por el valle, penetró en la selva, conjuró a las caracolas y a los tambores que resonaron en la cumbre del Teocalli. El Galante parecía un álamo de temblorosas hojas... se rompió el orden; se formaron grupos; caía la tarde y la obscuridad llegó casi de pronto a la sala. Los pajes trajeron las lámparas de aceite de moderna construcción, con pantallas. Tecuichpo se levantó, puso una mano acariciadora sobre el hombro de Marina y después buscó con la vista al joven Cortés y al hijo de Flor Negra. Lentamente se dirigió a una salida lateral que conducía a los jardines. Se extendían éstos hasta la tranquila ensenada. Marina, el muchacho y el hombre siguieron a Tecuichpo. Los guardias armados se habían dormido en la antesala, esperando algún buen bocado. Nadie vigilaba la parte posterior del palacio del virrey, donde ni aun se veían esclavos o jardineros transportando agua. Los cuatro llegaron hasta la orilla del agua siguiendo senderos serpenteantes. Tecuichpo gritó algo a la noche con su voz gutural y extraña y entonces se vio una pequeña luz que se encendía: la linterna de una barca india. La embarcación era un gran tronco ahuecado y su interior estaba forrado de mantas de algodón blancas como la nieve y primorosamente bordadas. Dos criados indios la llevaron al bote y la señora los hizo quedar. «Los hombres deben remar... yo llevaré el timón; conozco el camino.» El muchacho recogió su toga estudiantil y don Martín se quitó la capa de terciopelo negro. Los jóvenes habían aprendido a remar cuando niños y ahora pudieron agarrar con firmeza los remos; dos criados empujaron la embarcación para que se separara. Se deslizó ésta por el agua blanda y oleosa. Nadie había por allí; nadie les podía molestar; hasta el paisaje estaba mudo. Al alejarse, pudieron ver los centenares de ventanas iluminadas del palacio del virrey. Debían dar rodeos entre los juncales, las algas se enredaban en los remos, a veces tocaban el fondo cenagoso, pero poco a poco fueron adentrándose en el lago. La orilla se sumió en la obscuridad; lejos se veían aún las luces. Poco a poco fueron quedando solos; su embarcación era ya tan sólo un punto insignificante en el inmenso lago.

Tecuichpo se abandonó a su instinto. Habían pasado muchos años desde que había estado por aquí. En este paraje del lago nunca se veía embarcación alguna; era de fondo fangoso, lleno de hierbas marinas y juncos altos como un hombre; plantas acuáticas venenosas y carnosas; sobre este lugar volaba, a veces, algún ave de los pantanos; pero jamás veíase aquí un alma viviente. Tecuichpo se abandonó a su instinto, que era el instinto inexplicable pero seguro de los indios, afinado por millares de años y que sabía orientarse en la espesura por signos o huellas casi invisibles.

Doblaron frente a una lengua de tierra. En la mano de Tecuichpo brillaba una antorcha que arrojaba la luz hacia delante, hacia una pequeña bahía en donde podía entrar una embarcación. Ambos hombres iban delante y ayudaron a desembarcar a las mujeres. Todos sabían que la princesa los había guiado bien. A la luz de las antorchas se vio un estrecho sendero; marcharon en fila india por aquel caminillo abierto entre los juncos. Éstos, de una altura superior a la de un hombre, apagaban el rumor de los pasos. El calzado español se hundía en el fango, por lo que procuraban las mujeres poner el pie en la misma huella que había dejado el caminar de los hombres que las precedían.

El bajo edificio estaba totalmente rodeado de vegetación. Se veía que durante el año, hasta el techo de aquella edificación en forma de pirámide truncada, desaparecería bajo el follaje. Las lianas se habían enroscado alrededor de las paredes y formaban un muro impenetrable, y la vegetación tropical acabaría por tragarse totalmente aquellas piedras labradas con figuras de dioses. Tecuichpo alumbraba. El sendero se estrechaba y los machetes tuvieron que entrar en funciones para cortar la maleza como una guadaña. Tecuichpo se paró ante la entrada. Era ésta una abertura ancha y baja; el dintel estaba sostenido por dos grandes cabezas de ocelote y encima corría un friso lleno de inscripciones con historias de reyes ya desaparecidos. El joven estudiante leyó a la luz de aquella antorcha las inscripciones, y dijo:

—El rey Molch dijo a los que hasta aquí le siguieron: «En este lugar debe cesar toda voz, incluso la voz de aquellos que crearon la tierra y el cielo y mandan en la sangre y se recrean cuando palpita la esmeralda viva. Detrás de esta puerta, el dolor y el placer tienen rostros diferentes...» Esto es todo lo que puedo leer.

Tecuichpo movió la cabeza en señal de conformidad.

—Has leído bien. Mis ojos son ya débiles y no puedo ya interpretar o distinguir bien los signos; pero sí puedo recordar bien las palabras del rey Molch, pues nosotros, yo y mi padre, descendemos de él; somos de su misma estirpe y también lo eres tú, pues, por tus venas corre sangre del rey Molch.

La puerta de madera, ya podrida ahora, fue abierta de un solo empujón. Desde la entrada, un corredor partía hacia la derecha y otro hacia la izquierda. Tecuichpo iba delante, los otros la seguían; don Martín iba el último llevando una antorcha encendida que bañaba en luz rojiza su figura pálida y negra y hacía cambiar de matiz continuamente su rostro color oliva, enmarcado por negra barba. El corredor seguía ahora bajo tierra como por unas catacumbas. El joven don Hernando hizo la señal de la cruz y don Martín tocó la medalla de San Jorge que llevaba sobre el pecho, la misma medalla que llevara ya su padre en la batalla de Otumba. Marina caminaba un poco cansada, pero inflamada por la aventura; bajo sus pies crujía la arena del suelo. Reinaba obscuridad completa, porque las antorchas sólo un pequeño círculo llegaban a iluminar...

Se inclinaron y luego volvieron a enderezarse. Tecuichpo dijo en

576

voz baja: «Estamos en el sitio». Y con las antorchas iluminaron la cámara mortuoria. Los jóvenes, que nunca habían visto una cripta de sepulcros de reyes aztecas, creyeron ver un milagro en aquella habitación de los antiguos dioses. A lo largo de la pared, sobre unas piedras saledizas, veíanse adornos de plumas y figuras de piedra. Sobre una piedra de ónix, en el suelo, yacían varios esqueletos. En los cráneos veían los ojos de turquesa, y las mandíbulas, tiempo ha ya sueltas, estaban sujetas por medio de una planchita de oro. Sobre otra piedra veíase una máscara de oro, más pequeña, evidentemente destinada a una mujer. A su alrededor se hallaban brazaletes, anillos, zarcillos, figurillas de jade, agujas de hueso, broches, adornos que las mujeres indias habían llevado consigo para su gran viaje. Ante la puerta que conducía a otra cámara paráronse unos momentos. Una misteriosa coraza, fabulosa, célebre; la coraza del ocelote impedía el paso. Un jaguar estilizado en forma de hombre, cuyo rostro estaba lleno de jeroglíficos y que llevaba un gran adorno en la cabeza, parecía mirar a los visitantes. Alrededor de su cuello, inverosímilmente delgado, llevaba collares y sartas de perlas y las alas de la coraza estaban igualmente llenas de adornos con un trabajo en forma de letras en las que don Hernando descubrió las letras *Alpha* y *Omega*.

— Esto lo llevaba el rey Molch — dijo Tecuichpo en castellano —. Llevaba esta coraza cuando partió a luchar contra los otomis, a los que subyugó, por lo que fue llamado por las Crónicas «un buen rey»... Pero no os he traído aquí para hablar de eso, sino para enseñaros una cosa...

Con cuidado, Tecuichpo apartó a un lado la coraza, signo del terror, espectro terrorífico para los ladrones de tumbas, que de pronto se encontraban con esa figura pavorosa, esa figura que había lucido un día el rey sobre su pecho...

— Esperad.

Alumbró la cámara con la antorcha, que por fin metió entre dos piedras. Hizo después seña a los demás de que entraran. Los dos hombres entraron con la cabeza descubierta. Marina se echó un velo sobre la cabeza; caminaban todos de puntillas, reteniendo el aliento. Marina fue la primera que dejó oír su voz, que sonó como un órgano en aquella cámara llena de resonancias:

— *¡Muñeca de Esmeralda!*

La luz de la antorcha cayó sobre aquella figura de oro, figura desnuda y sencilla, no recargada por objetos de culto. Era el cuerpo de una mujer que se había entregado a centenares de jóvenes sonriente y con sencillez. Estaba desnuda, mostrando el brillante metal de su cuerpo; yacía inclinada ligeramente; sus ojos estaban cerrados y en verdad que parecían sonreír...

Tecuichpo tocó el cuerpo de oro y le pasó una tela por encima para quitarle el polvo como quien presta un favor a una hermana. Sonrió cuando vio que Marina se aproximaba titubeando, porque en ella se despertaba el recuerdo de una tarde de hacía treinta y un años, una tarde en que llegaron a una cámara secreta, después de pasar por interminables corredores. En aquella cámara, las mujeres estaban sentadas alrededor de la figura yacente de *Muñeca de Esmeralda,* y la princesa de grato recuerdo, la esposa del Señor Alvarado, les contó toda la historia, mientras una sombra en la puerta, Hernán Cortés, las miraba.

Marina se aproximó lentamente y tocó la figura. Era una mujer y no se asustó de aquella brillante desnudez. Era un símbolo del destino.

— ¿Cómo pudiste salvar a *Muñeca de Esmeralda?*

—Tres días antes, cuando ya no quedaba en Tenochtitlán ni agua ni comida, cuando comprendimos que todo aquello no podía ya durar sino unos pocos días, que eran ya inútiles nuestras acciones, me deslicé de noche en un pequeño bote, llevándome esas reliquias conmigo: la estatua y la coraza del rey Molch y las trasladé a esta cámara, que fue un día habitación del rey Molch. Sabéis que *Muñeca de Esmralda* era su hija. La devolví junto a su madre y a su hermana; no quería que hombres extranjeros,... como decíamos entonces, hombres pálidos que el mar había blanqueado como la espuma... pusieran la mano sobre ella; que acariciaran su pecho con la mano, arrancaran la esmeralda de su ombligo, o hicieran groseras bromas acerca de las partes de este cuerpo que el velo cubre. Ella era hermosa, era joven,... y estaba desnuda. Los pecados que había cometido estaban ya expiados, pues alrededor de su cuello se estrechó el lazo fatal. No quería que esa figura cayera en manos extranjeras. Este camino no era conocido de mi esposo *Águila-que-se-abate;* sólo dos criados lo conocían, dos criados que cayeron en la lucha. Yo sí que conocía este escondrijo que parece una ruina vacía, antigua sepultura. Lo traje todo aquí... llena de felicidad y de sensación de triunfo, porque sabía que así nadie pondría la mano sobre ello. Mi esposo Guatemoc nada sabía de todo eso y no era posible, por tanto, que al ser torturado diese a conocer este escondite. Hoy, treinta años después, puedo ya hablar. Soy la viuda de don Juan Cano, condesa de Moctezuma, y lo que me pertenece, me pertenece a mí. Pero no me llevaré de aquí a *Muñeca de Esmeralda,* ni quiero que los demás sepan nada de ella.

El joven Ixtlixochtil movió la cabeza; su cara quedó inexpresiva, sin la menor emoción.

—Esta estatua dio lugar al odio entre Tezcuco y Tenochtitlán. Si *Muñeca de Esmeralda* no hubiese vivido, no hubiese habido la guerra entre los dos Estados.

—Esta estatua fue la maldición para todos nosotros. El Señor del Ayuno dividió para siempre a los suyos. Tu padre, Flor Negra, se alió con los rostros pálidos para así ser jefe, emperador de Tezcuco y Tenochtitlán. Pero Flor Negra está sentado ahora solitario en su palacio y todos evitan tratarle como si fuera un apestado. Tú eres su hijo; tú eres más sabio que él; estás educado por hombres cultos. Todos nosotros somos ya cristianos,... pero *Muñeca de Esmeralda* no es una imagen de altar, no es una de aquellas figuras que los sacerdotes blancos hacen pedazos. ¿No ves, hijo mío, que esa figura es lazo y separación a un tiempo entre nuestras dos casas reales?

—Ambos descendemos de Tlaloc. El dios de cabeza de ocelote reía cuando, al principiar la primavera, le ofrecían sacrificios.

—Tú sabes bien todo eso, pues eso era la fe de tus mayores y no tienes por qué avergonzarte. Tú sabes que Tlaloc reía en primavera... pero yo le oí llorar, le oí llorar sobre la puerta. Hoy hace de ello treinta años y un día. Por la noche, mientras nosotros, hambrientos y sedientos, languidecíamos entre las ruinas, le oí llorar, quejarse y sollozar como si a un mismo tiempo fuera jaguar, hiena, ciervo y perro aullador,... Se quejaba y lloraba por Méjico.

— ¿Para qué hiciste venir a don Martín?

—Su madre es Marina; su padre es Malinche. A ambos, el pueblo dio el mismo nombre. Los dos se unieron como un símbolo y el hijo de Marina y de Malinche es un ejemplo maravilloso de ello. Es la primera simiente que germinó en Anahuac. Si todo hubiese sucedido apaciblemente y sin sangre, hubiese nacido una raza nueva, como era el deseo de mi padre cuando ofreció a Malinche a mi hermana como esposa... Creía que los blancos habían nacido de la Serpiente Alada y que como maravillosas orquídeas fecundarían esta tierra. Así lo creía el terrible señor. Por eso hice venir hoy a tu hijo, Malinalli,... y también, en parte, para ver su rostro, que heredó de su padre.

— ¿Amabas a Cortés?

—Temblaba y me amedrentaba con sólo mirarle, pero le deseaba. Había vivido entre amor y enemistad cuando su llama me abrasó... esa llama que es desconocida entre nuestros hombres. Éstos nos apartan de su lado en el lecho como a una flor que ha perdido el perfume... Nunca una caricia, nunca una palabra de amor. Y vinieron los españoles, cuya voz profunda es turbadora cuando hablan de amor, como si fuera un instrumento de cuerda. No hubo ni una sola mujer entre nosotras que hubiese podido resistir a su encanto. Los hombres españoles amaban con ardor insaciable; nunca estaban fatigados... Pero nosotras estábamos habituadas a una cosa bien distinta, con nuestros herméticos hombres tan alejados de la atracción de la mujer, esos hombres que apenas nos miraban cuando recibíamos su amor...

»Malinalli, ambas somos grandes pecadoras que cavamos la tumba de Anahuac. Tú, yo y muchos miles de mujeres indias alejaron de sí a sus esposos, no los siguieron como debían, sino que se echaron en brazos de los blancos y chillaron de placer y fueron felices. Tú... Malinalli... así fue como nuestros esposos y nuestros padres quedaron convertidos en esclavos. Nosotras fuimos señoras en las casas de esos hombres de cuerpo blanco como la espuma... ¿Te das cuenta de eso, Malinalli?

—Yo he contado a mi hijo lo que sucedió aquella noche... ¿Por qué me había de avergonzar? El destino me llevaba como el viento lleva a una hoja seca... Me preparaba para el sacrificio; esperaba que terminase la danza de los españoles y que llegara su sacerdote que debía abrirme el pecho y arrancarme el corazón. Eso es lo que esperaba; todo me era desconocido y adverso. Los hombres que hasta entonces me habían rodeado, como el cacique de Tabasco, los comerciantes, etc., todos habían estado siempre callados y sólo daban alguna orden breve. La primera noche... en la tienda de Malinche... ¡Oh! Vino el Padre Olmedo, Dios se lo pague, me acarició; me dijo algo que no entendí, pero su mirada sí que me decía claramente lo que deseaba. Me enseñó una cruz y me santiguó... Yo sentía frío por la espalda. Se quitó su capa de tosco paño, desconocido aquí, y me lo echó sobre los hombros. Yo, de pronto, me eché a llorar, pues me acordé del único hombre que hasta entonces había sido bueno conmigo: mi padre. Y al recordarle, lloré. Y entonces detrás de mí oí algo pesado y grande. Era Cortés con su barba negra... Era la primera vez que yo veía tal cosa. Parecía como una superstición de una religión extraña. Me miró. Su mano estaba caliente; su cuerpo estaba siempre caliente; pero es porque tenía fiebre... Su mano quemaba cuando me tocó la frente. También él me arropó y habló con el Padre... No les comprendía. Sólo entendí que el Padre estaba enfadado, colérico, casi. Cortés apagó la bujía de un soplo y también él, como antes hiciera el Padre, hizo sobre mi frente la señal de la cruz. Aquella noche estaba yo sola en la tienda. Ante la puerta hacía guardia con la espada desnuda el que después había de ser mi buen esposo y que entonces era solamente el paje Xaramillo. Señora Tecuichpo: Tú sabes que nosotras amábamos mucho a nuestros esposos porque ellos supieron amarnos más profundamente y de modo más hermoso...

—¡Cuán extraña era su mirada cuando contemplaba a *Muñeca de Esmeralda* y doña Luisa contaba su historia!... Estaba quieto; en la estatua parecía ver a una mujer viva; la que arrastraba a los jóvenes a su lecho y los asesinaba después con un dogal adornado de flores... Parecía que Cortés y *Muñeca de Esmeralda* se hubiesen unido.

Se hizo el silencio. Un papagayo gritó asustado, llamando a su hembra. La voz entró por un respiradero en la cámara mortuoria de los dioses abandonados.

—¿Debemos hacer un sacrificio en memoria de *Muñeca de Esmeralda?*

—¿Qué ofrecerías como sacrificio, señora y madre?

—Ofrezco en sacrificio el odio en el que me eduqué y viví. Por eso te traje conmigo; tú no llevas ya ningún nombre antiguo; pero ahora, según antigua costumbre y conforme a la antigua ley, con el derecho de única superviviente de aquellos que fueron engendrados por el terrible señor, te llamaré el *Nivelador-de-Senderos-cegados.* Ofrezco como sacrificio la discordia entre las castas reales de Tezcuco y Tenochtitlán. Sea olvidado el nombre de *Flor Negra* y que logre él encontrar el camino que, por los infinitos campos, conduce a las regiones donde están sus mayores, el Señor del Ayuno y el Lobo del Desierto.

—Por la voluntad del Señor que hizo mojar con agua del bautismo nuestras frentes para salvar así nuestras almas, ruego por mi padre para que encuentre, no el camino que conduce a la mansión de sus antepasados, sino el que conduce a la de los bienaventurados.

—Ahí estás tú, Ixtlixochitl, entre dos caminos y vacilas.

—Todos vacilan, señora y madre. Todo Anahuac, llamada ya Nueva España, hasta por nosotros mismos, ve todo lo antiguo a través de sus lágrimas; pero se agarra con todas sus fuerzas a la nueva fe para hacerse iguales a los españoles en el alma.

»Yo llevo la Cruz de la Orden de Santiago. No creo en la Serpiente Alada; no creo en Tlaloc; ni creo tampoco que la rueda del sol ruede sobre un camino hecho de corazones arrancados a niños; pero si alguien me dijese que debo negar todo eso, que he de destruir con mis manos a *Muñeca de Esmeralda*, o romper la coraza del rey Molch, entonces yo, comendador de Santiago, preferiría hacerme cortar las manos a hachazos antes de negar que mi madre, cuando niña, adoró a estos dioses antiguos.

—Todos hicimos ya nuestro sacrificio ante *Muñeca de Esmeralda*. Todos: tú, princesa, y tú, hijo mío, y el joven Hernando y también el padre de mi hijo que desde el reino de los Justos mira con cariñosos ojos y que ordenó que una vez muerto, su cadáver fuese traído a través de las inmensas aguas para descansar en esta tierra. También él había ya ofrecido su sacrificio, a la manera de los hombres, con un mar de sangre, con más sangre tal vez, con mucha más sangre de la que hizo derramar tu padre, Tecuichpo, el día de tu nacimiento, en que fueron arrancados veinte mil corazones sobre la terraza superior del Teocalli. La mano de Malinche no estaba manchada de sangre, es cierto. No estranguló a nadie y a nadie le arrancó el corazón; pero fue el primero que aquí hizo quemar vivo a un hombre, al cacique aquél de la provincia de la costa. Y Alvarado, que con su espada cortó los tallos de las mazorcas maduras, era su hombre de confianza... Ésta es la sangre que ofreció Cortés en sacrificio... toda la sangre derramada en su nombre y en nombre del amor... Y, sin embargo, cabalgó horas enteras cada vez que llegó a sus oídos que en alguna aldea lejana se querían sacrificar cautivos a los dioses: Limpió las jaulas, libertó a los prisioneros, pero dejó a los demás bañados en sangre... El hierro candente silbó al quemar los cuerpos desnudos. Cortés vino como viene un castigo del Cielo, porque el camino de Anahuac se perdía y los antiguos dioses eran ya viejos, débiles e impotentes.

—Todos hicimos nuestro sacrificio a *Muñeca de Esmeralda*. la que trajo aquí el odio y la discordia y que era más fuerte que Tlaloc, padre de nuestra estirpe, pues éste no pudo despejar el camino y sólo le cupo llorar sobre las ruinas de los muros y los templos.

—Madre. Grisea ya el día; pronto saldrá el sol. Estamos aquí en un círculo; contemplamos las cosas antiguas y lentamente nos caeremos del tiempo.

—Tú cegarás la entrada con una azada. Martín. Nosotros somos ya gente vieja y no volveremos más a ver a *Muñeca de Esmeralda*.

—¿Quieres decir, señora y madre. que con ello quedará enterrado el odio?

—Tu padre, *Flor Negra*, en las noches de verano se deslizaba hasta la selva, se transformaba entonces en jaguar y saltaba a la garganta de los horrorizados seres que por allí pasaban. Era el que guiaba a un grupo de jóvenes con los cuales hacía tal suerte de excursiones. Al amanecer, estaba ya de nuevo en su palacio y esperaba con los ojos bajos al Señor del Ayuno. Ya ves, cuando yo hablo de esto, yo, que soy posiblemente de una edad igual a la de tu padre y oí hablar de tales noches cuando era niña en mi casa... cuando hablo de ello, tú te sonríes y en tu rostro se dibuja la impresión de que te cuentan un cuento, un cuento viejo como los de Padre Bernardino... como el de Barbarroja... y ya ves, se trata de tu padre, tu padre que aún se arrastra enfermo y viejo por los jardines de Tezcuco... Créeme. Odio, Amor, Paz y Reconciliación pesan a menudo menos que un puñado de tierra como este con el cual taparás el acceso a este refugio.

Los papagayos parecieron reír cuando salieron de nuevo al aire libre. La piedra del calendario, rodeada de lianas, mostraba el lugar por donde antes pasaba el camino y por el que el rey Molch trajo aquí un día a los suyos. Las plantas rastreras habían crecido por encima del antiguo templo y ahora, bajo la vegetación, parecía su masa la de un pequeño otero, una de esas innumerables colinas que encerraban sepulcros que el tiempo destruyó lentamente y ahora están cubiertas ya por aromática vainilla.

El camino bajaba una pendiente y desde lejos podían verse dos mujeres viejas, dos indias que por él caminaban. La luz de las antorchas se fundió en la luz del nuevo día, esa luz imprecisa que en Anahuac precede solamente en algunos minutos a la salida rápida del sol de los trópicos.

OBRAS PUBLICADAS EN ESTA COLECCIÓN

Impreso en
los talleres de
GRÁFICAS DIAMANTE
Zamora, 83, Barcelona